Che.

Ernesto Guevara, una leyenda de nuestro siglo

Che

Ernesto Guevara,
una leyenda de nuestro siglo

Pierre Kalfon

Prólogo de
Manuel Vázquez Montalbán

PLAZA & JANÉS EDITORES, S.A.

Diseño de la portada: Judit Commeleran
Fotografía de la portada: Corrales, 1959
© de las fotografías interiores: Bulloz: 29; Raúl Corrales:
14-15 arriba; Keystone: 11 arriba izquierda, 17; Alberto
Korda: 16 arriba, 32 abajo; Magnum/René Burri: 13 arriba;
D. R./Photo X: 1, 2, 3, 4, 5, 6, 7, 8, 9, 10, 11 en el centro a la
izquierda, 11 derecha, 11 abajo, 12, 13 abajo, 14-15 abajo, 16
abajo, 17 abajo, 18-19, 20, 21, 22, 23, 24, 25, 26-27, 30, 31, 32
arriba; F. Alberta Trigo: 28.

Primera edición: septiembre, 1997

© 1997, Éditions du Seuil
© de la traducción, Manuel Serrat Crespo
© 1997, Plaza & Janés Editores, S. A.
   Enric Granados, 86-88. 08008 Barcelona

Printed in Spain – Impreso en España

ISBN: 84-01-01088-8
Depósito legal: B. 35.001 - 1997

Fotocomposición: Víctor Igual, S. L.

Impreso en Printer Industria Gráfica, s. a.
Sant Vicenç dels Horts (Barcelona)

L 010888

Comencemos apartando los hechos para fijarnos sólo en las cosas serias: las leyendas.

RÉGIS DEBRAY

¿Quién lo mató?

Podríamos mejor preguntarnos: ¿quién liquidó su ser físico? Porque la vida de los hombres como él tiene su más allá en el pueblo.

Lo mató el enemigo... y lo mató su carácter. Camilo no medía el peligro, lo utilizaba como una diversión, jugaba con él, lo toreaba, lo atraía y lo manejaba; en su mentalidad de guerrillero no podía una nube detener o torcer una línea trazada.

No vamos a encasillarlo, para aprisionarlo en moldes, es decir, matarlo.

ERNESTO CHE GUEVARA

Sólo los detalles son interesantes.

THOMAS MANN

¿CHE?

Che es la interjección característica del habla argentina familiar para llamar la atención del interlocutor. Según la entonación o las circunstancias, *che,* que es signo de tuteo, puede significar mil cosas distintas: eh, salud, caramba, no es posible, etc... Aunque se trata casi de un vulgarismo, el uso del *che* distingue a los rioplatenses de la mayoría de los demás hispanoparlantes.

Con este apodo, los cubanos castristas designaron enseguida al joven médico argentino que se unía a su causa, «un nombre que él hizo famoso, un nombre que él convirtió en un símbolo» (Fidel Castro).

PRÓLOGO

En defensa del romanticismo

Septiembre de 1996. Una manifestación de estudiantes argentinos rememoraba por las calles de Buenos Aires la oprobiosa *noche de los lápices*, el asesinato en 1976 de nueve escolares de enseñanza media perpetrado por la Junta Militar. En la esquina de Callao con Corrientes asistí a una concentración de masas que parecía venir del túnel del tiempo anterior al diluvio, anterior al holocausto de las izquierdas latinoamericanas perpetrado fríamente en el espacio de tiempo que media entre la caída de Goulart y los diferentes genocidios del Cono Sur. Miles de estudiantes bajo el lema «¡Venceremos!» y los iconos del Che sobre sus cabezas, revestido Guevara de nuevo de su condición de referente romántico para una generación. Empleo la palabra romántico con el inmenso respeto que me merece el compromiso romántico de los luchadores sociales de los dos últimos siglos, algunos motivados por su conciencia de clase y otros llamados por hechos de conciencia tal como los asimiló el Che: las quiebras en la realidad que demuestran el desorden oculto por el orden establecido.

Como una pesadilla para el pensamiento único, para el mercado único, para la verdad única, para el gendarme único, el Che como sistema de señales de la insumisión, una provocación para los semiólogos y para la Santa Inquisición del integrismo neoliberal. No como un profeta de revoluciones inútiles sino como una desalienadora proclama del derecho a rechazar que entre lo viejo y lo nuevo sólo se pueda escoger lo inevitable y no lo necesario, la libertad fundamental de reivindicar lo necesario. Más allá de la metáfora, ante un milenio que quiere reconsagrar el papel del yo frente al nosotros como legitimación del derecho a la victoria y a la pernada del más fuerte, el ejemplo del Che apuesta por toda finalidad emancipatoria más allá incluso de la retórica revolucionaria convertida en el código obsoleto de lo que pudo haber sido y no fue. El Che es válido porque anticipó una actitud moral ante el conservadurismo de las derechas y las izquierdas y ante la evidencia de que hay que volver a aprender qué mundo nos preparan y de que hay que volver a aprender a hablar para liberarnos de las palabras demasiado totales y absolutas demonizadas por el fracaso de la confusión. La gestualidad vivencial de Guevara recupera el derecho del yo a ser solidario sin pedir perdón por haber nacido.

La manifestación de estudiantes que presencié en Buenos Aires se celebraba pocos días después de que Sanguinetti hubiera reunido en Montevideo a un puñado de estadistas y sociólogos para intercomunicarse la perplejidad ante el fracaso de la revolución economicista basada en la alianza entre los militares locales y los *masters* de Chicago: los militares destruyen a los antagonistas y los economistas reconstruyen una sociedad hegemonizada por un millón de nuevos ricos y amalgamada por los actos reflejos de los terrores heredados. Ni siquiera por ese camino el sistema puede prometer no ya la felicidad, sino el crecimiento continuo según su propia lógica. Lo que fue evidencia a puerta cerrada, es evidencia en la geografía de todo el sistema. Cada vez que el imaginario del Che se alza por encima del *skyline* de las multitudes, se rompen las conspiraciones del partido único, de la verdad única, del mercado único, del gendarme único y a los palanganeros del sistema se les escapa la risa. La risa histérica.

Pues bien, el treinta aniversario del asesinato del Che tiene como resultante contradictoria que un miembro de la casta político-militar que dominaba Bolivia en 1967, el general Banzer, alcanza la presidencia de la república por la vía democrática y que la literatura sobre Guevara ha vuelto al camino, como prueba de la curiosidad que sigue despertando la razón romántica en tiempos de dictadura de la razón pragmática a su nivel más degradado. Si hace un año aproximadamente se publicó la biografía novelada del escritor mexicano Paco Ignacio Taibo, ahora nos llega este fundamental trabajo de Pierre Kalfon *Che. Ernesto Guevara, una leyenda de nuestro siglo*, que nace bajo la evidencia suscrita por Régis Debray de que las leyendas son las cosas verdaderamente serias. Biográfico e interpretativo, el libro de Kalfon es fruto de un rastreo sistemático y llega a conclusiones que no pertenecen al territorio del Limbo. Para unos serán infernales y para otros celestiales. Especialmente meritorio el trabajo que ha seguido para explicar qué ocurrió durante esos períodos ignorados de la acción revolucionaria de Guevara después de su abandono de la tentación burocrática y crudamente desveladoras las aportaciones del autor sobre el Che en Bolivia, mientras estuvo de guerrillero en activo y cuando se vio abocado a la dramaturgia siniestra, sórdida de su asesinato, a manos de personajes mezquinos. Interesante la oposición del imaginario del *guerrillero* incomunicado, Guevara, y del *guerrillero* mediático, el subcomandante Marcos, tal vez Guevara el último representante de la dramaturgia de la revolución armada y Marcos el primero de la revolución televisada. En cualquier caso los dos hijos de aquel encuentro mágico entre Marx y

Rimbaud soñado en todos los mayos de los años sesenta: cambiar la Vida, cambiar la Historia. ¿Encuentro imposible? Escribe Kalfon: «Pero no encontramos lo esencial, la alquimia particular urdida por la suma de malentendidos que permitió reconciliar a Marx y Rimbaud, un Guevara salvado por el Che, por fin en paz consiguo mismo, irradiado por la leve sonrisa esbozada en la mesa mortuoria de Vallegrande, desvaneciéndose en su leyenda...» ¿Acaso en esa sonrisa que refleja la paz consigo mismo no se produce el encuentro entre Rimbaud y Marx, entre Vida e Historia? El Che ha renunciado a historificarse firmando los billetes de banco de un Estado y ha preferido vivir la revolución como un revolucionario, no como un burócrata o un hombre de Estado.

M. Vázquez Montalbán

«YO SOY EL CHE GUEVARA...»

El capitán de rangers Gary Prado no sale de su asombro. Al fondo de ese barranco perdido en el sur de Bolivia, sobre aquel montón de piedras cubiertas por las zarzas está el guerrillero más buscado del continente, el más temido, el que hizo poner el país en estado de sitio. Dos soldados están apuntándole.

Se lo ve agotado. Su ropa verde olivo ya no tiene color. Está sucia, embarrada, andrajosa; una pobre chaqueta azul con capucha se abre sobre una camisa hecha jirones a la que sólo le queda un botón. Tiene el aspecto de un bandido. Un altímetro pende de su cuello. Rezuma un fuerte olor, una mezcla acre de tabaco y sudor. Barba, bigote, melena polvorienta y enmarañada le devoran parte del rostro. Pero bajo la gorra de un verde broncíneo, los ojos siguen brillando. «Su mirada era impresionante», anota Gary Prado que, de momento, finge no dar importancia a la espectacular revelación.

Son aproximadamente las tres de la tarde de aquel domingo 8 de octubre de 1967. Amanecía apenas, cuando un campesino corrió al pueblo de La Higuera para alertar al ejército. La mañana era muy helada. Pero ahora el sol calienta y, a 1.500 metros de altura, el cielo está límpido. A lo lejos, en el cañón todavía resuenan disparos. La escaramuza de la Quebrada del Churo se inició ya desde hace cuatro horas. Encarnizada.

En el tiroteo, tres balas alcanzaron a Guevara sin herirlo realmente. Una agujereó su gorra, otra dejó inutilizable el cañón del fusil en el que se apoya. La tercera penetró en la parte baja de la pantorrilla derecha. No lleva zapatos. Sus pies están envueltos en trapos de cuero burdamente cosidos a mano. Un hilillo de sangre corre por su tobillo.

«Yo soy el Che Guevara», repite con voz firme.

El capitán consulta los retratos de los guerrilleros, de los que van bien provistos los rangers. Acaba de terminar con sus hombres cinco meses de entrenamiento intensivo. Boinas Verdes americanos, expertos en combate antiguerrilla, veteranos de Vietnam, vinieron especialmente del campamento de Fort Bragg y de Panamá para completar la instrucción de las tropas bolivianas. El mismo Gary Prado ha seguido los cursos de «inteligencia» que la CIA reserva a los oficiales.

Los retratos, de un gran parecido, fueron realizados por un guerrillero improvisado, el dibujante argentino Ciro Bustos, a quien Guevara había convocado a Bolivia para que se les uniera. Detenido seis meses atrás a ciento cincuenta kilómetros de allí, junto al francés Régis Debray, cuyo proceso en Camiri provoca revuelo en el mundo, el argentino se apresuró a contarlo todo y mucho más. Incluso plasmó con delatora precisión los rasgos de cada uno de los integrantes de la guerrilla.

Prado lo comprueba con atención. Las protuberancias características de los arcos superciliares dejan pocas dudas, y para despejarlas del todo le pide al prisionero que muestre el dorso de su mano izquierda. Allí está la cicatriz. Efectivamente, es el Che.

Acaba de capturar una leyenda...

PRIMERA PARTE
«NUESTRA AMÉRICA MAYÚSCULA»

1

UN ASMÁTICO IMPACIENTE

Durante mucho tiempo se acostó temprano. No por esnobismo proustiano, sino a causa de una salud frágil desde que llegó al mundo: neumonía a los dos meses y, a los dos años, primeros síntomas de un asma pertinaz que ya nunca lo abandonará.

Desventura fundamental, ese asma que él combatirá durante toda su vida, forjando su voluntad «con delectación de artista», constituye una clave esencial para comprender tanto los fulgores de la existencia de un ser excepcional como las tribulaciones que acarreará para su familia.

Ernesto Guevara de la Serna nace el 14 de junio de 1928, en Rosario de Santa Fe, Argentina. Casi por casualidad. Por aquel entonces, Rosario es el gran puerto cerealista de la Pampa húmeda, sobre el Paraná que, dosçientos kilómetros más abajo, forma con el río Uruguay el inmenso estuario del Río de la Plata, dominado por Buenos Aires, la capital de Argentina.

Sus padres viven desde hace dos años una aventura fantástica, como sólo puede emprenderse cuando se es joven, enamorado y un poco loco. El padre, Ernesto Guevara Lynch, tiene veintisiete años. Es apuesto y conversador. De mirada vivaz detrás de las gafas, sombrero blando y pajarita; ha interrumpido sus estudios de arquitectura en Buenos Aires para raptar, como en las novelas, a una hermosa y rica huérfana de veinte años, de rostro alargado y cabellos negros, llena de energía: Celia de la Serna de la Llosa. Es la menor de siete hijos, cuyos padres —alta burguesía patricia— murieron cuando ella era muy joven.

Recién graduada del decoroso colegio francés del Sagrado Corazón, de Buenos Aires, Celia era muy piadosa, hasta el punto de martirizarse colocando cuentas de vidrio en sus zapatos.[1] Incluso pensaba tomar los hábitos para ir al cabo de sus convicciones cuando conoció al apuesto Ernesto, un joven decidido, emprendedor e inconformista. Flechazo recíproco y deliberada decisión de ambos de infringir la oposición de los hermanos mayores de Celia; esto es casarse sin aguardar más y partir de inmediato al fin del mundo. Estamos en 1927.

En el fin del mundo, los trópicos

El fin del mundo no es aquí una figura retórica. Significa, a mil doscientos kilómetros de Buenos Aires, la provincia subtropical de Misiones, en la punta del nordeste argentino. Un territorio que penetra como una cuña hasta las impresionantes cataratas del Iguazú, entre Brasil y Paraguay, entre el río Paraná y el río Uruguay. Marcado por los dos ríos-frontera, el nombre de Misiones recuerda que en dicha región cálida y húmeda, durante un siglo y medio, hasta su expulsión en 1767, los misioneros jesuitas intentaron evangelizar a los indios guaraníes. Antes de que Roland Joffé rodara la película *La Misión*, Voltaire envió allí a su Cándido y el botánico francés Aimé Bonpland vivió también allí casi cuarenta años, fascinado por la extraordinaria riqueza de la vegetación.

Heredero de una pequeña parte de un patrimonio paterno compartido con once hermanos y hermanas, el recién casado ha comprado doscientas hectáreas cerca de Puerto Cuaraguatay, a orillas del Paraná. Instalará allí un *yerbal*, una plantación de esa yerba mate, de acre sabor, que tanto gusta a los argentinos, que la toman en infusión sorbiéndola por una «bombilla» de una pequeña calabaza, llamada mate. Allí se coloca la yerba, regada con agua muy caliente.

Desde la época colonial, el mate sirve en Argentina para compensar los excesos de una alimentación esencialmente carnívora. La yerba en cuestión (que de hecho procede de un arbusto) podía dejar pingües beneficios y justificar una «fiebre del oro verde» en un tiempo en que la coca-cola aún no había invadido el mercado. Pero era preciso saber administrar este tipo de empresa. Y esa clase de talento no era la principal virtud del señor Guevara.

En aquella selva de pioneros, donde los propietarios dictan la ley, se negó, alardeando de ideas socialistas, a tratar como simples bestias de carga a una mano de obra sometida al patrón por impagables deudas. En vez de pagar a los peones en especie, como solía hacerse —víveres o materiales valorados al precio más alto—, se empeñaba en pagar en dinero contante y sonante a sus jornaleros —a menudo ex presidiarios—, por lo que pronto fue tachado de comunista por los acaudalados de la región y nunca consiguió hacer fortuna. Veinte años más tarde, la plantación sería vendida con cierta pérdida económica.

Hay en Guevara Lynch una ingenuidad generosa y obstinada que marcará a su progenie, una faceta *Bouvard y Pécuchet* siempre dispuesta a experimentar una nueva mejora: «Para sacar partido de mi plantación, tenía que completar el proceso instalando un molino para trabajar la yerba, empaquetarla, vender el producto terminado. No lo conseguí porque era necesario invertir demasiado dinero.»[2]

No importa. Cuando se acerca para Celia el momento de dar a luz a su primer hijo, los dos jóvenes emprenden por el río —una semana de navegación— el camino hacia Buenos Aires, donde no faltan buenas clínicas. Hacen un alto previsto en Rosario, capital de los molinos de yerba mate. Pero el bebé no aguarda. Nace antes de tiempo durante la escala, una tarde de junio, a las 15.05, como precisa la partida de nacimiento.[3] Lo llamarán Ernesto, igual que su padre y, para no confundirlos, todo el mundo le dirá Ernestito y los íntimos *Teté*.

Al sur del ecuador, donde las estaciones están invertidas con respecto al hemisferio norte, junio es un mes de invierno. El frío (de 8 a 10 °C) nunca es realmente intenso, pero en Rosario, como en todas las regiones cálidas o que creen serlo, la calefacción se considera un lujo inútil. El recién nacido contrae una bronconeumonía. De Buenos Aires acuden para ayudar al enfermo y a su madre las dos hadas buenas de la familia paterna, que marcarán intensamente, con su ternura y su solicitud, la infancia y la adolescencia del muchacho: la tía Beatriz y la abuela, Ana Isabel Lynch.

Más tarde, cuando el niño se ha restablecido y ha sido debidamente presentado en Buenos Aires al resto de la familia, regreso al pegajoso calor y los grandes espacios de Misiones. «Fueron años difíciles pero muy felices»,[4] escribirá el padre, evocando el período que siguió al nacimiento de Ernesto en aquel territorio de pioneros. Merced a sus conocimientos de arquitectura, Guevara Lynch había hecho edificar, siguiendo sus propios planos, una gran casa de madera sobre pilotes, en la cima de una colina que domina un recodo del Paraná, que tiene allí una anchura de seiscientos metros. La construcción, anotará no sin orgullo, resistió varios huracanes terribles.

En la obra, valiosa pero inevitablemente hagiográfica, que consagró al final de su vida a *Mi hijo, el Che*, el padre no oculta las dificultades de la vida en una región infestada de mosquitos y de toda clase de insectos. Cuenta, por ejemplo, que cada anochecer, durante media hora, Curtido, el capataz y mayordomo, iba a extirpar delicadamente, de las uñas del pie del niño, minúsculas garrapatas —llamadas *piques*— al calor de una brasa de cigarrillo y por medio de una fina aguja de oro. Muy elegante. Pero el tono del relato, a lo *Pablo y Virginia*, de esa primera época de la vida familiar es sobre todo el del asombro ante el carácter poderoso y fascinante de «una fauna y una flora maravillosas»: selva virgen impenetrable y mágica, loros cruzando el cielo en ensordecedoras bandadas, yacarés, jaguares, osos hormigueros... Ernesto padre lleva a Ernesto hijo a pasear en barco por los afluentes del Paraná, corrientes de agua silenciosas, como invioladas desde los inicios de la humanidad; o lo planta en la silla de su caballo para pasear juntos por la hacienda... La felicidad.

A finales de 1929, nuevo embarazo, nuevo viaje hacia la «civilización» a bordo, esta vez, de un barco de ruedas prehistórico que concluye en el Paraná una laboriosa carrera iniciada en el Nilo egipcio. Cuando los Guevara, con Ernestito en brazos de Carmen, su nodriza española, una sólida gallega procedente de La Coruña, abandonan la gran casa a orillas del río, ignoran que nunca volverán a vivir en aquel universo maldito para algunos, como un «infierno verde», pero que para ellos fue idílico.

Por breve que fuera —apenas año y medio de la vida de Ernestito—, aquel episodio «misionero» subtropical marcó su imaginación, como la de sus cuatro hermanos y hermanas. Desde entonces sus padres se refirieron a él con todos los embellecimientos y pequeñas exageraciones propios de los recuerdos felices. Y también porque durante mucho tiempo el *yerbal* de Misiones, a pesar de su rudimentaria administración, fue importante para los recursos financieros de la familia.

El niño que tirita

En San Isidro, aristocrático barrio de las afueras de Buenos Aires, a orillas del Río de la Plata, se producirá el hecho cuyas consecuencias sobre el cambio de vida de los Guevara nadie imagina aún. El primer ataque de asma de Ernestito.

El padre, ocasional copropietario de un astillero muy próximo, había sido llamado para sustituir a un socio desfalleciente. Sin renunciar por ello a la plantación de Misiones, la familia se instala por algún tiempo en San Isidro, en una agradable mansión alquilada a uno de los cuñados. Tras los senderos de la selva del Alto Paraná, abiertos a machetazos, llega el césped de jardín inglés, las rastrilladas avenidas del «Neuilly» de Buenos Aires, los paseos por el inmenso delta en el pequeño yate de doce metros y cinco literas que Guevara Lynch se ha hecho construir; en realidad, un regreso al acomodado estilo de vida de la buena sociedad aristocrática de la que la pareja, pese a todo, forma parte.

Celia de la Serna, la madre de Ernesto, había dado pruebas, como se ha visto, de un carácter decidido al unir su destino al de aquel «aventurero» Guevara Lynch, acompañándole en su sueño de plantador tropical. Pero su verdadera independencia de espíritu, su profunda rebelión contra las buenas maneras de un estilo de vida impuesto por su clase social, las manifestaba en su comportamiento cotidiano.

Carmen Córdova, prima hermana de Ernestito, recuerda ciertos comentarios de su madre, Carmen de la Serna, referentes a su hermana, la tía Celia: «Fue una de las primeras mujeres que se cortó el pelo a *la garçonne*, que fumó en público, que se atrevió a cruzar las piernas en un salón, que condujo un coche, que tomó el avión. Había ido a Francia.»[5] Esa modernidad se traslucía también en su marcada afición por el deporte, especialmente la natación, cuando las mujeres no solían ser grandes nadadoras. Entrenada por sus hermanas desde muy pequeña, Celia «cubría mil metros sin ninguna dificultad».[6]

La mañana del 2 de mayo de 1930, va con su hijo a nadar al río, en el muy selecto Club Naútico de San Isidro, cercano a su casa.[7] Es otoño. El aire fresco anuncia la *sudestada*, un agrio viento procedente del sur, de las heladas altiplanicies de la Patagonia. Celia no se preocupa, la hermosa y decidida muchacha de veintitrés años quiere recuperar su silueta tras el nacimiento, cuatro meses antes, de la pequeña Celia, llamada Celita. Le ruega a Ernestito, que tiene casi dos años, que la espere como un niño bueno en la playa de arena gris. Cuando el padre va a buscarlos a la hora de comer, la madre sigue nadando, pero el niño, transido, en bañador todavía, tirita. Aquella noche, Ernesto Guevara de la Serna tuvo su primer ataque de asma. Terrible. Su entrecortada respiración sume a los padres en una angustia que roza el pánico. Se inicia, en palabras del padre, «lo que fue para nosotros una especie de maldición... nuestro viacrucis».

El asma que desde entonces acompañaría la existencia de Ernesto Guevara es una dolencia compleja. No se trata, hablando con propiedad, de una enfermedad sino tal vez de mucho más. François-Bernard Michel, profesor de clínica de las enfermedades respiratorias, la califica de «enfermedad» extraña, insistiendo tanto en las comillas como en la extrañeza.[8] Se la describe como la imposibilidad, en un momento dado, de expeler el aire contenido en los bronquios. Los asmáticos ni siquiera pueden apagar una vela soplando. «La crisis vespertina o nocturna es su manifestación esencial. Es un ataque de ahogo que la cerrazón de los bronquios lleva al paroxismo. Esa crisis remeda, de modo dramático y repetitivo, la muerte por asfixia.»[9] El novelista Raymond Queneau, asmático también, hace decir a uno de sus personajes: «Es un ahogo que empieza por abajo, una asfixia torácica, un aro de tonel respiratorio.»[10] Los bronquios, al reducir su calibre, «hacen para el soplo de los pulmones el efecto de una boquilla de flauta. La expiración se hace sibilante... Ese lamento agudo, doloroso y monótono se convierte en el único lenguaje del asmático sentado en su cama, cubierto de sudor, lívido, incapaz de hablar».[11]

Por impresionante que resulte, el proceso del asma es hoy bien conocido. Se sabe el «cómo», aunque sigue siendo válida la pregunta que rebasa la simple explicación fisiológica: ¿por qué unos bronquios, cuya función es permanecer abiertos para que pase el aire, acaban cerrándose? «Esta cuestión me preocupa —reconoce el facultativo—. Consagrar mi actividad a esos pacientes sin percibir la auténtica naturaleza de su dolencia ha acabado resultándome insensato e insoportable. En el fondo, ¿cuál es la causa profunda del asma?»[12] Toda la obra del profesor Michel pretende ofrecer elementos de respuesta, no necesariamente aplicables al caso de Ernesto Guevara, pero sí orientativos. El asma parece ser una especie de «llanto de angustia inhibido». Proust indicó que su asma se debía al temor de perder el afecto materno.[13] ¿Debemos concluir por ello que, en el pequeño Ernestito, abandonado por su madre en la playa de San Isidro, la reacción fue del mismo orden? ¿Diremos que se venga de la atención consagrada a su hermana menor, Celia, recientemente aparecida en el panorama afectivo de la familia? Tal vez la explicación fuera algo pobre. Tan sumaria como afirmar, sin más, que se trata de un fenómeno «psicosomático». Lo que puede postularse, asegura el médico, es que «ese síntoma pone de manifiesto un sufrimiento que, al no poder decirse (o escucharse), se expresa en el lenguaje doloroso y sonoro de la obstrucción de los bronquios». Sigue siendo cierto que, al despertar el temor de la muerte inminente, «el asma es probablemente el síntoma más ansiógeno: esta inquietud se convertirá en la obsesión del asmático, con la angustia de la tarde y la noche, el hándicap de toda una vida, que le convierte en un ser diferente».[14] Advirtamos simplemente, con prudencia, que Guevara de la Serna fue, toda su vida, un «ser diferente».

Los padres, por su parte, están aterrados. «No podíamos oírlo hipar y no habiendo atendido jamás a un asmático, mi mujer y yo nos desesperábamos.»[15] Porque el asma da miedo. Pero se empeñaron en combatirlo por todos los medios conocidos en aquella época, consultaron con todos los médicos, probaron todos los recursos: radiografías, análisis, fumigaciones, jarabes. En vano.

«Ernesto se iba desarrollando con ese terrible mal encima y su enfermedad comenzó a gravitar sobre nosotros. Celia pasaba las noches espiando su respiración. Yo lo acostaba sobre mi abdomen para que pudiera respirar mejor y, por consiguiente, yo dormía poco o nada.

»Cuando Ernesto apenas comenzaba a balbucear alguna que otra palabra, decía "papito, inyección" en el momento en que el asma se le acentuaba. [...] los niños tienen terror al pinchazo y él, en cambio, lo pedía porque sabía que era lo único que le cortaba los accesos.

»Para las personas sensibles, tener que soportar casi a diario ver sufrir a un hijo con un mal que, aunque no era grave, era casi continuo, es algo que destroza los nervios. Nunca pude acostumbrarme a oírlo respirar con ese ruido particular de maullidos de gato que tienen los asmáticos.»[16]

Para huir de la humedad de San Isidro, provocada por la proximidad del río, los Guevara alquilan un apartamento en uno de los barrios elegantes de Buenos Aires, en las lindes del bosque de Palermo. Multiplican sus permanencias en el campo, en las acomodadas propiedades, las *estancias* (haciendas), que la abuela, la familia y los amigos tienen en la pampa, en los alrededores de la capital. Sin resultado. Ernesto juega, ríe, crece lentamente. Pasará largos meses en casa de su tía Beatriz y en la de su abuela Ana Isabel, bañado en ternura. Una amplia iconografía nos muestra una infancia de niño rico: poni, bicicleta, pequeño automóvil, niñera cariñosa.[17] En esa época no es frecuente disponer de una cámara. Pero el padre filma la felicidad de aquellos días de vacaciones. Pueden verse escenas clásicas de la infancia, el pequeño Ernesto aprendiendo a andar en bici o intentando montar a lomos de un gran perro que se niega a ser caballo. Pero el muchachito sigue enclenque. Su asma no disminuye, muy al contrario. Los médicos están de acuerdo en reconocer que pocas veces han visto un caso tan serio. Recomiendan un cambio de clima radical.

«Un buen día nos decidimos y cortamos amarras.»[18] Destino: Alta Gracia, población turística cercana a Córdoba, vieja ciudad colonial a ochocientos kilómetros de Buenos Aires, en el centro del país. Aire límpido, clima seco y cálido de media montaña, sierras hospitalarias que no sobrepasan los 2.800 metros, algunas instalaciones hoteleras propicias a las curas de reposo para afecciones respiratorias, ése es el panorama en 1933.

Para los Guevara, abandonar Buenos Aires supone algo más que un simple cambio de clima. Es un verdadero sacrificio. Un exilio. Sin relación alguna con el entusiasmo aventurero de los primeros días de su vida conyugal, cuando iban en busca de fortuna plantando yerba mate en el país guaraní. Luego, tres años de reencuentros con Buenos Aires lograron que Ernesto y Celia recuperaran los amigos, la red de la gran ciudad cuyos códigos y usos conocían como distinguidos porteños que eran.

Una familia patricia

La pareja procede del mismo medio social de las familias «tradicionales» de Argentina, una aristocracia legitimada por la historia más aún que por la fortuna. En un país de inmigración reciente como es Argentina, el padre, Guevara Lynch, podía reivindicar diez generaciones instaladas en aquellas riberas desde la época de la colonia española. Celia de la Serna de la Llosa, la madre, siete generaciones no menos ilustres.

Años más tarde, en 1964, una tal María Rosario de Guevara que vivía en Casablanca, Marruecos, preguntó al comandante Che Guevara por sus orígenes, imaginando un posible parentesco. La respuesta, que no carece de humor ni de altruismo social, fue bastante aproximativa, históricamente hablando, pues Ernesto estaba lejos de ser el «primer hombre» sin pasado ni posteridad, tal como lo entiende Albert Camus al evocar su infancia de hijo de pobre. Pero no sentía por ello vanidad alguna, y tendía incluso a ocultar la vertiente «aristocrática» de sus orígenes.

«Compañera —le responde Ernesto Guevara a su homónima—, de verdad que no sé bien de qué parte de España es mi familia. Naturalmente hace mucho que salieron de allí mis antepasados con una mano atrás y otra delante; y si yo no las conservo así, es por lo incómodo de la posición.

»No creo que seamos parientes muy cercanos, pero si usted es capaz de temblar de indignación cada vez que se comete una injusticia en el mundo, somos compañeros, que es más importante.»[19]

De hecho, los antepasados de Ernesto Guevara de la Serna no procedían todos de España, y menos aún menesterosos hasta la desnudez, como lo sugiere la expresión «con una mano delante y otra detrás». Su historia, por el contrario, es una verdadera saga llena de ruido y furia, de grandes viajes y familias numerosas, que vale la pena evocar para situar mejor el itinerario del niño prodigio.

Por el lado del padre la dinastía Lynch se remonta, por lo que sabemos,[20] al señor de Normandía Hugo de Lynch que, en 1066, mandó la caballería en la batalla de Hastings a las órdenes de Guillermo el Conquistador, futuro rey de Inglaterra. Sus descendientes se apoderaron de Irlanda, donde permanecieron varios siglos y combatieron junto a Ricardo Corazón de León en la tercera cruzada. En 1493, el caballero James de Lynch llamó la atención por un sentido de la justicia digno de Agamenón: condenó a muerte a Walter, su hijo preferido. Después de las guerras de religión de Inglaterra, en las que los Lynch se colocaron del lado de los católicos ultras y del Papa, algunos volvieron a Normandía, otros fueron a España o a América del Norte. En Virginia, el señor Charles Lynch, plantador y hombre de leyes, se hará tristemente célebre dando involuntariamente su nombre al linchamiento. Como luego lo hiciera el señor Guillotin con la guillotina, «para abreviar los sufrimientos del condenado».

A comienzos del siglo XVIII el capitán Patrick Linch of Lydicam, nativo de Galway, Irlanda, tuvo la genial idea de embarcarse hacia el Río de la Plata, llevando como equipaje un buen cofre de monedas de oro. Arraigó allí. Su famoso hijo Justo fue administrador de la Aduana real. Tan buen gestor de los denarios de la corona española que, pese a su declarada fidelidad al rey, fue confirmado en sus funciones en 1810, tras el cabildo abierto que inició el proceso de independencia de la colonia. Patricio Lynch, hijo de Justo, restableció la «y» del apellido. Fue uno de los hombres más ricos de América del Sur, propietario de inmensas extensiones en la pampa, confiscadas durante cierto tiempo por el dictador Juan Manuel de Rosas, pero recuperadas luego. Llegó casi a centenario y tuvo nueve hijos, entre ellos Francisco, el menor.

Éste, antes que dejarse reclutar por la fuerza en el sanguinario ejército del «tirano» Rosas, prefirió probar suerte en California. Huyó hacia la otra orilla del Río de la Plata, a Montevideo; fue luego a Chile navegando por el cabo de Hornos; pasó por Perú donde contrajo el cólera; luego por Ecuador donde enfermó de varicela y llegó por fin a San Francisco, donde haría fortuna. Treinta años más tarde regresó a Argentina, con mujer e hijos. Entre ellos Ana Isabel, que fue la adorada abuela de Ernestito. Personaje de gran colorido, recalcitrante atea en un tiempo en que se necesitaba valor para ello. Tuvo doce hijos de su feliz unión con el geógrafo Roberto Guevara, descendiente a su vez de un vigoroso linaje de españoles instalados en aquellos parajes desde el siglo XVI. Nueve generaciones de auténticos criollos.

En su confortable estancia de Portela, cerca de Buenos Aires, Ana Isabel acuñó con el fabuloso relato de su juventud californiana la infancia del enclenque muchachito que, de mayor y seguramente sin saberlo, repitió en sus grandes líneas el periplo del tatarabuelo. Antes de que la leyenda lo fijara, a su vez, en la imagen del «guerrillero heroico».

Los ascendentes maternos de Ernestito, que se remontaban al siglo XVII, no eran menos honorables. Hay entre ellos el militar Martín José de la Serna, que participó en una de las páginas célebres, si no gloriosas, de la historia argentina, «la conquista del desierto», formidable empresa de «limpieza» de los indios de la pampa. A finales del siglo XIX, la invención de la alambrada de púas y las máquinas frigoríficas trastornó la economía nacional. Desde que se pudo racionalizar la ganadería seleccionando sus cruzas y exportar la carne conservándola, el inmenso pasto pampeano, «vértigo horizontal» sin valor real hasta entonces, adquirió una importancia que era conveniente proteger de cualquier incursión. De ahí que, en 1879, se decidiera acabar con el «problema indio». Un ejército bien provisto de fusiles Remington y de municiones recupera, hasta las fronteras de la Patagonia, 400.000 km^2 de buena pampa sin explotar hasta entonces. Aquel nuevo territorio, del tamaño de Italia y Grecia juntas, fue distribuido entre los militares y los estancieros.

Juan Martín de la Serna, el hijo del militar, fue un poderoso terrateniente, dueño de varias estancias. Fundó, a pocas leguas de la capital, la ciudad de Avellaneda, que hoy es un enorme arrabal industrial y popular absorbido por la megalópolis. Su mujer, Albertina Ugalde, antes de morir víctima de la epidemia de fiebre amarilla de 1871, le dio un hijo, Juan Martín, que será el abuelo de Ernestito. Individuo brillante, profesor de derecho en la Universidad de Buenos Aires a los diecinueve años, diputado, embajador en Alemania, fue uno de los militantes del joven Partido Radical que luchó contra el poder del capital inglés en Argentina. Celia, la última de sus siete hijos, no llegó a conocerlo pues murió poco después de que ella naciera; fue la más resuelta heredera de sus ideas vanguardistas.

30

Alta Gracia, el «exilio»

Los Guevara decidieron probar si el clima de las sierras de Córdoba, primer relieve al final de la pampa infinita daba por fin cierto alivio al asma de Ernestito.

Al principio todo parecía perfecto. La familia, que en 1932 se había incrementado con un tercer hijo, Roberto, se detuvo primero en la propia Córdoba. Tercera ciudad argentina, de origen jesuítico y tradicionalmente rebelde, posee una de las dos universidades más antiguas del continente americano y proporciona al país, desde hace cuatro siglos, un honorable contingente de sacerdotes, abogados y estudiantes contestatarios de habla cantarina. El hotel Plaza, al que llegó la pequeña tribu Guevara con los tres hijos y Carmen, la fiel niñera, ya miembro asociado de la familia, da a la inevitable plaza del General San Martín, héroe de la independencia nacional, que caracolea a caballo, imperturbable y fundido en bronce, en todas las plazas centrales de las ciudades argentinas. Una soberbia vegetación, algunas palmeras y un cielo puro de intenso azul barrido por una brisa suave fueron el mejor augurio. De hecho Ernestito, que a lo largo del interminable viaje en tren había sufrido bastante, respiraba de pronto a pleno pulmón. Y sus padres se alegraron.

Queda por encontrar el lugar ideal donde instalarse definitivamente. El pueblo de Argüello, muy cercano, no les fue propicio. Los ataques de asma del niño recrudecieron. El médico Fernando Peña, amigo de la familia, aconsejó la pequeña ciudad de Alta Gracia, antigua reducción* adosada a la montaña, fundada también por los jesuitas en el siglo XVII, a cuarenta kilómetros de Córdoba. El aire es tan ligero y tonificante, que eran numerosos los que iban a descansar allí, aunque no sufrieran ninguna afección respiratoria. Además, en su Residencia, monumento histórico, vivió otro héroe argentino de la independencia, Santiago de Liniers, un francés, llegado en tiempos de las guerras napoleónicas para poner su espada al servicio de los criollos, contra los ingleses que, dos veces, intentaron sin éxito apoderarse de Buenos Aires.

En la vida de Ernesto Guevara de la Serna, Alta Gracia, Córdoba y los alrededores de esta región montañosa y acogedora constituirán la roca sólida, el fundamento de una identidad argentina

---

* La reducción era el lugar donde los misioneros reunían a los indios seminómadas para mejor «reducirlos», evangelizarlos.

muy fuerte, que nunca podrán borrar los sobresaltos de su agitada existencia. Llegado allí a los cuatro años y medio, a comienzos de 1933, sólo se marchará catorce años más tarde, con casi diecinueve años, para ingresar en la facultad de medicina de la Universidad de Buenos Aires, en 1947. Luego ampliará la noción de *patria grande* a toda América Latina, calificándola de «América mayúscula». Pero su *patria chica*, «su país», seguirá siendo las sierras de Córdoba. En aquel paisaje de montaña seca pero verde, cubierta de espinos, abrojos y árboles imponentes a lo largo de las corrientes de agua, aprenderá a amar la naturaleza, la amistad, la solidaridad, el sentido de equipo; allí revelará sus cualidades de dirigente capaz de todas las audacias y todas las impertinencias, adorado y respetado por sus compañeros a causa de una particular aureola que algunos atribuyen a su inteligencia, a una cultura claramente superior, y otros a la seguridad de su juicio y a un aplomo que a veces roza la presunción.

Sus padres pensaban que el «exilio» cordobés iba a ser provisional. El tiempo de comprobar si el asma de Ernestito conseguía ceder hasta desaparecer. No fue así. Hubo ciertos períodos de mejora, pero nunca de curación total aunque el clima de Córdoba le beneficiase.

Toda aquella etapa se verá puntuada por la permanente migración de los Guevara, de mansiones elegantes a casas cada vez más modestas, de zonas residenciales a barrios populares, a medida que los recursos de la familia vayan menguando pero sin que la moral ni el buen humor se viesen afectados. A excepción tal vez del padre que, ardiendo con un frenesí de acción contenida, reconoce a veces haber rozado la neurastenia.

Al principio la familia se establece en el muy decoroso hotel La Gruta, convertido más tarde en casa de retiro para religiosas carmelitas, a cuatro kilómetros del centro de Alta Gracia. La vista es soberbia y los niños, muy pequeños todavía, tienen derecho a paseos casi cotidianos a lomo de un asno, ante la atenta mirada de la tata. Pero en la clientela hay demasiados tuberculosos convalecientes, y los padres temen que puedan contagiar a los niños. Buscan por los alrededores y, siempre ayudados por el buen doctor Peña, deciden alquilar una hermosa villa de dos pisos, deshabitada desde hace ocho años y que se levanta aislada en lo alto de los barrios elegantes construidos por los ingleses, omnipotentes propietarios de los ferrocarriles argentinos.

El módico alquiler de aquella Villa Chichita se explica por su reputación de «casa encantada», lo que no molesta en absoluto a los librepensadores Guevara que, por el contrario, se divierten viendo cómo los campesinos, al pasar por delante de su casa, dan un prudente rodeo por la acera de enfrente.

La casa está abierta a los cuatro vientos, es fresca en verano pero gélida en invierno por falta de calefacción. El padre cuenta que, para combatir el frío durante las comidas familiares, a veces sólo disponía de la débil ayuda de un pequeño hornillo eléctrico colocado bajo la mesa cubierta por un gran mantel que llegaba hasta el suelo (el viejo principio readaptado del brasero hispanomorisco). Pese al frío, el asma de Ernestito mejora un poco y en aquella casa supuestamente encantada nacerá en 1934 el cuarto hijo, Ana María.

Lo que no mejora es la situación económica. «Eran tiempos bastante malos para nosotros —escribe el padre—. Obligado a vivir en Alta Gracia, me era difícil encontrar trabajo. La yerba mate, mi principal fuente de recursos, se encontraba abocada a una seria crisis, su precio en el mercado se había venido abajo.»[21]

Entonces la familia cambia otra vez de casa, al otro lado de la calle, en un edificio más antiguo, menos caro pero más grande y cómodo. Éste está rodeado de más de una hectárea de malas hierbas, terreno de juego ideal para la chiquillería. Aquella Villa Nydia quedará, en los anales de la familia y en la memoria de todos sus amigos, vinculada al recuerdo de un período muy agradable. «En esa vieja casa vivimos varios años y ha quedado grabada en mi memoria recordándome viejos y felices tiempos. Allí la pasamos muy bien, pese a nuestras apreturas económicas.»[22] Por añadidura, el propietario, un buen hombre apodado el gaucho Lozada, no se ponía intratable cuando no le pagaban el alquiler.

Aunque el asma de Ernestito parece ir algo mejor, no por ello le permite frecuentar con regularidad la escuela San Martín, donde sus hermanos y hermanas realizan los estudios primarios. Es la madre quien se encarga de la formación del primogénito, de su régimen alimenticio, de acostarlo y de velar por su sueño. Ella le enseña a leer y escribir al muchachito de hombros erguidos y «pecho de pollo» a causa de sus permanentes esfuerzos para respirar, con el inhalador siempre al alcance de la mano.

De su privilegiado trato con aquella mujer de carácter, llena de abnegación hacia un niño delicado, sensible e inteligente, nacerá en Ernestito el afecto profundo, el nunca desmentido cariño por su madre; aunque ese afecto se disimulara a menudo detrás de la ironía o, en su correspondencia con ella, por el púdico uso de la lítote que dice siempre mucho más.

Un día de 1935, los padres reciben una circular. El Ministerio de Educación se sorprende de que el joven Ernesto, de más de siete años de edad, no esté inscrito en ningún establecimiento escolar. «Contesté de inmediato, cuenta Celia de la Serna, pues me hizo sentir orgullosa aquella preocupación por que los chicos aprendieran a leer y escribir. Yo le enseñaba las primeras letras a mi hijo, porque Ernestito no podía ir a la escuela por su asma. Sólo cursó regularmente segundo y tercer grado. Cuarto, quinto y sexto los hizo yendo como podía. Sus hermanos copiaban los deberes y él estudiaba en casa.»[23] Tiene nueve años cuando al asma se añade una tos ferina, cuyos accesos agravan su mal. «Al sentir que venían los ataques, se quedaba quieto en la cama y comenzaba a aguantar el ahogo que se produce siempre en los asmáticos durante los accesos de tos. Por consejo médico yo tenía a mano un gran balón de oxígeno, para, llegado el momento álgido de los accesos de tos, insuflarle al chico un chorro de aire oxigenado.

»Él no quería acostumbrarse a esta panacea y aguantaba todo lo que podía, pero cuando ya no podía más, morado a causa de la asfixia, empezaba a dar saltos en la cama y con el dedo me señalaba su boca para indicar que le diera aire. El oxígeno lo calmaba inmediatamente.»[24]

El asma, alrededor del cual gira toda la vida de la familia Guevara, permitió a Ernestito adquirir, en su más tierna infancia, una voluntad y un control de sí mismo fuera de lo común, que se empeñará en perfeccionar el resto de su vida.

Los padres, a medida que van perdiendo la esperanza de encontrar el modo de terminar con esa «maldición», siguen probándolo todo. Las inyecciones de calcio, la vaselina líquida que le hacen tragar, los medicamentos más diversos no producen ningún resultado notable. Tantean para intentar aislar el eventual «factor desencadenante», anotan cuidadosamente lo que el niño come, los vestidos que lleva, los objetos que utiliza, la humedad, la presión atmosférica, la temperatura ambiental... Ordenan que se rehagan los colchones, las almohadas, cambian las sábanas de algodón por nailon (producto nuevo por aquel entonces). Quitan de la habitación todas las alfombras y cortinas, evitan cualquier contacto con perros, gatos, aves... Todo es en vano. Y entonces se vuelven hacia las fantasiosas sugerencias de los curanderos: cocimientos de hierbas locales, remedios caseros y, pese a sus principios racionales, basta con que le digan al padre que la presencia de un gato sería benéfica para que lo ponga en la cama de Ernestito. Resultado: el gato muere asfixiado pero el asma sigue igual. Sólo hay una conclusión incontestable: el clima seco de media altitud en el que viven es, a fin de cuentas, lo mejor que hay para el enfermo.

Vivir su vida

Cierta mañana, la madre tiene el valor de tomar la decisión que va a cambiarlo todo. Declara que ya basta, que las desesperaciones y las quejas ya han durado bastante, que encerrar al chiquillo en casa no ha servido de nada, que los propios médicos han demostrado no tener ninguna solución eficaz. En consecuencia, contra la opinión general, ella piensa que deben dar rienda suelta al muchacho, dejar que se desarrolle lo más libremente posible, permitirle que viva su vida, que se oxigene moviéndose, corriendo, haciendo gimnasia, batallando personalmente contra el asma con todas sus fuerzas, con toda su voluntad.

Poco más o menos, la cosa funciona. No se produce, por cierto, una curación milagrosa. Pero tampoco la tan temida agravación. Muy al contrario, Ernestito puede dejar que se manifieste, por fin, la necesidad de acción que lo agita. Es un muchacho más bien reservado, tal vez algo tímido pero no introvertido. Desde entonces se lanzará a la aventura o casi. No tiene todavía diez años y los chicos lo consideran ya un cabecilla. Por fin va a la escuela San Martín. Elba Rossi, su maestra de entonces, es categórica: «Era un chico travieso. En el recreo lo seguían los otros chicos. Era ya líder. [...] No era un chico estirado. A veces se trepaba a los árboles. En el patio de la escuela había muchos árboles. [...] La mamá fue colaboradora de la escuela. Implantó la copa de leche con su propio dinero.»[25]

Falta a menudo (veintiuna ausencias «justificadas» durante el tercer bimestre de 1938, según su boletín de notas). A veces tiene en clase un acceso de asma, lo que lo pone muy nervioso. Una vez, para calmarse, se traga la tinta del tintero...[26] Su hermano Roberto recuerda: «Ernesto era rebelde, lo sancionaban y terminaban echándolo. Después iba la vieja, hablaba y lo volvían a tomar en el colegio. Pero tuvo varios problemas, muy rebelde era. La amenaza del viejo de toda la vida era: "entonces te meto en un colegio de curas". Que evidentemente no se cumplió ni se iba a cumplir, pero era la amenaza más grande que le hacían.»[27]

Ernestito cambia de escuela y pasa a una clase donde la maestra no vacila en recurrir a las zurras. Por eso, cierto día, en previsión del castigo, aquel diablillo coloca un ladrillo en el fondillo de sus pantalones. «Y se armó tremendo escándalo.»[28] Son numerosos los testimonios sobre este período de la vida de Ernestito. Todos concuerdan en evocar la felicidad de la existencia muy libre, por no decir libertaria, de la familia Guevara. Sin embargo, Argentina vive una situación crítica cuyos ecos, un tanto apagados, llegan hasta Alta Gracia.

En 1928, cuando Ernesto vino al mundo, el viejo presidente Yrigoyen iniciaba un segundo y difícil mandato. Era un caudillo radical que había llegado al poder tras las memorables elecciones de 1916. Llevadas a cabo por primera vez con voto secreto y obligatorio, habían permitido a la generación de los hijos de inmigrantes desembarcados a finales del siglo XIX, prevalecer sobre la gran burguesía tradicional de los terratenientes, que aceptaba ser el anexo rural, honorablemente remunerado, de la Europa industrial. Cuando el *crack* de 1929 hizo llegar sus sacudidas al Río de la Plata, influyendo negativamente en la compra de carne, trigo y cuero, al igual que en los créditos, el radicalismo, joven todavía, estado de ánimo más que doctrina, no lo resistió. Con las vacas flacas llegaron los militares golpistas. En 1930, el general Uriburu puso de patitas en la calle al buen Yrigoyen, antes de verse desplazado a su vez por otro general de la misma calaña, Agustín P. Justo.

Estos años fueron calificados por los nacionalistas argentinos de izquierda como «la década infame», estribando la infamia tanto en la ignominia de los métodos para hacerse con el poder —golpe de Estado o manifiesto fraude electoral— como en la aceptación bastante cínica del desastre social producido por la mala venta de los productos agrícolas. El paro rural produce un éxodo hacia los arrabales pobres de las ciudades. Comenzando por Buenos Aires, que se rodea de barrios poblados de «cabecitas negras», mestizos de pelo y piel oscura, producto del enmarañado cruce entre gauchos, expulsados por las alambradas de espino («alambre de púa» lo llaman) que parcelan la pampa, indios domesticados e inmigrantes diversos procedentes de Sicilia, Calabria o Extremadura. Entre esos *descamisados*, un general algo más listo que sus congéneres, Juan Domingo Perón, reclutará muy pronto sus tropas de choque. En aquellos arrabales populares, amontonados en *conventillos* (casas comunes propicias a todas las promiscuidades) habían florecido antaño los *compadritos*, personajes a medio camino entre granuja y mercachifle de barrio. Sombrero blando, chaqueta ceñida y pañuelo blanco, más chulos que un ocho, fueron ellos los que comenzaron a bailar, a comienzos de siglo, entre hombres solos y en la acera al son de una guitarra, un violín y una flauta, las primeras milongas saltarinas o los rabiosos tangos de sorprendentes figuras, cuyas fintas y deslizamientos no hacen más que sublimar el verdadero combate que representa para un macho argentino la conquista de una mujer.

Algunos decenios más tarde, los años treinta son considerados la edad de oro del tango; porque en las síncopas y las endechas de esa música muy rítmica, en los desgarros del bandoneón, algunos compositores inspirados —Discépolo, Cadícamo, Manzi, entre muchos otros— vierten letras que reflejan las múltiples penas y los escasos goces de un sórdido período de la historia argentina. Los temas son recurrentes. Evocan la amargura por un destino injusto, el resentimiento contra la mujer, proverbialmente infiel —todas son putas salvo la *mama*—, el lacrimoso o sarcástico lamento del hombre traicionado. También son numerosos los tangos que evocan la miseria social, la repulsa ante el *cambalache* (la «jodienda») de una sociedad donde triunfan preferentemente delincuentes y tramposos, donde campea el comportamiento del sálvese-quien-pueda cuando las puertas se cierran y la carestía es tal que escasea incluso la yerba mate, obligando a usar la misma que se utilizó la víspera, previo pasaje por el ritual de dejarla «secar al sol». A Ernesto, nulo en música, le gustará mucho esa poesía simple y profunda cuyas letras conocerá de memoria como cualquier argentino que se precie.

La Europa de entreguerras recibe triunfalmente el tango —ese «pensamiento triste que se baila»—, del que sólo capta la lascivia. Mientras en Buenos Aires la «buena sociedad» rechaza el tango, nacido en los burdeles de los arrabales y mancillado por la obscenidad, los salones parisinos acostumbrados hasta entonces a los valses, las polcas y al fox-trot, se encaprichan de la sensualidad de ese cuerpo a cuerpo en el que el hombre se pega a su compañera, de la mejilla a la rodilla, la doblega bajo sí, la entreabre incluso en numerosas figuras nada pudorosas. Arquetipo del cantante argentino engominado, con voz de terciopelo, Carlos Gardel (nacido en Toulouse y criado en Montevideo y en el barrio del Abasto de Buenos Aires) arrolla en Francia. Actúa en la Ópera de París, en el Baile de las Cunitas Blancas en Cannes, en los cabarets de moda. En 1928, año del nacimiento del pequeño Ernesto, es consagrado como «estrella del año» por la prensa musical francesa. París baila el tango. Buenos Aires desgrana su melancolía.

Sin embargo, en Alta Gracia, en casa de los Guevara no hay ni rastro de aquella amarga tristeza, de aquella lacerante nostalgia de tiempos mejores. Aunque sufran la crisis como todo el mundo, los parientes siguen tratando con la «buena sociedad» de la pequeña ciudad, que en verano se llena de una población muy elegante que huye de la humedad de Buenos Aires para «tomar el fresco» y jugar al bridge y a la canasta. El padre ha encontrado incluso un interesante trabajo que consiste en «construir» un campo de golf de cuarenta y dos hectáreas para el lujoso hotel Sierras, donde se citan algunos representantes de las «doscientas familias» argentinas, personalidades políticas, algunos intelectuales distinguidos, ricos aficionados. Hay una piscina espléndida donde Ernestito se entrenará regularmente. Por lo que al golf se refiere, saboreará sus ventajas, sobre todo cuando la familia se traslada a una casa junto al recorrido y sus *greens*. Con sus compañeros de los barrios pobres, *caddies* y recogepelotas, vigilan de cerca a los jugadores torpes y se las arreglan para recuperar discretamente las pelotas perdidas para utilizarlas luego, por su cuenta, cuando el terreno queda libre. Pero en Córdoba el clima político no era más sereno que en otras partes. En 1933 un diputado socialista de la provincia, José Guevara (simple homónimo), es asesinado por los sicarios de la Legión Cívica argentina, creada por el general Uriburu según el modelo de las milicias fascistas italianas. Al asesino sólo lo sentenciaron a dos simbólicos meses de cárcel.

«Izquierda mate»

Pese a su alejamiento de la capital, los padres de Ernesto no se desentienden de la actualidad. Por el lado paterno la tradición es más bien conservadora, mientras que por el lado de la madre la tendencia liberal está abierta a todas las modalidades. Pero Guevara Lynch y su esposa Celia de la Serna se unen en un idéntico rechazo de los valores de su clase de origen, sin que por ello sus convicciones, orientadas hacia cierto cosmopolitismo, prescindan de un sentimiento patriótico muy vivo. Más que una «izquierda caviar» —de todos modos, no tienen medios para permitírselo—, parecen representar una especie de «izquierda mate», muy nacional sin ser nacionalista, dispuesta, como se verá, a mostrarse internacionalista. En resumen, uno y otra, aunque frecuenten la pequeña aristocracia local, son ya «políticamente incorrectos». Sus hijos lo serán igualmente.

Por ejemplo, cuando en 1932 estalla la absurda guerra del Chaco entre Bolivia y Paraguay, teóricamente motivada por un trazado de fronteras mal definido, pero de hecho por la posesión de los campos de petróleo ambicionados con idéntico ardor por la Esso (Standard Oil; Estados Unidos) y por la Shell (Royal Dutch; Inglaterra y Países Bajos), los Guevara no vacilan en ponerse de parte de los paraguayos, a quienes han aprendido a querer durante su estancia en la provincia limítrofe de Misiones. Por añadidura, advierte el padre en sus recuerdos: «El general Kuntz representaba a la odiosa casta militar nazi y el general Estigarribia, jefe supremo de las fuerzas paraguayas, había combatido contra Alemania en el año 1914 como oficial del ejército francés.»[29]

A los seis o siete años el pequeño Ernesto juega ya con sus compañeros a peleas donde policías y ladrones son sustituidos por paraguayos y bolivianos. El armisticio no se firmó hasta 1935, tras unos combates tan encarnizados como gratuitos pues las compañías extranjeras, que habían originado el conflicto, una mañana declararon fríamente que sus expertos se habían equivocado... No había petróleo. Ni *casus belli*. Taparon con cemento los pocos pozos perforados y fueron a otra parte a buscar aquel oro negro. Ciento cincuenta mil soldados muertos por nada... Más tarde, convertido en el «Che», el comandante Guevara se referirá a esa guerra como ejemplo del cinismo de los monopolios extranjeros en América Latina.

La guerra civil española (1936-1939) afectó aún más a los Guevara y su progenie. En primer lugar porque el cuñado de Celia, el poeta comunista y algo dandy Cayetano Córdova Iturburu, participó en ella valerosamente más de un año, como enviado especial de *Crítica*, el único diario antifranquista de Buenos Aires; todos los demás eran partidarios de Franco. Luego porque su mujer, Carmen de la Serna, comunista como él, decidió, justificándose en la tos ferina de uno de sus hijos, ir con sus dos retoños a reunirse en Alta Gracia con su hermana menor Celia. Finalmente, porque numerosos hijos de republicanos españoles, exiliados en Córdoba y en su región, serán algunos de los mejores amigos de infancia y adolescencia del joven Ernesto.

Es difícil imaginar el impacto de la guerra de España en aquella lejana provincia de Argentina. Pero fue muy grande. El abogado cordobés Gustavo Roca, amigo de Ernestito, recuerda: «Aquí el tema de la guerra de España fue un tema terrible. [...] Un hecho muy cordobés es que cada familia tenía un clerical y un anticlerical; después un republicano y un antirrepublicano.»[30] Los Guevara, evidentemente, son fervientes partidarios de la joven República española. Militan en los comités de apoyo, recogen fondos, organizan la acogida de los refugiados... «Ernesto —escribe su padre— apoyó con todo entusiasmo a la República española. [...] Recortaba prolijamente las noticias de los diarios y en su cuarto en un gran mapa de España seguía el movimiento de los ejércitos pinchando banderitas en uno y otro frente.»

Se sintió tan fascinado como sus padres al escuchar de boca del general Jurado, exiliado al final de la guerra, el relato descarnado de la batalla de Guadalajara, donde en 1937 los republicanos zurraron la badana a las brigadas italianas enviadas por Mussolini para intentar apoderarse de Madrid.[31]

Juan Mínguez, amigo de la infancia, cuenta: «Todas las tardes jugábamos a la guerra en España. [...] Hacíamos dos bandos y cada bando tenía su pozo. Estábamos dentro de un pozo y cuando se nos acababan los proyectiles teníamos que salir a buscar. Allí nos esperaban y nos tiraban de todo.»[32] Calica Ferrer, también miembro de la pandilla, precisa: «Y después, durante la guerra mundial, peleábamos a favor de los aliados contra el nazismo.»[33]

Los padres prestan especial apoyo a una familia numerosa, originaria de Murcia, los González Aguilar, llegados en 1937 y con quienes más tarde se reunió el padre, médico eminente, y el compositor Manuel de Falla, inconsolable ante el asesinato del poeta García Lorca, su «hijo espiritual». Los hijos de ambas familias tienen aproximadamente la misma edad y traban amistad enseguida. Pese a ser más joven que Ernestito, el menor, José, mantendrá el contacto y hará de aquel período un relato rico en recuerdos.[34] Fernando Barral, hijo de comunistas españoles, será también buen amigo de Ernestito pero, más reservado, confesará que aun siendo de la misma edad sentía por el mayor de los Guevara «una secreta admiración por su espíritu decidido, su audacia, su seguridad, y, sobre todo, por la temeridad que era uno de los aspectos más señalados de su carácter. Él era un muchacho más duro».[35]

En efecto, el pequeño Ernesto no carece de temeridad. Abundan las anécdotas que lo describen como un chico de armas tomar. Liberado por su madre del habitual confinamiento de los asmáticos, parece querer recuperar el tiempo perdido superando cada vez sus propios límites para demostrarse a sí mismo, o a los demás, que no es prisionero de su minusvalía. En el fútbol juega de portero, puesto que suele asignarse a quienes tienen problemas respiratorios. Ejemplo: Albert Camus, antiguo tuberculoso. Pero cuando se trata de jugar «a lo bestia», por la calle, a la salida de la escuela, es infatigable y obstinado: «¡Él tenía un amor propio! Jugaba al fútbol contra dos o tres y quería ganar. Cuando perdía le daban ataques de asma de la bronca. [...] Sabíamos ir a San Clemente, como a 60 kilómetros. [...] Salíamos a pescar, a cazar por allá. [...] Después de jugar al fútbol nos íbamos corriendo a nadar al arroyo. [...] Sabíamos ir al Tiro Federal los domingos.* Tiraba muy bien Ernesto. A pesar de que tenía asma y todo tiraba muy bien. Cazábamos perdices. [...] Íbamos a las canteras que tenían como túneles y nos sabíamos meter allí. Si llovía estábamos allí, nos escondíamos en las sierras.»[36]

Su hermano Roberto precisa que los partidos de fútbol adquirían a veces un carácter «ideológico»: «La formación que tuvimos fue de un anticlericalismo total. [...] Nosotros jamás fuimos a misa. En las clases de religión había que pedir expresamente para salir y lo pedíamos. En el verano, se hacían los equipos de fútbol de los que creían en Dios contra los que no creían en Dios. Famosos partidos de fútbol. [...] Los católicos nos llenaban de goles y se solazaban con la derrota de los infieles.»[37] Las peleas a pedradas o incluso con pernos de acero tenían también una connotación social, si no política: «Nuestros padres —añade Roberto— frecuentaban más bien la gente rica y nosotros los pobres. Muchos de los de la barrita nuestra eran los de nivel bajo. Los hijos de los comerciantes, los que tenían mayor nivel económico, pasaban a caballo. [...] Entonces, cuando ellos pasaban a caballo, las peleas eran con hondazos, gomeras les decíamos. [...] Ernesto participaba en eso, se prendía como loco. Recuerdo siempre una pedrada en el pie que lo dejó con un agujero durante un buen tiempo. Yo era muy chico, pero me acuerdo que lo traía el viejo rengueando.»[38]

La audacia del chiquillo se manifiesta en las ocasiones más inesperadas. Su primo Fernando Córdova, hijo del poeta comunista, cuenta que un día de 1937 —Ernesto sólo tiene nueve años—, al regresar de un paseo encuentran en su camino a un carnero de buenos cuernos, conocido en los parajes por su agresividad. «Esa vez se puso a torear un carnero que había suelto en un baldío cerca de la casa, y al que todos los chicos tenían miedo. Ernestito se revolcó con él hasta vencerlo...»[39]

---

* Dirigidos, sin embargo, por el padre de Ernesto, muy aficionado al tiro con pistola. El Tiro Federal era un lugar de entrenamiento público abierto a todos los socios.

Vengarse del asma

Esa intrepidez, la actitud de plantar cara a la muerte, la voluntad de vencer, son características del niño pese a la frecuencia de los ataques de asma. Una verdadera afición al peligro que se verá confirmada en el adulto. Cuando con sus padres, primos y compañeros, van en verano a bañarse en las frías aguas de un torrente de montaña que, arremansándose en un lugar forma un pequeño saetín natural, de seis o siete metros de ancho pero sólo dos de profundidad, él es siempre quien, ante la inquieta mirada de todos, trepa sin vacilar por la roca musgosa y resbaladiza que se levanta cinco metros del agua y se lanza con seguridad en un «salto de la muerte».

Cuando, con su amigo Alberto Granado, van de excursión a la sierra con algunos compañeros, es él quien se divierte asustando a todos al caminar, haciendo el pino, por la barandilla de un puente de ferrocarril, a veinte metros por encima del suelo. Hay una foto en que se le ve avanzando tranquilamente por un simple tubo puesto a través de un barranco de cuarenta metros de profundidad. Al parecer, todo le sirve para desafiar el asma: puesto que los ataques imitan la muerte por asfixia, rocémosla cuando no haya asma y entrenémonos... En la elegante piscina del hotel Sierras el padre vigila el baño matinal de sus hijos. La natación está recomendada, a dosis razonables, para ensanchar la caja torácica y regular la respiración asmática. Pero el padre ignora que por la tarde Ernesto regresa solo para hacer sus cien largos sin control alguno, salvo el de los compañeros que cuentan el número de idas y vueltas.

Hay otra anécdota reveladora de ese empeño por vencer. Derrotado siempre en el campeonato de ping-pong del hotel Sierras por el número uno, Rodolfo Ruarte, Ernestito desaparece durante dos meses, se entrena en su casa en una improvisada mesa de ping-pong y vuelve luego para desafiar a su adversario. Esta vez obtiene la victoria. «Tenía una voluntad terrible», concluye Ruarte, que nunca ha olvidado esa partida.[40]

Los testimonios de la época lo muestran dispuesto a embarcarse en las más insólitas aventuras, las más rudas batallas. A veces el asma quiebra sus impulsos: tenemos, por su padre, el relato de una tarde en que sus compañeros lo llevan en brazos a casa porque una crisis lo ha paralizado. Por lo general, corre como una liebre: lo prueba el episodio en que no se dejó alcanzar por Zacarías, un muchacho de quince años, seis mayor que él, vendedor ambulante y vencedor de un maratón local. El padre de Ernesto había encargado al tal Zacarías que alcanzara a su hijo, que había huido de una reprimenda paterna por haber respondido a su madre con impertinencia. El maratonista regresó con las manos vacías.

Por lo que se refiere a las peleas de chiquillos a puñetazos, aparentemente fueron numerosas y fuertes. Cierta vez, la disputa se produce entre los clásicos «policías» y «ladrones». El adversario, sin duda «ladrón», lleva todavía una esposa colgada de su muñeca derecha y cada uno de sus golpes es reforzado por el grillete libre, que se balancea. Ernesto acabó ganando, orgulloso pero bastante tumefacto. En otra ocasión, un adversario no menos desleal, sintiéndose derrotado, propina a Ernestito una dentellada, con tanta fuerza que es preciso que el padre acuda para liberar la mandíbula enemiga de un mordisco que dejó, por mucho tiempo, sus huellas en la carne del muchacho de aspecto frágil pero gran resistencia física.

Alentado por sus padres, en particular por su madre, Ernesto no dejará de domar al mismo tiempo su cuerpo y su voluntad. Practicará casi, y a menudo hasta el extremo, todos los deportes posibles de la época, incluidos los considerados «de lujo», cuyo acceso no resulta difícil para los Guevara pues, a pesar de sus dificultades económicas —calificadas obstinadamente de pasajeras—, mantienen un comportamiento de burgueses acomodados. El muchacho podrá así entregarse a una lista impresionante de actividades deportivas: tenis, equitación, esgrima, natación —estilo «mariposa», el más duro—, golf, boxeo —el auténtico, muy distinto de las peleas callejeras—, pelota vasca, rugby, alpinismo, etc. Todo ello contraindicado para quien sufre de asma, una enfermedad que se manifiesta a intervalos irregulares pero frecuentes. A menudo las crisis de ahogo obligan al joven Ernesto al descanso absoluto y a largas sesiones de fumigaciones. Durante estos períodos, que pueden abarcar varios días, el muchacho se arroja como un bulímico sobre todos los libros que encuentra al alcance de la mano, del modo más desordenado: aventuras, novelas, viajes, ensayos filosóficos...

Su abuela americana, Ana Isabel, la atea, lo había acunado de muy niño con la saga familiar, evocando la tiranía del dictador Rosas que obligó a marchar a California a sus tatarabuelos. Soñó con ataques de los indios cuando su abuelo geógrafo, Roberto Guevara Castro, trazaba la frontera entre las provincias argentinas del Chaco y de Santiago del Estero, al norte del país, o establecía el catastro de la provincia de Mendoza, al pie de la inmensa cordillera de los Andes. El exotismo de los trópicos, apenas desbrozados, era también moneda corriente y recurrente en las conversaciones familiares, puesto que de las plantaciones de yerba mate de Misiones procedía, como sabemos, parte de las rentas de los Guevara. ¿Recordaba el adolescente algunos retazos de las conversaciones mantenidas por su tío Córdova Iturburu con sus amigos, «intelectuales de izquierda», próximos al anarquismo (Roberto Arlt, Ernesto Sábato) que iban a la sierra para proseguir, durante la buena estación, unos debates iniciados en invierno en los cafés de Buenos Aires? Sólo sabemos que Ernesto Guevara no perderá el contacto con Sábato.

A su imaginario doméstica añade el que alimentan las novelas de Alexandre Dumas, Jack London, Stevenson, Jules Verne, Salgari y cincuenta más. «Es muy sencillo —explica su hermano Roberto—, lo he visto leer sistemáticamente toda la biblioteca que teníamos en casa, toda. Había, entre otros, una *Historia contemporánea* en veinticinco tomos. La leyó; una biblioteca filosófica en cuarenta grandes fascículos baratos. La leyó también y puedo decirles que lo había comprendido todo, recordado todo. Estaba loco por la lectura.»[41]

José Aguilar cuenta el asombro de su padre, médico, al ver a Ernestito, con apenas quince o dieciséis años, sumido en la obra de Freud.[42] Unos trece años más tarde, el 5 de diciembre de 1956, tres días después de haber desembarcado en Cuba con Fidel Castro y sus guerrilleros, cuando Guevara, joven médico argentino de la expedición, es herido en el cuello por los soldados del dictador Batista y se considera «jodido», un recuerdo de lectura acude como un relámpago a su memoria: «Recordé un viejo cuento de Jack London, donde el protagonista, apoyado en un tronco de árbol, se dispone a acabar con dignidad su vida, al saberse condenado a muerte por la congelación, en las zonas heladas de Alaska.»[43] Admirado por Lenin, aplaudido por Trotski, que calificaba *El talón de hierro* de novela visionaria, London marcó, además de a Guevara, a varias generaciones de la primera mitad del siglo XX. «Recuerdo el estremecimiento que sentía, a los catorce años, sólo con escuchar el nombre de Jack London —escribe Henry Miller en *Los libros de mi vida*—. Para quienes tenían sed de vivir, era un poderoso faro y lo adorábamos tanto por su firmeza revolucionaria como por la vida aventurera que llevó.»

Sed de vivir y generosidad social son los sentimientos que plasma también en sus recuerdos, hablando de su primo hermano, Carmen Córdova llamada la Negrita, cuando completa el retrato literario del adolescente, subrayando su enamoramiento de la poesía, de Pablo

Neruda, de Baudelaire y, sin duda, de ella misma. Sabía de memoria poemas de los españoles víctimas de la represión franquista: García Lorca, Miguel Hernández, Antonio Machado. Del chileno Neruda —que estaba todavía lejos del Nobel de 1972— lo había leído casi todo, había aprendido todo lo que de él se publicaba en Argentina. «Tratándose, por ejemplo, de los *Veinte poemas de amor y una canción desesperada*, podía recitarlos del primero al vigésimo, sin olvidar, claro está, la canción desesperada.»[44] Aquello era, desde luego, un modo de hacer la corte a aquella prima vivaracha y encantadora, dos años menor que él, que lo escuchaba con fascinación y de quien, cierto día, confesará a su compañero Barral que había estado enamorado. A veces, más tarde, él mismo se arriesgará a escribir poemas (que no serán de la mejor factura).

Hasta el fin de sus días, esa afición por la poesía nunca lo abandonará y no vacilará en posar una mirada poética sobre reflexiones o circunstancias absolutamente insólitas. A María Rosa Oliver, escritora argentina con la que se entrevistará en Cuba, le dirá incluso, sin más comentarios, que en Marx sentía bullir «el mismo aliento que en Baudelaire».[45] Por lo que se refiere a los 2.316 versos del *Martín Fierro*, «la Biblia gaucha» de la Argentina rural, sembrada de reflexiones de sentido común convertidas en proverbios, himno al infeliz destino del gaucho desaparecido, Ernestito se sabía páginas enteras, como cualquier buen ciudadano argentino. Su eclecticismo era tal que devoraba también autores norteamericanos «comprometidos», como Steinbeck o Faulkner, rivalizando en eso con su amigo Alberto Granado, gran lector a su vez. A éste, cuando pone en duda que haya leído *Luz de agosto* de Faulkner, que en 1945 no había sido todavía traducido al español, le responde, imperturbable: «Claro, lo leí en francés...»[46] Es que el muchacho tuvo el privilegio de aprender desde su más tierna infancia la lengua de Molière, gracias a su madre, educada con las monjas francesas.

En Buenos Aires, donde proseguirá sus estudios, encontrará de nuevo a la Negrita, su prima predilecta, y le seguirá hablando de literatura, dando pruebas de la misma memoria sorprendente. «Nos sentábamos —dice Carmen— en los peldaños de mármol de la escalera (vivía en el primero) y allí hablábamos durante horas. A veces me decía: ¿Recordás tal capítulo de tal libro que empieza así?... y me recitaba de memoria un capítulo entero, de *Don Quijote* por ejemplo. De Neruda conocía toda su *Residencia en la tierra*. Como también me gustaba Cervantes, yo recordaba que la prosa de algunos capítulos estaba escrita en octosílabos. Entonces me soltaba, a voluntad, los que estaban en octosílabos u otros en endecasílabos. Era increíble...»[47]

En Alta Gracia Ernestito vive una infancia feliz en una familia bohemia, desordenada, libertaria de pies a cabeza y liberal casi en exceso. Todo el mundo entra o sale de la casa a voluntad. Cada uno se las arregla, desde muy joven, casi solo, se hace la cama o no se la hace. El ajetreo es tal que en casa de los primos Córdova, se ha conservado la fórmula de la vieja criada para designar un completo desorden: «Es digno de los Guevara.» Bastante excepcionales, cada uno en su estilo, los padres tienen otras prioridades y hacen la vista gorda, siempre que la cosa no moleste demasiado a la comunidad. Es obvio que no pueden hacer por completo abstracción del medio social donde han nacido. Conocen los usos, saben que forman parte, lo acepten o no, de las «buenas familias» argentinas. Pero sin paternalismo, con sincera sencillez, se niegan a admitir barrera social alguna: los hijos de los pobres o de los burgueses son recibidos en su casa con la misma campechanía y si, como sucede con frecuencia, los niños llevan algunos compañeros a la hora del té, se comparte sin remilgos lo que hay en la mesa. Acaso por esto todo el mundo está de acuerdo en que los Guevara forman una familia alegre, abierta, original y muy simpática.

Si se presenta la ocasión, ni el padre ni la madre le hacen ascos a cierta tendencia provocadora, rasgo de carácter que Ernestito no será el último en manifestar muchas veces. El padre cuenta que durante un distinguido cóctel en el hotel Sierras, aparecieron Ernestito y su hermano, rodeados por una parte de su pandilla de indigentes, sucios y más o menos andrajosos. Alentados por un guiño cómplice, se arrojaron desvergonzadamente sobre el bufet, suntuosamente servido. Para gran escándalo de las caritativas damas.

Los esposos Guevara no se preocupaban por administrar convenientemente su patrimonio. «Vivieron gastando sistemáticamente todo lo que tenían», advierte no sin indulgencia Carmen Córdova.[48] *Carpe diem* parece haber sido su divisa: aprovechemos cada instante de vida y sin hacernos problemas. Lo que explica que cada verano, desde diciembre o enero, sea cual fuere el estado de sus finanzas, la pequeña tribu emprendiera su anual migración. Primero hacia la estancia de la querida abuela, en Portela, en plena pampa —vida de campo al aire libre, caballo, baños, paseos en carreta y grandes asados, esas gigantescas parrilladas en las que los peones asan a las brasas enormes trozos de vaca, una delicia—. Luego hacia Mar del Plata, la estación balnearia elegante de Argentina, a cuatrocientos kilómetros al sur de Buenos Aires, de hermosas playas y aire yodado, aunque los baños sean frescos, pues, procedente de la Antártida, una corriente fría asciende por el Atlántico sur.

Los tres días de viaje —más de mil kilómetros, generalmente por caminos de tierra o canto rodado— se efectúan en una vieja cafetera indestructible, apodada «la catramina», y que forma parte también de la familia. Es un gran cabriolé Chrysler-Maxwell, modelo 1926, muy abollado, de un color que se ha vuelto indefinible con el transcurso de los años pero que, provisto de una «suspensión de camión», pasa prácticamente por todas partes y advierte de su llegada con sonoros petardeos; su caño de escape ha pasado a mejor vida hace ya mucho tiempo. Celia, la madre, lo utiliza en invierno para llevar a los niños a la escuela, amontonando en el spider sin capota todos los chiquillos que puedan caber. En ese trasto a toda prueba aprenderá Ernestito a conducir. «Cada vez que me ausentaba —escribe el padre—, Ernesto y su barra de amigos se subían al automóvil y, empujándolo cuesta abajo para arrancarlo, se iban de paseo. Toda Alta Gracia lo sabía, menos yo.»[49]

Tras el clima seco de la sierra, el viento marino del Atlántico tiene sobre el asma de Ernestito efectos muy positivos. De modo que, pese al costo elevado del veraneo, los Guevara procuran hacer cada año una estancia más o menos larga, alquilando si fuera necesario y durante dos meses, toda la planta de un hotel correcto. Los rituales encuentros veraniegos con el océano Atlántico explican que más tarde Ernesto, pese a haber crecido en la sierra, pueda decir que el mar es para él «un viejo amigo».

Una argentina pronazi

En sus recuerdos algo desordenados sobre sí mismo y sobre *Mi hijo, el Che*, el padre, Guevara Lynch, insiste en su acción antinazi y asegura que, desde que tuvo diez o doce años, su hijo quiso participar en ella. Es probable que el chiquillo, sensibilizado ya en el combate de los «buenos» contra los «malos» por las posturas antifranquistas de la familia durante la guerra de España, fuera seducido por el aspecto algo clandestino, de «contraespionaje de aventura», de las operaciones llevadas a cabo por su padre para investigar y hallar, en la región de Córdoba, los puntos de apoyo logísticos favorables a una eventual «penetración nazi» en Argentina. Su compañero de juegos,

47

Juan Míguez, recuerda los soldados de plomo contra los que se divertían disparando. «Ernesto decía que uno era Hitler y el otro Mussolini. Y jugábamos a quién volteaba más soldados con un rifle de aire comprimido.»[50]

Hay que decir que desde mucho antes del inicio de la Segunda Guerra Mundial las autoridades argentinas no ocultaban su simpatía por las doctrinas de Hitler y Mussolini. Y si por puro oportunismo político Argentina, sin miedo a hacer el ridículo, declaró in extremis la guerra a Alemania apenas unos días antes de la victoria aliada y la capitulación del 8 de mayo de 1945, los nazis sabían sin lugar a dudas que disponían en aquel lejano país de una zona de operaciones bastante segura y, si era necesario, de una acogedora base para replegarse. Éste es un aspecto poco conocido todavía de la historia argentina. Hubo que esperar a 1992 para que, al aceptar entreabrir sus archivos, las autoridades argentinas permitiesen hacerse una idea de la magnitud del apoyo proporcionado a los nazis, antes, durante y, sobre todo, después de la Segunda Guerra Mundial.

En 1939, un episodio de las hostilidades es revelador de esta particular benevolencia para con el Reich. Perseguido por tres cruceros de la marina británica, el acorazado alemán *Graf-Spee* se refugia en el Río de la Plata. Su comandante hace evacuar los 1.039 miembros de la tripulación a territorio argentino, antes de hundir el navío frente al puerto de Montevideo y dispararse una bala en la sien. Los marinos se dispersarán, entre otros lugares, por las sierras de Córdoba, muchos en el agradable valle de Calamuchita donde bastantes de sus descendientes arraigaron desde entonces.

Guevara Lynch, que ha fundado en Alta Gracia una filial de Acción Argentina, organización nacionalista antinazi, lleva al pequeño Ernesto para que vigile discretamente con él los manejos de los militares alemanes que, aunque desarmados, siguen entrenándose dirigidos por sus oficiales. Descubre, dice, una bandera con la cruz gamada que flamea durante unos días en la cima de una colina; advierte que en la entrada de cada puente hay una casa ocupada por un alemán que posee dinamita y que, en un hotel del pueblo de La Falda, muy próximo, funciona una poderosa emisora que comunica con Berlín...

Las denuncias de Acción Argentina produjeron, bastante más tarde, en 1943, el informe a la Cámara de Diputados de una comisión investigadora sobre actividades antiargentinas, que mencionaba múltiples acciones de espionaje llevadas a cabo por el Reich en el país, al abrigo de las clásicas oficinas de turismo y de los ferrocarriles alemanes, con el concurso de los no menos clásicos agregados de embajada alemanes con destino en Buenos Aires. Pero la repercusión de este informe, acallado muy pronto, fue menor y provocó como máximo la partida de algunos diplomáticos nazis demasiado ostensibles. La complacencia del gobierno militar de la época con los nazis y fascistas no se vio en absoluto afectada. Mucho menos a partir de 1942, cuando Goebbels cayó en la cuenta del papel geopolítico que podía desempeñar Argentina como base estratégica en el continente americano, y no vaciló en derivar hacia Buenos Aires importantes transferencias de fondos. Tras la derrota alemana, los magnates nazis Freude y Mandl, amigos de Perón, administraron aquel tesoro de guerra —oro, diamantes, divisas; es decir: centenares de millones de dólares— que algunos submarinos alemanes, se dice, habrían llevado hasta las costas argentinas. Ludwig Freude, por aquel entonces consejero del Banco Central Argentino (cuyos archivos seguían sin abrirse en 1997), no fue el menos activo de los agentes que, a partir de 1946, crearon sociedades destinadas a blanquear estos capitales y, de paso, a financiar en parte la campaña electoral de Perón, candidato por entonces a un primer mandato presidencial.

De hecho, cuando el buen Guevara Lynch se lleva a Ernestito para descubrir con él, del modo más artesanal posible, a los nazis instalados en la provincia de Córdoba, no hace más que entrever un pequeño fragmento de lo que será uno de los grandes casos de la posguerra: la acogida y protección, no reconocida pero real, de más de 40.000 nazis que se dirigen a Buenos Aires gracias a la ayuda de la Cruz Roja Internacional y del Vaticano. Entre ellos más de ciento cincuenta criminales de guerra que han conseguido escapar del proceso de Nuremberg. Incluyendo a Eichman, Mengele, Erich Priebke...[51]

Córdoba, la revolucionaria

Al inicio del curso escolar de marzo de 1942, Ernestito, que va a cumplir catorce años, vuelve a cambiar de escuela. Esta vez para comenzar la secundaria. Tendrá que ir solo todos los días, como una persona mayor, a Córdoba, capital de la provincia, a cuarenta kilómetros de Alta Gracia: tres cuartos de hora en tren o autobús por una pequeña carretera de montaña. Sólo puede escoger entre dos colegios. Uno, elegante, el Montserrat, está más bien reservado a los niños de buena familia. Lógicamente, un Guevara de la Serna tiene allí una plaza asegurada. El otro, el colegio público Dean Funes, es mucho más popular, «laico y republicano», claramente inclinado a la izquierda y tachado por la buena sociedad de «semillero de revolucionarios». Allí realizará el joven Ernesto los cinco años de estudio con que concluirá el bachillerato. Allí hará nuevas amistades, algunas de las cuales serán muy duraderas.

Varios de sus condiscípulos han conservado un recuerdo preciso de ese nuevo alumno que no se parece a los demás y cuya independencia de espíritu y desenvoltura asombran. A los catorce años no es todavía muy alto. Incluso llevará pantalón corto hasta los dieciséis. «Los Guevara —explica su madre— se desarrollan después de los quince años.»[52] A los diecisiete se disfraza, una noche de verano, para parecer mayor y poder entrar en el casino de Mar de Plata. Fracasa. Parece todavía tan joven que los porteros le impiden el paso. Pese a su aparente fragilidad, impresiona a todo el mundo por su mirada decidida, burlona a menudo, por su rápida inteligencia y la originalidad de su comportamiento. En aquella pequeña sociedad provinciana donde los jóvenes asumen mayoritariamente los valores paternos y las normas que distinguen «lo que se hace» de «lo que no se hace», el alumno Guevara muestra un soberano desprecio por el qué dirán.

Un compañero de clase, Domingo Rigatusso, de ascendencia italiana, no ha olvidado cómo se distinguía Ernesto del grupo. En plena Segunda Guerra Mundial, a pesar del alejamiento geográfico y de la neutralidad oficial de Argentina, cada cual estaba sumariamente etiquetado y clasificado en el campo de los aliados o en el de sus adversarios. «Yo era hijo de italianos y tiraba para la tierra de mi padre, no entendía mucho de política. Él me decía a mí *tano fascista*.* [...] Se destacaba siempre del grupo. Tenía una excepcional memoria. [...] En una oportunidad un profesor de matemáticas, un ingeniero agrimensor, propuso un teorema del que había dado sólo la hipótesis; faltaba desarrollar la tesis y preguntó si alguien se animaba a hacerlo. Guevara se paró y se puso frente al pizarrón. Empezó a desarrollarlo y salvo una pequeña corrección que le hicieron lo desarrolló íntegro como si lo conociera. Y ni siquiera lo había leído... Le llamábamos el *pelao* porque, a diferencia de todos nosotros que llevábamos el pelo larguito y con una colita atrás, él mantuvo de pri-

---

* *Tano* es una abreviatura coloquial de «italiano». Con los españoles, los italianos son en Argentina el contingente más importante de la inmigración europea llegada al Río de la Plata a finales del siglo XIX y en los primeros decenios del XX.

mero a quinto la cabeza pelada y con un flequillo acá adelante que lo identificaba.»[53]

Los viajes diarios a Córdoba no mejoran el asma del muchacho pero ahora sabe cómo acomodarse a su problema. Ha pasado ya el tiempo en que, si se peleaba con sus primos o los compañeros de su pandilla, el arma secreta de los chiquillos era echarle un cubo de agua a la cabeza. «Sufría un intenso espasmo y había perdido la batalla. ¡Pero qué crueldad!...»[54] Ahora está mejor pertrechado.

«Durante el curso se sentó conmigo en varias oportunidades —prosigue Rigatusso—. Como era asmático llevaba siempre el nebulizador. Pero a veces era tan fuerte el ataque que tenía que inyectarse y había que tener mucho cuidado con eso. En la clase misma se tomaba el muslo, se ponía la aguja y se inyectaba ahí nomás, delante mío. Y también fumaba unos cigarrillos del Dr. Andreu que se usaban para el asma y tenían un olor fuertísimo. Él los prendía y fumaba en clase. [...] No le podían decir nada por su problema.»[55] La indulgencia de los profesores se explica, tal vez, por el hecho de que se trata de un individuo especialmente bien dotado. «Por lo general, los profes le querían mucho a pesar de que Ernesto contestaba y discutía sus puntos de vista, cuando eran discrepantes con los profesores, pero siempre dentro de un marco de respeto», recuerda Tomás Granado, que se convertirá en uno de sus mejores amigos.[56] Otro condiscípulo cuenta: «Aprendía sin dificultad alguna. A veces llegaba a clase sin saber cuál era el tema. Pedía dos o tres indicaciones rápidas y, si le preguntaban, salía del apuro brillantemente, como un auténtico erudito.»[57] Dicho esto, hay que precisar que Ernesto estuvo muy lejos de ser un alumno modelo. Demasiadas cosas lo absorbían por lo menos tanto como los estudios: el deporte, la literatura, el ajedrez, la grafología, el dibujo, las grandes excursiones por la montaña, a pie o en bicicleta, e incluso la política, sin extremada pasión aún pero como algo natural en una familia politizada como la suya.

Al cabo de un año, en 1943, tras algunas tribulaciones infructuosas para acercarse a Córdoba sin instalarse allí por completo, la pequeña tribu decide cambiar de casa por las buenas —enésima migración— y se instala en plena ciudad. Primero porque el ir y volver cotidiano de Alta Gracia fatiga a Ernestito; luego porque ya le toca a la menor, Celia, pasar a secundaria; finalmente, porque la madre aguarda un quinto hijo y el padre ha encontrado el modo de volver a trabajar asociándose con un arquitecto de la capital provincial. La casa de Córdoba, calle Chile, 288, donde vivirán cinco años, será célebre en el folclore familiar como la famosa Villa Nydia, tan incómoda como acogedora. Recientemente construida, la nueva morada es vasta —gran patio (sin jardín), gran cristalera— y sobre todo está cerca del zoológico, alrededor del cual tienen su sede varios clubes deportivos, garantía de ocio al aire libre para los Guevara que, desde hace once años, se han acostumbrado a vivir prácticamente en el campo. En Argentina los clubes tienen, como es lógico, el objetivo de fomentar la práctica de todo tipo de actividades deportivas, pero también el de recibir a las familias que pasan allí el día, organizan a menudo el asado dominical (con «la mejor carne del mundo») y participan en las clásicas manifestaciones sociales, tales como cenas, despedidas, ceremonias deportivas o patrióticas, etc.

Pese a sus conocimientos arquitectónicos, el padre no advierte que la casa tiene un vicio fundamental: carece de cimientos sólidos y descansa sobre un terreno blando, en las proximidades de un barranco. Lo que explica que, progresivamente, vayan apareciendo enormes grietas tanto en las paredes como en los techos. «Recuerdo que desde mi cama, por la noche, veía las estrellas a través de la grieta del techo», escribe con toda serenidad Guevara Lynch, que toma sin embargo la elemental precaución de separar de las paredes las camas de los niños «por si se derrumbaban.»[58] Carmen Córdova, la prima, cuenta, riéndose todavía, que cierto día, cuando estaban comiendo en la planta baja, comenzó a caer del primer piso, cuyo suelo estaba seriamente afectado, «una pequeña lluvia». Era el alivio natural de la adorada perra de Ernestito, *Negrina*. Divertida estupefacción de los comensales, pero nada más... «Una auténtica familia de bohemios.»[59]

La casa ofrece además la curiosidad de estar situada, al mismo tiempo, en un barrio bastante residencial, a veinte *cuadras** del centro de la ciudad, y cerca de una zona difícilmente edificable por la fragilidad de los suelos. Se instalan allí por lo tanto improvisados barracones donde se refugian los más pobres de entre los sin techo. Ernesto y sus hermanos y hermanas no tendrán escrúpulo alguno en hacer amistad con los chiquillos de aquel barrio de chabolas, una de las llamadas «villas miseria». Lo que no les impide inscribirse en el selecto Lawn Tennis Club, abiertamente antisemita de vez en cuando, ni seguir practicando un deporte como el golf, signo clásico de pertenencia a una élite.

* La *cuadra* (129,90 m) es la medida de longitud de cada manzana en los planos cuadriculados del urbanismo colonial.

«Yo había comprado una casa para fin de semana en la localidad de Villa Allende —escribe el padre—, muy próxima al Golf Club de esta población. Villa Allende era uno de los sitios preferidos de los cordobeses para veranear o pasar los fines de semana. [...] Como Ernesto había comenzado a practicar este deporte cuando apenas tenía seis años, ya a los quince era buen jugador.»[60] La ambivalencia social y económica de la familia Guevara se resume tal vez, simbólicamente, en esta geografía sin duda debida al azar pero que la coloca en la frontera entre dos tipos de sociedad: buena burguesía por un lado, proletariado semiurbano por el otro. Los niños no dan importancia a estas diferencias. Se enternecen, más bien, por el nacimiento en 1943 del más pequeño, Juan Martín, el quinto retoño, que durante mucho tiempo tendrá sólo el apodo de Patatín y por quien Ernesto, quince años mayor que él, sentirá siempre una especial ternura.

Loco por el rugby

Amigo ya de Tomás Granado, Ernesto (catorce años) conoce al hermano mayor de éste, Alberto (veinte años) que ha organizado un club de rugby, Estudiantes, y busca voluntarios. Hasta entonces el joven Guevara se había entusiasmado sobre todo por el fútbol y, para distinguirse de los «hinchas» tradicionales de Boca Juniors o River Plate, los dos eternos equipos rivales de Buenos Aires, decidió que su equipo favorito sería el Rosario Central, cuyos jugadores y seguidores eran calificados de *canallas*, lo que tampoco le disgustaba. Después de todo había nacido en Rosario, aunque nunca hubiera vivido allí.

Llevado a Argentina a finales del siglo XIX por los británicos, dueños de los bancos y los ferrocarriles, en los años cuarenta el rugby era todavía poco practicado en provincias. Los clubes elegantes no habían descubierto aún su aspecto «aristocrático». Alberto Granado hace pasar al joven Ernesto la prueba habitual que ha ideado para evaluar la capacidad de los aspirantes de encajar golpes en este «deporte de tahúres jugado por caballeros». Les pide que salten de cabeza por encima del mango de una escoba colocado entre dos sillas, para caer encogidos y rodando por el cemento del patio. «Ernesto no se había desarrollado completamente, era más bien delgado y bajito para su edad, y con un asma que prácticamente no le dejaba hablar. [...] Por supuesto, Ernesto se tiró y en vez de una vez se tiró catorce veces.

53

Ésa fue la primera impresión que me causó él. De un muchacho decidido.»[61]

En el equipo de Estudiantes de Córdoba, Ernesto ocupará el puesto de «medio scrum» o de tres cuartas ala izquierdo en el rugby de quince jugadores. A diferencia de los «cargadores de piano» de las poderosas líneas delanteras, él forma parte de los artistas, «los que tocan el piano» en las líneas traseras, corredores rápidos, expertos en diestros pases, encargados de evitar los «placajes» para plantar el balón oval y marcar los ensayos. Se apasiona por este deporte viril y solidario, aunque a veces el asma lo obliga a salir del campo para aspirar unas bocanadas de su nebulizador. Años más tarde, cuando ya estudia en Buenos Aires, publicará con su hermano Roberto y algunos amigos una pequeña revista, *Tackle*, donde evocará sus comienzos como jugador de rugby: «Éramos una decena de voluntarios e intentábamos encontrar, entre los curiosos que allí estaban, algunos audaces que pudieran unirse a nosotros. Entrábamos en la cancha sin apartar los ojos de la ropa, por miedo a que nos la robaran...»[62] Del rugby Ernesto conservará al menos el apodo usado por Granado para avisarle cuando el balón iba a salir de la *mêlée*: «¡Fuser!», imaginativa contracción de *fu*, por furibundo, y *ser*, por Serna, su segundo apellido, el de su madre.[63]

Como siempre su asma lo obliga a alternar períodos de intensa actividad física, casi al límite de lo que puede exigirse de una caprichosa caja torácica, con otros de descanso más o menos largos, que aprovecha para hacer mil cosas distintas: leer, leer, leer, pero también estudiar grafología, seguir cursos de dibujo por correspondencia o jugar al ajedrez sorbiendo mate. Siguiendo el ejemplo de su padre, gran aficionado, Ernestito se interesó mucho tiempo por la grafología, sin decírselo a nadie. Se ha encontrado una carpeta de juventud —verdadero jardín secreto— en la que, año tras año, reprodujo la misma frase para estudiar sus cambios de escritura. En una serie de hojas sueltas, el párrafo repetido —cuya elección toma, con la perspectiva del tiempo, un significado especial— habla del valor del sacrificio individual cuando la causa es noble. El texto, extraído posiblemente de un libro de historia de la Revolución Francesa, exalta el valor ante la muerte de un héroe no identificado pero en quien podríamos reconocerlo: «Creo tener la fuerza suficiente (y lo siento en estos momentos) para subir al patíbulo con la cabeza erguida. No soy una víctima. Soy un poco de sangre que fertilizará la tierra de Francia. Muero porque tengo que morir para que el pueblo viva.»[64]

Niño todavía, en Alta Gracia Ernesto había aprendido de su padre los rudimentos del ajedrez. A medida que crece, su fascinación por las sutilezas de esa refinada estrategia no hará más que aumentar y el alumno superará pronto a su maestro.

En Córdoba consagra a ello largas horas y acaba descollando. Un verano, durante las vacaciones en Mar del Plata, participa incluso en unas simultáneas que el campeón de Argentina, Miguel Najdorf, disputa contra quince tableros. Diez años más tarde, ya en Cuba, Guevara organizará a su vez unas simultáneas en las que, con otros nueve jugadores, entre ellos varios peces gordos del gobierno, se enfrentará al mismo Najdorf. Éste, al regresar a Argentina, reconocerá: «Le gané por muy poco y hasta le ofrecí tablas. Él me respondió: "Mire, maestro, siendo estudiante de medicina, yo perdí contra usted [...] en Mar del Plata. [...] Ahora prefiero perder, o buscar el desquite." Era un jugador bastante fuerte —concluye el campeón argentino que asegura haber visto, en casa de Guevara, una biblioteca de quinientos volúmenes sobre ajedrez—. Prefería el juego agresivo y era dado a los sacrificios, pero bien preparados; por lo que puedo ubicarlo como de primera categoría.»[65]

En Córdoba Ernestito conoce a Gustavo Roca, hijo del famoso abogado Deodoro Roca que fue el mentor «en rebelión» de toda una generación de estudiantes que proclamaban, medio siglo antes que sus descendientes europeos del Mayo del 68, que estaba «prohibido prohibir». Ellos fueron quienes obtuvieron en 1918 una reforma universitaria, única en su género, fundamental en América Latina. Por primera vez se establecía formalmente no sólo la autonomía de la universidad con respecto al poder político sino también el principio de la participación democrática y colegial de los estudiantes, los profesores y los administrativos en las decisiones de su universidad.

«¿La tuviste?»

El hijo de Roca recuerda la singular personalidad del joven Guevara, menor que él. «Lo que distinguía a Ernesto es que era un tipo original. Original en todo...»[66]

Ernesto hurgaba en la biblioteca del padre de su amigo y no se limitaba a leer los libros allí mismo: «Algunas veces se llevaba el libro para su casa, para seguir leyendo, y eso era una tragedia para los libros. Una de las lecturas que lo apasionaron fue *Las mil y una noches*, pero la traducción que teníamos nosotros era una auténtica lectura de cuentos eróticos, y el Che la devoraba. En esa época tendría dieciséis años.»[67] Precisamente hacia los dieciséis años Ernesto vive, del modo más libre y natural, el despertar de su sexualidad. La Negrita reconoce que había ya noviazgo en el aire, desde la época en que las familias de las dos hermanas, Celia y Carmen de la Serna, siempre muy cómplices, vivían juntas en Alta Gracia y un coche de caballos llevaba a la escuela a toda la chiquillería de primos y primas. «Con Ernesto, dos años mayor que yo, éramos muy amigos. Siempre me han gustado y me siguen gustando ciertas audacias, ciertas diversiones. Y debíamos de estar algo enamorados el uno del otro. Pero sólo éramos entonces unos preadolescentes, impúberes todavía. Recuerdo que un día de verano, jugando al escondite en mi casa, los dos nos metimos en un enorme armario ropero. Y allí, a quemarropa, me hizo una pregunta que me dejó pasmada: "¿La tuviste? ¿Ya te vino?" Adiviné perfectamente que no se refería al Espíritu Santo sino a la menstruación... Quería saber si yo era ya una mujer.»[68]

Los amores con Carmen fueron siempre platónicos, aunque la complicidad intelectual fue grande. «Las cosas eran como en la película *Mi prima Angélica*, de Saura. Nuestras relaciones eran una mezcla de ternura, descubrimiento de ideas, literatura, indignación ante la injusticia. Todo aquello nos unía mucho.»[69] Pero tratándose del aspecto práctico, la cosa es distinta. En su iniciación sexual, Ernesto no difiere de la mayoría de jóvenes de buena familia en la Argentina de los años cuarenta: recurre clásicamente a la criada. Su hermano Roberto confesará a su primo Fernando Córdova que Ernestito había gozado de los favores de todas las criadas que habían pasado por su casa.[70] Por lo general, en la mejor sociedad, explica la Negrita, era siempre la empleada doméstica, con frecuencia una muchacha de Santiago del Estero,* la que desempeñaba el papel de Madame de Warens con Rousseau.[71]

Pese a su faceta algo salvaje, Ernesto, a quien la cosa parece gustarle —«Tenía como una obsesión», dice Carmen Córdova—, participa de buena gana en las improvisadas fiestas juveniles (los guateques de los años cincuenta, que en Argentina se denominaban «asaltos»). «Teníamos trece o catorce años. Ellos tenían quince o dieciséis...» Con Ernesto, la diversión consistía en burlarse de su carencia total de oído musical. «Tratándose de música, era realmente "sor-

---

* Santiago del Estero es una provincia bastante pobre del norte de Argentina que proporciona el mayor contingente de personal de servicio del país.

do". Nos preguntaba: "¿Qué es esto?" Y le respondíamos cualquier cosa: "Es un fox-trot. 1-2, 1-2." Y obedecía la consigna, 1-2, 1-2, aunque tanto podía ser un tango como una polka. Pero no perdía el sentido del humor, era divertido. Decía que si se trataba del himno nacional, no podríamos engañarlo porque lo reconocería, al menos por la letra... Lo simpático de él era que, cuando íbamos a bailar, invitaba siempre a las más feas para que no se quedasen de plantón...»[72]

Sin embargo, para un adolescente que quiere gustarle a las muchachas hay una dificultad: el cuidado en la indumentaria y la higiene corporal. Serán dos problemas durante toda su vida. Ernesto nunca se preocupará mucho de lavarse ni de cuidar su apariencia. Fue así desde muy pequeño y no parece que haya habido una especial vigilancia de los padres al respecto. La Negrita se acuerda de los Guevara, en la sierra de Córdoba en 1937, mientras su padre «cubre» la información sobre la guerra de España: «En Alta Gracia prácticamente compartimos las casas que daban al golf, cuyas pelotas perdidas recogíamos... Cuando llegábamos a nuestra escuela campesina verificaban si los alumnos estaban limpios. Y ahí Ernesto tenía a veces problemas porque se llevaba mal con la higiene. Aunque también es cierto que no se lavaba mucho por miedo a los enfriamientos.»[73] El pretexto de no resfriarse no parece muy verosímil. Al muchacho simplemente no le gusta el jabón. También es posible que busque así demostrar mejor su anticonformismo, su vocación de provocador frente a toda norma establecida. «Alardeaba de no lavarse a menudo —reconoce su excelente amigo Alberto Granado—. Tenía varios sobrenombres: le decían el *loco* y también el *chancho* [el cerdo]. Le gustaba ser un poco el *enfant terrible* y se jactaba de las pocas veces que se bañaba. Decía, por ejemplo: "Esta camiseta de rugby hace veinticinco semanas que no la lavo."»[74]

Cierto día su otro compañero de colegio, el *tano* Rigatusso, que consigue algún dinero vendiendo caramelos a la puerta del cine Ópera de Córdoba, lo ve llegar acompañado por una muchacha. Tiene un aspecto estrafalario, perdido en un abrigo dos veces mayor que él, calzado con zapatos desparejados, que no había lustrado nunca. «Me dijo: "Che, estoy con una mina." Y yo: "¿Con esa pinta?" Estaba hecho un desastre. En un bolsillo del sobretodo llevaba un termo y en otro llevaba comida, bollitos, pan criollo. El bolsillo le quedaba así de hinchado. Sacaba cosas de ahí y comía. Y así se fue adentro a estar con la chica.»[75] ¿Quién es serio a los diecisiete años?

Los cinco años pasados en Córdoba le sirvieron para tragarse el programa de estudios del colegio, es cierto, pero sobre todo para intentar superar las limitaciones de sus capacidades físicas, pese a su enfermedad, y para adquirir una impresionante cultura general que asombrará a todos sus interlocutores. Siempre ojo avizor, ávido de cualquier saber, lee, escribe (poesías, diarios íntimos, cartas a sus tías, a su abuela, a sus padres), Ernesto lo recuerda todo: los senderos montañosos, las plantas y los árboles de las sierras, los compañeros de su misma edad con quienes se mostrará de una fidelidad exigente y sin fallos. «No era fácil ser su amigo —dirá Alberto Granado—, porque su amistad era siempre crítica. Pero tenía el sentido de la amistad, que es una característica argentina, algo fundamental en la vida.»[76] Calica Ferrer, otro amigo cuyo padre, médico fisiólogo, «seguía» el asma de Ernesto, explica que «sin saberlo, en Alta Gracia y en las sierras de Córdoba se entrenó para lo que iba a afrontar más tarde: escalar montañas, montar a caballo, nadar, soportar el frío, el calor, aprender a arreglárselas, a sobrevivir. Todo aquello le sirvió mucho. Desde los diez años salíamos a caballo, llevábamos una carpa o nada, instalábamos una hamaca, dormíamos al sereno...».[77]

Un fascismo a la argentina

Los años cuarenta no fueron precisamente tranquilos en aquella Argentina situada en el «culo del mundo», protegida de la guerra por su alejamiento geográfico pero comprometida con el desarrollo de las operaciones en Europa, de donde procedía la mayor parte de su población de emigrantes. Cuando en 1939 estalla el conflicto mundial, Argentina es denunciada por los nacionalistas como «la mejor colonia del Imperio británico». Transportes, industrias frigoríficas, centrales eléctricas, teléfonos, puertos y silos están vinculados a los capitales de Londres, de Europa y, en parte, de Estados Unidos, que desearía penetrar más en aquel mercado. Por ello, Inglaterra prefiere la neutralidad argentina, incluso aunque no disimule su simpatía por Alemania, más que su entrada en la guerra, que significaría la apertura del país a la competencia del peligroso rival norteamericano. Por otro lado los generales argentinos, formados en su mayoría según el modelo de sus colegas de la Wehrmacht, son más sensibles a la fraseología nacionalsocialista alemana que a los ideales de defensa democrática, que de momento sólo movilizan un Frente Antifascista heteróclito, donde se codean los partidos de izquierda tradicionales, implantados en la pequeña burguesía, los sectores representantes de los grandes propietarios rurales y el capital inglés.

Cuando Ramón Castillo, presidente en ejercicio, tiene el mal gusto de proponer para su propia sucesión un candidato dispuesto a declarar la guerra a Alemania se produce, ante la general indiferencia, un nuevo golpe de Estado, en junio de 1943. En el centro de aquel golpe sin brillo se halla una camarilla militar de inspiración fascista que hasta entonces había permanecido en la sombra, el GOU (Grupo de Oficiales Unidos). El nuevo régimen militar le asegura enseguida a Hitler su neutralidad, tanto más segura cuanto la guerra en Europa se ha convertido, para Argentina, en un buen negocio que acabará con los efectos de la crisis de 1929. Buenos Aires coloca ventajosamente sus productos agrícolas, dicta los precios, llena sus arcas. Sus reservas de oro y divisas suben como la espuma.

En estas condiciones favorables aparece el coronel Perón (cuarenta y ocho años), que se apodera de una secretaría de Estado (Trabajo y Previsión Social) poco ambicionada. La convertirá en su mejor trampolín. Miembro fundador del GOU, formado en los métodos fascistas de la Italia mussoliniana donde ha tenido un largo destino diplomático, próximo a la embajada de Alemania que lo ayudará financieramente, es un hombre astuto que sabe dominar un temperamento más bien vulgar para mostrarse afable y bondadoso si es necesario. Cuidadosamente engominado, luciendo un impecable uniforme blanco, con una sonrisa hollywoodiense en los labios, tiene el mérito de haber comprendido, antes que los demás, que en Argentina hay una masa políticamente disponible de trabajadores rurales y semiurbanos, tratados con igual desprecio de *cabecitas negras* por la buena sociedad o de lumpenproletariado por los partidos de izquierda. Valiéndose con ingenio de una demagogia perfecta, Perón entusiasma al pueblo llano, mayoritario, decretando algunas espectaculares medidas de justicia social que cambiarán el paisaje social argentino: aumento de salarios, reducción de la jornada de trabajo, paga extraordinaria, subsidios de enfermedad, construcción de viviendas, organización sindical, etc. Al mismo tiempo, obtiene la bendición de la Iglesia y procura tranquilizar a los acaudalados. El 25 de agosto de 1944, mientras la burguesía de Buenos Aires llora de alegría ante el anuncio de la liberación de París y canta en las narices de los militares una *Marsellesa* que sigue resultando subversiva, declara con desconcertante cinismo en la Cámara de Comercio: «Señores capitalistas, no se asusten de mi sindicalismo; el capitalismo nunca estará tan seguro como con nosotros. [...] Las masas obreras que no están organizadas son las realmente peligrosas. [...] Concedamos ciertas mejoras a los obreros y tendremos una masa mucho más fácil de manejar [...]»[78] Elevado al rango de ministro de la Guerra y, luego al de vicepresidente del país, su popularidad es tanta que preocupa al aparato militar. Tanto más cuanto una «coalición democrática», alentada por la victoria de los aliados, vuelve a levantar cabeza y organiza una inmensa Marcha de la Libertad. Perón es arrestado, destituido. Demasiado tarde. El movimiento sindical que ha iniciado se dispara. Exhortados por su ninfa Egeria y amante, Eva Duarte, fogosa corista convertida en locutora de Radio Belgrano, los obreros invaden como una marea las calles de la capital y exigen la libertad del «coronel del pueblo». Es el histórico 17 de Octubre de 1945 de los descamisados, que se convertirá en la fiesta nacional del peronismo.

Liberado y reintegrado, Perón tiene entonces las manos libres para presentarse como el gran macho y caudillo surgido de la Argentina profunda, como campeón de un ultrajado sentimiento nacional contra un candidato radical torpemente apoyado por Spruille Braden, embajador de Estados Unidos. Sin necesidad de recurrir a los clásicos fraudes electorales, Perón es colocado a la cabeza del país en febrero de 1946. De allí en adelante Argentina quedará partida en dos: quien no es peronista es considerado un enemigo y condenado al oprobio. Se instala una especie de maccarthysmo populista que controla tanto la enseñanza, en todos sus niveles, como los medios de comunicación. Mientras se nacionaliza a ultranza (y a precio de oro), mientras el funcionariado se incrementa con todos los peronistas amigos, parientes y aliados, se expulsa como «mal pensante» a dos tercios de los profesores de universidad, se suspenden sesenta periódicos, las radios son vigiladas, se sanciona a los diputados de la oposición...

Los Guevara militan en un antiperonismo decidido. En nombre de aquel internacionalismo democrático que les hizo apoyar a los republicanos españoles contra Franco, hacen campaña contra Perón, cuyo eslogan «¡Alpargatas sí! ¡Libros no!» escandaliza a cualquier persona bien nacida. La madre, Celia, es la más ardiente. Forma parte de un comité franco-argentino de ayuda a la Resistencia, tiene en su casa una fotografía del general De Gaulle y no vacila, cuando la situación es extrema, en cantar la *Internacional*... en francés. Cierto día, en la plaza San Martín de Córdoba, no puede contenerse al ver desfilar a miles de peronistas y se pone a gritar: «¡Viva la libertad! ¡Abajo Perón!» Es detenida enseguida. En la comisaría trata a los policías de agentes de la Gestapo, pero el oficial le señala tranquilamente que, por el contrario, en realidad le han salvado la vida. «Si no hubiéramos intervenido, a estas horas ya la habrían linchado.»[79]

Con su marido forma parte del grupo antiperonista Monteagudo de resistencia civil que, inspirándose en los maquis franceses, fabrica explosivos y edita panfletos. «Un día —cuenta el padre—, Ernesto se enteró de lo que estaba haciendo y me dijo: "¿Me dejás mojar en eso?" Yo no sabía qué contestarle y él agregó: "Mirá, si vos no me dejás que lo haga a tu lado, lo haré por el mío..." Entonces preferí que lo que hiciera no escapara a mi conocimiento, por eso sé que el antiperonismo de Ernesto se lo inculqué yo.»[80]

Ernesto sigue el movimiento, más por espíritu de contestación contra el orden impuesto que para alinearse con sus padres. Tomás Granado, su mejor amigo del instituto, cuenta un incidente entre el muchacho de quince años y su profesora de historia, la señora Beruato, quien tras el golpe de Estado de 1943 afirma que los militares aportarán por fin la cultura al pueblo y a los pobres. Preguntado por las razones de su escéptica sonrisa, Ernesto responde sin ambages que duda mucho de esa afirmación, pues si el pueblo fuera culto no querría a los militares. Horrorizado pánico de la profesora, que ordena al alumno Guevara abandonar la clase. «Todos nosotros estábamos admirados, porque gobernando una dictadura militar, con decir esas cosas se corrían riesgos.»[81] En 1949 una ley de desacato castigará incluso con la cárcel cualquier falta de respeto, crítica o burla dirigida contra Perón o su gobierno.

Por aquel entonces, Ernesto es lo que se denomina un «reformista»; es decir, a diferencia de lo que hoy se entiende por ello, un discípulo de la famosa Reforma Universitaria de Córdoba. «Eso englobaba —precisa Gustavo Roca— el conjunto de la izquierda incluido el partido comunista... Cuando París fue liberado de los fascistas, hablé en un acto, era el año 1945-1946 y la policía la emprendió con una golpiza. Recuerdo que Ernesto estaba a mi lado y nos tomaron una foto.»[82]

En Córdoba, para luchar contra los grupos de choque de extrema derecha de la Alianza Libertadora Nacionalista, que repite el eslogan peronista «Haga patria: mate a un estudiante», la Federación Universitaria y las Juventudes Comunistas forman sus propias tropas. Los enfrentamientos son a menudo sangrientos. En 1945, durante una huelga en la Universidad de Córdoba, Alberto Granado, el estudiante jugador de rugby, es detenido. Su hermano menor, Tomás, en compañía de Ernesto, le lleva comida a la cárcel. Cuando Alberto les alienta para que inciten a los alumnos de secundaria a manifestarse, Ernesto le responde fríamente: «Ni hablar, yo sólo salgo a la calle si me dan un bufoso [revólver].»[83] De hecho, saldrá a la calle y se unirá incluso a manifestantes peronistas, que son sus compañeros de las barracas vecinas, para romper los cristales del diario radical de Córdoba *La Voz del Interior*. «¿Por qué *La Voz*?», le pregunta Pepe Aguilar cuando le cuenta la historia. «Porque son tan reaccionarios como los conservadores, pero además hipócritas», replica Guevara.[84]

Con el tiempo, tenderá a matizar su antiperonismo y acabará valorando su dimensión «antiimperialista». En 1955 escribe a su madre: «Te confieso con toda sinceridad que la caída de Perón me amargó profundamente. No por él, sino por lo que significaba para toda América.»[85] Más tarde, llegará incluso a mandar a Perón (lujosamente exiliado en Madrid) un ejemplar de *La guerra de guerrillas* con una dedicatoria «afectuosa», la de un «antiguo opositor que ha evolucionado». Pero en Argentina le repugna ya cualquier caza del hombre, venga de donde venga. John William Cooke, peronista de izquierda (hay muchos), recuerda aquella tarde de verano de 1946 en la que, habiéndolo reconocido en una playa elegante de Mar del Plata, una pandilla de jóvenes burgueses quiso echarlo de allí. El único que se atrevió a interponerse fue aquel osado muchacho de dieciocho años, al que encontrará nuevamente un día, en Cuba, convertido en «comandante de la Revolución».[86]

Aunque pese a todo los Guevara se esfuerzan por mantener sus citas estivales con las playas del Atlántico, su situación económica sigue siendo inestable. La yerba mate de su plantación de Misiones no es el tipo de artículo que se exporta a Europa. Antes incluso de terminar su bachillerato, Ernesto tendrá que intentar ganar unos pesos para comenzar a cubrir sus necesidades. Gracias a una recomendación del papá, encuentra un pequeño «laburo», con su inseparable Tomás Granado, en el Departamento de Puentes y Caminos de la provincia. Su tarea consiste en analizar los materiales de revestimiento de la carretera, cerca de Villa María, a ciento cincuenta kilómetros de Córdoba, para comprobar que se haya respetado el pliego de condiciones. El padre cita una sabrosa carta de su retoño en la que explica, en un lenguaje muy gráfico, cómo se ha negado a dejarse «comprar». Es el primer contacto real del muchacho con el mundo del trabajo, si se exceptúa una breve experiencia en la vendimia, a los doce años de edad, con su hermano menor Roberto. Indigestión de uva, asma, aquella aventura tuvo que ser interrumpida a los pocos días y, para su gran indignación, el patrón se negó a pagarles el peso diario acordado.

Buenos Aires: estudiante de medicina

Marzo de 1947 es una fecha importante para la familia pues señala el regreso de los Guevara a Buenos Aires, la gran capital, tras catorce años de ausencia y, por otra parte, el lento inicio de una separación amistosa entre los padres. A los cuarenta y siete años, como suele suceder, el padre se ha enamorado de un pimpollo: Ana María Erra, agradable maestra apasionada por las bellas artes con quien se casará mucho más tarde.[87] Instala una oficina cerca del apartamento, bondadosamente prestado al comienzo por la abuela, en el elegante Barrio Norte, calle Arenales, 2208, donde se aloja también la buena tía Beatriz, antes de que la tribu se traslade, al año siguiente, a una casa modesta en la calle Aráoz, 2180, junto a las magnolias del parque de Palermo, «Bois de Boulogne» de Buenos Aires. Es la típica construcción porteña llamada *chorizo*, de fachada estrecha y profunda, como exigía el urbanismo colonial: sobre el garaje que da a la calle, un único piso de alto techo. Se accede a él por una empinada escalera donde se demorarán, en infinitas conversaciones, los amigos de los niños antes de despedirse. Hasta finalizar sus estudios en 1953, Ernesto comparte con su hermano Roberto una pequeña habitación con dos camas superpuestas. Duerme en la de arriba «para, por la mañana, despertar mejor dejándose caer y lanzarse sobre su mate amargo».*[88]

Para sorpresa de todos los que esperaban que, siendo las matemáticas su fuerte, eligiera una carrera de ingeniero como su amigo Tomás, a último momento se decanta hacia los estudios de medicina. Es probable que en su decisión influyera el impacto provocado por la congestión cerebral y la reciente muerte de la abuela Ana Isabel, aquella espléndida descreída que adoraba y a la que, abandonando sin más su trabajo en Villa María y olvidándolo todo, veló personal e ininterrumpidamente durante diecisiete días, hasta que la anciana falleció.

Justa compensación pues los mimos de la infancia se los dispensaron, sobre todo, su dulce tía Beatriz y su admirable abuela. Y no es que sus padres no le brindaran ternura. En absoluto. Hemos visto ya con qué cuidados lo protegieron ambos, del mejor modo posible, contra las calamidades de su mal. Pero, aunque la madre parece haber sentido cierta predilección por aquel primogénito en quien se recono-

---

* El mate *amargo* es el que toman los «auténticos criollos». El mate azucarado o con leche se considera «femenino» o «infantil».

cía, las caricias y los besos nunca caracterizaron demasiado el estilo de la casa. En cambio, todos sabían que junto a los Guevara se respiraba un aire tonificante de libertad. Libertad de conducta, de pensamiento. Libertad de elegir los estudios.

Ernesto se matricula por tanto en medicina, en Buenos Aires, al comienzo del curso en marzo de 1947. Es otoño. Va a cumplir diecinueve años y, a pesar de una leve deformación de la caja torácica que un quiropráctico asiático conseguirá reducir perfectamente en pocos meses,[89] su prestancia es la de un joven galán. Cabello corto, mirada penetrante, se mueve con seguridad aunque no conozca a casi nadie en la facultad. Por su cantarín acento cordobés se advierte enseguida que es un provinciano. Y lo asume sin problemas. No tiene la cadencia italianizante del habla porteña ni el comportamiento algo arrogante de la gente de Buenos Aires. Una vez más es «atípico», tal como lo define un condiscípulo comunista, Ricardo Campos, que intenta aproximarlo al partido y le hace leer material de propaganda. «Recuerdo que la relación era ríspida, difícil. [...] Se pasaba doce, catorce horas estudiando en la biblioteca solo. [...] Tengo la idea de un paso fantasmal de él. [...] Era un hombre muy riguroso consigo mismo, de ideas claras en cosas muy esenciales. Pero sobre todo desde una perspectiva ética. [...] Tenía sus convicciones y ante cada hecho las manifestaba. [...] Era un estudiante comprometido socialmente ante todo. Y tenía un sentido de la justicia, de la injusticia, de la posibilidad de reparar la injusticia...»[90] Desde el primer día sedujo, en el sentido más platónico de la palabra, sin siquiera darse cuenta, a la joven provinciana Tita Infante, miembro de las Juventudes Comunistas, que compartirá toda su carrera perdidamente enamorada de él. Veinte años después, ella aún recuerda su fascinación de los primeros días: «Comenzaba el año 1947. En un anfiteatro de anatomía, en la facultad de medicina, escuché varias veces una voz grave y cálida, que con su ironía se daba coraje a sí mismo y a los demás frente a un espectáculo que sacudía aun al más insensible de esos futuros galenos. [...] Por su aspecto, [era] un muchachito bello y desenvuelto. [...] El fuego [...] ya chisporroteaba en su mirada. Una mezcla de timidez y altivez, quizá de audacia, encubría una inteligencia profunda y un insaciable deseo de comprender.»[91]

El «muchachito bello y desenvuelto» hará sus estudios a todo tren, sin intentar destacar en absoluto, yendo a lo más práctico y esencial. Además, gana un año al librarse del servicio militar a causa de su asma. «Por una vez, estos malditos pulmones me habrán servido de algo.»

Mientras, intenta embolsarse algún dinero porque, dirá su padre, «yo poco le ayudaba, y además él no quería que le diera un centavo. Se las arreglaba como podía» [...] Siempre andaba apurado, nunca le alcanzaba el tiempo.»[92] De hecho, durante sus años porteños Ernesto perfeccionará el arte de hacer mil cosas a la vez gracias a una férrea organización que parece volver elástico su tiempo. Además de sus estudios, además de una serie de pequeños trabajos, consigue hacer deporte, fotografía —que lo apasionará durante toda su vida—, sin perder tampoco la ocasión de entregarse a su otra pasión, el ajedrez, o de jugar al bridge. Sin embargo, sigue diciendo Tita Infante, «nunca faltó a una cita y era puntual. Jamás olvidaba un llamado. ¡Qué extraña bohemia la suya! [...] Muchas veces le vi preocupado, grave o pensativo. Jamás verdaderamente triste ni amargo. No recuerdo un solo encuentro en el que faltara su sonrisa y una cálida ternura que los que lo conocían de cerca sabían apreciar. [...] Como aprovechaba los minutos hasta en el transporte, aparecía en general con un libro en la mano. A veces era un tomo de Freud: "Quiero repasar un historial clínico por un caso que me interesa." Otras, un texto de estudio. Otras un clásico. Sabía cómo estudiar».[93]

Buenos Aires es una ciudad compleja, encrucijada de todas las contradicciones argentinas. A fines de los años cuarenta, con más de cuatro millones de habitantes, es ya una megalópolis. Reúne casi el tercio de la población del país, que ignora con soberbia a los otros dos tercios y, con más motivo todavía, al resto de América Latina, de la que no está segura de formar parte, vuelta como está hacia Europa. Durante la guerra llegaron buscando refugio numerosos intelectuales europeos, Roger Caillois, Denis de Rougemont, Paul Benichou, recibidos con generosidad por Victoria Ocampo, directora de la prestigiosa revista literaria *Sur*. Rodeada por Borges, Bioy Casares, Gloria Alcorta, flor y nata de una distinguida *intelligentsia* denostada por Perón, es a la vez amiga y protectora de Drieu la Rochelle, Malraux, Valéry. «Buenos Aires *Cosmópolis*», decía ya el poeta Rubén Darío a principios de siglo.

Aunque los tropismos personales del joven Guevara lo atraigan hacia las sierras de Córdoba de su infancia —es el tipo de universo que le gustará siempre—, realmente no se siente desplazado en aquel mundo aparte que constituye la gran ciudad. Primero porque es hijo de porteños puros y la red familiar de los Guevara y los Serna es amplia, punto de orientación en caso de necesidad; luego porque conoce ya, por haber estado de paso, esta capital desbordante de energía donde los crepúsculos destilan, sin embargo, una melancolía análoga a la que escapa de los tangos «metafísicos» que tanto le gustan, aunque no entienda nada de música. Consigue dominar rápidamente los ritmos de la ciudad, sus ritos sociales, su código lingüístico mezclado con palabras al *vesre** y gráficos giros que él adoptará sin ningún problema pues concuerdan perfectamente con la faceta sarcástica de su humor, rápido en captar el aspecto irrisorio de las cosas.

Campesino de Buenos Aires, Ernesto fijará muy deprisa los campos magnéticos de su geografía personal de la ciudad, mientras desembarcan, seguros de los favores peronistas, todos los tránsfugas del nazismo y del fascismo de la vieja Europa, con un sustancial contingente de franceses colaboracionistas. Los argentinos no les prestan demasiada atención y el estudiante de medicina tiene otras cosas de que ocuparse. Estudia. Se apresura. Uno de sus polos imantado en el laberinto ciudadano será el apartamento de la tía Beatriz, en la calle Arenales. Romántica solterona con un corazón de oro, incondicional adoradora del niño, nunca ha dejado de mimarlo desde su infancia, acunándolo en sus brazos para que durmiera, acariciándole los cabellos, contándole historias. Cuando el asma llevó al sobrino preferido hasta las montañas de Córdoba, nunca olvidó enviarle cada semana tarjetas postales, cartas, revistas. Se siente encantada de verlo de nuevo. En su casa, con tranquilidad, él pasará días y noches leyendo mientras ella le prepara, amorosamente, interminables mates amargos.

Todos los testimonios de estos años de estudio confirman el carácter decidido del joven, que no teme enfrentarse a las situaciones más difíciles, que a veces son también las más divertidas. Adalberto Larumbe, otro de sus condiscípulos, contó a Guevara padre un pintoresco recuerdo de sus comienzos como estudiante de medicina. Para hacer tranquilamente sus trabajos prácticos de disección, había conseguido que le permitieran llevarse a casa un trozo del cuerpo humano expuesto en la sala de anatomía, una pierna entera. Pero no se atrevía a pasear por la calle con aquel objeto insólito. A grandes males grandes remedios. Ernesto envolvió apresuradamente la pierna en unas hojas de periódico y no encontró nada mejor que tomar el metro, con su paquete bajo el brazo. «Comenzaron a asomar unos dedos del pie por entre los trozos de diarios. Cuando Ernesto llegó a su casa se reía a carcajadas, recordando la cara que habían puesto algunos de los pasajeros que advirtieron lo que llevaba.»[94]

---

* Lenguaje popular consistente en volver al revés (*vesre*) el orden silábico de las palabras.

Arréglate como puedas

Para ganarse la vida el estudiante ejercerá los más diversos oficios y se lanzará a aventuras bastante picarescas. Obtiene, gracias al enchufe de un amigo del papá, un puesto de oficinista en el servicio de suministros y aprovisionamiento de la municipalidad de Buenos Aires. Es el escondite ideal, que permite aparecer sólo a fin de mes para cobrar el salario. Ernesto, en cambio, es de una puntualidad admirable. Pero lo hace para trabajar allí en sus estudios de medicina o enriquecer el *Diccionario filosófico* que compone para su uso personal, prolongación de un cuaderno alfabético de lecturas generales donde, desde 1945, consigna sus notas de lectura. En estos textos (que permanecen inéditos), Marx y Engels se codean con Platón y Sócrates. Una tarde el jefe de departamento, al llegar por sorpresa, se encuentra con que sólo él está en su mesa y lo felicita, prometiéndole un ascenso. ¿Por qué no conservó ese trabajo de ensueño? Probablemente porque se negó a adherirse, según la norma, al partido peronista, el único que dispensaba esta clase de prebendas.

Despedido por un lado, encuentra sin embargo la manera de que lo contraten en otra dependencia municipal, los dispensarios. Alegando su calidad de futuro médico va a entrenarse con el público procediendo a las vacunaciones. Sin embargo, esos empleos ocasionales no le bastan. Y entonces, como en las narraciones de Roberto Arlt —cronista que describe maravillosamente la inventiva porteña para ganar unos *mangos*—*, el joven Guevara utilizará también todos los «arréglate como puedas» para conseguir algún dinero.

Ha encontrado en la capital a un excelente amigo conocido de Córdoba, Carlos Figueroa, estudiante de leyes siempre al acecho, también, de algún truco para ganar cinco pesos. Cierto día se enteran de que en un barrio perdido va a celebrarse una subasta de zapatos. Reúnen sus economías y acuden. Todo es demasiado caro para su bolsillo, salvo un lote desparejado que nadie quiere. «La casa de la calle Aráoz se convirtió en una pequeña zapatería —cuenta el padre—. Salieron a vender zapatos y, como los vendían muy baratos, pronto se deshicieron de los que tenían un compañero parecido y luego vino lo más bravo: el saldo de los que nada tenían que ver uno con otro. Pero no se amilanaron [...] se largaron a buscar rengos por la calle. [...] los que quedaron los usaba Ernesto. Eran totalmente diferentes de forma y de color.»[95] Por lo

---

* Término familiar del habla argentina para referirse al dinero, la *pasta*. Cien mangos son cien pesos.

que a Ernesto se refiere, durante meses o años no tuvo escrúpulo alguno en pasear con un zapato de forma y color distinto en cada pie.

Los dos muchachos, inseparables ya, comparten el mismo amor por Córdoba adonde intentan dirigirse cada vez que la ocasión lo permite, siempre en autostop, claro («a dedo», dicen en Argentina). Una vez les recoge un camión con remolque, a condición de que, cuando haya que pasar por un puente demasiado bajo, desmonten y vuelvan a montar los laterales. Otra vez se encuentran en los arrabales de Rosario, a cuatrocientos kilómetros de Córdoba, completamente arruinados, cuando pasa un providencial vendedor de *ananaes* (piñas) con su carro. Tratan con el buen hombre y se comprometen a vender su cargamento a cambio de un honesto porcentaje. Y he aquí a nuestros dos estudiantes haciendo bocina con las manos, anunciando a todo el barrio que los ananaes son una ganga. Lo venden todo y prosiguen el camino con la comisión en el monedero.

La historia más reveladora del carácter emprendedor de Ernesto es la de la fabricación de insecticida a la que él y sus acólitos se lanzan sin darse cuenta del peligro. Ernesto había descubierto que un insecticida contra las langostas autorizado por el Ministerio de Agricultura, servía también para exterminar una multitud de insectos domésticos, cucarachas, hormigas, etc. Añadiendo una buena dosis de talco, la cosa podía producir una especie de polvos de la madre Celestina utilizables en la vida cotidiana. Convierte pues el garaje de la planta baja en laboratorio, y comienza a llenar pequeños botes con el polvo milagroso que todas las amas de casa del barrio van a comprarle, pues es muy eficaz. Pero no ha contado con los efectos tóxicos del insecticida sobre el propio hombre. Su socio Figueroa abandona. Puesto que no puede registrar su mortal receta con el nombre de *Al Capone* o *Atila* —ni el uno ni el otro «dejaban nada vivo a su paso»— Ernesto se decide por *Vendaval*. La marca fue incluso registrada... y hasta hicieron un balance de la empresa, aunque ésta debió cerrar para no intoxicar a todos los habitantes de la casa.

Este tipo de aventuras es poco propicia para mejorar el asma de Ernesto, que la humedad del Río de la Plata acentúa. El muchacho va a consultar al mejor especialista de Buenos Aires, el doctor Pisani, experto en alergología. Éste le dedica una atención especial, no sólo porque se trata de un caso interesante —advierte la dimensión alérgica de aquel asma— sino también porque el carácter, la curiosidad y la inteligencia del muchacho le conmueven. Hasta el punto de que, al cabo de algún tiempo, el profesor contrata al estudiante como ayudante de laboratorio. Aquello apasiona a Ernesto que pretende, a su vez, especializarse en enfermedades alérgicas.

Aunque, según su hermana Ana María, «cuando era un muchacho joven, todos los negocios que emprendía no servían para nada»,[96] no deja de perseverar e intenta incluso unir lo útil con lo agradable. Así ocurre con el rugby.

Como ya se ha dicho, era un deporte al que se había aficionado mucho en Córdoba, cuando sólo tenía quince años. Al llegar a Buenos Aires consiguió inscribirse en el equipo de San Isidro Club, que jugaba en primera división, club de «gente bien» dirigido por uno de sus tíos maternos. Pero el padre, a quien los médicos le aseguran que el rugby es suicida para un asmático, se las arregla con su cuñado para impedirle correr de ese modo hacia la muerte. Furioso, Ernesto amenaza entonces: «Viejo, me gusta el rugby y aunque reviente lo voy a seguir practicando.»[97] Se incorpora al equipo de segunda división del Club Atalaya, también en el elegante municipio de San Isidro, a orillas del río, donde le dan un puesto de defensor. Figueroa lo recuerda: «Era el único *fullback* del mundo que jugaba con orejeras porque le dolían mucho las orejas. Era un tackleador de la gran flauta [muy bueno], era muy divertido...»[98] Entonces se le ocurrió fundar la revista *Tackle* para venderla en el pequeño círculo de los aficionados porteños. A partir de 1950, con su hermano Roberto, Carlos Figueroa y media docena de amigos, consiguen redactar, editar y vender once números de esta publicación, por completo artesanal, con frecuencia diseñada e impresa en el despacho del papá, que lo deja hacer. Ernesto firma sus críticas deportivas con el seudónimo de *chancho* (cerdo), porque ése es su apodo, aunque dándole un aspecto chino: Chang-Chow.

Deportivas o científicas, las ocurrencias del estudiante Guevara no carecen de pintoresquismo ni de desfachatez. Cuando se anuncian las Olimpiadas Universitarias que deben celebrarse en Tucumán, al noroeste del país, Ernesto decide participar a toda costa. Elige pues la única disciplina en la que sabe que ningún candidato se ha presentado, el salto de pértiga. Lo convocan. «¿Dónde está su pértiga?» «Creía que la ponían ustedes.» Le consiguen una. Pero no tiene la menor idea de cómo utilizarla y por supuesto lo eliminan. En otra ocasión, sabe que un estudiante peruano intenta batir el récord de resistencia de natación en la piscina de la facultad de derecho: «Pobre muchacho, no voy a dejarle nadar solo.» Se zambulle para hacerle compañía y pronto recibe una bronca del peruano, al que molesta cortándole el ritmo y haciendo olas.[99]

Nada le detiene en su ardor juvenil. Está siempre dispuesto a todo y no se preocupa demasiado del protocolo ni de la elegancia indumentaria, siguiendo el ejemplo de su padre y, sobre todo, de su tío Jorge Guevara Lynch, hombre de campo con físico de atleta, muy inteligente pero receloso, que ejercerá sobre él una gran influencia. «Era un tipo muy anticonformista —explica Fernando Córdova, primo de Ernesto—. También él estaba separado de su mujer. No veía a sus propios hijos pero se ocupaba mucho de sus sobrinos, en especial de Ernesto por quien sentía mucho cariño. Probablemente fue él quien regaló a Tito [otro diminutivo de Ernestito, empleado en la familia] *Sandino, general de hombres libres*, la biografía que acababa de escribir el socialista Gregorio Selser sobre aquel nicaragüense intrépido que se había levantado contra el poder de Estados Unidos en América Central. No es imposible que aquella lectura le hiciera cierto efecto...»[100] En cualquier caso, con el tío Jorge, Ernestito se inicia en el vuelo a vela en Morón, en las afueras de Buenos Aires, y se aficiona por aquel deporte de lujo que practicará más tarde en Cuba, aunque pilotando entonces pequeños aparatos Cessna.

Vuelo a vela, bridge, rugby, ajedrez, fotografía, las actividades lúdicas o deportivas de Ernesto siguen siendo muy poco plebeyas. Pero el fotógrafo aficionado que también es irá al barrio popular de Pompeya para tomar instantáneas, siguiendo paso a paso el itinerario descrito en *Sur*, uno de los grandes tangos de Homero Manzi. Por aquel entonces, la situación económica de la familia sigue degradándose. Se añade a ello un buen susto cuando la madre debe ser operada de un cáncer de pecho en 1948. Aunque el padre suele estar presente en la calle Aráoz, en Palermo, ella es la que «lleva» la casa, ayudada por la buena voluntad y la solidaridad de los niños que han aprendido a arreglárselas solos. Entre Ernesto y su madre ha habido siempre un afecto especial, hecho de complicidad, de humor compartido, de sobreentendidos. Es el mayor y toma su papel muy en serio, ayuda a sus hermanas, aunque prefiere a Ana María más que a Celia. Sobreprotege en particular al benjamín Juan Martín, al que adora y trata amablemente de *pelotudito* (tontito). Así, cuando antes de la operación oye que el diagnóstico de los médicos es reservado, se desespera. «Hasta entonces —escribe el padre— se había mostrado muy dueño de sí mismo, [pero] cuando se enteró de que a su madre la llevaban a la sala de operaciones y que el resultado de esta intervención era muy dudoso, perdió su serenidad.»[101] Afortunadamente, la operación tuvo éxito y Celia-madre dispondrá de diecisiete años más de vida. Hasta 1965.

En bicicleta por la Argentina profunda

En enero y febrero de 1950, durante las vacaciones de verano, puesto que ya no se efectúa la trashumancia tribal hacia Mar del Plata, Ernesto se lanzará en solitario a una aventura inédita que requiere, más de lo que imagina, resistencia, valor y obstinación: un enorme viaje circular de más de cuatro mil kilómetros a través de doce provincias del Norte argentino. Aquello le marcará.

Luego de tres años de intensa vida urbana en el universo de asfalto de Buenos Aires, a pesar de las fugaces escapadas a su amada Córdoba, aquel «hombre de los bosques» tiene aguda necesidad de respirar un aire distinto, sed también de descubrir el otro rostro de su país, que los porteños desconocen con imperturbable seguridad.

Es de cultura burguesa, cierto; se mueve en un medio absolutamente privilegiado, es verdad, y obtiene de él todas las ventajas, pero la despreocupación libertaria de los padres ha colocado a la familia al borde de la precariedad. No está lejos el mundo de la pobreza que pese a su demagogia el peronismo ha hecho aflorar, el mundo del pueblo llano, que estaba marginado y que por primera vez se atreve a erguir el espinazo. Aquel fenómeno es una revelación, si no un escándalo, para la burguesía, para las clases medias. Ernesto es ciertamente antiperonista porque el orden establecido es el peronismo y los estudiantes, considerados a priori como subversivos, son bastante maltratados. Pero siente simpatía por aquel cambio social, aunque sólo sea porque asusta a los acomodados. Dicho eso, sería muy difícil dar sentido político a su viaje. Lo cierto es que «no va hacia el pueblo». A sus veintiún años, llegado casi a la mitad de sus estudios, la curiosidad lo impulsa hacia el «allá lejos», una sed de horizontes que no dejará de crecer. Hasta los límites de Argentina, de América Latina, del mundo...

Todo comienza con una llamada del ex capitán de rugby, su amigo Alberto Granado, el mayor de los tres hermanos, invitándolo a visitarlo en la leprosería de San Francisco del Chañar, al norte de Córdoba, donde ejerce ahora su talento de biólogo y lleva la farmacia. Luego, el proyecto irá ampliándose. Ernesto se lanza a sí mismo el desafío de ascender lo más al norte posible, antes de bajar otra vez hacia Buenos Aires, trazando una amplia curva por las playas de la costa atlántica. Ha improvisado un trasto inverosímil ensamblando, en una bicicleta tradicional, un pequeño motor italiano al estilo del modelo francés «velosolex». Basta para hacer unos buenos veinticinco kilómetros por hora, viento en popa.

Y se pone en camino, «la noche del 1 de enero de 1950», en plenas vacaciones de verano del hemisferio austral, decidido a ir más allá, por lo menos, de las dos pequeñas ciudades próximas a Buenos Aires a las que, en su siempre burlona familia, se apuesta que no va a llegar. Gana esa primera apuesta a los escépticos y, al amanecer, se encuentra en San Antonio de Areco, capital simbólica de la pampa argentina donde el novelista Ricardo Güiraldes situó la acción de *Don Segundo Sombra*, pequeña joya de la literatura nacional, historia de un gaucho fabuloso. Aquella misma noche llega a Rosario, su ciudad natal, agarrado a un camión de combustible. «El cuerpo pide a gritos un colchón pero la voluntad se opone y continúo la marcha. A eso de las dos de la mañana se larga un chaparrón que dura más o menos una hora; saco mi impermeable y la capa de lona que la previsión de mi madre colocó en la mochila, me río del aguacero y le digo a grito pelao un verso de Sábato...»[102] Secuencia de un romanticismo barroco que revela su enorme energía. Gracias a unos viejos cuadernos de ruta, inéditos, que el padre encontró en el fondo de un cajón, tenemos el relato de ese *road-movie* a cámara lenta.

La mañana del tercer día, Ernesto pasa por Villa María, en la misma carretera cuya construcción analizaba cuatro años antes para el Departamento de Vialidad. «Me faltan todavía 144 kilómetros. Me alcanza un auto particular (en ese momento yo venía pedaleando) que paró para ver si necesitaba nafta, le dije que no pero le pedí que me arrastrara a unos 60 kilómetros por hora. Recorrí unos 10 kilómetros, cuando reventó la goma trasera y tomado descuidado fui a dar con mi humanidad en el suelo.

»Sin cubiertas de repuesto y con un sueño horrible me tiré al borde del camino dispuesto a descansar. A la hora o dos pasó un camión vacío que consintió en alzarme hasta Córdoba y llegué a lo de Granado, meta de mis afanes, empleando 41 horas y 17 minutos...»

Aquel periplo de dos meses constituirá, aunque la fórmula esté ya gastada, un verdadero viaje iniciático para aquel muchacho que no duda de nada, cuyo impulso vital es incontenible. Porque, sin mediación alguna, se le brinda una auténtica iniciación a aquella Argentina profunda que sólo se entrega a quien sabe merecerla. Guevara descubre una humanidad nueva, se empapa de paisajes desconocidos cuya belleza lo conmueve, descubre que aun con los bolsillos vacíos (pues nunca será un auténtico pobre) su situación sigue siendo la de un favorecido cuando la compara con la de la gente de todo tipo que se cruza en su camino. El interés de sus cuadernos es mostrarnos hasta qué punto se siente cómodo hablando con cualquiera, sin prejuicio alguno.

Cierto día, bajo un puente, tropieza con un vagabundo del campo, un caminante que, extrañándose de ver a un estudiante como él «hacer camino» y con semejante cacharro, lo invita a compartir un mate «tan dulce como si fuera para una solterona». El vagabundo afirma ser un antiguo ayudante de peluquería y, considerando que la melena del ciclista merece ser aligerada, lo invita a un corte gratuito. ¡Horror! «Nunca imaginé que un par de tijeras fuera un arma tan peligrosa. Cuando me ofreció un espejito de bolsillo casi caigo de espaldas, la cantidad de escaleras era tal que no había un lugar sano.»

Acompañado por los hermanos Granado, admira los saltos de agua de Los Chorrillos, de cincuenta metros de altura, «de los más hermosos de la sierra». También ahí, rasgo característico del temperamento de Ernesto, por el solo hecho de existir, el obstáculo le resulta un desafío irresistible. Sólo por placer («para sacarme el gusto»), decide bajar por una pared casi a pico, muy próxima a la cascada, empapada de humedad y llena de helechos. Resbala y cae unos diez metros, provocando con su caída una pequeña avalancha. Es imposible proseguir. «Allí aprendí así la ley primera del alpinismo: es más fácil subir que bajar.»

Todo el viaje está salpicado de incidentes, a veces ridículos, lleno de observaciones diversas sobre el clima, los encuentros, los paisajes, los estados de ánimo, precioso testimonio sobre la personalidad del muchacho.

El amigo Alberto lo ha presentado al cacique local, senador de la provincia, un «auténtico filibustero de los tiempos modernos» que los invita a una *milonga*, una fiesta donde banquetean. Guevara ha aprendido enseguida el método infalible de los trotamundos: obtener una recomendación para la siguiente etapa. Y la cosa funciona. Al día siguiente, el hermano del «filibustero» le ofrecerá lecho y mesa. Lo ponen en guardia contra la travesía de las grandes salinas de Santiago del Estero, vestigios de la época en que el mar bañaba lo que hoy es sólo una provincia pobre, «el Sáhara argentino». Ernesto no se preocupa y sólo se aprovisiona de medio litro de agua, ya que «la mezcla bien batida de irlandés y gallego que corre por mis venas hizo que me empeñara en esa cantidad y con ella partí».

Cerca de Tucumán, «jardín de la República», da con uno de esos jornaleros agrícolas que venden sus servicios de cosecha en cosecha; el buen hombre acaba de participar en la recolección de algodón del Chaco y se dirige a San Juan para trabajar en la vendimia. Cuando descubre que la excursión del muchacho es de orden puramente deportivo, se lleva las manos a la cabeza: «¿Y malgasta usted tanta energía para nada?»

«Como un relámpago que corre a treinta por hora», atraviesa los campos de caña de azúcar. Admira a placer la riqueza de la selva de tipo amazónico «como en una película» y soliloquea sobre su ignorancia de la botánica, cuando el «rugido» del motor de un camión que se acerca lo arranca de su meditación de paseante solitario. Escribe: «Me doy cuenta entonces de que ha madurado en mí algo que hacía tiempo crecía dentro del bullicio ciudadano: y es el odio a la civilización, la burda imagen de gentes moviéndose como locos al compás de ese ruido tremendo se me ocurre como la antítesis odiosa de la paz, en la que el roce silencioso de las hojas forma una melodiosa música de fondo.»

Cierta mañana, descansa un momento en el puesto de control entre dos provincias cuando un motorista, cabalgando una flamante Harley Davidson, se ofrece amablemente a remolcarlo. «¿A qué velocidad?», pregunta Ernesto. «Yendo despacio, ochenta, noventa.» La respuesta es: no, gracias. «Ya he aprendido con el costillar la experiencia de que no se puede sobrepasar los cuarenta kilómetros por hora cuando se va a remolque, con la inestabilidad de la carga y en caminos accidentados.» Cuando llega a la pequeña ciudad siguiente, ve cómo descargan la moto de un camión delante de la comisaría. «Me acerco y pregunto por el conductor. Muerto, es la respuesta.» Guevara anota entonces: «El saber que un hombre va buscando el peligro sin tener siquiera ese vago aspecto heroico que entraña la hazaña pública y a la vuelta de una curva muere sin testigos, hace aparecer a este aventurero desconocido como provisto de un vago "fervor" suicida.»

Se pone en marcha de nuevo, dirigiéndose cada vez más al norte, hacia Salta, vieja ciudad colonial cuyos gauchos, de poncho escarlata, son célebres en todo el país. Avanza ya por los contrafuertes de la inmensa cordillera de los Andes que atraviesa casi todo el continente. Pese a la incomodidad del camino de tierra lleno de *serruchos*,* se arroba ante la belleza del entorno, «uno de los paisajes más bonitos de la ruta». Al fondo del valle, el río Juramento: «La orilla está llena de piedras de todos colores y las grisáceas aguas del río corren turbulentas entre escarpadas orillas de magnífica vegetación. Me quedo un rato largo mirando el agua.» El muchacho se siente imbuido de una enorme fuerza vital. «En la espuma gris que salta como chispas está la invitación a tirarse allí y ser mecido brutalmente por las

---

* *Serruchos*: baches transversales causados por el viento y el agua.

aguas y dan ganas de gritar como un condenado sin necesidad apenas de pensar lo que se dice. Subo la ladera con una suave melancolía y el grito de las aguas de las que me alejo parece reprocharme mi indigencia amorosa. Me siento un solterón empedernido...» Pero el humor termina enseguida con estos acentos lamartinianos: «Sobre mi filosófica barba a lo Jack London la chiva más grande del hato se ríe.»

Llegado a Jujuy, provincia muy indígena, poblada por aquella «raza de bronce» conquistada por los incas en tiempos precolombinos, Ernesto alcanza el punto extremo de su expedición a ese noroeste sembrado de cactus como candelabros que los argentinos sólo conocen, generalmente, por su folklore de sonoridades andinas. Más allá, el camino está cerrado: inundaciones y un «volcán» de lodo le impiden llegar a la frontera boliviana, objetivo último y simbólico. Pero, en su estilo muy personal, se siente «ahíto de belleza como en una indigestión de chocolate». En el hospital donde, siguiendo su técnica, consigue ser alojado, la realidad lo devuelve a sus contingencias. Juega al enfermero y libra la cabeza de un chiquillo de dos años, un *negrito* (mestizo de indio), de una invasión de larvas parásitas.

«Decinos lo que has visto», le piden sus nuevos amigos del hospital. A él la pregunta le parece peregrina y responde en su cuaderno: «No me nutro de las mismas formas que los turistas y me extraña ver en los mapas de propaganda de Jujuy, por ejemplo, el Altar de la Patria, la catedral donde se bendijo la enseña patria [...] y la milagrosa virgencita [...] No, no se conoce así un pueblo, [...] aquello es la lujosa cubierta [pero] su alma está reflejada en los enfermos de los hospitales, los asilados en la comisaría o el peatón ansioso con quien se intima.»

El diario de a bordo de aquel verano de 1950 se interrumpe bruscamente aquí, cuando Ernesto cuenta sus veladas filosóficas con unos campesinos que afirman, con tozuda insistencia, que los «espíritus» pasean por el paraje, mientras brilla la luna, croan los sapos y el mate amargo pasa de mano en mano...

Carecemos de más informaciones sobre el regreso a la capital, siempre en esa especie rara de ciclomotor.

El padre, que sólo encontró estos documentos, afirma sin embargo que cuando llegó a Mendoza, delicioso oasis vitícola al pie de la cordillera, Ernesto iba tan cubierto de mugre que su tía, que vivía allí, estuvo a punto de no reconocerle.[103]

En el universo mental del joven la importancia de aquel descubrimiento de Argentina fue muy fuerte, pues hablará a menudo de él. A pesar de todos los internacionalismos que proclame en el futuro, en Cuba y en cualquier otra parte, no cabe duda que Guevara tendrá siempre presente «liberar» algún día su propio país de la miseria de que fue testigo.

De momento, flanqueado por el *negro* Figueroa, su acólito preferido, con quien se reunió enseguida en Buenos Aires, procura que reparen el pequeño motor italiano que se portó valerosamente a lo largo del periplo, pero que acusa la fatiga. «Al principio —cuenta Figueroa—, el ingeniero que nos atendió no le quería creer. Decía que era imposible que ese motor pudiera haber aguantado una gira tan grande. Ernesto contó detalladamente todo su viaje y exhibió algunas de las fotografías que había tomado. Como en una de las fotos aparecía él montado en la bicicleta con antiparras oscuras, el gerente le propuso un convenio: "Si usted nos firma una carta explicando el recorrido que hizo y nos presta esta fotografía para publicarla en un aviso, nosotros se lo arreglamos gratis. ¿Qué le parece?" No había que pensarlo mucho. La operación se concretó en pocos minutos.»[104] Así, en la revista deportiva *El Gráfico* de Buenos Aires, pudo leerse una carta explicativa y bastante graciosa de nuestro «raidista», fechada el 28 de febrero de 1950, acompañada de una fotografía del héroe con gafas oscuras, cabalgando su montura, todo a mayor gloria del motor Micron.

Chichina

Ernesto reanuda sus clases en la facultad, se acostumbra de nuevo a la ciudad, su ritmo, sus ruidos. Se aferra más que nunca al menor pretexto para escapar hacia Córdoba, que es su *pago*, su «país». Su vitalidad está en su punto más alto. Pese el asma, pese a las mil ocupaciones, encuentra tiempo para consagrarlo a numerosos amores. Es joven, apuesto, esbelto. A pesar de su aspecto descuidado, desprende cierto magnetismo y no se priva de utilizarlo. Alberto Granado cuenta que, ya en Córdoba, ejercía sobre las mujeres una gran atracción. «Siempre me decían, che, por qué no me lo presentás; che, por qué no le decís que se peine; por qué no le decís que se ponga una corbata. El ambiente en que nosotros nos criamos era un ambiente de pequeñoburgués.»[105] Añade además: «Tenía novias y enamoradas, pero era muy reservado para hablar de esas cosas.»[106] Carlos Ferrer, otro amigo íntimo de Córdoba, revela: «Tenía también una amante oficial, una mujer de otro ambiente, diez años mayor que él.»[107] Su hermano menor, Roberto, explica: «Siempre tenía alguna chica de turno. Era un muchacho fuerte como todos, pero quizá vivió con más fuerza las aventuras amorosas.»[108] Por lo que respecta a su primo Fernando Córdova de la Serna, el hermano de la Negrita, es categórico: «Desde los dieciséis años era un cogedor [follador], un cogedor terrible, aparentemente insaciable como en todo. Estaba lleno de osadía, era muy admirado. Quería conquistar el mundo...»[109] Y sin embargo, pronto será Ernesto el conquistado.

En octubre de 1950 toda la familia Guevara se desplaza a Córdoba para reunirse con unos excelentes amigos, los González Aguilar, cuya hija Carmen se casa. Durante los festejos Ernesto conoce a una muchacha muy joven, morena de ojos verdes, bonita, inteligente y atrevida, María del Carmen Ferreyra, llamada Chichina. Flechazo recíproco. Ella tiene dieciséis años; él, veintidós. Los Guevara no son unos cualquiera. Los Ferreyra tampoco. Son ricos, estimados. Horacio Ferreyra, el padre de Chichina, antes de convertirse en una especie de notable llevó una vida aventurera: expediciones por la Amazonia, carreras automovilísticas (en una época en que los motores se enfrentaban a infames caminos de tierra); ha pilotado personalmente aviones, ha recorrido el mundo. Y ha redondeado su fortuna explotando las canteras de cal de las sierras de Córdoba. La familia es culta, practica los buenos modales, sabe hablar de pintura y música. La mansión de los Ferreyra es una de las más imponentes de Córdoba. Su estancia de Malagueño, no muy lejos, es un sueño hollywoodiense, con campo de polo, piscina, pista de tenis, y el domingo, en la iglesia del lugar, se les reserva un sector aparte para que comulguen en privado.

En semejante medio, Ernesto desentona más que Julien Sorel en casa de Mathilde de la Mole. La suntuosidad de los Ferreyra no le impresiona. Al contrario, tiende más bien a exagerar la provocación presentándose siempre mal arreglado, sin preocuparse en lo más mínimo por las apariencias. Eso es lo que seduce a la adolescente. «Me fascinó —dice— su conducta obstinada y su carácter antisolemne; su desparpajo en la vestimenta nos daba risa y, al mismo tiempo, un poco de vergüenza. No se sacaba de encima una camisa de nailon transparente que ya estaba tirando a gris, del uso. Se compraba los zapatos en los remates, de modo que sus pies nunca parecían iguales. Éramos tan sofisticados, que Ernesto nos parecía un oprobio. Él aceptaba nuestras bromas sin inmutarse.»[110]

Al comienzo, la acogida de los Ferreyra no es hostil. Escuchan con atención a aquel muchacho avispado que habla de literatura, historia, filosofía o cuenta anécdotas de viaje. Regala a Chichina la obra de Gandhi *El descubrimiento de la India*, acompañada de una dedicatoria y se interesa por los métodos no violentos del Mahatma para luchar contra la ocupación inglesa. Pero las cosas se estropean cuando ambos jóvenes anuncian su compromiso y Ernesto proyecta un matrimonio inmediato con una gran expedición en *roulotte*, en vez del tradicional viaje de bodas, por el continente americano.

La propia Chichina no está muy convencida y los padres no ven con buenos ojos ese tipo de proyecto. El asunto estalla cuando las discusiones toman un giro político. José Aguilar, que coquetea con una amiga de Chichina, siguió de cerca la historia. Cuenta que una noche, durante una cena en la estancia de Malagueño, Ernesto la emprende con Churchill y su faceta conservadora, hablando de las elecciones en Inglaterra. El padre de Chichina, firme partidario de los aliados, uno de cuyos hermanos ha muerto a manos de los alemanes cuando iba a unirse a las tropas de De Gaulle en Londres, se contiene con dificultad. Cuando oye que tratan a Churchill de «político de pacotilla», exclama: «¡Esto es demasiado!», y abandona la mesa furioso. «Miré a Ernesto —dice José Aguilar—, pensando que éramos nosotros quienes debíamos retirarnos. Pero se limitó a sonreírme travieso y comenzó a mordisquear un limón, señal de que el ataque de asma estaba próximo.»[111] Tachado de comunista, de *pithecantropus erectus*, por los Ferreyra y sus amigos, que descubren el esparadrapo con el que ha remendado un rasgón de sus pantalones, Ernesto no se deja conmover.

En Buenos Aires sigue observando la misma disciplina que se fijó al comienzo de sus estudios; su trabajo de ayudante de laboratorio con el profesor Pisani lo estimula y despierta su afición por la investigación. En 1950 aprueba sin esfuerzo alguno, como los años precedentes, tres exámenes, dos de ellos con nota. Pero le faltan todavía veintiuno para obtener el doctorado.

Estamos en el verano de 1951. Para conocer el mundo con los gastos pagados, Ernesto ha encontrado esta vez algo mejor que la bici con motor: el navío petrolero. Gracias a una recomendación de papá Figueroa, consigue un puesto de enfermero en la marina mercante argentina. Hasta la llegada del otoño (mayo de 1951), embarca en tres navíos que le llevan al Caribe —Curaçao, Trinidad-Tobago—, a Brasil o a las frías aguas del sur, hacia las zonas petrolíferas de Comodoro Rivadavia. Este tipo de viajes no parece haberle gustado demasiado («Quince días de travesía por cuatro horas de escala en un puerto inmundo y después zarpar de nuevo»), pero los aprovecha para preparar los exámenes a los que se presentará, como alumno libre, en cuanto vuelva a Buenos Aires. Sólo en 1951, seis exámenes a la vez, adelantados al curso normal. Dos veces más de lo que prevé el ritmo oficial. Siente ya que debe ir deprisa, lo que no le impide ir a visitar, tan a menudo como puede, a su rica prometida Chichina o, al menos, intercambiar con ella una copiosa correspondencia. «Cuando llegaba a puerto —recuerda su hermana Celia—, me llamaba por teléfono para saber si había cartas de Chichina [...] y yo corría y corría como él me pedía y le llevaba las cartas. Una vez, cuando llegué, el barco ya se alejaba de la costa [...] hasta que me vio con la carta en la mano que lo despedía.»[112]

Durante 1951 los proyectos de viaje se concretan. Pero a medida que la partida con Chichina parece cada vez más difícil, se dibuja una nueva expedición mucho más ambiciosa, sólo para hombres. Una gran gira por América Latina.

2

EL HOMBRE DE LAS SANDALIAS DE VIENTO

Ernesto y Alberto van en moto

Desde hacía diez años Alberto Granado, el bioquímico de la leprosería, que inició a Ernesto en el rugby, rumiaba un gran proyecto de viaje, aplazado y retomado una y otra vez. Sin Ernesto, sin su impulsividad algo alocada, fecunda en ese caso, él no habría emprendido nada concreto.

En la primavera de 1951, aprovechando las celebraciones del 17 de octubre* —aniversario de la algarada del coronel convertido en General-Presidente—, Ernesto se ha largado a Córdoba donde lo aguarda su dulce Chichina. Pero cuando descubre, en casa del amigo Granado, que el viejo sueño puede hacerse realidad con tal que participe en la aventura, lanza gritos de júbilo y se pone a bailar como un sioux, mandando al diablo su porvenir de médico establecido y la expedición en *roulotte* de la que, por lo demás, los padres de Chichina no quieren saber nada.

Sucede que el viaje forma parte de la naturaleza de Guevara, nómada por excelencia, nacido al albur de una escala, transcunado del Río de la Plata a los trópicos y en permanente migración desde entonces a través de los distintos puntos de aterrizaje familiar: hoteles transitorios o agrietadas casas en la montaña cordobesa. Buenos Aires no es para él un punto fijo. Nunca tendrá punto fijo ni dirección definitiva, nunca un arraigo estable en la comodidad de un sillón. Permanecerá siempre en un ángulo de la mesa dispuesto a echarse la mochila a la espalda para una inminente partida. En enero de 1952, en San Martín de los Andes, provincia de Neuquén, en los confines de la Patagonia, anotará: «Ahora sé, casi con una fatalista conformidad en el hecho, que mi sino es viajar.»[1]** Su fascinación por Don Quijote no se debe sólo a los combates heroicos del Caballero de la

* Al final de las multitudinarias manifestaciones en Plaza de Mayo, del día 17, la gente coreaba el estribillo *Mañana es San Perón*, y el líder concedía festivo también el día 18.

** *Notas de viaje de Ernesto «Che» Guevara* (La Habana-Madrid, Ed. Abril-Sodepaz, 1992) y el testimonio de Granado *Con el Che por Sudamérica* (La Habana, Ed. Letras Cubanas, 1986). Salvo indicación contraria, todas las citas que siguen se han extraído de estos dos diarios de viaje.

Triste Figura sino también a su carácter de eterno trashumante. No quiere «huir, allá lejos». Ningún *barco ebrio* lo espera. Sin embargo, en adelante no dejará de recorrer el mundo. Como Rimbaud, también él puede anunciar: «Iré lejos, muy lejos, como un gitano.» No lo sabe todavía, pero él también querrá «cambiar la vida». Es ya «el hombre de las sandalias de viento».

Durante los dos meses que preceden a la partida, fijada para el 29 de diciembre de 1951, todo es un «torbellino enloquecedor de mapas, repuestos mecánicos, adopción y abandono de decenas de rutas...». La primera idea es llegar a Estados Unidos. Pero el objetivo final no es menos ambicioso: cruzar América del Sur siguiendo su espina dorsal, llegar hasta Venezuela por la cordillera de los Andes atravesando Chile, Perú, Colombia y, por fin, llegar a Caracas, ciudad donde Granado tiene algunos contactos.

Éste posee una gran moto para aquella época, una vieja Norton inglesa de 500 cm^3 de cilindrada, bautizada como *Poderosa II*, capaz en principio de llevarles a ambos. Alberto, a quien le repugna convertirse en un *monsieur* Homais criollo, abandona sin sentirlo demasiado su farmacia y sus redomas. Por lo que a Ernesto se refiere, sabe que cuando vuelva tendrá que presentarse por libre a todos los exámenes retrasados. Su madre, en vez de unirse al coro de los escépticos y los inquietos, le recomienda a Alberto: «Vos sos el mayor, intentá lograr que Ernesto vuelva para obtener su diploma de médico. Un título nunca hace daño.»

Seis años separan a Alberto (veintinueve años) de Ernesto (veintitrés), pero los une una fuerte complicidad hecha de estima recíproca, partidos de rugby, lecturas compartidas, largas discusiones filosóficas y políticas. A ambos los anima la misma curiosidad por aquel «más allá» todavía indistinto que los atrae y que no imaginan cómo los cambiará. Ambos ignoran que, en la misma época, en Estados Unidos, al otro extremo del continente, algunos «vagabundos celestiales» —Jack Kerouac, Neal Cassady, Allen Ginsberg, figuras emblemáticas de la *beat generation*— también van a lanzarse al camino, *on the road*, a la búsqueda de una felicidad menos adulterada que la ofertada por la sociedad de la abundancia de la posguerra.

La actitud de los muchachos argentinos es distinta. Se lanzan a descubrir tanto a los demás como a aquella «América mayúscula» que, en la pluma de Ernesto, toma una dimensión algo mítica. Cada uno lleva su diario de a bordo, testimonios que tardarán bastante tiempo en salir a la superficie. Guevara Lynch, el padre, da a conocer algunos extractos del de Ernesto en la obra que comienza a escribir en 1972, cinco años después de la muerte del Che. Será preciso aguardar veinte años para que, en 1992, lo esencial del diario —no el diario íntegro— sea publicado en una versión sensiblemente retocada, despojada de su frescura primigenia y su espontaneidad. En una advertencia al lector, Guevara señala su procedimiento de tipo stendhaliano, el de pasear su propio espejo a lo largo del camino. «Mi boca cuenta lo que mis ojos le han dicho... No es éste un relato de hazañas impresionantes... Es un retazo de dos vidas durante cierto recorrido.» Por lo que se refiere a los cuadernos de Granado, reanudados por el autor en 1978, recién se publicarán en La Habana en 1986. Se impone una lectura cruzada de ambos documentos, que revela las diferentes perspectivas de ambos y nos presenta a un Guevara bastante menos politizado que su amigo, más escéptico en todo caso, casi cínico, deseoso, como escribe, «de no plantar raíz en parte alguna» ni demorarse «estudiando el sustrato de las cosas: la periferia nos basta». Mientras que para Granado constituye el límite de la hazaña, para Guevara es apenas el comienzo de una exploración general del vasto mundo, una etapa lógica que, tras el previo reconocimiento de su propio país, va a llevarlo hacia otros vagabundeos.

Esos cuadernos lo son todo salvo documentos filosóficos o políticos. Su lectura es divertida, jubilosa a menudo, porque arrojan una luz inédita sobre sus autores, auténticos pícaros por momentos, que hacen siempre buenas migas para asegurarse —al menor coste y con la habilidad del trotamundos— la cama, la comida, el transporte y, por supuesto, los favores de las mujeres con que se crucen.

Más graciosos que serios, desbordantes de juvenil vitalidad, estos diarios, escritos a menudo con prisa, nos remiten a los mejores relatos picarescos españoles; cuando el *pícaro*, personaje denominado el *vivo* por los argentinos, hace mangas y capirotes para asegurarse la supervivencia, aprovechando la menor ocasión para utilizar con ingenio su propia precariedad como fuente de simpatía y pretexto para la diversión.

Durante esa peregrinación americana, cada cual mantiene su apodo habitual. Granado es *Mial*, apócope de la fórmula «Mi Alberto», utilizada por su abuelo y también *petiso*, porque es bajo y rechoncho. Guevara es sobre todo *Fuser*, nombre de rugby extraído de «*fu*ribundo *Serna*», pero son numerosos los que le conocen sólo como el *Pelao*, por sus cabellos siempre muy cortos.

Ya en el inicio, al salir de Córdoba, el tono de la expedición está dado. Impera un hermoso sol de verano. Toda la familia Granado está allí, ansiosa. Alberto conduce. Traqueteante, cargada «como un enorme animal prehistórico» de mochilas, tiendas, camas de campaña, parrilla para asar y demás accesorios, la moto se pone en marcha bruscamente. Ernesto, que se vuelve para el último saludo, provoca un bandazo que casi les hace chocar con un tranvía en la primera esquina. Mial da entonces un brusco acelerón mientras Fuser, a su espalda, maldice como un demonio. Al cabo de dos kilómetros, primera parada. «Pedazo de bestia, tuve que agarrarme como un pulpo para no caerme al suelo», estalla Ernesto. «Era necesario terminar de una vez o no nos hubiéramos marchado», replica Granado. Los dos muchachos se miran. Ataque de risa. Esta vez la cosa ha comenzado de verdad. Ernesto y Alberto van en moto a la aventura.

«Todo fue una miel»

En Rosario, rápida escala. Alberto anota cómo sus sobrinas, lectoras de revistas sentimentales, quedan impresionadas por la prestancia de Ernesto. En Buenos Aires, segunda despedida, esta vez en casa de los Guevara. Y nueva partida hacia los lagos del sur, pero pasando por las playas atlánticas donde les espera la noviecita del Pelao. Un tercer personaje forma, provisionalmente, parte de la expedición: un pequeño cachorro de perro policía comprado al salir de Buenos Aires. Ernesto, que siempre ha adorado los perros, quiere regalárselo a Chichina. Lo ha bautizado *Come Back*, promesa de regreso que nadie sabe si se cumplirá.

Tras algunas peripecias —entre ellas varias caídas, que no adornan precisamente la moto, inestable a causa de su desmesurado cargamento—, los viajeros llegan a Miramar. Para Granado, destripaterrones anclado hasta entonces en su territorio montañoso, es una gran primicia: nunca había visto el mar, «viejo confidente» de su amigo, asiduo veraneante en Mar del Plata.

Por entonces Miramar era todavía una pequeña estación balnearia discreta, muy selecta, a 500 kilómetros de la capital, y será intermedio importante en la historia de los amores de Ernesto. Con Chichina, escribe, «todo fue una miel continua, con ese pequeño sabor amargo de la próxima despedida que se estiraba día a día hasta llegar a ocho. Cada vez me gusta más y la quiero más a mi cara mitad».[2]

Este párrafo explícito pero no muy escandaloso, reproducido por el padre, fue púdicamente expurgado de la edición cubana del diario que precisa, por el contrario: «No entra en los propósitos de estas notas contar la etapa de Miramar.»[3] Sin embargo, se dice lo bastante para comprender que, pese a su compromiso con Granado, Ernesto habría podido cambiar de opinión si Chichina hubiera insistido. Durante aquellos ocho días de verano, a la orilla del mar, junto a Chichina, «el viaje —escribe— permaneció en suspenso, indeciso, por completo subordinado a la palabra de consentimiento que me retendría. Alberto veía el peligro y ya se imaginaba solitario por las carreteras de América, pero no decía ni una palabra. La puja era entre ella y yo...».

Mientras el muchacho, con la cabeza suavemente posada en el regazo de su Dulcinea, «en el fondo del enorme vientre del Buick», imagina lo que podría ser «mi universo basado en un lado burgués», es el mar que, según dice, se niega a escuchar al «hombre enamorado» (e incluso sobre esta fórmula ironiza a continuación: «Alberto emplea un adjetivo más suculento y menos literario.»). De hecho, Granado no está sólo inquieto al ver a su compañero «cazando», se siente también como ultrajado al codearse con «esos seres [que] creen que por derecho divino... merecen vivir sin más preocupación que la de pensar en su estatus social... Eso me da el orgullo de mi origen de clase... Ernesto nació y ha crecido en el mismo medio social pero su sensibilidad no se ha mellado por los conceptos de su clase». El basto sentido común de nuestro Sancho Panza marxista acaba recordando al enamorado que, para viajeros de largo aliento como ellos, todos los medios son buenos. En Miramar, Granado somete a Ernesto a una prueba de dudosa elegancia. Chichina lleva en la muñeca un hermoso brazalete de oro que debe de valer mucho. «Su pulsera, o ya no eres tú», desafía a su amigo. Y éste consigna la fechoría en su diario. «Sus manos se perdían en el hueco de las mías. Chichina, esta pulsera... ¿Si me acompañara en todo el viaje como un guía y un recuerdo? ¡Pobre! Yo sé que no pesó el oro, pese a lo que digan: sus dedos trataban de palpar el cariño que me llevara a reclamar los kilates...», y Alberto, implacable, en su picardía, se burla de la «densidad 29 quilates» de dicho amor. En el mejor estilo tango-melodrama, Ernesto cita entonces al poeta venezolano Otero Silva: «No sé con qué fuerza me libré de sus ojos / Me zafé de sus brazos. / Ella quedó cubriendo de lágrimas su angustia / ... Pero incapaz de gritarme: ¡Espérame, yo me marcho contigo!»

En Miramar, a pesar de la «miel», algo tuvo que resquebrajarse o romperse en la relación amorosa de la joven pareja. ¿Advirtió Chichina que el esfuerzo que Ernesto le exigía estaba por encima de sus fuerzas de joven y bonita burguesa de familia rica? Lo cierto es que tras su partida ella le escribe una carta, probablemente de ruptura, que él recibe al cabo de un mes, el 12 de febrero de 1952, en vísperas de cruzar la frontera chilena. Es una ducha de agua fría. «Leía y volvía a leer la increíble carta. Así pues, de un manotazo, todos los sueños de regreso clavados en los ojos que me habían visto partir de Miramar se derrumbaban... Una enorme fatiga me invadía.» Pero Ernesto siente poco a poco un profundo malestar, nacido sin duda de un hecho incontestable: pese a que debería sentir dolor, son las fuerzas vitales las que prevalecen. Se encuentra, precisa con lucidez, «ajeno a lo que habría debido ser mi drama del momento». Y es el primer asombrado: «Ni siquiera era capaz de sentir la cosa en cuestión. Comencé una carta lacrimosa pero era imposible, inútil de insistir... Antes de que estallara mi ausencia de sentimiento, había creído amarla. Tenía que reconquistarla con el pensamiento, tenía que luchar por ella, era mía, era m... ¡Me quedé dormido!» En el momento en que su amor se derrumba, aquel invencible sueño es de tal trivialidad que lo vuelve divertido.

El ligero aire de la aventura

En el mes transcurrido desde que, como Ulises, Ernesto escapó a las seducciones de la sirena de las riberas atlánticas, ambos viajeros hicieron el aprendizaje de la ruta, de sus peligros y de los problemas mecánicos de la moto. Han comprobado la simpatía que despierta en general la insólita odisea transamericana que emprendieron. Están convencidos de que, comparados con los cortos ideales humanos que descubren en derredor, ellos están en el buen camino, enriquecidos por una inmensa libertad. Para alojarse han puesto a punto una eficaz estrategia: si no tienen el refugio asegurado, se dirigen primero al hospital, cuando lo hay, o al dispensario. En su defecto, al puesto de policía, donde pese a su mugriento aspecto sacan partido sin escrúpulo alguno de sus calidades de (casi) médico y de bioquímico, pasaporte capaz todavía, en aquella época, de impresionar a funcionarios apenas alfabetizados.

La etapa de Necochea, otra estación balnearia próxima a Miramar, sólo es interesante por las reflexiones que suscita sobre el destino de pequeñoburgueses al que pretenden escapar. Cubiertos de polvo, llegan justo a tiempo para que los inviten a comer en casa de un antiguo condiscípulo de Alberto, casado y confortablemente instalado que, aunque algo pasmado, les recibe con cordialidad. «Pero —escribe Granado— cómo hemos cambiado... Es ya un fósil, con su señora esposa quien sólo piensa en que no haya ni una mota de polvo.» Ernesto anota que al separarse de la pareja «nos hemos sentido bastante más libres».

En Bahía Blanca (ochocientos kilómetros de Buenos Aires), en casa de amigos de Ernesto esta vez, ponen en práctica otro principio sagrado del trotamundos fogueado: no dejar pasar ninguna ocasión de recuperar las fuerzas. «El pan —escribe Ernesto— tenía un gusto de advertencia. "Dentro de poco te costará comerme, amigo." Y de pronto, lo tragábamos con más avidez. Como camellos, queríamos hacer provisión para lo que iba a venir.» Sobre todo, si la ruina financiera está próxima.

Granado, que naturalmente es el que lleva las cuentas, nos informa que al salir de Bahía Blanca ambos disponen, por toda fortuna, del equivalente a trescientos cincuenta dólares. Sin embargo, con esos únicos recursos lograrán aguantar siete meses y recorrer casi diez mil kilómetros. Se comprende que, para realizar semejante hazaña, debieron no ser siempre muy exigentes en lo que a medios se refiere.

En las fronteras de la Patagonia, la carretera que une el Atlántico con la cordillera de los Andes y Chile atraviesa grandes espacios pamperos en cinemascope, extensiones infinitas barridas por los vientos bajo unos cielos soberbios que invaden el paisaje. Nuestros viajeros reanudan el itinerario de lo que, durante tres siglos, fue la «frontera», línea de división más o menos movediza entre pueblos indígenas y criollos argentinos. Los nombres de las pequeñas ciudades y aldeas que cruzan son los de fortines instalados, muy de vez en cuando, en el siglo pasado, o los de las tribus del lugar. A veces, como en los mejores westerns, los indios se lanzaban a caballo por las tierras criollas en una expedición asoladora, un *malón*, matando hombres, quemando casas y capturando mujeres, a lo que los criollos respondían formando tropa con sus gauchos, pagándoles con la misma moneda y mucho más. Hasta que en 1879 el problema se resolvió por el método clásico: el genocidio. Un tatarabuelo materno de Ernesto participó en aquella «conquista del desierto». Quedan algunas obras maestras literarias: *Una excursión a los indios ranqueles* del coronel Lucio V. Mansilla, distinguido diplomático que en París frecuentará los salones proustianos, o *La guerra al malón*, del comandante Prado, que describe la loca empresa de la gigantesca «zanja de Alsina», muralla china invertida que debía rodear la pampa. Los indios tuvieron la astucia de arrojar en ella rebaños de corderos amontonados unos encima de otros, antes de cargar al galope sobre aquella calzada lanosa y balante.

Toda esta historia, verdadero *southern* argentino, tan rico sin duda como el western de las praderas de Estados Unidos, es mal conocida todavía hoy. Pero ambos jóvenes habían leído los clásicos. Granado hace referencia a Mansilla y Ernesto al inevitable breviario criollo del *Martín Fierro*. Tomando mate al amanecer, observa a los peones que se atarean en el *fogón*, la cocina de leña de una estancia en la que han encontrado refugio. «Estos miembros de la raza vencida de los araucanos son poco comunicativos y mantienen su desconfianza frente al hombre blanco que, tras haberles infligido tantas miserias, sigue hoy explotándoles.»

Por efecto del viento, la carretera de arena y tierra batida se arruga como una plancha ondulada: es el *serrucho*, pesadilla de los corredores de rallies. Puesto que no salen al amanecer, cuando la arena de las dunas (los *médanos*), húmeda de rocío, es todavía transitable, los motoristas se enfrentan con los pasos difíciles cuando más calor hace. Y tienen una docena de leves accidentes. Una vez, el pie de Ernesto queda atrapado bajo el cilindro de la moto. «La quemadura le dejó un mal recuerdo mucho tiempo.» Pero ambos mocetones no se arrepienten de nada. Pese a una enorme tormenta que les deja empapados hasta los huesos, Ernesto anota alegremente: «Contemplábamos el porvenir con impaciente alegría... Habríase dicho que respirábamos más libremente un aire ligero que procedía de más allá, de la aventura.» Y como Don Quijote, héroe familiar, sueña: «Países lejanos, hechos heroicos, hermosas mujeres desfilaban por nuestra desbordante imaginación. Y ante mis ojos cansados que se negaban, no obstante, al sueño, dos puntos verdes, síntesis de un mundo muerto, se reían de mi pretendida liberación, acoplando la imagen a que pertenecieron a mi fabuloso vuelo por los mares y las tierras del mundo.»

Granado no acaba de creerse la «vida llena de sobresaltos» que comienza a vivir. Sueña con ir a Europa, navegar por el Danubio, conocer la URSS, oír las campanas del Kremlin y exclama: «¡Cuando pienso que si no nos hubiéramos rebelado, el porvenir que nos aguardaba era, para mí, convertirme en farmacéutico de pueblo, para él ser médico de ricachonas alérgicas!» ¿Será el polvo del camino o la dureza del medio de transporte? El asma de Ernesto se manifiesta a menudo, a veces con violencia. En Choele-Choel sufre un terrible ataque: náuseas, vómito, cuarenta de fiebre. El médico local le administra «una droga poco conocida», la penicilina... «Alberto me fotografió con mi uniforme de hospital, delgado, descarnado, con unos ojos enormes.» El viaje prosigue mientras la moto da signos de cansancio: pinchazos dramáticos cuando se trata de la rueda trasera y es preciso desmontarlo todo. El motor que también tiene asma o el cuadro roto que Granado chapucea con su eterno alambre, mágico accesorio...

«Siempre es a cara o cruz»

Y de nuevo la carretera polvorienta, el horizonte que tiembla y se aleja... En cuanto se les presenta la posibilidad, aplican, en previsión de los días de carestía, su «política del camello»: darse panzadas de cerezas, de ciruelas, de carne asada, de cualquier cosa que «llene el estómago», sobre todo si es gratuita.

Cada etapa trae una nueva aventura, una anécdota que le da su color particular. Una vez, para pasar la noche a resguardo del *pampero*, agrio vientecillo que sopla del sur, no encuentran nada mejor que el foso de engrase del mecánico que repara su moto. Al día siguiente, un estanciero alemán les hace descubrir los goces de la pesca de la trucha. En San Martín de los Andes abordan la cordillera en un punto donde se transforma en una Escandinavia de deslumbrante belleza, desmenuzándose en una multitud de lagos rodeados de espesos bosques de raras esencias. Un guarda forestal del Parque Nacional les ofrece un cobertizo para dormir y la posibilidad de trabajar con él en la preparación de un gran asado de cordero para un grupo de corredores de coche que están de paso. Lo hacen a gusto porque es la ocasión ideal para comer y beber hasta saciarse. Ernesto, fingiéndose borracho en uno de los ágapes, intenta apoderarse solapadamente de cinco botellas de vino; pero a pícaro, pícaro y medio: cuando más tarde acude a recuperar su botín, advierte que el escondrijo ha sido visitado antes por alguien más astuto.

Por primera vez en su vida descubren un verdadero glaciar. Tan audaces como inexpertos, se lanzan a escalarlo con la inconsciencia de los neófitos. El relato de Ernesto, retocado en la edición cubana pero que conserva su frescor en la del padre, merece ser reproducido: «A las doce y media iniciamos la ascensión, a la una y media reíamos, a las dos sudábamos y a las cinco habíamos acabado los yuyos y subíamos por la parte rocosa. Allí quedé encajado, al caérseme una piedra que me servía de apoyo y no podía ir para arriba y tampoco para abajo. Al ver la caída como de treinta metros que tenía abajo y la imposibilidad de subir, me di cuenta de que tenía un miedo bárbaro. Quedé media hora achatado contra las piedras dándome valor mentalmente; al fin, sin mirar abajo, empecé a subir con una lentitud atroz, hasta hacer pie en roca firme. Alberto me esperaba anhelante.» Finalmente llegan a la cima a la hora del crepúsculo, y deben comenzar el descenso ya caída la noche; la providencia los acompaña pues, tras haber estado a punto de matarse diez veces, llegan al valle hacia la una de la madrugada, no sin haber contemplado surgir de la oscuridad «la inmensa silueta de un ciervo iluminado por la luna».[4]

En otra ocasión Ernesto da pruebas de su sentido de la oportunidad y su habilidad como tirador. Acampan a orillas de un lago espléndido, el Espejo Grande, a la sombra de un arrayán, árbol muy curioso, de tronco frío y amarillo, característico de la región. Un merodeador chileno parece interesarse demasiado por sus cosas. Ernesto, sin decir palabra, saca su Smith & Wetson, sólido revólver y «casi sin apuntar, derriba un pato en el lago». Inmediata desaparición del inoportuno visitante. Días más tarde, en una estancia vecina da muestras de idéntica rapidez de gatillo. Al alojarlos en el granero, los han puesto en guardia contra un peligroso puma que merodea por allí. De modo que cuando, por la noche, aparecen dos ojos fosforescentes acompañados por un gruñido, nuestro Lucky Luke no vacila. Dispara, escucha un gemido y vuelve a dormirse. Era el perro de la patrona. Al amanecer, cuando ella descubre la fechoría, los insulta y los echa a gritos.

En Bariloche, estación de esquí balbuceante aún pero ya capital turística del sur argentino (y refugio de numerosos nazis), instalan unos breves cuarteles de verano en la gendarmería. Lo que les permite compartir sus escasas comidas con una humanidad que Granado, de adjetivo fácil, considera «dantesca». Una pobre loca que murmura obscenidades, un borracho titubeante, un delincuente crónico, un marido fugado... Todo ello es «fiel reflejo de la destrucción del ser humano provocada por el sistema vil y corrupto que nos gobierna, cuando no nos oponemos a él». En su diario, más rico que el de Guevara en detalles sabrosos, Granado pierde pocas ocasiones de manifestarse, con una sutileza similar a la de los comunistas argentinos, conocidos por su ceguera dogmática, contra los explotadores del pueblo, la oligarquía, los bancos extranjeros, el poder corrupto, etc. «Estaba influido sobre todo por mis lecturas —dirá más tarde—, la de Zola, la del Steinbeck de *Las uvas de la ira*.»[5]

A la indignación de su amigo, Guevara opone una visión plácidamente maniquea del mundo, que no implica resignación alguna: «Petiso, siempre es así. Siempre a cara o cruz. Abundancia de la naturaleza por un lado, pobreza de los que la trabajan por el otro; generosidad de los pobres por el lado de la cara, latrocinio de los propietarios por el de la cruz.» Y Granado se queda pensativo.

Expertos en leprología

El 13 de febrero de 1952, un mes y medio después de haber abandonado Córdoba, inician por fin la etapa «internacional» de su gira. Para entrar en Chile, «nuestro hermano filiforme de los Andes», les ha sido necesario cruzar varios lagos, en especial el magnífico Nahuel Huapi, que parece de un extraño encaje verde lechoso, transbordando cada vez la exhausta moto que no merece ya su nombre de *Poderosa*.

Aquel paso de frontera, «en las tierras de los araucanos», es consignado con bastante precisión en los cuadernos de ambos muchachos. Primero porque toman un baño (¡con jabón!) en las aguas tibias (no ya heladas) del lago chileno Esmeralda, acontecimiento bastante excepcional como para ser señalado. («Hasta el Pelao se bañó», anota Granado.) Luego porque, charlando con médicos chilenos de vacaciones, descubren la existencia de un lugar que los hará soñar a ambos: la isla de Pascua y su leprosería. «¡El número de leprosos es ínfimo, pero qué isla deliciosa! Y nuestro yo "científico" se apresuró a elucubrar sobre la famosa isla.» Se incluye también una aventura amorosa con dos turistas brasileñas negras, sobre la que Guevara es más discreto que su amigo, que cuenta no sin humor: «A la colega la llevé a la orilla del lago; luego de hablar de bioquímica, pasamos de común acuerdo a la anatomía topográfica... Espero no haber llegado a la embriología.»

Para pagar su paso y el de la moto tuvieron que «desagotar el barro aceitoso de la sentina» de la lancha. Ahora, para cuidar la fatigada moto, Ernesto acepta conducir una camioneta hasta Osorno, ciento cincuenta kilómetros al norte. No conoce la carretera, que rodea un volcán de nieves perpetuas, ni demasiado bien el manejo de las marchas, pero no importa. Su única víctima es un lechón suicida que corre «delante del coche cuando todavía no estaba práctico en este asunto de freno y embrague».

En Valdivia, a orillas del Pacífico, pasean por el puerto cuando, al azar de su vagabundeo, entran para decir buenos días en el periódico local. El *Correo de Valdivia* concederá, al día siguiente, tres columnas a los «valientes trotamundos argentinos», que fabulan desvergonzadamente sobre sus conocimientos en leprología. Algo más al norte, en Temuco, capital de los indios mapuche, conocidos por su feroz resistencia a los invasores, repiten la entrevista con el *Diario Austral*, que publica su retrato en la edición del 19 de febrero. Y como bien miente quien llega de lejos, por más que uno y otro ironicen al respecto en sus cuadernos, son lo bastante convincentes como para que el cronista hable de los «expertos en leprología», cuya experiencia internacional abarca tres mil casos y que proyectan, además, estudiar la situación en la isla de Pascua.

Aquel lento ascenso a lo largo de Chile los colma de satisfacción. Guevara no se cansa de alabar la hospitalidad chilena, la campiña chilena, el vino chileno, la mujer chilena. «Hermosa o fea, tiene un no sé qué de espontáneo, de fresco, que cautiva inmediatamente.» Su conducta más libre les encanta, acostumbrados como están a la mentalidad algo mojigata de las argentinas. El artículo del periódico les vale una pequeña gloria local. Los reconocen, los invitan, y ellos se dejan mimar sin escrúpulo alguno.

En Lautaro, aún en territorio mapuche, nuevos problemas mecánicos de la moto los obligan a varios días de reparaciones. Cierta noche, aceptan ir a una fiesta con unos amigos ocasionales. «Pese a su mono mugriento y una barba de varios días, el Pelao era una presa deseada —anota Granado—. El vino chileno es riquísimo —cuenta por su lado el Pelao—. Y yo tomaba con una velocidad extraordinaria, de modo que, al ir al baile del pueblo, me sentía capaz de las más grandes hazañas... Uno de los mecánicos del taller me pidió que bailara con su mujer... que estaba calentita y palpitante y tenía vino chileno. La tomé de la mano para llevarla fuera. Me siguió mansamente pero se dio cuenta de que el marido la miraba.» Negativa a salir. Insistencia de Ernesto. Gritos. Jaleo. Granado prosigue: «El marido, armado con una botella, se acerca a Fuser para golpearle por detrás. Me precipito, agarro al tipo que se derrumba, más por efectos del vino que por mi ataque.» Los dos argentinos «perseguidos por un enjambre de bailarines enfurecidos» corren hacia el pueblo. Fuser pone la moraleja: «Debemos prometernos formalmente no conquistar en el futuro mujeres en los bailes populares.» ¡Santa resolución!

Apenas se han marchado —tras una comida de despedida en compañía de encantadoras muchachas—, los frenos ceden en plena bajada, con un rebaño de vacas en el horizonte. «Una vez más —dice

Granado—, admiré la tranquilidad y la sangre fría de Ernesto.» Con un estilo «cinematográfico» que lamentablemente ha desaparecido de la versión «reescrita», de la edición cubana del diario, Guevara cuenta el incidente: «Vi como un fantasma pasar al lado mío la testa de una vaca, después una cola y por fin sentí el impacto tuyente que sobre la rueda pegaba la última pata de la última vaca.»[6]

Piden ayuda en un pequeño «fundo» (granja). Primero les ofrecen sólo el clásico granero, pero la muchacha de la casa reconoce en ellos a los «expertos» del diario de Temuco y los tratan, desde entonces, como señores: tienen derecho a la habitación de los huéspedes. «Nos separamos de ellos —puntualiza Granado— convencidos de que en un régimen burgués la prensa es, efectivamente, el cuarto poder.»

A la *Poderosa* hay que abandonarla cuando se transforma en «debilucha». En Malleco, un puente metálico une las dos vertientes de un profundo barranco, una obra soberbia diseñada por Gustave Eiffel, el de la Torre, «el puente de ferrocarril más alto de América del Sur», asegura Granado. «Allí plantó bandera la moto —indica Ernesto—. En la primera cuesta algo seria, la *Poderosa* quedó clavada en tierra, definitivamente.»

Un camión caritativo los lleva hasta la localidad más cercana, Los Ángeles, donde, según Granado, vivirán «una de las aventuras más inimaginables e interesantes del viaje»: la del bombero. Chile, país de «loca geografía», es una longilínea franja de tierra, cubierta de bosques al sur, de viñedos y fruta en el centro y de desiertos al norte. Con el constante balcón de la cordillera andina sobre el Pacífico. Todas las casas del sur están hechas de madera, que abunda en esa zona. De ahí que los incendios sean frecuentes y que las escuadras de bomberos voluntarios se disputen el honor de servir a la comunidad. Gracias a unas muchachas que conocen en cuanto llegan a Los Ángeles, los dos motoristas sin moto consiguen alojarse en el cuartel de bomberos, y se ofrecen para colaborar en las operaciones. Ya en la primera noche, alarma general. Les dan un casco y una guerrera. Y helos ahí, trepados al coche de bomberos que, con la sirena a todo trapo, corre hacia una casa de madera y adobe que arde con fuerza. Alberto empuña la manguera mientras Ernesto aparta los primeros escombros. Y ambos, en sus respectivas notas, atribuyen generosamente al otro el mérito de haberse lanzado entre las llamas para recuperar, ante los aplausos del público, un gatito maullante. «Pero todo se acaba —concluye Ernesto—. El pequeño Che y el gran Che (Alberto y yo) estrechábamos las últimas manos amigas mientras el camión tomaba la dirección de Santiago, llevando en sus poderosas espaldas el cadáver de la *Poderosa*.»

El transportista que les cobró sus últimos pesos para encargarse de la moto, los ha contratado también como mozos. La capital chilena, adonde llegan el 1° de marzo de 1952, no les impresiona. No puede compararse con la inmensa Buenos Aires. Para Ernesto «Santiago se parece más o menos a Córdoba», aunque las «montañas estén más cerca y sean más altas», añade Alberto. Se quedan sólo el tiempo de dejar en depósito la desgraciada moto (que Tomás Granado recuperará más tarde) y obtener los visados para el Perú. Cumpliendo su contrato, han hecho de mozos de carga. Granado cuenta a este respecto una anécdota que revela la inaudita voluntad de Ernesto, capaz de transformarse en estibador portuario si le buscan las cosquillas del amor propio.

Mientras el ayudante del camionero se dispone a colaborar en el transporte de un enorme y pesado ropero, por un estrecho pasillo, el patrón lo detiene bruscamente: «Deja que esos porteños se las arreglen solos.» «El Pelao se volvió, miró al patrón y le dijo: "Mire lo que yo hago si quiero." Y, dirigiéndose a mí: "¡Mial, dejame solo!" Abrazó el ropero, lo levantó unos diez centímetros del suelo y así lo llevó por todo el pasillo y lo dejó en medio de la habitación. Luego volvió adonde estábamos los tres, estupefactos ante la demostración, y dijo: "Yo ya terminé."» Epílogo de Granado: «No sé de dónde sacó las fuerzas y el aliento para hacerlo.»

Polizones

Al abandonar Santiago en dirección a Valparaíso, privados de su vehículo, de nuevo convertidos en vulgares autostopistas a merced de la buena voluntad de los camioneros, toman conciencia de su nuevo «estatus social». Guevara: «Estábamos acostumbrados a llamar la atención de los ociosos con nuestros originales atuendos y la prosaica figura de la *Poderosa II*, cuyo asmático resoplido llenaba de compasión a nuestros anfitriones, pero hasta cierto punto éramos los caballeros del camino. Pertenecíamos a la rancia aristocracia "vagueril" y traíamos la tarjeta de presentación de nuestros títulos que impresionaban inmejorablemente. Ahora no, ya no éramos más que dos *linyeras* con el "mono" a cuestas y con toda la mugre del camino condensada en los mamelucos...»

Escala obligada para cualquier navegante de la costa del Pacífico antes de que se abriese el canal de Panamá, Valparaíso, puerto mítico —del alcohol y las mujeres—, ocupó por mucho tiempo la

ESTADOS UNIDOS

Golfo de
México

MÉXICO

Tuxpan

México

CUBA

Los Cayuelos

HAITÍ

OCÉANO
ATLÁNTICO

Mar del Caribe

GUATEMALA

HONDURAS

Guatemala

NICARAGUA

Managua

COSTA RICA

San José

Panamá

PANAMÁ

Caracas

VENEZUELA

Bogotá

COLOMBIA

ÉQUADOR

Guayaquil

Íquitos

PERÚ

Leticia

San Pablo

B R A S I L

Lima

Machu Picchu

Cuzco

Puno

La Paz

Arica

BOLIVIA

Iquique

Chuquicamata

Antofagasta

PARAGUAY

OCÉANO
PACÍFICO

C H I L E

ARGENTINA

Misiones

Córdoba

Rosario

Valparaíso

Santiago
de Chile

URUGUAY

Buenos Aires

Temuco

Valdivia

Osorno

Miramar

Bahía Blanca

0   2 000 km

———— 1er itinerario

- - - - 2º itinerario

·········· 3º itinerario

LOS TRES VIAJES DEL CONDOTTIERE
DE ARGENTINA A CUBA

imaginación de los marinos del cabo de Hornos. El paraje es prodigioso. Cuando se llega de Santiago, como nuestros dos «vagabundos», se domina una guirnalda de colinas que descienden en desorden hacia la amplia bahía. Guevara hace una buena descripción: «Su extraña arquitectura de zinc, escalonada en gradas que se unen entre sí por serpenteantes escaleras o por funiculares, ve realzada su belleza de museo de manicomio por el contraste que forman los diversos coloridos de las casas que se mezclan con el azul plomizo de la bahía.»

Su objetivo es la isla de Pascua, adornada con todas las virtudes del Graal, las iluminaciones de Rimbaud y los sueños de Gauguin. Fantasía en estado puro para Guevara, que olvida los leprosos y escribe: «Allí, tener "un novio" blanco es un honor para ellas... Allí, trabajar, qué esperanza, las mujeres hacen todo, uno come, duerme y las tiene contentas... Aquel lugar maravilloso donde el clima es ideal, las mujeres ideales, la comida ideal, el trabajo ideal (en su beatífica inexistencia). Qué importa quedarse allí un año, qué importan los estudios, el salario, la familia, etc.»

Pero «las noticias eran desalentadoras. Ningún navío partía en aquella dirección antes de seis meses». Ernesto vuelve a la realidad «auscultando, con Granado, los bajos fondos de la ciudad, las miasmas que nos atraen... Con paciencia de disectores, husmeamos en las escalerillas sucias y en los huecos, charlamos con los mendigos que pululan... Nuestras narices distendidas captan la miseria con fervor sádico.» Como Georges Brassens a su *auvergnat*, encuentran a un providencial pescadero, de corazón de oro, que les alimenta gratis mañana y tarde, siguiendo el generoso principio de «hoy por ti mañana por mí». Su tienda tiene como enseña una Gioconda cuya sonrisa parece haber iluminado la estancia en Valparaíso de ambos viajeros.

Llamado a consulta por una anciana asmática, cliente de La Gioconda, el no menos asmático doctor Guevara deja escapar en sus notas, bastante insólito para que se advierta, un auténtico grito de indignación a lo Zola, pero que no desemboca todavía en decisión política alguna: «La pobre daba lástima, se respiraba en su pieza aquel olor acre de sudor concentrado y patas sucias, mezclado con el polvo de unos sillones... Sumaba a su estado asmático una regular descompensación cardíaca. En estos casos es cuando el médico consciente de su total inferioridad frente al medio, desea un cambio de cosas, algo que suprima la injusticia. Pues era evidente que la pobre vieja había debido estar sirviendo hasta hacía un mes para ganarse el sustento. Allí los últimos momentos de gente, cuyo horizonte más lejano fue siempre el día de mañana, es donde se capta la profunda tragedia vivida por el proletariado de todo el mundo. Hasta cuándo seguirá este orden de cosas basado en un absurdo espíritu de casta es algo que no está en mí contestar.»

No está lejos el tiempo —apenas unos años— en que el mismo Guevara, vistiendo el uniforme verde olivo de los combatientes revolucionarios, intentará dar respuestas más concretas a sus preguntas de muchacho.

De momento, Tintín y Milú intentarán evitar parte del desierto chileno dirigiéndose por mar a Antofagasta, casi dos mil kilómetros al norte. Jugarán al polizón. Será uno de los episodios más esperpénticos de su travesía latinoamericana. Han hablado con el capitán de un carguero, el *San Antonio*, que aceptaría llevarlos a bordo, haciéndoles trabajar para pagarse el billete, si obtuvieran permiso de la autoridad marítima. Permiso denegado. Pero deciden prescindir de él y consiguen colarse en el navío, donde se ocultan encerrándose en el excusado de los oficiales. «De ahí en adelante, nuestra tarea fue decir con voz gangosa "¡ocupado!" la media docena de veces en que alguien se acercó. Pero —añade Ernesto— las letrinas tapadas desprendían un olor insoportable. Alberto vomitó todo lo que tenía en el estómago...» «El tiempo pasaba con una lentitud de novios que vuelven del cine» (Granado). Llegados a mar abierto, se presentan al capitán que, en una escena chaplinesca, les hace un guiño cómplice mientras les abronca ante la tripulación y les inflinge las dos tareas clásicas: pelar papas —para Alberto, que lo aprovechará para hartarse— y las letrinas —para Ernesto, que protesta, pues «¡No hay derecho! Alberto añade su buena porción a la porquería acumulada allí, y la limpio yo».

Pero los tres días de travesía los consuelan de todos los inconvenientes e incluso de las aburridas partidas de canasta a las que los invita el capitán. Acodados en la borda, filosofan, admiran los peces voladores, los cachalotes, los delfines. «Comprendemos —escribe Guevara— que nuestra vocación es andar eternamente por los caminos y los mares del mundo. Siempre curiosos... Olfateando todos los rincones, pero siempre tenues, sin clavar nuestras raíces en tierra alguna, ni quedarnos a averiguar el sustrato de algo: la periferia nos basta.»

La manta compartida de Atacama

«Irnos de Chile sin conocer las salitreras y las minas de cobre habría sido quitarle la sal al viaje», escribe Granado. Se lanzan pues por la desolada carretera de Antofagasta a Chuquicamata. El desierto de Atacama, arrebatado a Bolivia y a Perú hace más de un siglo, es uno de los más secos del planeta, ardiente de día y gélido de noche, de sublime belleza. Un universo puramente mineral, devuelto a sus orígenes. Rocas rojas, negras, verdes, según la naturaleza del metal, cuyo color cambia mientras avanza el día. Un sol blanco y duro en un inmenso cielo azul, casi violeta. Los dos andarines se refugian cada cual «a la delgada sombra de un poste eléctrico» esperando un improbable vehículo. La exuberancia geológica de la región ha permitido, desde el siglo XIX, una sistemática explotación minera —en especial salitre y cobre— que requiere una abundante mano de obra. Ésta posibilitó la creación de las primeras organizaciones sindicales del continente, que como corolario recibieron el habitual catálogo de represiones.

En la escuálida aldea de Baquedano —unos perdidos barracones de planchas de zinc onduladas—, un encuentro conmueve a Guevara: el de un minero comunista, despedido de todas partes por haber expresado «el deseo natural de mejorar su condición».

Relato textual de Ernesto: «En su idioma sencillo y expresivo contaba de sus tres meses de cárcel, de la mujer hambrienta que lo seguía con ejemplar lealtad, de sus hijos, dejados en la casa de un piadoso vecino, de su infructuoso peregrinar en busca de trabajo, de los compañeros misteriosamente desaparecidos, de los que se cuenta que fueron fondeados en el mar. El matrimonio aterido, en la noche del desierto, acurrucados uno contra el otro, era una viva representación del proletariado de cualquier parte del mundo. No tenían ni una mísera manta con que taparse, de modo que le dimos una de las nuestras y en la otra nos arropamos como pudimos Alberto y yo. Fue ésa una de las veces en que he pasado más frío, pero también en la que me sentí un poco más hermanado con esta, para mí extraña, especie humana...»

El interés del diario de Guevara radica en la acumulación de esos «pequeños sucesos auténticos» que nos permiten, a pesar de las ulteriores correcciones, seguir la evolución de una toma de conciencia, social y política, del dolor del mundo que choca todavía con el deseo de no vincularse a nada para correr por los caminos con toda libertad. Aquella manta compartida en la helada noche del desierto de Atacama parece haberlo marcado tanto como el imperio yanqui lo hizo sobre la gigantesca mina que visitan al día siguiente.

Chuquicamata es la «montaña mágica» de Chile. Atestada de cobre en kilómetros y kilómetros, proveedora del «oro rojo» que proporciona al país lo esencial de sus divisas, es la mayor mina a cielo abierto del mundo. El paraje es impresionante. Una gigantesca hondonada de varios kilómetros de diámetro, donde peldaños de veinte metros de altura moldean la roca serpenteando a lo largo de las paredes. Monstruosos camiones transportan hasta las fundiciones las toneladas de mineral que los dinamiteros hacen saltar, mientras chimeneas de cien metros de altura despiden sus vapores sulfúricos en un cielo sin nubes.

Los dos muchachos quedan fascinados. Guevara describe detalladamente el proceso de refinamiento del cobre, pero no deja de transcribir la observación de su guía referente al comportamiento de los «rubios y eficaces administradores» yanquis: «Gringos imbéciles, pierden millones de pesos diarios en una huelga porque se niegan a dar unos céntimos más a los pobres obreros.»[7]

En su largo ascenso chileno hacia Arica, ciudad fronteriza con Perú, los autostopistas, más que asarse al sol, utilizan la técnica de la «carreta»: aceptan recorrer pequeñas distancias, como saltos de pulga. Una vez, tres huelguistas borrachos como cubas los recogen alegremente, zigzagueando a placer por la carretera desierta. Otro día, participan en un partido de fútbol con los obreros de una mina de salitre, lo que les vale cama, cubierto y transporte asegurado para el día siguiente.

A veces la carretera se les hace interminable. Con el hatillo al hombro, caminan. El calor los sofoca. Los espejismos bailan en un horizonte donde no aparece camión alguno. Esta experiencia personal le hace a Guevara tomar conciencia de la «epopeya» que constituyó la conquista de Chile, «una de las más considerables hazañas de la colonización española». Evaluando el valor de los conquistadores, anota: «En estas pampas de absoluta aridez, quedás impresionado ante la idea de que Valdivia pasó por ahí, con un puñado de hombres.» En lo alto del acantilado que domina Iquique, un gran momento de exaltación lírica. Ernesto, encaramado sobre el cargamento de alfalfa de un camión, declama Neruda a pleno pulmón. «Nuestra llegada con el sol que se levantaba a nuestra espalda y se reflejaba en un mar de un azul muy puro parecía un episodio de *Las mil y una noches*.»

En Arica, «pequeño puerto simpático», recupera los sabores tropicales, los olores que conoció en el Caribe cuando jugaba a ser enfermero a bordo de los petroleros argentinos. El agua del océano, siempre helada en las costas chilenas, es allí un poco más templada. Con Granado, repiten el mismo gesto con el que abordaron Chile, sumergiéndose en el lago Esmeralda, treinta y ocho días antes: «Hemos dicho adiós al Pacífico con un último baño (con jabón y todo).»

Demasiado insólito para Ernesto, tal vez, que reacciona enseguida con un ataque de asma.

Un Perú de libro ilustrado

En Perú, durante tres meses, nuestros viajeros descubrirán la América exótica de los libros ilustrados —sin comparación con su universo habitual—, la América de las mesetas andinas del altiplano donde se instalaron, refugiándose a veces, los indios aymaras, nación de robustos agricultores famosos por su espíritu marcial. Los hombres tienen los ojos oblicuos, el rostro plano, los cabellos tiesos, azules de tan negros, y llevan pequeños ponchos cortos; las mujeres largas trenzas bajo pequeños sombreros hongo de fieltro, y cinco faldas superpuestas ceñidas a la cintura.

En «un valle de leyenda, detenido en su evolución durante siglos», Ernesto y Alberto, «felices mortales hasta allí saturados de civilización siglo XX, [...] absorbiendo todo con nuestra mirada ávida», llegan a Tarata, «vieja aldea apacible donde la vida sigue los mismos cauces que tuviera varios siglos atrás. [...] Pero esto que tenemos enfrente no es la misma raza orgullosa que se alzara contra la autoridad del Inca [...] Es una raza vencida la que nos mira pasar por las calles del pueblo. Sus miradas son mansas, casi temerosas y completamente indiferentes al mundo externo».

Tras el horno del desierto chileno, los viajeros sufren los mordiscos del frío del Alto Perú cuando el camión que les lleva a Puno trepa hasta los cinco mil metros de altitud. Y se cala. «Hemos tenido que hacer tres kilómetros a pie por la nieve.» Pero la recompensa está cerca: consiste en llegar muy pronto a las riberas fundadoras de la milenaria civilización del Tiahuanaco, a orillas del lago Titicaca, el más alto de los lagos navegables del mundo (3.827 metros), en la frontera entre Perú y Bolivia. «Ante nosotros —escribe Granado— se extendió, inmenso, silencioso, sereno, el famoso lago.» Los dos muchachos, imbuidos por sus lecturas, habían soñado con aquel instante. Es un momento crucial de su viaje. «Para el Pelao y para mí, era uno de los hitos del viaje. Nos estrechamos las manos en silencio.» Consiguen incluso dar una vuelta por el mítico lago en una de las «balsas de totora», hechas de juncos, pero a Ernesto le sorprende sobre todo un barco construido en Inglaterra, insólitamente subido hasta allí, «cuyo lujo contrasta con la pobreza de la región».

Otro lugar no menos mítico los espera, y se apresuran hacia él: la histórica ciudad de Cuzco, «ombligo del mundo» en lengua quechua, a pocas leguas de la «vieja montaña» del Machu Picchu, exaltada por Neruda, que la convierte en el altar emblemático de la americanidad profunda, la *Leyenda de los siglos* del continente. Desconocido para los españoles, protegido de las miradas ajenas durante centurias por una vegetación invasora, ese importante paraje arqueológico fue descubierto recién en 1911 por Hiram Bingham, un hawaiano de nacionalidad norteamericana, que afirmó haber encontrado «la ciudad perdida de los incas». Todo aquello arroba a nuestros exploradores, no sólo por el misterio de los orígenes de los hombres americanos sino también porque, aunque ambos sean descendientes de europeos, sienten que en esta cultura preservada hay un elemento de identidad común para los habitantes del continente. Maldiciendo al «turista norteamericano para quien el espectáculo de una tribu degenerada forma parte de los atractivos del viaje», Guevara se pone al lado de los vencidos: «Son matices que sólo el espíritu semiindígena de un sudamericano puede apreciar.»

Con Granado, visita «la fortaleza inexpugnable», encaramada a dos mil metros de altura sobre un promontorio rocoso. Recorre en todas direcciones los graderíos, las terrazas, el Templo del Sol. Admira el increíble ajuste de los inmensos bloques de granito que encajan a la perfección. Dibuja, toma notas, consulta con pasión las obras sobre el tema en la biblioteca de Cuzco. Aquí, el estilo de los cuadernos, por lo general libre y gráfico, se hace ampuloso, incluso ininteligible cuando su autor pretende «escribir bien», estorbado sin duda por unos conocimientos científicos demasiado recientes. Quince largas páginas nos relatan el deslumbramiento del joven ante el Machu Picchu y la vieja ciudad de Cuzco, que se levanta a 3.600 metros, antaño «brillante capital inca» elegida por el dios Viracocha, hoy «reliquia de tiempos pasados, con sus techos de tejas rojas, sus calles estrechas y su color de cuadro folklórico». Pasarán diez días intentando verlo y comprenderlo todo: las iglesias barrocas construidas sobre antiguas fortificaciones indígenas, decoradas suntuosamente para asombrar e intimidar al indio, el sincretismo religioso entre cristianismo y cultos ancestrales, los museos, pobres depositarios de lo que escapó al pillaje por los españoles de la colonia o los turistas del siglo XX. Los impresionan especialmente las ruinas de los templos-fortaleza en los valles vecinos, escarpados, ricos en vestigios incaicos, con especial admiración por los de Sacsahuamán, de nombre rugoso.

Aunque procuran no caer en el «turismo hastiado», como esos norteamericanos que llegan y se van en avión sin ver nada del contexto, a los dos amigos les impresionan las novedades que los hacen sentirse ajenos: las manifestaciones, vivas aún, del culto de Pacha-Mama, la Tierra-Madre nutricia, divinidad omnipresente mal digerida por la Iglesia católica, los alimentos picantes y olorosos que les ofrecen algunas indias con traje tradicional, o el ritual de la coca, planta sagrada al parecer poseedora de virtudes místicas, que sólo masticaba el Inca y sus familiares y que luego se convirtió en remedio tradicional contra el hambre y el *soroche* (mal de la montaña), pero que provoca en Ernesto y Alberto cólicos y náuseas.

A medida que se adentran en tierras quechuas, la carretera, estrecha y peligrosa, pasa de la escarcha seca del altiplano a la húmeda calidez de los valles bajos. Los ataques de asma de Ernesto se intensifican, para desesperación de Granado, que administra a su amigo inyecciones de adrenalina, calcio y coramina. En traqueteantes camiones que evitan el abismo en permanente situación de milagro, comparten una misma obsesión: calmar un hambre que no los abandona nunca pese a su menú de supervivencia: pan y mate. «Aquel hambre era algo extraño —escribe Ernesto—, aparecía en todas partes del cuerpo y en ninguna parte al mismo tiempo.»

Su ábrete-sésamo a lo largo de todo el viaje fue la leprología, honorable pretexto que justificaba tribulaciones algo extrañas. En Cuzco, Granado se encuentra con un amable colega, conocido de la Argentina, que los ayudó mucho y les habló de un eminente especialista de Lima, el doctor Pesce, para el que llevan ya una recomendación. Éste será su providencia durante los veinte días de estancia en la capital peruana. Militante comunista exiliado durante mucho tiempo en provincias, recuperada por fin su cátedra de medicina tropical, el profesor les proporcionará albergue en el hospital de los leprosos de Lima, les presentará a colegas, les ofrecerá incluso ropa «civilizada» y los invitará regularmente a cenar. Ernesto, que mantiene largas conversaciones con él, lo llama *el Maestro*.

Más tarde reconocerá, en una dedicatoria al Maestro estampada en un ejemplar de su manual de guerrilla, que «sin saberlo, ha provocado un gran cambio en [mi] actitud para con la vida y la sociedad». Pero aquello no le impide quebrantar las buenas maneras del lenguaje diplomático cuando debe dar su opinión sobre una obra en la que el doctor Pesce evoca su experiencia en el altiplano. Urgido a responder, Guevara acaba soltando: «Doctor, su libro es muy malo. Es increíble que un marxista como usted sólo describa el aspecto negativo de la psicología del indio. No parece que esté escrito por un investigador y un comunista.» Y el Maestro inclina la cabeza: «Tiene razón.» Nunca conseguirá Guevara librarse de esa intransigencia en el juicio, esa inquebrantable —brutal a menudo— defensa de los principios, ese hablar franco, en las antípodas de las medias tintas diplomáticas. Lo que le acarreará acendradas enemistades.

Ernesto y Alberto no se interesan sólo por la leprosería de Lima, donde los enfermos quedan conmovidos por su amabilidad y su ausencia de temor al contagio. Los dos Che, como les llaman los leprosos, completan aplicadamente su conocimiento arqueológico de Perú; visitan las colecciones de cerámicas eróticas antiguas reunidas en el Museo de Antropología, descubren sin especial entusiasmo la celebración tauromáquica de las novilladas, que no existen en Argentina. En la Biblioteca Nacional, una exposición de reproducciones de cuadros le proporciona al plebeyo Granado la ocasión de descubrir un desconocido aspecto de la cultura general de su distinguido compañero. «No comprendo nada —declara— de esas mierdas modernas.» Indulgente pedagogo, el Pelao insiste en que Mial se tome el tiempo de examinar los cuadros atentamente, antes de hacer su propia selección: «Ya ves, Petiso, no sos tan tonto. Elegiste cuatro Picasso y un Pissarro, gran impresionista, que no debés confundir con Pizarro, el conquistador del Perú.»

«Cuando descendía por ríos impasibles»

El amable doctor Pesce les facilita los contactos para dirigirse a la lejana leprosería de San Pablo, a orillas del Amazonas, mil quinientos kilómetros al nordeste, muy cerca del cruce de las fronteras brasileña y colombiana. Por su lado, un paciente de Lima, leproso y francmasón, consigue que un camionero amigo suyo les lleve hasta el pequeño puerto fluvial de Pucallpa donde embarcarán en un vapor de dos puentes. Una vez más, al abandonar el desierto costero, deben cruzar la cordillera por collados que sobrepasan los 4.500 metros, y también una vez más se manifiesta el asma de Ernesto. Por el camino se rompe un eje y están a punto de caer en un mortal precipicio. Consiguen repararlo y reanudan el camino. Han hecho pronto amistad con los dos alegres bribones que se turnan para conducir el camión. Juntos, destrozan a pleno pulmón tangos argentinos y valses peruanos. Son felices, anota Granado, «como caníbales devorando a un misionero». Todo les sorprende: plantaciones de café o té, desconocidas frutas tropicales, guayabos, papayas, bosques de palisandro y caoba.

Al pasar por Junín se les despierta un recuerdo escolar y lo relacionan con la situación americana del momento. Allí, el general Sucre, lugarteniente de Bolívar, sobresalió en una batalla contra los españoles durante las guerras de la independencia. Soldados de todo el continente se habían unido contra el enemigo común, «bello ejemplo para el porvenir...».

En el vapor, que tardará una semana en llegar al Amazonas, Ernesto no se siente muy bien. «El asma y los mosquitos me cortaban un poco las alas.» Simpatizan con una damisela de escasa virtud, embarcada como ellos en Pucallpa. «Una incolora caricia de la pequeña puta que se compadece por mi estado de salud» le remite a los tiempos de lo que él denomina ya su vida «preaventurera». Pequeño interludio sentimental. «Por la noche, pienso en Chichina, antigua ilusión cuyo recuerdo deja más miel que hiel.»

¿Será acaso el abatimiento causado por el asma? Mientras Mial «liga» con una belleza tropical de mirada asesina o se extasía ante el espectáculo del «gigantesco muestrario vegetal» que desfila ante ellos cuando desembocan en el río de los ríos, el mayor del planeta, Fuser anota, lacónico: «Simplemente, dos masas de agua barrosa que se unen para formar una sola.»

En Iquitos, antaño capital mundial del caucho, la alergia a los olores de pescado del pequeño puerto le producen nuevos ataques de asma. Necesitarán casi otra semana antes de encontrar, para bajar por el Amazonas, un pequeño barco de motor con capacidad para cuatro pasajeros. Se amontonan dieciséis, prefiguración de un hacinamiento distinto que Ernesto conocerá, cuatro años más tarde, a bordo de un yate cuyo nombre pasará a la historia: *Granma.*

Los doce días transcurridos en la leprosería de San Pablo serán otro de los momentos cruciales del viaje. La llegada de los dos «científicos argentinos» ha sido anunciada. Pese a la precariedad de las condiciones, los reciben con esa sencilla cordialidad que ha sido una constante en su periplo peruano. Tampoco allí vacilan en confraternizar con los enfermos, en mezclarse sin reticencias en su vida cotidiana, ganándose por su parte un vivísimo agradecimiento. Saben que el bacilo de la lepra es diez veces menos contagioso que el de la tuberculosis, por ejemplo. No hay necesidad de imponer a los pacientes tablillas se San Lázaro u otras señales para advertir de su presencia, como se hacía en la Edad Media. Tras cohabitar con los leprosos de Lima, Ernesto le escribía a su padre: «Todo el cariño depende de que fuéramos sin guardapolvo ni guantes, les diéramos la mano como a cualquier hijo de vecino o jugáramos al fútbol con ellos [...]. El beneficio psíquico es incalculable y el riesgo que se corre es extraordinariamente remoto.»[8] Idéntico comportamiento manifiestan en San Pablo aunque les impongan guantes y delantales. Erigida a orillas del río, en cabañas de madera sobre pilotes, la colonia cuenta con seiscientos enfermos que viven cada cual en su choza con su familia, y se comunican entre sí por caminos de tablones a un metro del suelo o por medio de canoas. Muchos están mutilados.

Los argentinos quedan fascinados por aquel mundo de la selva amazónica que en nada se parece a lo que conocen, donde todo es extremado, el pasmoso vigor de la vegetación, la fuerza diluviana de las tempestades. Les enseñan a pescar peces desconocidos que se comen crudos, en adobo, en cebiche, a la peruana. El médico jefe de la colonia les organiza incluso una partida de caza de monos; penetran en la oscuridad de la selva, siguiendo silenciosamente a unos indios casi desnudos, armados con cerbatanas de dos metros y flechitas empapadas en curare. Descubren el sabor dulzón de la carne de mono asada y el del licor de maíz fermentado, la chicha, fabricado a partir de masticaciones del grano escupidas por las indias. Están en otro planeta.

El fútbol es un punto común de contacto. Para encontrar un terreno adecuado, entre los árboles de la selva, deben hacer primero un kilómetro en canoa. Tras el partido Granado se zambulle de cabeza en el agua y sale casi enseguida aullando. Agarrada a su rodilla se agita una piraña, pequeño y terrible pez carnívoro, del que Ernesto lo libera, «muerto de risa». La poderosa presencia del Amazonas es además un desafío para Fuser que se ha recuperado de su asma. No ha abandonado su entrenamiento desde los tiempos de la piscina de lujo de Alta Gracia. A pesar de las advertencias contra el peligro de los caimanes y las pirañas, se lanza a atravesar a nado el río-Rey, que tiene allí mil doscientos metros de anchura. Hazaña que realiza bajo la vigilancia de Granado, que lo sigue en una canoa y lo recupera en la otra orilla, cuatro kilómetros más abajo, «jadeante pero contento».

«El sábado 14 de junio de 1952, yo, fulano exiguo, cumplí 24 años, vísperas del trascendental cuarto de siglo, bodas de plata con la vida, que no me ha tratado tan mal, después de todo.» El cumpleaños del valeroso argentino es un pequeño acontecimiento en la comunidad de San Pablo. A los brindis que abren la fiesta en su honor, Guevara responde con un discursito «muy panamericano», aunque pueda hacer sonreír a los etnólogos: «Formamos —declara— una sola raza mestiza que, de México al estrecho de Magallanes, presenta notables similitudes etnográficas.»

Tras ello Granado nos hace el divertido relato del baile, abundantemente regado de pisco, donde varias muchachas se pelean por bailar con el apuesto Ernesto, «aunque había una que era ya su elegida». Teniendo en cuenta su total carencia de oído musical, Fuser ha pedido a Mial que le indique con el pie, por debajo de la mesa, los tangos, único baile que conoce aproximadamente. Y la cosa funciona bastante bien. Hasta que la orquesta ataca un *shoro* brasileño, baile rápido de ritmo seco y vivo. Alberto reconoce *Delicado*, «una de las melodías preferidas de Chichina», y no puede evitar señalárselo con un toque a su compañero, que se lanza entonces «como un bólido, para invitar a la morenita que lo devora con los ojos». Imperturbable, Ernesto procura respetar el compás del tango —«1-2-3-4 y vuelta»— mientras a su alrededor las parejas se agitan y tal es la risa de Granado que no puede explicarle la confusión.

Una vasta balsa de madera cargada de ganado ha llegado mientras tanto; la utilizarán para construirse un original medio de transporte, con el fin de llegar por sus propios medios a Leticia, ciudad fronteriza colombiana reivindicada por Perú durante mucho tiempo. Ayudados por dos indios de la colonia, fabrican con una docena de troncos de balsa, madera de excelente flotación, una pequeña embarcación que les convence de haberse convertido en auténticos aventureros de los trópicos. Sus amigos bautizan el invento como *Mambo-tango*, símbolo musical de solidaridad interamericana. Después de la moto, los más diversos camiones, la marcha a pie bajo el sol, un carguero de alta mar y embarcaciones fluviales de distintos tamaños, helos ahora zarpando en un irrisorio esquife de tres metros por siete por las aguas majestuosas del Amazonas. Los han llevado hasta el centro del río, de más de un kilómetro de ancho, los han iniciado vagamente en la práctica del remo que hace las veces de timón en ese tipo de balsa, y ¡buena suerte, hermanos! ¿Ha leído Ernesto a Rimbaud? No hace referencia a ello pero está viviendo personalmente el mismo sueño exaltado del autor del *Bateau ivre*: «Cuando bajaba por ríos impasibles / no me sentí ya guiado por los sirgadores...»

Antes de la partida, rodeados de mil demostraciones de amistad, han tenido derecho a una despedida donde lo grotesco se mezcla con lo sublime. En una carta a su madre, Fuser describe con agudeza aquella corte de los milagros como una escena de una película de Buñuel: «Por la noche, llegó un grupo de enfermos en canoa, y, en el muelle, nos dieron una serenata... El acordeonista no tenía dedos en la mano derecha y los reemplazaba por unos palitos que se ataba a la muñeca, el cantor era ciego y casi todos con figuras monstruosas [...] a lo que se agregaba las luces de los faroles y linternas sobre el río. Un espectáculo de película truculenta.»

Para no amanecer varados en la otra orilla, como les ha sucedido la primera mañana mientras dormitaban, se relevan montando guardia. Tanto más cuando deben también evitar las enormes ramas que arrastran las aguas, capaces de desarticular la balsa. Durante una de esas guardias se produce un acontecimiento en el que Guevara, audaz pero no irresponsable, confiesa a su madre una debilidad muy humana: «Durante una de mis guardias me anoté un punto en contra ya que un pollo que llevábamos para el morfi cayó al agua y se lo llevó la corriente y yo, que antes en San Pablo había atravesado el río, me achiqué en gran forma para ir a buscarlo, mitad por los caimanes que se dejaban ver de vez en cuando y mitad porque nunca he podido vencer del todo el miedo que me da el agua de noche.»[9]

Pese a su vigilancia pasan ante Leticia sin notarlo y se encuentran en Brasil sin haberlo deseado, lo que los obliga a cambiar su balsa por la piragua de un ribereño; seis horas de duro remar para remontar la corriente.

En Leticia los dos compadres sacan el mejor partido de la reputación internacional del fútbol argentino. Les ofrecen entrenar al equipo local. Y lo hacen con tanta eficacia que ganan lo suficiente para pagarse el viaje a Bogotá en un gran hidroavión carguero del ejército.

Así como el Perú les había seducido —han permanecido allí tres meses— el clima represivo de Colombia los consterna. «La policía patrulla las calles con fusil al hombro y exigen a cada rato el pasaporte, que no falta quien lo lea al revés.» Bogotá no se ha recuperado de la extraordinaria explosión de cólera popular del 9 de abril de 1948, el *bogotazo*, provocado por el asesinato de un dirigente de izquierda, Jorge Eliécer Gaitán (la casualidad quiso que un líder estudiantil cubano, de veintidós años, asistiera al motín y a su represión, un tal Fidel Castro, que no pudo olvidar el acontecimiento). Desde entonces, como dice Ernesto, «el recuerdo del 9 de abril de 1948 pesa como plomo en todos los ánimos». El país vive una larvada guerra civil bajo el régimen autoritario de un presidente-dictador, Laureano Gómez, y focos de guerrilla campesina han surgido en el país por muchas partes.

La violencia —general en América Latina— se ha convertido en Colombia, más que en ninguna otra parte, en una característica nacional.

Los dos argentinos encuentran cierta solidaridad entre algunos estudiantes de la ciudad, que cotizan incluso para ayudarlos. Pero bastan algunas reservas emitidas sobre la legislación antilepra colombiana para que se les impida cualquier acceso al sistema nacional de leproserías. Se añade a ello la oscura historia de un *facón*, cuchillo de gaucho con mango de plata, que un policía confisca arbitrariamente a Guevara. Tras mil gestiones consigue recuperar el cuchillo, pero sus amigos estudiantes los apremian a largarse enseguida, porque saben que las represalias son inminentes. «El 14 de julio —escribe Granado, aliviado— no será sólo para mí el aniversario de la toma de la Bastilla sino también el de mi salida de Colombia.»

Su aventura venezolana será más breve todavía. Pasajeros de un pequeño camión incómodo y arcaico, avanzando de pinchazo en pinchazo, tardan tres días en llegar a Caracas y descubren que los Andes siguen siendo muy altos. Al cruzar un collado de la cordillera, a más de 4.800 metros, se hielan de frío, «nadie diría que estamos en los trópicos». Esperando una reparación mientras toman su sempiterno mate junto a la carretera, para calentarse, se encuentran de pronto con la inquisitiva mirada de una familia de campesinos negros. La sorpresa les hace tomar conciencia de que no están lejos de la costa caribe. Hacen planes. ¿Llegar hasta México? ¿Detenerse en Caracas? ¿Regresar a Buenos Aires? Ernesto los autodescribe humorísticamente como «un par de vagabundos a la deriva, sin pasado ni futuro». Escribe a su padre: «Verdaderamente tengo espíritu de trotamundos y no sería nada raro que después de este viaje me dé una vuelta por la India y otra por Europa.»[10]

En el futuro inmediato, las circunstancias darán respuesta a sus interrogantes. En Caracas, «capital de la eterna primavera» preservada del calor tropical de la costa atlántica por hallarse a mil metros de altitud, la vida es cara a causa del reciente *boom* petrolero, pero como compensación hay trabajo. En cuanto llegan, a Alberto le ofrecen un puesto muy aceptable —y lo acepta— en una leprosería a treinta kilómetros de la ciudad, a orillas del mar. Por lo que se refiere a Ernesto, gracias a una recomendación de un tío de Buenos Aires para un comerciante de Caracas, consigue, encantado, regresar gratis a Argentina en un avión carguero. Aunque éste debe, en primer término, entregar caballos de carrera argentinos en... ¡Miami!

«El aullido bestial del proletariado triunfante»

Guevara detiene aproximadamente ahí su Diario, no sin añadir *in fine* algunas páginas que nos permiten apreciar los límites, las vacilaciones y los entusiasmos de su reflexión social y política, todavía algo incoherente por aquel entonces.

Como hace cuatro meses en Valparaíso, se va a pasear, esta vez sin su buen acólito, por los miserables barrios populares de los cerros de Caracas. Al igual que los turistas a quienes denunciaba en Cuzco o en el Machu Picchu, intenta tomar algunas fotografías. «Me asomo a un rancho de adobe. [...] La negra madre, de pelo ensortijado y tetas lacias, hace la comida ayudada por una negrita quinceañera que está vestida. [...] Les pido que posen para una foto pero se niegan terminantemente a menos que se las entregue en el acto.» Temen que se les roben el alma. Ernesto insiste —nueva negativa— tan convencido de su buena conciencia que no advierte que lo miran como a un extranjero, un blanco perteneciente a la misma ralea que los aborrecidos «portugueses», inmigrantes pobres pero blancos que han embarrancado allí y empujan a los negros cada vez más lejos. El fotógrafo vuelve entonces su cámara hacia un chiquillo en bicicleta, que se asusta y cae al suelo «soltando el moco». Catástrofe. «Todos pierden el miedo a la cámara y salen atropelladamente a insultarme.» Lo tratan, injuria suprema, de *portugués*.

Hablando de tópicos, los únicos que acompañan el incidente brotan, ya trasnochados, de la pluma de nuestro reportero frustrado: «Los mismos magníficos ejemplares de la raza africana que han mantenido su pureza racial gracias al poco apego que le tienen al baño, han visto invadidos sus reales por un nuevo ejemplar de esclavo: el portugués.» O también esta otra perla: «El negro, indolente y soñador, gasta sus pesitos en frivolidades o en "pegar unos palos"; el europeo tiene una tradición de trabajo y ahorro que lo persigue hasta ese rincón de América y lo impulsa a progresar...» Tópicos bastante lamentables en la pluma de un joven cuya mirada crítica es, por lo general, más aguda. Puede medirse el camino recorrido cuando, diez años más tarde, el mismo Guevara —aunque ya no es el mismo— quiera editar en Cuba a Frantz Fanon, maestro radical de la negritud revolucionaria, antes de ir a combatir personalmente en el África Negra.

Menos caricaturescas, pero más sorprendentes todavía, las últimas páginas de esas *Notas de viaje* nos dan a conocer un extraño acontecimiento al que no parece habérsele concedido la importancia que merece: la «revelación» al viajero del destino que le aguarda. Escritas sin duda en otro tiempo y lugar, colocadas deliberadamente como epílogo, estas «notas marginales» pretenden dar un sentido a esa travesía americana.

Cierta noche, en una aldea de los Andes, cuando «el silencio y el frío inmaterializaban la oscuridad», Guevara se encuentra con un desconocido del que no da precisión alguna, salvo que huyó muy joven de un país de Europa «para escapar del cuchillo dogmático» y que es un interlocutor interesante. «Todavía no sé si fue el ambiente o la personalidad del individuo el que me preparó para recibir la revelación.» Y la revelación en cuestión es que «el porvenir pertenece al pueblo... que va a conquistar el poder en toda la tierra». Claro que habrá víctimas. «La revolución les tomará la vida y hasta utilizará la memoria que de ellos quede como ejemplo... Yo moriré sabiendo que mi sacrificio obedece sólo a una obstinación que simboliza la civilización podrida que se derrumba. [...] Lo mismo usted —prosigue el profeta desconocido— morirá con el puño cerrado y la mandíbula tensa, en perfecta ilustración de odio y combate.»

Surgida de esa «boca de sombra», tenemos ahí, totalmente claudeliana, «la anunciación hecha a Ernesto». En cualquier caso, el muchacho queda impresionado. Hasta el punto de que entona un himno de un barroquismo total, descabellado, al combatiente que como él «estará con el pueblo»: «Sé que yo, el ecléctico disector de doctrinas y psicoanalista de dogmas, aullando como poseído, asaltaré las barricadas o trincheras, teñiré en sangre mi arma y, loco de furia, degollaré a cuanto vencido caiga entre mis manos. Y veo [...] como caigo inmolado a la auténtica revolución. [...] Ya siento mis narices dilatadas, saboreando el acre olor a pólvora y sangre de la muerte enemiga... Preparo mi ser como a un sagrado recinto para que en él resuene [...] el aullido bestial del proletariado triunfante.» Texto tremendo, delirante, imprecación digna de Lautréamont, verdadera «iluminación», pero también texto-hito, premonitorio de una inmolación anunciada.

El 26 de julio de 1952, mientras que en Argentina todas las radios interrumpen sus programas para llorar la muerte —a causa de cáncer— de Eva Perón, Fuser y Mial se despiden con un conmovido abrazo en el aeropuerto de Caracas. Los dos amigos no se han separado en siete meses. «Las hemos visto de todos los colores», dice Ernesto. «Estudia mucho. Te espero, Pelao», le responde Alberto. «Nunca volví a encontrar un compañero de viaje como él», dirá Ernesto tres años más tarde, en una carta dirigida a su amiga Tita Infante.

Tintín sin Milú, el Pelao vuela hacia Miami, en principio simple escala —sólo para entregar los caballos— antes de regresar a Buenos Aires. Lamentablemente, un motor del avión Douglas necesita ser reparado. La simple escala durará un mes. Y Ernesto sólo tiene un dólar. Pero la operación de supervivencia tiene éxito gracias a la oportuna amistad de un primo de Chichina, Jimmy Roca, que estudia arquitectura en la ciudad de las mansiones y residencias para millonarios. Miami Beach, en agosto, está en plena temporada de playa. Ernesto, que sólo se desplaza a pie y suele alimentarse de *hot-dogs*, lo observa todo con curiosidad: las fiestas, el lujo, los rótulos luminosos de los espectáculos. Chapurrea un mal inglés, trata un poco con grupitos de latinos, esencialmente puertorriqueños. Cierto día, al parecer, es interpelado por un agente del FBI que ha intuido que no le gusta en absoluto el sistema yanqui.[11]

Estados Unidos vive entonces en la obsesión del peligro comunista, persiguiendo todo lo que parece «antiamericano». La caza de brujas predicada por el senador McCarthy está en su paroxismo. Aquellas semanas en casa del Tío Sam le dan al joven Guevara una visión de las «entrañas del monstruo», de acuerdo con la lapidaria fórmula del cubano José Martí. Estarán entre las más amargas de su vida, le confesará a Tita Infante cuando regrese.

Principios de septiembre de 1952. Tras ocho meses de ausencia, bajo una fina lluvia de invierno, Ernesto regresa por fin a Buenos Aires, a toda la tribu Guevara que ha ido a esperarle al aeropuerto, y a sus estudios de los que está ya impaciente por liberarse para poder partir de nuevo. Sigue teniendo el rostro juvenil, la mirada burlona y el aspecto desgarbado de un adolescente demorado. Sin embargo, ya es otro hombre. «Ese vagar sin rumbo por nuestra "mayúscula América" me ha cambiado más de lo que creí.»

«¡Aquí va un soldado de América!»

Reanuda al galope sus cursos en la facultad, prepara a paso ligero la caterva de exámenes para los que, desde Caracas, hizo que lo matricularan en convocatoria especial y encuentra incluso tiempo para proseguir sus investigaciones sobre las alergias con el profesor Pisani. Éste quisiera retenerlo a su lado. Nunca ha tenido un discípulo tan estudioso, inteligente y despierto. Él, que selecciona severamente a los facultativos que se disputan el privilegio de trabajar bajo su dirección, ofrece al futuro doctor Guevara un auténtico salario de colaborador de jornada completa. Pero Ernesto lo rechaza con la misma energía que a comienzos de año le había impulsado a desdeñar la idea de instalarse, burguesamente, con Chichina como esposa. Lo devora más que nunca el deseo de ver mundo. La Tierra es vasta y todo está aún por descubrir para la impaciente curiosidad de aquel nómada insaciable que quisiera partir por diez años. Por lo demás, sólo ha entrevisto una parte de esa América del dolor y arde en deseos de conocerla mejor antes de lanzarse más allá.

Poniendo manos a la obra, concentra sus esfuerzos y saca el mejor partido de su sorprendente capacidad para ir a lo esencial sin perderse en los detalles. Nada de su ironía y su seguridad se le ha quedado en el camino. En una de las últimas pruebas, un examinador, sorprendido al verlo pelar una naranja tranquilamente sentado con las piernas colgando en una mesa de mármol del anfiteatro, la toma con él. «Al parecer el caballero tiene hambre.» «En efecto —responde Guevara—, estamos aquí desde las siete de la mañana. Es mediodía y aún no he desayunado.» «¡Pues bien!, pronto nos ocuparemos del caballero.» Guevara queda en mala posición y el rumor corre enseguida por la facultad. Cuando debe presentarse a los examinadores, las preguntas del jurado se multiplican. Responde con pertinencia. Se intensifican. Él organiza su defensa. No es ya un examen sino un duelo. Finalmente, el examinador se yergue, le tiende la mano y esboza una sonrisa. «Doctor —le dice, y aquella simple palabra revela que ha ganado—, no me queda sino darle la calificación de *distinguido*.»

En apenas cinco meses, entre diciembre de 1952 y abril de 1953 Ernesto —que no tiene aún veinticinco años— realiza la hazaña de aprobar de golpe quince de los treinta exámenes necesarios para obtener el doctorado en medicina. Asombroso. Una de las razones suplementarias para ir deprisa ha sido el deseo de evitar tener que presentarse a un examen especial de «educación justicialista», impuesto por el régimen peronista para intentar controlar mejor al estudiantado. La actitud de Guevara para con el peronismo sigue conservando aquel espíritu libertario que le fue inculcado. Pero su viaje latinoamericano le ha proporcionado una nueva visión del peronismo. Vistas desde el extranjero, las disputas internas de Argentina le parecen absurdas. Del peronismo rescata una actitud valerosa de independencia y hostilidad frente a Estados Unidos, con la imagen subsidiaria de una hada-buena-de-los-pobres atribuida a Eva Perón. La actitud de Ernesto hacia Perón no es clara y definitiva. Puede estar hoy a favor y mañana en contra, según considere justa o injusta determinada disposición del régimen. Por eso se niega a someterse a una especie de juramento de fidelidad disfrazado de examen universitario.

Así pues, el 1° de junio de 1953 se recibe oficialmente con el título de doctor en medicina. Dado que el servicio militar argentino no quiso saber nada de este asmático, ya es libre como el viento. Libre de volver a marcharse. No sabe todavía adónde —primero Caracas, donde le aguarda Granado— ni con quién. ¿Tal vez con la pequeña Liria Bocciolesi, conocida en el laboratorio del doctor Pisani? Está muy enamorada. Él la deslumbra. «Largá todo y venite conmigo», le propone.[12] Pero ella tiene diecinueve años y se asusta. ¿Con Domingo Granata? Ese compañero de facultad no comprende nada del proyecto y pregunta: ¿Cómo? ¿Cuánto? En verdad, antes incluso de embarcarse en el primer gran viaje con Granado ya había seleccionado quién —si volvía a partir— sería su compañero de aventuras: Carlos Ferrer, a quien todo el mundo llama Calica, viejo amigo de la infancia, un año menor, con quien hizo las mil y una en Alta Gracia y Córdoba y que volvió a encontrar en Buenos Aires, estudiando también medicina. «El próximo viaje —le aseguró— lo haré con vos.»[13]

Antes que pasar de nuevo por Chile prefiere acortar por Bolivia, donde está la *movida* política. En Buenos Aires, en la calle Aráoz, Ernesto fue el «regalón» de Sabina, una criada boliviana, aymara analfabeta que mientras le preparaba sartenes de papas fritas le contaba las miserias de su existencia en Bolivia. Se siente atraído por aquel país, el más indio y pobre de los países andinos, encaramado en el techo de las Américas, único del continente que no tiene acceso al mar. Esta vez nada de moto jadeante, tomarán el tren, económico y más rápido. Con Calica sólo han reunido setecientos dólares, pero Guevara, ya lo sabemos, es un experto en el arte de hacer que un dólar dure y perdure.

El 7 de julio de 1953 en la estación Retiro de Buenos Aires, en una fría y gris tarde invernal, el joven doctor Guevara y su compañero se instalan en la banqueta de madera de un compartimiento de segunda clase del tren que tardará una semana en llevarles a La Paz, la capital más alta del mundo. Llevan catorce bultos, regalos de última hora de los numerosos amigos que se han unido a las familias para despedirlos. La víspera, Celia, la madre-coraje de Ernesto, ha tenido un presentimiento: «Esta vez lo pierdo para siempre. Ya nunca más veré a mi hijo.»[14] En el andén, no se resigna aún. Corre como en las películas tras el tren que comienza a adquirir velocidad mientras, agarrado a la portezuela, su hijo proclama con énfasis teatral: «¡Aquí va un soldado de América!»

«Una revolución muy tímida»

Nunca mejor dicho. Finalmente ese segundo viaje americano desembocará en Cuba en un verdadero compromiso de soldado, en un combate armado que estremecerá el continente. De momento, Ernesto no tiene la menor idea de lo que la historia le ha reservado, a pesar de la «anunciación» del profeta de los Andes. Adviértase, sin embargo, que es un trotamundos menos inocente de lo que parece, aunque su afición por la aventura y su pasión por la arqueología sigan intactas. Ha aprendido a *ver*: su mirada atiende en particular a las condiciones sociales y la vida política de los países que atraviesa.

Bolivia le ofrece un magnífico terreno de observación (pues sigue sintiéndose todavía un «observador neutral»). Lo que allí ocurre se parece bastante a una revolución. Tras diez días en La Paz, escribe a su padre: «Hemos visto desfiles increíbles con gente armada de máuseres y piripipís (metralletas) que tiraban porque sí. [...] La vida humana tiene poca importancia aquí y se da o se quita sin mayores aspavientos; todo eso hace que para un observador neutral la situación sea sumamente interesante, pese a lo cual, con un pretexto u otro, todo el que puede se las toma olímpicamente, nosotros entre ellos.»[15] Pese a este discurso destinado a tranquilizar a la familia, Ernesto se quedará dos meses en Bolivia, fascinado por un país desconocido por el resto del planeta y sin embargo uno de los más interesantes.

Bolívar, que dio su nombre a ese «Alto Perú» al liberarlo en 1824 del dominio español, concedió luego a los indios aymaras y quechuas la propiedad individual de las tierras en las que vivían comunitariamente. Cuarenta años más tarde, un dictador se las confisca en beneficio del Estado; es decir, de las haciendas de sus favoritos. Será necesario aguardar hasta 1953 para que se produzca una tímida redistribución de bienes raíces y, sobre todo, la abolición de la servidumbre campesina: tres días de trabajo gratuito a cambio del derecho a cultivar una pequeña parcela. «El 2 de agosto se produce la reforma agraria —añade Ernesto— y se anuncian batidas y bochinches en todo el país»;[16] y añade, siempre como viajero curioso que asiste a una contrarrevolución: «Se esperaba una revuelta de un momento a otro y teníamos la sana intención de quedarnos a verla de cerca. Para nuestro desencanto no se produjo y sólo vimos manifestaciones de fuerza del gobierno, que, contra todo lo que digan, me parece sólido.»[17] Con Tita Infante cuyas opiniones comunistas conoce, es más explícito: «El panorama político es sumamente interesante. Bolivia es un país que ha dado un ejemplo realmente importante a

113

América. [...] Todavía ahora la lucha sigue y casi todas las noches hay heridos de bala de uno u otro bando, pero el gobierno está apoyado por el pueblo armado...»[18] Diez años más tarde, en Cuba, matizará su juicio y será más severo: «En Bolivia se ha producido hace años una revolución burguesa muy tímida. [...] Y una reforma agraria donde no se le han quitado al clero sus posesiones.»[19]

Sin haberlo premeditado Guevara y su nuevo compañero de viaje llegan a Bolivia cuando el país conoce uno de los momentos más intensos de su agitada historia. En 1941, Víctor Paz Estenssoro, un joven universitario indignado por la derrota de Bolivia tras la absurda guerra del Chaco por un petróleo inexistente, había fundado un Movimiento Nacional Revolucionario que iba a hacer mucho ruido. Muy nacionalista al principio, influido por la ideología nacionalsocialista, el MNR adopta un tono más socializante tras su alianza con el Partido Obrero Revolucionario, de tendencia trotskista, dominado por los mineros. Ahora bien, posada en los Andes a una altitud media de 4.200 metros, Bolivia es un paraíso geológico rico en minerales —estaño, plata, antimonio— que explota la *rosca*, un grupito de familias opulentas —Patiño, Aramayo, Hoschild— tradicionalmente apoyadas por la Iglesia y el ejército. Proletariado olvidado pero bien organizado, los mineros del altiplano representan también un poder. Saben manejar la dinamita. En abril de 1952, mientras los campesinos indios ocupan las tierras patronales, los sindicatos irrumpen en la escena política. Milicias obreras, mal armadas pero ardientes y decididas, combaten a tiros contra el ejército (mil quinientos muertos) e imponen el regreso al poder de Paz Estenssoro que, legalmente elegido en 1951, había sido expulsado y obligado a exiliarse por una junta militar.

Entonces esta revolución (la segunda en América Latina tras la de México) inicia una transformación de las estructuras sociales y económicas del país. Nacionalización de las minas —los señores del estaño huyen al extranjero—; reforma agraria —la tierra para los que la trabajan—; y, más insólito todavía, disolución del ejército (que posteriormente se reconstituirá). El objetivo es integrar en la vida nacional tanto a la masa indígena, muy mayoritaria pero marginada hasta entonces, como a los trabajadores de las minas, reunidos ya en una amplia Central Obrera que dirige un personaje carismático y controvertido, de ascendencia sirio-libanesa, el *turco* Juan Lechín.

Guevara pasea sobre estas turbulencias una mirada interesada y escéptica a la vez. Con la ausencia de matices y la radicalidad que caracterizan sus incisivos juicios, considera que el presidente Paz Estenssoro es «más resbaladizo aunque probablemente tan derechista» como su vicepresidente y que Lechín «es la cabeza visible de un movimiento de reivindicación serio, pero personalmente es un advenedizo mujeriego y parrandero».[20]

Por muy observador que sea le gustaría mezclarse más en la vida de la gente. Le ofrecen un trabajo de tres meses como médico en una mina. Acepta con la condición de quedarse sólo un mes, con su compañero Calica como enfermero. Pero les hacen esperar tres semanas para confirmar el contrato. Demasiado para sus débiles recursos. Han alquilado por casi nada una miserable habitación en un destartalado edificio de los barrios populares. La ropa cuelga de clavos en las paredes. A Ernesto no le preocupan estos detalles prosaicos. Pasa el tiempo recorriendo las calles de aquella ciudad fascinante que es La Paz, escalonada en un desnivel de un kilómetro. Alrededor del centro histórico, construido a 3.600 metros de altura, la capital boliviana está protegida de los gélidos vientos del altiplano por su sorprendente situación, en el fondo de una hondonada (*olla*) rodeada de montañas. En el horizonte, en el aire seco y vivo, los picos nevados del Illimani, a 6.400 metros, sirven de punto de referencia, espléndidos bajo el sol. Los pobres habitan la cresta de El Alto, a 4.000 metros; los más ricos abajo, donde la temperatura es más clemente y más numerosos los árboles.

Para Ernesto el espectáculo está en la calle, llena de indios de piel curtida por el viento y el sol y de *cholas* (mestizas) cuyo atavío es bastante parecido al que descubrió un año atrás en Perú: ropa coloreada, gorras de lana con orejeras contra el frío, bebés sujetos a la espalda por un multicolor tejido. Pese a los fusiles en bandolera y a algunos tableteos gratuitos, el ambiente es más bien calmo. Mineros, campesinos y gente humilde de clase media baja están convencidos de que han ganado. Han puesto en jaque al ejército y los propietarios han recuperado la dignidad. En la plaza Murillo, lugar histórico de los pronunciamientos, donde antaño un presidente fue colgado de una farola, las concentraciones tienen aire festivo. A menudo hay una fanfarria. Se baila un *carnavalito* girando al son de cobres y tambores. En una esquina, indias coyas con sus característicos borsalinos, agachadas en sus acampanadas faldas, ofrecen fritangas y chicha.

Guevara anda por todas partes. Ni siquiera jadea cuando sube y baja por las mal adoquinadas callejas, auténticos toboganes a veces. Ha olvidado su asma. La altitud no parece afectarlo. «Mi salud, formidablemente bien —escribe—, a pesar de que no hago el régimen como debiera»,[21] y Calica precisa: «Hemos jugado a fútbol a 3.600 metros de altitud. Corría más que yo.»[22] Hecho siempre un adefesio, sin ninguna preocupación en cuanto a su vestimenta, no vacila en instalarse en la terraza del elegante hotel Sucre Palace.

Calica, que no puede soportar los varios días que lleva sin lavarse, le pide una tarde dinero para darse un baño. Ernesto, que esta vez se encarga de las finanzas, se niega. Son gastos inútiles, explica. Más vale comer que lavarse. Calica insiste y obtiene su parte. Cuando una hora más tarde vuelve, muy limpio, encuentra a nuestro mocetón instalado ante un gran café con leche acompañado de tostadas. «La ducha caliente me había despertado un apetito bárbaro. Encontré a mi amigo y lo miré... ya no me correspondía ese gasto extra; pero a él le dio lástima y me convidó con una parte de lo suyo.»[23]

En los «círculos» de La Paz, los dos argentinos descubren a un amable compatriota que los invita a su mesa: Isaías Nougués, jefe de un pequeño partido de oposición antiperonista de la provincia de Tucumán. En el barrio residencial de La Paz vive un exilio dorado gracias a su plantación de azúcar argentina y despotrica contra Perón y sus fechorías. Guevara no tiene escrúpulo alguno en hincharse de *locro*, una mezcla de sopa y estofado de carne y maíz. Practica su habitual «estrategia del camello», capaz de ingerir enormes cantidades de alimento como «reserva» en previsión de los días de hambruna. Pero cuando considera que su anfitrión exagera en sus lamentos sobre la triste suerte del exiliado, no vacila en soltarle con impertinencia: «Bueno, bueno, está bien. Ahora, ¿por qué no hablás un poquito de tus ingenios azucareros?»[24]

En casa de Nougués, donde se da cita la colonia argentina, conoce a un joven abogado de Buenos Aires, Ricardo Rojo, de veintinueve años. Miembro del Partido Radical, hostil a Perón, Rojo se las ha visto con la policía peronista. Detenido e interrogado, consiguió huir y se refugió en la embajada de Guatemala. Ahora intenta llegar al país que lo acogió. Guatemala se ha convertido en el más «sensible» de los países de América Central desde que un joven coronel de izquierdas, Jacobo Arbenz, llevado a la presidencia, tuvo la desfachatez de enfrentarse a los privilegios de la United Fruit Company norteamericana.

El encuentro con Rojo tiene su interés por el hecho de que éste hará con Guevara parte del viaje, porque luego sus caminos se cruzarán varias veces y, años después, Rojo escribirá una obra rica en recuerdos, *Mi amigo el Che*, bastante bien informada pero que debe leerse con bastante prudencia ya que muchas veces carece del rigor necesario. Los cuadernos de viaje de Guevara en este segundo periplo aún permanecen inéditos, celosamente guardados en Cuba por su viuda Aleida March. Pero a partir de su abundante correspondencia y de los relatos de Calica Ferrer y Rojo, puede reconstituirse el itinerario y el estado de ánimo de nuestro héroe. Rojo recuerda, por ejemplo, el sarcasmo de Guevara cuando ambos, aguardando en el vestíbulo del muy joven ministro de Asuntos Campesinos, Ñuflo Chávez, asisten al rociado de insecticida sobre los indios que esperan pacientemente poder exponer sus problemas de propiedad: «El MNR hace la revolución del DDT.»[25]

Gracias a la mediación del mismo Rojo, experto en contactos útiles, Ernesto obtiene salvoconductos para dirigirse a los dos centros más importantes de extracción de estaño de Bolivia, las minas Siglo XX y Catavi, en la región de Oruro, escenario de sangrientas batallas entre las ametralladoras del ejército y los cartuchos de dinamita de los mineros. Pero es probable que la expedición no pasara de proyecto. Ni Guevara ni Calica ni Rojo hablan de ella.

Cierto es, en cambio, que pasa dos o tres días visitando con Calica una mina de antimonio: «En esa mina nos impactó las bestialidades que hicieron las compañías norteamericanas [...] habían puesto ametralladoras para ametrallar a los obreros, a los mineros»,[26] escribe Calica. Ernesto observa, sobre todo, que «la mina está situada en un paraje maravilloso».[27]

A reconquistar el pasado

Más que las peripecias de la historia inmediata, son los misterios del pasado indígena lo que parece excitar a Guevara. Con un fotógrafo alemán que dispone de un jeep se dirige a la isla del Sol en el lago Titicaca, no lejos de La Paz, isla en la que la leyenda afirma que el dios Viracocha creó a los hombres. Una fotografía nos lo muestra en el imponente marco de la Puerta del Sol, descubierta por el francés Alcide d'Orbigny, en el lugar que indica la posición del astro en el solsticio de invierno. Se sabe muy poco sobre la civilización Tiahuanaco, nacida a 4.000 metros de altitud, que consiguió hacer habitable un medio difícil y hostil sobre frías planicies barridas por los vientos. «Seguimos preguntándonos cómo un pueblo que vive en un medio tan ingrato pudo mover masas de gres o de basalto que pesan hasta cien toneladas —escribe el etnólogo Alfred Métraux—. Nos sentimos confundidos ante la audacia y la pasión de aquellos hombres.»[28] Guevara experimenta la misma sensación. Y también el gozo de dar con un minúsculo vestigio escapado del pillaje. «Encontré en un cementerio indígena una estatuita de mujer del tamaño de un dedo meñique, pero ídolo al fin...»[29]

Tras haber ido a calentarse a los baños tropicales de las Yungas, donde el cultivo de la coca alimenta un consumo que todavía es tradicional, Ernesto prosigue una búsqueda arqueológica iniciada un año antes en Perú y que lo dejó con avidez. El 11 de septiembre de 1953, con Ferrer y Rojo, toma un camión pero no en clase de «lujo» (es decir, en la cabina del chófer) sino amontonados detrás, con los indios de rostro hermético y fétido aliento provocado por las hojas de coca que mastican sin cesar. Lo vivió hace ya un año y no se preocupa demasiado, a diferencia de sus compañeros a quienes la experiencia no les parece precisamente deliciosa.

Ferrer cuenta, a este respecto, un pequeño incidente que demuestra que no todos los indios están petrificados en un hieratismo ancestral y que el propio Guevara está todavía muy lejos de haberse encerrado en aquella seria austeridad que le reprocharán más tarde. Para recorrer a pie los dos kilómetros que separan los puestos fronterizos entre Bolivia y Perú, los argentinos han contratado los servicios de dos indios que les llevan el equipaje, en especial un viejo baúl cargado de libros. El baúl es pesado y el indio enclenque. Vacilando bajo aquel peso, lo deja caer una y otra vez. La cosa se repite hasta el punto de volverse grotesca. «Ernesto tenía la risa más contagiosa que jamás hubiera escuchado.» Muy pronto el grupo es presa de tal risa que el propio indio se deja caer al suelo con el baúl, presa de la general hilaridad. «Fue la primera vez que vi a un indio reírse de esa manera.»[30]

En la región de Cuzco, mientras Rojo prosigue hacia Lima, Ernesto decide detenerse ante las ruinas ciclópeas de la fortaleza inca de Sacsahuamán, que en su viaje anterior sólo entrevió. Quiere «verificar una hipótesis» sólo esbozada la primera vez. En ese marco elabora un documentado artículo —«Machu Picchu, enigma de piedra en América»— donde Guevara no habla de América Latina sino de «Indoamérica» y cuyo mensaje es el siguiente: «Partir a la reconquista del pasado.»[31] Anota en su diario: «No sé cuántas veces podré admirarlo, pero [el Machu Picchu] es uno de los espectáculos más maravillosos que pueda yo imaginar.»[32]

Lo esencial de las dos semanas de esta segunda travesía por Perú se consagrará, así, al «ombligo del mundo» que sigue fascinándolo. En Lima se reencuentra con el doctor Pesce, que tan generosamente lo había ayudado. Con Calica, se alojan en casa de una enfermera, Zoraida B..., que conoció también el año anterior en el hospital de los leprosos. Calica confiesa que ella cede, sin demasiados remilgos, a los encantos del bello Ernesto.[33] Una noche, durante una fiesta en casa de la muchacha, estalla una pelea por un asunto de faldas. Los argentinos nada tienen que ver, pero Ernesto considera un deber tomar partido por sus anfitriones. «Estuvimos como diez minutos —cuenta Calica—, a sopapo limpio. Ligamos como en la guerra. Los peruanos pelean a cabezazos. La cuestión es que triunfamos. Conseguimos sacar a todos los invitados. La fiesta falló.»[34] En casa de esa amable persona Ernesto conoce a algunos dirigentes del APRA, un partido puesto fuera de la ley por Manuel Odría, el general-dictador que reina entonces en Perú. Uno de esos militantes le da una nota de presentación para una tal Hilda Gadea, una camarada peruana que puede ayudarle en Guatemala, en caso de que vaya a América Central.

El APRA (Alianza Popular Revolucionaria Americana) fue creado en 1924 por dos hombres influidos por las teorías marxistas: Raúl Haya de la Torre y José Carlos Mariátegui. Este último fundará en 1928 el Partido Comunista Peruano, mientras que Haya de la Torre se alejará del comunismo y dará a su partido un cariz claramente populista y nacionalista. De manga ancha, defensor tanto del indigenismo como del antiimperialismo, el APRA reclutará a campesinos y mineros, pequeños funcionarios y burguesía intelectual. Para escapar de las iras del poder, Haya de la Torre tuvo que refugiarse en la embajada de Colombia. En América Latina, el asilo diplomático desempeña el papel de salida de socorro para personalidades en dificultades. Rojo, al que encuentran por casualidad en Lima, cuenta que, extrañándose por el despliegue de fuerzas militares ante la embajada, Guevara se burla: «¿Por qué le tienen tanto miedo? Si es igual que todos...»[35]

«Aniquilar esos pulpos capitalistas»

Rumbo a Ecuador, Ernesto y Calica ascienden por el desierto costero peruano hasta un minúsculo puerto-frontera, Aguas Verdes. Embarcan luego en un pequeño barco de cabotaje. Seis horas de travesía antes de llegar a Guayaquil, al fondo de un estuario color de chocolate, río Guayas arriba.

El país debe su nombre a los sabios franceses La Condamine y Jussieu, que en el siglo XVIII se encargaron de medir en el ecuador la longitud de un arco de meridiano. En el siglo XIX la francofilia de las elites era tal que un presidente, García Moreno, solicitó en vano de

Napoleón III el protectorado del Segundo Imperio. En el siglo xx otro presidente, Velasco Ibarra, proclamó el 14 de julio fiesta nacional ecuatoriana. Nuestros dos viajeros ignoran estas curiosidades históricas. Lo que primero les impresiona en Guayaquil es el carácter violento de los trópicos. El calor es pesado y húmedo, el cielo plomizo, los mosquitos y las iguanas pasean por las plazas públicas, el moho corroe las cabañas sobre pilares de los manglares, los fuertes olores del puerto del que zarpan cargamentos de gambas, plátanos, cacao.

Los dos jóvenes encuentran a Rojo, apodado el Gordo, que los ha precedido y conocen, por una feliz casualidad, a tres compatriotas de su edad, estudiantes de derecho, Óscar Valdovinos, Andrew Herrero y Eduardo García, alias Gualo, del que Calica conoce muy bien al hermano, militante «reformista», es decir de izquierdas, presidente de la Federación Universitaria de Córdoba.

Llegados hace poco, también de camino hacia Guatemala, están varados en Guayaquil por falta de recursos. Los seis muchachos deciden hacer fondo común para intentar escapar lo antes posible de aquella insalubre marisma. «Entre los seis —escribe Ernesto—, hemos formado una rígida colonia de tipo estudiantil, vivimos en la misma pensión y nos mandamos litros de mate por día.»[36] Para reunir algún dinero envían a Valdovinos a Quito, la capital, para que venda todas sus ropas de invierno. A 2.800 metros de altitud, tiene más posibilidades de encontrar comprador que en aquel horno del puerto. «Guevara se quedó con el equipo mínimo: un pantalón deformado por el uso, una camisa que algún día había sido blanca, y un saco sport con los bolsillos reventados de cargar objetos diversos, desde el inhalador contra el asma, hasta los grandes plátanos que muchas veces eran su único alimento.»[37] Rojo cuenta una enésima anécdota que confirma lo poco que Ernesto se preocupa del aseo: «Aseguró que el calzoncillo que llevaba puesto, y que era el único desde hacía dos meses, estaba tan impregnado de tierra del camino que podía quedarse parado sin necesidad de sostenerlo. No lo creímos. Guevara se quitó los pantalones, [...] y tuvimos que resignarnos: [...] había ganado la apuesta, sus calzoncillos permanecían "de pie" y su dueño prometía, en medio de nuestras carcajadas, que con el tiempo llegaría a hacerles marcar el paso.»[38]

«En Ecuador —cuenta Hilda Gadea—, conoció Ernesto a muchos dirigentes de la juventud comunista y a muchos intelectuales, entre ellos a Jorge Icaza, con el cual conversó muchísimo del problema campesino y quien le dedicó *Huasipungo*, libro que Guevara me regalaría después.»[39] El *huasipungo* es una forma de servidumbre análoga a la que existía en Bolivia antes de la reforma agraria; la mitad de la semana de trabajo al servicio del patrón a cambio del derecho a cultivar un pedazo de mala tierra.

En Guayaquil Guevara toma la decisión capital de cambiar el curso de su viaje. Deja para más tarde el encuentro con Granado en Venezuela y opta por dirigirse hacia Guatemala, en compañía de sus nuevos amigos, pues todo el mundo le asegura que «es allí donde pasan cosas». Se lo explica a su madre: «García, como al pasar, largó la invitación de irnos con ellos a Guatemala, y yo estaba en una especial disposición psíquica para aceptar.»[40] El amigo Ferrer se mantiene en la idea inicial de ir a Caracas. Afectuosa separación.

En Colombia, al salir de Ecuador, se interrumpe la carretera panamericana que va de Chile a México. Imposible llegar a Panamá salvo por avión (demasiado caro) o en barco (difícil pero no imposible). Rojo, que convierte el descaro en profesión, se saca de la manga una oportuna recomendación que el parlamentario chileno Salvador Allende, candidato a la presidencia de la República, le facilitó, por solidaridad antiperonista, para un abogado socialista de Guayaquil. Este último pone manos a la obra y obtiene que los argentinos viajen gratis, en grupos de a dos, nada menos que en la *Flota Blanca* de la famosa United Fruit Co., gigantesca multinacional de la industria bananera mundial.

Los dos primeros en zarpar son Rojo y Valdovinos. Puesto que el quinto argentino, Herrero, regresa a Buenos Aires harto de la aventura, sólo quedan ya Guevara y García. El 25 de octubre de 1953 embarcan para una travesía por América Central que durará casi dos meses. Desde Panamá prosiguen el trayecto por carretera: Costa Rica, Nicaragua, El Salvador y Ciudad de Guatemala.

En Panamá, Guevara publica en una revista de gran tirada, *Siete*, su artículo «Machu Picchu, enigma de piedra en América», abundantemente ilustrado con fotos. Aunque pagada en dólares, esa colaboración no basta para sacar a flote sus mermadas finanzas. Más tarde contará cómo, para poder dirigirse a San José de Costa Rica, dejó en prenda todos los libros de medicina que había transportado, no sin esfuerzo, hasta allí.[41]

La estancia en Costa Rica es breve pero rica en contactos. Pequeño oasis democrático entre turbulentos vecinos, aquella «Suiza de América Central» es el único país que no dispone de fuerzas armadas. Desde 1952 un presidente ciento por ciento socialdemócrata, José Figueres, que se mantiene a igual distancia de los comunistas y los conservadores de derechas, ha conseguido de la poderosa United Fruit como quien no quiere la cosa que pague al Estado más del 40 por ciento de sus beneficios. Forma parte de los padres fundadores de una original Legión del Caribe, abierta a todos los demócratas de la región, que en 1949 le ayudó a hacer respetar la victoria electoral de un candidato liberal. Desde entonces esta Legión se ha convertido en una especie de círculo de los refugiados políticos de la zona, expulsados por los coroneles. Guevara, aunque en el fondo es un tímido, ejerce sus audacias. No vacila en solicitar una entrevista a dos eminentes refugiados de esta Legión, Juan Bosch, escritor de Santo Domingo, y Rómulo Betancourt, jefe del partido Acción Democrática de Venezuela, que comparten la misma casa. Muy pronto las circunstancias harán que uno y otro se pongan a la cabeza de sus respectivos países.

Juan Bosch le parece «muy interesante». En su diario anota: «Es un literato de ideas claras y de tendencia izquierdista. No hablamos de literatura, simplemente de política.»[42] Betancourt, en cambio, le parece dispuesto a «desviarse» hacia el mejor postor. «Me da la impresión de ser un político con algunas firmes ideas sociales en la cabeza y el resto ondeante y torcible para el lado de las mayores ventajas...»[43] Le hace la pregunta clave: «En caso de guerra entre Estados Unidos y la URSS, ¿de qué lado estaría usted?», y Betancourt, sin vacilar: «Del lado de Estados Unidos, claro.»[44] Esta respuesta, le dirá a Hilda Gadea, lo clasificó definitivamente como traidor a los intereses de su pueblo. Por lo que se refiere al jefe del partido comunista de Costa Rica, Manuel Mora, con quien también se encontró, recibe de él una buena explicación de la política del país. «Una lección de historia.»[45]

Aunque Guevara sigue considerándose un trotamundos aventurero que corre por los caminos para descubrir la «gran patria» latinoamericana, cada vez presta más atención a la dimensión política de esta realidad, y sus simpatías —más bien instintivas aún— hacia las posiciones comunistas se hacen evidentes. En una carta del 10 de diciembre de 1953, que escribe desde San José a su tía Beatriz, en la que finge querer asustar a la solterona que lo adora, se advierte detrás de la caricatura su evolución: «Tía-tía-mía. He tenido la ocasión de pasar ante los dominios de la United Fruit [...]. He jurado ante una estampa del viejo y llorado camarada Stalin no descansar hasta ver aniquilados estos pulpos capitalistas. En Guatemala me perfeccionaré y lograré lo que me falta para ser un revolucionario auténtico.»[46] Lo que le falta es precisamente asistir al ejemplar aplastamiento de una tentativa democrática por Estados Unidos y su CIA.

Antes de reanudar su camino Guevara oye hablar en Costa Rica, por primera vez y en boca de los propios protagonistas, del ataque al cuartel Moncada en Santiago de Cuba. La insensata operación fue llevada a cabo cuatro meses antes, el 26 de julio de 1953, por un joven abogado cubano de veintisiete años llamado Fidel Castro. La idea era hacer estallar una rebelión en una parte de la isla para proclamar una huelga general y movilizar al pueblo contra la dictadura de Batista, apoyada por Washington. El ataque terminó mal. De los ciento trece asaltantes, sesenta y uno mueren o son asesinados en los días siguientes. Muchos más quedan heridos. Castro es detenido y encarcelado. Escapando a la matanza, algunos consiguieron llegar a Costa Rica. Entre ellos Calixto García, un negro y futuro «comandante de la revolución» y Severino Rosell, que cuenta: «Había un café que era el centro de reunión de los numerosos extranjeros de la capital... Lo llamábamos el Internacional, pues había siempre gente de distintos países que hablaban de conspiración... En aquel café, fuimos los primeros moncadistas que conocimos al Che. Hicimos amistad con él. Me acuerdo que andaba con una especie de mochila al hombro...»[47]

Los relatos de los cubanos son tan impresionantes, tan llenos de ruido, sangre y suspense, que a Guevara le cuesta tomárselos en serio. Según Rojo, cuyo testimonio en este punto es cuestionado, llegó a decirles: «Oigan, ¿y ahora por qué no se cuentan una película de cowboys?»[48]

Veinte kilómetros después de haber pasado la frontera de Costa Rica con Nicaragua, Guevara y García tienen un encuentro inesperado. Caminan bajo una fuerte lluvia, un diluvio tropical. Guevara cojea. Han hecho autostop al salir de San José, pero uno de los camiones que los han recogido se vuelca. Ernesto, encaramado sobre la carga, ha caído al suelo y se ha lastimado el talón. El camino está lleno de barro. «Por estos parajes —masculla—, la ruta Panamericana es sólo una bella ilusión.»[49] De pronto aparece ante ellos un Ford con tres hombres a bordo. El coche frena. Sorpresa. A través de la cortina de lluvia reconocen «los enormes bigotes de Rojo, el Gordo». Abrazos bajo el diluvio. Explicaciones. Rojo presenta a los otros dos ocupantes. Son argentinos, los hermanos Beveraggi que, tras una estancia en Estados Unidos a consecuencia de ciertos conflictos con el régimen peronista, regresan a Buenos Aires llevando por toda propiedad el hermoso coche americano, modelo 1946, matriculado en Boston, Massachusetts. Rojo les conoció en Guatemala, donde llegó a mediados de noviembre. Y aprovecha la ocasión para bajar con ellos hacia

123

el sur, para conocer la suerte de los dos «retrasados». Aquel encuentro trastorna de nuevo los planes. Los hermanos Beveraggi deciden dar marcha atrás y subir de nuevo hacia Guatemala para vender allí su coche a mejor precio.

Así que los cinco se meten en aquel gran Ford. Rumbo al país del Quetzal. ¡Aquí llega un soldado de América!

3

LA MUTACIÓN RADICAL

Hincharse los pulmones de democracia

«El único país de todos los de Centroamérica que vale la pena es éste [...] hay un clima de auténtica democracia y de colaboración con toda la gente extranjera que por diversos motivos viene a anclar aquí. [...] Creo que me quedaré dos años por aquí si las cosas salen bien, y seis meses, más o menos, si veo que no hay posibilidades apreciables.»[1]

En cuanto llega a Guatemala, Guevara queda seducido. No sólo se halla en primera fila para observar, en directo, cómo hace para subirse a las barbas del Tío Sam un gobierno que sin ser marxista acepta a los comunistas como aliados, sino que además aquel país soberbio, erizado de volcanes, tiene materia para hacer soñar al arqueólogo aficionado en que se ha convertido, partidario declarado de la «indoamericanidad» del continente.

Ha crecido en una Argentina que se considera «el único país blanco al sur de Canadá», pero en un poema escrito en este período proclama: «Soy mestizo [...]. Me vuelvo hacia los límites de la América hispánica / para saborear un pasado que abarca el continente.» En Guatemala los *ladinos* son los blancos así como los mestizos, minoritarios con respecto al 60 por ciento de la población de indios «puros», no mestizados, descendientes de la brillante y milenaria civilización maya que se extendió de México a Honduras. Los mayas conocían la cerámica, las artesanías textiles, el trabajo del oro, los secretos de los astros y de la arquitectura. Abundan los vestigios arqueológicos —pirámides, estelas con jeroglíficos, tumbas, estatuas—, sobre todo en las selvas del Petén poco exploradas todavía, al norte, allí donde anida el quetzal. Este pájaro, símbolo de la libertad (muere si es enjaulado), da su nombre a la unidad monetaria del país.

La llegada de Ernesto a Ciudad de Guatemala, el 20 de diciembre de 1953, coincide aproximadamente con la de John E. Peurifoy, nuevo embajador «de punta», uno de esos diplomáticos sin mayor escrúpulo que Estados Unidos destina a los puntos calientes del planeta cuando considera que sus intereses corren cierto peligro. A juicio del Departamento de Estado, éste es el caso de Guatemala, y Washington está decidido a devolverla al recto camino, aun a costa de aplicar la «política del garrote» si fuera necesario. Ocurre que el nuevo gobierno ha iniciado una prudente tentativa de establecer un orden más justo en el feudal sistema de propiedad de la tierra que preserva, en manos de veintidós familias patricias, la mitad de las tierras cultivables.

Elegido en 1951, el coronel Jacobo Arbenz se había convertido a sus treinta y siete años en el jefe de Estado más joven del continente. Hijo de un farmacéutico de Quetzaltenango, de origen suizo, forma parte de una generación de oficiales nacionalistas cansados de las dictaduras y las prebendas concedidas al *big brother* americano. Su doctrina se detiene ahí ya que no tiene formación política concreta, aunque suple esa carencia con la mejor buena voluntad. Querría para Guatemala, consagrada al cultivo de plátanos y café, un movimiento sindical fuerte y la creación de una nueva clase de pequeños propietarios de tierras. Pone en funcionamiento pues un código del trabajo y un proyecto de reforma agraria legados por su predecesor, Juan José Arévalo, presidente «democrático» de quien fue ministro.

La reforma agraria promulgada en junio de 1952 no tiene la vocación de cambiarlo todo, pero su mera lógica económica es ya una audacia sacrílega. Estipula que, en las propiedades de más de noventa hectáreas, las tierras que no sean cultivadas o hayan sido dejadas en barbecho serán expropiadas, a cambio de una indemnización adecuada, para ser redistribuidas entre los campesinos. La United Fruit advierte enseguida el peligro. Posee 234.000 hectáreas de las que sólo explota el 15 por ciento.

La *Frutera*, como la llaman en la región, es un verdadero Estado dentro del Estado. En 1936 llegó a un muy ventajoso acuerdo con el dictador Ubico, prototipo del tirano inmortalizado en 1946 por el guatemalteco Miguel Ángel Asturias —que recibirá el Premio Nobel de Literatura en 1967— en *El Señor Presidente*. Dispone de las mejores tierras del país, en las que prosperan inmensas y florecientes plantaciones de bananos. Emplea a más de diez mil campesinos y controla un tráfico ferroviario que aprovisiona directamente su *White Float*, la «flota blanca», con treinta y ocho navíos de gran tonelaje, que Guevara conoce por haberse embarcado en uno de ellos en Guayaquil. La United Fruit es el arquetipo de la multinacional norteamericana. Presente en Ecuador pero también en los seis países de América Central, en México, en todo el Caribe, esto es, allí donde puedan obtenerse beneficios del cultivo y el comercio de las frutas tropicales. Asturias la describe como «el pulpo verde». Dicta su ley a la industria bananera mundial y forma parte de los gigantes del *big business* americano. Los grupos Morgan y Rockefeller son miembros de su directorio. Resulta además que un abogado, John Foster Dulles, está relacionado con esta compañía tentacular. Participó en la redacción de los contratos leoninos de 1936 y ahora se encuentra a la cabeza de la diplomacia norteamericana, bajo la tutela del presidente Eisenhower. Por añadidura, su propio hermano Allen W. Dulles dirige otra compañía no menos temible, la CIA. Nada faltará pues en la escena cuando se dispare la alarma.

Desde el comienzo, lo que más impresiona políticamente a Guevara, es la increíble libertad de prensa. Ha salido de una Argentina donde el peronismo ha metido en cintura a radios y periódicos y donde incluso la sátira humorística es un delito castigado por la ley. En la mayoría de los países con dictadura militar que ha conocido, la suerte de los periódicos no es mucho más envidiable. En Guatemala, por el contrario, quince días después de haber llegado asegura: «Éste es un país en donde uno puede dilatar los pulmones y henchirlos de democracia. Hay cada diario que mantiene la United Fruit que si yo fuera Arbenz lo cierro en cinco minutos, porque son una vergüenza y sin embargo dicen lo que se les da la gana y contribuyen a formar el ambiente que quiere Norteamérica, mostrando esto como una cueva de ladrones, comunistas, traidores, etc.»[2] Unos días más de observación y añade: «Bolivia era un país interesante pero Guatemala lo es mucho más porque se ha plantado contra lo que venga, sin tener siquiera un asomo de independencia económica y soportando intentonas armadas de todo tipo (el presidente Arévalo soportó alrededor de cuarenta), y sin atacar la libertad de expresión siquiera.»[3]

Todo aquello excita bastante a nuestro hombre. Pero no basta con respirar el aire tónico de la democracia para subsistir. «El dinero, para mí, no significa nada»,[4] proclama. Sin embargo hay que resolver detalles tan prosaicos como techo y comida, sobre todo cuando se carece de tantas cosas, al cabo de seis meses de viaje. A diferencia de Rojo, que está alojado a cuenta del gobierno en calidad de refugiado político, Ernesto y su amigo Gualo deben arreglárselas solos. Rojo les ha presentado a Hilda Gadea, una joven economista peruana refugiada política. Empleada en un organismo gubernamental, cobra un salario regular, puede servirles de aval ante la patrona. Acepta hacerlo con ciertas reservas. «En general, como muchos latinoamericanos, yo tenía desconfianza de todos los argentinos, primero por su suficiencia de país más desarrollado que los nuestros y luego por la propaganda de prepotentes que pesa sobre ellos en nuestro continente.»[5]

Los dos argentinos se instalan en una pequeña pensión, a tres cuadras de su casa, no lejos del Palacio Nacional, sede de la Presidencia. Dos o tres días después de aquella primera presentación, Ernesto, siempre acompañado por Gualo, visita de nuevo a la amable peruana. Ha recordado que tiene para ella una nota de presentación del APRA. En su libro consagrado a «los años decisivos» vividos con Guevara, Hilda Gadea traza el retrato de aquellos jóvenes, comenzando por el de Ernesto. «Eran altos (1,76 m).* Guevara muy blanco y pálido, de cabellos castaños, ojos negros grandes y expresivos, nariz corta, de facciones regulares, en conjunto muy bien parecido. [...] Ambos eran desenvueltos y sonrientes; el primero con una voz un poco ronca, muy varonil, lo que no se esperaba por su aparente fragilidad; sus movimientos eran ágiles y rápidos, pero dando la sensación de estar siempre muy calmado, noté que tenía una mirada inteligente y observadora y sus comentarios eran muy agudos. [...] Me contaron que eran médico y abogado respectivamente. Nadie lo hubiera creído, pues su aspecto era de estudiantes, pero al conversar con ellos se notaba que eran cultos.»[6]

Hilda, por su parte, está lejos de ser una belleza. Es baja, rechoncha, de tez mate y piernas cortas, una mestiza de ascendencia india y china, de pelo azabache y ojos rasgados. Tiene tres años más que él. Su encanto, en opinión de Ernesto, es de orden casi abstracto. Encuentra en ella un temperamento decidido como a él le gustan, pues es una antiimperialista de rompe y rasga, resuelta militante de la corriente más izquierdista del APRA, el partido de Haya de la Torre al que, sin embargo, el argentino considera «igual que todos». Ernesto e Hilda mantendrán durante semanas interminables conversaciones de carácter político que irán tomando, poco a poco, un cariz más personal.

«Guevara me impresionó negativamente —reconoce—, pues yo pensaba, bastante a la ligera, que era demasiado bien parecido para ser inteligente. Me dio la sensación de ser un poco suficiente y vanidoso.»[7] El «bien parecido» le explicará más tarde que estaba empezándole un ataque de asma y no conseguía expulsar el aire de su tórax hinchado.

En cualquier caso ella se interesa lo bastante para hacerle entrar en el círculo de sus relaciones y presentarle al grupito de sus amigos personales. Refugiados políticos como ella o naturales del país, la mayoría son miembros del partido comunista o están en la órbita del Partido Guatemalteco del Trabajo (comunista). El PGT es

---

* Hilda Gadea embellece un poco su recuerdo. Ernesto Guevara medía 1,73 m.

el más pequeño pero mejor organizado de los seis partidos «revolucionarios» que apoyan al régimen de Arbenz, el único que no está desgarrado por luchas intestinas; el más escuchado por el poder. Ernesto parece encontrarse bastante cómodo en aquel medio, aunque pretenda conservar su libertad. Rojo cuenta, a este respecto —la anécdota es confirmada por Hilda Gadea—, que el Ministerio de Sanidad le exigió, para confiarle un puesto de médico al que aspiraba en la región norteña del Petén —entre los más hermosos vestigios de la civilización maya—, que pidiese su carnet del PGT. A lo que Guevara respondió: «El día en que decida adherirme a un partido, lo haré por convicción, no por obligación.»

Sin embargo permite sin reticencias que le haga de «relaciones públicas» aquella camarada peruana tan decidida, que comienza introduciéndole en casa de sus mejores amigos, los Torres, una familia de comunistas nicaragüenses. La hija, Myrna, es una compañera de trabajo en el Instituto de Planificación Económica que las emplea a ambas. El padre es un profesor distinguido y muy respetado entre los refugiados, dirigente de un partido perseguido por el dictador Somoza; el hijo, secretario general de la Juventud Democrática (comunista) acaba de regresar de China Popular. A Guevara le gustará conversar con los dos últimos. Edelberto Torres, el viejo comunista, queda impresionado por el muchacho: «¡Tan joven y qué talento ya, qué madurez!»[8]

Hilda le presenta también a Elena Leiva, una exiliada hondureña de buena formación marxista que viajó a la URSS y a China y dirige la Alianza de Mujeres, otra organización comunista. «Guevara —afirma— mostraba grandes simpatías por las realizaciones de la Unión Soviética.»[9] Cierta noche, al salir de casa de Elena, Hilda asiste a una viva discusión entre Ernesto y Rojo. El primero afirma que, para cambiar las cosas, no hay otro medio más que una revolución violenta, que todos los «parches» preconizados por el APRA peruano, por la Acción Democrática venezolana, el MNR boliviano, etc., son sólo «puras traiciones». Rojo defiende, en cambio, el principio del combate electoral. El debate fundamental entre la estrategia del fusil y la del voto no es todavía el plato fuerte de la gnosis revolucionaria. Ambos amigos argumentan y se apasionan hasta que Hilda se interpone, intentando calmarlos, y Ernesto estalla: «¡No quiero que nadie me calme!», lo que deja helada a la aspirante a árbitro. Guevara se excusará luego por el exabrupto: «Es el Gordo este, que me saca de quicio.»[10] Guevara ya está lejos de aquella «observación neutral» que preconizaba apenas seis meses atrás, cuando veía desfilar a los mineros bolivianos desde la terraza de un café de La Paz, frustrado por no poder asistir a una contrarrevolución anunciada.

Los dos «yo» del doctor Guevara

En Ciudad de Guatemala, como le había ocurrido en San José de Costa Rica, conoce a otro pequeño contingente de cubanos, supervivientes del frustrado ataque contra el cuartel Moncada, que le refuerzan su idea de que es preciso combatir «con las armas» aunque el éxito no siempre esté garantizado.

Una semana después de su llegada, el 27 de diciembre de 1953, Hilda le presenta a los cubanos en casa de Myrna. Son seis, entre ellos Mario Dalmau y Antonio López, apodado Ñico. El primero conducía el coche atribuido a Raúl Castro, el hermano de Fidel, el día del asalto pero, lamentablemente, se equivocó en una bifurcación al ir a atacar el Palacio de Justicia y llegaron con retraso. El segundo es un gran flaco simpático —mide más de 1,90 m—, un obrero que se hizo amigo de Fidel Castro cuando éste preparaba su campaña electoral para ser elegido diputado a los veinticuatro años, antes de que el golpe de Estado de Batista redujera a la nada cualquier ilusión electoralista. Ñico tenía una multicopista en la que tiró los quinientos ejemplares de la proclama de Castro donde se afirmaba que, dado que el dictador había tomado por la fuerza el poder, por la fuerza debía ser expulsado. Esos cubanos son gente muy sencilla, sin gran instrucción, como la mayoría de los combatientes del Moncada. Pero les anima un fuego interior que saben transmitir. «Cuando oía a los cubanos hacer afirmaciones grandilocuentes con una absoluta serenidad me sentía chiquito. Puedo hacer un discurso diez veces más objetivo y sin lugares comunes, puedo leerlo mejor y puedo convencer al auditorio de que digo algo cierto pero no me convenzo yo y los cubanos sí. Ñico dejaba su alma en el micrófono y por eso entusiasmaba hasta a un escéptico como yo.»[11]

En el primer semestre de 1954 el clima político de Guatemala se hace cada vez más tenso. La prensa es en su mayoría hostil a Arbenz. Financiados por la publicidad y subsidios de la United Fruit, los diarios de oposición se hacen eco de las inquietudes de los terratenientes, de la Iglesia ultraconservadora y de los ácidos comentarios de los enviados especiales de Estados Unidos, que profieren la acusación capital en período de guerra fría: «Vendido al comunismo.» En 1948,

Estados Unidos había creado a escala de «su» hemisferio la Organización de Estados Americanos (OEA), con sede en Washington, que pretende impedir que el bloque soviético se infiltre en el continente.

Las maniobras contra Guatemala son tan evidentes que el 15 de enero de 1954 Guevara escribe: «El "estofado" mayor parece cocinarse en las conferencias de Caracas, donde los yanquis tenderán todos sus hilos para tratar de imponer sanciones a Guatemala.»[12] Reunidos en marzo en Venezuela, bajo la dictadura de Pérez Jiménez, los Estados miembros de la OEA afirman que «cualquier actividad comunista en América Latina es una intervención en los asuntos internos americanos», un modo de confirmar la doctrina de Monroe, que reivindica para Estados Unidos una soberanía implícita sobre la región y sirve de coartada legal a cualquier política intervencionista. A fines de enero, el presidente Arbenz denuncia, públicamente, la preparación de una invasión armada apoyada por un «gobierno del Norte». Lo que pone a Guatemala al borde de la ruptura diplomática con su incómodo vecino.

En semejante situación, el escéptico Guevara no vacila en elegir bando. Sus largas conversaciones con Hilda no ayudan a moderar su impaciencia. Le incitan, por el contrario, a fortalecer sus pulsiones de combate por una auténtica justicia social sobre una base teórica sólida, deliberadamente marxista. «Ambos habíamos leído todas las novelas precursoras de la Revolución Rusa —escribe Hilda Gadea—: Tolstoi, Gorki, Dostoievski, las *Memorias de un revolucionario*, de Kropotkin. Después nuestros habituales temas de discusión recaían sobre: *¿Qué hacer?*, y *El imperialismo, última etapa del capitalismo*, de Lenin, *El Antidühring, El manifiesto comunista, El Estado y la familia* y otros trabajos de Marx y Engels, además *Del socialismo utópico al socialismo científico*, de Engels, y *El capital*, de Marx, con el que estaba yo más familiarizada por mis estudios de economía.»[13]

El hecho de que las conversaciones de Ernesto versaran sobre esta bibliografía no significa que hubiera leído el conjunto de las obras, aunque era un lector voraz y rápido. Pero el ambiente político general, cierta disponibilidad de tiempo, impuesta a menudo por sus repetidos ataques de asma —«No es un buen clima para mí»—, y la solicitud de la camarada Gadea permiten afirmar que fue en Guatemala donde «entró en marxismo». Un «cambio cualitativo» decisivo se produce en la evolución intelectual y en la reflexión social y política de Ernesto Guevara. Claro que sigue haciendo castillos en el aire, sueña con conocer México, Cuba, Estados Unidos. Acaricia incluso el proyecto de llevar a su madre a la vieja Europa, «donde me quedaré hasta quemar mi último cartucho monetario». Pero en una carta a la adorada tía Beatriz, cuya pusilanimidad lo divierte, desvela por fin la verdad, advirtiéndole, provocador como siempre, que no podrá quejarse de que «el proletario de su sobrino» no le haya hablado claro: «Mi posición —asegura— no es de ninguna manera la de un diletante hablador y nada más; he tomado posición decidida junto al gobierno guatemalteco y, dentro de él, en el grupo del PGT que es comunista, relacionándome además con intelectuales de esa tendencia que editan aquí una revista y trabajando como médico en los sindicatos.»[14] Por primera vez Guevara define tan francamente su posición, alineada con la de los comunistas guatemaltecos. Es conveniente recordar la fecha: 12 de febrero de 1954.

Los acontecimientos fortalecerán esta orientación. Sólo la última observación sobre su actividad de médico en los sindicatos debe ser rectificada, ya que sólo es un deseo voluntarioso, destinado a tranquilizar a la buena tía que, siempre inquieta, le ha mandado algunos dólares. Si existió colaboración con los sindicatos fue muy circunstancial y siempre gratuita. La verdad es que, en Guatemala, Guevara nunca conseguirá tener un empleo estable, debidamente remunerado. «Es la primera vez, —reconoce— que tengo necesidad de laburar y no consigo...»[15] Una tentativa de ser contratado por la leprosería local no ha dado resultado; ni la de ir a servir en el Petén, al norte del país. «Naturalmente —dice—, podría hacerme muy rico, pero con el rastrero procedimiento de revalidar el título, poner una clínica y dedicarme a la alergia. [...] Hacer eso sería la más horrible traición a los dos yos que se me pelean dentro, el socialudo y el viajero.»[16] Que conste que su yo-viajero lucha todavía, en igualdad de condiciones, con su yo-*socialudo*.

Puesto que, de todos modos, la reglamentación del Colegio de Médicos «absolutamente reaccionaria» pone los mayores obstáculos a permitir que un extranjero comparta «el espíritu cerrado de la ley, hecha para satisfacer a un grupo de oligarcas en todas sus prerrogativas»,[17] se verá reducido, una vez más, a improvisaciones y pequeños trabajos.

Algunos bastante pintorescos. «Por ahora —escribe tres semanas después de su llegada— vendo en las calles una preciosa imagen de Esquipulas,* un Cristo negro que hace cada milagro bárbaro. [...] Ya

---

* Pequeña ciudad de la Guatemala oriental, cerca de Honduras. Lugar de peregrinación célebre por su estatua de un Cristo negro, de 1,50 m de alto.

tengo un riquísimo anecdotario de milagros del Cristo y constantemente lo aumento [...]. Los corretajes me dan para vivir al día, pero el ánimo es excelente.»[18]

Hilda Gadea le presentó a un «gringo» de quien se hará amigo: Harold White, un antiguo profesor de historia en la Universidad de Utah, apasionado por el marxismo. «Intercambiamos nuestras ignorancias. Él no habla ni una palabra de castellano pero nos entendemos a las mil maravillas.» El gringo le pide clases de español. «Un peso diario por dar clases de inglés (castellano digo) a un gringo, y 30 pesos al mes por ayudar en un libro de geografía que está haciendo un economista aquí. [...] total 50, lo que si se considera que la pensión vale 45, que no voy al cine, que no necesito remedios, es un sueldazo, la única macana es que ya debo dos meses [...] tengo una oferta en firme para trabajar como pintor en un taller que hace letreros, lo que tiene cierto interés porque puede significar que en vez de un Rockefeller (canillita) salga un Hitler.»[19] Aun presentada con humor, la «oferta en firme» se desvanece en el clásico «mañana», el eterno futuro de promesas no cumplidas, y Ernesto, acompañado por Gualo, va a pedir socorro a Hilda que les presta unas joyas para apaciguar a su patrona.

Habla mal el inglés pero acepta, de nuevo con la ayuda de Hilda, lanzarse a la traducción al español de un libro del gringo White sobre marxismo. Con Ñico y otros cubanos que nunca dudan, van a vender por las provincias artesanía, chirimbolos, cualquier cosa. Recorren las verdes montañas del Quiché, se codean con los indios —«hombres de maíz» con las piernas desnudas, doblados a veces bajo enormes cargas de leña sujetas por un arnés frontal—, admiran a las tejedoras que en las plazas de los pueblos elaboran, en sencillos telares «de cintura», *huipiles*, espléndidas y multicolores casullas que distinguen, según los dibujos, a las mujeres de cada etnia. Pero en abril Ñico y los otros cubanos abandonan Guatemala por México, y la buhonería se interrumpe por falta de buhoneros. Finalmente, el único «laburo» más o menos regular que conseguirá Ernesto, aunque sólo a fines de abril, será el de médico interno en un centro de formación de maestros.

Para el gobierno Arbenz se acerca el principio del fin. Más sensibilizados que otros ante el peligro de una represión anunciada si prevalece la reacción, muchos refugiados políticos y extranjeros intentan encontrar tierras de acogida más apacibles. Varios de ellos van a México. A finales de febrero Rojo parte a Estados Unidos, y Gualo García vuelve para casarse con una novia que lo aguarda en Buenos Aires. Ernesto se encuentra un poco solo, sin saber claramente hacia dónde dirigir sus pasos, aunque no le faltan proyectos ni valor. «Mis actividades futuras son un misterio hasta para el mismo Tata Dios: por ahora me gustaría tener un poco de tranquilidad pues estoy ordenando material para un libro... pero la lucha por el sustento diario no me permite dedicarle mucho tiempo a la cosa, que de todas maneras no es para hacer en un día [...] y si no se soluciona, a otro lado y listo, eso sí, no creo que antes de cuatro meses, que es el tiempo necesario para pagar deudas, visitar las ruinas mayas y conocer el país como la gente.»[20]

A falta de contrato de trabajo que le proporcione un medio de vida, debe abandonar el territorio para conseguir un nuevo visado de turista. Toma su mochila y se va una semana al vecino El Salvador, «medio a pata, medio a dedo y medio (qué vergüenza) pagando».[21]

En un poema escrito por aquel entonces, dice: «Persiste en mí el aroma de pasos vagabundos.»[22] En El Salvador obtiene su visado y aprovecha la ocasión para admirar algunas maravillas arqueológicas, cuya arquitectura «no tiene nada que hacer con las construcciones mayas y menos con las incaicas».[23] Intenta pasar a Honduras donde el 25 por ciento de los trabajadores están en huelga, «cifra enorme para un país donde no existe derecho de huelga y los sindicatos son clandestinos», pero la mera mención de Guatemala en su pasaporte le acarrea un rechazo inapelable por los hondureños. Se consuela regalándose dos días de playa en el Pacífico. Encuentra allí unos jóvenes vagabundos «que funcionan con alcohol», les hace una gran propaganda a favor de Guatemala y... terminan todos en el puesto de policía, aunque los sueltan muy pronto. No tiene ya ni un céntimo pero consigue regresar a Guatemala por el camino de los escolares, visitando las estelas con jeroglíficos de Quirigua, algunas de las cuales tienen diez metros de altura.

En Puerto Barrios, el puerto bananero de la United Fruit en la costa atlántica, lo contratan como estibador para descargar, asediado por los mosquitos, barriles de alquitrán y «ganando 2,63 por doce horas de laburo pesado como la gran siete [...]. Quedé con las manos a la miseria y el lomo peor [...]. Trabajaba de seis de la tarde a seis de la mañana y dormía en una casa abandonada a orillas del mar».[24]

El día que me quieras (tango)

Hilda Gadea, que creía que no volvería a ver a Guevara, se alegra de recibirlo de nuevo. Él llama a su puerta en cuanto regresa. Se ha convertido en su amiga predilecta.

A excepción de Tita Infante, camarada comunista de facultad en Buenos Aires, dulce y angustiada, nunca ha conocido a una verdadera militante como Hilda, atenta a filtrarlo todo a través de una interpretación marxista del mundo. Y eso le seduce. Con ella al menos uno puede discutir, intercambiar ideas, comparar puntos de vista, hablar de Sartre o de Freud. Van a ver juntos *La puta respetuosa*.

«Ernesto —escribe la muchacha— era muy partidario de Sartre. [...] Quizá admiraba tanto a Sartre porque lo había leído más que yo, que apenas conocía su primer libro: *El existencialismo es un humanismo*, luego *La edad de la razón* [...] Ernesto, además de estas obras, me comentó y cambiamos impresiones sobre *El muro, El ser y la nada, La náusea* y *Las manos sucias*. Una vez me dijo: "Claro, es verdad que Sartre ha atacado al Partido Comunista", refiriéndose a *Las manos sucias*. Le respondí que a quien atacó fue a la deformación del comunismo y del marxismo, y que con esa actitud yo estaba de acuerdo.»[25]

Sin embargo, como todos los comunistas de la época, Hilda reprocha a Sartre que sólo vea los problemas individuales sin insertarlos en el contexto de la sociedad. «Ernesto —añade por otra parte— era partidario de Freud y de su interpretación de la vida teniendo como fundamento los problemas sexuales. [...] Yo había leído un poco a Adler y Jung, él bastante más que yo.»[26] A este respecto, la reacción de Hilda es de un marxismo bastante primario. Afirma que las concepciones de Freud necesitan ser completadas. «¿Cómo se explicaba que existieran seres, como los luchadores políticos, para quienes la motivación de su vida no era absolutamente ningún problema sexual, pues eran seres completos y normales?»[27] Si esta incongruente visión de la «normalidad» le fue expuesta a Ernesto por su amiga con tanta claridad como lo escribe, él no parece haberse escandalizado. Sigue sintiéndose atraído por el lado puro y duro de aquella Pasionaria, que le hace el honor de encargarse de él, lo pone en contacto con nuevas personalidades políticas de izquierda y los domingos lo invita a paseos por el campo.

Harold White se les une a menudo. Ernesto prepara el asado, la carne dominical a la argentina. La conversación versa sobre la situación del país, que sufre una intensa presión de Estados Unidos; pero hablan también de la Unión Soviética, de los trabajos de Michurin, el agrónomo de moda en Moscú, de los reflejos condicionados de Pavlov y de política internacional. Estados Unidos acaba de hacer estallar la primera bomba H en Bikini; Vietnam mantiene en jaque al ejército francés en Dien Bien Phu...

Uno de aquellos domingos Hilda manifiesta una reacción típicamente pequeñoburguesa, pero Ernesto trata de no tomárselo en cuenta. Una inesperada procesión en el pequeño pueblo donde han pasado el día dificulta el regreso a Ciudad de Guatemala. White propone pasar la noche en un hotel y regresar al día siguiente. «¿Qué pensarán de mí en la pensión donde vivo?», murmura ella. Ernesto le dirige una extraña mirada pero se las arregla para que puedan regresar aquella misma noche, para que la virtud y la reputación de la señorita, sobre todo, queden a salvo.

Hay que decir también que Guevara tiene un extraño modo de hacer la corte. El 3 de enero de 1954, cuando los dos jóvenes se conocen desde hace menos de quince días, se encuentran en casa de los Torres que han organizado una jornada de campo no lejos de la capital. Todo el mundo está allí: los argentinos, el bullicioso grupo de cubanos, los hondureños, el profesor White, algunas simpáticas amigas de Myrna, miembros de las Juventudes Comunistas. Excelente ambiente. Montan a caballo y Ernesto demuestra su habilidad. Comida campestre. Valses vieneses al son del acordeón. Ernesto lleva aparte a Hilda y le pregunta a quemarropa si está «completamente sana», y si su familia también lo está. Divertida sorpresa de la peruana que, atónita, le responde: «¿Por qué me preguntas tal cosa? ¿Me vas a proponer matrimonio y como médico quieres saber mi estado de salud?» Él se sonríe: «Quizá no estaría mal... ¿no te parece?»[28] Igualmente impulsivo se muestra Ernesto cuando ella le presta *La Nueva China* de Mao Tse Tung, personaje del que aún no ha leído nada. «Días después me proponía ir juntos a China.»[29] Ella lo va a pensar, claro. Él le promete no molestarla haciéndole la corte. Las cosas quedarán ahí. Pero Ernesto presentará su candidatura al profesor Torres, encargado de seleccionar a quienes van a asistir, en Pekín, a la próxima Conferencia de la Paz de la región del Pacífico. «Demasiado tarde», le explica Torres, y él no insiste.

Finalmente, a mitad de marzo, Ernesto le hace a Hilda una auténtica declaración de amor en forma de un corto poema que la joven perderá posteriormente. Le dice que está dispuesto a casarse con ella enseguida. Una vez más, la muchacha duda. «Personalmente opinaba que la mujer no encontraba su porvenir y su realización casándose...»[30] Tardará un año en decidirse y no se casarán hasta agosto de 1955. Más tarde, en 1959, ella lamentará sus vacilaciones. «Ojalá hubiera sido su mujer y no perdido un año de vida junto a él.»[31]

En cualquier caso, la marcha de los argentinos, seguida por la de los cubanos, los aproxima. Se ven cada día. En abril, por primera vez habla de ella a su madre: «Tomo mate cuando hay y desarrollo interminables discusiones con la compañera Hilda Gadea. [...] Tiene un corazón de platino lo menos. Su ayuda se siente en todos los actos de mi vida diarios.»[32] Hilda le regala los poemas del peruano César Vallejo y del español León Felipe, refugiado en México. En Guatemala, Ernesto ha descubierto a Asturias y el *Popol-Vuh*, el *Gran libro del consejo de ancianos* que expresa la esencia del universo maya. A Hilda le recita Neruda y versos del *Martín Fierro*, le habla de escritores argentinos contemporáneos, Borges, Marechal, Alfonsina Storni. Aprecia de un modo especial a una poetisa uruguaya, Sara Ibáñez, de la que sabe de memoria varios poemas cargados de símbolos, sueños, transposiciones líricas, dolores intensos y etéreos.

Guevara tiene cierta gracia cuando escribe. Sus relatos, garabateados a vuela pluma, su correspondencia, sus diarios de viaje escritos de un solo trazo, sin tachaduras, rebosan vida, humor, realismo. Sin embargo, cuando se trata de poesía su gusto se descarría curiosamente. Nunca ha brillado por sus producciones poéticas, a menudo recargadas de complicadas figuras. En una dedicatoria a León Felipe reconocerá que es un «poeta frustrado». A este respecto sufre sin duda la influencia de su madre, sensible a los arrebatos líricos de los poetas modernistas latinoamericanos, fascinados a su vez por los parnasianos franceses.

Hilda y él recitan juntos el clásico *Si* de Kipling, exaltación del valor ante la adversidad. Están de acuerdo también en la importancia de *Ariel*, el clásico ensayo del uruguayo José Enrique Rodó. Ese texto abstracto marcó a varias generaciones de intelectuales latinoamericanos. «Otro libro que me había impresionado mucho desde la adolescencia —escribe Hilda— era *Ariel*; [...] y para él también era uno de los principales en su formación.»[33] A partir de *La tempestad* de Shakespeare, Rodó construyó una especie de ética en la que el mal consiste en «la abdicación de la voluntad». Frente a Próspero, el temido dueño (que pronto será asimilado al colonizador), Ariel, genio del aire, significa el idealismo, el desinterés en moral, el heroísmo en acción; es, en el fondo, el intelectual comprometido. Mientras que Calibán (anagrama de caníbal) acabará representando al esclavo colonizado, prisionero de su sensualidad. ¿Cuál es el valor supremo? El propio hombre, que es necesario realizar en su integridad. Esta temática, muy sencilla pero muy fuerte, ayudó a Guevara a determinar su posición ética; veremos cómo reaparece unos diez años más tarde en Cuba, cuando todos los esfuerzos se encaminen a la creación de un «hombre nuevo».

De momento, aunque sigue sin saber nada de música y pisa a Hilda cuando la saca a bailar, al no poder cantárselos, le susurra los arrullos de uno de los tangos más deliciosamente dulzones de Carlos Gardel, *El día que me quieras*. Ella reacciona invitándolo a... una ceremonia de homenaje a Sandino, el heroico nicaragüense que, antes de ser asesinado, levantó un ejército contra los yanquis que ocupaban su país. Ernesto lo conoce; ha leído en Buenos Aires una apologética biografía del personaje que le regaló su tío Jorge en cuanto apareció. El día del mitin, ella está a punto de no reconocerlo. Se ha puesto un hermoso traje de franela gris. «Es una herencia de Gualo», explica burlonamente.

¿Va el correcaminos a sentar la cabeza y convertirse en alguien «normal» con una profesión, una esposa, un porvenir más o menos trazado? En las respuestas a las cartas que le llegan de Buenos Aires se advierte que la familia, por bohemia y libertaria que sea, se preocupa un poco al saberle en aquel vagabundeo y en un país tan peligroso. La tía Beatriz le recomienda ir a El Salvador a ver a unos amigos que podrían ofrecerle una colocación. «Ni siquiera he pensado en la posibilidad de quedarme allí», responde. Su madre imagina que podría especializarse en arqueología, puesto que tanto le gustan las viejas piedras precolombinas. «Sería bastante paradójico que consagrara mi vida a investigar lo que está definitivamente muerto —le escribe—. De dos cosas estoy seguro: la primera es que si llego a la etapa auténticamente creadora alrededor de los treinta y cinco años mi ocupación excluyente [...] será la física nuclear, la genética [...] la segunda es que América será el teatro de mis aventuras con un carácter distintivo de cualquier otro pueblo de la tierra.»[34]

La herida abierta de Guatemala

Los acontecimientos se precipitan y van a darle ocasión de expresar este sentimiento americanista. Estados Unidos no ha digerido la expropiación de 84.000 hectáreas de la United Fruit. Los informes que el embajador Peurifoy envía a Washington, cada vez más alarmantes, exigen pasar a la acción. La CIA de Allen W. Dulles reanuda sus antiguas prácticas. Bajo la dirección del coronel fantoche Castillo Armas, agrupa en Honduras un pequeño ejército «guatemalteco» formado por mercenarios procedentes de Honduras, Nicaragua, Colombia, Cuba, etc. Una verdadera caricatura de la intervención, apenas disfrazada, del *big brother* en una república bananera.

Las proclamas anticomunistas de la OEA, la campaña de prensa de Estados Unidos —dando la pauta a los medios de comunicación regionales— y las repetidas advertencias de Foster Dulles llevan al nacionalista Arbenz a apoyarse cada vez más en los comunistas del PGT, que se mantienen deliberadamente en segundo plano. José Manuel Fortuny, su secretario general, dimite incluso de su puesto para no presionar al gobierno que le pide consejo.

En un corto artículo no fechado (escrito sin duda en abril-mayo de 1954 y nunca publicado) sobre el dilema de Guatemala, Guevara se pronuncia a fondo a favor de Arbenz. «El Departamento de Estado y la United Fruit (el uno y la otra se confunden en este país), en franca alianza con los grandes terratenientes y la burguesía temerosa y mojigata, elaboran toda clase de planes para reducir al silencio al altivo adversario que ha aparecido como un forúnculo en el Caribe.»

La situación es ahora tan clara, tan definidos los dos bandos, que reencontramos en Guevara, frente a un adversario muy concreto, el radicalismo del combate sin cuartel proclamado, una noche de 1952, en la cordillera de los Andes. «Los patriotas saben ahora que la victoria será conquistada a sangre y fuego y que no puede haber perdón para los traidores; que el exterminio total de los grupos reaccionarios es lo único que puede asegurar el imperio de la justicia en América, [...] Es hora de que el garrote conteste al garrote, y si hay que morir, que sea como Sandino.»[35]

Guatemala, bastante menesterosa, tiene que comprar armas en el exterior. La llegada a Puerto Barrios de un cargamento de material militar inicia la última cuenta regresiva. El 17 de junio de 1954, armadas por Estados Unidos, las tropas de Castillo Armas cruzan la frontera entre Honduras y Guatemala, enarbolando como enseña un crucifijo atravesado por una espada. Algunos días antes, aviones pilotados por norteamericanos han sembrado el terror entre la población civil. En el campo no se conocían todavía esos ingenios apocalípticos. El periodista Marcel Niedergang, que cubrió el acontecimiento sobre el terreno, escribe: «Los aviones de Castillo Armas hicieron el mismo efecto sobre los apacibles indios de Guatemala que los caballos de Cortés y Alvarado, en el siglo XVI, sobre sus antepasados mayas.»[36] Pueblos enteros huyen a las montañas.

Guevara asiste a los bombardeos de mitad de junio, bajo un cielo desesperadamente vacío de cualquier contraataque de las fuerzas regulares, carentes de aparatos fiables, de pilotos entrenados, faltos de carburante y municiones. Está rabioso pero exultante. «Tengo la sensación de ser inviolable —advierte al describir con agudeza el "espectáculo" que presencia—. He visto a un avión largarse sobre un blanco relativamente cercano a donde yo estaba y se veía el aparato que se agrandaba por momentos mientras de las alas salían con intermitencias lengüitas de fuego y sonaba el ruido de su metralla y de las ametralladoras livianas con que le tiraban. De pronto quedaba un momento suspendido en el aire, horizontal, y enseguida daba un pique velocísimo y se sentía el retumbar de la tierra por la bomba. [...] Con un poco de vergüenza —le escribe a su madre— te comunico que me divertí como un mono durante estos días.»[37] Es imposible no comparar ese texto con el de otra carta, escrita seis meses antes, el 31 de diciembre de 1953, por el abogado Fidel Castro, encarcelado tras el fallido ataque al cuartel Moncada. Pese a la tragedia de sus compañeros, Castro sintió en el combate el mismo júbilo. «El momento más feliz del año y de toda mi vida, fue aquel en el que me zambullí en la batalla.»[38]

El 20 de junio de 1954, Ernesto anota: «El coronel Arbenz es un tipo de agallas, sin lugar a dudas, y está dispuesto a morir en su puesto si es necesario.»[39] Pero el 4 de julio todo se ha consumado y rectifica: «La verdad cruda es que Arbenz no supo estar a la altura de las circunstancias.»[40] El «valiente coronel» no lo ha sido mucho. Se convierte para Ernesto en el perfecto ejemplo negativo. En realidad, Arbenz ha hecho lo que ha podido. Ha protestado ante Honduras, ha intentado llevar el caso ante la opinión internacional y las Naciones Unidas. No sirvió de nada. El joven médico argentino se inscribe para trabajar en los equipos de socorro médico de urgencia, y solicita a las juventudes comunistas, con las que ha formado equipo para velar por la extinción de incendios durante las alarmas aéreas, que le cuenten entre los voluntarios para recibir instrucción militar. Está convencido de que unas milicias obreras y campesinas, armadas por el gobierno, podrían organizarse y combatir contra los mercenarios llegados de Honduras. Habla con dirigentes políticos, miembros del PGT o cercanos a él, como Marco Antonio Villamar, para convencerlos de que se organicen en este sentido. Villamar le explica que cuando se dirigió al arsenal con un grupo de obreros los militares, en vez de agradecérselo, estuvieron a punto de dispararles.

El 25 de junio Arbenz afirma aún, en una vibrante arenga radiofónica: «No daremos ni un paso atrás.» Pero el embajador norteamericano Peurifoy lo presenta un ultimátum. Las fuerzas armadas, en su mayoría, le abandonan. Unos oficiales le exigen que se separe de sus aliados comunistas. Se niega, y también se niega a confiar en quienes le apoyan... «No pensó —dice Guevara— que un pueblo en armas es un poder invencible, a pesar del ejemplo de Corea, a pesar del ejemplo de Indochina. Pudo haber dado armas al pueblo y no quiso, y el resultado es éste.»[41] De hecho, el ejército le impide incluso pensar en ello. «Sin embargo —observa Niedergang—, Guatemala es tierra de promisión para la guerrilla. Unas decenas de hombres decididos y bien armados habrían podido detener durante días a una tropa tan dispar y poco mecanizada como la de Castillo Armas [...]. Pero la orden no fue dada.»[42] Seis años más tarde, en julio de 1960 en Cuba, el joven argentino convertido en comandante Guevara saludará en un ambiguo homenaje la presencia de Jacobo Arbenz en el Congreso de las Juventudes Comunistas Latinoamericanas y le agradecerá «habernos permitido determinar con exactitud las debilidades que su gobierno no pudo superar». El 27 de junio de 1954 Arbenz se refugia en la embajada de México y el 3 de julio, acompañado por el nuncio apostólico y el embajador Peurifoy, Castillo Armas, que llega a Ciudad de Guatemala en un avión militar norteamericano, proclama entre aclamaciones: «¡Primero Dios!»

La represión es feroz: nueve mil muertos y encarcelados durante los primeros meses de la contrarrevolución. Se redacta un nuevo código del trabajo, la ley de reforma agraria es abolida y la United Fruit no sólo recupera las tierras expropiadas que tenía en barbecho sino también unos cientos de miles de hectáreas más que habían sido distribuidas a los campesinos. Eso le permite hacer un gran gesto de cara a la galería: devuelve generosamente una parte al gobierno. Del lado de los partidos de izquierdas, e incluso de centro, se produce el clásico asalto a las sedes diplomáticas en busca de asilo. Guevara, el «invulnerable», no cede al pánico. Como máximo, por consejo de sus amigos, cambia de domicilio. En el microcosmos de los medios políticos de Guatemala, el argentino ha sido etiquetado como agitador. «Las embajadas están llenas hasta el tope —escribe—, y la nuestra junto con la de México son las peores.»[43] Hilda ha conseguido que unas buenas amigas, muy católicas, la alberguen. La visita cada día y ambos encuentran tiempo para leer a Einstein en inglés y él para traducir a Pavlov del francés al español.

En el calor de los acontecimientos, dicta a Hilda un artículo de una decena de páginas, que se perderán también en la tormenta. Sin embargo algunos de los que lo leyeron lo recuerdan, como el cubano Mario Dalmau. Con el título de «Yo vi caer a Jacobo Arbenz» denuncia las condiciones en que Guatemala tuvo que someterse a los intereses yanquis.[44] El tono ha cambiado. Ya no habla un amable escéptico, sino un hombre comprometido en una feroz batalla contra el imperialismo estadounidense en todas partes del mundo. Guatemala habrá servido de catalizador para transformar al francotirador divertido en un decidido combatiente. Acaba de asistir a su primer incendio histórico. La mutación es radical.

Durante este período probablemente compone algunos poemas de circunstancias, evocando aquella «Guatemala que me has dejado / una herida abierta en el costado».[45] Pero volverán los buenos tiempos. La amarga experiencia de Guatemala no le impide escuchar los clarines del mañana. Percibe «... el impacto difuso de la canción de Marx y Engels / que Lenin ejecuta y entonan los pueblos».[46]

Ernesto comunica a Hilda su decisión de marcharse a México y luego a China. Le propone una vez más que lo acompañe y casarse en México. Acaba de cumplir veintiséis años. La excitación de aquellas jornadas cargadas de emoción, la inminencia de la partida, le arrastran a ir cada vez más lejos en sus relaciones con la muchacha. Ella sigue eludiéndolo, le explica que prefiere regresar a Perú. Guevara dice entonces en un poema: «Hay días en los que siento despertar el sexo / y voy a la mujer para mendigar un beso. / Sé entonces que nunca besaré el alma / de aquella que no consigue llamarme camarada.»[47]

El 22 de julio detienen a Hilda. Sólo unos días de cárcel, pero le exigen que les dé la dirección de su amigo argentino. En cuanto Ernesto se entera, quiere entregarse a la policía. El encargado de negocios argentino, Sánchez Torrenzo, lo disuade. Sabe que el joven Guevara no es un cualquiera. Ha recibido para él paquetes y algún dinero que su familia le ha enviado por medio de un capitán de la fuerza aérea argentina. Le ofrece la protección de la embajada. Ernesto acepta, a condición de ser considerado un «huésped» con plena libertad de movimientos, no un «refugiado». La embajada pide a todo el mundo que declare si es comunista. Trece responden afirmativamente; Ernesto se coloca resueltamente entre ellos. Aunque se niega, claro, a regresar a Argentina. Perón, encendiendo como de costumbre una vela a Dios y otra al diablo, no condena a Arbenz. Más aún, envía aviones militares para recoger a los refugiados. Pero cuando llegan a Buenos Aires, los comunistas son detenidos y fichados antes de ser liberados. A petición de Ernesto, varios de ellos serán socorridos por la familia Guevara.

Cuando Hilda es puesta en libertad, el joven no vacila en reunirse con ella en su restaurante habitual, ante la asustada mirada de los clientes que no comprenden cómo tiene la audacia de dejarse ver abiertamente. Aprovechando la posibilidad que le dan de entrar y salir a su antojo de la embajada y su relativa protección diplomática, Guevara no se limita a jugar al ajedrez y tomar mate; trabaja para ayudar a quienes necesitan escapar de la represión. Consigue que ciertos responsables políticos encuentren una embajada acogedora; halla para otros un refugio e incluso transporta armas, según afirma Hilda.

Cierto día, anuncia a la muchacha que mientras espera el visado para México dará una vuelta por el lago Atitlán que no conoce. A menos de cien kilómetros de la capital, es la típica excursión turística. Un paisaje alpino en los trópicos. ¿Fue allí realmente? El hombre de teatro Armand Gatti, por aquel entonces en Guatemala como cronista judicial para *Le Parisien Libéré*, asegura que se encontró con Guevara en otra parte, del lado de Escuintla. Tras haber entrevistado a Peurifoy, que le ha contado con arrogancia casi obscena «cómo hice caer a Arbenz», Gatti recuerda haber ido en un coche de la embajada de Francia a rescatar al dirigente comunista Fortuny para llevarlo a la embajada de México. Al parecer le presentaron a «un buen muchacho» que estaba también allí, médico del Ministerio de Sanidad. «Guevara —dice Gatti— tenía el aspecto de un izquierdista desgalichado, con su mochila, capaz de dormir en cualquier parte, y con cara de intelectual. Tenía el pelo corto. Estaba delgado.»[48]

A fines de septiembre de 1954, en cuanto tiene el visado mexicano Ernesto manda sus libros a Buenos Aires y compra un billete de tren para México. «Mi último lema es "Poco equipaje, piernas fuertes y estómago de faquir".»[49] Por su parte, Hilda debe regresar a Perú. ¿Se separarán ahí sus destinos? Ernesto pide a su amiga que haga con él una pequeña parte del viaje en tren. Ella acepta acompañarlo durante unos veinte kilómetros, hasta la primera parada. En el vagón que corre hacia la frontera, van cogidos de la mano como dos buenos enamorados. Él le recita Vallejo e insiste para que ella se le reúna pronto. A Hilda la cosa le parece poco probable. Se separan sin saber si volverán a reunirse. Ernesto se ve a sí mismo destinado a recorrer perpetuamente el mundo. Utiliza esta imagen en un poema sin título: «Ya me voy por caminos más largos que el recuerdo / con la hermética soledad del peregrino / [...] de pena adentro y la sonrisa fuera.»[50] Y en un *Autorretrato oscuro* añade: «Devoré kilómetros en ritos trashumantes, / con mi materia asmática que cargo como una cruz.»[51]

Tras aquellos ocho meses decisivos en Guatemala, ¿cómo será el mañana en México? Lo ignora con soberbia, confiando en su buena estrella. Por si acaso, lleva la dirección de un antiguo amigo de su padre, Ulises Petit de Murat, el argentino más introducido en los ambientes cinematográficos mexicanos. Piensa que, después de todo, con su físico de galán joven podría comenzar haciendo de figurante y obtener luego un gran papel, ¿quién sabe?[52] Las cosas no sucedieron precisamente como había imaginado, pero en México le ofrecerán, en efecto, un gran papel.

«En el fondo, soy un vago rematado...»

En el mexicano parque de Chapultepec dos jóvenes parecen estar paseando. Uno es esbelto, de tez clara, mirada aguda y aspecto de adolescente. El otro trota a su lado, con sus cortas piernas, y es más bien enclenque; tiene la piel cobriza y la mirada impasible de los indígenas. En realidad no pasean: están trabajando, al acecho de clientes. Ernesto Guevara ha sumado a su colección de distintos oficios, el de fotógrafo ambulante. Con la cámara colgada al cuello, ofrece a las familias sacarles un retrato, de grupo o uno a uno. Su socio les llevará la foto y cobrará la módica suma de un peso por copia.

El socio en cuestión es un guatemalteco de unos veinte años que conoció en el tren que le llevaba a México. Se llama Julio Cáceres, pero le apodan *el Patojo* por su corta estatura. Durante el viaje tuvieron tiempo de contarse sus vidas. Ernesto se conmovió ante el relato de las desgracias de aquel joven comunista sin dinero que oculta, detrás de su reserva, una gran sensibilidad e inteligencia. Hicieron amistad y cuando el 21 de septiembre de 1954 llegaron a México, Ernesto ofreció a su camarada compartir el pequeño alojamiento que subarrienda en la casa de una anciana dama y lo arrastra a su chanchullo de fotos callejeras, ilegal en México, donde nada es más difícil para un extranjero que conseguir permiso para ejercer la menor actividad remunerada.

Ciudad de México, erigida sobre un lago desecado, no era en 1954 la megalópolis desmesurada y contaminada en que se ha convertido hoy. Subsisten todavía, alrededor de la gran plaza central del Zócalo, barrios que conservan los encantos del período colonial: calles de antiguos enlosados, casas bajas con tejados de tejas rojas y encalados muros de adobe, con ventanas adornadas por rejas de hierro forjado. Pero es ya una gran ciudad de más de cuatro millones de habitantes. Como es habitual en América Latina, los contrastes entre los muy pobres y los muy ricos son asombrosos. Los primeros salen de sus barracas de suburbios para ejercer, en las esquinas, pequeños oficios populares: vendedores de lotería, limpiabotas, etc. Los segundos residen en los barrios elegantes de las lomas, en suntuosas mansiones protegidas del vulgo por inmensos portales de madera esculpida y guardias armados. Entre la muchedumbre, un hombre se detiene sorprendido al reconocer al argentino que el año pasado, en Ciudad de Guatemala, le formuló unas preguntas sobre la situación política. Abogado de izquierdas, antiguo director del Banco Agrícola, Alfonso Bauer es dirigente de uno de los pequeños partidos «revolucionarios» que apoyaban a Arbenz. Refugiado político como todo el mundo, queda bastante indignado al ver a aquel tipo brillante, un médico, obligado a ganarse la vida fotografiando a la gente en los parques públicos. Lo invita, con el Patojo, a una abundante comida en el restaurante del que es ahora, prosaicamente, gerente. E insiste en que Ernesto se presente de su parte a un compatriota, el doctor Pietrasanta, que lo recomendará al patrón del Hospital General. La recomendación funciona y apenas tres semanas después de haber llegado a México Ernesto es ayudante en el Servicio de Alergología, con un salario simbólico que acepta sin remilgos pues es la oportunidad de perfeccionar su práctica. Advierte además que con lo aprendido sobre alergia con el doctor Pisani, en Buenos Aires, sabe mucho más que sus colegas de México, incluso que los que han hecho la especialidad en Estados Unidos.

Al salir de Guatemala, con el corazón lleno de rabia contra los norteamericanos cuyo verdadero rostro imperialista, cínico y arrogante ha visto con sus propios ojos, Ernesto tiene ciertas dudas sobre sus actividades futuras. México es sólo una etapa provisional de un recorrido cuyo itinerario preciso ignora, como siempre. Sigue consumido por su deseo de ir más allá. Sueña con una beca para estudiar en París. No quiere recorrer sólo el continente americano sino también Europa, Asia, China, el planeta entero. «Mi norte inmediato es Europa y el mediato Asia. ¿Cómo? Ése es otro cantar.»[53]

Apenas ocho días después de haberse apeado del tren en México, vierte sus primeras impresiones en una serie de cartas que envía a sus corresponsales de Buenos Aires. Es sorprendente ver con qué constancia mantiene el contacto con los miembros de su tribu argentina. Con la madre, interlocutora privilegiada, con el padre, a quien escribe aparte porque sus padres están separados, con la tía Beatriz, con la inteligente Tita Infante, su amiga comunista a menudo deprimida... México no parece haber despertado en él una gran simpatía, reacción habitual en los argentinos. Con Tita Infante se dedica de buen grado al análisis político. México, le explica, al negarse a ayudar a la Guatemala de Arbenz «desempeñó en esta comedia el mismo triste papel que hizo Francia con la República española». Añade: «aquí también se puede decir lo que se quiere, pero a condición de poder pagarlo en algún lado; es decir, se respira la democracia del dólar».[54] Él, que profesa un desprecio sincero y profundo por el dinero, el lucro y las astucias financieras, se eriza ante esa constante necesidad de prevenirse contra la exigencia de pago por cualquier favor. He llegado, le dice a la tía Beatriz, «al país de la *mordida*».[55]

La *mordida* es una especie de diezmo —avatar mexicano del bakshish oriental— que percibe todo el que entrevé la posibilidad de «morder» en un eventual botín, cobrar un servicio, un favor, la exención de una multa. La policía mexicana es famosa por su uso recurrente e intempestivo de la *mordida* si se espera que haga la vista gorda. Este procedimiento de pequeño chantaje, que se aplica a todos los niveles, podría envenenar las relaciones sociales. Pero todos, adoptando el principio del toma y daca, acaban por acostumbrarse más o menos a un modelo de corrupción que algunos han convertido en estilo de vida.

Esta clase de sistema no agrada a Guevara. «Ya he andado en México lo suficiente para darme cuenta de que la cosa aquí no será muy fácil»,[56] escribe a su padre, informándole de paso que su amigo Petit de Murat se ha portado muy bien con él, que lo ha paseado por toda la ciudad y lo ha invitado a su casa (no habla ya de carrera cinematográfica). Pero «he preferido mantener cierta independencia, al menos mientras duren los pesos que usted me ha mandado». Y anuncia a quemarropa: «Después de un tiempo trataré de que me den una visa para Estados Unidos y me tiraré a lo que salga para allí...»[57] Con su madre será más explícito: «A EE.UU. no le he perdido medio gramo de bronca [...]. No tengo el menor miedo al resultado y sé que saldré exactamente tan antiyanqui como entré.»[58] Con ella se confía más. La madre ha advertido, tras el fracaso de Arbenz, cierta amargura en las cartas de su hijo. Él se justifica subrayando que se trata más bien de escepticismo, pero asegura que sigue siendo tan radical como siempre. «Ahora me convencí terminantemente de que los términos medios no pueden significar otra cosa que la antesala de la traición. Lo malo es que al mismo tiempo no me decido a tomar la actitud decidida que hace mucho debía haber tomado, porque en el fondo (y en la superficie) soy un vago rematado [...] pero ni siquiera sé si seré un actor o un espectador interesado en la acción.»[59] ¿Actor o espectador? ¿Mirar o participar? Sus dos yo —el socialudo y el trotamundos— lo llevan todavía en sentido opuesto, en espera del bendito momento en que intervenga el formidable personaje gracias al que podrá reconciliar por fin, sin mala conciencia, el vagabundeo y la revolución.

Fines de octubre de 1954, agradable reencuentro. En la consulta que tiene ahora cada mañana en el Hospital General, se presenta aquel personaje llamado Ñico López, el entusiasta cubano que tanto lo impresionara en Guatemala porque ponía «el alma en el micrófono» al evocar los proyectos de Castro para liberar Cuba de la dictadura de Batista. Abrazos (¿qué tal, che?, ¿qué tal, hermano?). Se reanuda el contacto con los cubanos, que ya no se interrumpirá.

Otra sorpresa, no menos agradable: a comienzos de noviembre llega inesperadamente Hilda Gadea, de la que no ha tenido noticias y a la que imaginaba en Perú. Después de que sus entrelazadas manos se separaran en el tren, ella tuvo amargas experiencias al regresar a Ciudad de Guatemala. Arresto y luego orden de expulsión a México. Pero en el puesto fronterizo la retuvieron. Un oficial medio borracho le propuso, fusil en mano, dar con él un «paseíto». Luego tuvo que cruzar a nado un río para entrar en México, debió pagar a los guías y esperar días y días su estatuto de refugiada política. En resumen, una odisea. Pero estaba por fin allí, como él había deseado, y no en Lima como ella había decidido. Ernesto le renueva enseguida su propuesta: «Casémonos.» Y de nuevo ella hace melindres, coquetea, dice que no se ha decidido todavía, le pide que espere un poco más. Entonces él se enfada, aunque sin estridencias. Declara que en ese caso sólo serán amigos, que lo comprende muy bien, etc. En una carta que le ha enviado, pero que ella no ha recibido aún, le decía: «Ven pronto, porque si no, entre la hija de mi amigo (Petit de Murat) y los bifes [bistecs] algo va a cambiar.»[60]

Por primera vez desde que salió de Buenos Aires —hace un año y medio ya— se instala en un tipo de vida casi ordenado. «Estoy con un laburo de órdago pues tengo todas las mañanas ocupadas en el hospital, y por las tardes y el domingo me dedico a la fotografía, y por las noches a estudiar un poco. Creo que te conté que estoy en un buen departamento y me hago la comida y todo yo, además de bañarme todos los días gracias al agua caliente a discreción que hay. Como ves, estoy transformado en ese aspecto, en lo demás sigo igual porque la ropa la lavo poco y mal y no me alcanza todavía para pagar lavandera.»[61]

A fines de noviembre de 1954 invita a la huraña Hilda al cine. Pasan la película soviética *Romeo y Julieta*. ¿Benéfica influencia del viejo Shakespeare? ¿Virtudes románticas de la historia? Ambos jóvenes se reconcilian. El terreno donde mejor se entienden es el del compromiso político. Una de las primeras preguntas que él hizo al verla fue sobre si, en su opinión, era justo que un comunista combatiera en una revolución «por los derechos del pueblo». Respuesta de la militante, que se pregunta en qué estará pensando concretamente: «"Yo creo que los comunistas deben estar en la vanguardia de las luchas por los derechos del pueblo, y en la revolución deberían estar en primera línea." [...] luego, [Ernesto] asintió: "Sí, sí creo lo mismo."»[62] A fines de año, el apego bastante conformista de Hilda a las celebraciones tradicionales de las fiestas está a punto de echarlo todo por tierra. Se enoja porque él llega con retraso a la cena de Navidad que ha organizado y porque, cuando apenas ha dado el último bocado, se va a relevar a su compañero el Patojo, a quien le encontró un pequeño trabajo de vigilante nocturno en casa de un editor. Lo mismo ocurre el día de fin de año. Se va a las diez de la noche sin siquiera esperar las campanadas. Siempre susceptible, ella decide romper, aunque renuncia a la idea cuando Ernesto aparece a la mañana, encantador, para llevarla al campo.

En las semanas inmediatas, Ernesto vuelve a la carga y habla otra vez de boda. En febrero —por puro cansancio, según insinúa— ella acaba aceptando. Decreta entonces que se casarán el mes siguiente, en marzo. Pero, unos días más tarde, encuentra en las páginas de un libro de Ernesto el negativo de una fotografía de muchacha en traje de baño. ¡Ataque de celos! Aunque le explique que se trata de la hija de Petit de Murat quien ahora tiene un prometido, es inútil. Ella le escribe que todo ha terminado. Muy bien, responde él, y cesan las visitas... Escribe entonces a Tita Infante, su indefectible y transida enamorada de Buenos Aires: «Aunque yo soy vital por naturaleza (al contrario suyo) he tenido mis momentos de abandono o mejor de pesimismo. [...] yo lo soluciono con unos mates y un par de versos.»[63]

Ha encontrado un empleo suplementario, bien pagado en principio, en la filial mexicana de una agencia de prensa argentina, la agencia Latina, de reciente creación, y gracias a la cual Perón espera mejorar su imagen compensando la «desinformación» de los medios norteamericanos. La cobertura de los Juegos Panamericanos que se celebrarán a partir del 6 de marzo en México exige refuerzos. Ernesto es contratado como redactor y fotógrafo al mismo tiempo. «Ya sólo duermo cuatro horas por noche», escribe. Hace que sus amigos cubanos se beneficien de la ocasión. Ellos se encargarán de revelar las fotografías en un pequeño laboratorio que improvisan con gran euforia, como siempre.

Hilda, que no soporta el silencio de Ernesto, irá a buscarlo allí en compañía de Myrna Torres, la nicaragüense comunista que sí halló tiempo para casarse. La pequeña estratagema tiene éxito. Al día siguiente Ernesto vuelve a verla, le propone por última vez la boda y ahora ella acepta sin demora. Se dan dos meses para arreglar los papeles. Será pues en mayo. Reinician sus lecturas políticas, orientadas ahora hacia la historia de la revolución mexicana y la actual situación del país. Leen *México insurrecto* de John Reed, ese norteamericano «rojo» que tan bien describió los *Diez días que conmovieron al mundo*, en octubre de 1917. Guevara ha retomado el estudio de aquel a quien llama, bromeando, san Carlos, es decir Karl Marx. En cambio, no hay ninguna referencia a León Trotski, eminente marxista asesinado a pocos kilómetros de allí, en Coyoacán, el año 1940, por orden de Stalin. A través de las *Memorias de Pancho Villa*, descubren que en México, ya en 1910, generales-campesinos como Villa o Zapata provocaron un verdadero terremoto político y social dirigiendo de un modo anárquico pero eficaz un temible levantamiento popular contra los grandes terratenientes y el capitalismo extranjero. Desde entonces, esa revolución se ha visto desvirtuada, absorbida por un partido que ha acabado siendo ante todo una maquinaria electoral, cuyo mero nombre ya es una herejía, el Partido Revolucionario Institucional (PRI). En una carta a su padre, probablemente del 10 de febrero de 1955, Guevara hace un terrible retrato de la administración mexicana: «México está totalmente entregado a los yanquis [...]. Es mucho más peligroso que la policía mexicana el FBI, que aquí anda como Pedro por su casa y hace detenciones tranquilamente. [...] todos los líderes obreros están comprados y hacen contratos leoninos con las diversas compañías yanquis hipotecando las huelgas por uno o dos años.»[64]

Cuando puede, Ernesto recupera su proyecto de escribir un libro sobre la función del médico en América Latina. La idea le da vueltas en la cabeza desde que era estudiante. Sus exploraciones del continente americano le abrieron los ojos a la indigencia de la inmensa mayoría de quienes no pueden permitirse el lujo de proteger su salud. «Por las condiciones en que viajé, empecé a entrar en estrecho contacto con la miseria, [...] con la incapacidad de curar a un hijo por la falta de medios [...] hasta hacer que para un padre perder a un hijo sea un accidente sin importancia.»[65] En Guatemala esbozó el plan de la obra y redactó incluso el primero de los catorce capítulos previstos. Afirma en él que, para ejercer su oficio como un hombre responsable, liberado de cualquier idea de lucro, el médico se ve inevitablemente llevado a levantarse contra los poderes constituidos, a transformarse en médico revolucionario. Guevara ignora que así reanuda un planteamiento análogo al de los «médicos rojos» que en el siglo XIX, sobre todo en Alemania, se vieron atraídos hacia las doctrinas sociales revolucionarias por la misma indignación contra la miseria. Nunca tendrá tiempo de terminar su libro pero el 19 de agosto de 1960, dirigiéndose a los estudiantes de medicina en Cuba, revelará la clave del problema, luminosa a su entender: «Me di cuenta de que para ser un médico revolucionario lo primero que hay que tener es revolución.»[66]

De momento, en México está todavía intentando convertirse en un buen investigador de la alergia. Se entrega, al mismo tiempo, a la investigación médica, la cultura política, el periodismo deportivo y la fotografía. Redacta «un modesto trabajo donde repito en México las investigaciones de Pisani sobre los alimentos predigeridos».[67] Presentado en el Congreso Mexicano de Alergología, el 23 de abril de 1955, el «modesto estudio» le vale los cumplidos del gran patrón de la especialidad en México, el doctor Salazar Mayen, director del Hospital General donde ejerce Guevara, así como una módica beca de investigación.

Ese aliento es tanto más oportuno cuanto el trabajo de periodista-fotógrafo desaparece junto con cuatro o cinco mil pesos del salario con que Ernesto contaba. En abril, concluidos los Juegos Panamericanos, la agencia Latina, financiada por Perón, pone fin a sus actividades «de la noche a la mañana y sin pagar ni un quinto. Sospecho que todo se debe a alguna oculta transacción entre los tatos [los padrecitos] (el de la rosada* y el de la blanca**) o tal vez a que el de la rosada dio las nalgas (cochinada mexicana) sin más ni más».[68] Opinión brutal; pero es cierto que a Estados Unidos nunca le ha gustado mucho la competencia en materia de medios de información.

El 1 de mayo de 1955 asiste, con Hilda y Ricardo Rojo, que acaba de llegar de Estados Unidos, al clásico desfile de la fiesta del Trabajo en el hermoso y amplio Paseo de la Reforma de México. Hay sol. El aire es transparente todavía pero «los obreros no sentían las reivindicaciones de su clase, estaban allí sólo por cumplir una rutina»,[69] advierte la peruana. Y el *gordo* Rojo aprovecha la ocasión para lanzar una piedra al jardín de su amigo, al que sabe atraído por las sirenas comunistas: «Hubiérase dicho que era un desfile obrero en un país socialista de la Europa del Este.»[70] Entre los espectadores, Hilda descubre a José Manuel Fortuny, secretario general del partido

* Casa Rosada: sede de la Presidencia de la República Argentina en Buenos Aires.
** Casa Blanca: sede de la Presidencia de Estados Unidos.

comunista de Guatemala. Lo conoce, lo llama, hace las presentaciones. Guevara formula entonces la pregunta que le quema los labios: «¿Por qué no combatieron los comunistas cuando se produjo el golpe contra Arbenz?» Complicadas explicaciones del dirigente comunista: «Era difícil. Más valía replegarse para combatir luego.» Ernesto insiste: «¿No habría sido mejor que Arbenz continuara la lucha con un grupo de auténticos revolucionarios? Era el presidente, representaba un símbolo.»[71] El malestar de Fortuny aumenta. Su tarea era la de aconsejar a Arbenz y se marcha sin ocultar su enfado.

Entre los amigos cubanos con los que Guevara trata, figura un respetable profesor de universidad comunista, Raúl Roa, que desde La Habana había proporcionado libros, género valioso, a los supervivientes del ataque al Moncada encarcelados en la penitenciaría cubana de la isla de Pinos. Exiliado también en México, es corredactor en jefe de una revista de buen tono, *Humanismo*, y traza en una larga enumeración un preciso retrato del Guevara de la época. «Parecía muy joven y lo era. Su imagen ha quedado clavada en mi retina: inteligencia lúcida, palidez ascética, respiración asmática, frente prominente, carácter decidido, mentón enérgico, comportamiento tranquilo, mirada inquisidora, pensamiento agudo, lenguaje pausado, sensibilidad vibrante, risa clara y, aureolando su rostro, una especie de irradiación de sueños inmensos.»[72]

Hilda consiguió encontrar un empleo de estadística en una filial de la Organización Mundial de la Salud. Utilizará sus contactos para que Ernesto sea también contratado y a éste le hablarán incluso de la posibilidad de un contrato de experto en parasitología en África, para el siguiente año. Pero de momento su situación administrativa sigue sin resolverse. A falta de haber cobrado las necesarias *mordidas*, las autoridades mexicanas no perdonan papeleo alguno antes de autorizar en su territorio la boda de dos extranjeros. De modo que al regresar de un fin de semana en Cuernavaca, cerca de Ciudad de México, donde han consumado por fin sus amores, deciden comenzar a vivir juntos, lo que en la pluma de Hilda se traduce en una púdica perífrasis: «Nos decidimos a unirnos de hecho.»[73] Ernesto indica la fecha del acontecimiento: 18 de mayo de 1955.

Ese inicio de unión, por importante que sea, en nada perturba sus proyectos de exploración del planeta. Su juicio sobre México, «tan duro, tan inhóspito»,[74] se suaviza. «México me ha tratado bastante bien después de todo.» Pero está claro que no es el país donde aceptaría vivir, sólo es una etapa hacia «siempre más allá». Sueña cada vez más con París y acucia a su madre, su mejor confidente, para que se reúna con él allí. Afirma estar dispuesto a ir nadando, si es necesario. «Para mí —le escribe el 17 de junio de 1955— es una necesidad biológica.»[75] Hasta el punto de que, cuando los responsables de la desaparecida agencia Latina le anuncian que finalmente le pagarán los salarios atrasados, no espera. Corre a la primera agencia de viajes y reserva un pasaje para España. Lamentablemente sólo le abonarán tres mil pesos; la mitad de lo que le deben. Eso no basta para cruzar el Atlántico.

Prosiguiendo su «unión de hecho» con Hilda, se instala en el apartamento que ella comparte en la calle del Rin con la poetisa venezolana, Lucila Velázquez. Ernesto va a cumplir veintisiete años. En la pequeña fiesta organizada el 14 de junio, por su aniversario, el comunista nicaragüense Edelberto Torres, siempre vinculado a Pekín, le ofrece aprovechar un viaje a China Popular a mitad de precio. Ernesto arde en deseos de aceptar. Pero sentiría escrúpulos si partiera sin la compañía de la camarada Hilda que no está muy convencida. Así que renuncia.

Diez horas de flechazo: Fidel Castro

A fines de junio, Ñico López y la pandilla de emigrados cubanos le presentan un camarada del que le han hablado antes, Raúl Castro, recién llegado de La Habana. Aunque ya en el poder, el dictador Batista ha querido ser «elegido» presidente en una parodia de elecciones en las que fue único candidato. Para celebrar su victoria concedió a los presos políticos, no sin reticencias, una amnistía de la que se beneficiaron los hermanos Castro y los supervivientes de la loca aventura del Moncada, a los que llaman los «moncadistas».

Entre Raúl y Ernesto el entendimiento es inmediato. Raúl es tres años más joven pero ha cruzado ya el océano, participado en el Congreso Mundial de la Juventud de Viena —teledirigido por los comunistas— y visitado Budapest, Praga, Bucarest, París. A su regreso se adhirió a las Juventudes Socialistas de Cuba (comunistas). Tiene ideas muy claras sobre la necesidad de una revolución armada, sobre el imperialismo estadounidense, sobre la inutilidad de las elecciones trucadas. Ernesto está encantado; están de acuerdo en todo. Los dos muchachos se hacen pronto inseparables. Se ven cada día, o casi. Ernesto invita a Raúl a su casa, le presenta a Hilda. «Venía —dice ella— al menos una vez por semana [...]. Era rubio, imberbe, parecía muy joven. La conversación con él era muy estimulante. Era alegre, comunicativo, seguro de sí mismo, muy claro en sus exposiciones. Por eso se llevaba tan bien con Ernesto.»[76] Raúl cuenta la historia de aquel trágico e inolvidable 26 de julio de 1953, primer desafío de dimensión épica lanzado a Batista por su hermano Fidel. Explica por qué creían que tomando por asalto una fortaleza considerada inexpugnable, un puñado de hombres podría humillar al poder, arrastrar la inmensa energía popular a una rebelión generalizada contra la dictadura. La operación fracasó por razones técnicas —coches que se estropean, conductores que no conocen el lugar, una inesperada patrulla militar que da la alarma general—, pero el fracaso no los ha desalentado. Además, concluye, Fidel, que pronto se verá obligado a exiliarse a su vez pues su vida corre peligro en Cuba, sabrá explicar mejor que nadie por qué el fracaso es en realidad una victoria.

El famoso hermano llega a México el 8 de julio de 1955. No ha solicitado, como Raúl, asilo político en la embajada de México. Con un visado de turista en el pasaporte, Fidel Castro se instala en un hotelito barato. Organiza enseguida su cuartel general en casa de María Antonia González, una cubana que es la providencia de todos los refugiados políticos de Cuba y cuyo hermano murió torturado por los esbirros de Batista. Casada con el mexicano Avelino Palomo, luchador profesional, vive en el centro de la ciudad, en el número 49 de la calle Emparan. Su modesto apartamento es un refugio. En su casa, «en una de esas frías noches de México», Raúl se apresura a presentar su hermano al amigo argentino. Decisivo encuentro.

Entre ambos el flechazo es total y recíproco. Su primer cara a cara dura diez horas seguidas. «Hablé con Fidel una noche entera —dirá Guevara—. Al amanecer, yo era el médico de la futura expedición.»[77] ¿De qué hablaron? Guevara indica sólo que su primera entrevista trató de política internacional. América Latina, Cuba, Guatemala estuvieron sin duda en el centro de su conversación. Es poco probable que midieran la importancia de una Conferencia como la de Bandung donde, en abril de 1955, veintinueve países de Asia y África intentaron definir una actitud anticolonialista común para aquello que aún no se llamaba el Tercer Mundo. ¿Dieron su justo valor al éxito que acababa de obtener, en mayo, la Yugoslavia de Tito logrando que Khruschev reconociera la posibilidad de una vía nacional hacia el socialismo? Es muy dudoso.

Por prudencia, por si sus notas, su diario o su correspondencia cayeran en manos del FBI o de algún otro, a partir de entonces Guevara deja de referirse en sus escritos a los cubanos y sus proyectos. Sin embargo, a partir de recuerdos narrados por Hilda y de los rasgos de la personalidad de ambos hombres, pueden exponerse algunas hipótesis.

Fidel es un seductor, un retórico extraordinario, capaz de arrastrar hacia sus posiciones al más reticente interlocutor. Es un personaje impresionante. Aspecto de atleta, porte altivo (1,86 m), rostro bien dibujado de tez muy blanca, con fino bigote y pequeños ojos oscuros, ocultos a veces tras unas gafas de gruesa montura, mirada miope pero escrutadora. Habla con una voz desconcertante de niño afónico, pero de sus palabras se desprende un absoluto poder de convicción. Habla de nación, de nacionalismo y de internacionalismo. Habla de Cuba y de toda América Latina. Evoca el sueño esbozado en Bogotá en 1948, cuando él era estudiante, de una gran federación antiimperialista latinoamericana. Habla de Martí y Bolívar. Y también de justicia social. Explica su estrategia consistente en abandonar Cuba para regresar, desembarcando como Martí, con combatientes decididos, provocar una gran revuelta popular, derribar la dictadura, lograr por fin lo que fracasó en el Moncada pero que dispersó las semillas de victoria, la simiente revolucionaria del «26 de julio».

Guevara está fascinado. Escucha con avidez y pregunta a su vez. También él es un buen dialéctico. Desde muy joven se ha acostumbrado a las encarnizadas discusiones políticas. Durante las ruidosas controversias familiares aprendió a forjar sus argumentos. Si es necesario puede transformarse en un espadachín rápido y seco. Conoce el arte de la polémica, sabe usar la burla, la ironía cruel. Le gusta el humor negro, especialidad argentina, y si no pone «todo el alma en su discurso», como Ñico, es porque está siempre dispuesto a reírse de sí mismo. Pero en lo que explica aquel gran energúmeno apasionado, de voz suave, no encuentra nada irrisorio, no tiene ganas de polemizar. Muy al contrario, está conquistado y asiente. Sin reticencias, con gusto. El encuentro con Castro se produce en un momento en que Guevara alcanza el nivel de madurez política exacta para que el discurso mesiánico del cubano tenga el máximo efecto sobre él.

Por su parte cuenta sus viajes, el descubrimiento de la «América mayúscula», la miseria de la gente por todas partes, Guatemala, la United Fruit, el brutal y cínico aplastamiento de una valerosa tentativa de liberación nacional. Sus historias personales tienen rasgos comunes. Ambos hijos de burgueses o asimilados, odian al burgués. Uno ha sido educado por los jesuitas, el otro no, pero ninguno cree en el cielo. Ambos tienen una impulsividad análoga, temperada a veces en Fidel por un sexto sentido político siempre al acecho. Pero son apasionados, están dispuestos al postrer sacrificio para realizar un ideal. Ante el sufrimiento del pueblo y el imperialismo de Estados Unidos en sus países, sienten la misma rabia intensa, comparten la convicción de que es necesario combatir con las armas en la mano. Recuérdese: «Denme un bufoso (revólver)», reclamaba Guevara, colegial todavía, cuando Granado lo incitaba a combatir contra la policía represora.

Castro queda seducido por aquel muchacho inteligente, con aire de estudiante, que sabe más de lo que aparenta, que no «se manda la parte» como tantos argentinos pero tampoco se deja intimidar, que se muestra tal cual es, transparente en su deseo de revolución. «El Che —dirá cuando sea necesario rendirle homenaje una noche de 1967—, era de aquellos por quienes todo el mundo sentía inmediatamente afecto, a causa de su sencillez, de su carácter, de su naturalidad, de su espíritu de camaradería, de su personalidad, de su originalidad.»[78] Reconocerá que Guevara sabía más marxismo que él mismo: «Era un especialista del marxismo-leninismo. [...] Cuando nos encontramos, era ya un revolucionario formado [...]. Caía bien, el argentino (por eso le llamaban el Che) que nos hablaba de los asuntos de Guatemala. No necesitamos mucho tiempo para ponernos de acuerdo y aceptarle en nuestra expedición.»[79]

Guevara sucumbe a su encanto porque, aunque le tachen de intelectual por su tendencia a teorizar, descubre en aquel personaje locuaz el ejemplo del hombre que ha sabido dar el paso, entrar en acción. «Sé que abandonaré los placeres agnósticos / de copular con las ideas sin funciones prácticas»,[80] escribe en un poema compuesto por aquel entonces. Guevara es más bien un hombre de escritos. Castro, un hombre de manifestación oral. Para el argentino, el inmenso mérito del cubano es el de haber superado el discurso, empuñado el fusil, organizado un ataque con un pequeño ejército, conocido la amarga pero tonificante experiencia de la cárcel. Y he aquí que aquel hombre generoso, muy poco común, le ofrece las «tormentas deseadas», la posibilidad de entrar también en guerra. De vengarse en cierto modo del golpe bajo de los yanquis en Guatemala. «Tras la experiencia que había tenido, mis largas caminatas a través de toda América Latina y del epílogo de Guatemala, no era muy difícil convencerme de que me uniera a cualquier revolución contra un tirano; pero Fidel me dio la impresión de ser un hombre extraordinario. Afrontaba lo imposible y lo resolvía. [...] Yo compartía su optimismo. Era necesario actuar, luchar, concretar. Era necesario dejar de llorar y combatir.»[81] Los dos yo del doctor Guevara pueden por fin reconciliarse en una empresa donde el ideal social y el romanticismo del más allá se unen al servicio de una misma causa. Se olvidan las burlas de Costa Rica, cuando pedía historias de cowboys a los cubanos que le contaban lo del Moncada.

Al salir de aquella noche memorable, la primera cosa que Ernesto le cuenta a Hilda es el extraordinario efecto que le ha producido el hermano de Raúl. «Tenía razón Ñico en Guatemala cuando nos dijo que si algo bueno se ha producido en Cuba desde Martí, es Fidel Castro; él hará la revolución. Concordamos profundamente... sólo a una persona como él estaría dispuesto a ayudarle en todo.»[82] Con el tiempo será más explícito, más lúcido tal vez. En sus *Recuerdos de la guerra revolucionaria*,* calificados por él mismo de «historia fragmentada hecha de recuerdos y algunas notas», Guevara da cuenta con sinceridad de su estado de ánimo: «La veía [la posibilidad de triunfo] muy dudosa al enrolarme con el comandate rebelde, al cual me ligaba, desde el principio, un lazo de romántica simpatía aventurera y la consideración de que valía la pena morir en una playa extranjera por un ideal tan puro.»[83]

Guevara y Castro ya no se separarán. En México, a pesar de las mil actividades de cada uno de ellos, se ven dos o tres veces por semana, solos o con Raúl u otro «moncadista». Estudian el proyecto, evalúan los riesgos, el coste, las necesidades logísticas. Una noche, Ernesto invita a cenar a Fidel para presentarle a Hilda, que ha invitado también a una pareja de revolucionarios puertorriqueños, los Juarbe. Él ha estado ya en la cárcel por haber reclamado la independencia de la isla ocupada por Estados Unidos. Hilda hace a Castro la pregunta equivocada: «Bueno, ¿y usted por qué está aquí, cuando su puesto es estar en Cuba? [...] Su respuesta —escribe ella— duró cuatro horas.»[84] Castro retoma algunos de los temas de su alegato-río cuando, durante el proceso que le instruyeron tras el asunto del Moncada, proclamó: «La Historia me absolverá.» Recuerda la situación neocolonial de su país, colocado como Guatemala bajo la dependencia de la United Fruit y de Estados Unidos. Demuestra que en Cuba no es ya posible batirse contra la corrupción y las fechorías del dictador Batista por medios legales, pues las elecciones se han convertido en una mascarada. Afirma que debe seguirse el ejemplo de José Martí y de Maceo; es decir, tomar las armas.

El ataque contra el cuartel Moncada fracasó, pero se obtuvieron

* Publicados entre 1962 y 1964 en forma de artículos, en la popular revista *Bohemia* y en el semanario de las fuerzas armadas *Verde Olivo*.

de él preciosas enseñanzas. Ha dejado La Habana, precisa, porque su vida estaba a merced de los gángsters a sueldo de la dictadura. Ahora bien, su primer objetivo es hacer caer la dictadura. Por ello necesita contar con combatientes aguerridos. Su combate, dice, se inscribe en último término en una empresa más vasta pues Cuba, una vez liberada, podrá ayudar a otros revolucionarios en otros países. En el horizonte se perfila el viejo sueño de Bolívar de liberación del continente... Al escuchar al ardoroso cubano, los comensales sueñan y se entusiasman. Unos días después —¿coincidencia?—, el apartamento que Ernesto y Hilda comparten con la amiga venezolana es «visitado». Desaparecen la cámara fotográfica, la máquina de escribir, algunas cosas de Ernesto, las joyas de Hilda. «Ha sido el FBI», diagnostica Guevara que, desconfiado, prefiere no denunciar la cosa a la policía.

Hace apenas dos semanas que Fidel Castro está en México cuando realiza una manifestación pública de sus partidarios con ocasión del aniversario del ataque al Moncada. A fin de cuentas, el año anterior estaban todavía, en su mayor parte, en la cárcel. Es su primer «26 de julio» libre, aunque les haya sido necesario abandonar provisionalmente su patria tiranizada. Castro sabe que México, celoso de sus prerrogativas de Estado soberano, «tan lejos de Dios, tan cerca de Estados Unidos», no soporta que se inmiscuyan en sus asuntos internos pero que es bastante tolerante en política exterior, siempre que sólo se agiten los grandes conceptos generales de libertad o solidaridad internacional.

En el parque de Chapultepec, ante la estatua del «apóstol» José Martí, héroe cubano de dimensión continental, hablan primero un venezolano, un peruano y un nicaragüense, todos ciudadanos de países sometidos al absolutismo de un dictador. Tras ellos, Castro. Como un tribuno, fustiga al régimen que gobierna Cuba y promete públicamente combatirlo hasta el final. Por la noche se ofrece una animada fiesta, como las que gustan a los cubanos, en casa de dos compatriotas ganadas para la causa, las hermanas Eva y Graciela Jiménez. El ambiente es alegre. Se toca la guitarra. Se bebe ron y Fidel en persona obsequia a la concurrencia con una especialidad: espaguetis con mariscos y queso. Ernesto, acompañado por Hilda, se muestra bastante taciturno. «Estás muy callado, Che —bromea Fidel, que hace que Guevara se siente a su lado—. Será porque ahora está el control.»[85] El cubano no sabe todavía que su amigo argentino es, como él, un hombre reservado que se encierra pronto en su cáscara en cuanto hay mucha gente.

Cuando a comienzos de agosto Hilda informa a Ernesto que está embarazada, primero cree que es una broma. No lo es. Él, vagabundo impenitente, va a estar «a cargo de una familia», unido al contínuum de las generaciones, remitido (aunque es innecesario para un asmático) a la inevitabilidad de su propia muerte. ¡Ojala que sea un varón!, le dice a Hilda e, imbuido por sus lecturas «bolcheviques», piensa ya en llamarlo Vládimir Ernesto, e insiste para que esta vez apresuren la boda. «Un médico del hospital que es alcalde de un pueblito, nos va a ayudar, si no, nos casamos en la Embajada.»[86] Muy pronto le anuncia que Fidel será su testigo. Después rectifica: será Raúl. Por prudencia es mejor que Fidel no aparezca.

La boda se celebra el 18 de agosto de 1955 en Tepotzotlán, encantadora población de tipo colonial a cuarenta kilómetros de la capital, rodeada hoy por los arrabales de la gran ciudad. Raúl Castro asiste pero finalmente, también por precaución, no firma como testigo, sino otro cubano «moncadista», Jesús Montané, apodado Chucho. Tras ello, Ernesto demuestra su habilidad para preparar un buen asado al que todo el mundo está invitado, comenzando por Fidel, que se les ha unido. «Sabía preparar un poco de carne asada al modo argentino, que sólo puede hacerse al aire libre», admitirá Castro, y añadirá: «Creo que soy mejor cocinero de lo que él era.»[87]

«Tendrás una roja venganza»

Desembarcar en Cuba con un cuerpo expedicionario es para Castro un proyecto de envergadura que requiere tiempo, paciencia y dinero. En octubre parte hacia Estados Unidos, donde la colonia de refugiados cubanos es importante, para llevar a cabo una colecta de fondos de casi dos meses de duración. El 80 por ciento de las sumas obtenidas servirán para comprar armas, el resto se destinará a fines de organización y propaganda. Filadelfia, Nueva Jersey, Connecticut y, antes de Florida, Nueva York. Allí, el 30 de octubre de 1955, Fidel Castro se compromete públicamente a desembarcar en Cuba antes de que finalice 1956. «Puedo hacerles saber, con toda confianza, que en 1956 seremos libres o mártires», fórmula que servirá pronto de divisa a sus partidarios. Un plazo que debe cumplirse a toda costa.

De momento, Guevara prosigue en el Hospital General sus consultas e investigaciones. Prepara también un concurso para una plaza de profesor de fisiología y su artículo sobre la alergia, tan apreciado en el congreso de especialistas, se publica en una revista médica

de México. Con Hilda se han trasladado al número 40 de la calle Nápoles, un apartamento para ellos solos en un barrio de clase media,
Colonia Juárez. Ernesto ha cedido a su compañero el Patojo el trabajo de fotógrafo ambulante. Ya no tiene tiempo y, además, no ha
vuelto a comprar una cámara fotográfica desde que le robaron la
suya. Ha encontrado algo mejor. Un trabajo un poco más rentable
donde también tiene que caminar mucho: vender libros a domicilio y
a plazos. Eso le da la oportunidad de leer de un tirón algunos grandes clásicos que le quedaban pendientes. A los que se añaden las novelas soviéticas de moda: *Así se templó el acero, La batalla de Sta-
lingrado*, himnos a los «héroes positivos» así como, por ejemplo, *La
historia oculta de la guerra de Corea*, de Irving Stone, que según Hilda lo impresionó mucho. Pero sigue conservando su predilección por
la poesía. Ha sabido que León Felipe, el poeta español que descubrió
en Guatemala, se ha refugiado en México como miles de españoles
más. Decide ir a saludarlo al hogar de los republicanos españoles, en
compañía de Rojo que anota que, cuando están sentados, el poeta y
su admirador lucen unos zapatos de suelas igualmente agujereadas.
En 1964 Guevara escribirá desde Cuba al estimable español: «Tal
vez le interese saber que uno de los dos o tres libros que tengo en mi
cabecera es *El ciervo*.»[88] Este largo poema desarrolla la desesperada
alegoría del ciervo perseguido sin cesar por la jauría pero que no renuncia. «Oh, destino del Hombre... / Si hay que rehacer este camino,
lo reharemos...»

En el hospital, Ernesto se interesa por una anciana asmática, «la
vieja María», que se ha pasado la vida lavando ropa. Le recuerda sin
duda a aquella asmática chilena, ya al final del camino, a la que intentó ayudar en Valparaíso.[89] Su atención para con la mexicana, que
pronto «exhalará el último suspiro», no se debe sólo a la identificación entre la enferma y él mismo.

El caso de aquella pobre «abuela proletaria» ilustra sobre todo lo
que intenta desarrollar en su libro inconcluso sobre el papel del médico. Que las cuestiones de salud se sitúan en la encrucijada de los
problemas de la sociedad, que es la propia raíz de estos problemas lo
que debe atacarse primero para conseguir cierta justicia. De ahí su
radicalismo. Hilda, poco sutil, se reconoce algo celosa al ver a su joven esposo tan preocupado por aquella anciana que le obsesiona. Más
tarde, encontrará entre los papeles que Ernesto le ha dejado un poema algo torpe que proporciona la clave de esta obsesión. Ha convertido en todo un símbolo esa muerte por asma. «Vieja María, vas a morir, [...] / Restriega tus callos duros y los nudillos puros en la suave

vergüenza de mis manos de médico. [...] / cree en el futuro que nunca verás. / No reces al dios inclemente / que toda una vida mintió tu esperanza. [...] / sobre todo tendrás una roja venganza, / lo juro por la exacta dimensión de mis ideales / tus nietos todos vivirán la aurora, / muere en paz, vieja luchadora.»[90]

Los acontecimientos que acompañan la caída de Perón en septiembre de 1955 confirman al médico anunciador de «roja venganza» que la historia, aun la inmediata, debe leerse a través de la lucha de clases. Por más que se proclame aventurero y vagabundo, permanece muy atento a las noticias que llegan de su Argentina natal. Después de que la marina de guerra intentara, en junio y sin éxito, hacer caer a un Perón que se metía sin descanso con la plutocracia del Jockey Club y con la Iglesia, Guevara escribe a su madre (antiperonista) que «el ejército solamente se queda en sus cuarteles cuando el gobierno al que sirve, sirve a sus intereses de clase».[91] A su modo de ver, añade, el más insignificante *negro* (mestizo) que muere por un ideal vale más que un marino *pituco* (hijo de papá). Guevara nunca ha sido peronista declarado, y cuando Perón huye a Paraguay sin demasiada dignidad no duda en fustigar su cobardía («ha caído como todos los de su calaña»), pero adopta también la fórmula de quienes ven en los acontecimientos argentinos «otro triunfo del dólar, la espada y la cruz».[92]

En cualquier caso, no es cuestión de regresar a Buenos Aires como se lo aconseja Rojo, que llega de Estados Unidos para aprovechar el avión enviado por la Junta de la Casa Rosada. El argentino Orfila Reynal, que dirige la importante editorial Fondo de Cultura Económica, así como la revista *Humanismo* (con el cubano Raúl Roa), reúne a algunos compatriotas en sus oficinas para analizar la situación argentina. Recuerda muy bien la intervención de Guevara, que, influido sin duda por Rojo, imaginaba que el radical Frondizi podría tal vez equilibrar el peso de la derecha reaccionaria que cabalgaba de nuevo en Buenos Aires. Doce años después, Orfila se reconoce avergonzado por no haber advertido que el Che asomaba ya la nariz por debajo de Guevara. «Fue una noche de octubre de 1955 [...] Llegó algo tarde y, sin presentarse, sin ni siquiera decirnos que no era como los demás, que estaba convirtiéndose en lo que iba a ser más tarde, se acercó a nuestro círculo casi con timidez, con cierta distancia, con la intención de no intervenir en la discusión. Pero intervino. Discutimos. No nos pusimos de acuerdo. Dio siempre pruebas de convicción, de gracia maliciosa algunas veces. Y, pasada la media noche, dejamos que se marchara sin saber que habíamos tenido delante a un ser distinto de los demás.»[93] Ernesto le explica a su madre que si la caída de Perón lo «amargó profundamente», no es a causa del propio Perón, que le importa un pito, sino porque «la Argentina era el paladín de quienes pensamos que el verdadero enemigo está en el Norte». En la misma carta pide que le envíen cada semana *Nuestra Palabra*, órgano del partido comunista argentino, y añade para concluir, como si se tratara de un detalle: «Me casé con Hilda Gadea y tendremos un hijo dentro de un tiempo. Chau.»[94]

Fidel Castro, que siempre opina y dice la suya, les había aconsejado utilizar la pequeña indemnización de la agencia Latina para realizar un viaje en vez de comprar un coche, como Hilda deseaba. Ernesto, siempre apasionado por la arqueología, propone en noviembre un viaje de bodas a las fuentes de una de las más brillantes civilizaciones del mundo, la de los mayas. En Palenque, «joyel de las Américas», disfruta escalando templos barrocos y pirámides que lindan con una selva casi virgen. De este modo se consuela de su frustración guatemalteca cuando, un año antes, a punto de ser nombrado médico en el Petén, otro paraje arqueológico maya, le exigieron que pidiera el carnet del partido. Pero el calor húmedo de los trópicos hace reaparecer el asma, olvidada en las claras alturas de México. En la península del Yucatán, de clima árido y seco, recupera el aliento y descubre el esplendor de los gigantescos conjuntos de Uxmal y Chichen-Itzá.

No es el asma sino la indignación lo que parece ahogarlo cuando se entera de que, en la carrera que enfrenta a arqueólogos y saqueadores de tumbas, numerosos norteamericanos se aprovisionan generosamente y mandan esos tesoros a galerías o museos de Estados Unidos. Otra razón más para justificar su cólera antiyanqui y reivindicar una filiación cultural con esas poblaciones indoamericanas de matemáticos eméritos, que habían inventado el cero, los sistemas decimales, un calendario de extremada precisión y una lengua tan rica que, en comparación, el español importado por los conquistadores les pareció pobre y bárbaro. Único misterio sin resolver todavía: ¿por qué una civilización tan notable fue devorada por la selva con tanta rapidez como había aparecido?

En el camino de regreso, en un pequeño puerto pesquero cercano a Veracruz, al fondo del golfo de México, Hilda cuenta un pequeño incidente que revela que el argentino, «cabeza de familia ahora», sabe mostrarse muy macho si alguien se mete, aun sin animosidad, con su querida esposa.[95] Cuando Hilda, encinta, siente un acuciante antojo de comer pescado, entran en un tugurio en cuyas mesas hay una decena de mexicanos bebiendo cerveza, marineros al parecer. Uno de ellos, levantando el vaso, se dirige a Ernesto. «Pos un brindis por ti y otro por la reina.» Respuesta de Ernesto: «Todo conmigo, pero nada con ella.» Hilda advierte que la pareja que formaban —ella muy mestiza, él muy europeo— debía de parecer extraña. (En Chichen-Itzá, donde estaban rodando una película, todo el mundo había creído que Ernesto era un actor de cine.) «Me imagino que esos lugareños creyeron que yo era una mexicana que andaba con un gringo.» Al final de la comida, otro insistente homenaje del mismo marinero que se acerca a ellos: «un brindis por la reina.» Esta vez Ernesto se levanta, lo coge de la camisa con ambas manos y, levantándolo en vilo, lo lleva a su mesa y lo deja caer sobre la silla. «Te dije que conmigo todo, pero con ella nada.» Eso basta y sobra en México para que aparezcan cuchillos o pistolas. Pero el patrón de la taberna consigue calmar los ánimos sin necesidad de llamar a la policía.

Para regresar a Ciudad de México, dando un rodeo, se embarcan en un cascarón que hace cabotaje por el golfo. Es una zona azotada por los ciclones. Enormes olas sacuden la embarcación y agitan la carga. La travesía, prevista para veinticuatro horas de duración, se alarga a tres días. Todo el mundo está mareado. Salvo Ernesto que, en bañador, da saltos riéndose de un lado al otro del barco, toma fotografías, bromea. No oculta, tras un año sin moverse de México, que el viaje ha despertado su instinto vagabundo. ¿Será que se prepara ya para una travesía de otra índole?

El verdadero entrenamiento de quienes se consideran «combatientes rebeldes» con vocación a liberar Cuba comienza en enero de 1956. De su larga gira por Estados Unidos, Castro ha traído una cosecha de dólares suficiente para poner en marcha la nueva estrategia. Mientras que la aventura del Moncada había sido concebida como una acción insurreccional corta, centrada en las ciudades, ahora está convencido de que una guerrilla, incluso larga, tiene más posibilidades de éxito si se apoya en una población urbana y rural favorable a los guerrilleros. Claro que es preciso formar, tanto en lo moral como en lo físico, a dichos guerrilleros. Como había proclamado públicamente, el año 1956 no debe concluir sin que sean «libres o mártires». También él tiene prisa.

En la Navidad de 1955 Fidel se da el gusto de cocinar personalmente e invita a Ernesto, que ha entrado enseguida en el primer círculo de sus amistades, a una cena de fiesta a la cubana, cuyo menú nos describe Hilda (cerdo asado, surtido de *moros y cristianos*, es decir frijoles [habichuelas] negros y arroz blanco, con los clásicos turrones, manzanas, uvas e incluso vino). Pero esos ágapes son excepcionales. Ahora lo normal es la disciplina y el rigor en todo. Antes de salir de Cuba hacia México, Castro había sentado los cimientos del Movimiento 26 de Julio, el M-26, que será la base de la organización de los incondicionales. Acaba de crear algunos núcleos en el seno de la colonia cubana de Estados Unidos. La denominación «26 de Julio» no es inocente. Al adoptar la fecha simbólica del ataque al Moncada para bautizar su movimiento, Castro pretende establecer el carácter fundacional de su acción. Al revés que todas las chácharas protestatarias de los partidos de oposición, él había sabido, por primera vez sin duda desde Martí, constituir un grupo armado sólido, disciplinado, capaz de enfrentarse con la muerte para atacar uno de los bastiones emblemáticos de la tiranía. Que haya fracasado es casi secundario. Está convencido, y convence a sus auditorios, de que la próxima tentativa será la buena.

A mediados de enero, el M-26 le envía unos cuarenta hombres elegidos a dedo que, uniéndose a los que están ya en México, constituyen una pequeña tropa de sesenta mocetones a los que se trata de transformar en endurecidos combatientes. Se alquilan seis pequeñas casas donde se impone un régimen cuartelario, tan monástico como compartimentado. Estudios de «temas militares o revolucionarios», salidas vigiladas, siempre en pareja, comidas a horas fijas. Nada de alcohol, nada de llamadas telefónicas. Toda indiscreción se considera una traición. Castro es consciente de que la policía de Batista le vigila de cerca, incluso en México, y es preciso permanecer atentos. Recibe su correspondencia personal en casa de Hilda Gadea, a la que Ernesto pide la mayor reserva ante sus amigos.

Elogio de la guerrilla

Por lo que se refiere a la preparación militar propiamente dicha, Castro ha descubierto en la colonia de republicanos españoles instalados en México a un personaje muy pintoresco, el general de aviación Alberto Bayo, nacido en Cuba pero que hizo toda su carrera en España y, sobre todo, en Marruecos. Durante once años en la legión extranjera española se ha enfrentado con la permanente guerrilla de los rifeños. Veterano batallador, tuerto —perdió un ojo en combate—, ingenuo y malicioso a la vez, Bayo es conocido por sus conferencias que encomian las virtudes de la guerra de guerrillas contra un enemigo poderoso y organizado. La guerrilla, afirma, permitió expulsar a los franceses de España durante las guerras napoleónicas y los mexicanos la utilizaron contra la Corona española para obtener su independencia. Gracias a la guerrilla, también Sandino pudo acosar durante siete años a las tropas estadounidenses que ocupaban Nicaragua. El principio es sencillo: «Pega y huye.» Aunque supone, claro está, un total apoyo de los habitantes y una prolongada estancia en zonas rurales.

«Ebrio de entusiasmo» por el ardor de aquel brillante abogado que hace vibrar su cuerda patriótica, Bayo abandona, a los sesenta y cinco años, su fábrica de muebles y sus clases en la Escuela de Aviación para consagrarse por entero a la formación militar de los reclutas del M-26. Mediado marzo consigue encontrar, a cuarenta kilómetros de Ciudad de México, una gran propiedad medio abandonada de mil metros cuadrados, rodeada de ciento cincuenta kilómetros cuadrados de tierra silvestre, entre llano y montaña. Ideal. Para cerrar el negocio ha contado una rocambolesca historia de coronel salvadoreño metido en la política de su país, que antes de comprar quisiera dejar como nuevo el edificio, corriendo con los gastos, con una cincuentena de sus obreros. Pero necesita discreción. El propietario, un viejo mexicano que combatió en las filas de Pancho Villa contra Estados Unidos, lo comprende muy bien y alquila su hacienda de Santa Rosa, mientras duren los trabajos, por ocho simbólicos dólares al mes.

Entretanto Guevara, que sigue trabajando en el hospital, se las arregla para acompañar cuando puede a sus nuevos compañeros en sus sesiones de entrenamiento físico: largas marchas —está acostumbrado— por la extensa avenida Insurgentes que atraviesa la ciudad a lo largo de cuarenta kilómetros; horas y horas de remo en el lago del parque de Chapultepec; aprendizaje de combate cuerpo a cuerpo en un gimnasio amigo. Pero prefiere, porque es un verdadero desafío, las escaladas de montaña. No ha esperado las instrucciones de Bayo para «asaltar» los 5.400 metros del Popocatépetl, un magnífico volcán de cono casi perfecto y de nieve perenne que puede divisarse, los días de atmósfera clara, desde Ciudad de México. En julio de 1955 Ernesto relata a su madre el primer ascenso: «Asalté el Popo (así se le llama familiarmente por aquí). [...] Para llegar a la cima, estaba dispuesto a dejarme los huesos, pero un cubano que es mi compañero de ascenciones me asustó, porque tenía los pies helados, y los cinco tuvimos que bajar [...]. Cuando paró un poco la tempestad y se fue la bruma, entonces nos dimos cuenta que habíamos estado casi al borde del cráter. Durante seis horas habíamos luchado contra una nieve que nos enterraba hasta las verijas en cada paso. [...] El guía se había perdido en la niebla esquivando una grieta. [...] A la bajada la hicimos en tobogán tirándonos barranca abajo [...] pues llegué sin pantalones. [...] Las patas se descongelaron al bajar pero tengo toda la cara y el cuello quemado como si hubiera estado un día entero bajo el sol de Mar del Plata; en este momento [me parezco] la copia de Frankenstein.»[96] Tal vez más monstruoso que Frankenstein sea que este tipo de hazaña lo realice un asmático como Guevara. Esta feroz voluntad de superar su mal y la alegre tenacidad en el esfuerzo son rasgos de carácter que impresionaron a Castro.

El 15 de febrero de 1956, gran acontecimiento: Hilda da a luz no a un valeroso Vládimir sino a una niña mofletuda cuyos ojos rasgados y tez mate indican su ascendencia indígena. La llaman sencillamente Hilda como su madre y Beatriz como la querida tía de Ernesto. El primero que acude a visitar aquella maravilla es el amigo Fidel Castro, que promete: «Esta niña se va a educar en Cuba.»[97] Al anunciar la noticia a su madre, a la que trata enseguida de abuelita, Ernesto advierte: «Ha salido igualita a Mao Tse Tung.»[98] Y a su camarada Tita Infante le confiesa: «Podría convertirme en un aburrido padre de familia [...]. Sé que no será así y que seguiré mi vida bohemia hasta quién sabe cuándo, para ir a aterrizar con mis huesos pecadores a la Argentina, donde tengo que cumplir el deber de abandonar la capa de caballero andante y tomar algún artefacto de combate.»[99]

En el rancho de Santa Rosa no faltan los instrumentos de combate, aunque dispares: fusiles de mira telescópica, metralletas, ametralladoras e incluso dos fusiles antitanque. Ernesto adora desde niño las armas de fuego. Tras haberse entrenado físicamente en la ciudad y luego en un campo de tiro próximo, los futuros combatientes pasan al estadio superior y se instalan en el austero acuartelamiento de la hacienda, al abrigo de los curiosos. Guevara, al comienzo, va y viene entre el hospital y el campo de entrenamiento. Pero muy pronto, en el mes de mayo, abandona el hospital para establecerse definitivamente en Santa Rosa y seguir el mismo régimen que sus compañeros. Castro, que continúa muy ocupado en Ciudad de México con la preparación política de la operación, ha nombrado al argentino responsable del personal, y éste se toma su papel muy en serio, dirigido por el general Bayo quien proclama que nunca ha tenido mejor alumno.

Guevara reconoce que si al principio podía sentir cierto escepticismo ante el éxito de la aventura, todo cambia cuando escucha las clases de táctica militar del general, que habla como un profesional. «Mi impresión casi instantánea, al escuchar las primeras clases, fue la posibilidad del triunfo.»[100] Le encargan, al parecer, ciertas clases de instrucción política y aprovecha para exponer a sus compañeros los principios elementales de la doctrina de «san Carlos», aunque no todos compartan su interés por el marxismo. Pero su tarea esencial como médico de la expedición es velar por la buena salud física de la tropa. Enseña algunas nociones básicas de socorrismo, les muestra los primeros auxilios que deben dispensarse a un herido y, si se trata de dar una inyección, no vacila en predicar con el ejemplo: es experto en la materia. Única reserva, paradójica en apariencia en un médico partidario por definición de la higiene, es que el afán de limpieza y aseo personal de los cubanos es exagerado. «Todo eso está muy bien, pero ¿cómo van a hacer allá cuando estén en el campo? No sé si podrán cambiarse de ropa continuamente y bañarse todos los días.»[101] Y Bayo imagina ya el aspecto que tendrán algún día los combatientes barbudos cuando Guevara les hace tirar las navajas y el cepillo de dientes «porque donde vamos no los habrá».

En Santa Rosa, el régimen es más severo que en la ciudad. En un librito algo desmañado, de conmovedora ingenuidad, *Mi contribución a la revolución cubana*,[102] Bayo da una idea del régimen que hace seguir a sus hombres. Toque de diana a las cinco de la mañana e intensas actividades teóricas y prácticas hasta el anochecer. Todo el mundo duerme sobre suelo duro, cuando duerme, pues las marchas nocturnas se multiplican, con cargas cada vez más pesadas a la espalda. A veces la tropa se separa en dos bandos que fingen enfrentarse, para reproducir mejor las condiciones de los combates que pueden esperarlos en la sierra cubana. Guevara se adapta a estas severas condiciones como si lo hubiera hecho toda su vida. Encuentra incluso tiempo para jugar al ajedrez, con Bayo entre otros, tomando su inevitable mate. Castro advierte que cuando todo el mundo está agotado, el argentino es el único que no manifiesta su fatiga y lo pone como ejemplo. A partir de esta cotidiana existencia de esfuerzos compartidos, sin privilegio alguno, los cubanos integran a Guevara como uno de los suyos, un camarada de pleno derecho. Ya sólo lo llaman *Che*, sobrenombre que se da a todos los naturales del Río de la Plata que salpican su habla con esta interjección familiar. «En el caso del Che —precisa Fidel Castro—, ha tenido tanta fama, tanto prestigio que se ha convertido en propietario del apodo.»[103]

En esas memorables semanas Bayo cuenta una sola falta grave de disciplina cuando, durante una marcha, uno de los aprendices de guerrillero, Calixto Morales, se niega un día a dar un paso más. Consejo de guerra inmediato. Fidel y Raúl acuden de Ciudad de México.

Fidel está loco de rabia pero Raúl deja estupefacto a Bayo por la violencia de su alegato y su petición de muerte para el «saboteador». Finalmente, el culpable es excluido del movimiento y considerado prisionero. Obtiene sin embargo, como una gracia, reanudar el entrenamiento.

Mucho más tarde explicará a Bayo que, sufriendo terriblemente por una deformación de la cadera, no quiso revelarlo por temor a que no lo escogieran entre los seleccionados para desembarcar en Cuba. Castro no parece impresionado por las hazañas de su tropa pues, años más tarde, le hablará a Tad Szulc, uno de sus biógrafos, de la «increíble mediocridad de su entrenamiento en México».

Pese a las precauciones, todos estos preparativos militares están muy lejos de ser ignorados por los servicios de Batista que han conseguido infiltrarse en el M-26. Por sus declaraciones, los artículos que publica en la prensa cubana, los contactos que multiplica en la región con los medios opositores, las visitas que recibe de emisarios procedentes de La Habana, Castro comienza a convertirse en un enemigo casi más molesto en el exilio que en la propia Cuba. Batista ordena a sus sicarios que acaben con él, o al menos que hagan lo necesario para que la policía mexicana lo «neutralice».

La noche del 20 de junio de 1956, al salir de una de las casas refugio acondicionadas para los combatientes del M-26, Fidel Castro es detenido en plena calle con dos compañeros, Universo Sánchez, un antiguo comunista encargado de las cuestiones de seguridad, y Ramiro Valdés, un «moncadista» de primera hora. La escena parece de una película de gángsters pues los policías utilizan a Sánchez y Valdés como escudos para obligar a Castro a deponer su arma y subir al furgón. Aquella misma noche, una docena de miembros del equipo de Castro son detenidos, entre ellos la hospitalaria María Antonia González. Al día siguiente le toca a Hilda Gadea, que es llevada al puesto con la pequeña Hildita en los brazos. Quieren saber, sobre todo, dónde está el señor Guevara, sospechoso de relaciones comunistas, pecado mortal en un tiempo en que acaba de ser divulgado el informe Khruschev que admite la existencia de los campos del terror estalinista.

Antes de ser liberada, Hilda afirma haber escuchado que sus interrogadores, sumidos en las sombras, hablaban en inglés. No es improbable que algunos agentes del FBI o la CIA acompañaran a sus colegas mexicanos en sus esfuerzos por detener cualquier inicio de penetración comunista en el «coto privado» del *big brother*.

Cuando la policía informa a Castro que harán una redada en el campamento de Santa Rosa, del que le enseñan incluso fotografías, éste reacciona inmediatamente. Tiene que evitar un enfrentamiento tan mortífero como inútil, pues el enemigo está en Cuba y no en México. Consigue acompañarlos. El 24 de junio, cuando los jeeps y vehículos de la policía se acercan a la hacienda, Guevara está de centinela en la copa de un árbol. Mientras los vehículos se detienen, descubre a Fidel que se adelanta solo, al descubierto, durante doscientos metros, para que sus amigos atrincherados detrás de las gruesas paredes del rancho puedan reconocerlo. «Estuve a punto de permanecer oculto en mi árbol —confesará más tarde Ernesto a Hilda—, pero Fidel pidió que nos rindiéramos todos.»[104] Trece hombres son detenidos. Escapan Raúl Castro y un pequeño grupo que se encarga de ocultar las armas tras una colina vecina.

Guevara se encuentra pues entre rejas con Fidel y veintiséis compañeros más, en la cárcel especial de los servicios de inmigración del Ministerio del Interior, en la calle Miguel Schultz. El acontecimiento tiene eco en la prensa mexicana. En Cuba, evidente satisfacción de Batista que reclama la extradición de los detenidos. La agitación es intensa por parte de los amigos del M-26, que hacen venir urgentemente de Estados Unidos a uno de los más íntimos colaboradores de Castro, Juan Manuel Márquez. Él y Raúl contratan dos abogados que tienen mucho trabajo para compensar las suculentas *mordidas* pagadas por los agentes de Batista. Un juez valeroso, Lavalle, ordena sin embargo la liberación de los detenidos, a lo que se niega el ministro del Interior alegando una conjura comunista. «Acusación absurda», protesta Castro, que no acepta en modo alguno ser tachado de comunista (y verdaderamente no lo es por aquel entonces). Manda al semanario *Bohemia* (15 de julio de 1956) un largo artículo donde recuerda que, por el contrario, fue Batista quien en las elecciones de 1940 fue candidato oficial del partido comunista y que su gobierno actual incluye numerosos comunistas.[105]

Pero se forma tal escándalo, con anuncio de huelgas de hambre por parte de los detenidos, que a partir del 9 de julio, veinticinco cubanos son liberados y salen de la cárcel cantando el himno nacional de Cuba y el del M-26. Sólo quedan presos Castro, Calixto García y Guevara, con el pretexto de que su visado ha expirado y están por tanto en situación ilegal. Los abogados de Castro recurren a los buenos oficios del hombre que en México goza sin duda del mayor prestigio, el ex presidente Lázaro Cárdenas, que tuvo el valor de nacionalizar en 1938 el petróleo, hasta entonces en manos de las compañías norteamericanas. Cárdenas acepta intervenir y Castro es liberado el 24 de julio. Pero no Guevara, de quien la policía mexicana recela pues no comprende qué está haciendo entre aquellos cubanos. Han encontrado en su casa mucha literatura marxista y un carnet de miembro del Instituto México-URSS. En efecto, ha comenzado a estudiar ruso «para entender mejor a Pavlov». Basta con eso para que se le considere el cerebro comunista de la banda. «Cuando iban a buscarlos para interrogarlos, era el único a quien le ponían las esposas»,[106] cuenta Hilda. Y cuando le amenazan con torturar a su mujer y su hija si no confiesa que está a sueldo del comunismo internacional, Guevara decide no abrir más la boca. De ahí el enfado policial contra aquel argentino que parece burlarse de ellos.

Esa estancia en la cárcel refuerza más los vínculos de amistad nacidos en el campamento de Santa Rosa y la estima de los cubanos por aquel compañero llegado de otra parte, al que Castro hace dormir junto a él, que habla con un extraño acento, se prepara extrañas infusiones (el mate), se pasea con el torso desnudo y es tan sencillo, servicial y devoto de su causa. El esmerado fotógrafo Néstor Almendros, a quien el periódico *Bohemia* envía para hacer un reportaje junto con el periodista Carlos Franqui, recuerda a aquel hombre de pelo corto, «muy guapo, tranquilo, bastante discreto, no muy simpático porque responde de un modo cortante pero cuyo aspecto bien educado destaca entre las jetas patibularias de sus compañeros».[107] Hilda recuerda sobre todo la extremada cohesión de aquellos hombres que formaban, dice, «un grupo maravilloso».

Antes de que Fidel salga de la cárcel, Guevara le conmina a no poner en peligro el proyecto por su causa. «Recuerdo que le expuse específicamente mi caso: un extranjero, ilegal en México, con toda una serie de cargos encima. Le dije que no debía de manera alguna pararse por mí la revolución, [...] y que el único esfuerzo debía hacerse para que me enviaran a un país cercano y no a la Argentina. También recuerdo la respuesta tajante de Fidel: "Yo no te abandono." [...] Esas actitudes personales de Fidel con la gente que aprecia son la clave del fanatismo que crea a su alrededor.»[108]

Durante una de las visitas que le hace Hilda con su hijita, él le entrega un poema que ha escrito en el rancho de Santa Rosa, con intención de dárselo a su destinatario una vez en alta mar. Es un *Canto a Fidel*, verdadero himno de admiración, casi un grito de amor, tanto más notable cuanto emana de un hombre que hasta entonces se ha esforzado por mantener la cabeza fría. Esta vez no se trata de mirar las cosas con aire burlón, el escepticismo no tiene cabida, el distanciamiento no tiene razón de ser. Guevara ha encontrado su verdad y su guía: «Vámonos / ardiente profeta de la aurora, / [...] a liberar el verde caimán que tanto amas. [...] / Cuando suene el primer disparo [...] / allí, a tu lado, serenos combatientes, / nos tendrás [...] Y si en nuestro camino se interpone el hierro, / pedimos un sudario de cubanas lágrimas / para que se cubran los guerrilleros huesos / en el tránsito a la historia americana. / Nada más.»[109] Más tarde, en Cuba, el semanario *Verde Olivo* publicará el poema y Guevara enviará una fuerte nota de protesta a su director, prohibiéndole que publique nada suyo sin su autorización, y añadirá no sin humor: «y menos aún estos versos que son horribles».[110]

Ahora ya no oculta nada a sus padres. Les escribe desde la cárcel: «Mi futuro está ligado a la revolución cubana. O triunfo con ella o muero allá. [...] Por la vida he pasado buscando mi verdad a los tropezones y ya en el camino y con una hija que me perpetúa he cerrado el ciclo. Desde ahora no consideraría mi muerte una frustración, apenas como Hikmet: "Sólo llevaré a la tumba la pesadumbre de un canto inconcluso."»[111] La referencia a Hikmet* merece ser puesta de relieve, pues confirma que por entonces Ernesto está sumido en un universo mental marcado por la influencia comunista.

No soy Cristo

El 15 de julio de 1956 Ernesto dirige a su madre, que sin duda le ha reprochado un excesivo apego al sacrificio, una carta fundamental que es al mismo tiempo manifiesto, programa de vida y una filípica contra la abyección de las medidas a medias: «No soy Cristo y filántropo, vieja, soy todo lo contrario de un Cristo [...] trato de dejar tendido al otro, en vez de dejarme clavar en una cruz o en cualquier otro lugar. [...] No sólo no soy moderado sino que trataré de no serlo nunca, y cuando reconozca en mí que la llama sagrada ha dejado lugar a una tímida lucecita, lo menos que pudiera hacer es ponerme a vomitar sobre mi propia mierda.» Y añade, refiriéndose a las gestiones que ha hecho la familia ante amigos y autoridades como el contraalmirante Raúl Lynch (primo hermano del padre de Ernesto que es embajador de Argentina en La Habana): «También prevengo que la serie de SOS que lanzaron no sirve para nada. [...] Todos podían ayudar pero a condición de que abjurara de

---

* Nazim Hikmet (1902-1963), poeta turco, fue condenado a largas penas de cárcel por sus opiniones comunistas. Una vasta campaña internacional realizada por los partidos comunistas obtuvo su liberación en 1950.

mis ideales, no creo de vos que prefieras un hijo vivo y Barrabás a un hijo muerto en cualquier lugar cumpliendo con lo que él considere su deber.» «Además —concluye—, tras haber deshecho algunos entuertos en Cuba, iré a cualquier parte, pues es evidente que, encerrado en un trabajo burocrático o en una clínica de enfermedades alérgicas, estaría jodido.» Y, por primera vez, enarbola la nueva identidad que le han atribuido sus camaradas cubanos y firma: «Tu hijo, el Che.»[112]

Fidel Castro cumple su palabra y no abandona al Che ni a Calixto García. El argumento de una *mordida* sustancial reblandece la intransigencia policiaca y los dos últimos detenidos son liberados a mitad de agosto. Guevara tiene veintiocho años cumplidos. Se le insta a abandonar el territorio en diez días. Evidentemente, no lo hace. Ahora, para él como para todos los hombres de Castro, hasta que zarpen hacia Cuba ha llegado el tiempo de la clandestinidad. Una película de la época acude a su memoria, *Soy un fugitivo*, interpretada por Paul Muni. Obviamente, ese papel de conspirador, jugando al escondite con la policía, no le desagrada.

La cárcel no ha conseguido que Castro renuncie a su proyecto, ni mucho menos. Le parece más válido que nunca, pero aumenta sus precauciones. Cuarenta nuevos reclutas llegan de Cuba y Estados Unidos. Todos se dispersan a lo largo de la costa del golfo de México, la que mira a la querida isla, alargada como un caimán. Guevara es enviado primero a Cuautla, a dos horas de Ciudad de México, donde se aloja con el nombre de González en un hotelito donde, los fines de semana, puede reunírsele Hilda. Todos reciben una pequeña cantidad de dinero para los gastos e Hilda le lleva aquel viático; él le recomienda que no gaste un solo céntimo en sus viajes, el dinero del M-26 debe destinarse sólo a gastos indispensables. Aprovecha aquel inesperado asueto para perfeccionar su entrenamiento físico y sus conocimientos marxistas. «San Carlos ha hecho una aplicada adquisición. [...] me paso la vida haciendo ejercicio y leyendo. Creo que después de éstas saldré hecho un tanque en cuestiones económicas aunque me haya olvidado de tomar el pulso...»[113] Pero sigue siendo el médico de la expedición y a veces lo van a buscar para atender a un enfermo.

Cambia a menudo de residencia. «Mi profesión actual es la de saltarín, hoy aquí, mañana allí.»[114] Las estancias en esa zona tropical, cálida y húmeda, despiertan su asma. Pero a medida que pasa el tiempo sin que se produzca ningún control policial, se enardece, regresa discretamente a la capital para respirar un aire seco más saludable, hablar con los hermanos Castro, ver a su hija, a la que llama «mi pequeña india» o «mi pequeña Mao». Está muy orgulloso de ella. Lo prueba la nota de virilidad satisfecha que recibe un día Hilda de manos de un mensajero que va a buscar un lote de libros marxistas: «El portador es un guajiro bruto; no le des pelota. Muéstrale nomás la chiquita para que vea la calidad del toro.»[115]

En noviembre, va a ocultarse quince días en Ciudad de México, en casa del guatemalteco Alfonso Bauer, el mismo que conoció en tiempos de Arbenz y que le ayudó a encontrar un puesto en el Hospital de México. También allí se produce un pequeño incidente revelador de su buena presencia de ánimo. Hay un robo en el apartamento de Bauer y la policía, que investiga, se acerca a la habitación de servicio donde se aloja Ernesto. Éste tiene la ocurrencia de lanzar una manta sobre su camarada Calixto García, tendido en la cama, consciente de que la piel negra de García llamaría la atención. Pero el buen aspecto de Guevara satisface a los policías, que no muestran un celo excesivo y no meten las narices en el rincón donde el amigo Bauer ha almacenado las cajas de medicamentos que el argentino atesora.

Parece que durante este último semestre de 1956 comienzan a manifestarse ciertas desavenencias con Hilda, de orden político sin duda, tanto más sorprendentes cuanto la solidez de la pareja ha descansado desde el principio sobre la connivencia ideológica: para Guevara la primera virtud de una esposa es ser «una buena camarada». En octubre, anuncia a su madre que Hilda regresa a Perú puesto que ya no está proscrita. En efecto, el APRA, el partido de Hilda, se ha unido al reformista Manuel Prado que acaba de ganar las elecciones presidenciales. He aquí, ironiza Ernesto, a la «representante algo descarriada del muy digno y anticomunista partido aprista».[116]

En sus recuerdos, editados en 1972, Hilda Gadea no habla de la menor nube en sus relaciones con Ernesto en 1956. Menciona por el contrario gestos de ternura que, según dice, no eran habituales en su esposo, pues pensaban que cada despedida podía ser la última. «Leyendo los periódicos sabrás que hemos partido», le decía. Pero en una larga carta que manda en octubre a su confidente Tita Infante, Penélope esperando en Ítaca, Ernesto revela explícitamente: «Mi vida matrimonial está casi totalmente rota y se rompe definitivamente el mes que viene. [...] Hay cierto dejo amarguito en la ruptura, pues fue una leal compañera y su conducta revolucionaria fue irreprochable durante mis vacaciones forzadas, pero nuestra discordancia espiritual era muy grande y yo vivo con ese espíritu anárquico que me hace soñar horizontes.»[117] Tras su divorcio, tres años más tarde, Hilda Gadea declarará a la revista *Time* del 8 de agosto de 1960: «Perdí a mi marido a causa de la revolución cubana.» La observación no carece de fundamento pues el verdadero amor de Ernesto es, efectivamente, la revolución que prevalece ante todo, incluidas la vida familiar y conyugal. «Venía a casa cada dos meses —reconocerá Hilda—. El tiempo más largo que pude verlo fue cuando estaba en la cárcel. Cierta noche, llega. Instantes después, un compañero llama a la puerta. Se encierra en el cuarto de baño para hablar con él. Luego sale y nos dice adiós a las dos. No da explicación alguna pero supuse que era el adiós final. No me equivocaba. Unos días después, leí en los periódicos que habían embarcado en Tuxpán.»[118]

Por medio de un traficante de armas mexicano Castro compra, a fines de septiembre, un yate blanco de doce metros bastante vetusto pero de hermosa apariencia, el *Granma* («Abuela», en inglés), que pertenece a un norteamericano de origen sueco instalado en México. Pequeño inconveniente, el barco, construido en 1943, fue hundido por un ciclón en 1953. Tras haber permanecido sumergido mucho tiempo, necesita serias reparaciones y sólo tiene capacidad para veinticinco personas. No importa, Castro lo quiere y paga por él cuarenta mil dólares, incluyendo en el mismo lote una casa a orillas del río Tuxpán, no lejos de la desembocadura, donde podrán alojarse los hombres que envía enseguida para poner la embarcación en condiciones.

El proyecto de Castro no ha variado en absoluto: desembarcar en Cuba con sus guerrilleros antes de que termine el año, como proclamó en público, y coordinar el desembarco con una serie de levantamientos organizados en todo el país, especialmente en Oriente, al este de la isla, y en Santiago de Cuba. Frank País, encargado de las operaciones del M-26 en aquella región, intenta explicarle que es demasiado pronto, que los grupos armados en Oriente no están preparados todavía. Los comunistas cubanos del Partido Socialista Popular (clandestinos) le envían el mismo mensaje. Tendrían que aguardar hasta enero, cuando los jornaleros contratados para la *zafra* (cosecha de la caña de azúcar) puedan declararse en huelga. Hasta entonces la situación no es favorable, la oposición está desunida. Sería ir al fracaso. En Cuba, el comandante de las fuerzas armadas declara que una tentativa de desembarco sería aplastada. Patrullas marítimas y reconocimientos aéreos se multiplican, el ejército y la gendarmería son puestos en estado de alerta. Castro no cede. Muy al contrario, anuncia incluso en una atrevida entrevista al diario gubernamental cubano *Alerta* (publicada el 19 de noviembre de 1956), que si Batista no abdica dentro de dos semanas se reserva el derecho de «iniciar la lucha revolucionaria». En esta crónica de un desembarco anunciado va a respetarse el plazo de 1956. «Seremos libres o mártires.»

Los acontecimientos se precipitan. Dos deserciones en las filas del M-26 incitan a Castro a apresurar su decisión. Se inicia una carrera con la policía, que ahora dispone de la lista de los campamentos y las casas refugio. El 23 de noviembre ordena con urgencia que se cargue el barco con las armas, municiones y avituallamiento. Todos los combatientes seleccionados son convocados el 24 de noviembre. Una lluvia torrencial los aguarda a orillas del Tuxpán. Apenas distinguen el barco en el que, empapados, se amontonan. Uno de ellos, Faustino Pérez, admite que «fue el comienzo de una sorda competición para entrar los primeros, por temor a que los últimos tuvieran que quedarse».[119] Universo Sánchez, el guardaespaldas de Castro, no puede imaginar que con aquel barcucho lleguen a Cuba y pregunta: «¿Dónde está el barco grande, el verdadero barco?»[120] Castro, imperturbable, ha hecho saber a Frank País mediante un mensaje codificado, que el 30 de noviembre desembarcarán al sur de Niquero, en la playa de Las Coloradas. A las dos de la madrugada del 25 de noviembre de 1956, el pequeño navío que no ha navegado desde hace años, baja por el río Tuxpán con todas las luces apagadas. Deja atrás el puerto y se lanza hacia alta mar perdiéndose en la noche. Ochenta y dos hombres entonan el himno cubano y el del M-26. Entre ellos, un extraño argentino que sin preguntarse qué está haciendo en tan disparatada compañía cruza su Rubicón personal para acudir a la cita que tiene consigo mismo y con la Historia. Rumbo al este, el yate se interna en el oscuro oleaje del mar abierto. Comenzó la odisea.

SEGUNDA PARTE

CUBA, UN LARGO LAGARTO VERDE

4

SIERRA MAESTRA:
EL OLOR DE LA PÓLVORA...

«Yo he venido aquí a pelear»

De la horrible travesía, del desembarco en Cuba, del terrible tiroteo que sufren poco después, del caos y el vagabundeo posteriores, nos dan cuenta dos textos como en juegos de espejos, ambos igualmente vivos, igualmente ciertos. El primero es del propio Guevara, que intenta reconstruir «una visión fragmentaria hecha de recuerdos y de algunas notas». El segundo es el cuento, titulado «Reunión» y escrito, a partir del relato de Guevara, por su compatriota Julio Cortázar. Largo monólogo interior de un hombre cuya única obsesiva preocupación es reunirse con el jefe de operaciones, el comandante, el amigo Fidel.

En cuanto el pequeño yate, sumariamente carenado, penetra en las agitadas aguas del golfo de México, la tormenta, frenada hasta entonces por la geografía del litoral, sacude sin compasión aquella cáscara de nuez y justifica la prohibición de navegar impuesta por la capitanía del puerto de Tuxpán. El trópico, supuestamente paradisíaco, puede mostrarse a menudo salvaje y brutal. *El Norte*, el potente viento del norte, convierte la lluvia en un azote. Olas «altas como montañas» hacen bailar la embarcación que lleva cuatro veces más carga de la que puede soportar: ochenta y dos hombres en vez de los veinticinco autorizados, con armas, bagajes y cajas de municiones. Por falta de lugar ha sido necesario dejar en la orilla mexicana a cincuenta frustrados voluntarios.

Hundido por debajo de la línea de flotación, el esquife es sacudido en todas direcciones. Apenas se han disuelto en la noche las últimas notas de «morir por la patria es vivir» cuando el mareo se apodera del conjunto de la tropa, a excepción de cuatro o cinco hombres de sólido estómago. Entre ellos el doctor Guevara, que bastante trabajo tiene con el asma que lo torturará durante el viaje. De momento no consigue encontrar las malditas píldoras contra las náuseas. Escribe: «El barco entero presentaba un aspecto ridículamente trágico; hombres con la angustia reflejada en el rostro, agarrándose el estómago. Unos con la cabeza metida dentro de un cubo y otros tumbados en las más extrañas posiciones, inmóviles y con las ropas sucias por el vómito»;[1] por añadidura, el agua invade el puente. Faustino Pérez, uno de los adjuntos de Castro, cuenta al periodista Carlos Franqui: «Se dio la orden de utilizar las bombas pero el agua, en vez de bajar, seguía subiendo. [...] Todo está perdido, me dije. Fui a buscar a Fidel. [...] Quería proponerle echarnos al agua para llegar nadando a la costa.»[2] La explicación de Guevara es reveladora de la angustia general: «Descubrimos que la vía de agua que tenía el barco no era tal, sino una llave de los servicios sanitarios abierta. Ya habíamos botado todo lo innecesario, para aligerar el lastre.»[3]

Al tercer día, la tempestad amaina y Castro da a sus hombres alguna información. La ruta adoptada no seguirá el camino más corto, para evitar así cualquier encuentro inoportuno con las patrullas cubanas, marítimas o aéreas. «La ruta elegida —precisa Guevara— comprendía una vuelta grande por el sur de Cuba, bordeando Jamaica, las islas del Gran Caimán, hasta el desembarco en algún lugar cercano al pueblo de Niquero, en la provincia de Oriente.»[4] El desembarco en Oriente, al extremo este de la isla, región rebelde por tradición, es un episodio clásico de la historia cubana. Siempre atento a los símbolos, Castro sigue el modelo de su ilustre compatriota José Martí que en 1895, tras un largo exilio en Estados Unidos, eligió aquellas riberas para combatir al ocupante español.

Durante los dos horribles primeros días, el mareo había quitado a todos el menor deseo de tragar nada, pero con el regreso del sol aparece un hambre feroz, aguzada por el aire marino. Es el momento en que descubren que las provisiones, reunidas a toda prisa, no bastan. No juegan a designar por sorteo quién va a ser devorado por los demás sino que imponen un severo racionamiento de alimentos y agua, tanto más cuanto la auténtica catástrofe, de consecuencias dramáticas, es el retraso que acumula el barco. Demasiado cargado, sus motores jadean y sólo navega a 7,2 nudos en vez de los 10 previstos, indispensables para llegar a tiempo. La travesía se prolongará más de siete días, cuando todo había sido sincronizado con el M-26 de Cuba para que el desembarco tuviera lugar al quinto día, el 30 de noviembre de 1956.

En esa fecha, lista para recibir a los combatientes del *Granma* en las playas de Niquero, Celia Sánchez, una estupenda y organizada mujer de la que se volverá a hablar, ha movilizado camiones, guías expertos y milicias rurales formadas por el líder campesino del M-26, Crescencio Pérez. En Santiago de Cuba, capital de ese Oriente mulato empapado de influencias africanas, haitianas y dominicanas, el joven maestro Frank País, un dirigente de envergadura, no imagina que Castro llegará con dos días de retraso a la cita. Al amanecer y como estaba acordado, pone en marcha con apenas veintisiete hombres el levantamiento que debe coincidir con el desembarco. Por primera vez, guerrilleros que visten el uniforme verde olivo y los brazaletes rojinegros del Movimiento 26 de Julio irrumpen en una ciudad cubana: incendian el cuartel de la policía nacional, se apoderan de armas en la sede de la policía marítima, prosiguen los combates callejeros hasta el día siguiente. Pero renuncian a atacar el cuartel Moncada y deben replegarse, dejando nueve muertos, frente a los cuatrocientos miembros de las fuerzas antiguerrillas, bien entrenados, que acuden como refuerzo. La insurrección ha fracasado. Batista decreta el estado de sitio en Oriente y ordena que se intensifique la vigilancia de la costa. No duda ya de la inminente llegada de ese loco peligroso de Castro, que con tanta firmeza proclamó que volvería a Cuba antes de fin de año.

En el *Granma*, que se arrastra, éste, nada loco, escucha impotente e impaciente las informaciones que da la radio sobre los acontecimientos de Santiago. Está frenético: «Quisiera poder volar», le dice a Faustino Pérez. En la playa desierta Celia Sánchez se entera del fracaso del levantamiento y de la implantación del estado de sitio. Al anochecer del segundo día de espera, al ver que no llega nada ni nadie, no tiene más remedio que ordenar a sus milicias que se replieguen. Frente a la costa, en un mar tranquilo, el pequeño yate blanco sigue carraspeando. Uno de sus dos motores diesel se ha averiado; han podido repararlo pero es preciso vigilar el consumo de combustible, que va agotándose.

En el colmo de la desgracia, un accidente retrasa aún más la marcha. En la noche del 1 al 2 de diciembre —el mar es grueso todavía— el navegante Roberto Roque, encaramado sobre el techo de la cabina para intentar divisar las luces del cabo Cruz, resbala y cae por la borda. Fidel hace detener el barco y, abandonando todo tipo de prudencia ya que están cerca de la costa, enciende el foco para intentar recuperar al marino. Al cabo de una hora de girar en redondo, milagrosamente responde una débil voz. Guevara y su colega Faustino Pérez (que también es médico) se esmeran para devolver la vida al semiahogado.

Unas horas más tarde el piloto, Onelio Pino, enfila a poca velocidad el canal de Niquero. Pero tiene una duda: las boyas no coinciden con lo que indican las cartas. Se confía a Castro. Éste está demasiado impaciente por llegar a tierra como para vacilar. Ordena sin más poner rumbo a la costa. Decisión impaciente que van a pagar muy caro.[5]

179

La víspera, Castro ha recordado a sus soldados la estructura general y la jerarquía del contingente. Sesenta y seis hombres organizados en tres pelotones (vanguardia, centro, retaguardia) y un estado mayor de dieciséis hombres. Todos son cubanos a excepción de nuestro argentino, un italiano, un mexicano y el navegante, nativo de Santo Domingo. Fidel Castro se ha negado a reclutar al Patojo, el amigo guatemalteco de Ernesto. No quiere transformar su grupo en una brigada internacional. Todos son jóvenes pero no chiquillos. La media de edad es de veintisiete años. Guevara, con veintiocho años, es oficial de sanidad con grado de teniente. Raúl Castro, capitán, manda la retaguardia. Ñico López también tiene rango de capitán. Se han puesto el uniforme verde olivo y las botas mexicanas recién estrenadas. En su calidad de comandante en jefe, Fidel Castro ha entregado el arma a cada uno de los combatientes. «Mi fusil no era de los mejores —dice Guevara—. Deliberadamente lo había pedido así porque mis condiciones físicas eran deplorables después de un largo ataque de asma soportado durante toda la travesía marítima y no quería que fuera a perderse un arma buena en mis manos.»[6]

El alba del 2 de diciembre de 1956 no ha nacido todavía cuando, de pronto, todo el mundo es proyectado hacia adelante. El crucero ha concluido. El barco acaba de embarrancar en un banco de lodo en el lugar llamado Los Cayuelos, a dos kilómetros de las playas de Las Coloradas, cerca de Niquero, donde hasta la víspera los había esperado Celia Sánchez. «Si hubieran llegado por las playas —dice ella—, habría sido un paseo; habrían encontrado los camiones y los jeeps con gasolina.»[7] Fidel Castro resume: «Tras una semana pasada con tiempo tempestuoso en un barco muy pequeño, casi sin víveres, los hombres de nuestro cuerpo expedicionario desembarcaron en un estado de gran debilidad. Casi no habíamos comido nada desde hacía tres días. Tuvimos la mala suerte de desembarcar en un lugar muy malo, lleno de marismas.»[8] Hablar de mala suerte es escamotear muy rápido la responsabilidad de quien tomó la decisión de dirigirse directamente a la costa, y lo de «lugar muy malo» es un eufemismo. Los Cayuelos es el infierno.

Como siempre, lo grotesco subyace en lo trágico. El bote auxiliar arriado se hunde enseguida bajo el peso de los hombres y el material. Es preciso abandonar el armamento pesado. Cada uno debe saltar al agua con su arma individual y «lo estrictamente necesario». El primero en lanzarse es un peso ligero. El suelo resiste. Fidel, que se arroja tras él, es más corpulento. Se hunde en el limo hasta el vien-

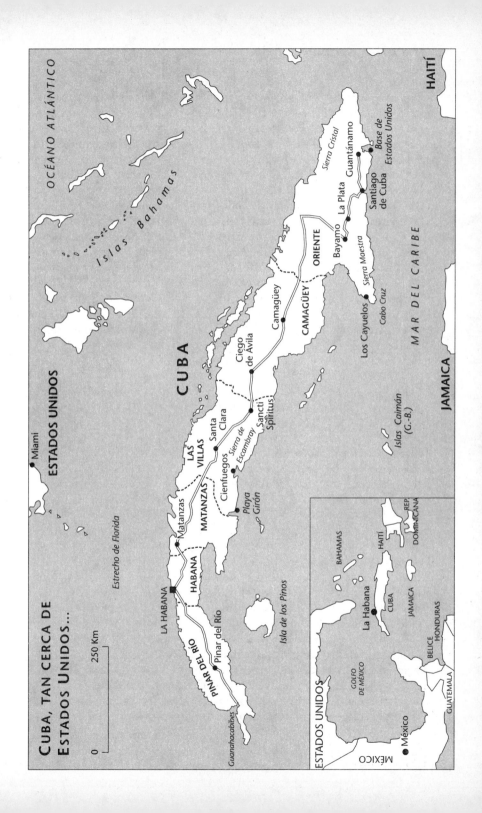

CUBA, TAN CERCA DE ESTADOS UNIDOS...

0   250 Km

OCÉANO ATLÁNTICO

ESTADOS UNIDOS

Miami

Islas Bahamas

Estrecho de Florida

CUBA

Guanahacabibes

PINAR DEL RÍO

Pinar del Río

LA HABANA

HABANA

Matanzas

MATANZAS

Cienfuegos

Santa Clara

LAS VILLAS

Sierra de Escambray

Sancti Spíritus

Playa Girón

Isla de los Pinos

Ciego de Ávila

Camagüey

CAMAGÜEY

Los Cayuelos

Cabo Cruz

Bayamo

ORIENTE

Sierra Maestra

La Plata

Santiago de Cuba

Sierra Cristal

Guantánamo

Base de Estados Unidos

HAITÍ

MAR DEL CARIBE

Islas Caimán (G.-B.)

JAMAICA

ESTADOS UNIDOS

MÉXICO

México

GOLFO DE MÉXICO

BAHAMAS

HAITÍ

REP. DOMINICANA

CUBA

La Habana

JAMAICA

BELICE

HONDURAS

GUATEMALA

tre. Idéntico bautismo para los que siguen. La historia no recoge las retorcidas maldiciones e insultos de aquellos soldados novatos debatiéndose en el lodazal. Guevara con Raúl Castro es de los últimos en abandonar el barco. Con la perspectiva del tiempo recordará con sarcasmo: «No fue un desembarco sino un naufragio.» Chapotear hasta lo que consideran la costa no es nada. Lo bueno comienza con la voluptuosa vegetación de la ciénaga llena de mangles cuyas raíces, hundiéndose en la marisma salobre, forman una maraña que parece hecha adrede para impedir cualquier tipo de avance. A ello se añaden los bosquecillos de abrojos y matorrales de afiladas hojas cuyo nombre, *cortadera*, es toda una declaración de principios. Para completar el cuadro flotan, cubriéndolo todo, espesas nubes de mosquitos y demás insectos cuyo zumbido y picaduras no son precisamente una invitación al buen humor. Bienvenidos a «la perla del Caribe». Y sin embargo los debilitados hombres avanzan, ya bajo fuego enemigo. «Nos vio una embarcación de cabotaje —escribe Guevara— y telegrafió la noticia al ejército de Batista. [...] Apenas tuvimos tiempo de penetrar en la ciénaga: la aviación comenzaba ya a dispararnos.»[9] Única ventaja de los traidores manglares: al menos limitan la eficacia de los disparos aéreos.

Atrapado en el lodo, Castro siente una brusca angustia, la de haber desembarcado en un cayo, uno de los miles de pequeños islotes desiertos frente a las costas cubanas. Sería el desastre total, la ratonera. Un *guajiro* (campesino) duro de roer, Luis Crespo, trepa a lo alto de un montículo y le tranquiliza. Ha distinguido a lo lejos una casa habitada. Algunos empecinados llegan por fin a tierra firme. Faustino Pérez: «Nos tendimos agotados, hambrientos, cubiertos de barro pero conscientes de estar por fin en el suelo patrio. [...] Fue necesario que los más fuertes de nosotros llevaran en brazos a algunos compañeros.»[10] El guajiro Crespo cuenta: «El resto de los compañeros no llegaba, y me voy hasta donde estaba el Che y le digo: "Dame acá la mochila para ayudarte." Y me respondió: "No, ¡qué me vas a ayudar!" Y yo que sí, que él viene cansado del pantano y que lo voy a ayudar. Entonces me dice: "¡Tu madre va a ayudarme, yo vine aquí a pelear, yo no vine a que nadie me ayude!» Se expresaba así porque ya desde México nosotros nos tratábamos de esa forma. Al fin logré quitarle la mochila; pero diciéndole que ya estábamos cerca, que ya estábamos llegando.»[11]

Por la tarde, setenta y cuatro hombres se han agrupado por fin. Faltan ocho que se han perdido y con quienes se encontrarán dos días más tarde. Triste balance. Sólo tienen armas ligeras. Su retraso les ha hecho perder la cita con los camaradas que debían conducirlos. No tienen nada que comer y deben huir, casi a ciegas, en dirección a la sierra. «Ni casas, ni agua —dice Pérez—, no encontramos guías, ni cultivos. [...] Los aviones ametrallaban no lejos de allí. Fidel dio orden de descansar de día y caminar por la noche.»[12]

Lo extraordinario de esa epopeya —pues lo es, a pesar de sus aspectos prosaicos— es que ese «ejército de sombras, de fantasmas que caminaban —dice Guevara— como siguiendo el impulso de algún oscuro mecanismo psíquico»,[13] conseguirá de todos modos salir bien librado, compensar las pérdidas que va a sufrir y organizarse como una fuerza estructurada que acabará derrotando a la dictadura. El prodigio es sólo explicable por la pasmosa solidaridad manifestada, casi unánimemente, por los campesinos de Sierra Maestra, bastante desconfiados al principio y temerosos después, pero con el transcurso del tiempo cooperativos y solidarios. A ello debe añadirse la descomposición de un régimen corrupto y el poder carismático de un jefe, Fidel Castro.

El dilema resuelto del doctor Guevara

Según Guevara, que no es precisamente un comodón, los tres días que siguen son «espantosos». Por suerte, casi siempre hay un campesino que acepta indicarles el camino, salvo los que huyen aterrorizados. Cuando dan con un desolado *bohío*, una choza de tablas con techo de palmas, nunca encuentran nada que comer, o casi nada: yuca hervida, miel de una colmena, cierta noche —oh bendición— arroz y frijoles. Desde los primeros contactos en suelo cubano al argentino le salta a la vista la miseria del pueblo humilde rural, del que sus amigos le han hablado. Avanzan por la noche, flanqueando cafetales o utilizando las guardarrayas entre los cañaverales. Estas inmensas plantaciones de caña de azúcar pertenecen a latifundistas cubanos como el magnate Julio Lobo o a compañías norteamericanas, New Niquero, Beattie Sugar Co. o la omnipresente United Fruit. Los guajiros, verdaderos proletarios, sólo son contratados durante la zafra. Después de la cosecha, deben intentar sobrevivir el resto del año con una parcela de tierra cuya propiedad se les discute. De ahí la atención que prestarán a quienes vengan a decirles que la tierra pertenece a los que la trabajan.

Guevara describe muy bien esos días de intensa emoción y extremo agotamiento. «Inexpertos como éramos, saciábamos nuestra hambre y nuestra sed comiendo cañas a la orilla del camino y dejando allí el bagazo.»[14] Como los guijarros de Pulgarcito, serán indicios que a los esbirros de Batista les bastaría seguir, si no tuvieran también las indicaciones de un campesino que ha hablado. Desde que iniciaron su marcha hacia Sierra Maestra, cuyo relieve accidentado y boscoso será un refugio, sólo han conseguido recorrer treinta y cinco kilómetros. Están agotados. La mayoría tiene ya los pies en sangre, desgarrados por las botas nuevas, otro error logístico. Los uniformes están embarrados, destrozados por los espinos y las plantas cortantes. La pandilla tiene mal aspecto. «En la madrugada del día 5 (de diciembre de 1956), eran pocos los que podían dar un paso más [...] después de una marcha nocturna interrumpida por los desmayos y las fatigas y los descansos de la tropa, alcanzamos un punto conocido paradójicamente por el nombre de Alegría de Pío.»[15] Una cercana colina boscosa se presta para levantar un campamento protegido contra una eventual emboscada. Pero están todos tan muertos de fatiga que no llegan hasta allí. La «paradoja» a la que Guevara se refiere es que en ese lugar, llamado Alegría de Pío, sucederá el desastre.

«Aquella mañana, la pasamos todos durmiendo.» Al despertar, Guevara recurre a su pequeño botiquín de campaña y se encarga de cuidar las llagas de los pies heridos que no pueden entrar en los zapatos. A su lado está su amigo Chucho, Jesús Montané, que fue testigo oficial en su boda cerca de Ciudad de México, hace un año y medio: tanto tiempo ya. «Estábamos recostados contra un tronco, hablando de nuestros respectivos hijos; comíamos la magra ración (medio chorizo y dos galletas) cuando sonó un disparo; una diferencia de segundos solamente y un huracán de balas (o al menos eso pareció a nuestro angustiado espíritu durante aquella prueba de fuego) se cernía sobre nuestro grupo de 82 hombres.»[16] Sorpresa total y desbandada general. Como Fabricio en Waterloo, Ernesto sólo percibe un fragmento de la batalla: «Según me enteré después, Fidel trató en vano de agrupar a la gente en el cañaveral cercano.»[17] Sólo recuerda el pánico. Cada cual intenta, en primer lugar, protegerse. Les disparan desde el suelo y desde el cielo. «Todo se confundía en medio de las avionetas que pasaban bajo, tirando algunos disparos de ametralladora, sembrando más confusión en medio de escenas a veces dantescas y a veces grotescas, como la de un corpulento combatiente que quería esconderse tras de una caña, y otro que pedía silencio en medio de la batahola tremenda de los tiros, sin saberse bien para qué.»[18]

Se produce entonces uno de esos momentos clave, cargados de simbolismo, que marcan un destino. «Un compañero dejó una caja de balas casi a mis pies, se lo indiqué y el hombre me contestó con una cara que recuerdo perfectamente, por la angustia que reflejaba, algo así como "no es hora para cajas de balas" [...]. Quizá ésa fue la primera vez que tuve planteado prácticamente ante mí el dilema de mi dedicación a la medicina o a mi deber revolucionario. Tenía delante una mochila llena de medicamentos y una caja de balas, las dos eran mucho peso para transportarlas juntas; tomé la caja de balas, dejando la mochila.»[19] Así fue como el doctor Guevara decidió convertirse en el Che.

Siempre que siga con vida, claro, y eso no está garantizado. A su lado, Faustino Pérez dispara su fusil-ametralladora. Muy cerca, el camarada Albentosa, herido por un grueso calibre del 45, vomita sangre. La misma ráfaga ha herido a Guevara. «Sentí un fuerte golpe en el pecho y una herida en el cuello; me di a mí mismo por muerto. [...] Le dije a Faustino, desde el suelo, "me fastidiaron" (pero más fuerte la palabra). Faustino me echó una mirada en medio de su tarea y me dijo que no era nada, pero en sus ojos se leía la condena que significaba mi herida.»[20] Los ojos de Faustino se equivocan. La caja de balas revolucionarias que lleva ha salvado la vida de nuestro héroe. La bala que hubiera debido ser mortal ha rebotado, golpeando el cuello sin penetrar en él. La herida, aunque dolorosa, es superficial. Guevara lo ignora todavía. Pierde mucha sangre. Su ataque de asma está en su paroxismo. Se dispone a morir con dignidad, como aquel personaje de Jack London perdido en las estepas heladas de Alaska, cuyo recuerdo acude a su memoria. Oye a Camilo Cienfuegos, un tipo tremendo, gritar: «¡Aquí no se rinde nadie, carajo!», pero ya está en otra parte. «Por un momento quedé solo, tendido allí esperando la muerte. Almeida llegó hasta mí y me dio ánimo para seguir; a pesar de los dolores, lo hice y entramos en el cañaveral. [...] Se formó un grupo que dirigía Almeida.»[21] Uno de los miembros del grupo, Rafael Chao, veterano de la guerra de España, ha prestado su pañuelo a Guevara, que se lo pone a modo de vendaje en el cuello.

Mientras los soldados pegan fuego al cañaveral, cinco expedicionarios, incluido el argentino asmático y herido, huyen sin saber adónde. Como ellos, una docena de grupúsculos más, de dos o tres hombres, formados al azar y en pleno desconcierto, se diseminan por la vegetación. El cuerpo expedicionario montado con tanta tenacidad por Fidel Castro ha saltado, literalmente, en pedazos. Serán necesarias varias semanas para recomponer algunos jirones. Pero no el conjunto. En los días que siguen a aquel fatal 5 de diciembre, dieciocho «rebeldes» —así se llamarán en adelante— son descubiertos y matados por la guardia rural. Veintiuno son capturados luego. Además de los tres muertos durante el ataque sorpresa, veinte hombres desaparecen sin dejar rastro. Traumatizados sin duda por las sucesivas catástrofes del desembarco, la persecución y el tiroteo de Alegría de Pío, se han acobardado. Algunos regresan a sus casas, sin más. Finalmente, de los ochenta y dos combatientes que desembarcaron del *Granma*, sólo veintisiete supervivientes se reunirán con Castro, algunos tras uno o dos meses. A finales de diciembre Castro sólo puede contar con diecinueve hombres para proseguir la lucha. Apenas la cuarta parte del grupo, pero casi todo el estado mayor. Falta Márquez, segundo comandante, torturado y ejecutado por los soldados, así como dos amigos íntimos de Guevara, Jesús Montané, detenido y enviado por segunda vez a la penitenciaría de la isla de Pinos, como después del Moncada, y el querido Ñico López, el hombre gracias a quien la aventura cubana tomó forma en el imaginario del joven Ernesto, en Guatemala. Ñico ha sido ejecutado sin piedad por Julio Laurent, un oficial de marina conocido por su crueldad.

Batista canta victoria y la agencia United Press (UPI), dando crédito a los comunicados militares triunfalistas, considera segura la muerte de Fidel Castro. Pero su cadáver sigue sin ser identificado y algunos periódicos expresan sus dudas. Dos miembros de la expedición, detenidos e interrogados, comienzan a contar cómo se desarrolló la operación hasta el enfrentamiento de Alegría de Pío. Mencionan de paso, sin que la opinión pública preste demasiada atención, que junto a Castro hay un médico argentino llamado Guevara.

Dicho Guevara anda, según sus propias palabras, «a la deriva». En compañía de Almeida y de Ramiro Valdés, ambos veteranos de Moncada y de dos rebeldes más —Chao y Benítez— vivirá, según dice, «algunos de los días más angustiosos de la guerra, entre la sed y el hambre, el sentimiento de nuestra derrota y la inminencia de un peligro ineludible que nos hacía sentir como ratas acorraladas».[22] Caminan «sin dirección precisa, desmoralizados», por una zona de vegetación tropical donde brotan de la tierra roja pequeñas rocas asesinas, de puntiagudas aristas, que no son precisamente un regalo para hombres que andan arrastrándose. Pero se juramentan a luchar hasta la muerte. «Establecí cuál era la estrella Polar, según mis conocimientos en la materia, y durante un par de días fuimos caminando guiándonos por ella hacia el este, y llegar a la Sierra Maestra. (Mucho tiempo después me enteraría que la estrella que nos permitió guiarnos hacia el este no era la Polar y que simplemente por casuali-

dad habíamos ido llevando aproximadamente este rumbo hasta amanecer en unos acantilados ya muy cerca de la costa.»[23] Simpática
franqueza. Por este tipo de sinceridad en el detalle podemos juzgar
el apego de un hombre a la verdad sin maquillajes. Guevara descubre que, por una vez, su asma sirve para algo. Nada como la pequeña bomba de su pulverizador para extraer el agua de lluvia contenida en los huecos de las rocas, y distribuir luego el líquido en el
ocular de una lente telescópica. Algunas gotas para cada uno. Su sed
es tanto más intolerable cuanto, para alimentarse, sólo disponen de
la carne gelatinosa y salobre de los cangrejos que hormiguean a su
alrededor. Para refrescarse, sólo un breve baño que se conceden
cuando, flanqueando los acantilados de la costa, dan con una pequeña playa al fondo de una cala.

Por la noche, al proseguir su camino, se acercan por fin a la luz de
la luna a una choza de pescadores a orillas del mar y descubren tres
hombres que duermen. Son tres camaradas también perdidos. Entre
ellos Camilo Cienfuegos, un tipo de La Habana, famoso ya por su de-
senfado y su temeridad. Abrazos bajo las estrellas. «Enseguida iniciamos un intercambio de opiniones, de experiencias, de noticias de
lo poco que sabía cada uno de los otros o cada uno del combate. [...]
Pensábamos, por lógica, que debía haber más grupos como el nuestro, pero no teníamos siquiera idea de dónde estábamos.»[24] Son ya
ocho los que prosiguen su vagabundeo. Cierta noche, impulsados por
el hambre, se acercan a una cabaña de tablones de palmeras. Allí están acuartelados soldados de Batista. Prudente repliegue. Al día siguiente, dan por casualidad con un benéfico torrente y sacian su sed.
«Tendidos en el suelo, bebimos con avidez de caballos.» Otro anochecer oyen música en una casa. Guevara y Ramiro Valdés se encargan
de las averiguaciones. Son de nuevo soldados que brindan, y esta vez
por su victoria. «Nos bastó para volver lo más rápido y sigilosamente
posible.»[25]

Desde el tiroteo de Alegría de Pío, hace ocho días que caminan sin
casi beber ni comer. No pueden más. «Seguimos nuestro camino,
pero con la gente cada vez más negada a caminar; esa noche, o tal vez
la siguiente, casi todos los compañeros se resistieron a seguir y tuvimos que llamar entonces a las puertas de un campesino, en las orillas de un camino real. [...] Nos recibieron en forma amable y segui-
damente un festival ininterrumpido de comida se realizó en aquella
choza campesina.»[26] En realidad, es su primera comida verdadera
desde que salieron de México. Durante horas, se atiborran en casa de
su anfitrión Alfredo González. Al amanecer todavía están comiendo.

Imposible, entonces, salir a la luz. Durante la mañana, algunos campesinos se enteran de la llegada de los extraños personajes, acuden llenos de curiosidad y solicitud para contemplar de cerca a los justicieros extraterrestres que seguramente deben ser muy simpáticos dado que los militares les persiguen. Pero la fisiología de nuestros héroes se revela poco poética. No se interrumpe impunemente tan prolongado ayuno, sobre todo con los estómagos revueltos y fatigados. «La pequeña casa en que estábamos pronto se convertía en un infierno: Almeida iniciaba el fuego de la diarrea y luego ocho intestinos desagradecidos demostraban su ingratitud, envenenando aquel pequeño recinto; algunos llegaban a vomitar. Pablo Hurtado agotado por los días de marcha, de cansancio, de mareo, de hambre y sed acumulados, no podía ni levantarse.»[27]

Por los guajiros del lugar, Guevara y sus amigos se enteran de que Fidel Castro sigue con vida. Gran alivio; la moral sube. Les ofrecen llevarlos en dos grupos, junto al líder campesino Crescencio Pérez, uno de los dirigentes de la red rural del M-26 en la región, verdadero jefe de tribu. Pero a condición de que abandonen su uniforme y no lleven armas (demasiado peligroso si encontraran *casquitos*, esos feroces soldados de la tiranía que patrullan por la región). Aceptan ir —a excepción de Guevara y Almeida, que no sueltan su pistola-ametralladora— y salen en dos grupos, vestidos «de civil». Pero el ejército les sigue ya los pasos. Preguntándose dónde ocultar las armas, el campesino que ha recibido a los rebeldes ha hablado, en efecto, con un vecino que ha hablado con un tercero que a su vez ha alertado a las autoridades. Al día siguiente, la gendarmería irrumpe en la casa, se apodera de los fusiles y se lleva a Hurtado.

Sin embargo, la organización es eficaz. Durante una semana Guevara, Almeida y dos más van de refugio en refugio. Primero se ocultan a pocos kilómetros de allí en casa de un predicador laico, adventista del séptimo día, Argelio Rosabal, al que el argentino llama *el Pastor*. Rosabal cuenta que pidió a los cuatro hombres arrodillarse con él para rogar a Dios que los ayudara. Insólita imagen la del incrédulo Guevara arrodillado en compañía de un adventista.[28] Tras ello, Rosabal les hace caminar toda la noche hasta la casa de su cuñada. También ella se esmera en alimentar a sus huéspedes. Guevara vomita dos veces antes de poder tragar un poco de caldo. Su herida le duele todavía pero sabe que ha escapado del peligro y no pierde el sentido del humor. Confía al Pastor una nota para sus padres. Nota que el M-26 mandará por correo y que llegará a Buenos Aires el 31 de diciembre a las diez de la noche (!), echada por debajo de la puerta como un increíble regalo de Año Nuevo. «Estoy perfectamente, gasté sólo 2 y me quedan cinco. Sigo trabajando en lo mismo, las noticias son esporádicas y lo seguirán siendo, pero confíen en que Dios sea argentino.»[29] Para sus padres es una fiesta. ¡Ernesto está vivo! Descifran sin dificultad la alusión a las siete vidas de los gatos. Ha pasado pues por dos serios peligros. No hay misterio tampoco a la referencia al Dios argentino, tópico en el Río de la Plata para referirse a la omnipotencia de un país opulento y de sus ciudadanos, a quienes no pueden abatir los peores desastres.

El adventista confía entonces sus ovejas a su cuñado Guillermo García, otro líder campesino y amigo de la infancia de Celia Sánchez, que se convertirá en jefe del ejército rebelde en Oriente. García les conduce a la finca de Mongo Pérez, el hermano de Crescencio, donde Fidel Castro —llegado el 16 de diciembre— ha establecido el cuartel general provisional de su ejército en fuga y donde lo está reconstruyendo a fragmentos. Cuando llega a la finca el 21 de diciembre, Guevara está todavía en pleno ataque de asma; pero ha aguantado. Al verle llegar acompañado por Almeida y sus compañeros, Castro anuncia, grandioso, que la victoria está cerca.

Mosquito era la contraseña

A Fidel Castro, que se aferra a las grandes referencias del pasado resistente de su país, le gustaría repetir o al menos hacer tartamudear la historia cubana. Pero —salvo tal vez durante dos o tres días— nunca ha estado solo con doce hombres como cierto héroe de la independencia, Carlos Manuel de Céspedes, o como Cristo con sus doce apóstoles, símbolo fácil utilizado por la imaginería *fidelista*. También él tuvo que ocultarse durante días en las chozas de los cañaverales, con Universo Sánchez, el inseparable, y Faustino Pérez, uno de sus capitanes. Como Guevara y sus compañeros, sufrieron hambre, sed y la terrible sensación de estar perdidos en un medio infestado de enemigos. «Nuestra revolución comenzó en condiciones increíbles», dirá. Cuando al cabo de una semana logra establecer contacto con Guillermo García (que hará avisar al M-26), estará físicamente afectado aunque su ardor siga intacto. En cuanto llega a la finca de Pérez, al lugar llamado Purial de Vicana, arde en deseos de reconstruir su ejército.

Reorienta su estrategia. Será una guerrilla prolongada que durará «el tiempo que sea necesario» pero vencerá. Guevara definirá muy bien el nuevo estado de ánimo: «Ya el pequeño número de sobrevivientes [...] con ánimo de lucha, se caracteriza por comprender la falsedad del esquema imaginado en cuanto a los brotes espontáneos de toda la isla, y por el entendimiento de que la lucha tendrá que ser larga y deberá contar con una gran participación campesina.»[30] Raúl Castro se reúne con su hermano dos días más tarde, con cuatro hombres, luego el maestro Calixto Morales, luego otros más, luego el Che y su grupo, luego cuatro voluntarios campesinos que Fidel acepta en sus filas: les han traído armas (algunas encontradas en el campo de batalla de Alegría de Pío) y también municiones, cartucheras que tenía la organización rural clandestina y que han ocultado bajo sus enaguas las mujeres, las hijas, las hermanas. Son veinte ya. Castro se ha instalado en el lindero de un cafetal, a orillas de un arroyo. El lugar está sólo a cincuenta kilómetros de Alegría de Pío, de siniestra memoria, pero alcanza ya las primeras estribaciones de la sierra y es difícil de encontrar. El comandante rebelde, que no duda de nada, envía primero a Faustino a la ciudad de Manzanillo para dar instrucciones a Celia Sánchez, y luego a Santiago de Cuba, capital regional, para pedir a Frank País y a sus compañeros que lleven periodistas a la montaña para demostrar que el cadáver de Fidel Castro, diligentemente expedido por los comunicados militares y los cables de la UPI, está vivito y coleando. Les ruega que organicen rápidamente el apoyo del llano a los combatientes de la sierra.

Esta solidaridad llano-sierra explica en gran parte la victoria, dos años después. La dialéctica es a veces complicada —¿quién ayuda a quién?— pero su alcance político es considerable pues plantea la pregunta de quién asume la dirección del combate, si la ciudad o el monte.

El llano, es decir, la resistencia urbana, no hubiera tenido la seguridad de acabar con la dictadura de no haber existido el foco de lucha armada creado en la sierra por Castro y sus combatientes. Pero éstos tampoco habrían podido sobrevivir, desarrollarse, armarse, reanudar la ofensiva si no hubieran contado con el apoyo logístico y humano de la gente del llano. El combate de las ciudades fue, es cierto, menos espectacular, tal vez más «cómodo», a pesar de la represión policiaca, que el de los guerrilleros chapoteando en el barro de la sierra, pero fue su complemento indispensable. Debate fundamental que agitará por mucho tiempo la estrategia, la táctica y la filosofía de la revolución cubana. Castro piensa que la ciudad es el cementerio de los revolucionarios y de los recursos. Guevara, siguiendo su estela, mantendrá siempre una auténtica desconfianza con respecto a los combatientes urbanos, sospechosos de carecer de voluntad y disciplina. Tras la victoria proclamará que «la Revolución no pertenece más a un grupo que a otro» y que «toda la energía de los militares debe ser canalizada tanto hacia el llano como hacia la montaña».[31] Pero nunca olvidará la decisiva aportación de los campamentos de la sierra al combate revolucionario. Preferirá siempre la guerrilla rural.

La dicotomía «llano-sierra» no es una simple fórmula lingüística. Cuba es una inmensa llanura cálida y húmeda, ondulada a veces, pantanosa o boscosa (la manigua), plantada de caña de azúcar y tabaco, con tres modestos macizos montañosos, uno al oeste, otro en el centro —la Sierra del Escambray, de la que también se hablará— y el más importante al este, la Sierra Maestra, que se prolonga en la Sierra Cristal. Si tomamos la comparación, clásica desde Humboldt, de la isla perezosamente tendida sobre el mar Caribe como un largo y delgado caimán de 1.250 km, la cola del saurio se alarga entonces al oeste, hacia La Habana que mira a Florida, a 180 kilómetros, enfrente, mientras al otro extremo, al este, muy cerca de Haití y Jamaica, la cabeza se dobla erizada por la famosa Sierra Maestra en la que culmina, a casi 2.000 metros, la cima más alta del país, el Turquino, antes de caer en una profunda fosa marina. La montaña no es grande —150 kilómetros de largo por 50 de ancho— pero los lugares son escarpados y silvestres, de difícil acceso, surcados de quebradas, grutas y crestas encabalgadas. Un paraje ideal para la guerrilla que quiera perderse o extraviar a quien la busca. En algunas laderas, a la sombra de las hojas de banano, crecen las pequeñas cerezas rojas del café y un poco por todas partes plantas de marihuana, cultivo apenas clandestino en una región puesta ya fuera de la ley por su geografía. Por doquier se yerguen los altivos plumeros que coronan los largos tallos de la palma real, una especie cuya belleza y abundancia fueron advertidas ya en 1492 por el descubridor de la isla, Cristóbal Colón. Su corteza, oscura y flexible, imputrescible, sirve para hacer las paredes de los *bohíos** y los estuches de cigarros puros.

Aunque Castro es natural de la región de Oriente, nunca tuvo ocasión de conocer de cerca la realidad física de esta tierra, difícil de recorrer por falta de buenos caminos. Por lo que a Guevara se refiere, aunque haya divisado un poco de vegetación tropical en América Central y Guatemala, no ha salido demasiado de las ciudades. El *monte*, esa especie de pequeña selva de maleza de Sierra Maestra es

---

* El nombre que se da a las casas campesinas, techadas con hojas de palmeras, es de origen indio (taino).

para él un descubrimiento. Nada tiene que ver con el paisaje seco y ameno de las sierras de Córdoba de su infancia. En cuanto el asma se lo permite, recupera su afición a la marcha, adquirida durante los largos paseos de juventud. Poco a poco dominará ese nuevo modo de vida, se acostumbrará a la lluvia, al barro, al frío, pues no hace calor en las alturas; el termómetro baja a cinco o seis grados y el pico Turquino se pierde entre las nubes.

La única dificultad real es la alergia que le provoca el yute de los sacos viejos con que están hechas las hamacas. No se queja, no exige nada pero decide dormir en el suelo, aunque esté empapado, envuelto en un plástico ordinario. Sólo cuando lleguen las hamacas de algodón podrá librarse de la humedad instalándose, como todo el mundo, en la tela tendida entre dos árboles. Utensilio emblemático de los países tropicales, heredado de los indios que legaron el objeto y la palabra, la hamaca constituye para los rebeldes el artículo indispensable del equipo básico. Sirve para transportar tanto heridos y enfermos como armas, alimentos y material. Cada uno la adapta a sus dimensiones. Se integrará tanto a su propietario que, tras unos días de uso, broma frecuente en hombres mal lavados, cada uno puede identificar su hamaca, distinguirla por el olor de la del vecino.

Mientras espera a hipotéticos periodistas, el mejor modo para que Castro demuestre su existencia es iniciar las operaciones militares. Tras las fiestas de Navidad —para celebrarlas Guevara, experto en asado, cocina a la brasa cerdo y ternera— Castro decide que no es prudente permanecer más tiempo allí; hay que marcharse, perderse de verdad en el laberinto vegetal de la montaña. Tres supervivientes de Alegría de Pío se les unen, conducidos por unos campesinos que se alistan también. Llega un emisario del M-26 rural, con un nuevo cargamento de municiones, cartuchos de dinamita, granadas y el libro de álgebra que Guevara había pedido.

En la noche del 30 de diciembre de 1956, veintinueve hombres caminan bajo la lluvia. Dos días de gélidos diluvios les inmovilizan. No tienen nada para protegerse salvo pequeños toldos de nailon para cubrir las armas. Cuando llegan a la cresta y descubren las cimas de los montes Caracas, Castro asegura: «Nadie podría sacarnos de aquí.» Opta sin embargo por la costa donde se encuentra, en la desembocadura del río La Plata, una escasa guarnición militar que parece un blanco perfecto. Tardan once días en llegar a la colina que domina el pequeño cuartel: una barraca de tablas con techo de plancha ondulada donde se alojan once hombres, destacados allí para vigilar cualquier desembarco sospechoso. Por el camino compran lo que encuentran a los guajiros. Uno de ellos, Dariel Alarcón, que no tiene todavía diecisiete años, les vende plátanos, café y cerdo. Aterrorizado, los toma por guardias rurales de Batista. Pero cuando los verdaderos guardias, para castigarlo por haber ayudado a los rebeldes, maten a su joven novia y quemen su bohío, se unirá a la guerrilla y se convertirá en un soldado leal a Camilo y Guevara. La historia conservó su seudónimo: Benigno.

Los rebeldes se detienen en casa del campesino Eutimio Guerra, «símbolo del campesinado», del que les han dicho que es de toda confianza. Pero Guerra, comprado por los oficiales de Batista, se convertirá en un traidor arquetípico por diez mil pesos-dólares.*

Aquí se sitúa una pequeña historia que Guevara narra con vivaz pluma sin advertir que nos revela, al mismo tiempo, la dimensión lúdica de aquella guerrilla. Por unos campesinos a quienes han interceptado, saben que uno de los caciques del vasto dominio en el que se hallan es un tal Chicho Osorio, siniestro personaje que siembra el terror en la zona, condescendiente con el poder e implacable con los pobres jornaleros. Una noche llega bastante borracho, cabalgando un mulo con un negrito a la grupa, escena tópica con fondo de palmeras. «Universo Sánchez le dio el alto en nombre de la guardia rural y él respondió sin vacilar: *Mosquito*. Era la contraseña.»[32] Se inicia entonces una puesta en escena de película. Fidel Castro desempeña el papel de un coronel que realiza una inspección, furioso al comprobar que los militares no han liquidado todavía a todos los rebeldes mientras él se desloma entre breñales. «A pesar de nuestro aspecto patibulario, quizá por el grado de embriaguez de ese sujeto, pudimos engañar a Chicho.»[33] Así pues, «lleno de sumisión», da la razón al coronel y proclama su adhesión a «mi general Batista». Fidel y sus compañeros, que se divierten cada vez más, siguen con el interrogatorio y anotan el nombre de los campesinos del lugar partidarios de los rebeldes. Escuchan sin parpadear al tiranuelo que les cuenta que acaba de abofetear a dos campesinos «algo insolentes» pero cuando, reparando en las botas mexicanas, suelta: «Uno de los hijos de puta que nos cargamos las tenía iguales», Chicho Osorio firma su sentencia de muerte. «El hombre siguió su camino como verdadero prisionero.»[34]

Cae la noche pero «había buena luna». Luis Crespo, el rebelde guajiro, ha comprobado que las informaciones proporcionadas por Osorio son exactas. Dos centinelas están en su puesto, ha visto el brillo rojo de sus cigarros. Todo esto está a escala reducida aún pero, en

---

* Un peso cubano = un dólar.

la historia de la guerrilla, es uno de los escasos enfrentamientos en que los rebeldes tendrán ventaja numérica. «Teníamos muy pocas balas», dice Guevara. De ahí la necesidad de aprovechar el efecto sorpresa. En plena noche del 17 de enero de 1957, Castro da la señal disparando la primera ráfaga de su metralleta mientras, doscientos metros más atrás, el triste Osorio es ejecutado sin miramientos. Sin embargo los guardias, pese a sus bajas, no se rinden. En cuanto al arsenal de aquellos aprendices de guerrillero, nos da la medida de la improvisación a la que se ven obligados: nada funciona. El grupito de Fidel lanza sus dos granadas, pero no estallan. A su vez, Raúl lanza un cartucho de dinamita, que tampoco estalla. «Había entonces que acercarse y quemar las casas aun a riesgo de la propia vida —cuenta Guevara—; en aquellos momentos Universo Sánchez trató de hacerlo primero y fracasó, después Camilo Cienfuegos tampoco pudo hacerlo y, al final, Luis Crespo y yo nos acercamos a un rancho que este compañero incendió. A la luz del incendio pudimos ver que era simplemente un lugar donde guardaban los frutos del cocotal cercano, pero intimidamos a los soldados que abandonaron la lucha.»[35]

Balance entre los soldados: tres muertos y cinco heridos, tres de los cuales no sobrevivirán. «Allí, con mucho dolor para mí, que sentía como médico la necesidad de mantener reservas para nuestras tropas, ordenó Fidel que se entregaran a los prisioneros todas las medicinas disponibles para el cuidado de los soldados heridos, y así lo hicimos.»[36] El comportamiento «caballeresco» para con los enemigos heridos contrasta con el del ejército, «que no sólo remataba a los nuestros sino que abandonaba a los suyos», y será anotado en el haber de los rebeldes, al igual que la consigna de no tomar nada nunca en casa de un campesino sin pagarlo a un precio generoso, mientras que el ejército desvalijaba sin miramientos. Eso explica que, poco a poco, campesinos e incluso soldados de Batista vayan uniéndose a las filas de la guerrilla. Para Castro la victoria es total. Ni un arañazo en sus hombres, un buen botín de armas y municiones y, anota Guevara, para quien estos detalles prosaicos no carecen de importancia, «recuperamos cananas, combustible, cuchillos, ropa y alguna comida».[37] En cuanto a las medicinas, espera un reabastecimiento por la red del M-26.

Las dos horas de aquel minúsculo enfrentamiento no merecerían excesivo lugar en los anales si no señalaran la primera victoria de la guerrilla sobre tropas regulares. Su efecto psicológico fue muy grande. Primero sobre los propios rebeldes que se vengan, en cierto modo, de la derrota de Alegría de Pío y borran un poco el trauma de la desbandada. Por otra parte, la opinión pública cubana, comprueba —pues los diarios hablan de ello— que los rebeldes no parecen tan aniquilados como se ha dicho. «Habíamos librado nuestra primera batalla —dirá Castro— cuando ya nadie nos creía vivos.»

Cuando las rodillas tiemblan

Puesto que una de las leyes de la guerrilla es la movilidad, Fidel Castro y su grupo levantan el campamento a las primeras luces del alba. Trepan de nuevo por las colinas, intentan fundirse en aquella sierra que aún no conocen demasiado. Castro sospecha que el ejército va a lanzarse tras ellos. Decide preparar una emboscada para enfrentarse con el enemigo en las mejores condiciones, e instala su campamento en el lugar llamado Arroyo del Infierno, en la montaña donde se levantan dos bohíos vacíos, que se guarda mucho de ocupar; otra ley de la guerrilla dice que nunca debe dormirse entre cuatro paredes y bajo techo para evitar que te pillen por sorpresa. Tuvo amarga experiencia de ello tras el fracaso del Moncada.

«Fidel constantemente vigilaba las líneas y daba recorridos para cerciorarse de la eficacia de la defensa. [...] El día 19 de enero por la mañana, estuvimos revisando las tropas cuando sucedió un accidente que pudo tener graves consecuencias.»[38] Para comprender el incidente en cuestión, debe saberse que en el pequeño grupo rebelde el aspecto de cada cual es todavía, por la fuerza de las cosas, muy heteróclito. El uniforme que se pusieron antes de desembarcar del *Granma* está muy lejos de ser un verdadero uniforme; ahora la pinta de aquellos hombres algo hirsutos se parece a veces a la de salteadores de caminos. Antes del ataque de La Plata, aprovecharon el vado de río para darse un baño. «Allí nos bañamos también, después de muchos días de ignorar la higiene.»[39] Pero este tipo de delicia es excepcional. Por lo general huelen mal y ni siquiera lo advierten. De acuerdo con los consejos de Bayo en México, seguidos por Castro, no llevan navajas de afeitar ni cepillos de dientes. Algunos van ya muy barbudos. Otros menos. Un comerciante de la sierra que les proporcionó provisiones, Mario Soriol, recuerda que a comienzos de 1957 la barba de Fidel apenas comenzaba a crecer y Raúl sólo tenía algunos pelos. «Todos parecían chiquillos.»[40] A Dariel Alarcón (Benigno), le sorprendieron los collares de conchas que llevaba al cuello el negro Juan Almeida y que le daban aspecto de *santero*, uno de esos sacerdotes que celebran los ritos traídos del África negra, tan numerosos en Cuba.

Un campesino, Julián Pina Fonseca, cuenta que «por aquel entonces a Guevara se le salían los huesos estos de debajo de los ojos y parecía medio chino. Tenía poquita barba, miraba recto y con mucha fijeza y uno se hacía la idea de que lo estaba mirando una especie de guerrero chino».[41]

En su gráfico estilo, el «guerrero chino» explica personalmente que su imprudencia (o su inconsciencia) provocará el incidente que se produce luego. Esos chiquillos guerrilleros juegan a disfrazarse poniéndose lo que encuentran, sobre todo si puede serles de utilidad. Antes de abandonar La Plata, Guevara se ha apoderado de un casco. «Yo había llevado como trofeo de la lucha en La Plata, un casco completo de cabo del ejército batistiano y lo portaba con todo orgullo.»[42] Pero su trofeo está a punto de costarle la vida. Cuando los hombres apostados en vanguardia por Castro ven llegar el grupo encabezado por una silueta con casco, no vacilan. Es el enemigo. «Afortunadamente en ese momento se estaban limpiando las armas, y solamente funcionaba el fusil de Camilo Cienfuegos que disparó sobre nosotros [...] y el fusil automático se trabó...»[43] Una suerte para Guevara, que de lo contrario hubiera muerto a manos del que iba a ser su mejor amigo. El incidente es revelador del estado de tensión nerviosa de la tropa; los soldados están cerca y, por lo tanto, no se juega.

Una observación de Guevara a este respecto nos informa que le anima un verdadero deseo guerrero análogo, sea como fuere, a aquella jubilosa excitación que le hacía «disfrutar» tres años antes observando el «espectáculo» de los bombardeos de Ciudad de Guatemala. Hoy no es testigo pasivo sino actor de pleno derecho. «Todos esperando el combate como una liberación; son esos momentos donde hasta los más firmes de nervios sienten cierto leve temblor en las rodillas y todo el mundo ansía ya de una vez la llegada de ese momento estelar de la guerra, que es el combate.»[44] Como esta vez no escribe una carta personal a sus padres donde puede sincerarse sin reticencias sino un relato que, publicado en *Bohemia* o en *Verde Olivo*, será leído por el gran público, corrige inmediatamente lo que de sorprendente puede tener su franqueza, protegiéndose tras el impersonal «nosotros» de la oficialidad cubana, «sin embargo, combatir no era, ni mucho menos, nuestro deseo: lo hacíamos porque era necesario».[45] Lo cierto es que, a lo largo de esos dos primeros años en Cuba, Guevara se lanzará al combate con indiscutible voluptuosidad. «Lo que lleva al paroxismo de la alegría —afirmará— es el combate, clímax de la vida guerrillera.»[46] La única reserva expresada alguna vez públicamente por Fidel Castro, con respecto al Che, se referirá a esta impetuosidad. «Como guerrillero, tenía un talón de Aquiles, su excesiva agresividad, su absoluto desprecio del peligro.»[47]

A las cinco de la mañana del 22 de enero, una detonación alerta a los hombres de Castro. Son los soldados que liquidan a un «hijo de haitiano», es decir, a un negro, que se ha negado a indicarles la pista de los guerrilleros. Éstos esperan, en alerta permanente, pero las tropas sólo aparecen a mediodía. «El combate fue de una ferocidad extraordinaria.»[48] El Che cobra su primera víctima, un soldado al que ha visto ocultarse en el bohío. «Tiré a rumbo la primera vez y fallé: el segundo disparo dio de lleno en el pecho del hombre.»[49] Guevara salta y recoge la cartuchera y el fusil enemigo, un hermoso Garand americano que le habría gustado conservar pero que será entregado a otro compañero, Ameijeiras, quien, luego, tendrá que vérselas con él. Tres cuartos de hora de combate. Cinco muertos en el campo enemigo. Ni un herido en el de Castro. «Habíamos medido nuestras fuerzas con las del ejército en nuevas situaciones y habíamos superado la prueba. Esto nos mejoró mucho el ánimo y nos permitió seguir durante todo el día trepando hacia los montes más inaccesibles para escapar a la persecución de grupos mayores del ejército enemigo.»[50]

Esta apreciación de Guevara no es una figura retórica. El ejército, alertado por el mortífero ataque de La Plata, envía «grupos importantes» para terminar con aquellos rebeldes a los que creía destruidos tras el tiroteo de Alegría de Pío. Organizará un progresivo sitio de la Sierra Maestra, destacará a sus mejores elementos, utilizará el concurso de la aviación que va a bombardear sin piedad todo lo que le parezca sospechoso. Y si se trata de simples campesinos, peor para ellos; hubiese sido mejor que no estuvieran allí. Se les ha pedido que abandonaran sus magros cultivos para reagruparlos fuera de la sierra y dejar campo libre a los militares, y muchos han tenido la desfachatez de negarse. En el enfrentamiento del Arroyo del Infierno los hombres de Castro se las han visto con uno de los mejores oficiales de Batista, el teniente Sánchez Mosquera cuyo nombre aparece en muchos relatos de batalla de la Sierra, temible depredador, odiado por la población dadas sus innumerables exacciones, pillajes, violaciones y asesinatos. Sus hazañas lo llevarán pronto al grado de coronel. Durante casi dos años, a la cabeza de unidades de elite, intentará sin éxito aniquilar la guerrilla. Guevara extrae de este episodio una enseñanza que pondrá en práctica cuando llegue el momento y que sistematizará en un manual, *La guerra de guerrillas*: «Siempre hay que golpear en la vanguardia. Cuando los soldados están convencidos de la muerte inevitable de quienes ocupan las primeras filas, el temor a formar parte de ellas puede provocar verdaderos motines.»[51]

Ocho días más tarde, acampan en las altas colinas del Caracas (el mismo nombre que la capital de Venezuela) cuando al amanecer «tras una fría noche», escuchan un zumbido. «Cinco aparatos llenan el cielo. De pronto se oyó la picada de un avión de combate, el tableteo de unas ametralladoras y, a poco, las bombas. [...] Las balas de calibre 50 estallan al dar en tierra y golpeando cerca nuestro daban la impresión de salir del mismo monte.»[52] No lo saben todavía, pero el ataque es resultado del trabajo de Eutimio Guerra, aquel campesino «de toda confianza» que se había unido a ellos para guiarlos. Con el pretexto de ir a ver a su madre enferma, ha corrido a comunicar su posición a los militares, que sacan partido del hermoso material que Estados Unidos ha entregado a Batista, bombarderos B-26 y P-47 de combate. «Vimos un espectáculo desolador: con una extraña puntería que no se repitió, afortunadamente, durante la guerra, había sido atacada la cocina. El fogón había sido partido en pedazos por la metralla y una bomba había estallado exactamente en el medio de nuestro campamento.»[53] Nadie ha sido herido —milagro— pero, como después de Alegría de Pío, se produce la desbandada del grupo. Es tan fácil perderse en esa densa vegetación tropical que Guevara y cuatro compañeros necesitarán dos días para reunirse con el grueso de los rebeldes. Sólo son veinticinco en total, de ellos diecisiete «veteranos» del *Granma*. Por un campesino aterrorizado saben que la pequeña tienda de la aldea vecina acaba de ser arrasada por la soldadesca. Mercancías robadas, local incendiado, mulos requisados tras la ejecución del arriero y rapto de la mujer del tendero. Pero no desvelan el misterio de cómo han podido descubrirlos. Atribuyen la responsabilidad al humo de su desayuno que se elevaba hacia el cielo. En adelante, nunca más encenderán fuego durante el día. Único consuelo: Celia Sánchez les hace llegar de la ciudad un botiquín de cirugía y ropa. «¡Qué emoción fue para nosotros tener, en semejante momento, una muda de ropa con iniciales bordadas por las muchachas de Manzanillo!»[54]

Pero el ejército está muy cerca y es peligroso. Lo saben. Se internan pues en el mejor refugio del guerrillero, el monte, que deben cortar a machetazos para abrirse camino por los antiguos senderos. Para Guevara avanzar es muy penoso ya que, durante los primeros meses en la sierra, estará enfermo muy a menudo (y eso le pondrá rabioso). Esta vez sufre malaria. La fiebre le ablanda las piernas. «Fueron el guajiro Crespo y el inolvidable compañero Julio Zenón Acosta los que me ayudaron a recorrer una jornada angustiosa.»[55] Se ha desvanecido una vez, ha tenido diarrea diez veces. Su estado es tal que excepcionalmente le hacen dormir en el bohío de un campesino hospitalario y lo dejan en la retaguardia con dos camaradas. Al intentar reunirse con la tropa se pierden de nuevo, pero Raúl Castro sale en su búsqueda y consigue encontrarles.

Diez días después del ataque aéreo, el guión se repite apenas modificado. Eutimio Guerra, que se permite todas las audacias, ha regresado. Le sugiere a Fidel Castro que instale su campamento en el fondo de un barranco para evitar los esporádicos bombardeos de los aviones. Llueve. Hace frío. Eutimio no tiene nada para protegerse. Fidel le ofrece dormir a su lado cubriéndose ambos con las mismas mantas. Nadie sospecha que la vida del *comandante* está a merced de aquel bribón, provisto de una pistola que le han proporcionado los militares para que elimine al jefe de la guerrilla. No tendrá valor para hacerlo. Al contar la historia de esa «larga noche de lluvia soportada sin impermeable», Guevara revela que por entonces es ya íntimo de Fidel Castro. «Universo Sánchez y yo estábamos siempre junto a Fidel [...]. Veteranos del *Granma* y hombres de confianza de Fidel, nos turnábamos toda la noche para protegerlo personalmente.»[56]

El 9 de febrero, un campesino les advierte que ciento cuarenta soldados se dirigen hacia su campamento. «Fidel decidió abandonar el lugar. Trepamos hasta lo alto de la colina.» Se oyó un disparo, seguido de una descarga. Inmediatamente, ráfagas, detonaciones llenaron el aire... El ataque «se concentraba sobre el lugar donde habíamos acampado anteriormente».[57] Cuando extraigan las conclusiones comprenderán por fin que Eutimio los ha vendido. De momento, una vez más, sálvese quien pueda. «El campamento quedó rápidamente vacío. [...] Los demás salimos dispersos. La mochila que era mi orgullo, llena de medicamentos, de alguna comida de reserva, libros y mantas, quedó en el lugar. [...] Salí corriendo.»[58] Entre las víctimas está Julio Zenón, aquel corpulento campesino analfabeto a quien Guevara había comenzado a enseñar a leer, a sus cuarenta y cinco años. «Estábamos en la etapa de identificar la O y la A, la E y la I.»[59]

Un país bajo tutela

Todas esas emboscadas, y contraataques, ese acoso podrían parecer simples peripecias de un juego del escondite, siempre trágico, si frente a sus hombres, como ante los guajiros que lo acogen o lo rehúyen, Castro no ilustrara el combate con una filosofía simple, inteligible para todos: la necesidad de luchar contra la opresión de Batista y sus esbirros, el derecho para todos los campesinos a disponer de la tierra que trabajan y del fruto de ese trabajo.

En esencia, ésos son los ejes políticos del M-26 urbano y el M-26 rural. Dos «frentes» entre los que empiezan a manifestarse ciertas discordancias que es conveniente resolver. Al llano, que no cede en su combate urbano contra la policía de Batista, parece costarle admitir la necesidad de una prioridad fundamental concedida a la lucha de los guerrilleros en la sierra.

Las jornadas del 16 y 17 de febrero de 1957 son de notable importancia en la historia de la guerrilla castrista. Señalan en primer lugar la absoluta primacía exigida por Castro de la montaña sobre el llano. «Todo para la sierra», ésa es la consigna cuya aplicación exige al estado mayor de su movimiento, convocado «sobre el terreno» en una granja de la organización, la de Epifanio Díaz, en los confines de la sierra. El otro acontecimiento que supera la simple anécdota es la entrevista-espectáculo que concede al reportero norteamericano Herbert Matthews.

Los tres artículos de Matthews, el primero de los cuales se publicará en portada del *New York Times* del 24 de febrero, darán a la pequeña guerrilla una resonancia internacional y a su jefe una romántica imagen de justiciero democrático. Al conseguir que le lleven un periodista estadounidense de renombre, Castro se remite, una vez más, a un episodio de la historia de su país. Repite uno de los gestos de su ilustre predecesor, José Martí, cuyo modelo le obsesiona. En 1895, una semana antes de cargar al galope —romántico en su caballo blanco— y hacerse segar en pleno impulso por las balas españolas Martí había sido entrevistado por un enviado especial del *New York Herald*. Como puede verse, la historia tartamudea. Es imposible comprender la empresa de Fidel Castro y del movimiento que encabeza si no se lo sitúa a grandes rasgos en el contínuum de un país que nunca consiguió salir realmente del estado colonial. Guevara es un gran lector, pero ha descubierto por las conversaciones con Fidel y Raúl, más que por sus lecturas, la historia y la geografía de ese país-caimán, cuya voluptuosidad y languidez tropicales no ha tenido mucho tiempo de apreciar.

Al comienzo fue la postal turística que Colón, descubridor de esta región de Oriente, envía a los reyes de España. Alaba las playas y los cocoteros, las aguas límpidas, la aturdidora sinfonía de los pájaros: «Nunca vi país más bello», escribió. No hay oro, principal ambición de los conquistadores que acuden muy pronto. Pero la isla servirá de base hacia los países que lo tienen: Perú, México, Florida. Una llave en el escudo de armas de Cuba simboliza la importancia de su posición estratégica para abrir el acceso al golfo y asegurarse el dominio de las Antillas.

Siguen luego, en la estela colombina, cuatro siglos de colonia española que concluirán en 1898 con una independencia «bajo tutela». Casi un siglo más de lo que deben soportar las demás posesiones americanas. El azúcar —bendición de los colonos, maldición de los esclavos— es la causa. Antes que los alegatos del padre Las Casas en favor de los indios tuvieran algún efecto, el bacilo de Koch, la sífilis y otros aportes del Viejo Mundo habían terminado con los primitivos habitantes de la isla, estimados en casi un millón.

De modo que a finales del siglo XVI la industria de la «caña azucarera» debe importar la mano de obra robusta y abundante que necesita: los negros africanos, esclavos. A diferencia de los indios, no se considera que tengan alma, y aunque mueren jóvenes, tienen el buen gusto de reproducirse mucho. Su número llega incluso a preocupar a los amos. Podrían convertirse en un peligro, como en Haití, donde estimulados por las ideas subversivas de la Revolución Francesa los negros se han levantado (1791-1795) obligando a los plantadores galos a refugiarse en Oriente (lo que explica la frecuencia de apellidos franceses en esta región de Cuba). Esta revuelta de esclavos produjo en los colonos cubanos un santo terror. Cualquier movimiento en favor de la independencia podría desembocar en la horrible perspectiva de una República negra en Cuba. Más vale recomponer el *statu quo* colonial español y hablar de reforma más que de revolución.

Sin embargo, la primera señal de libertad procede de un terrateniente y generoso francmasón, Carlos Manuel de Céspedes. El 10 de octubre de 1868, en su plantación de caña de azúcar cercana a Manzanillo, hace que doble la campana mayor, la *Demajagua* —que el estudiante Fidel Castro llevará un día, como un trofeo, a La Habana—. Céspedes proclama la liberación de los esclavos e incita a sus compatriotas a sacudirse el yugo español. El movimiento de los separatistas —llamados *mambises*—* se propaga por la isla y se radicaliza.

* *Mambí* es el nombre que se dio a los combatientes cubanos de las guerras de la independencia.

Treinta años de batallas entrecortados por «reposo turbulento» (Martí). Un ejército *mambí* se instala en la campiña cubana, la manigua, quema los cañaverales y practica una guerra de acoso contra las tropas españolas, feroces en su represión, porque Cuba, con Puerto Rico y las Filipinas, es el último vestigio que España conserva de su inmenso imperio. Los negros forman el grueso de los rebeldes. Tras la muerte de Céspedes dirige el combate Maceo, un general insurgente mulato a carta cabal. La esclavitud sólo será abolida en 1886, pero el esclavo se transformará en un asalariado mal pagado que puede ser despedido a voluntad. El sistema resulta aún más ventajoso para los plantadores.

Aunque sea menos visible, el fenómeno más importante en el siglo XIX es el progresivo dominio económico de Estados Unidos sobre Cuba. Ya en 1819 habían comprado la Florida a España. Durante los siguientes decenios, varias ofertas de compra de Cuba son rechazadas por Madrid. Hacia 1880 los intercambios cubanos con Estados Unidos son seis veces más importantes que con España. La mayor isla de las Antillas parece destinada a convertirse en otra estrella de la bandera americana. Cuando Martí auspicia otro renacimiento patriótico y la represión española aumenta, más severa que nunca, Washington finge temer por sus intereses y envía al puerto de La Habana el crucero *Maine*. El 15 de febrero de 1898, el navío de guerra estalla con la mayor parte de su tripulación a bordo. Drama, pero también *casus belli* perfecto, aunque la posterior investigación demuestra que la providencial explosión fue un accidente. El conflicto dura sólo unos meses. Agotados, los españoles son derrotados muy pronto. Su flota es hundida en la rada de Santiago y la ciudad ocupada. En diciembre de 1898, el Tratado de París da el «control» de Cuba a Estados Unidos, que aprovecha la ocasión para adquirir Puerto Rico y Filipinas.

Así, Cuba sólo se libera de España para caer en las garras de su poderoso vecino. Amarga victoria. La ocupación militar de Estados Unidos, primera de una larga serie, durará cuatro años, el tiempo de poner las bases de lo que va a convertirse en un protectorado *de facto*. La libertad que se deja a los cubanos no supera la dosis de la bebida llamada, irrisoriamente, *Cuba libre*: cuatro veces más coca-cola que ron criollo.

Las grandes compañías norteamericanas se apoderan a bajo precio de inmensas plantaciones de caña, tabaco y café. Gracias a una disposición especial impuesta en la Constitución cubana de 1902 —la enmienda Platt— Estados Unidos obtiene no sólo una base naval concedida a perpetuidad, Guantánamo, que permite vigilar el Caribe y la ruta del canal de Panamá en construcción, sino sobre todo el derecho de intervenir a su antojo en los asuntos cubanos «para garantizar la independencia [sic] y ayudar a proteger las vidas, la propiedad y las libertades individuales». En virtud de lo cual los marines norteamericanos volverán a instalarse en Cuba en tres ocasiones: de 1906 a 1909, en 1910, y de 1917 a 1923.

Hace apenas tres años que los soldados yanquis habían abandonado el país cuando Fidel Castro llega al mundo en la impaciente provincia de Oriente. Aquella zona de Mayarí donde pasa su infancia está dominada por la United Fruit Company. Estado dentro del Estado, con su policía, sus escuelas, su hospital, sus piscinas y su club de polo; toda una potencia. Por aquel entonces Estados Unidos controla el 80 por ciento de la producción azucarera, los ferrocarriles, la electricidad, el teléfono, los bancos. Como la mayoría de cubanos, Castro alimenta contra Estados Unidos un resentimiento agudo y confuso, hecho a la vez de fascinación, rencor y un vago complejo de inferioridad provocado por el desdén, si no el desprecio, de los yanquis hacia los corruptos dirigentes de un país-rabadilla, percibido como proveedor de azúcar y placeres fáciles. El *big brother* ha instituido un pacto económico bastante perverso: la compra a precio preferente de azúcar cubano a cambio de derechos de aduana muy bajos para los productos *made in USA*. Total beneficio para Estados Unidos, pero para Cuba una mayor dependencia del monocultivo azucarero.

En 1933 aparece un personaje «muy cubano», representativo del importante sector mestizo de la sociedad. Nadie sospecha que va a convertirse en el diablo. Fulgencio Batista es un mulato de negro, español y chino; hijo de un cortador de caña, ha llegado al grado de sargento mecanógrafo. Cuando Estados Unidos abandona a su marioneta del momento, el general-dictador Machado, que codiciaba un tercer mandato presidencial tan fraudulento como los dos anteriores, un Directorio de «estudiantes coléricos» lo obliga a dimitir. Pero su marcha no basta. El sargento Batista, que al principio sólo reclama mejores sueldos para los suboficiales, se ve «ascendido a coronel de la noche a la mañana, comandante del ejército en una hora».[60] Decide entregar el poder a los estudiantes, que instalan a la cabeza del Estado, pero rodeándolo de cerca, a un profesor de universidad liberal, Grau San Martín. Se promulgan enseguida algunos decretos «revolucionarios»: jornada laboral de ocho horas, salario mínimo para los cortadores de caña, reconocimiento de los derechos sindicales, inicio de una nacionalización de la electricidad y de una reforma agraria. A Washington no le gusta demasiado; pero lo que resulta francamente intolerable son los «soviets» que el joven partido comunista, clandestino en principio, comienza a organizar en las centrales azucareras en vísperas de la zafra. Treinta navíos de guerra rodean la isla y el embajador Sumner Welles, jefe de la diplomacia latinoamericana de Franklin D. Roosevelt, sugiere a Batista que intervenga de nuevo. Algo que hace sin miramientos, deponiendo con buenas maneras a Grau pero golpeando con dureza a los «subversivos».

A partir de entonces, desde la fortaleza militar Columbia de La Habana y por medio de presidentes fantoches, moverá los hilos del poder hasta 1940, cuando unas elecciones honestas lo llevan a la presidencia. Impulsado por la oleada democrática de los aliados durante la Segunda Guerra Mundial, oficializa la autonomía de la universidad incluyéndola en una nueva Constitución y acumula las divisas proporcionadas por la subida del precio del azúcar. El antiguo sargento no ha rechazado el apoyo del partido comunista (nombrará incluso a dos ministros comunistas en su gobierno de 1942), pero sigue siendo más fiel que nunca a Estados Unidos, que vela por lo suyo. En nombre de una política de «buena vecindad», Estados Unidos ha suprimido en 1934 la muy impopular enmienda Platt aunque sustituyéndola por un Acuerdo de Comercio que le otorga plenos poderes sobre el mercado de la isla. Cuba entera permanece bajo su tutela.

Los políticos que a partir de 1944 suceden a Batista —retirado en Miami— aumentan extremadamente los males endémicos vinculados a la situación neocolonial del país: especulaciones, prevaricaciones administrativas, introducción del gangsterismo en los medios sindicales, respeto sólo por los intereses norteamericanos. Un joven senador por Oriente, Eduardo Chibás, declara la guerra a esas bajezas. No se limita a reivindicar, como los demás, la herencia revolucionaria *auténtica* del sempiterno José Martí, sino que funda un partido que pretende seguir la línea del apóstol, el Partido Ortodoxo, que espera dar un inmenso escobazo al hormiguero de los aprovechados en unos momentos en los que el 25 por ciento de la población activa está en paro. Fidel Castro, joven abogado de veintiséis años de edad, es candidato ortodoxo a la Cámara de Representantes en las elecciones de 1952. También él quiere dar un buen escobazo, y mucho más que eso si es posible.

Un espectacular disparo de pistola sacude entonces la opinión pública. Harto de predicar en el vacío, Chibás se suicida disparándose una bala en el vientre durante una emisión radiofónica y al grito de «¡Despierta, pueblo de Cuba!». La victoria de su partido parece más segura que nunca. Pero no se contaba con el golpe del tal Batista.

Vuelto de Miami donde, jugador y jaranero, ha hecho extrañas amistades en el hampa de los tugurios, toma el poder sin un solo disparo el 10 de marzo de 1952, al amanecer de una noche de carnaval. Las elecciones son aplazadas *sine die* y los gángsters americanos, secundados por sus acólitos cubanos, se apoderan de La Habana. Es el reino, cien veces descrito, de hampones como Meyer Lansky o el actor estrella George Raft, dueños de casinos y clubes nocturnos. Los truhanes tienen máquinas tragaperras y toda clase de loterías; el vicio, en todas sus formas, reina en el corazón del barrio americanizado de El Vedado, repleto de grandes hoteles y rascacielos. Doscientos setenta burdeles convierten La Habana en capital de la prostitución latinoamericana. Sin contar con las casas de citas especializadas y bares de «camareras», paraíso para turistas gringos a pocas horas de avión de Nueva York. Algunos van también a la playa... El abogado Castro presenta contra el usurpador, en debida forma, una denuncia, un gesto simbólico y sin la menor esperanza. Ha comprendido que el verdadero combate tendrá que utilizar medios distintos a los legales. Comenzará con el asalto al cuartel Moncada.

Supervivencia, modo de empleo

Todo ello, que constituye la ardiente historia del país donde se halla desde hace diez semanas, Guevara no lo supo por los manuales sino por el relato de sus amigos, a veces por el testimonio de los mismos protagonistas. Pero su visión es continental. Tiene conciencia de que la lucha desborda el simple marco de Cuba, que abarca toda América Latina. El enemigo común es el poderío arrogante de Estados Unidos, de la United Fruit, donde las inversiones norteamericanas arrasan el conjunto del «hemisferio americano». Concibe su combate en Cuba sólo como la etapa de una empresa justiciera más amplia.

Cuando le avisan que Matthews ha llegado para la famosa entrevista del *New York Times*, Fidel dispone sólo de dieciocho hombres, todos los efectivos de su «ejército». Monta sin embargo una auténtica puesta en escena para hacer creer al periodista que sus tropas son numerosas, diseminadas por la sierra en pequeñas unidades móviles de veinte a cuarenta hombres. Su fantástico optimismo le hace anticipar la realidad. Guevara es consciente del envite, aunque no tenga el sentido teatral de Castro. «La presencia de un periodista extranjero, norteamericano preferentemente, tenía para nosotros más importancia que una victoria militar»,[61] dirá. Toda la tropa se presta lo mejor que puede al show que organiza Castro con los medios que tiene a mano. Hace que unos pseudocorreos jadeantes, pero en posición de firmes, le entreguen mensajes de batallones inexistentes. Manuel Fajardo, uno de los primeros campesinos que se unió a la guerrilla, cuenta en *El libro de los doce*, de Carlos Franqui: «Fidel nos pidió que adoptáramos aspecto de soldados. Me miré, miré a los demás, nuestros zapatos destrozados, mugrientos, reparados con alambre... pero representamos la comedia; yo iba a la cabeza, con paso militar.»[62] Y Raúl pasa una y otra vez con los mismos hombres.

Castro tiene tanto éxito con su *performance*, en el sentido inglés y francés del término, que Matthews, impresionado, sucumbe al hechizo. Diez años más tarde, en una honesta «biografía política» de Castro, explicará cómo a los cincuenta y siete años, y pese a su experiencia de veterano del periodismo (había cubierto la guerra de España), se dejó engañar por aquel cubano de treinta años que susurra agachado a su lado, porque, según le dice, los soldados de Batista están muy cerca, lo que por otra parte es cierto. «Sabía que necesitaba publicidad. Tuvo siempre ese sentido y ese talento. Aquella entrevista fue una de sus jugadas más brillantes. [...] Todo lo que Fidel debía hacer [...] era "venderme" su personaje. Le bastaba con ser él mismo.»[63] Matthews no imagina ni por un momento que el territorio que controla el jefe guerrillero no sobrepasa los escasos metros cuadrados de la tienda que les protege de la lluvia. «La personalidad de ese hombre es abrumadora. Es fácil ver por qué lo adoran sus hombres. [...] Es un fanático instruido y fiel a una causa, un idealista lleno de valor.»[64]

Cuando después de la entrevista de tres horas, a la que no asiste, Guevara interroga a Castro, éste lo tranquiliza. «Había respondido afirmativamente a la cuestión de saber si era antiimperialista.»[65] Durante aquellas memorables jornadas Guevara conoce a algunas de las personalidades más importantes del movimiento. De Santiago han llegado Frank País, el organizador de la resistencia en Oriente —un hombre que pese a sus veinticinco años «se impone desde la primera entrevista»—,[66] y Vilma Espín, una militante excepcional con la que Raúl Castro se casará después de la victoria. Desde La Habana, además de Faustino Pérez, emisario de Fidel, han viajado Armando Hart, un abogado animador de la resistencia cívica en la capital, y Haydée Santamaría, una «veterana» del Moncada (los dos se casarán también más tarde). Además está la mujer que es el eje del M-26 en Manzanillo y los alrededores, la sorprendente Celia Sánchez, que encuentra solución para todo y consigue resolver los mil problemas de logística. Hija de médico famoso, conoce a todo el mundo y es estimada por todos. Treinta y seis años, soltera, con el rostro alargado, la sonrisa ancha, seductora, ha puesto en marcha los «comités de recepción» que en la playa aguardaron en vano a los hombres del *Granma*. Ella es la que ha llevado a Matthews hasta Fidel Castro, de quien es una incondicional pero a quien aún no ha tenido ocasión de ver. Nadie sabe si hubo flechazo mutuo en el momento que uno y otra se vieron por primera vez, pero la simpatía recíproca es tan fuerte que cuando la policía se acerque demasiado a la joven en Manzanillo, ésta irá a refugiarse en la sierra. Desde entonces hasta el final de sus días (en 1980) no se separará ya de Fidel Castro. Será su confidente, su secretaria, su mujer, su sombra protectora. Con Guevara desempeñará el papel de hermana mayor afectuosa y entre ambos nacerá una profunda amistad.

«Necesitamos sólo unos miles de balas con veinticinco hombres armados más para ganar la guerra contra Batista», afirma Castro con absoluta seguridad. Un mes más tarde, Frank País le envía cincuenta y ocho combatientes, acompañados por Celia Sánchez. Mientras, resulta urgente para Castro encontrar refugio en el monte. Los militares no están lejos. Antes de partir, le arreglan las cuentas a Eutimio. Éste, convencido de que nadie sospechaba de él, ha tenido la desfachatez de reaparecer. Le encuentran encima —prueba flagrante de su doble juego— un salvoconducto de los servicios de Batista, una pistola y algunas granadas. Confiesa, cae de rodillas, pide que lo maten. Guevara convierte la ejecución del traidor en una escena de ópera wagneriana: «En esos minutos se desató una tormenta muy fuerte y oscureció totalmente: en medio de un aguacero descomunal, cruzado el cielo por relámpagos y por el ruido de los truenos, al estallar uno de esos rayos con su trueno consiguiente en la cercanía, acabó la vida de Eutimio Guerra sin que ni los compañeros cercanos pudieran oír el ruido del disparo.»[67]

Los días siguientes resultaron oscuros en el recuerdo de Guevara, «para mí, personalmente, la etapa más penosa de la guerra».[68] De nuevo aquella maldición respiratoria. Al tercer día de marcha ha perdido su aerosol, mientras el ataque de asma que se anuncia amenaza con ser muy fuerte, y la humedad que lo rodea es la contraindicación absoluta para su afección. «Era un período de lluvias en la sierra, y cada noche quedábamos empapados como troncos [...] Mi asma era tan fuerte que me impedía avanzar normalmente [...] Un numeroso grupo de soldados se preparaba para ocupar el terreno. Era preciso correr a toda prisa antes de que las tropas nos cortaran el paso. [...] todos llegamos a la cima. Todos, salvo yo: lo logré pero a costa de enormes esfuerzos y víctima de tal ataque de asma que me resultaba prácticamente imposible poner un pie delante de otro.»[69] Guevara relata brevemente entonces el tosco afecto que se manifiesta en la solidaridad de la guerrilla. Con su rudeza y su robustez campesinas, el guajiro Crespo acude en su ayuda. «Cuando ya no podía más y pedía que me dejaran, el guajiro, con el léxico especial de nuestras tropas, me decía: "Argentino de mierda, vas a caminar o te llevo a culatazos." Además de decir esto cargaba con todo su peso, con el de mi propio cuerpo y el de mi mochila para ir caminando en las difíciles condiciones de la loma, con un diluvio sobre nuestras espaldas.»[70]

Supervivencia, modo de empleo. En su manual de guerrilla el Che hará hincapié en las cualidades de resistencia y tenacidad que se exigen al combatiente rebelde. Para los novatos, el aprendizaje es duro. Recuerda a uno que se raja. «Le dio un ataque de nervios y empezó a gritar, en medio de aquella soledad de monte y guerrilla, que lo habían enviado a un campamento con abundante comida [...] y que en vez de eso, los aviones lo acosaban y no tenía lugar fijo, ni comida, ni siquiera agua para tomar.»[71] Guevara admite que ésa es, más o menos, la reacción de los combatientes durante los primeros días de la vida en campaña. Y define sin florituras de qué temple debe estar hecho el guerrillero. «Después, los que quedaran y resistieran las primeras pruebas se acostumbrarían a la suciedad, a la falta de agua, de comida, de techo, de seguridad y a vivir continuamente confiando sólo en el fusil.»[72] Nada es más peligroso que un exceso de higiene, porque fragiliza. Siempre preocupado por sus hombres, Fidel pide al campesino amigo en cuya casa se han detenido que vaya a la ciudad a buscar medicamentos para el Che, que está mal, y excepcionalmente lo instala en un precario refugio no lejos del bohío con un recluta reciente a su lado. «En un gesto de desprendimiento Fidel me dio, para defendernos, un fusil Johnson de repetición, una de las joyas de nuestra guerrilla.»[73] Pese a la adrenalina que le proporcionan Guevara necesitará diez largos días para reunirse con el grupo, alejado apenas una jornada de marcha normal. Los soldados están por

los alrededores y su compañero tiembla cada vez que el asmático, as-
fixiándose, no puede contener su tos aunque su voluntad sea pasmosa. «Para avanzar, iba apoyándome de árbol en árbol y en la culata
de mi fusil.»[74] También él podría afirmar que lo que hizo no lo habría
hecho ni siquiera una bestia.

Mientras recupera el aliento, una vez reunido con sus compañeros, le comunican las noticias: en La Habana, la rivalidad para ponerse a la cabeza del movimiento revolucionario a escala nacional
ha llevado a una nueva generación del Directorio estudiantil a lanzarse a un enloquecido ataque al Palacio Presidencial que ha fracasado; el saldo es de 35 muertos. La eliminación de Batista, en aquellos momentos, habría privado de interés a la guerrilla de Castro.
Habría dado la preeminencia a la ciudad, al llano sobre la sierra, y
obligado a Castro a negociar los dividendos de la victoria con los
vencedores de La Habana. La entrevista del *New York Times* ha
causado sensación en Cuba donde, aprovechando una relajación de
la censura, todos los periódicos la han reproducido. Fidel está convirtiéndose en símbolo de la resistencia para la juventud. El ministro de Defensa de Batista se pone en ridículo afirmando que la entrevista había sido inventada. Matthews replica haciendo publicar
una foto en la que Castro está sentado a su lado. Irrefutable. Otra
noticia alentadora es la inminente llegada de los refuerzos prometidos por País.

Guevara, ya recuperado, recibe de Fidel el encargo de ir a recibir
a los nuevos reclutas. Advierte la diferencia entre ellos y los veteranos a quienes unos meses en la sierra han transformado en centu-
riones curtidos, «barbudos, con mochilas hechas de jirones y retazos,
ataviados de cualquier modo, y los "novatos" de uniformes limpios
todavía, hermosas mochilas todas iguales, caras recién rasuradas
[...] No tenían costumbre de comer sólo una vez al día [...] y cargaban
con mochilas atestadas de cosas inútiles».[75] Por añadidura no saben
caminar en ese terreno, advierte Guevara, que intenta tomar las
riendas pero choca con su jefe, llegado como ellos de la ciudad y que
se niega a ceder el mando. «En aquella época, todavía yo sentía mi
complejo de extranjero»,[76] explica Guevara, a quien Fidel reprochará
no haber utilizado su autoridad. No olvidará la lección y pronto se librará de aquel tipo de dudas, comportándose en adelante como un
cubano sin ocultar por ello su calidad de argentino. A fin de cuentas,
es un *che*.

Abucheado por la prensa, a Batista le gustaría librarse de aquella guerrilla que, aunque lejana, es como un desagradable furúnculo.

La falta de una victoria contundente es ya una derrota, pues los rebeldes aprovechan la situación para asegurar su dominio en los espacios de la sierra por donde los militares, escaldados, se aventuran a regañadientes y que la guerrilla denomina, no sin énfasis, «territorios liberados». Castro tiene inclusive un émulo. Refugiado en Miami tras haber sido derribado por Batista, el antiguo presidente Prío Socarrás pretende hacerse presente también en el período posbatista. Enriquecido por una fortuna obtenida de las arcas del Estado, fleta el yate *Corinthia* y financia una pequeña expedición que desembarca en Oriente y es destruida sin piedad por el ejército el 28 de mayo, el mismo día en que los *fidelistas* obtienen una nueva victoria sobre una guarnición militar bien protegida.

Gracias a los refuerzos enviados por la ciudad, Castro ha recuperado aproximadamente el equivalente de los efectos desembarcados del *Granma*. Distribuye su tropa, atribuye mando a su hermano Raúl, al negro Almeida y a Camilo Cienfuegos, apostado en la vanguardia de la columna. Conserva a Guevara a su lado, como «médico del estado mayor». La función de médico no es pura fórmula. Guevara la ejerce con los medios de que dispone, tanto con sus compañeros como con los campesinos que se cruzan en su camino, aunque Cienfuegos, siempre burlón, le trate de *matasanos*. «Apenas poníamos el pie en una aldea, abría la consulta. Era monótona pues no tenía muchos medicamentos que ofrecer. [...] Mujeres sin dientes, niños de vientres enormes, parasitismo, avitaminosis en general, eran los signos de la Sierra Maestra.»[77]

La reputación de aquel doctor llegado de Argentina se propaga entre los campesinos. Hasta el punto de que un avispado que ha conocido a los guerrilleros, ve la ocasión de obtener los favores del sexo débil haciéndose pasar por el Che: «Traigan a las mujeres, que las examinaré.» Una vez rapta a la mujer de un campesino y la viola. Castro, que afirma haber ejecutado «a muy poca gente» durante la guerra, no tiene compasión con el impostor: «Lo fusilamos.»[78]

Antes de afrontar el combate, los guerrilleros «veteranos» entrenan a los recién llegados en el arte y el modo de desenvolverse en las difíciles condiciones de la sierra. Los familiarizan, por la práctica, con el vocabulario brutal y directo, las blasfemias que salpican la menor frase; pero los acostumbran también a no gritar nunca a fin de no revelar su presencia al enemigo, a susurrar y permanecer siempre alerta. Si deben atravesar terreno abierto o un claro, nunca lo hacen en grupo, sino uno a uno, a buena distancia, para que los aviones que patrullan puedan creer que se trata de un campesino aislado. Los enseñan a caminar sin dejar huellas, a cuidar el arma, colgar una hamaca, protegerse de la lluvia y el sol, soportar sin rascarse demasiado las infernales picaduras de los insectos. Todo ello resulta indispensable para «mantener la moral».

Una guerrilla con sombreros de yarey

Los artículos del *New York Times* incitan a un equipo de televisión del Columbia Broadcasting System a filmar *in situ* a la guerrilla de aquellos Robin de los Bosques cubanos. Tanto más cuanto saben que en el grupo figuran tres jóvenes norteamericanos, hijos de funcionarios de la base naval de Guantánamo que, según Guevara, abandonaron a sus familias «para saciar su afán de aventura viviendo entre nosotros durante algunos meses».[79] Sufrirán de mil pequeñas heridas que el doctor Guevara se esforzará en curar. Acompañada por Celia Sánchez, la gente de la televisión compartirá durante casi dos meses la vida de los guerrilleros. Fidel Castro adora eso, aunque no es por completo consciente del gigantesco poder que va a tener ese medio, poco extendido todavía. Lúcido contemporáneo de *Ciudadano Kane*, concederá mucha importancia a lo que no se llama aún «política de comunicación». Guevara se mostrará más prudente con la prensa, cuyo poder no desconoce pero que a menudo lo irrita por su carácter superficial y reductor. En ese caso, dice, «se trataba de mostrar nuestra fuerza y eludir cualquier pregunta demasiado indiscreta».[80] Castro no hallará nada más «visual» que hacer trepar a todo el mundo, con equipo y cargamento, hasta el punto culminante de la Sierra Maestra y de la isla, donde se levanta un pequeño monumento a José Martí, el pico Turquino (1.850 m en su altímetro de campaña), signo de que la guerrilla es efectivamente dueña de la montaña. «Aquella escalada de nuestra más alta cima era una operación casi mística»,[81] anota el argentino, que se refiere a «nuestra» cima como un ciudadano cubano de pleno derecho. Apenas se ha marchado el equipo de la CBS, llega otro periodista norteamericano, Andrews Saint George. Guevara, que más tarde lo calificará de «agente del FBI», se encarga de él pues «yo era el único que hablaba francés (por aquel entonces nadie hablaba inglés)». A partir de ese momento, la epopeya romántica de los buenos justicieros, combatiendo en una espesa jungla contra los soldados del malvado dictador, se convertirá en frecuente tema de reportajes. Sobre todo porque la aventura de Fidel Castro y sus *boys* no ha recibido todavía la infamante etiqueta de comunista. Por el contrario, en sus artículos Matthews ha escrito que el programa de Castro, aunque vago, podría significar para Cuba una transformación «radical, democrática y por tanto anticomunista».[82] En su libro, advierte que después de su exclusiva «las montañas se convirtieron en un lugar de peregrinación para un ejército de periodistas de la prensa diaria y periódica, de la radio, de la televisión y para los fotógrafos de prensa».[83]

Pasan los días y las semanas. Los medios de comunicación hablan, la guerrilla avanza, el Che se endurece. La sierra, tan salvaje cuando no se la conoce, comienza a convertirse en una amiga. «Nosotros seguimos nuestro lento camino por la cresta de la Maestra o sus laderas; [...] difundiendo la llama revolucionaria y la leyenda de nuestra tropa de barbudos por otras regiones de la sierra. El nuevo espíritu se comunicaba a la Maestra. Los campesinos venían sin tanto temor a saludarnos y nosotros nos sentíamos más amigos de nuestros guajiros.»[84] Cuando el asma se lo permite, Guevara se revela como un aguerrido montañero. Así lo demuestra la pequeña aventura que vive durante una marcha nocturna, cuando «al ir a cumplir un cometido intrascendente, equivoqué los caminos y estuve perdido tres días hasta volver a encontrar a la gente».[85] Más que los conmovedores encuentros que muestran cómo es querido por sus compañeros —«¡qué caluroso recibimiento que se me hizo!»—,[86] lo interesante es el modo de resolver el problema. «Pude darme cuenta de que llevábamos en las espaldas todo lo necesario para bastarnos a nosotros mismos. [...] Todo lo necesario para dormir, hacer fuego y la comida...»[87] Sobre lo que debe contener la mochila de un combatiente, escribirá más tarde páginas muy precisas. En su breviario de la insurrección armada, *La guerra de guerrillas*, extrae enseñanzas teóricas y prácticas de las menores peripecias de su vida guerrillera. Esa preciosa obrita es considerada por algunos, en América Latina, tan peligrosa que se convertirá en texto de estudio obligatorio de las escuelas de guerra antisubversivas, comenzando por la de las Fuerzas Especiales norteamericanas con base en Panamá.

Más que tender emboscadas a camiones militares, como sugiere Guevara, impaciente por combatir, Castro prefiere montar una acción espectacular que Batista no pueda ocultar. «Fidel tenía ya en la mente la acción del Uvero [...]. Es que, en ese momento, las ansias de combatir de todos nosotros nos llevaban siempre a adoptar las actitudes más drásticas sin tener paciencia.»[88] Las armas que esperan llegan a mitad de mayo. Han servido mucho ya, pero no por ello Guevara deja de sentirse fascinado. «A la noche llegaron las armas, para nosotros aquello era el espectáculo más maravilloso del mundo; estaban como en exposición ante los ojos codiciosos de todos los combatientes, los instrumentos de muerte.»[89] La observación podrá escandalizar las almas sensibles, pero revela el sentido de lo real, muy pragmático, de un hombre que ha comprendido que en la guerra hay que matar si no se quiere morir. La distribución de las armas se transforma para él en un rito de paso, avalando por fin su elección inicial cuando, en la urgencia de su bautismo de fuego de Alegría de Pío, decidió salvar las municiones antes que los medicamentos. Castro le confía un fusil automático americano M-1, «arma muy buscada [...]. Siempre recuerdo el momento en que me fue entregado este fusil ametralladora [...]. De tal manera me iniciaba como combatiente directo, pues lo era ocasional, pero tenía como fijo el cargo de médico; empezaba una nueva etapa para mí en la sierra».[90]

La guarnición del Uvero está situada a orillas del mar Caribe, al pie de la Sierra Maestra, como el pequeño puesto de La Plata donde la guerrilla obtuvo su primera victoria. Pero ésta se halla mucho más fortificada, con sesenta hombres, nidos de ametralladora y la protección de los montones de madera de la serrería cercana, próxima a una aldea que los rebeldes tienen la consigna de respetar. El 28 de mayo «veíamos que avanzaba ya el día y empezaba la penumbra precursora de la mañana sin que estuviéramos en posición [...]. Se pensó que la acción iba a acabar en poco tiempo».[91] Se equivocan. El combate dura casi tres horas y es sangriento: seis muertos y ocho heridos entre los rebeldes, entre ellos el fuerte Almeida. Más del doble entre los militares, que terminan rindiéndose. En cierto momento, los gemidos de los heridos producen entre los rebeldes cierto desconcierto que Guevara percibe. «Entonces —cuenta Joel Iglesias, miembro de su escuadra— el Che se paró y avanzó, de pie, sin tomar precauciones, descargando su ametralladora y gritando: "¡Tenemos que ganar!"»[92] Castro, al evocar ese combate, saludará en Guevara «al soldado que más se distinguió realizando por primera vez una de esas proezas singulares que iban a caracterizarlo».[93] Tras la batalla del Uvero, «que marcó la mayoría de edad de nuestra guerrilla»,[94] los generales de Batista consideran prudente evacuar las zonas costeras de la Sierra Maestra, dejando el campo libre a los rebeldes.

Su ascenso a combatiente de pleno derecho no liberará sin embargo a Guevara de su tarea de médico. Muy al contrario, y previendo encarnizadas represalias, Castro decide ponerse en campaña lo antes posible y confía los heridos a los cuidados del médico guerrillero. «El reencuentro con la profesión médica tuvo para mí momentos muy emocionantes»,[95] reconocerá Guevara, pero que no concreta la naturaleza de esa emoción. Es evidente que preferiría combatir a cuidar enfermos. Su viejo amigo guajiro Luis Crespo afirma que si Fidel le hubiera obligado a ser sólo médico, el Che habría sido «el primer desertor». En 1960, ante los estudiantes de medicina de La Habana, hará una autocrítica apenas velada por el «nosotros» oficial: «Nos parecía un deshonor estar al pie de un herido o de un enfermo, y buscábamos cualquier forma posible de agarrar un fusil e ir a demostrar, en el frente de la lucha, lo que uno debía hacer.»[96] Sin embargo, realizará del mejor modo posible su difícil misión. Son cinco hombres para ocuparse de ocho heridos, cuatro de los cuales no pueden caminar. No es un paseo transportar hombres en hamacas colgadas de una gruesa rama «que sierra literalmente la espalda de los porteadores». Velocidad media: 400 metros por hora. Ayudado por los obreros de la serrería y luego por unos campesinos, consigue poner al grupito a cubierto en la casa del guajiro del M-26, Israel Pardo, transformada en un precario hospital de campaña bien vigilado para prevenir cualquier incursión de los guardias de Batista y rodeado de una red de campesinos-centinelas dispuestos a dar la alarma al menor peligro. Todo el mes de junio de 1957 se consagrará a la curación de los compañeros heridos.

Durante aquellas semanas de relativa inmovilidad, Guevara perfecciona su conocimiento del campesinado montañés de Cuba. Evalúa la miseria de aquella población olvidada sin la cual la guerrilla habría sido pronto aniquilada. «La situación campesina en las zonas agrestes de la serranía era sencillamente espantosa.»[97] Se da cuenta del grado de incredulidad e ignorancia de la gente, de su abnegación e intensa vinculación con la tierra, incluso cuando esta tierra es ingrata. Todos están obsesionados por las cuestiones de límites que esgrimen los latifundistas para discutirles el derecho a desbrozar un trozo de tierra. Mantiene largas conversaciones con unos y otros, se empeña en explicar que es posible e impostergable «cambiar las cosas». En especial a uno que expresa una sed secular de tierra y se empeña en querer trabajar su campo por su propia cuenta, intenta demostrarle que es preferible unir esfuerzos en una cooperativa. Por la noche, a la luz de las estrellas o de un pequeño quinqué, algunos campesinos se acercan para escucharlo. Por más «cubanizado» que esté, su pronunciación conserva aún la suave melodía del acento argentino. Ellos cuentan sus historias, evocan leyendas y supersticiones. Él improvisa pequeñas y sencillas charlas políticas. No habla «el marxista», idioma que les resultaría incomprensible, sino más bien «concientiza»; es decir, intenta despertar conciencias... «Nuestra misión —escribirá a este respecto— es desarrollar lo bueno, lo noble de cada uno y convertir a todo hombre en un revolucionario.»[98] Con los guajiros se sentirá colmado. Fidel Castro reconoció que en esa época él mismo y sus hombres ignoraban la realidad social y física de la región. «Cuando llegamos no habíamos hecho ni siquiera un estudio geográfico de la sierra, ni tampoco previsto organización alguna para Sierra Maestra.»[99] Guevara, en una conferencia pronunciada inmediatamente después de la victoria, subraya el tiempo que necesitaron para que el pueblo humilde de la montaña los adoptara realmente. Ciudadanos instruidos en su mayoría, se ven confrontados desde el desembarco con campesinos atónitos, desconfiados, analfabetos —imagen invertida de sí mismos—, a los que primero tendrán que descubrir y luego educar. «Nosotros éramos un grupo de extracción civil que estábamos pegados pero no injertados en la Sierra Maestra. [...] Éramos un grupo al que se veía con tolerancia pero que no estaba integrado; [...] Poco a poco en el campesino se fue operando un cambio hacia nosotros, impulsado por la acción de las fuerzas represivas de Batista [...] y ese cambio se tradujo en la incorporación a nuestras guerrillas del sombrero de yarey.*»[100]

Guevara sigue teniendo su aspecto de loco flaco y su rostro de joven, rodeado por una barba rala. Ya no se afeita el cráneo, como al principio. Fajardo, uno de los primeros campesinos que se unió a Fidel, da testimonio de ello.[101] Ahora, como todos sus compañeros, lleva el cabello largo y ondeante, «como el de una chica»,[102] dice la guajira Heralda Ortiz. Pero el obligado descanso le resultó beneficioso; ha recuperado fuerzas aunque su asma, que no lo abandona, se haga a veces opresiva. «En aquellos días se había agravado algo mi asma y la falta de medicina me obligó a una inmovilidad similar a la de los heridos.»[103] Fuma entonces hojas secas, remedio de la sierra. Un mensajero que llega con los medicamentos le describe «como un animal acosado»;[104] nunca dejará de explorar, en solitario, ese continente de la respiración casi cortada. No lejos del campamento, Guevara se baña a veces en un estanque de agua clara. «Y esto sí que era un acontecimiento»,[105] dicen los testigos. Su primordial preocupación son los heridos. Día tras día vela por su restablecimiento y comienza incluso a bromear con Almeida; no olvida que fue él quien le sacó del tiroteo de Alegría de Pío, cuando se creía ya muerto. Justa compensación. «Los curó, los salvó la vida»,[106] dirá Castro. Por lo que se refiere a los

---

* Sombrero hecho de la paja trenzada de la palma.

cuidados médicos que podría proporcionar a los campesinos de la región, no se hace ilusiones. Lo que debe cambiarse son las condiciones de vida, la subalimentación. Cuando recibe de la ciudad un estuche de instrumentos de cirugía dental, se proclama «sacamuelas». A falta de anestesia química, intenta hacer soportable el dolor a base de anestesia «psicológica» (tales como buenas blasfemias, broncas afectuosas que ponen en cuestión la virilidad del paciente). Nuevos reclutas campesinos llegan para ofrecerse espontáneamente. Los equipa como puede, desenterrando viejas armas escondidas tras la batalla del Uvero. Un buen día, con los convalecientes ayudados por los sanos, la pequeña columna de una treintena de hombres se pone en marcha hacia el nido de águila del Turquino, para reunirse con Castro. Éste se siente muy feliz de recuperar a sus dos excelentes lugartenientes, Almeida, algo debilucho todavía, y Guevara, que le anuncia «misión cumplida». Desde entonces, dirá Castro, «[el Che] se afirmará como un jefe capaz y valeroso».[107]

Inmediatamente después de los abrazos de bienvenida, el Che debe enfrentarse a una realidad más compleja que la supervivencia en un medio hostil, la de los meandros de la lucha política. En Santiago, Frank País sigue teniendo un comportamiento ejemplar. Traza con Celia Sánchez una notable logística, pero propone algo que para Castro es una herejía total: dividir el poder entre la ciudad y la montaña. Y eso en el momento en que Fidel martillea a Celia Sánchez: «¡Todos los fusiles, todas las balas y todos los recursos para la sierra!» En La Habana, Carlos Franqui, redactor jefe del periódico clandestino *Revolución*, insiste en la oposición del M-26 a cualquier «caudillismo», esa plaga endémica de América Latina que consiste en permitir que un jefe, un *caudillo* más o menos providencial, confisque el poder. «Aspiramos —escribe— a que Fidel Castro [...] sea un líder y no un caudillo.»[108]

Guevara encuentra a Fidel en plena discusión con dos personalidades llegadas de La Habana, Raúl Chibás, hermano del dirigente ortodoxo que se suicidó para demostrar la primacía del «honor sobre el dinero», y Felipe Pazos, ex presidente del Banco Nacional que, excepcionalmente, no se llenó los bolsillos. Para contrarrestar la pequeña bandería que adivina en el seno del Movimiento contra su «centralismo», Castro firma con aquellos dos moderados un «Manifiesto de la Sierra» poco revolucionario, que habla de «frente popular» unitario contra la dictadura, de elecciones libres, de inicio de reforma agraria «tras indemnizar a los propietarios». Para él es un modo de asegurar su liderazgo a escala nacional, más allá del M-26, lanzando como cebo para los otros dos signatarios la posibilidad de hacerse con la presidencia de la República después de la victoria. Para Guevara, cuyo radicalismo no admite matices pero que no ha sido invitado al debate, es un simple compromiso necesario. «Para nosotros no era más que un pequeño alto en el camino.»[109] No ha evaluado todavía la marrullería del jefe guerrillero.

Che comandante

El pequeño ejército cuenta por entonces con unos doscientos hombres, demasiados para mantener la movilidad necesaria. Castro reestructura de nuevo. Esta vez no mantiene a Guevara en la sombra protectora de su «estado mayor» sino que, como ha dado ya buenas pruebas de su capacidad, le confía el mando de una columna de setenta y cinco hombres, con el grado de capitán. Será llamada, no sin cierta ingenuidad, columna n.º 4, para engañar al enemigo sobre la importancia de los efectivos de la rebelión. Guevara se siente muy orgulloso pero mantiene la cabeza fría. Nos describe con irónicos trazos el dispar aspecto de la columna colocada bajo sus órdenes, «a la cual llamaban "el desalojo campesino" y estaba constituida por unos setenta y cinco hombres, heterogéneamente vestidos y heterogéneamente armados».[110] La fórmula no carece de humor (negro), pues los guerrilleros han tenido la ocasión de asistir, en los sinuosos caminos de la sierra, al triste espectáculo de los guajiros obligados por los militares a desalojar sus campos y sus chozas para combatir más fácilmente a los rebeldes con la táctica de la tierra arrasada.

El 21 de julio de 1957 llega un momento inolvidable para Guevara. Algunos días antes del aniversario de la hazaña fidelista, celebrado con una misa, los oficiales que saben escribir —no todos saben— son llamados a firmar una bella carta de solidaridad con Frank País, cuyo hermano acaba de ser asesinado por «la tiranía». «Se firmó la carta en dos columnas y al poner los cargos de los componentes de la segunda de ellas, Fidel ordenó simplemente: "Ponle comandante", cuando se iba a poner mi grado. De ese modo informal y casi de soslayo, quedé nombrado comandante de la segunda columna.»[111] Edelfín Mendoza, testigo de la escena, recuerda: «Se le salió una sonrisa, una alegría, qué sé yo: había que verle a ese hombre la cara.»[112] Guevara acaba de cumplir veintinueve años. Es el primero en la guerrilla que recibe este grado, el más alto del ejército rebelde. Eso confirma también que en adelante tendrá que combatir y no ya «hacer de médico». Lo reconoce: «La dosis de vanidad que todos tene-mos dentro, hizo que me sintiera el hombre más orgulloso de la tie-rra ese día. El símbolo de mi nombramiento, una pequeña estrella, me fue dado por Celia junto con uno de los relojes de pulsera que ha-bían encargado a Manzanillo.»[113] A partir de ese momento, Ernesto Guevara se convertirá realmente en el Che que nos describen los tes-timonios que construirán su leyenda. Un hombre generoso, igualita-rio, pero inflexible en los principios, un asceta tan severo consigo mismo como con los demás, capaz de soportar mil sufrimientos para obtener una victoria sobre las fuerzas de la dictadura. Un temible jefe que adiestra a sus hombres para comportarse, en cualquier cir-cunstancia, como héroes espartanos.

Fidel le asigna como territorio de combate la parte oriental de la Sierra Maestra, 200 km^2, dándole carta blanca «a condición de que sea prudente». Llevará entonces una vida semiindependiente, inten-tando mostrarse digno de la confianza que han depositado en él con algunas acciones de relumbrón. Con su tropa de harapientos, mal equipados, poco entrenados porque muchos son nuevos, se lanzará a algunos «golpes» que no marcarán siempre fechas imperecederas en la historia de la guerrilla, pero que serán otras tantas victorias sobre Batista. Su armamento es tan heteróclito como inoperante en los mo-mentos cruciales; metralletas que se encasquillan, fusiles que no dis-paran, granadas que no estallan, explosivos que fallan... Pero, ante el enemigo, Guevara hará de su guerrilla una especie de arte de la tauromaquia.

En Bueycito, la noche del 31 de julio, se apodera de un pequeño cuartel ocupado por doce guardias y lo hace incendiar «no sin retirar todo lo que podía sernos útil». Cuando intentó dar la señal de ataque disparando contra el centinela alertado por los ladridos de los perros, ¡nada! «Apreté el disparador con la intención de vaciarle el cargador en el cuerpo, pero la primera bala falló y quedé indefenso. Israel Pardo tiró, pero su pequeño fusil 22, defectuoso, tampoco dis-paró», y he aquí que nuestro *guerrillero heroico* comprende en un segundo que la salvación está en la huida. «En medio del aguacero de tiros del Garand del soldado, corrí con velocidad que nunca he vuelto a alcanzar.»[114] Otras circunstancias lo mostrarán lo bastante intrépido como para no necesitar disfrazar la verdad. Escribe a Fi-del: «He estrenado mis galones de comandante; ha sido un éxito», pero en sus *Recuerdos* precisa: «Aunque mi participación en el com-bate fue escasa y nada heroica pues los pocos tiros los enfrenté con la parte posterior del cuerpo, me adjudiqué un fusil-ametralladora

Browning, que era la joya del cuartel, y dejé la vieja Thompson y sus peligrosísimas balas que nunca disparaban en el momento oportuno.»[115]

Un mes más tarde, historia casi análoga en El Hombrito. Organiza una emboscada contra una columna de ciento cuarenta soldados a las órdenes de un tal Merod Sosa, comandante de reputación tan siniestra como la del peligroso Sánchez Mosquera. Su arma funcionó, es cierto, cuando «tras una interminable espera» eligió derribar al sexto hombre de la vanguardia, iniciando el tiroteo general. Pero esta vez no consigue hacer funcionar la metralleta Maxim, «la única arma de cierto peso que teníamos». Y sin embargo, también allí, con sus pequeñas carabinas que hacen más ruido que otra cosa, detienen el avance de la columna provista de bazucas. Para vengarse de su derrota, Merod Sosa hace pasar por las armas a cuatro campesinos culpables, a su entender, de no haberle indicado la presencia de los rebeldes. Por esta razón, explica Guevara, «conocedores de los sistemas que empleaban los jefes del ejército batistiano, ocultábamos nuestras intenciones a los campesinos».[116] La regla de oro es que el campesinado se una a la rebelión, no convertirlo en víctima ni menos aún en enemigo.

Con Fidel han puesto a punto una pequeña y sencilla fórmula estratégica que consiste en jugar al gato y el ratón con las fuerzas de Batista, hiriendo en lo más vivo el amor propio de los soldados. Llegar a una aldea y apoderarse del puesto militar si lo hay; si no lo hay, «hacer acto de presencia» y marcharse; luego instalarse en los mejores lugares, junto a los caminos de acceso, para tender una emboscada al ejército que sale precipitadamente en su busca. Éste es el esquema del enfrentamiento de Pino del Agua, en septiembre, junto al «aserrio» de madera de pino a mil metros de altura. Guevara aguarda siete días antes de ver cómo suben cinco camiones cargados de soldados. Llueve a mares. Eso no impide el tiroteo y la desbandada de los guardias. Tres camiones quemados, cuatro soldados muertos y, tratándose de heridos, un elocuente incidente que cuenta Guevara. Cuando reprocha ásperamente a uno de sus hombres «el acto de vandalismo» que supone el disparo con que acaba de rematar a un herido, otro soldado herido, oculto hasta entonces, descubre su presencia gritando a los rebeldes que se acercan: «¡No me maten! El Che dice que no se mata a los prisioneros...»[117] La noticia del enfrentamiento se propagará por Cuba, debidamente deformada por una obediente prensa que comienza a hablar de cierto «agente comunista internacional conocido con el nombre de Che Guevara».[118]

218

Más que de su imagen en la prensa, el «comunista internacional» se preocupa sobre todo de tener bien sujeta su columna y obtener de sus hombres una disciplina y una resistencia ejemplares. No es fácil hacerse obedecer por un grupo de hombres de agallas que no son precisamente monaguillos; reclutas recientes a menudo, ignoran «las virtudes formadoras de las privaciones de la vida combatiente». Guevara es, por aquel entonces, una especie de lebrel cuya aparente fragilidad es desmentida por un sorprendente vigor apoyado en una voluntad de hierro. Se ríe un poco cuando algunos le tratan de «comandante» con exageración. No tiene demasiado tiempo para explicitar su filosofía de combate, a saber: que luchando contra la dictadura el guerrillero se ve llevado a «sustituir un orden injusto por algo nuevo». Este lenguaje es demasiado abstracto para los campesinos que se han unido a la rebelión porque el ejército los persigue y los propietarios les roban las tierras que ellos desbrozan. Para expulsar realmente al ejército de la sierra, Guevara necesita combatientes expertos. Establecerá su selección mediante la prueba del «camina o revienta». «La base del ejército guerrillero es la marcha y no podrá haber lentos ni cansados»,[119] escribe en *La guerra de guerrillas*; cincuenta minutos de marcha seguidos de diez minutos de descanso, y vuelta a empezar. Toda la noche, por lo general, o todo el día cuando la selva protege de los ametrallamientos aéreos. Las consignas se transmiten a lo largo de la fila india. A los surrealistas les habría gustado esa variante del «cadáver exquisito»: los mensajes llegan deformados por el boca a oído, de manera a veces bastante chusca.

Enrique Acevedo, un chiquillo de catorce años, se ha unido al grupo (años más tarde será general). Recuerda lo que le impresionó primero: el hedor mezcla de sudor humano, olor a orines y cuerpos sin lavar. Cuenta el aspecto harapiento de la mayoría de aquellos *barbudos*, piojosos en el sentido literal del término, vestidos desaliñadamente, embarrados, mugrientos, hasta el punto de que los llaman los *descamisados*, como a los proletarios de los arrabales de Buenos Aires, niños mimados del peronismo. El Che no tiene mejor aspecto. Sus pantalones están agujereados, sus calzoncillos hechos jirones... Acevedo cuenta la obsesión cotidiana de cada uno de ellos: comer, beber, vendar sus heridas. Un pedazo de *malanga* —un gran tubérculo insípido— hervido sin sal y media lata de sardinas por cabeza, y a veces nada para beber, salvo el agua de un charco cuando ha llovido. Un «veterano» le enseña cómo, cortando limpiamente las lianas que trepan hacia las copas de los árboles, puede llenarse una cantimplora. «El que ha sufrido privaciones se convierte en un verdadero elegido»,[120] asegura Guevara.

Numerosos son los que sufren disentería, otros una malaria traída de los arrozales del llano, casi todos tienen los pies cubiertos de ampollas y furúnculos en los hombros «ocasionados por el roce y el peso de la mochila y el fusil».[121] Dada la falta de medicinas, el médico no puede hacer demasiado pero, advierte Guevara, «es incalculable lo que significa para el que está sufriendo, una simple aspirina, dada por la mano amiga de quien siente y hace suyos los sufrimientos».[122] Régis Debray, que será confrontado a este tipo de experiencia, escribe que «los primeros tiempos en la montaña, la vida es sencillamente un combate diario, en sus menores detalles —y, en primer lugar, un combate del guerrillero contra sí mismo; [...] muchos abandonan, desertan».[123]

Por mucho que el Che haya ido a la universidad, son su experiencia de excursionista por las sierras de Córdoba y su inaudita voluntad que le permiten adaptarse, con ingenio, al universo rudo y duro de Sierra Maestra, que convierte en su dominio. Salvo por los ataques de asma, aguanta mejor que algunos campesinos que se rajan, lo encuentran demasiado duro, desertan o piden marcharse. En estos casos pierde a veces su reserva y monta en cólera. «¡Que salgan los pendejos, los raja'os, los culos de vaca!»,[124] le ladra a un grupito que farfulla pretextos para abandonar. Sabe que éstos pueden convertirse en salteadores de caminos o chivatos del ejército. Les da media hora para abandonar el arma y correr. Cuando el Chino Wong desertó llevándose el fusil, acto criminal, envió a dos hombres en su persecución, uno de los cuales, al confesar que no atraparía al desertor, amigo suyo, fue ejecutado sin vacilar por el otro. Guevara hace desfilar a su grupo, en fila india y riguroso silencio, ante el cadáver del joven desertor, «un campesino humilde [...]. Naturalmente, los tiempos eran duros y se dictaminó como ejemplar la sanción».[125] Cierta vez se deja ablandar por un soldado de Batista que se les ha unido, proclamándose rebelde como ellos, y que le hace el patético relato de la enfermedad de su madre. Se arrepentirá. El felón no sólo hace asesinar por los guardias a los cuatro hombres que lo escoltan sino que se apresura a denunciar a todos los campesinos que han ayudado a la guerrilla. «Innúmeras son las víctimas que costó mi error al pueblo de Cuba»,[126] reconoce Guevara, más autocrítico que nadie.

Cierto día, un accidente provoca un verdadero motín. Lalo Sardiñas, capitán y «combatiente de elite», amenaza con su revólver a

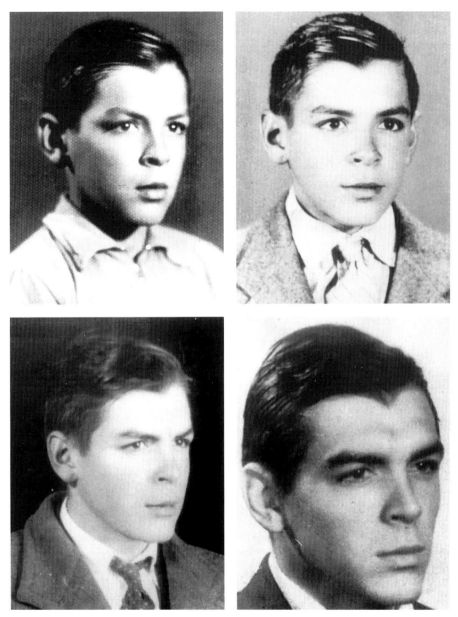

Del chiquillo travieso al apuesto melancólico: una personalidad ya fuerte y una mirada...

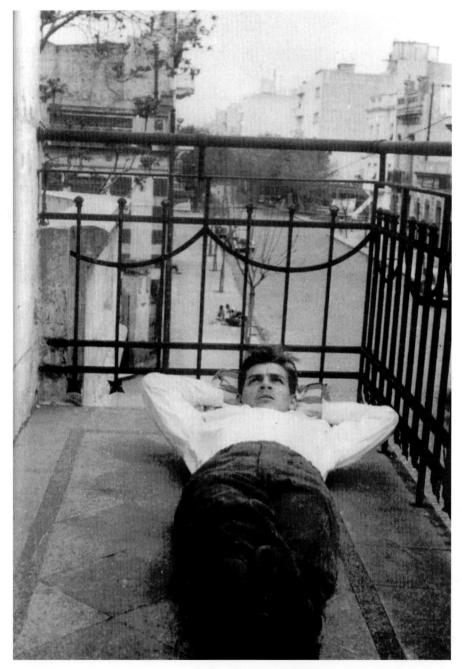

Buenos Aires, 1953. ¿En qué nuevos viajes sueña ese estudiante en su balcón? Dentro de unos meses, con el título en el bolsillo, se marchará para no regresar.

3

Asmático, pero empecinado jugador de rugby. En el club Atalaya de Buenos Aires hacia 1948. Tiene veinte años.

1947. En torno al coche americano, matriculado en Buenos Aires, exhibe la postura de sus diecinueve años (a la izquierda) con unos amigos de Córdoba.

4

IO AUSTRAL" - Temuco, martes 19 de febrer

2 expertos argentinos en leprologia recorren Sudamérica en motocicleta

Están en Temuco y desean visitar Rapa-Nui

DR. A. GRANADOS Y EL ESTUDIANTE E. GUEVARA
El raíd llegará hasta la capital venezolana.

1952. Partir. Descubrir América... viejo sueño. Comienza por Argentina (en velomotor), luego Chile (en moto, con Granado), baja por el río Amazonas (aquí, en la balsa Mambo-Tango). La gran aventura...

5

1955. En Toluca (México), flanqueado por dos peruanas. Hilda Gadea (a la derecha) se casará muy pronto con él.

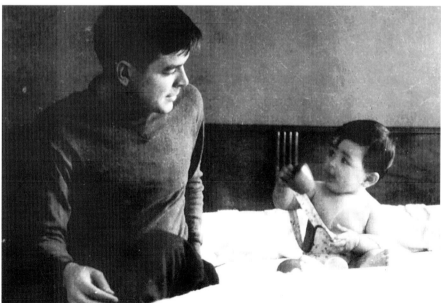

México, 1956. Tiene veintiocho años, e Hilda, su primera hija, sólo unos meses.

6

1956. Antes de embarcarse en la aventura cubana con Fidel Castro, entrenamiento físico (ascensión al volcán nevado Popocatepetl) y militar.

ORDENAN

que salgan de México cubanos libertados; Castro sigue preso

MEXICO, julio 11. (UP). —El Ministerio del Interior anunció que sólo quedan detenidas tres personas por la acusación de conspirar contra el gobierno del presidente Batista, de Cuba. Los detenidos son el doctor Castro Ruz (Fidel), el médico argentino Guevara Serna y el cubano García Martínez.

Se dijo que no serán libertados hasta que el juez Lavalle, en audiencia señalada para el próximo día 19, ordene su libertad o los instruya de cargos.

El cubano Santiago Hitzel fué libertado anoche y tanto a él como a otros de los 19 libertados, se les ha invitado a abandonar el territorio mexicano a la "mayor brevedad posible".

1956. Acusados de conspirar contra el gobierno de Batista en Cuba, el «doctor» Fidel Castro y el belicoso Guevara Serna son detenidos por la policía mexicana.

Sierra Maestra, 1957. La imagen de la felicidad: Lectura, cigarro y la compañía de un perrito.

Sierra Maestra, 1957. A la izquierda de Fidel Castro, con gafas, impresionante, un hombre de grave mirada: Ernesto Guevara.

Diciembre de 1958. El comandante Guevara, al que ya llaman el Che, en la sierra del Escambray. Dentro de pocos días se apoderará de Santa Clara, en el centro de Cuba, y se dirigirá a La Habana.

9

Diciembre de 1958. A la derecha: *En Cabaiguán, pequeña población engalanada con bande-ras cubanas, simboliza la liberación de la dictadura.* A la izquierda: *Con amable mirada y go-rra militar, firma las primeras decisiones.*

Enero de 1959. El Che con sus padres en La Habana.

2 de junio de 1959. El día de su boda con Aleida March, en La Habana. A la izquierda: Raúl Castro y su mujer Vilma Espín.

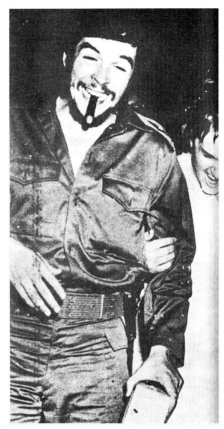

¿Quién dijo que el Che no reía? En esta fotografía los recién casados parecen encontrar muy divertida la broma.

*Con Nasser (*arriba*), Mao Tse-tung (*en el centro*) y Ben Bella (*abajo*).*

Durante mucho tiempo, el Che Guevara y Fidel Castro caminaron hombro con hombro. Hasta el día en que...

Dirigir el Banco Nacional de Cuba, cuando consideras secundario el dinero, puede sorprender incluso a Sartre y Beauvoir (en el despacho del Che, 1960).

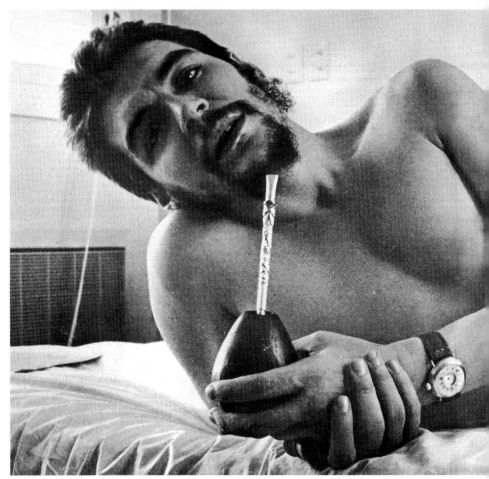

Mate argentino y cigarro cubano en un marco de languidez caribeña...

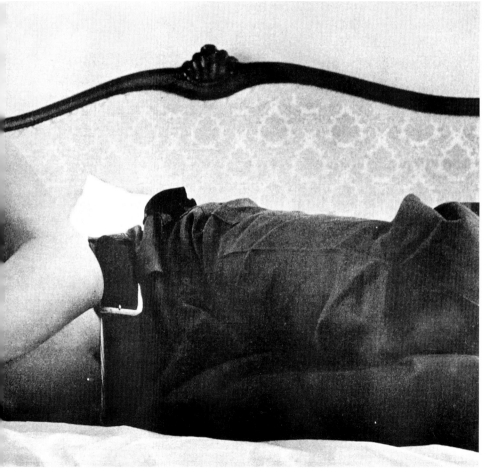

Hinchado por la cortisona (contra el asma), Guevara resulta irreconocible. Aquí, en los trabajos voluntarios de la zafra (recolección de caña de azúcar), hacia 1963.

Un vicio impenitente: el ajedrez.

un hombre indisciplinado y le dispara. Sin embargo, «el hecho de castigar físicamente a un compañero era un acto no permitido en la guerra».[127] Los amigos de la víctima se indignan, reclaman la inmediata ejecución del oficial, arrojan sus fusiles al suelo. La revuelta es tal que Guevara no consigue apaciguarlos. Fidel acude en su ayuda y propone que se ponga a votación el castigo, insólita sugerencia en cualquier ejército, por muy revolucionario que sea. Algunos malpensados dirán que aquél fue, tal vez, el único referéndum realmente democrático que Castro ha aceptado. Lo cierto es que la votación no resuelve nada. Al salir de la cabina improvisada con una lona puesta entre dos estacas, los doscientos cuarenta y seis guerrilleros depositan sus hojas de papel en un casco. Empate de votos a favor de la muerte y en contra. A la luz de las antorchas de pino, el abogado Castro lanza entonces un alegato de una hora en favor de Sardiñas, y obtiene una segunda votación, muy ajustada, que perdona la vida del oficial. Pero al día siguiente dos escuadras entregan sus armas y abandonan la lucha. Guevara recuerda los consejos de Castro para depurar, depurar siempre. El autor de la «locura» es degradado y transferido a la columna n.º 1 mientras Camilo Cienfuegos, otra figura legendaria, toma la cabeza de la vanguardia de la columna n.º 4, a las órdenes del Che. Y se ponen de nuevo en marcha...

Una isla en una isla

«Las condiciones de la sierra permitían ya una vida libre en un territorio más o menos amplio.»[128] De hecho, a partir de septiembre de 1957, el ejército no se atreve ya a aventurarse por las zonas que no logra controlar. La guerrilla no es aún lo bastante fuerte para hacer incursiones fuera del relieve difícil pero protector de la sierra. Sacando partido de aquel relativo equilibrio, el Che decide instalar un campamento estable en una abertura de la montaña, el valle de El Hombrito, encaramado entre húmedas colinas. Planta a manera de desafío, en la cima más alta, la inmensa bandera roja y negra del 26 de Julio, que puede verse desde muy lejos cuando la niebla se disipa; «Feliz año 1958», ironizará una pancarta dirigida a las tropas de Batista. Y organiza enseguida «centros de producción», pues algunos grupos de jóvenes campesinos refuerzan las filas de su columna y es preciso asegurar el equipamiento y el mantenimiento de esa población aprovisionada, a duras penas, por convoyes de muleros.
    Improvisa una sumaria barraca que será bautizada, no sin exa-

geración, como «hospital», así como un horno de barro cocido y una serie de pequeñas chozas, de troncos y hojarasca, donde protegerse un poco del frío nocturno y de la blanca escarcha matinal pues, incluso en los trópicos, el termómetro puede bajar hasta cero cuando se superan los mil metros. No tienen tiempo de echar raíces en aquella precaria base. Fidel les encarga una nueva misión. Hace falta limpiar la zona de ciertos malandrines que, haciéndose pasar por guerrilleros, desvalijan y aterrorizan a los campesinos. La rebelión inicial contra la injusticia es legítima, comenta Guevara, «pero se iban acostumbrando a satisfacer sus propias necesidades y no concebían una lucha de características sociales».[129] De ahí la necesidad de una «mano de hierro» para extirpar aquellos «focos de anarquía». Guevara cuenta sin florituras la ejecución de un jefe de banda, el Chino Chang, ladrón y violador. Se perdona la vida a otros tres miembros de la banda —«Fidel consideró que debía dárseles una oportunidad»—[130] pero, como castigo, les vendan los ojos y los someten a un simulacro de ejecución. «Cuando después de los disparos al aire se encontraron los tres con que estaban vivos, uno de ellos me dio la más extraña y espontánea demostración de júbilo y reconocimiento en forma de un sonoro beso, como si estuviera frente a su padre.»[131] Hermosa escena de un Guevara atónito, a la que asiste el periodista Andrews Saint George, que ha vuelto para investigar. Su reportaje en la revista *Look* será premiado.

Al sedentarizarse, Guevara prescinde de lo que hasta entonces había sido la principal ventaja de la guerrilla: la ligereza, la capacidad de desaparecer en pocos instantes si hay peligro, para esquivar al enemigo y atacarlo por detrás, si es necesario. Piensa que los hombres de Batista no se atreverán a llegar hasta allí. Pero aquel punto de vista optimista no tiene en cuenta la obstinación de Sánchez Mosquera, empeñado en librarse de los rebeldes y sobre todo de aquel diablo argentino que se burla de él. A fines de octubre, Guevara vuelve a El Hombrito para ultimar su instalación. Pretende poner en pie un campamento modelo, inicia el emplazamiento de toda una infraestructura: un dique que proporcionará energía eléctrica, una armería, una talabartería, embriones de pocilga y gallinero, proyectos de editar un periódico. Puesto que la bandera del M-26 es una verdadera provocación que acarrea ametrallamientos y bombardeos cotidianos de la aviación, y que los rebeldes no consiguen derribar ningún aparato, la zona se cubre de refugios antiaéreos y se tienden emboscadas en todas las vías de acceso. Todas salvo una, mal vigilada, por la que penetra precisamente la columna del enemigo jurado del Che, empujando por delante, en previsión de que el camino esté minado, a cuarenta campesinos para sacrificarlos. «El ejército cruzó seis de nuestras emboscadas, pero no disparamos»,[132] dice Guevara. Cada cual trata de cercar al otro. Y en este jueguecito el argentino no tiene a su favor ni la ventaja del número ni la del armamento —sus municiones son insuficientes—, ni su habitual agilidad de movimiento: ahora está prisionero del punto fijo que debe defender. Apenas si tiene tiempo de hacer evacuar el campamento mientras sus hombres, dispersos, deben librar batalla en una serie de violentos enfrentamientos en torno al lugar llamado Mar Verde.

29 de noviembre de 1957: «La lucha ha durado once horas, desde la mañana hasta el anochecer.»[133] Guevara va a recoger, bajo el fuego enemigo, a su joven teniente de dieciséis años Joel Iglesias, gravemente herido, y lo traslada sobre sus hombros. Pero no puede consolarse de la muerte de su otro lugarteniente, Ciro Redondo, alcanzado por una bala en la cabeza. Cuando recibe la noticia, acusa el golpe. Un testigo, Javier Millán, lo recuerda: «Yo creí que ese hombre no lloraba, pero ese día no se pudo aguantar, y se puso apesadumbrado. Yo lo vi recargado en una piedra, con la mano puesta así, en la cara, llorando.»[134] El Che dará, un año más tarde, el nombre de Ciro Redondo a la columna que llevará a la victoria. De momento, rápido repliegue estratégico hacia La Mesa, una aldea vecina, y última batalla en un altozano de la cresta de la sierra, «los altos de Conrado», por el nombre del campesino comunista que vive allí, miembro del Partido Socialista Popular. «Nos había prestado valiosos servicios, había evacuado la familia y la casa estaba sola. El lugar era magnífico para hacer una emboscada, allí solamente se podía llegar por estrechos senderos.»[135]

Allí el 8 de diciembre, medio protegido tras un tronco de árbol que apenas lo oculta, Guevara es herido en el tobillo izquierdo: «De pronto sentí la desagradable sensación, un poco como de quemadura.»[136] Arrastrando con él a uno de sus hombres, herido también, consigue reunirse con su grupo. «Nos hemos vengado de la pérdida de El Hombrito —escribe a Castro—. [...] Lamento mucho no haber seguido tus consejos pero he considerado que mi presencia en primera línea era necesaria.»[137] Sobre el escritorio de la pequeña escuela de La Mesa, «con una navaja» el doctor Machado, futuro ministro de Sanidad, extrae del tobillo de Guevara una bala de M-1 que durante semanas llevará al cuello, como una coquetería. «Con lo que rápidamente inicié el proceso de curación.»[138]

En El Hombrito, los hombres de Sánchez Mosquera saquearon e

incendiaron a gusto, pero tras la resistencia de Mar Verde y las pérdidas sufridas, se retiran un tiempo, permitiendo a los rebeldes considerar que dominan un «territorio liberado». Guevara se enfurece por no haber recibido armas del llano. Anuncia a Castro que se lo reprochará a la dirección del movimiento «pues comienzo a sospechar que mi columna o, más exactamente, mi persona es objeto de un sabotaje directo».[139] Si es así, propone que lo releven de su mando. Esta cuestión del aprovisionamiento de armas fue planteada numerosas veces por el propio Castro que, en una carta enviada en agosto a Celia Sánchez, se quejó de contar sólo con las armas y municiones arrebatadas al enemigo. Carlos Franqui, que cita el documento, lo rectifica. «De las doscientas armas que tenía, aproximadamente, el ejército de la sierra en aquella época, más de cien, entre ellas las ametralladoras, habían sido enviadas por el Movimiento de Santiago y de La Habana.»[140] El hecho no es anecdótico, revela un cierto desentendimiento y plantea de nuevo la cuestión de la capacidad de la sierra para hacerse oír por sus compañeros del llano.

Guevara convierte La Mesa en su nuevo cuartel general. Retoma, perfeccionándola, la pequeña infraestructura iniciada en El Hombrito. Se instala para una guerra prolongada y solicita a algunos campesinos que siembren para la tropa legumbres, frijoles, maíz, etc., con la promesa de comprarles toda la cosecha. Se pone de acuerdo con los de las aldeas vecinas para que transporten al campamento viandas, avituallamiento y algunos suministros de equipo. «Se crearon arrias de mulos, pertenecientes a las fuerzas guerrilleras.»[141] Da libre curso a su creatividad y pone en marcha una minicentral eléctrica al servicio prioritario de un nuevo hospital «a cubierto de las miradas aéreas». Una talabartería confecciona toscas cartucheras, repara los zapatos y crea incluso un modelo de gorra de cuero que les vale a sus hombres las burlas de la comunidad pues se parece mucho a la de los revisores de autobús en Cuba, las famosas *guaguas*. Una «fábrica» proporciona también cigarros «muy malos, pero que sabían a gloria cuando no había otros».[142] Más que en Don Quijote, al que a menudo se compara irónicamente, se transforma en una especie de Robinson Crusoe *sui generis*, disponiendo un islote de productividad en el interior de una Sierra Maestra liberada pero sitiada. Isla en una isla. Procura producir alimentos, protección, lo necesario para mantener la moral de la tropa y los campesinos de la zona. En «la armería» improvisa con los medios de que dispone un arma de mediocre eficacia, el «M-26», capaz de proyectar botellas inflamadas desde un cañón de fusil puesto en un trípode. El ingenio, a decir verdad, no asustará demasiado a los soldados de Batista.

Por primera vez desde el naufragio del *Granma* y la increíble reconstrucción de un pequeño ejército guerrillero alrededor de Castro, el Che puede respirar un poco. En primer lugar, sigue vivo, notable hazaña pues sin duda ha agotado las siete vidas del gato que mencionó a sus padres. Luchando como un loco, galopando a pesar del asma, se ha acostumbrado a una permanente supervivencia. Como el escritor Boris Vian tocando la trompeta con su enfermedad de corazón. Cada crisis lleva consigo la resurrección. Lo temen, porque es un jefe exigente y riguroso, pero lo respetan porque es justo y no se concede privilegio alguno. Por la noche, al acostarse, les dirige unas palabras a sus hombres pero —¿por timidez, reserva, afición a la soledad?— no es un hablador. No es en absoluto estereotipo del argentino caricaturizado como locuaz, parlanchín, fanfarrón. Y como no intenta seducir, brilla. Su franqueza sin ambages hiere a menudo a interlocutores acostumbrados a más «psicología», pero consigue su estima porque no oculta maldad alguna. Cuando lo ven luchar contra el asma, prohibiendo con obstinación que acudan en su ayuda, sus compañeros sienten incluso una especie de ternura por su *comandante*.

Su mochila, como es sabido, es la más pesada porque está llena de libros. Lector impenitente, en cuanto puede, a la claridad del alba o a la luz de una vela, escamoteando a menudo tiempo al sueño, se zambulle en la lectura. Su vieja amiga Chana, una campesina a la que adora (y que lo adora), se sorprende al verlo sumido en «esos libros sin dibujos, todos llenos de letras. [...] Cuando él cogía un libro, se quedaba calladito, medio ido, con la cara muy suavecita y como si estuviera en otro mundo».[143] Con sus soldados, con Camilo, con Ramiro Valdés, con los campesinos de La Mesa, habla a veces de aquellos volúmenes; cita a Victor Hugo, Rubén Darío, el poeta indio Tagore, el chileno Neruda... Desde México, ha conseguido no separarse de una *Historia de la filosofía* que presta como un tesoro a un hombre de confianza, Raimundo Pacheco. A un compañero que debe bajar al llano le pide que le consiga *El capital* de Marx «porque había comenzado a leerlo y no lo había terminado».[144] Devora lo que cae en sus manos. Acevedo, con la curiosidad de sus catorce años, echará una mirada a su mochila: «Cuál no será mi sorpresa, no es de Mao ni de Stalin, es lo menos que esperaba: *Un yanki en la corte del rey Arturo*. No salgo del estupor.»[145] Una fotografía tomada sin duda en La Mesa nos lo muestra tendido en una choza de paredes de corteza de palma, y alrededor los ingredientes de la felicidad. Un pequeño cachorro acurrucado bajo su codo por un lado, un aparato de radio por el otro, un cigarro entre los dientes, se le ve absorto en un grueso libro que lleva por título (o por autor) Goethe.

Pese a las difíciles condiciones de la guerrilla y las extenuantes marchas, nunca ha abandonado por completo el uso de su droga favorita, el mate: agua hirviente vertida sobre yerba argentina, obtenida quién sabe cómo, que toma amargo y a pequeños sorbos. Jugar al ajedrez es un placer raro, pues debe disponer de un tablero, un contrincante y tiempo. Pero, tomando su mate, charla a veces de tango con el capellán «fidelista» Guillermo Sardiñas, que sube a llevarles la palabra santa con la bendición del obispo. El cura-soldado celebra misa cuando puede, pero bautiza a diestra y siniestra, tanto a adultos como a niños (de los que Fidel será el padrino). De todos los tangos, Sardiñas afirma que prefiere *Adiós, muchachos*. Malicioso y algo provocador, Guevara responde que el tango que él prefiere es el que dice: «Yo quiero morir conmigo, / sin confesión y sin Dios, / crucificao en mis penas, / como abrazao a un rencor...»

Mi nombre histórico

Guevara está atento a los detalles de la vida cotidiana pero no desdeña el «tiempo largo» de la historia. En sus *Recuerdos de la guerra revolucionaria* hace balance de aquel año 1957 que fue, sin duda, el más duro de su vida pero también el más rico en toda clase de peripecias. Desde que Celia Sánchez prendió la pequeña estrella de comandante en su boina, los acontecimientos políticos en Cuba han sido numerosos. A menudo sólo recibió con retraso el eco amortiguado por los combates de la sierra, pero sus conversaciones con Fidel le han hecho apreciar su alcance. Sabe que el 30 de julio, cuando los «esbirros de la tiranía» asesinaron en plena calle a Frank País, toda la ciudad de Santiago se levantó, arrastrando con ella parte de la isla. Tres días de huelga general y una dura represión. Sabe que en la Sierra del Escambray, en el centro del país, combatientes del 26 de Julio y del Directorio revolucionario estudiantil han comenzado a crear algunos focos de resistencia armada. Sabe que en septiembre la base naval de Cienfuegos se amotinó, pero que los insurrectos no se atrevieron a crear un foco guerrillero en la montaña y fueron aplastados. Extrajimos de ello una conclusión, dice Guevara, «el poseedor de la fuerza dicta la estrategia».[146] La lección no será olvidada. Sabe que Castro ha sentido ciertas inquietudes por la suerte de su propia empresa. Si un golpe militar, sobre todo de inspiración democrática como el de Cienfuegos, hubiera conseguido derrocar a Batista, su guerrilla habría perdido razón de ser.

El Che ha abrigado una preocupación mayor todavía referente al propio Fidel, jefe admirado, amigo respetado pero del que por un momento sospecha que ha intervenido en el compromiso muy moderado que se firmó en noviembre en Miami, en nombre de la unidad, por siete organizaciones políticas de oposición, entre ellas el M-26. Este «Pacto de Miami» vaciaba de sustancia revolucionaria su combate en la sierra. «Pensé —dirá— cosas que me avergüenza haber pensado.»[147] Más tarde, en circunstancias dramáticas de despedida, escribirá: «Mi única falta de alguna gravedad es no haber confiado más en ti desde los primeros momentos de la Sierra Maestra.»[148] Afortunadamente, y eso es un bálsamo para su corazón, Castro —que no ha sido consultado y se indigna— denuncia con vigor aquel pacto concertado por unos dirigentes que hacen en el extranjero «una revolución imaginaria», mientras los del M-26 hacen en Cuba «una revolución real»[149]. No se trata de hipotecar una futura victoria. Y para que nadie se haga ilusiones sobre sus oportunidades de instalarse en la presidencia provisional tras la caída de Batista —pues de eso se trata también en Miami— anuncia que su candidato es el «digno magistrado del tribunal de justicia de Oriente, el doctor Manuel Urrutia [...] que no pertenece a ningún grupo político». Personaje honesto pero sin envergadura, más bien anticomunista; exactamente lo que conviene.

Guevara posa su mirada más allá de esas maniobras políticas, por no decir politiqueras. Nunca estará muy bien dotado para estos juegos. Es demasiado intransigente, demasiado puntilloso con los principios. Para él, la batalla en la que se ha comprometido supera el simple marco de Cuba, es la de todo un continente. Hay que decir las cosas por su nombre. «Tendremos que enfrentarnos, por desgracia, con el Tío Sam demasiado pronto»,[150] escribe a Castro el 15 de diciembre de 1957. Casi en la misma fecha, mientras permanece inmovilizado por la herida que está cicatrizando, manda una misiva a René Ramos Latour que ha tomado el relevo de Frank País en Santiago. Lo acusa de derechismo. La carta es acerba (más tarde la considerará «bastante idiota»). Declara sin ambages: «Pertenezco, por mi formación ideológica, a quienes creen que la solución de los problemas de este mundo está detrás de lo que se llama la cortina de hierro.»[151] El año anterior, en abril de 1956, hablando con su madre se autocaricaturizaba como «desaforado esclavo de la peste roja».[152]

Esta vez el discípulo de «san Carlos Marx» no bromea. No es comunista pero es marxista, con convicción. Va al grano sin rodeo, olvidando cualquier ironía: «Tomo ese Movimiento [del 26 de Julio] como uno de los provocados por el deseo de la burguesía de liberarse de las cadenas del imperialismo. [...] Con esta óptica comencé la lucha: honorablemente, sin esperar ir más lejos que la liberación del país, dispuesto a marcharme cuando las condiciones de la lucha hicieran virar hacia la derecha (hacia lo que usted representa) toda la acción del Movimiento.»[153]

Si, como dice Régis Debray, la historia tiene genio cuando ofrece a seres de excepción circunstancias excepcionales, entonces la historia parece haber tenido cierto genio en la Sierra Maestra, haciendo que Castro y Guevara combatieran juntos. La admiración del Che por Fidel es grande y sincera, pero no ciega. Conoció a Castro antes de que el clan se transformara en serrallo y el *líder máximo* se convirtiera en un «intocable». El Che ha mantenido su libertad de lenguaje y permanecerá, durante todo su trato con Castro, su mala conciencia de izquierda, incluso cuando a su vez participe en el culto: «Siempre he considerado a Fidel como un auténtico líder de la burguesía de izquierda —escribe en esa misma carta—, aunque su imagen se vea realzada por cualidades personales extremadamente brillantes que lo colocan por encima de su clase.» «Por ello —concluye—, volviendo a la "traición" que representa el Pacto de Miami, mi nombre histórico (aquel que debo hacerme gracias a mi conducta) no puede estar vinculado, ante la historia, a este crimen y doy de ello fe aquí.»[154] Sorprendente observación la de ese muchacho de veintinueve años, inmerso aún en la densa selva de la sierra y que entrevé ya el «nombre histórico» que debe dejar a la posteridad. No se preocupa, por lo tanto, de la respuesta, lúcida pero convencional, de René Ramos Latour que, negándose a debatir el lugar «donde se encuentra la salvación del mundo», le responde: «Los de tu tendencia ideológica piensan que la solución a nuestros males es liberarnos del nefasto dominio de los yanquis poniéndonos bajo el no menos nefasto de los soviéticos.»[155]

La cuestión del carácter comunista de la revolución iniciada en la Sierra Maestra no dejará de ser planteada por Estados Unidos, por la prensa y por distintas corrientes de la oposición a Batista, incluso en el propio seno del M-26. Fidel Castro se cuidará mucho de responder con claridad y las señales que dé serán contradictorias. Es probable que en la sierra no fuera en absoluto comunista, ni siquiera marxista. Más tarde hablará de su «analfabetismo político» en aquella época. K. S. Karol, uno de los periodistas mejor informados de los problemas del comunismo, encontró una perla en *Sierra Maestra*, el órgano oficial del M-26 de Miami, en julio de 1958: Castro no puede ser comunista porque «ha nacido en una familia de propietarios [...] y lleva sobre su corazón una medalla con la Virgen del Cobre».[156] Curiosa explicación. Pese a todo, Castro tampoco es anticomunista. Tiene junto a sí dos buenos apóstoles —su hermano Raúl y su estimado amigo Ernesto— que no ocultan sus simpatías marxistas. Fidel presta oídos a sus palabras pero no las tiene en cuenta, por lo menos aún no. Procura no hacer enfadar a ninguna de las fuerzas que pueden ayudarlo a derribar al dictador y administrar la realidad pos-Batista. Si fuera preciso definirlo, responde Guevara a un periodista, podría decirse que Fidel es «nacional-revolucionario».[157]

En cualquier caso, ni la CIA, ni el FBI, ni las informaciones recibidas de sus diplomáticos en Cuba permiten a Washington afirmar que Castro sea comunista. Un nuevo embajador de Estados Unidos, Earl Smith, llega en julio de 1957. Se distancia un poco de Batista y presta más atención a lo que ocurre en la turbulenta región de Oriente. Al día siguiente del asesinato de Frank País, se dirige personalmente a Santiago y presenta una protesta contra «el uso excesivo de la fuerza» por la policía, que reprimió sin miramientos una manifestación de doscientas mujeres vestidas de negro que gritaban «¡Libertad, libertad!». Más tarde, procurará que tres dirigentes del M-26 detenidos en Santiago, entre ellos Armando Hart, salven la vida. Tad Szulc asegura incluso que un agente de la CIA, Robert Wiecha, que actuaba encubierto por el cargo de vicecónsul de Estados Unidos en Santiago, proporcionó en varios pagos, a partir de octubre de 1957, cincuenta mil dólares al Movimiento 26 de Julio. Pero las cosas no pasaron de ahí. Estados Unidos no aprovecha la ocasión de dialogar con un Fidel Castro que afirma que no hay antiamericanismo en el ejército rebelde —y prosigue con sus entregas de armas a Batista.

Por lo que se refiere al Partido Socialista Popular, nombre eufemístico adoptado por el partido comunista cubano, sólo dejará de considerar a los guerrilleros como aventureros a finales del año 1957 cuando, con gran secreto, el emisario Ursinio Rojas informe a Castro que su partido autoriza a sus miembros a incorporarse, a título individual, en el ejército rebelde.

A fines de este año, a Guevara le parece mucho más serio el cambio de actitud del campesinado hacia la guerrilla. Ha observado cómo los guajiros han pasado de una espontánea solidaridad inicial a cierta frialdad causada por el temor a las salvajes represalias del ejército: casas incendiadas, asesinatos en masa. (Los propios guerrilleros comprendieron que el miedo había convertido a algunos en chivatos.) Pero cuando la relación de fuerzas cambió y los soldados tuvieron que aflojar la presión, los guajiros superaron su miedo y comenzaron a unirse a los rebeldes. Les proporcionan víveres, aseguran las comunicaciones en un tiempo récord, dan la alarma en cuanto hay peligro, ofrecen mano de obra gratuita para construir cabañas y depósitos, aprenden por fin a disparar como verdaderos soldados del pueblo. Mucho mejor aún, han recuperado su habitual alegría.

Así, a medida que la guerrilla de extracción urbana iba convirtiéndose en campesina, los campesinos, por su parte, se transformaban en guerrilleros. Esta dialéctica elemental es importante pues, a partir de ahí, Guevara, que se inclina a teorizar, establecerá una evidencia ignorada por el dogma marxista nacido en el contexto de la Europa industrial. A saber, que en América Latina —y en el Tercer Mundo en general— el verdadero motor de la historia no es el proletariado urbano sino el campesinado pobre. Los verdaderos «condenados de la tierra» son los que se pasan la vida, abrumados por mil servidumbres, en esa tierra que trabajan con sus manos pero que no les pertenece.

Al día siguiente de la victoria de 1959, en una serie de artículos y de charlas, recogidos posteriormente en su *Guerra de guerrillas*, Guevara procurará subrayar el carácter prometeico de la experiencia cubana y la enseñanza original que es posible extraer de ella. Pone de relieve tres principios generales que van a provocar fuertes repercusiones, inspirando numerosos movimientos revolucionarios en América Latina: 1) «Las fuerzas populares pueden ganar una guerra contra el ejército regular» (lección de optimismo verificada por la historia reciente); 2) «no debe esperarse siempre que estén reunidas todas las condiciones para hacer la revolución: el foco insurreccional las hace surgir» (no confundir rapidez y precipitación pero no esperar indefinidamente un improbable día D: ésa es la piedra en el jardín de los comunistas y de esos «revolucionarios que excusan su inacción» condenando a quienes consideran demasiado impacientes); 3) finalmente, puesto que el verdadero proletariado del Tercer Mundo es, en principio, de origen rural: «En la América subdesarrollada el terreno fundamental de la lucha armada debe ser el campo.»[158] Se comprende mejor, tras semejante análisis, por qué, en la sierra, las primeras medidas revolucionarias se refirieron a la reforma agraria.

«Revolucionarios en la Revolución»

La espesa niebla amortigua el ruido de las detonaciones pero se distingue, apagado, el crepitar de las metralletas y el chasquido de los disparos. El aire huele a pólvora a pesar de la humedad. El frío hiela el sudor en la frente de los caminantes. En las alturas de la sierra, en la madrugada de aquel 17 de febrero de 1958, obedeciendo al guía que de pronto ordena que nadie se mueva, el periodista uruguayo Carlos María Gutiérrez se inmoviliza. Ha hecho un largo viaje para entrevistar a ese argentino poco conocido, cuyas fechorías junto al peligroso Fidel Castro denuncian los periódicos cubanos. Se agacha, transido, con la espalda apoyada contra un tronco de árbol ennegrecido por el napalm. Al cabo de un buen rato, en la difusa claridad del sotobosque, se perciben unas siluetas que se acercan entre helechos y ramas. Son los guerrilleros de la columna del Che, que en un lento desfile ascienden hacia el campamento de La Mesa por senderos que se bifurcan. Hace más de treinta horas que los hombres no duermen. Acaban de librar, como hace cinco meses, un segundo combate sangriento contra la guarnición de Pino del Agua. Fidel Castro ha querido aprovechar el provisional levantamiento de la censura en la isla (a excepción de Oriente, considerado «zona de guerra») para recordar a Batista y a la prensa de Cuba que sigue muy presente y activo en la Sierra Maestra. Lo ha hecho reuniendo a sus fuerzas, unos doscientos hombres armados, y dirigiendo personalmente las operaciones, muy excitado por la batalla. Hasta el punto de que esta vez Guevara, Raúl, Celia, Almeida y unos cuarenta compañeros más le pedirán por escrito que no vuelva a exponerse así en primera línea.

Al alba de la víspera Camilo Cienfuegos, encargado de abrir el fuego, tuvo que acercarse mucho al acuartelamiento. Demasiado. Su disparo hizo blanco pero él resultó herido en el muslo y el vientre. Por ahí llega, llevado en una improvisada camilla hace una mueca pero acepta el cigarrillo encendido que le ofrece, al pasar, el periodista. Los rebeldes trepan en silencio por las escarpadas laderas, resbalando a veces en el barro rojo, escurridizo, como atontados por la fatiga y una tensión nerviosa que va apaciguándose. Con la cabeza desnuda, reconocibles por sus uniformes amarillentos, unos soldados prisioneros llevan otras camillas. Dos mujeres con fusil en bandolera vigilan el estado de los heridos. La guerrilla de Castro tuvo también mujeres, poco numerosas pero que combatieron con valor y no siempre se limitaron a actividades de intendencia.

Cuando el Che llega a su campamento de La Mesa, hace ya un día que el periodista está allí, ya que fue conducido por algunos atajos. El uruguayo ha tenido tiempo de admirar el paraje, enmarcado por dos picos cubiertos de vegetación, así como las instalaciones ocultas bajo los árboles, invisibles incluso para la aguda vista del pequeño avión espía que vuela muy bajo, para indicar a los bombarderos que le siguen los blancos donde arrojar el napalm. Le enseñan el «hospital» donde se ha extraído ya la bala del vientre de Camilo, la escuela donde tres maestras alfabetizan a los campesinos guerrilleros e incluso a algunos prisioneros. Le hacen observar, discretamente plantada en una cima, la emisora Radio Rebelde, subida hasta allí, pieza a pieza, a lomo de mulo y cuyo alcance es débil todavía. Ha advertido que malvones y un raquítico duraznero crecen ante el bohío del Che. Todo se mencionará en un artículo que no va a publicarse hasta diez años después, en diciembre de 1967, en el semanario *Marcha* de Montevideo. Cuando le ve llegar a La Mesa, a la cabeza de una parte de su columna, Gutiérrez describe así a Guevara: «Caminaba junto a su mulo y llevaba una pesada mochila, un fusil de mira telescópica y unas cartucheras de las que colgaban dos granadas. Era muy flaco y una barba poco abundante enmarcaba un rostro que era casi el de un niño. En su gorra de visera brillaba una estrella dorada sobre una pequeña media luna. Era el único que llevaba polainas sobre su calzado de montaña. Los bolsillos de su camisa verde olivo desbordaban de papeles, cuadernos y lápices. Una pistola del 45 colgaba de su cinturón. Los bolsillos laterales de sus pantalones estaban atestados como zurrones, deformados por el peso de las balas y los libros. Se detuvo a la sombra de una adelfa y preguntó con voz ronca y baja, fatigada: "¿Cómo está Camilo?... ¿Ha llegado Fidel?" Y, sacando de su mochila un termo pequeño y yerba, comenzó a prepararse un mate. Una muchacha le trajo agua hirviendo y llenó el termo.»[159] La escena es bíblica: Macabeo regresando del combate contra Antíoco.

Guevara le muestra el objeto de todos sus desvelos: una escuela militar destinada a los jóvenes reclutas que llegan de la sierra, de Manzanillo, de La Habana, campesinos, estudiantes, empleados de comercio. Un antiguo oficial de Batista convertido a la revolución, el capitán Lafferté, vela por la instrucción de aquellos muchachos. Tienen fe. Les faltan habilidad y armas que «el llano» no ha enviado todavía. «¿Las tendremos pronto?», pregunta uno de ellos. «Si tienes prisa, ve a arrebatarle su Garand a un *casquito*», responde Guevara-el-burlón. Su brusca ironía no sorprende. Conocen el estilo del argentino. Los muchachos sonríen, le siguen con la mirada, con una especie de admiración algo fascinada. La leyenda comenzó ya en la sierra.

Ante su casi compatriota —pues los uruguayos, en la otra orilla del Río de la Plata, son como los hermanos «menores» de los argentinos— es sorprendente que Guevara no mencionase el «boletín» al que por entonces dedicaba su atención. Se trata de algunas hojas ciclostiladas, mal impresas, más cerca de la octavilla y del panfleto que de la hoja parroquial, que se proclaman sin embargo «órgano del ejército revolucionario, de nuevo en la manigua redentora», fechadas con toda sencillez en la «nueva era». El título *El Cubano Libre* es un homenaje al periódico del mismo nombre de los separatistas *mambises* del siglo XIX, que luchaban contra España. Distribuido (con una pequeña tirada) por la Sierra Maestra, el boletín de Guevara no tuvo más de una decena de números, de diciembre de 1957 a mediados de 1958. No es *Tackle*, la pequeña publicación de rugby de sus veinte años en Buenos Aires. Es, con los medios de que dispone, una contribución a la guerra psicológica para desmoralizar al adversario y alentar a los campesinos. Guevara escribe una especie de editorial político, con una firma que conservará más tarde y que expresa bien su situación: «el francotirador». A una escala mil veces más modesta que Castro, que explica a la revista *Coronet* de Nueva York que tuvo que tomar la «terrible decisión» de hacer incendiar la cosecha de caña de azúcar para obligar a Batista a «capitular», Guevara subraya en mayúsculas: «¡Recuerde: Con Batista no habrá zafra!»[160] Es interesante advertir que diez años antes de que Debray haga la pregunta *¿Revolución en la revolución?*, el Che diagnostica: «Nos hemos convertido en revolucionarios en el interior de la revolución [...]. Hemos venido a derribar a un tirano pero descubrimos que es la inmensa región rural [...] la que más urgentemente necesita una liberación.»[161]

Lo cierto es que para derribar al tirano y liberar a los campesinos hay que salir de la Sierra Maestra, conseguir ventaja fuera de la ciudadela montañosa de Oriente. En marzo de 1958 Castro abre un «segundo frente» en la Sierra de Cristal, cuyo mando entrega a su hermano Raúl, a la cabeza de una columna de setenta y cinco hombres. Juan Almeida se encarga de un «tercer frente», al noroeste de Santiago, y en abril Camilo Cienfuegos comienza a aventurarse por el llano, hacia Bayamo. Al mismo tiempo, las acciones contra Batista se multiplican por todo el país. La Habana conoce el 15 de marzo una «noche de las cien bombas» pero el «golpe» más espectacular, de resonancia internacional, es el secuestro del campeón mundial de automovilismo, el argentino Juan Manuel Fangio. Raptado el 23 de febrero de 1958 en el hotel Lincoln, en el centro de la capital, reconocerá haber sido muy bien tratado por los militantes del M-26, que no lo liberan hasta el día siguiente de la competición, tras haberle pedido unos autógrafos. El asunto hace ruido en la prensa internacional. Son numerosos los que sólo por ello descubren entonces la existencia de una rebelión contra el régimen de Batista. Que queda bastante ridiculizado.

Faustino Pérez, dirigente del M-26 en La Habana que ha manejado la operación, sube a la sierra para convencer a Fidel de que se dan las condiciones para iniciar con éxito una huelga general que podría dar el golpe de gracia a la dictadura. Guevara y Raúl desconfían. Temen que el llano saque las castañas del fuego, se alce con la victoria y la revolución escape del M-26. Fidel es menos reticente. Firma un manifiesto de veintidós puntos, titulado *Guerra total a la tiranía*, que proclama que «la lucha contra Batista entra en su fase final» y que «la estrategia consiste en una huelga general revolucionaria apoyada por una acción militar». Quiere evitar a toda costa el peligro de que entre oposición civil y militares liberales se firme un pacto que lo deje al margen de la carrera.

La huelga general se inicia el 9 de abril de 1958, y se convierte en un fracaso trágico. Faustino Pérez y sus compañeros de la dirección acumulan los errores. En vez de sensibilizar los espíritus, movilizar todas las fuerzas de oposición, en vez de anunciar por todas partes la próxima huelga general, aun sin dar la fecha exacta, esperan a las once de la mañana para dar por radio la orden de huelga inmediata, cuando a esta hora sólo las amas de casa tienen el receptor encendido. La sorpresa es general y la reacción popular muy débil. Las escasas manifestaciones de apoyo a la huelga son sangrientamente reprimidas: de ciento cincuenta a doscientos muertos; centenares de detenciones. Desde lo alto de la sierra, Radio Rebelde ha proclamado: «¡Huelga, huelga, huelga!» Por más que Castro anuncie a la mañana siguiente «Toda Cuba arde», el fracaso de la huelga es total. Fidel está frenético de rabia: «Soy una mierda que no puede decidir nada.» Pero da la cara: «Soy considerado el jefe de este movimiento, por lo tanto [...] debo asumir la responsabilidad de las estupideces cometidas por los demás.»[162] Con su prodigiosa capacidad para rehacerse, sacará partido incluso de ese retroceso para resolver de una vez por todas el viejo conflicto entre llano y montaña, definidos como la derecha y la izquierda del Movimiento 26 de Julio. A Celia Sánchez le dice en plan gaullista: «Hemos perdido una batalla pero no hemos perdido la guerra.»[163] Y convoca en la Sierra Maestra a todo el estado mayor del M-26 para el gran momento de la verdad, el 3 de mayo de 1958.

Guevara no forma parte de la Dirección Nacional del Movimiento (tampoco Raúl, por lo demás) pero sus críticas han sido tan mordaces, contra Faustino Pérez en La Habana y René Latour en Santiago, que el argentino participa en la reunión para explicarlas. De este modo, por primera vez es admitido en el círculo de los principales responsables de la revolución cubana. Al cabo de veinte horas de «tensa discusión», el Che aplaude los resultados de lo que califica como «reunión decisiva»: primacía absoluta para la acción militar directa, autoridad reforzada de Fidel, que se convierte en secretario general del Movimiento y comandante en jefe de las fuerzas armadas, incluidas las milicias urbanas, colocadas hasta entonces bajo el control del llano. Faustino Pérez y Latour son destituidos y llevados a la sierra. Haydée Santamaría («veterana» del Moncada) es enviada a Estados Unidos para vigilar de cerca y coordinar la colecta para obtener fondos de la colonia cubana. El periodista Carlos Franqui abandona su puesto de delegado del M-26 en Miami para encargarse de Radio Rebelde. El 29 de mayo aterriza en un campo labrado, apenas allanado entre dos colinas, y desembarca a toda prisa treinta carabinas, balas y fulminantes eléctricos para las bombas. El audaz piloto, Díaz Lanz, realizó ya una hazaña semejante pocos días antes, trayendo de Costa Rica armas y municiones cedidas por su presidente, el socialdemócrata José Figueres, gracias a la mediación de un plantador cubano, Huber Matos (que obtendrá de Castro, como recompensa, el mando de una columna).

El fracaso de la huelga del 9 de abril tiene dos consecuencias de desigual importancia. Primero una nueva relación entre el M-26 y el PSP comunista y, segundo, la decisión de Batista de acabar con la rebelión. El M-26 nunca sintió una gran simpatía hacia los comunistas. Incluso Guevara, a pesar de sus reconocidas inclinaciones marxistas, les reprocha su suspicacia por la guerrilla y por el papel de Castro en el combate revolucionario: «Ustedes son capaces de crear cuadros que se dejen despedazar en la oscuridad de un calabozo, sin decir una palabra, pero no de formar cuadros que tomen por asalto un nido de ametralladora.»[164] Castro por su parte observa, muy pragmáticamente, que los comunistas disponen de lo que carecen todavía los aliados del M-26, a saber, experiencia de los movimientos de masa, disciplina perfecta, talento organizador. Si los convencen de que hagan algo, puede contarse con ellos. Son más fiables que numerosos militantes de su propio movimiento. Por eso ha reprochado a los organizadores de la huelga de abril que no contaran con los comunistas. Desde luego existe un peligro, saber quién devorará al otro. Pero Castro es experto en este juego. Confía en su talento de devorador. El PSP, en cualquier caso, toma nota de sus buenas disposiciones. Esperará aún, por prudencia, a que el expreso haya adquirido cierta velocidad. Pero cuando decida tomar el tren en marcha mandará a uno de sus mejores dirigentes, Carlos Rafael Rodríguez, para que se una a Fidel Castro.

La pulga y el martillo pilón

Batista, bastante eufórico, convencido de que los rebeldes están debilitados y desmoralizados por el fracaso de su huelga y la severa represión que lo siguió, espera el momento oportuno para organizar a gran escala una ofensiva bautizada como «FF» (Fin de Fidel). Lo hace a lo grande. Diez mil hombres repartidos en catorce batallones, apoyados por artillería, aviones, algunos helicópteros y fragatas de la marina dispuestas a cañonear la costa. Un esbozo de *Apocalypse Now*. La estrategia es sencilla. Sitiar la sierra e ir cerrando el cerco, cada vez más, hasta el aniquilamiento o la rendición de los insurrectos. Diez mil hombres contra doscientos ochenta guerrilleros mal equipados. Un martillo pilón para aplastar una pulga. Pero vencerá la pulga.

Los rebeldes tienen muy pocas armas, «apenas doscientos fusiles hábiles»,[165] asegura Guevara, pero poseen algunas bazas importantes de las que carecen los soldados de Batista. Tienen fe, una fe de mártires, tienen agilidad, tienen un perfecto dominio del accidentado terreno de la sierra, conocen al dedillo cada sendero, cada casa, cada colina. Pueden caminar deprisa y por mucho tiempo, trepar, correr, bajar por una pendiente. Conocen los atajos, los refugios, los recodos propicios para las emboscadas. Se mueven, según el adagio de Mao Tse Tung, «como peces en el agua». Castro adopta el principio elemental de cualquier guerrilla: *muerde y huye*. Declara a la prensa venezolana que lo entrevista: «Cada acceso a la Sierra Maestra es como el desfiladero de las Termópilas, cada colina se convierte en una trampa mortal.»[166] Cuando el 25 de mayo de 1958 se inicia la gran ofensiva de las fuerzas gubernamentales, hace poco que Fidel ha establecido, siguiendo el modelo de Guevara, un cuartel general cerca de La Plata, en una altura rocosa próxima al pico Turquino, junto a un barranco inaccesible. Las instalaciones están tan bien camufladas bajo los árboles que no pueden ser descubiertas. Radio Rebelde merece más que nunca su nombre. Provista de emisoras cada vez más potentes, que le permiten hacerse oír en Caracas, México, Miami y en todo el territorio cubano, combate con ingenio la censura impuesta por un «estado de emergencia» que se prorroga sin cesar. Carlos Franqui hace maravillas. Su diario *Revolución* ha tomado el relevo del pequeño boletín de Guevara. Además, una red telefónica, precaria pero eficaz, permite a las distintas columnas coordinar sus acciones sin tener que depender de los mensajeros, tan preciosos hasta entonces.

Ante la presión de los parlamentarios demócratas, Washington dicta un embargo contra el envío de armas a Batista. Éste no resulta ya muy presentable, pues siembra el país de «subversivos» colgados de los árboles, con el cuerpo lacerado por mil torturas. El efecto sobre la prensa extranjera es negativo. El 14 de marzo de 1958, un lote de dos mil fusiles Garand, destinado al ejército cubano, se queda en el muelle, en Estados Unidos. Pero Castro, que hace más de un año que exige esta medida, desde su primera entrevista con Matthews, no se forja muchas ilusiones. Las armas para ayudar a «la tiranía» transitan, lo sabe, por Santo Domingo y Nicaragua donde hacen estragos —bendecidas por el Departamento de Estado— las dictaduras de Trujillo y Somoza. La base norteamericana de Guantánamo, vergonzoso enclave concedido a los yanquis, ofrece apoyo logístico a las fuerzas aéreas de Batista, que se aprovisionan allí de combustible y bombas. Castro ha repetido que no albergaba ninguna animosidad especial contra el pueblo de Estados Unidos y no utiliza aún, como Guevara, el término «imperialistas» para referirse a los gringos. Pero siente hacia el poderoso vecino un rechazo análogo al de los manifestantes que abuchean al vicepresidente Nixon, enviado por Eisenhower en «gira de amistad» por América Latina.

Dos semanas después del comienzo de la ofensiva FF, el bombardeo de la casa de un campesino que les ha ayudado saca de quicio a Castro. Manda a Celia Sánchez una carta fechada el 5 de junio de 1958, uno de cuyos párrafos será exhibido en grande en La Habana, en 1967, durante la conferencia de la Organización Latinoamericana de Solidaridad (OLAS): «Viendo caer las bombas sobre la casa de Mario, me juré que los americanos pagarían muy caro lo que están haciendo. Cuando esta guerra termine, comenzará para mí una guerra más larga y más violenta, la que voy a hacerles. Me doy cuenta que ése será mi verdadero destino.»[167] Diríase que habla Guevara.

La campaña de Batista para sitiar Sierra Maestra durará dos meses y medio. Setenta y seis días de combates cotidianos durante los que el general Cantillo, jefe de las operaciones, cree varias veces que la victoria es suya. Pero nunca consigue dar el golpe definitivo a un adversario tan omnipresente como inaprensible. Castro cede terreno al principio, refugiándose en las alturas, obligando a los soldados a internarse en la montaña para poder golpearlos. Alrededor de su cuartel general de La Plata se han reunido, vigilando los caminos, todas las pequeñas columnas. Las del Che, de Camilo, de Almeida, y varias recientemente formadas, reforzadas por los nuevos reclutas de la escuela militar de Guevara, a quienes las circunstancias reclaman para inmediatos «trabajos prácticos». Sólo la columna de Raúl se queda en Sierra de Cristal, para desviar hacia el este parte de las tropas gubernamentales. Tad Szulc cifra en 321 el número total de combatientes rebeldes. Guevara ha vuelto a desmontar en pocas horas su campamento de La Mesa. Las municiones son tan escasas que la recomendación es no disparar hasta tener un blanco seguro.

¿Recuerda nuestro argentino, el 14 de junio, que aquel día cumple treinta años? Tiene otras preocupaciones. La batalla está en su punto álgido. El «territorio libre» de la guerrilla se ha reducido, como una piel de zapa, a un perímetro de apenas treinta kilómetros. Un batallón gubernamental acaba de desembarcar y se lanza al asalto en dos columnas paralelas. El 19 de junio Castro escribe a su lugarteniente argentino: «La situación es extremadamente peligrosa. [...] Aquí sólo tengo mi fusil para dar la cara. Tengo una imperiosa necesidad de los hombres que te he pedido para salvar la zona de La Plata.»[168] Al día siguiente el propio Che está a punto de caer en manos de los soldados. Se aproxima montado en su mula a la aldea de Las Vegas, ignorando que los hombres de Batista acaban de tomarla. El comandante Sorí-Marín (jurista, futuro redactor de la reforma agraria), replegándose, lo pone en guardia y le evita caer en la trampa. Carlos Franqui confirma que el 28 de junio en el puesto de mando de La Plata sólo quedan, con el equipo de Radio Rebelde, Fidel y su sombra, Celia Sánchez, y que desde su promontorio pueden observar y hasta contar con los prismáticos a los soldados enemigos que están más cerca.

¡No pasarán!, era la consigna de corte republicano español para impedir que los soldados cruzaran el último río, el Santo Domingo, que da acceso al cuartel general de Castro. No pasaron. El combate encarnizado de unos cuarenta guerrilleros dispuestos a todo, desplegados en una cresta, consiguió derrotar a una tropa entre seis y siete veces

más numerosa. Lalo Sardiñas se distingue con valor. Es aquel oficial impulsivo cuya cabeza, cuando era juzgado, había salvado Fidel Castro *in extremis*. La táctica de los insurrectos no cambia. Acosar, disparar a cualquier hora, no dar descanso a unos soldados desmoralizados, mantenerlos siempre en tensión, hacerles pasar hambre interceptando el aprovisionamiento. Pese a la magnitud de los medios empleados por los asaltantes, pese a la dureza de los combates, esa guerra es todavía, si se puede decirlo así, de tipo «arcaico». El relieve encajonado de la sierra impone operaciones a escala reducida que permiten a Castro utilizar un arma con la que es un virtuoso, la guerra psicológica por medio de la simple voz humana. Como en la Edad Media, se interpelan en uno y otro bando; se burlan del que ha huido, del que ha perdido su arma; se insultan en un lenguaje florido donde la virtud de la madre del adversario es, naturalmente, puesta en duda. A menudo las posiciones de ambos bandos están tan cercanas que Castro hace instalar altavoces que aúllan en la sierra exhortaciones revolucionarias, cantos patrióticos, el himno nacional, todo un arsenal psicológico destinado a hacer vacilar a los *casquitos*. «Discursos bien preparados y consignas bien estudiadas»,[169] recomienda Fidel a Guevara.

Desde luego no es una guerra de encaje de bolillos, pero Castro no desdeña mantener también un combate epistolar con el enemigo; lo que no gusta demasiado a Guevara, a quien estos amaneramientos más bien le repugnan. Cuando el general Cantillo pide a Castro que se rinda, garantizándole la vida, éste responde como un gentilhombre que ni hablar, pero advierte en su carta que combate contra la dictadura y no contra las fuerzas armadas. En julio descubre que uno de sus antiguos condiscípulos de la facultad de derecho de La Habana, José Quevedo, manda un batallón encargado de la misma «misión imposible» que los precedentes: expulsarlo de su ciudadela.

Atrapado en la ratonera de la sierra, Quevedo resistirá quince días antes de capitular y unirse a la rebelión. Es probable que contribuyeran a su decisión los cantos de sirena de Castro, asegurando que su rendición se llevaría a cabo con honor y dignidad. ¿Qué hacer, además, con los prisioneros? Franqui tiene la idea de recurrir a través de Radio Rebelde a los buenos oficios de la Cruz Roja Internacional. Castro lo aprueba, tanto más cuanto es un modo de hacer público el fracaso de la ofensiva de Batista. Franqui y Faustino Pérez llevan a los prisioneros a su destino y Guevara, con la pipa en la boca, se encarga de velar por el buen funcionamiento de la operación.

La opinión internacional, en Estados Unidos sobre todo, se ha inquietado por una maniobra bastante desesperada que a finales de junio realiza Raúl Castro en el «segundo frente» de la Sierra de Cristal. Viéndose atrapado, bombardeado sin cesar por los aviones que lo han descubierto, Raúl ha tomado la loca iniciativa de secuestrar a cuarenta y nueve ciudadanos norteamericanos, ingenieros encargados de la construcción de una fábrica de tratamiento de níquel y *marines* que regresaban en autobús a Guantánamo tras un permiso de diversión en territorio cubano. Nerviosismo en la embajada estadounidense, que envía a su cónsul general a Santiago para negociar con los captores. Raúl demuestra, por medio de fotos, que pese al proclamado embargo los aviones de Batista se aprovisionan de carburante y bombas en la base naval americana. Ha obtenido aquellos documentos irrefutables gracias a la ayuda de un simpatizante del M-26, un sargento empleado en la embajada de Cuba en Washington. El chantaje tiene éxito y Estados Unidos pide inmediatamente al señor Batista —que obedece— que cesen los bombardeos hasta la total liberación de los rehenes. Algo que Raúl Castro hace lentamente —como explicará Vilma Espín, su compañera— para tener tiempo de recibir las esperadas municiones y recuperar el aliento. Los prisioneros americanos no reprocharán demasiado a sus secuestradores aquella aventura tan «excitante» en la que no fueron maltratados. Algunos se marcharán, incluso, convencidos de que la causa de los rebeldes es justa.

Adviértase sin embargo, ya entonces, el hábil uso de la información por parte de aquel que se convertirá en gran «capo» en cuestiones de espionaje, seguridad e inteligencia. En aquella época, Raúl Castro, marxista tan declarado como Guevara, ha acogido a su lado al organizador de la futura policía secreta castrista, Manuel Piñeiro, llamado *Barbarroja*, alguien con quien Guevara se las verá a menudo. Fidel, por su parte, ha salido con destreza del incidente. Sin desolidarizarse de su hermano menor, ordena la devolución de los rehenes y logra apaciguar los ánimos, tomándose también su tiempo. Según el dirigente comunista Carlos Rafael Rodríguez, que vino a estudiar con el jefe del ejército rebelde el panorama pos-Batista, Castro le confió que era preciso evitar que el adversario se alarmara demasiado pronto descubriendo con precisión los objetivos revolucionarios.

El que parece fatigarse más en aquella guerra, que quería ser relámpago pero que resulta interminable, es el general Cantillo. Pese a su enorme panoplia, ha de reconocer que no consigue atrapar a aquellos diabólicos combatientes. La moral de sus tropas es desastrosa. La mayoría, antes de combatir, se mandan una «volada» con marihuana, tan fácil de encontrar en la sierra. Algunos desertan, uniéndose a la causa «fidelista». Otros, hechos prisioneros, sólo se marchan con la Cruz Roja tras haber obtenido... un autógrafo de Fidel Castro, cuyo carisma hace estragos. Por lo demás, un antiguo oficial de Batista de nombre muy francés, Coroneaux, tras haberse unido a la rebelión en tiempos de Frank País, realiza una jugarreta utilizando la frecuencia de radio de un tanque enemigo, inmovilizado por los guerrilleros, para que la aviación bombardee a los soldados de Batista. Incluso el batallón de Mosquera, el enemigo jurado de Guevara, es destruido y Mosquera herido. En La Habana, a fines de julio, un general apremia a Batista para que negocie con los rebeldes. Es detenido. El 6 de agosto, la operación Fin de Fidel termina con un comunicado que quiere ser marcial pero que no consigue ocultar que la ofensiva ha fracasado.

La «invasión»

Le toca a Castro cantar victoria y recalcar, por el micrófono de Radio Rebelde, el balance de la derrota de Batista. Quinientas armas tomadas al enemigo —entre ellas dos blindados—, equipos y municiones en gran cantidad, así como cuatrocientos cincuenta prisioneros.

Durante aquellas diez intensas semanas, el Che se ha movido como nunca, atento sobre todo a proteger a Fidel. No ha dejado de acudir de una urgencia a otra, respondiendo a la avalancha de mensajes que le envía el comandante en jefe. Se ha convertido en el omnipresente adjunto al que se le puede pedir todo: hombres, armas, material. Consigue lo imposible, obtiene de sus tropas pasmosas hazañas, llevándolas a veces hasta el límite del agotamiento. También él dispara, claro —le gusta mucho—, pero se esfuerza por contener su ímpetu natural en nombre de sus tareas futuras. Es consciente de ello. Confiesa sin ambages que una mañana, al quedar aislado de sus compañeros durante una dura escaramuza con el famoso Sánchez Mosquera, su enemigo jurado, le fue necesario salir corriendo, abucheado por los soldados, con una enorme mochila llena de balas y el asma cortándole la respiración. «Ese día me sentí cobarde.» Pero, al mismo tiempo, cuenta también cómo en plena noche, al descubrir a la luz de la luna un convoy de mulos de avituallamiento muertos, en una atmósfera de silencioso terror, mientras su guía espantado huye, él avanza superando el miedo. «Esa noche, me sentí valiente.»[170] Cierta vez hace cien prisioneros de un solo golpe, otro día excava fosos antitanque o quita del camino una peligrosa mina ante las encendidas felicitaciones de Castro. También se le encomienda que procure que se tomen fotografías durante la entrega de prisioneros a la Cruz Roja. Y él se encarga de todo.

La sierra, la guerra, la dura vida guerrillera se han convertido en elementos familiares de un universo donde el argentino se siente cómodo, libre de pasear más o menos desaliñado y sucio. En el furor de los combates, cuando las bombas de napalm estallan ante él en enormes círculos de fuego, ¿sabe que está viviendo tal vez la fase más feliz de su existencia? En cualquier caso sentirá por esa libertad una nostalgia que nunca lo abandonará. Aquella guerrilla será la matriz, el modelo fundador de sus ulteriores combates. El enemigo está bien definido, las cosas son claras, de extremada abnegación los compañeros; su alma está en paz y ha descubierto que el mejor medicamento para su asma es... ¡el olor a pólvora! Ya no fuma en pipa como cuando tenían que economizar tabaco. Se ha aficionado a los cigarros cubanos y, más aún, se traga el humo. Si le dicen que es una locura para un asmático, responde que es excelente para engañar el hambre y protegerse de los mosquitos.

En abril va a entrevistarlo otro periodista, un compatriota argentino con quien ha hecho amistad y cuyo destino va a reorientar del todo, Jorge Ricardo Masetti. En el libro que escribirá cuando regrese a Buenos Aires, *Los que luchan y los que lloran*, Masetti describe a Guevara llegando montado en su mula, con las piernas colgantes, la espalda un poco encorvada, como apoyado en los dos fusiles que lleva en bandolera, con una cámara fotográfica colgada del cuello y «algunos pelos en el mentón» a guisa de barba: «El famoso Che Guevara me parecía un muchacho argentino típico de clase media. Y también me parecía una caricatura rejuvenecida de *Cantinflas*.»[171] En agosto, Guevara sigue teniendo aspecto del cómico mexicano *Cantinflas*, pero un testigo de la sierra, Javier Fonseca, nos lo presenta ya transformado: «El Che lucía más curtido, y no sé si era porque tenía la barba mayor y el pelo casi por los hombros. La cara le lucía menos de muchacho y tenía ya compostura de jefe, costumbre de ordenar y hacerse de respeto. Era mucha la actividad por esa época y a él se le veía diligente [...]. Un día presencio al Che: fumaba un tabaco, agarrándolo duro con dos dedos y le hablaba a la gente de su tropa.»[172]

Castro no se demora para lanzar su contraofensiva e iniciar lo

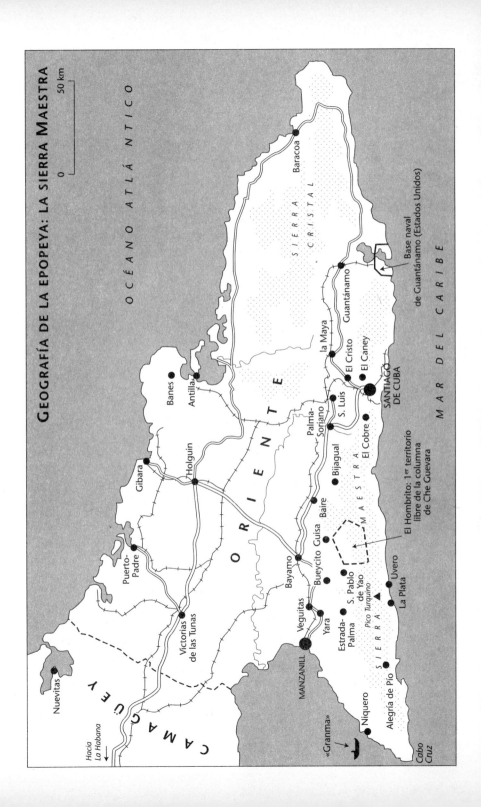

GEOGRAFÍA DE LA EPOPEYA: LA SIERRA MAESTRA

0   50 km

OCÉANO ATLÁNTICO

SIERRA CRISTAL

Baracoa

Guantánamo

Base naval
de Guantánamo (Estados Unidos)

MAR DEL CARIBE

la Maya

El Cristo
El Caney

SANTIAGO
DE CUBA

S. Luis

Palma-
Soriano

El Cobre

ORIENTE

Banes

Antilla

Holguín

Gibara

Bijagual

Baire

S I E R R A   M A E S T R A

El Hombrito: 1er territorio
libre de la columna
de Che Guevara

Puerto-
Padre

Victorias
de las Tunas

Bayamo

Bueycito Guisa

Veguitas

Yara

S. Pablo
de Yao

Estrada-
Palma

Pico Turquino

Uvero

La Plata

MANZANILL

S I E R R A

Alegría de Pío

Niquero

«Granma»

Nuevitas

Hacia
La Habana

CAMAGÜEY

Cabo
Cruz

que denomina la «invasión»; es decir el avance de las columnas rebeldes «en todas direcciones hacia el resto del territorio nacional sin que nada ni nadie pueda detenerlas».[173] Las adhesiones se han multiplicado. Dispone de un millar de hombres. La idea es atacar tres puntos: cada extremo de la isla y el centro. Él mismo, con su hermano Raúl y Almeida, se encarga de la provincia de Oriente y de Santiago de Cuba. Camilo Cienfuegos debe llegar hasta la provincia de Pinar del Río, en el extremo oeste. Y se encarga al Che que divida en dos la isla, atacando la región central de Las Villas donde hay ya, en la Sierra del Escambray, diversos focos de resistencia y no sólo el del M-26.

«21 de agosto de 1958. El Comandante Ernesto Guevara recibe la misión de conducir de la Sierra Maestra a la provincia de Las Villas una columna rebelde y operar en el territorio de acuerdo con el plan estratégico del ejército rebelde [...]»[174] En su laconismo, la orden no llega a reflejar la inmensa hazaña que se exige a Guevara y a sus hombres: recorrer más de seiscientos kilómetros de llanos y marismas en territorio enemigo. No tendrán ya el protector abrigo de la montaña-fortaleza y su logística es irrisoria.

Pero «la guerra de guerrillas está superada, se ha transformado en una guerra de posiciones y de movimiento»,[175] asegura Castro, que hace suya la divisa de Danton «audacia, audacia, y más audacia». La columna n.º 2 de Camilo —ochenta y dos hombres— se ha colocado bajo la advocación de Antonio Maceo, famoso héroe de la independencia que en 1895 cruzó la isla de punta a cabo. La del Che —la n.º 8, para confundir al enemigo como siempre— ha tomado el nombre de Ciro Redondo, el querido camarada muerto en diciembre. El objetivo final es hacer caer la dictadura, pero de momento se trata de impedir las elecciones presidenciales de noviembre, verdadera farsa electoral, a las que Batista presenta, para fingir una sucesión, a uno de sus títeres cuyos hilos manejará, como ha hecho tan bien durante años y años. Guevara, además, tiene la difícil tarea de coordinar la acción de los grupos de oposición que, en esa región central, tiran cada uno por su parte. Ya no es un «miembro asociado» sino un protagonista directo de la batalla política cubana.

«Pensando llegar en cuatro días, íbamos a iniciar la marcha, en camiones, el 30 de agosto de 1958.»[176] Lamentablemente, necesitarán siete terribles semanas para cubrir la distancia. Las dificultades se presentan desde el comienzo. El pequeño avión que transporta las armas aterriza de noche, como estaba previsto, pero es descubierto y bombardeado «de las diez de la noche a las cinco de la madrugada».

De modo que, tras haber recuperado apresuradamente las armas, los rebeldes prefieren pegar fuego al aparato y ofrecérselo a los soldados que avanzan en gran número hacia el aeropuerto y se apoderan de una camioneta que lleva uniformes y gasolina para los camiones. «Así fue como iniciamos la marcha el 31 de agosto, sin camiones ni caballos.»[177] Al día siguiente, los camiones los aguardan al otro lado de la carretera pero esta vez son los elementos naturales los que intervienen. Un terrible huracán, *Ella*, se abate sobre la isla inundando el llano, haciendo impracticables los caminos de tierra a excepción de la carretera central, la única asfaltada pero que, naturalmente, no pueden utilizar. Violencia de los trópicos.

«Se fueron sucediendo días que ya se tornaban difíciles [...] cruzando ríos desbordados, [...] luchando fatigosamente para impedir que se nos mojara el parque, las armas, los obuses; buscando caballos y dejando los caballos cansados detrás; huyendo de las zonas pobladas a medida que nos alejábamos de la provincia oriental. [...] Caminábamos por difíciles terrenos anegados, sufriendo el ataque de plagas de mosquitos que hacían insoportables las horas de descanso; comiendo poco y mal, bebiendo agua de ríos pantanosos [...]. Nuestras jornadas empezaron a dilatarse y a hacerse verdaderamente horribles. [...] las fuerzas estaban bastante debilitadas.»[178] Antes de partir, Guevara ha seleccionado cuidadosamente a los voluntarios que desean correr con él la aventura. Tiene fama de ser severo pero justo y valiente. Es un honor estar en su columna. Todo el mundo ha sido informado de las dificultades, de los peligros que les aguardan. Ha dado tiempo para reflexionar. Ciento cuarenta y cinco hombres han querido seguirlo. Sin embargo, lo que deben soportar supera todo lo imaginable.

No sólo la vanguardia cae en una emboscada al cabo de ocho días, y desde entonces «las fuerzas enemigas nos acosan y de allí en adelante no nos dieron tregua»,[179] sino que la lluvia, violenta e interminable como en una novela de García Márquez, lo dificulta todo, y cuando cesa, los mosquitos toman el relevo en espesas nubes. Ha sido necesario olvidar los camiones, incrustados en el barro y que ninguna fuerza humana puede arrancar, aunque Guevara, empuñando el fusil, amenaza a quienes se declaran vencidos. Ha sido preciso abandonar los caballos, pues la corriente de los arroyos transformados en torrentes los habría arrastrado. Los hombres deben agarrarse a una cuerda tendida sobre el agua para cruzar el obstáculo por la noche, a la luz de una débil linterna, cuando muchos ni siquiera saben nadar. Más que una «larga marcha» es una expedición anfibia «a la velocidad media de 12 a 15 kilómetros por día. [...] El barro y el agua chapotean que es un primor —escribe Guevara a Castro—, y habrías debido ver lo que he tenido que hacer para llegar con los obuses en buen estado, ha sido una película».[180] Sus cuadernos de campaña son menos líricos: «2 de octubre: hace tres días que no hemos comido ni dormido. Aguantamos sólo a fuerza de voluntad [...]. Hemos cruzado, de noche, una laguna llena de plantas cortantes que han dejado hechos polvo los pies tumefactos y ya insensibles de quienes iban descalzos. Hemos dormido en el barro.»[181] Más tarde, en sus *Recuerdos* precisará: «Pasamos los días más duros cercados en las inmediaciones del central Baraguá, en pantanos pestilentes, sin una gota de agua potable.»[182]

Desde su comandancia de Sierra Maestra, Castro, que anuncia primero que «la columna de invasión n.º 8 [...] prosigue su avance bajo la hábil dirección del aguerrido rebelde que es Ernesto Guevara», reconoce el 8 de octubre que «la penetración ha sido dura para ellos [el Che y Camilo] pero han salido bien librados».[183] De hecho, las dos columnas han caminado juntas algún tiempo, reforzándose una a otra. Luego han tomado cada cual su camino, en un itinerario paralelo, sembrado de combates análogos, bajo repetidos bombardeos más terroríficos que eficaces, avanzando por la noche, con frecuencia a pie, a veces a caballo, raramente en camión o, incluso, en tractor agrícola en cortas distancias. El peligro de un encuentro con los *casquitos* es permanente, aunque adivinan que en el ejército regular el deseo de combatir no es demasiado grande. Es difícil poder evaluar la increíble confianza en sí mismos, la inconsciencia tal vez, que necesitaban los doscientos treinta coriáceos del Che y de Camilo —harapientos, agotados, analfabetos en su mayoría— para imaginar que derrotarían a un ejército cien veces más numeroso, que disponía de todo un arsenal de armas pesadas, aviones, comunicaciones, radio, etc. Sin embargo, la duda no parece haber hecho mella en aquellos *barbudos*.

Tras numerosas escaramuzas donde milagrosamente las pérdidas rebeldes han sido mínimas —nueve muertos—, llega la recompensa, otro milagro. Cierta mañana aparecen en el horizonte los contornos azulados de la Sierra del Escambray, tierra prometida. «Incluso los más tibios montañeros tenían unas ganas locas de llegar allí»,[184] dice Guevara. Cuando penetran en la provincia central de Las Villas, Ramiro Valdés, el fiel segundo, declara tras haber atravesado el río Jatibonico, que pasan, por fin «de las tinieblas a la luz». Una etapa agotadora queda aún a aquel «ejército de sombras» que chapotea en los arrozales, se despelleja en los cañaverales: el último río, el más ancho, el Zaza. «Luego —escribe Guevara— cruzamos el último cordón de guardias en la carretera de Trinidad a Sancti Spiritus, el 15 de octubre por la noche, y se inició nuestra dura tarea política».[185]

La hermana menor de la Sierra Maestra

Ardua misión para Guevara, aun investido de plenos poderes por Fidel Castro, la de hacerse oír por los distintos núcleos rebeldes de la región. También el Escambray tiene su tradición subversiva. La piel de sus campesinos es menos oscura que en la Sierra Maestra, pero esa «montaña» de ochenta kilómetros de largo, que culmina apenas a mil metros, se le parece como una hermana menor. Se codean, sin respaldarse del todo pese a su común combate contra la dictadura, centros de resistencia que reflejan aproximadamente el abanico de las fuerzas políticas de oposición. Existe, en primer término, el Directorio revolucionario de Faure Chomón y de Cubela. Sienten cierta desconfianza hacia Fidel Castro, que les paga con la misma moneda; pero Guevara se entenderá sin problemas con ellos. Hay una escisión por la derecha de este mismo Directorio, que ha adoptado el nombre de «segundo frente del Escambray», bajo la dirección de un español anticomunista, tal vez más bandido que guerrillero, Eloy Gutiérrez Menoyo, hostil a Castro. Menoyo recibe subsidios del antiguo presidente Prío Socarrás, instalado en Miami, pero no se priva por ello de desvalijar a los campesinos. Hay también un pequeño «maquis» comunista del Partido Socialista Popular, dirigido por Félix Torres, que ha recibido la consigna de ayudar a las columnas rebeldes y lo hace. Hay por fin un destacamento bastante importante de combatientes del M-26, mal armados y refugiados en su mayor parte en la montaña tras el fracaso de la huelga de abril. Víctor Bordón, su jefe, se ha atribuido el grado de comandante. Guevara le concederá el de capitán al incorporar a sus hombres a la columna n.º 8.

El enfrentamiento político se inicia por una indispensable clarificación con los camaradas del M-26 local. Porque el Movimiento 26 de Julio —y esto se olvida a menudo— nunca tuvo doctrina precisa al margen de la que puede encontrarse en los discursos de Fidel Castro o en las proclamas generales contra Batista. Enrique Oltuski, de veintiocho años, joven y brillante ingeniero de la Shell, responsable provincial del M-26 para Las Villas, «subió» a la Sierra del Escambray para reunirse con el Che. En sus memorias, *Gente del llano*,[186] nos ha dejado un vivo testimonio de su encuentro con el argentino, al que sólo conocía por algunas fotos publicadas en la prensa. Es de noche, hace frío; el invierno existe también en Cuba cuando se abandona la humedad cálida del llano. A la luz de las llamas de un brasero, en la rústica casa que los alberga, se sorprende —como otros antes que él— por los rasgos «chinos» del personaje; sin duda, dice, porque la barba era poco poblada y los bigotes que caen a cada lado de la boca le dan aquel aspecto. «Pensé en Gengis Khan [...]. Su corpulencia era media, llevaba una boina sobre unos cabellos muy largos y una capa negra sobre una camisa abierta.» La discusión es áspera.

—Has manejado muy mal la cosa del Escambray —suelta el Che.

Oltuski siente «un vacío en la boca del estómago». Explica el embrollo de las facciones rebeldes en esta sierra. Es complicado.

—Quien sí ha hecho mucho por nosotros es el PSP —prosigue Guevara—. Nos ha mandado zapatos y ropa.

—Y sin embargo nosotros los enviamos. Los creíamos lejos todavía.

—En cuanto hayamos ampliado y consolidado nuestro territorio implantaremos la reforma agraria —añade Guevara—. ¿Qué te parece?

—Es imprescindible. Yo mismo escribí la tesis agraria del Movimiento. Todas las tierras ociosas deben pasar a los guajiros y los latifundistas tendrán que pagar grandes impuestos. De este modo, los campesinos podrán comprar sus tierras a precio de coste, con facilidades de pago y con créditos.

Entonces, cuenta Oltuski, hirvió la indignación del Che. ¿Vender a los campesinos la tierra que trabajan? ¡Tesis reaccionaria! «Eres como todos los del llano...» La cólera de Guevara aumenta cuando Oltuski explica que deben tener cuidado con la reacción de Estados Unidos, que puede no quedarse con los brazos cruzados.

—Qué *comemierda* eres. ¿Tú crees que podremos hacer la revolución a espaldas de los americanos? Una verdadera revolución, una lucha a muerte contra el imperialismo, no se puede disfrazar...

La discusión dura toda la noche. Unos días más tarde, Oltuski se pregunta si Guevara se ha vuelto loco. Le ha ordenado asaltar el banco de la vecina ciudad de Sancti Spíritus. En principio, es inútil, responde el dirigente del M-26. De momento dispone de cincuenta mil pesos-dólares cuya mayor parte le envía inmediatamente rogándole que le firme un recibo. Luego, sería echarse en contra a buena parte de la población. Finalmente, es probable que el propio Fidel no lo aprobara. En cualquier caso los dirigentes del M-26 de la provincia estarían dispuestos a dimitir antes que cometer esa tontería. Réplica cortante de Guevara: le recuerda que él es el jefe y acepta las dimisiones, consciente de que el viejo antagonismo llano-sierra sigue vivo y que «los jefes divorciados de la masa del pueblo» nunca han analizado «las raíces económicas de ese respeto a la más arbitraria de las instituciones financieras». (Cuatro años más tarde, en 1963, en un prefacio a un tratado sobre *El partido marxista-leninista*, subrayará de nuevo la oposición entre el ejército rebelde, formado en la montaña, «ya ideológicamente proletario [que] piensa en función de la clase desposeída» y el llano «pequeñoburgués» que hubiera deseado un ejército «apolítico» bajo la autoridad de los «civiles».)[187] Convoca en la sierra a Oltuski y su adjunto Diego.

Esta vez el tono es menos violento y aunque Oltuski advierta que el Che huele mal —un olor rancio a sudores acumulados— y que es ajeno a cualquier refinamiento culinario —devora, agarrándola con las manos, una carne pasada que él acaba de escupir con asco—, en el camino de regreso declara a su amigo Diego: «A pesar de todo, uno no puede dejar de admirarlo. Sabe lo que quiere mejor que nosotros. Vive sólo para eso. [...] Yo creía que era un revolucionario completo... hasta que conocí al Che. Comparado con él, soy un aprendiz. Me alzaré con él.»*[188]

El relato va más allá de la anécdota porque confirma lo que será, en adelante, la fuerza y la debilidad de Guevara: un radicalismo total, una voluntad en permanente tensión para llegar, a toda costa, más allá de cualquier contingencia, al verdadero régimen de justicia social que reclama la revolución. Pero esta exigencia absoluta que conseguirá incondicionales dispuestos a dejarse hacer picadillo asustará también a muchos de los que se acerquen, adivinando que al contacto con aquella zarza ardiente, ajena a las medias tintas, se consume uno con mucha rapidez.

El decidido y risueño joven con aspecto de adolescente que embarcó en el *Granma* ha adquirido un nuevo temple humano. Si los ojos no han perdido su fulgor, el carácter se ha hecho más grave, tal vez más solitario. A veces, por la noche, en la Sierra Maestra, leía a sus hombres poemas de Neruda. Ahora se aísla en lecturas silenciosas, con el cigarro entre los labios, incluso cuando la próxima batalla debiera suscitarle inquietud. Luis Simón, un intelectual del M-26 en-

---

* Oltuski será, tres meses más tarde, el más joven ministro del gobierno revolucionario de 1959, antes de ser destituido y rehabilitado luego. Se convertirá en uno de los mejores colaboradores de Guevara en cuestiones de planificación económica.

cargado de la acción militar en La Habana, lo encuentra a mediados de septiembre en el llano, entre la lluvia y los mosquitos. Simón, que pronto caerá en la disidencia, recuerda que Guevara le pidió aquel día la obra de Merleau-Ponty *Existencialismo y marxismo* y que, hablando de política internacional, «atacó cáusticamente el estalinismo y la matanza de Budapest».[189] Punto de orientación.

Sin embargo, en la provincia de Las Villas, el régimen pega las fotografías de Guevara y Cienfuegos bajo el símbolo clásico de la hoz y el martillo, ofreciendo sustanciales recompensas a quien facilite su captura. En el caso de Guevara, al infamante epíteto de comunista se añade el de «mercenario extranjero».[190] De hecho, su leyenda de terrible guerrillero le precede y todo contribuye a alimentarla. El valor de aquella columna n.º 8, que él dirige y que se lanza a todas las audacias y fuerza todas las barreras, y también el exotismo del personaje, sus cabellos al viento, su aspecto de profeta, su boina negra de la que ha desaparecido la estrella, sustituida por dos sables cruzados, insignia de los oficiales de la guardia rural, corte de mangas suplementario a la seriedad de las apariencias.

Pocos cubanos conocen el sentido exacto de su apodo, pero aquella extraña palabrita identifica también como extranjero a aquel tipo que ha venido de tan lejos, ¡de la Argentina!, por solidaridad. Haber vivido casi dos años en la selva, haber superado duras pruebas, haber obligado a su asma a soportar lo insoportable, la humedad, el barro, el humo del cigarro, haber descubierto al compás de sus pasos la geografía de la llanura cubana, los campos de caña de azúcar o bananos, los infectos manglares de la costa, ha dado a ese «hombre de los bosques» una especie de sólida fuerza telúrica, que se adaptará mal a las sutilezas del protocolo y a las zalemas de la diplomacia. Para sus tropas, para todos, es sin duda el comandante Guevara, pero asume con divertido orgullo que le designen ya como *el* Che. Pues sólo hay uno.

Ese Che sin igual que, a juicio de Fidel, «descollaba como un jefe capaz y valiente», dará pruebas de que sabe moderar su impaciencia cuando la estrategia política lo exige. En julio, Castro había firmado un Manifiesto unitario que había reunido en Venezuela a todos los sectores de la oposición cubana (salvo los comunistas): el Pacto de Caracas. Del mismo modo en Pedrero, donde se ha instalado en las estribaciones del Escambray, Guevara consigue a comienzos de noviembre, tras «penosas negociaciones», reunir al conjunto de las fuerzas de resistencia —incluidos los comunistas— en un pacto de buena vecindad que le permite estudiar la prosecución de las operaciones.

Ahora le apoya sin reserva el M-26 local que antes estaba dispuesto a desentenderse de él.

Rodeando la costa sur Guevara llegó a la provincia de Las Villas una semana después de Camilo que, por su parte, tomó las pequeñas carreteras del norte. Fidel pide a este último que difiera su marcha sobre Pinar del Río, en la otra punta del país, para ponerse a las órdenes del Che y ayudarle a dominar la zona central donde palpita el corazón económico de Cuba. «Tras la proeza única de haber avanzado, el Che y tú, desde la Sierra Maestra hasta Las Villas, ante las barbas de miles de soldados enemigos [...] es lógico, si deseamos la unidad de las fuerzas en esta provincia, que el mando corresponda al comandante más antiguo, al que ha mostrado mayores capacidades militares y de organización, al que suscita mayor entusiasmo y confianza en el pueblo.»[191] Camilo obedece. Quiere y respeta al argentino aunque suela burlarse de él. Los dos comandantes conseguirán sabotear bastante bien las pseudoelecciones del 3 de noviembre, paralizar la circulación, dinamitar los puentes, dividir la isla en dos, impidiendo con ello el envío de refuerzos militares hacia Oriente, donde las columnas rebeldes de los hermanos Castro y de Juan Almeida sitian la ciudad de Santiago. El día de la votación, la farsa es flagrante, la participación irrisoria —menos del 20 por ciento— y el fraude desvergonzado. Ni siquiera los observadores extranjeros han considerado necesario desplazarse. Sin embargo, un político desconocido, Rivero Agüero, debería sustituir en principio a Batista en 1959. Hasta entonces la historia se dispara. Guevara prepara su ofensiva contra Santa Clara.

Tras cincuenta días de marcha, de combates y jaleos, en los que sólo han comido, según su gráfica expresión, «un día sí, un día no, otro día tal vez», después de las pútridas marismas y los bombardeos, el Che instala su «ejército de sombras» a cubierto en la Sierra del Escambray. Organiza un verdadero campamento, como en la Sierra Maestra —con «hospital», defensa aérea, etc.— que debe servir de base para una guerra que concibe como larga y difícil. Permite que sus hombres se recuperen un poco, cuiden sus destrozados pies, se pongan uniformes limpios, cambien de zapatos, limpien sus armas. En su primera visita, Oltuski había quedado impresionado por la facilidad con que todos manejaban los fusiles o las ametralladoras «como si fueran parte de sí mismos».[192] El M-26, los camaradas del Directorio, del PSP, proporcionan el equipamiento y se encargan de la intendencia. Se nota que la ciudad y sus recursos están cerca; el ejército de Batista no irá a molestarlos mucho en ese macizo cruzado por valles y torrentes propicios a las emboscadas.

Guevara monta, urgentemente, una vez más, una escuela militar donde los «veteranos» enseñan lo esencial a los nuevos reclutas que en gran número solicitan combatir en las filas rebeldes. «Trasladamos los mejores milicianos de las ciudades al campo de entrenamiento para recibir instrucción de sabotaje que resultó efectiva.»[193] A veces los oficiales son muy jóvenes: el capitán Joel Iglesias sólo tiene diecisiete años, el teniente Acevedo, quince. Se han ganado los galones bajo la metralla, gracias a su valor. Para dirigirse a los hombres de más edad que están a sus órdenes utilizan cortésmente el «usted». Los «veteranos» continúan tuteando a los chiquillos, pero obedecen sin rechistar. Como ha descubierto que algunos, muy temerarios, «jugaban con la muerte», Guevara ha formado para las misiones peligrosas un «pelotón suicida» constituido por voluntarios. A su cabeza, un hombrecillo de veintitrés años, de una audacia loca, al que llaman el *Vaquerito* porque parece un pastor de vacas.

Una ofensiva relámpago

En la Sierra del Escambray conoce a Aleida, que será su segunda mujer. Hasta entonces, en la Sierra Maestra la vida amorosa del Che no parece haber sido distinta de la de los demás guerrilleros, es decir, muy cercana al cero. Unos pocos han obtenido autorización para vivir con una compañera, que obedece las órdenes y combate como todo el mundo. Se dice que Guevara habría gozado de los favores de dos guajiras, una mulata y una negra, posiblemente mientras velaba por la convalecencia de los heridos, tras la batalla del Uvero. La historia es plausible. El Che no es un puritano rematado. Pero se convierte en ello si considera que no serlo sería perjudicial para la imagen de la revolución. Algunas veces en el futuro tendrá que decidir, en asambleas laborales, sobre historias de infidelidades conyugales que interfieren en la marcha del trabajo. Responderá que no es posible vigilar tan estrechamente el comportamiento de los trabajadores, y pondrá frente a frente la gazmoñería burguesa y la «gazmoñería socialista».

Aleida March es una maestra de Santa Clara a la que sus actividades militantes en el seno del M-26 han puesto en peligro y que, para escapar de los «esbirros», ha sido enviada por el Movimiento a respirar los aires más saludables de la montaña. Una trayectoria análoga a la de Celia Sánchez, cuando subió a refugiarse junto a Fidel en la Sierra Maestra, o la de Vilma Espín que se reunió a su vez con Raúl Castro en la Sierra de Cristal. No parece que Guevara tuviera un súbito flechazo en el Escambray, como tampoco lo tuvo en Guatemala con Hilda Gadea. Para él, la primera cualidad de una mujer, de una compañera de vida —lo dijo—, es ser una «buena camarada» con la que puede contarse, con quien el acuerdo ideológico sea total. Joven y hermosa, apenas entrada en carnes, de tez clara, con una nariz respingona en un rostro redondo enmarcado por cabellos rubios, Aleida sonríe sin mayor reticencia y cede enseguida ante el encanto de aquel hosco comandante, de cuya secretaría se encarga. Estará a su lado durante la batalla de Santa Clara y querrá seguirlo cuando se lance hacia La Habana. Pero Ernesto le pedirá que tenga paciencia. Volverán a verse, en efecto.

«Apenas llegados a Las Villas, nuestro primer acto gubernamental (antes de instalar la primera escuela) fue publicar una proclama que instauraba la reforma agraria.»[194] Ésa es, subraya Guevara, «la punta de lanza del ejército rebelde. [...] son los campesinos quienes nos han empujado». Retoma las *disposiciones* redactadas (con moderación) en Sierra Maestra por el jurista Sorí-Marín y firmadas el 10 de octubre de 1958 por Fidel Castro. La tierra es atribuida a los campesinos que la trabajan pero nada se dice del reparto de las grandes propiedades. Vendrá una segunda ley, insuficiente aún para él, que distribuye también las tierras del Estado y las de los servidores de la dictadura. «El principio era revolucionario.»[195] De momento, recomienda a los campesinos que dejen de pagar alquiler a los grandes propietarios, y concede a Gutiérrez Menoyo el derecho a percibir en su «zona», una tasa sobre los alquileres no pagados. Aquel tipo nada pierde esperando. Tras el enemigo principal —Batista— vendrá el arreglo de cuentas con los «enemigos secundarios».

Para distribuir tierras es preciso controlarlas. A mediados de diciembre, Guevara inicia su ofensiva. Es un *blitzkrieg*, una campaña relámpago cuya rapidez le sorprende a él mismo. El 18 de diciembre, tras apenas dos días de combate, los hombres *de la ocho*, apoyados por los del M-26 local y los del Directorio, toman la pequeña ciudad de Fomento, diez mil habitantes, y su cuartel fortificado. La estrategia es sencilla: hacer el vacío alrededor de Santa Clara, impedir que lleguen los refuerzos. Ahorrador a veces hasta la avaricia, sobre todo si se trata de bienes públicos, Guevara hace establecer una exhaustiva lista del botín donde no falta nada: dos jeeps, tres camiones, 138 fusiles, cuatro máquinas de escribir, etc., y... ¡un despertador! Más 141 soldados prisioneros. Una foto lo muestra en el asiento de uno de los dos jeeps cuya capota está cubierta por una gran bandera cubana. Se ven los rostros de la gente mirando ávidamente a aquel guerrillero llegado de otra parte que les habla con su extraño acento.

El 21 de diciembre, primer doble golpe. Dos cuarteles caen simultáneamente bajo el ataque rebelde, en Cabaigán y en Guayos. Han avanzado por las calles y los tejados de las casas bajas. Saltando de un tejado a otro, en Cabaigán, Guevara tropieza con una antena de televisión, cae y aterriza en el patio sobre un bidón de hojalata transformado en maceta. Brecha en la arcada superciliar derecha y grave luxación de la muñeca izquierda. El doctor Guevara rechaza la inyección antitetánica por miedo a que interfiera con su asma. Pero acepta «tragar aspirinas como si se tratara de galletas». Las fotos de esas «jornadas históricas» nos lo mostrarán, a partir de entonces, con el antebrazo vendado, sostenido por un pañuelo negro que completa el llamativo conjunto.

Dos días más tarde, de nuevo un golpe doble, más importante todavía. En Sancti Spiritus, la ciudad de 58.000 habitantes cuyo banco quiso atacar Guevara, una pequeña escuadra de unos veinte rebeldes enviados como exploradores estimula con su sola presencia una insurrección general de la población, que la emprende con las propiedades de los servidores del régimen y provoca varios incendios. Algunas ráfagas de metralleta y un audaz ultimátum bastarán para que los cuatrocientos soldados de la guarnición se rindan. Signo de descomposición de la disciplina militar, los aviones que debían atacar la ciudad prefieren soltar sus bombas en alta mar. El mismo 23 de diciembre, Placetas (20.000 habitantes) cae a su vez. El Che es el primero que ataca el cuartel donde 104 soldados libran el último combate. El capitán Calixto Morales lo recuerda: «Los francotiradores disparando y él por el medio de la calle como si nada.»[196]

Inmediatamente después corre al encuentro de Camilo, que está asediando un coriáceo cuartel junto a la pequeña ciudad de Yaguajay, a cien kilómetros de allí. Hay entre el Che y Camilo una enorme complicidad hecha de estima mutua y de fraternidad profunda, siempre enmascarada por las bromas de Camilo. Con el sempiterno sombrero de *cowboy* encasquetado, la barba larga y negra que le estira más aún el rostro, Camilo es un obrero de La Habana de lengua afilada que finge burlarse de todo y de todos pero que deslumbra a Guevara, sobre todo por su ingenio guerrillero. En el momento de la verdad su valor es inaudito. Cuando formaba parte de la columna del Che, en la Sierra Maestra, sus amigos quedaban pasmados por su sangre fría durante las emboscadas. Una vez, aguardó a que un soldado llegara a un metro de él para disparar y arrebatarle el fusil antes incluso de que cayera. Si se trata de poner su dentadura en manos del doctor Guevara, asegurará que el argentino es capaz de arrancarle una muela sana en vez de la cariada. Cuando los campesinos de Yaguajay saben que el Che está por los alrededores, acuden en grupo, excitados y curiosos por ver a aquel de quien todo el mundo habla. Y Camilo, testigo de esa fascinación, dice entonces a su compañero: «Ya sé a lo que me voy a dedicar cuando triunfemos: Te voy a meter en una jaulita y recorrer el país cobrando cinco pesos la entrada para verte. ¡Me hago rico!»[197]

Las «cinco gloriosas» de Santa Clara

27 de diciembre de 1958. En diez días de palpitantes combates, el Che y sus hombres han «liberado» un territorio de ocho mil kilómetros cuadrados, poblado por medio millón de habitantes. El día de Navidad ocupan también la pequeña ciudad de Remedios; al día siguiente, el puerto de Caibarién. Han hecho ochocientos prisioneros y recuperado seiscientas armas. Guevara ha añadido a las técnicas conocidas de batalla en zonas rurales algunas astucias aprendidas en el combate urbano: enseñar a la población amiga el arte del cóctel molotov, muy útil para «cubrir» una retaguardia; llegar por el interior de las casas, derribando una pared si es necesario, para sorprender al enemigo por la espalda; fraccionar la columna en pequeños comandos; avanzar por los tejados (pese a las antenas de televisión...). La velocidad y la eficacia de la ofensiva han sido espectaculares. Ha sido necesario instalar nuevas autoridades revolucionarias, reparar los daños, organizar la reanudación de la vida económica. La zafra está cerca y si la consigna de quemar los campos de caña de azúcar estaba justificada contra Batista, es necesario proteger esta riqueza nacional cuando el país queda liberado. Ni el Che ni sus hombres han tenido tiempo para dormir, o casi. Las fotos nos muestran a un Guevara flaco, pálido, con los hombros algo caídos y la mirada fija, como devorado por una llama.

Queda la parte del león, Santa Clara, capital de la provincia, último cerrojo antes de La Habana, eje de la isla en la gran carretera central. Consta de 90.000 habitantes, 3.200 soldados atrincherados en doce cuarteles, tanques y —en las puertas de la ciudad— un temible tren blindado que acaba de llegar como refuerzo con cuatrocientos hombres y un cañón. Enfrente, el Che dispone de 364 combatientes, mucho más motivados por cierto que los de la «tiranía» pero con un armamento ridículo comparado con la potencia de fuego del adversario. Siempre la misma tremenda desproporción de uno contra diez, aunque las cosas han progresado si se recuerda que en la Sierra Maestra la proporción era de uno contra cien. Ni hablar, claro está, de utilizar las vías de acceso cerradas por los tanques. Pero en los mapas que despliega ante él el geógrafo Núñez Jiménez, Guevara descubre un pequeño camino vecinal que lleva a la ciudad universitaria. Por allí comenzará la infiltración. Por la noche.

El 28 de diciembre, antes del amanecer, se inicia la primera de las «cinco gloriosas» jornadas de combate que harán caer la ciudad y darán al Che Guevara una aureola de héroe que rebasará la isla. Los rebeldes se deslizan en la ciudad y multiplican las escaramuzas mientras la aviación comienza unos bombardeos que durarán siete horas, abrirán cráteres de ocho metros y producirán gran cantidad de muertos y heridos. Mientras organiza en la universidad un puesto de socorro y un «banco de sangre», Guevara confiesa al doctor rebelde Fernández Mell que tal vez será necesario un mes de batallas antes de obtener la victoria. Desde la emisora de radio que acaba de ocupar, pide a la población que levanten barricadas para obstaculizar los tanques. Llegada la noche, utiliza un bulldozer encontrado en la facultad de agronomía para aislar el tren blindado, haciendo que se arranquen veinte metros de raíles a cuatro kilómetros de allí. Al día siguiente, el 29 de diciembre, mientras algunos combatientes del Directorio atacan la ciudad de Trinidad, 130 kilómetros al sur, y Camilo que permanece en reserva se bate ante su cuartel que sigue sin rendirse, la ciudad de Santa Clara despierta atravesada por barricadas, camiones, autobuses, coches y montañas de muebles arrojados incluso por las ventanas. La batalla se extiende a toda la ciudad. El pelotón suicida se ha apoderado de la estación, donde poco después suena el teléfono. El teniente rebelde Del Río, que descuelga, tiene el placer de comunicar al oficial de Batista que llama que el establecimiento ha cambiado de propietarios; maldiciones del otro, que les desafía a que vayan a sacarlo de su vecino cuartel. «Se lo informé al Che y me dijo que fuera...»[198] Pero antes incluso de que pueda llegar ¡el cuartel ha caído ya! Puestos a impresionar a los guardias por su intrepidez el pelotón suicida no tiene paralelos. Se han autobautizado como «los Mau-Mau», por el nombre de las temibles tribus africanas que se han levantado en Kenia contra los británicos.

Guevara está en todas partes, vigila todos los frentes. No ha encontrado para desplazarse vehículo más discreto que un jeep Toyota rojo. Por la tarde, la acción se concentra junto al tren blindado de diecisiete vagones, parte de cuyos ocupantes se ha instalado en una colina vecina. Dos destacamentos rebeldes se lanzan al asalto, desalojando a los guardias que corren hacia su refugio blindado. Y las dos locomotoras arrastran al convoy hacia atrás, con la mayor rapidez posible... hacia los raíles arrancados. El descarrilamiento es impresionante. La locomotora vuelca y aplasta un garaje ribereño, lo que aumenta la maraña de chatarra de los primeros vagones que caen unos sobre otros. Gritos. Aullidos. «Les caímos encima sin darles tiempo a que se recuperaran»,[199] cuenta el teniente Espinoza, a la cabeza de una pequeña escuadra de dieciocho rebeldes. Una ametralladora perfora el techo de madera de los coches volcados. Algunos cócteles molotov prenden fuego a las tablas. Los vagones se transforman en un horno.

Cuando el Che acude encuentra que el combate se ha vuelto «interesante». Parlamenta un poco y da al comandante quince minutos para rendirse, más de lo que los guardias necesitan para salir de aquel infierno y arrojar sus armas. Son las siete de la tarde. Hay aún bastante luz para que la aviación bombardee, así que se apresuran a recoger el milagroso botín: bazucas, morteros, ametralladoras, un arsenal (Guevara manda inmediatamente un bazuca a Camilo). En Santa Clara, privada de corriente eléctrica, el M-26 hace que la noticia sea propagada por coches con altavoces. Entre los civiles nace la esperanza de que los bombardeos cesen pronto; entre los militares, cuya moral baja aún más, hay angustia. Pero ¿qué hacer con los cuatrocientos prisioneros del tren? Nadie los quiere. Guevara no tiene medios para custodiarlos ni ocuparse de ellos. Intenta mandarlos a La Habana por el pequeño puerto de Caibarién, pero la fragata anclada en la rada se niega a encargarse de aquellos lamentables vencidos. A falta de algo mejor, los confían finalmente a la milicia local del M-26.

Los dos últimos días de 1959 presencian la caída de la mayoría de las plazas militares. Trinidad se ha rendido. En La Habana, un polvorín estalla con gran estruendo. En Oriente prosiguen las negociaciones entre Fidel y el cuartel de Santiago. En Santa Clara sólo siguen resistiendo los que más pueden temer la venganza popular: el puesto de policía —sede de abominables torturas— y los francotiradores del Gran Hotel, algunos «tigres» de la banda de Masferrer, un antiguo comunista convertido en senador, jefe de una auténtica banda de asesinos a sueldo al servicio de Batista. Los rebeldes sufren numerosas pérdidas, entre ellas la del pequeño Vaquerito. «Me mataron cien hombres»,[200] deplora Guevara. Pero detiene el gesto de uno de sus compañeros que, con lágrimas en los ojos, quiere vengarse en un prisionero: «¿Crees que somos iguales que ellos?»[201]

En la tarde del 31 de diciembre Camilo obtiene por fin la rendición del maldito cuartel de Yaguajay, y se apresura a reunirse con Guevara. El 1º de enero de 1959, al quinto día de la ofensiva del Che, la fortaleza de Santa Clara sigue resistiendo, aunque su comandante haya escapado sin la menor vergüenza vestido de civil y al abrigo de la oscuridad. Pero la radio proporciona muchas noticias de la mayor importancia. Por la noche Batista ha huido en avión a Santo Domingo con toda su familia y su opulenta cuenta corriente. El general Cantillo, jefe de las fuerzas armadas, anuncia la creación de una junta cívico-militar. Fidel Castro lanza una llamada a la huelga general contra la maniobra de Cantillo. «¡Revolución sí; golpe de Estado militar no!»

«Nunca más seremos tan felices...»

La historia de los primeros días frenéticos de aquel nuevo año se cuenta ya por horas. En su postrer ultimátum para evitar el baño de sangre, Guevara amenaza a los militares con que tendrán que responder también de una «invasión extranjera» pues —según asegura, sin que se sepa de dónde saca la información— es posible una intervención de Estados Unidos. A las doce y media del mediodía el cuartel acepta por fin rendirse. La batalla se ha ganado. La ciudad de Santa Clara pertenece a los rebeldes. Manifestaciones de alegría. ¡Que suenen los clarines, que redoblen los tambores! La población se lanza a la calle, confraterniza alegremente con los barbudos vencedores, ofrece bebidas, reclama al héroe de la histórica batalla: ¡el Che Guevara! El héroe es feliz pero está agotado. Una sonrisa flota en sus labios. Por radio Fidel le anuncia que el último bastión militar de Santiago se rinde aquel mismo 1º de enero, antes de las seis de la tarde. Al amanecer del día 2 las columnas del Che y de Camilo se ponen en marcha hacia La Habana. Trescientos kilómetros a lo largo de los cuales todo son aclamaciones. Pero lo más duro está por llegar.

El combate se vuelve ahora más político que militar. La fina estrategia de Castro, genial Maquiavelo, se distingue de la radical intransigencia de Guevara, para quien el imperialismo es el primer enemigo. El argentino tiene una visión internacional mientras que, sin desdeñar al inquietante vecino norteamericano, el cubano Castro permanece arraigado en lo nacional, en el lindero del nacionalismo. Su sexto sentido le hace adivinar lo que conviene decir o hacer para obtener la adhesión popular. Antes incluso de que se inicie la batalla de Santa Clara, cuando Guevara va obteniendo victoria tras victoria, Castro, anticipándose al previsible éxito militar, ha dado al Che sus instrucciones: el avance hacia La Habana tendrá que efectuarse «exclusivamente con fuerzas del Movimiento 26 de Julio».[202] Lo que excluye las del Directorio, cuya ayuda ha aceptado Guevara y con las que ha pactado en Pedrero. Fidel, que le reprocha haber «resucitado a un muerto», añade: «La columna de Camilo debe constituir la vanguardia y apoderarse de La Habana.»

¿Por qué esa prelación, ese insigne honor a Camilo Cienfuegos, a quien hasta entonces se le había pedido que se pusiera bajo la autoridad del Che, verdadero «número dos» del ejército rebelde? Probablemente porque el prestigio de Guevara no es ya oportuno. Su sorprendente éxito, la toma de Santa Clara y la hazaña del tren blindado atraen hacia él todos los focos de la prensa nacional e internacional. Incluso Radio Rebelde, que sigue bajo la égida de Carlos Franqui, ha concedido un lugar de honor a las hazañas de la región central que han eclipsado, por su brillo, las arduas negociaciones del comandante en jefe para que los jefes militares de Oriente se unan a la revolución. Pero la decisión de Castro tiene una explicación muy distinta a la de la hipótesis de una «herida narcisista». Aquel hombre que combate desde hace seis años para derribar una odiada dictadura, ve por fin el poder al alcance de la mano. ¿Cómo no evitar el menor paso en falso en aquellas horas decisivas? Cuba está demasiado cerca de Estados Unidos como para que el anticomunismo norteamericano no haya marcado también las mentalidades cubanas. En La Habana más que en ninguna otra parte. Ciertamente, el poderoso vecino es culpable de una humillación de la que el país debe vengarse. Así, Castro se permite el lujo, desde la jubilosa Santiago, de hablar de la dignidad recuperada: «Esta vez, [...] no será como en 1898, cuando los norteamericanos llegaron para hacerse dueños del país.»[203] Pero al mismo tiempo deja en la sombra a su hermano Raúl, demasiado marcado por su «comunismo».

Por lo que al querido Guevara se refiere, por muy amigo de Cuba que sea, no es posible imaginar a un extranjero como el primero que entre en la capital de la república, acto simbólico, ni que a él se rindan las fuerzas armadas. Si las conversaciones no hubieran durado tanto en Santiago, Castro pensaba unirse a Camilo y al Che en Santa Clara, a una hora de avión, para ponerse personalmente a la cabeza del convoy.[204] Pero el 1º de enero de 1959 es demasiado tarde ya. Experto en el arte de manejar las situaciones, Castro declara Santiago capital provisional y se reserva la posibilidad de recuperar el protagonismo organizando por carretera una marcha triunfal sobre La Habana.

Así pues, al anochecer del 2 de enero de 1959, Camilo Cienfuegos, arquetipo de la cubanidad alegre, hijo de La Habana, entra sin un solo disparo en la fortaleza de Columbia, plaza fuerte del ejército, donde le espera un militar opuesto a Batista, el coronel Barquín, que acaba de ser liberado de la cárcel. El comandante Guevara se instala unas horas más tarde en la fortaleza de La Cabaña, que domina el puerto y la ciudad pero que militarmente es sólo un puesto secundario. Es probable que pudiera ya hacer suya la reflexión que, a media voz, hizo Celia Sánchez al periodista Lee Lockwood unos años más tarde: «Ah, eran buenos tiempos, ¿no es cierto? Nunca más seremos tan felices, nunca...»[205]

5

LA REVOLUCIÓN COMO UNA SANDÍA

Fusilamientos en La Cabaña

A partir de ahora él se acostará tarde. Para rehacer el mundo (comenzando por Cuba) y moldear al «hombre nuevo» del siglo XXI (comenzando por el cubano), las jornadas no serán lo bastante largas y las noches le parecerán demasiado cortas. No fue Guevara quien halló, como algunos afirman, la estimulante fórmula de Mayo del 68: «Seamos realistas, pidamos lo imposible.» Pero habría podido serlo. Su impaciencia por pasar a la acción lo consumía y su fe en la revolución era tanta que nada le parecía imposible.

Ocultándolo a la sombra de los gruesos muros de la prisión militar de La Cabaña, Castro no le hace un mal servicio. Entre el mundo de los combates de la Sierra, el postrer frenesí de la batalla de Santa Clara y la fulgurante modernidad de La Habana, capital de todos los placeres y vicios que rinde sus fortalezas incluso antes de que resuene el olifante, necesita un período de aclimatación. Tras veinticinco meses pasados casi siempre al raso, en el clima rudo y frío de las cumbres de la Sierra Maestra, tras la cálida humedad de las marismas del llano, el hambre, la sed, los mosquitos, los bombardeos, el fragor de la metralla, nuestro «hombre de los bosques» se zambulle de pronto en las voluptuosidades de la «civilización»: una cama con sábanas, agua corriente, comidas adecuadas, lujos olvidados que no conseguirán hacerle zozobrar. «Guevara es Diógenes», afirma *Papito* Serguera, un culto abogado ascendido a comandante y luego a embajador, que lo conoció en la Sierra Maestra y con quien mantuvo un trato regular; sobre todo porque ambos eran respetables contrincantes en el ajedrez. Como Diógenes, envuelto en su única prenda de vestir, despreciando honores, riquezas y conveniencias sociales, «el Che se llevaba recio a sí mismo».[1] La dureza consigo mismo, esta austeridad casi ascética —que proceden, como hemos visto, del severo régimen impuesto por el asma— no predisponen al argentino a saborear los encantos de una ciudad entregada a las languideces de su sensualidad feliz.

En el vasto despacho oscuro y abovedado, reservado desde hace dos siglos a los gobernadores de la Bastilla habanera, Guevara hará mucho más que dirigir el funcionamiento de la prisión. Se ha cortado la melena que ondeaba en negras crines sobre sus hombros, pero no se ha afeitado la barba, que sigue negándose a crecer en dos pequeñas zonas de piel imberbe, a cada lado del mentón. Su uniforme verde olivo está ahora limpio y planchado; la camisa, por fuera del pantalón, apenas deja adivinar una minúscula estrella dorada en cada hombro y los bolsillos continúan atestados de toda clase de papeles, lápices, cuadernos y habanos Montecristo n.° 1, sin olvidar el indispensable inhalador contra el asma. Sus visitantes se sorprenden no sólo por el sibilante acento argentino, que alarga las sílabas, sino también por su tono de voz, grave y pausado, insólito en un país donde lo habitual es hablar en voz muy alta, tragándose el final de las palabras.

Con respecto a La Habana, el Che parece haberse contagiado de la desconfianza de Castro que, como buen «oriental», prefería Santiago, otra metrópoli, símbolo de una cubanidad más tradicional. ¿Tuvo Guevara tiempo y ganas de descubrir los matices, descifrar los misterios de esa ciudad portuaria, resumen de la historia de la isla? Nada es menos seguro.

Se equivocaría quien se detuviera en los aspectos exteriores de la americanización de La Habana. Ciertamente, a media hora en avioneta de Key West, a menos de una hora de Miami, unida al «poderoso vecino» por los *ferry-boats*, la ciudad puede parecer un simple apéndice de Florida. Más allá del Malecón, el paseo orillando el mar que flanquea la bahía, inundado por el sol y recorrido por la tibia brisa que proviene de la corriente del Golfo, el paisaje de la calle puede confirmar aún más esa ilusión. Los anuncios chillones celebran las marcas características norteamericanas, Lucky Strike, Palmolive, Sears & Roebuck... Coches anchos y largos como paquebotes —Buick, Chrysler, Oldsmobile— hacen brillar sus cromados, ignorando que son ya piezas de museo. Alentados por Batista (que cobraba su diezmo) algunos hoteles ultramodernos de veinte pisos (Hilton, Riviera, Capri) yerguen sus flamantes moles copiadas del modelo de Las Vegas. Su decoración, de sublime mal gusto, extasiará a los aficionados al kitsch de los años cincuenta. Añádanse los casinos, los clubes nocturnos, las *play-houses* y demás templos y capillas de juego y loterías. Por todo ello La Habana será considerada la «nueva Babilonia», dedicada al estupro y la fornicación.

Pero hay que ir con cuidado. Por un inesperado efecto de «antropofagia cultural», los habaneros han conseguido absorber esa oleada sin perder su alma. Impuestos por medio siglo de protectorado económico, tras una independencia bajo control, los mensajes del *way of life* norteamericano han sido pasados por el fino cedazo del «mester de mestizaje».

Ciudad dos veces mestiza, La Habana ha secretado los enzimas de su mitología caribeña y africana para cubanizar alegremente el *made in USA*, transformándolo en un auténtico producto nacional. Basta con ver los contoneantes andares de una mulata con rulos en el centro histórico de La Habana vieja, o con mirar a los chiquillos que juegan al béisbol en una calleja de barrio para comprender que la cubanidad no se disuelve en la coca-cola, y menos aún si se la enriquece con una dosis de ron criollo. En aquella ciudad de más de un millón de habitantes, abierta al océano y a la vida, llena de palmeras reales y de buganvillas, perfumada con canela y plátano frito, el caso de Beny Moré es tal vez el arquetipo de esa dialéctica del devorador-devorado. Cantor negro de Santa Isabel de Las Lajas, en el centro de Cuba, al recuperar el *big band* de los antiguos esclavos creadores del jazz en Estados Unidos, este «bárbaro del ritmo» trastornó el panorama musical popular de los mambos, rumbas y boleros, que se han convertido a su vez en productos de exportación cubanos, tan auténticos como el azúcar o el café.

No obstante, en 1959 el comandante Guevara no parece advertir que La Habana era una fiesta. El Che nunca fue, como Fidel, una «bestia mediática». Seduce muy a su pesar. No es un seductor. Nunca ha cuidado su «márketing político» ni ha lucido alguna fotogénica medalla de la Virgen del Cobre a través de su camisa abierta. Tampoco le molesta que, en esos días gloriosos, la estrella sea más bien Camilo con su sombrero de *cowboy* en el cuartel general de Columbia. Eso son tonterías. Las cosas serias son otras: la seguridad de un comportamiento unitario de las fuerzas revolucionarias con respecto al comandante en jefe; la reacción, que debe vigilarse, de la burguesía habanera.

El primer choque, en el que se apresura a intervenir, procede de las fuerzas del Directorio Revolucionario. Los hombres de Faure Chomón y de Rolando Cubela combatieron a su lado en la provincia de Las Villas, pero Castro no quiso que se unieran a las columnas del 26 de Julio que entraron victoriosas en La Habana. Entonces se atrincheraron en la universidad y en el edificio que simboliza su resistencia a Batista: el Palacio Presidencial, que habían invadido durante unas trágicas horas en mayo de 1957, sin conseguir desalojar al dictador. Esta vez levantan barricadas y se niegan a moverse. ¡Camilo quiere disparar los cañones! Paradoja, Guevara, el peleón, es el que contemporiza y acaba convenciendo a los disidentes para que abandonen el lugar. De manera que el juez Urrutia, nombrado por Castro a finales de 1958 presidente provisional de Cuba, puede pues instalarse allí el 5 de enero.

A mil kilómetros de distancia, en Santiago de Cuba, Castro organiza magistralmente el «suspense». Mantiene durante tres días la orden de huelga general, tanto para protegerse contra cualquier nueva tentativa de golpe de Estado como para indicar que a partir de ahora él es el *líder máximo*. El 3 de enero inicia, por carretera, en dirección a La Habana, una lenta y larga marcha triunfal de cinco días y cinco noches, en la que goza minuto a minuto del fervor popular que provoca su paso. No se cansa nunca de esos baños de multitud —una droga—, de esos mítines al aire libre en los que, ante miles de personas puestas de pie, se entrega a una paciente pedagogía de la revolución.

Encaramados en plataformas de camiones, jeeps, tanques que durante el camino se unen al cortejo, los soldados rebeldes del brazalete rojinegro ponen pintoresquismo a la procesión. «Invencibles descendieron los barbudos / para establecer paz en la tierra...»,[2] celebra Pablo Neruda que les dedica «un minuto cantado por la Sierra Maestra». A cada etapa la muchedumbre de partidarios aumenta, incrementada por los combatientes de última hora. Como el Cid de Corneille cuando se dirigía a enfrentarse con los infieles, partieron trescientos pero con los refuerzos eran tres mil al arribar a puerto.

La llegada a La Habana, el 8 de enero, es una apoteosis. Aquella misma noche en el campamento de Columbia, especialmente elegido porque las fuerzas de la «tiranía» lo habían convertido en su *sancta sanctórum*, Castro, comendador ya más que comandante, pronuncia su primer gran discurso al pueblo de Cuba. Inaugura con su voz «delgada, casi infantil» lo que se convertirá en la ceremonia ritual de su «diálogo» con el público: un largo monólogo interrumpido de vez en cuando por preguntas que incluyen y reclaman obvias respuestas. «Cálida oralidad que se agarra a las tripas y al corazón, y transforma un auditorio en comunidad viva»,[3] según la descripción de Régis Debray.

Aquella noche, el discurso del triunfador es una obra maestra de prudencia política y habilidad maniobrera. Afirma la preeminencia del poder civil sobre el militar, asegura no tener ambición alguna, promete que no se transformará en dictador y se retirará en cuanto su tarea haya terminado, como el cónsul Cincinato. Habla de la necesidad de la unión y de pronto interroga a Camilo, que se encuentra a su izquierda: «¿Voy bien, Camilo?» Y Cienfuegos le da la respuesta esperada: «¡Vas bien, Fidel!» Estusiasta rugido de la muchedumbre feliz.

La fórmula será utilizada innumerables veces. Castro ataca, sin nombrarlas, a las fuerzas del Directorio que se han apoderado de armas y municiones. «¿Armas para qué? ¿Para combatir contra quién?» Y la muchedumbre repite a coro: «¿Armas para qué?» Más adelante, Castro apenas modificará la fórmula: «¿Elecciones para qué?» Allí termina la disidencia del Directorio. La mayoría de sus miembros se unirán al Movimiento. Aparece entonces un signo benéfico del destino: los focos atrapan en sus haces una bandada de palomas blancas. Dos de ellas se posan en el hombro del orador. ¡Mágico!

«¡Fidel! ¡Fidel!», corean trescientas o cuatrocientas mil gargantas. Puro delirio. En un país de fuerte minoría negra y mulata, marcada por la *santería*, un conjunto de creencias espiritualistas africanas que datan del tiempo de la esclavitud, tanto como por la influencia cristiana, esas blancas palomas de paz santifican a la vez a Castro y a la revolución. «Pero les advierto también —concluye, señalando que las festividades de la revolución han terminado— que nada ni nadie podrá salvar a los criminales; quienes hayan asesinado serán castigados sin excepción y sin piedad.»[4] Guevara se hará cargo de la ingrata tarea.

Al día siguiente del «histórico» discurso de Castro, en el patio de La Cabaña se agrupan dos mil de esos combatientes que han acudido a sumarse a la victoria en el último minuto. La mayoría no ha participado en los combates, pero no por ello deja de lucir ostentosos brazaletes rojinegros, así como las armas obtenidas en las numerosas comisarías de policía abandonadas. Cuando le preguntan al Che qué hacer con aquel heteróclito grupo, responde sin más «¡Que se vayan al diablo!» Muchos se unirán a las columnas de comandantes menos rigurosos que él. Otros, despechados, alimentarán las filas de la «contrarrevolución».

Tras la fuga de Batista el comportamiento de los cubanos carece de las violencias extremas que habrían podido esperarse. En La Habana, sobre todo durante los primeros días, se destruyen y saquean los parquímetros de estacionamiento, cuyos beneficios enriquecían a la esposa de Batista. En provincias se producen ciertos ajustes de cuentas tan inevitables como sumarios: el jefe de policía de Santa Clara, algunos asesinos a sueldo muy conocidos en Santiago. Pero ninguna sublevación sangrienta como en 1933 tras el derrocamiento de Machado, o como un año antes en Venezuela tras la caída del dictador Pérez Jiménez. Fidel ha pedido calma y ha prometido que los asesinos serán castigados.

No obstante, las fechorías de los «esbirros» —nombre genérico— han sido tales, hubo tantas violencias, torturas y asesinatos, que las familias de las víctimas, los amigos y la población en su mayoría exigen justicia. Se hizo por lo tanto justicia. No fue Nuremberg y la depuración puede considerarse «razonable» si se tiene en cuenta la inmensa rabia acumulada contra las infamias de la dictadura. Juicios demasiado rápidos que adolecen de todas las garantías necesarias, claro que los hubo. En Estados Unidos, sobre todo, se levantaron protestas. Pero el moderado Rufo López-Fresquet, ministro de Finanzas del primer gobierno de Urrutia, advierte pertinentemente en un libro escrito en el exilio: «El extranjero, especialmente americano, hizo hincapié en el aspecto jurídico de estos juicios revolucionarios. Al cubano le interesaba su aspecto moral.»[5]

Claude Julien, enviado especial de *Le Monde*, precisa: «Las doscientas personas ejecutadas [...] son criminales de derecho común que han matado con sus propias manos.»[6] Herbert Matthews, del *New York Times*, acepta como probable la cifra de seiscientos «criminales de guerra» fusilados. Y agrega: «No conozco ningún ejemplo de un inocente ejecutado.» Ante la indignación de la prensa y el público americanos, puntualiza que durante los dos o tres últimos años, «sobre todo cuando los partidarios de Batista mataban a sus adversarios (generalmente tras haberlos torturado) a un ritmo espantoso, no se produjeron protestas americanas».[7] Una «niña bien» francesa, sorprendida en La Habana de luna de miel con su marido Daniel Camus, fotógrafo del *Paris-Match*, escribe con fecha 14 de enero de 1959, en un libro testimonio que rebosa torpeza pero que tiene el interés de haber sido escrito en caliente: «Desde hace dos días toda la prensa local está llena de fotos de los asesinatos del antiguo régimen, con detalladas descripciones de las atrocidades y los crímenes que cometieron. Fotos de carnet de identidad, que ponen al pie: "Señor X... 110 asesinatos. Señor Z... 80 muertes."» A la joven se le pone la carne de gallina al ver en la revista *Bohemia* «la mitad de las doscientas diez páginas cubiertas de fotografías de esos infelices torturados encontrados en los puestos de policía de la capital. Debería estar prohibido...».[8]

El presidente Urrutia, antiguo magistrado del Tribunal de Apelaciones de Oriente, intenta poner fin a esos expeditivos procedimientos. Castro hace oídos sordos. Siente que la opinión pública lo desea. Hace incluso publicar un decreto que modifica sin más la Constitución de 1940, que excluía la pena de muerte. En La Cabaña, bajo la autoridad del Che, actúan generalmente los tribunales marciales; luego están los especiales de La Habana, con un abogado de oficio y algún notable entre los jueces. Para evitar eventuales errores judiciales, la sentencia no se ejecuta inmediatamente.

La robusta fortaleza convertida en prisión militar fue construida por los españoles a finales del siglo XVIII para proteger otra fortificación, el castillo del Morro, que controla la entrada de la bocana de la rada de La Habana. Piratas y corsarios apreciaron siempre aquel paraje. El reportero del *Paris-Match* y su asustada esposa pasan por el túnel submarino construido por los franceses, antes de cruzar el pesado puente levadizo. «Aquí serán fusilados los reos», les indica el capitán que los guía, mostrándoles los fosos desecados. Los reos —prisioneros vestidos de basta tela azul con una P mayúscula en la espalda— se dejan fotografiar sin dificultades. Fusilar es una tradición tan arraigada en la historia cubana de los últimos dos siglos que en el muro, a la altura del corazón, se ha formado al parecer una ranura causada por el impacto de las balas que han atravesado el cuerpo de los ajusticiados. En la ciudadela, transformada desde entonces en museo, la visita no incluye el famoso paredón.

Es probable que Guevara, con su radical intransigencia a lo Saint Just, velara sin demasiados remilgos por el buen desarrollo de las ejecuciones. La revolución no es un galanteo. Su buena conciencia es absoluta. El padre franciscano que asiste a los futuros fusilados reconoce, además, que los condenados confiesan crímenes peores que los que les han valido el paredón. «La justicia revolucionaria es de verdad justicia —declara el Che—, y no rencor ni desbordamiento insano. Cuando aplicamos la pena de muerte lo hacemos correctamente.»[9] Puesto que es un trabajo «sucio», exige que todos los oficiales, incluso los que se desempeñan en cuestiones de intendencia, se turnen para encargarse de las ejecuciones, con el fin de impedir la «profesionalización», hacer que la responsabilidad sea colectiva y evitar que se estimulen eventuales «impulsos sádicos». Por otra parte un gringo, el estadounidense Hermann Mark, asistente del Che, es quien dirige los pelotones. No hubo baño de sangre por parte de los *fidelistas*, como sostiene con ligereza el senador demócrata norteamericano Wayne Morse. Como tampoco hubo veinte mil muertos durante la represión de Batista, como afirma sin mayor seriedad la revista *Bohemia*, cifra exagerada pero que, a fuerza de ser repetida, acabará sirviendo de referencia.

El único fallo mediático procede del propio Fidel Castro que, demasiado seguro de la justicia de la causa y la ignominia de los acusados, convoca a la prensa internacional, en una gran «operación verdad», para que asista el 22 de enero en el Palacio de Deportes (dieciocho mil localidades) al megaproceso contra tres antiguos oficiales de Batista, entre ellos un comandante de policía, Jesús Sosa Blanco, acusado de 108 asesinatos. La operación se torna un desastre. Aunque la culpabilidad de los acusados es evidente, la mayoría de los cuatrocientos periodistas se sienten impresionados por los abucheos que interrumpen los alegatos y los gritos de odio de los espectadores, entre los que hay numerosos campesinos llegados de Oriente. Por más que el procedimiento sea regular, por más que las acusaciones se establezcan debidamente, la prensa sólo retendrá la frase del condenado a muerte: «¡Un circo romano!»

¿Eminencia roja?

Guevara desempeñará un papel nada desdeñable en una historiografía oficial, que exalta la heroica gesta de la Sierra Maestra que permitió derribar la dictadura, pero silencia la parte que correspondió en ello a la población urbana, hostil a Batista y sus infamias pero también a los preceptos comunistas. Conflicto recurrente entre la sierra y el llano. «En realidad —escribe Carlos Franqui— la dictadura cae no tanto por una derrota militar como por una derrota política, pues el ejército, miles y miles de soldados, se rinden sin pelear.»[10] Observación exacta. En muchos casos las tropas regulares se pasaron incluso al bando rebelde con armas y bagajes. Los guerrilleros derribaron un régimen más frágil de lo que parecía, desgastado por la corrupción y la ineficacia de su personal.

No se trata en este caso de una simple controversia académica sino de un punto capital en la interpretación de la revolución cubana, que pondrá en juego muchas vidas humanas. Pues a partir de esta lectura de una revolución victoriosa numerosos movimientos de oposición en América Latina decidirán orientar o no su combate por la vía de la acción armada organizada en torno al famoso *foco* revolucionario. El Che basa su teoría revolucionaria en el modelo matricial de una guerrilla de campesinos que prevalece sobre un ejército profesional. Pero si no fueron los guerrilleros quienes ganaron sino el régimen carcomido de Batista el que se hundió, entonces el malentendido es inmenso, y la pasmosa hazaña de trescientos campesinos analfabetos venciendo a un ejército de cincuenta mil hombres se reduce a un accidente de la historia. No hay, entonces, ninguna «revolución en la revolución». Los comunistas ortodoxos intentaron sostener una visión de las cosas según la cual no era necesario organizar una acción armada para derribar a Batista, justificando al mismo tiempo, de ese modo, su tardía entrada en un combate que no correspondía al esquema marxista del levantamiento popular de las masas.

En 1961, en un artículo publicado en *Verde Olivo*, revista de las fuerzas armadas cuya dirección política asume por entonces, Guevara les responderá sin nombrarlos. Pretende demostrar que el caso de Cuba no es una «excepción histórica» sino, al contrario, un ejemplo de lucha anticolonialista de vanguardia que puede y *debe* ser imitada pues los denominadores comunes —el hambre, el odio a la represión— son más numerosos que los factores de excepción. A lo sumo admite dos de esos factores. El primero, indudable según dice, es «esa fuerza telúrica llamada Fidel Castro [...] Fidel es un hombre de enorme personalidad [...] Tiene las características de gran conductor». El otro elemento particular de la situación cubana se debe al hecho de que el imperialismo norteamericano quedó desorientado: «[...] cuando se dio cuenta de que el grupo de jóvenes inexpertos que paseaban en triunfo por las calles de La Habana, tenía una amplia conciencia de su deber político y una férrea decisión de cumplir con ese deber, ya era tarde. Y así, amanecía, en enero de 1959, la primera revolución social de toda esta zona caribeña y la más profunda de las revoluciones americanas».[11]

Mientras Castro se instala en el vigésimo tercer piso del hotel Hilton (con ascensor exclusivo), Guevara planta sus cuarteles en la vieja prisión española. En cuanto llega, reúne a sus oficiales para analizar el sentido de su victoria y explicarles las tareas que los aguardan. Orlando Borrego, joven contable de veintiún años, ascendido a primer teniente cuando se unió a la columna del Che en Las Villas, nos describió cómo, ante un mapamundi, con su curioso acento argentino y sus modismos cubanos, el comandante de la fortaleza situó el acontecimiento en el contexto internacional. Guevara no vacila en hablar de marxismo, de Lenin, de octubre de 1917, de la URSS. Para colocar la revolución en la realidad de la sociedad cubana, dice, el ejército rebelde tendrá que dar ejemplo de trabajo y sacrificio.[12] En esos primeros días de la revolución, La Habana hierve con una agitación que tiene más de alegría que de inquietud. En La Cabaña, la confusión es todavía grande. El novelista Cabrera Infante, por entonces sólo un joven periodista apasionado por el cine, se dirige al comandante Guevara, ansioso por conocerlo y por saber de su amigo Franqui. Cuenta, divertido, cómo en un pasillo se topa con un general de Batista que, viéndolo vestido de civil, le trata inmediatamente de comandante cuadrándose. «Me dio la impresión de que Guevara se quedaba un poco atrás. Como si quisiera hacerse perdonar, casi, ser argentino, no ser por completo cubano.»[13]

El testimonio de Martha Frayde es distinto. Médico, nacida en la gran burguesía criolla, miembro del Partido Ortodoxo cuya lucha contra la corrupción gubernamental había seducido a Castro, amiga personal de este último y de sus hermanas, va a La Cabaña a recuperar su ficha policial depositada allí por el BRAC (Buró de Represión Anticomunista). En un pequeño libro escrito en el exilio, tras tres años de prisión «castrista», describe el ambiente en el que descubre al argentino con una joven secretaria rubia que no se separa de él, Aleida. «El Che intrigaba a los cubanos. Su personalidad y su origen los fascinaban [...]. Nos vimos a menudo y por aquel entonces no era fácil. El Che estaba muy custodiado por los camaradas que querían protegerlo de cualquier fatiga separándolo de los demás. Se hallaba muy disminuido por sus violentos y frecuentes ataques de asma. [...] El Che vivía allí en un ambiente sórdido, en una habitación oscura con su mate y su inhalador al alcance de la mano.»[14] Martha Frayde advierte cómo, desde el comienzo, los jerarcas del ejército rebelde se volvieron hacia los hombres considerados más fiables porque estaban entrenados en la disciplina y el secreto. «Su grupo estaba constituido por camaradas comunistas. [...] Entre los civiles que revoloteaban a su alrededor como si fuera un dios, había un personaje que llamó enseguida mi atención. Se llamaba Osvaldo Sánchez. Era responsable de la seguridad de los dirigentes en el partido comunista cubano. Había sido formado en la URSS. Era la caricatura del hombre del KGB, casi mudo, sobrio, grave, vestido siempre de civil con el clásico sombrero blando...»[15]

Sobre el comportamiento del Che con respecto a Fidel, la presentación habitual del binomio sagrado de la revolución pretende que Guevara aparezca como el discípulo deslumbrado, poco dispuesto a brillar y menos aún a compararse con el «gigante», no convertido en estatua todavía pero proclamado, ya desde México, «ardiente profeta de la aurora». Ahora bien, la impresión de la testigo, insólita, se aparta de la convencional para coincidir más bien con el estereotipo del argentino fanfarrón. «El Che se sentía muy orgulloso de hablar francés y le gustaba demostrar que era brillante y culto. Creo que se consideraba superior a Fidel, más cáustico, mejor estratega. Adoraba hablar. Nosotros, boquiabiertos, lo escuchábamos horas enteras.»[16]

Si bien es un (modesto) alcaide de La Cabaña, como jefe de la ciudadela, en cambio, Guevara no figura en el equipo dirigente del país, al menos en el equipo oficial. Castro, que hasta ahora no tiene más cargo que el de comandante en jefe de un ejército al que está reestructurando, ha cedido al presidente Urrutia la tarea de constituir un gobierno competente y moderado. Los miembros del 26 de Julio son minoría en el seno de una mayoría de notables liberales, reformistas, capaces de tranquilizar a una población llena de desconfianza con respecto a los comunistas. Obsesionada por su paranoia anticomunista, la administración Eisenhower no comprende muy bien aún qué ha ocurrido con la caída de Batista y la inesperada llegada de aquellos barbudos Robin de los Bosques. Washington apenas comienza a preguntarse si los nuevos dueños de la isla permitirán que permanezca en su zona de influencia. Y lo que menos toma en cuenta es el efecto que el fenómeno cubano tendrá en América Latina, su coto privado. Mientras no haya consolidado su poder, Fidel Castro, recordando sin duda los relatos de Guevara, procura no ofrecer al *big brother* pretexto alguno para intervenir militarmente (como hizo en Guatemala cinco años antes).

Con respecto a su lugarteniente argentino, Castro es de una prudencia extrema. La penumbra de La Cabaña le parece adecuada para mantener lejos de las bambalinas al apuesto extranjero, cuya fama comienza a cimentar su leyenda. Se le ha visto en público, muy romántico con su rostro macilento, sus largos cabellos, su boina estrellada, pero su reputación es la de un cizañero. Sus cortantes respuestas a los periodistas, sus radicales condenas del imperialismo, su libertad de lenguaje pueden asustar. Por las filas guerrilleras corría ya un son, una canción muy cubana que ponía de relieve la faceta «apisonadora» del personaje y de su columna de harapientos: *«Quítate de la acera / Mira que te tumbo / Que aquí viene el Che Guevara / Acabando con el mundo.»* Más vale pues mantener en la reserva de la revolución a quien algunos no vacilarán en calificar de «eminencia roja» del comandante en jefe. Análisis algo precipitado pues Castro nunca admitirá a su lado eminencia alguna, por más roja que sea. Ciertos problemas de salud, muy oportunos, justifican su discreta marginación. Se le ha detectado un punto de tuberculosis que añadido al asma, a los sufrimientos de una campaña agotadora, a las crisis de malaria y a su inmoderada afición por el cigarro, impone una verdadera cura.

Guevara no abandona por completo las húmedas murallas de la fortaleza, pero acepta ir a «descansar» a la elegante playa de Tarará, a veinte kilómetros de la Habana, en una mansión a orillas del mar confiscada a un potentado del antiguo régimen. Un Studebaker azul modelo 1958 le lleva en pocos minutos. No lejos de allí, en Cojímar, el pequeño puerto pesquero donde Hemingway (que vive muy cerca) se

271

inspiró para escribir *El viejo y el mar*, Castro también convertirá un belvedere erigido en la cima de una colina en uno de sus numerosos alojamientos de paso. En lugar de un sitio de descanso, la mansión del Che en Tarará se convierte en punto de reunión para los cerebros revolucionarios, punto de encuentro informal de los comandantes del primer círculo. A orillas de una playa perfecta, con un fondo de jardín tropical, en una casa grande y confortable, en medio de una permanente efervescencia —todo Cuba está en plena efervescencia— mientras soldados armados entran y salen, algunos llevando café, otros alfabetizándose, se elaboran algunos de los locos sueños de liberación latinoamericana pero también una segunda ley de reforma agraria, un código penal militar, el reglamento de la marina mercante, una nueva reflexión sobre el papel de la banca y cien proyectos más de transformación social, económica y política del país. Hasta el punto de que Tad Szulc, apoyándose en confidencias de viejos comunistas como Fabio Abraham Grobart, afirma que se trata de un verdadero «gobierno en la sombra», que reúne alrededor de Fidel y el Che a Raúl, Cienfuegos, Ramiro Valdés (mano derecha de Guevara y futuro jefe de los servicios secretos), así como a algunos marxistas declarados: Alfredo Guevara, viejo amigo comunista de Fidel de los tiempos de la universidad que ha regresado del exilio, y Núñez Jiménez, el geógrafo marxista que apareció en Santa Clara.

De origen polaco, Fabio Grobart es un personaje bastante enigmático, de edad madura y que procura no salir nunca en las fotos. Según se dice era coronel del KGB y eminencia gris de los servicios soviéticos. Al parecer, en 1928 comenzó a instalar desde La Habana una red de espionaje por todo el continente latinoamericano. Juan Vives, un joven del pelotón suicida del Che en Las Villas, reclutado luego para el contraespionaje militar por Ramiro Valdés, estaba de guardia el 3 de marzo de 1959 cuando Castro mantuvo una entrevista con Grobart en los despachos del Che en La Cabaña. Según Vives, Guevara procuró que el encuentro fuera secreto puesto que, a la mañana siguiente, arrancó del registro la página correspondiente. Tres días más tarde, dos misiones de miembros del PSP emprendían el vuelo discretamente. Una hacia Moscú, dirigida por Carlos Rafael Rodríguez. La otra hacia Pekín. Ramiro Valdés se había encargado de obtener en Asuntos Exteriores pasaportes vírgenes para los emisarios especiales, que fueron llenados por su servicio. Había tomado de paso unos cincuenta pasaportes más. A punto que, como una inocente travesura, el citado Vives, de dieciséis años entonces y que cuenta esta historia en *Los dueños de Cuba*, se divierte fabricando para el

Che un pasaporte a nombre de Carlos Gardel. (La broma, dice, le costó quince días de arresto.)

En Tarará, al abrigo de indiscreciones, algunos comunistas de peso como Blas Roca, Carlos Rafael Rodríguez y Aníbal Escalante van a escuchar a Fidel. Son los primeros en advertir que, aunque en Cuba hay dos gobiernos paralelos —el del presidente Urrutia y el «otro»—, el único que ejerce el poder es el de Castro. La cosa es tan cierta que, el 13 de febrero, Miró Cardona, primer ministro en ejercicio y decano del colegio de abogados, prefiere dimitir antes que seguir haciendo comedia. Fidel Castro, que ha manifestado ya que el cargo le interesa, es puesto enseguida —esta vez oficialmente— al frente del gabinete.

El sociólogo norteamericano Wright Mills quedó extrañado ante el «vacío ideológico» que reinaba entonces en Cuba entre la clase política. Se hablaba, como en Estados Unidos, de «democracia» y «mundo libre» sin advertir que esos conceptos no tenían demasiado sentido en una férrea dictadura como la de Batista. Por ello, pese al informe Khruschev y a la revelación de los crímenes de Stalin en 1956, pese al aplastamiento de la revuelta de Hungría por los soviéticos aquel mismo año, una política de justicia social inspirada en la filosofía marxista era capaz todavía en la frontera de los años cincuenta y sesenta de obtener adhesión; siempre que se adaptara a la idiosincrasia del país e invocara a José Martí más que a Karl Marx. Desde este punto de vista, si Castro se adhirió con ingenio a la sensibilidad del país, diciendo lo que la gente quería oír y sin meter nunca la pata, Guevara manifestó desde el comienzo un absolutismo que desentona, sorprende y en ocasiones incluso asusta. En oposición a la pachanga, esa fiesta llena de esperanza en el futuro, cantadas, bailadas y dislocadas, él encarna el espíritu de seriedad, recuerda las virtudes de resistencia y voluntad que prevalecieron en la sierra, rechaza la alegre improvisación y exige puntualidad y eficacia.

Por poco cubano que sea, ese comportamiento hace que los incondicionales del cambio radical lo idolatren, viendo en él un modelo a seguir, el arquetipo del revolucionario ejemplar. Es sorprendente comprobar que entre los que le trataron, combatieron o trabajaron a su lado, raros son los que salieron indemnes del encuentro. Como si una especie de gracia abrasadora les hubiera tocado, se declaran marcados, casi transformados por su contacto con un ser excepcional. En cambio, quienes mantienen con él sólo un trato coyuntural, se sienten más bien molestos ante ese rigor excesivo. No soportan aquel parangón culpabilizador, y lo tildan de *pesado* (calificación muy despectiva en un país donde la risa es consustancial a la vida). *Pesado* es el que no sabe vivir o el que, como nuestro héroe, sólo aceptará vivir cuando se haya hecho justicia en América Latina y en el mundo. Es decir, alguien que corre hacia la muerte.

«No soy artista de cinematógrafo»

Cuando, unos días después de la victoria, un periodista le pregunta cuál fue el momento más conmovedor de su vida de guerrillero, el Che responde que al escuchar por teléfono la voz de su padre, seis años después de haber abandonado su país. Pero no es él, demasiado austero, quien toma la iniciativa de invitar a su familia a Cuba. Camilo Cienfuegos, sin que él lo sepa, le hace este regalo. Se ocupa de que la «tribu» Guevara llegue en el mismo avión cubano que trae de Argentina a un grupo de exiliados de la era Batista y algunos periodistas amigos. El hijo pródigo sólo se entera del acontecimiento el 9 de enero, pocos momentos antes de la llegada del vuelo, con el tiempo justo para recibir emocionado a su llorosa madre, a su padre que —un poco histriónico siempre— besa el suelo de Cuba al bajar del aparato, a Celia, la mayor de sus dos hermanas, y a su preferido, el pequeño Juan Martín (*Patatín*) que tiene ya catorce años.

Ernesto siempre tuvo afinidades particulares con su madre. Recuérdese que Celia de la Serna, inteligente y culta, mujer de carácter y valor, tomó la audaz decisión de soltar en plena naturaleza al pequeño asmático, insuflándole voluntad para combatir su mal. Con su progenitor, simpático pero inmaduro y prosaico, que vive en Buenos Aires separado de su mujer aunque mantiene el contacto con el domicilio conyugal, adopta un comportamiento casi protector. Cuando el padre le pregunta qué piensa hacer con su título de médico, ahora que ha salido del mundo de la guerrilla, responde al insólito planteamiento con la indulgencia afectuosa que se reserva a quienes no comprenden nada. «De mi Medicina puedo decirte que hace rato que la he abandonado. Ahora soy un combatiente que está trabajando en el apuntalamiento de un gobierno. ¿Qué va a ser de mí? Yo mismo no sé en qué tierra dejaré los huesos.»[17]

Camilo les ha reservado habitaciones en el decimosexto piso del Hilton. Pero cuando, tras unos días en el hotel, Guevara Lynch expresa el deseo de alojarse en un hotel menos lujoso, su ilustre hijo lo pone en guardia, conociendo a Fidel Castro, corren el riesgo de ir a parar en algo más elegante todavía. En efecto así sucede. Aunque el

Che es muy estricto, no ignora que los cubanos saben mostrarse generosos, a veces hasta la ostentación. Pero cuando el padre sigue preguntando si es posible visitar *in situ* el teatro de operaciones de la guerrilla en Sierra Maestra, Ernesto responde que ciertamente puede poner un jeep y un chófer a su disposición; siempre que el padre pague la gasolina de su bolsillo, pues no es cuestión de utilizar en excursiones de placer un combustible comprado en divisas por el pueblo cubano. El proyecto se deja para tiempos mejores. Como máximo irán todos a Santa Clara para conocer a los padres de Aleida, la nueva compañera del Che.

El padre, pasmado ante la transformación de su hijo, se entregará más tarde a la clásica comparación con el *antes*. «Cuando se fue parecía un imberbe, y ahora una barba rala le cubría parte de la cara. Estaba muy delgado y quemado por el sol. Hablaba pausadamente, pero sus ojos eran sus mismos ojos de siempre, escrutadores, burlones. Antes solía apurarse para hablar, las ideas se le amontaban y no tenía tiempo para expresarlas, y entonces solía charlar nerviosamente y a veces se tragaba las palabras. Ahora lo veía frente a mí, más aplomado; meditaba antes de contestar, cosa que nunca hizo. [...] Me costaba reconocer en él al Ernesto de mi casa, al Ernesto cotidiano. Parecía flotar sobre su figura una tremenda responsabilidad.»[18] Fascinado por la transfiguración, Guevara Lynch acude anónimamente a escuchar una conferencia de ese «comandante Guevara» del que tan orgulloso se siente: «Habló cerca de dos horas expresando sus ideas con claridad y exactitud, y en un tono de voz mesurado. No usó la mímica ni el ademán y con las manos apoyadas sobre el pupitre habló como si lo hubiese estado haciendo consigo mismo.»[19] Un modo de discurrir que se desmarca de la retórica puesta en escena por el *líder máximo...*

Ese encuentro familiar aumentó en Ernesto el deseo de volver a ver a su pequeña Hildita, que aún no caminaba cuando él abandonó México en noviembre de 1956. Ahora va a cumplir tres años. La niña llega a La Habana el 21 de enero, trotando detrás de su madre Hilda Gadea. En 1958, ésta había hecho llegar a su esposo guerrillero una carta expresando el deseo de unirse al combate, lo que Ernesto había descartado alegando la inminente ofensiva de las fuerzas de Batista. Pero desde entonces han cambiado muchas cosas... «Ernesto, con su franqueza de siempre, me habló de que tenía otra mujer que había conocido en la lucha en Santa Clara, y con gran dolor de mi parte, pero de acuerdo a las convicciones de ambos, acordamos divorciarnos.

»Recuerdo algo que todavía me emociona. Al darse cuenta de mi dolor, dijo: "Mejor hubiera sido morir en el combate."»[20]

La peruana se alegra de que siga vivo. Tiene que desempeñar todavía un papel en Cuba y en América Latina, le dice. Quedan como «amigos y camaradas». Hilda se instala en La Habana con su hija. La sentencia de divorcio se dicta el 22 de mayo de 1959.

Tras un mes de estancia, la familia argentina se marcha. Ernesto acompaña a su padre al aeropuerto, donde un compatriota lo reconoce, se acerca, le estrecha la mano y le pide un autógrafo. Volviéndole sin miramientos la espalda, el Che, que parece sentir un sincero horror por los honores, le espeta: «No soy artista de cinematógrafo.»[21] ¿Timidez? ¿Orgullo? En una sociedad de jovialidad tuteante se empeña en mantener las distancias, guste o no. Cabrera Infante recuerda un incidente de enero de 1959, magnificado por el efecto de la lupa catódica. Un periodista muy conocido, Germán Pinelli, comenzó su entrevista por televisión con un «Bueno, Che...» pero fue interrumpido inmediatamente: «Para usted, soy el comandante Guevara. El Che lo reservo para mis compañeros y mis amigos.» El periodista palideció de confusión. «Un cubano nunca habría reaccionado así»,[22] se indigna aún el novelista, treinta años más tarde.

Desde el comienzo Guevara forma parte del grupo de privilegiados que instaura la revolución, aunque sólo sea por la celosa protección que se le dispensa, y de la que por cierto procura escapar. Vela, sobre todo, por no dejarse ablandar por otros privilegios menos visibles, más insidiosos.

«Comandante de la revolución» es ya una marca registrada que sólo designa a esa nobleza restringida que se ha ganado la estrella en el combate. Es el título más elevado. «Esta revolución es la única en el mundo de la que no ha salido ni un general, ni siquiera un coronel»,[23] dice Castro.* Cuando los miembros de esta honorable confradía son invitados a atribuirse, a su voluntad, un salario mensual, Guevara se concede el más irrisorio: 125 pesos. Incluso equiparada al dólar, la suma es ridícula. Algunos ministros se conceden 750 pesos, otros 1.000. ¿Es afectación? De ningún modo. Más bien el deseo de que su vida concuerde con su ética. A quienes encuentren exagerada esa severidad personal, nuestro jansenista les recordará que el salario *anual* de un campesino no supera entonces los 92 pesos.

---

* Los coroneles y generales aparecerán cuando la jerarquía militar cubana se alinee con el modelo soviético.

Cuando al llegar a La Cabaña descubrió en los aposentos del general Tabernilla, jefe del estado mayor de Batista, un cofre atestado de divisas, declaró en un juego de palabras lleno de sabor: «Aquí se podrá meter la pata, pero la mano jamás.» La era de las prevaricaciones se terminó. Su susceptibilidad en este punto es extrema. Basta con un suelto en la revista *Carteles* diciendo que «el comandante Guevara ha fijado su residencia en Tarará» para que se enfade y proteste ante Carlos Franqui, que se encarga de la revista y dirige *Revolución*, convertida en el periódico del nuevo régimen. Que nadie imagine que se ha refugiado en alguna Tebaida. Puesto que está enfermo, explica, y puesto que su sueldo de oficial es demasiado escaso para alojar a la gente que lo acompaña, los médicos le han prescrito descansar a orillas del mar. Ha elegido la menos lujosa de las mansiones abandonadas por el entorno de Batista, sin dejar por ello sus actividades en La Cabaña.

Pese a los consejos médicos de prudencia y reposo, Guevara se niega a marginarse del ajetreado clima que reina en Cuba. El desafío es inmenso, es preciso ir deprisa para arrasar el pasado y reorganizar la economía y la estructura social del país. Le parece obvio que a su alrededor nadie se tome el menor respiro. Cierto día de enero, Julio Chaviano, uno de sus antiguos capitanes de la provincia de Las Villas, a quien le dio el cargo de comisario de la revolución en la pequeña ciudad de Colón, va a visitarlo en su Bastilla de La Habana. El joven oficial, que se ha puesto muy elegante, se presenta en posición de firmes ante su comandante. Éste, fingiendo no haberlo visto, sigue escribiendo en su mesa y pide que hagan pasar al capitán en cuestión. Asombro del interesado y de Aleida, que siempre está presente: «Pero si está aquí delante...» «No conozco a este señor —replica el Che—. El capitán del ejército rebelde, el que dejé en Colón, debe de estar en este momento trabajando a fondo, noche y día, extenuado, agotado, sin tiempo para comer, dormir ni lavarse siquiera, por todo lo que tiene que hacer para organizar y consolidar la revolución. Que esta cosa que está delante de mí se retire y que entre en su lugar el revolucionario.» Avergonzada, la «cosa» se retira. Muchos años más tarde, en un librito de testimonios, Chaviano concluye: «Y yo, vaya, que había recibido otra gran lección del maestro.»[24]

De esta exigencia en los límites de lo humano, de ese voluntarismo pascaliano exigido en todo momento para servir a la causa en cuerpo y alma, existen numerosos ejemplos. No todos son escenificados por Guevara con la misma cruel teatralidad. Ninguno está exento de esa mística del sacrificio que a veces llega a la paradoja de olvidar al hombre en nombre de una revolución que, sin embargo, tiene como meta restablecer al hombre en su plenitud. Al Che le habría gustado estar rodeado de samurais, y de algunos buenos kamikazes. En Santa Clara, había abroncado virulentamente a su pelotón suicida por vacilar en lanzarse al asalto de un nido de ametralladoras. Arrastrando a los indecisos, el Che encabezó el ataque aullando y dejando pasmados a los guardias de Batista, que se rindieron. Con la misma furia quisiera que continuase el combate en tiempos de «paz». Pero en La Cabaña se queja de disponer sólo de burócratas más o menos analfabetos para instruir los procesos. Dura realidad.

«Vamos a vivir cosas extraordinarias»

En el reparto de tareas, Castro, que quiere hacerlo todo, saberlo todo y dirigirlo todo, se reserva prioritariamente la delicada política interior y la gestión de las relaciones con Estados Unidos, no menos delicadas. Guevara, desde su encuentro en México, nunca le ha ocultado que si conseguían la victoria consideraría cumplida su misión y recuperaría su libertad para dirigir su lanza hacia otra parte, contra otros molinos del monstruo imperialista (Don Quijote es, por definición, caballero errante). Pero Fidel no lo ve de ese modo. Explica a su fiel compañero que la victoria no se ha conseguido aún, que la tarea es inmensa, que lo necesita aunque por el momento se mantenga en un segundo plano. Le confía, entre otras actividades a realizar con la mayor discreción, las referidas a los movimientos de liberación en América Latina.

Previendo que el argentino va a necesitarlo —pues algún día tendrá que asumir funciones oficiales— hace que el 9 de febrero de 1959 se le declare «ciudadano cubano de *nacimiento*». La terminología legal no carece de humor, pero la distinción es merecida para quien ha arriesgado veinte veces la vida al servicio de ese país de adopción. Un prestigioso precedente es el del héroe nacional de la independencia, Máximo Gómez, natural de Santo Domingo pero consagrado ciudadano de honor en el seno de la trilogía de los libertadores panteonizados, con José Martí, el Apóstol, y Antonio Maceo, el Titán. En 1964, en la Asamblea General de las Naciones Unidas, Guevara responderá al delegado de Nicaragua que se había mostrado irónico por el acento argentino de aquel curioso representante de Cuba: «He nacido en la Argentina; no es un secreto para nadie. Soy cubano y también soy argentino y, si no se ofenden las ilustrísimas señorías de Latinoamérica, me siento tan patriota de Latinoamérica, de cualquier país de Latinoamérica, como el que más.» Y añade, sin que nadie pueda descifrar en ello su próxima partida: «En el momento en que fuera necesario, estaría dispuesto a entregar mi vida por la liberación de cualquiera de los países de Latinoamérica, sin pedirle nada a nadie, sin exigir nada, sin explotar a nadie.»[25]

Helo aquí pues, a comienzos del año 1959, como supervisor general de la cooperación técnica, militar y financiera que Cuba, desde las primeras semanas tras la victoria, organizará para ayudar a los «países hermanos» de América Latina en sus respectivos combates por la liberación. Para ese ciudadano latinoamericano la tarea, de alcance bolivariano, supone algo excitante.

El país hermano más próximo, Haití, está sólo a 77 kilómetros de las costas cubanas. Se olvida a veces que ese sitio destacado de la negritud antillana, de lengua francesa y criolla, es también un fragmento de la América llamada «Latina». Reina allí el dictador François Duvalier, alias Papa Doc, preocupado por el triunfo de esos barbudos que lograron expulsar a su colega Batista. Imaginando que un signo de simpatía podrá desactivar eventuales proyectos de desestabilización de su régimen, intenta utilizar el talento de un poeta «subversivo» mantenido en arresto domiciliario, René Depestre. Lo autoriza a publicar en el periódico «a la orden» de Puerto Príncipe un artículo que saluda el nuevo poder en Cuba. ¡La historia del cazador cazado! La victoria de los guerrilleros, exulta el poeta, es «una música que nos pone el sol en las entrañas». Es «la de las fuerzas tumultuosas de la justicia y de la razón [sobre] los gélidos aprovechados del terror y de la corrupción».[26] El artículo, que hace mucho ruido, incita a Fidel y al Che a proponer que el autor venga a Cuba, ofreciéndole una inocente invitación para hablar de poesía.

Mulato, rebelde y a sus treinta y tres años, comunista escaldado, Depestre denuncia enseguida las fechorías de los *tontons-macoutes* de su país, análogas a las de los esbirros cubanos. Recibido en La Habana por el bardo nacional Nicolás Guillén, comunista de pura cepa, se sorprende de que lo acompañen a casa de Guevara dos miembros del buró político del PSP (comunista) a quienes conoce, Aníbal Escalante y Osvaldo Sánchez (el hombre cuyo aspecto KGB había impresionado a Martha Frayde, en La Cabaña). Depestre, que más tarde se convertirá en prolífico novelista laureado con el premio Renaudot 1988 en Francia, nos hace una vivísima descripción de su primer encuentro con el Che en Tarará, una tarde de domingo de marzo de 1959.

Apenas tomado el café que le sirvió Aleida, el haitiano es recibido en el primer piso por el argentino, que acaba de salir de un ataque de asma y está tendido de través en su cama, con pantalones de uniforme y botas pero con el torso desnudo. La mansión parece una colmena. Camilo Cienfuegos, Almeida, comandantes y amigos entran y salen, lanzan sonoras salutaciones. «Era una locura... El Che se expresaba en un francés minucioso, buscando a veces las palabras pero muy claro. Tenía una idea romántica de Haití, de su lucha contra la esclavitud en tiempos de la Revolución Francesa, etc. Le tracé un cuadro detallado de la situación en mi país y me hizo una exposición muy sucinta del proyecto revolucionario cubano. Le dije entonces: "Comandante, si no me equivoco, se trata de una revolución radical." Me miró con mucha malicia y respondió: "Voy a confiarte un secreto: es una revolución so-cia-lis-ta" (separando las sílabas); luego se puso el dedo en la boca para indicar que era una confidencia.»[27] Cuando Depestre habla de su proyecto de ir a un congreso de escritores negros en Roma, Guevara le aconseja: «Las cosas no ocurren en Roma sino aquí... Quedate. Vamos a vivir cosas extraordinarias.»[28] El poeta permanecerá diecinueve años en Cuba y su admiración por el Che irá en aumento. «Con él nunca sentí que trataba con un blanco. Buena señal.»[29]

«Hay aquí desde hace dos meses —prosigue Guevara— unos cincuenta haitianos agrupados alrededor de uno de ellos, un senador de ambiguo discurso. Me ayudarás a trabajar con ellos y recibirás entrenamiento militar. Si todo marcha bien, desembarcaremos en Haití y abriremos un segundo frente en Santo Domingo...»[30] Pero la historia se desarrollará de otro modo. En junio de 1959 se producirá un desembarco en Santo Domingo, la otra mitad de la isla La Española dividida entre dos países, donde se ha refugiado Batista, pero las autoridades y la CIA estaban al corriente y la expedición acabará en desastre. Ningún superviviente. Tras ello, el proyecto haitiano será aplazado *sine die*. Y Depestre, en La Habana, comenzará a ser catalogado como un «hombre del Che».

Al margen de las instituciones se han organizado distintos grupos en las difusas fronteras que prolongan el espíritu de cuerpo de las columnas rebeldes, y cuya característica principal es la obediencia absoluta a un jefe, un comandante, de quien reciben las directrices y a quien rinden cuentas prioritariamente. No es la *gens* romana porque no se trata de «clientela» sino más bien de una «asociación de antiguos combatientes y de sus amigos». La sutil aristocracia se mide por la antigüedad del compromiso desde el 26 de julio de 1953, fecha fundacional del ataque al Moncada. Claro que eso puede crear cierto desorden, pero Fidel reina sobre todo ello con maestría; sus servicios de información funcionan muy bien. Soberano, no impide a sus barones tener sus propios hombres de confianza. Están así los hombres del propio Fidel, los del Che, los de Raúl, los de Camilo, los de Almeida, los del Directorio, etc. Las cosas se complican cuando los hombres-del-partido-comunista, planeta al margen, intenten atraer a su órbita el conjunto de la constelación castrista «para comerte mejor, hijita»...

Desde el día siguiente a la victoria, las tendencias de esas organizaciones se hicieron más visibles, ya que cada una lucía su propio color político. «Más cosas nos separan que las que nos unieron frente al enemigo», advierte entonces Carlos Franqui, que ve en la posición de los unos y los otros con respecto al comunismo la línea de demarcación entre la sierra y el llano. «La ciudad se propuso un combate a quince asaltos pero la victoria le es esquiva. Fidel y su sierra ganan por K.O.»[31] Entre las fuerzas rebeldes la corriente más poderosa es la del Che y Raúl, próximos a los comunistas. Camilo Cienfuegos está a su lado, tal vez más guevarista que marxista. La otra corriente manifiesta, en cambio, una abierta antipatía al comunismo. Están en ella dirigentes del Movimiento 26 de Julio urbano, como Faustino Pérez, cristiano convencido, el diario *Revolución* con Carlos Franqui y, en especial, la CTC (Confederación de Trabajadores Cubanos) dirigida por David Salvador. Este antiguo obrero del azúcar, popular y fidelista moderado, que estuvo a la cabeza de un Frente Obrero en tiempos de Batista, mantiene una orientación voluntariamente corporativista, defendiendo el derecho de huelga y resistiéndose a la infiltración comunista hasta que en 1960 sea puesto fuera de juego por Castro.

Una tercera corriente, llamada «democrática», reúne a la vez a comandantes como Juan Almeida y a dirigentes de la clandestinidad, de filiación ortodoxa, como Raúl Chibás, Huber Matos o Manuel Ray, principal organizador de la resistencia cívica de las clases medias opuestas a la dictadura.

Frente a ese poder revolucionario cuyos matices no tarda en escrutar, se yergue una nueva resistencia poderosa, la de la burguesía económica y los medios de comunicación. Prensa escrita, radio y televisión están muy lejos de haber sido ganadas por el movimiento castrista. Por lo que se refiere a los grandes propietarios azucareros, vinculados a las compañías norteamericanas, comprenden que deben hacer causa común con la burguesía industrial, más nacionalista, y con las potencias financieras de Estados Unidos implantadas en la electricidad, el teléfono, el petróleo, la banca...

Marxista «por la libre»

Politicólogos, historiadores y biógrafos se han interrogado acerca de si Fidel Castro es ya comunista cuando entra triunfante en La Habana o si fue su ángel malo, Guevara, quien le convirtió a la religión marxista de «san Carlos». La cuestión no es ociosa, pues si bien la complicidad intelectual de ambos hombres es muy grande, ignoran todavía que no corren hacia la misma quimera.

Castro, a pesar de sus chifladuras, es más bien el hombre del *hic et nunc*: del aquí y el ahora, porque cada día que pasa exige un ajuste táctico si no estratégico. Avanza paso a paso. Ser marxista —y con mayor razón comunista— implica la adhesión a un patrón preestablecido. Demasiado rígido, demasiado constrictivo para quien navega por instinto, sin estar nunca seguro de mantener el rumbo. Más tarde afirmará que fue marxista-leninista, «sin saberlo», desde los tiempos de la universidad. ¡Admirable jesuitismo! El 23 de abril de 1959, en una conferencia de prensa ofrecida en Nueva York durante una memorable gira de relaciones públicas por Estados Unidos, afirma sin embargo lo que sus oyentes quieren oír: «Queremos establecer en Cuba una verdadera democracia, sin ningún rastro de fascismo, peronismo o comunismo. Estamos contra cualquier forma de totalitarismo.»[32]

El Che no tuvo sobre Castro la influencia ideológica que se ha dicho. Lo impresionó sí su cultura, su ardor combatiente, su inteligencia rápida, su lealtad absoluta, su radicalismo revolucionario y contribuyó sin duda a teñir de «antiimperialismo yanqui» el nacionalismo de Fidel; pero era predicar a un convencido. Castro utiliza según su conveniencia una historia nacional que conoce muy bien. Siguiendo a José Martí, su modelo no será Marx sino Antonio Guiteras, el joven ministro del Interior del gobierno Grau que luchó contra el protectorado impuesto por la enmienda Platt, y que la policía mató tras el golpe de Batista en 1934.

No es necesario que Guevara invoque a Lenin y su *Imperialismo, estadio supremo del capitalismo* para que Fidel sepa que necesita liberar a su país del Imperio. ¿De qué serviría ser comunista para alcanzar ese objetivo? Basta con no ser anticomunista. Si bien no desdeña las urgencias de lo cotidiano, Guevara tiende, mucho más que Castro, hacia un mañana revolucionario que se proyecta más allá de Cuba. Sigue siendo el hombre del futuro y de más allá, de un futuro latinoamericano que verá encenderse focos revolucionarios, como otros tantos soles negros, desde Tierra del Fuego a río Grande, hasta convertir la cordillera de los Andes en una inmensa Sierra Maestra. Régis Debray acierta recalcando: «Fidel vivía en la horizontal de los asuntos terrenales. El Che en la vertical del sueño.»[33]

¿Es comunista el propio Guevara? El 4 de enero de 1959, respondiendo por teléfono a esta concreta pregunta del periódico conservador *La Nación* de Buenos Aires, se protege con una prudencia idéntica a la manifestada por Castro en Estados Unidos: «[...] Creo ser una víctima de la campaña internacional que siempre se desata contra quienes defienden la libertad de América.»[34] Pero a la hora de la verdad afirma sin vacilar que sí lo es. Hasta tal punto que, sin ser miembro del partido, está incluso *a la izquierda* de los comunistas. El marxismo lo seduce porque halló en él una explicación global para el desarrollo de la sociedad y el juego de las fuerzas económicas. Pero es autodidacta en la materia, como casi todos en la revolución castrista. Sus lecturas teóricas han sido dispersas, al albur de las obras desordenadamente leídas en Guatemala, México y hasta en la Sierra Maestra donde, como se recordará, intentó terminar la inconclusa lectura de *El capital*. Lo cierto es que su deseo de revolución es permanente, y ésta es una de las razones de la simpatía ideológica que sentirán por él los trotskistas y otros defensores de la llamada «revolución permanente». En su estudio *El pensamiento de Che Guevara* el sociólogo Michael Lowy menciona una observación hecha en abril de 1959 a un periodista chino. El Che habla de un «desarrollo ininterrumpido de la revolución» y de la necesidad de abolir «el sistema social» existente y sus «fundamentos económicos».[35]

Con el transcurso de los años, en contacto con marxistas europeos como Charles Bettelheim o Ernest Mandel, el Che proseguirá su formación, descubrirá los efectos perversos de la ley del valor y las notables diferencias entre el pensamiento del joven Marx y la ulterior estructuración de su doctrina. Siguiendo en ello el consejo de Lenin, verá en el marxismo, sometido al fuego de su crítica personal, no un dogma sino una guía para la acción. Lo que seducirá a toda una generación, lo que lo convertirá en el ángel tutelar del movimiento de revuelta de Mayo del 68 en Europa y en otras partes, es su modo de resituar los valores morales en el seno de una sociedad dominada por la mercancía. Asimismo, devolverá el frescor a palabras desgastadas a fuerza de manipulaciones, como dignidad humana, libertad y solidaridad, convirtiendo al comunismo en una filosofía libertaria, en el vehículo para acceder a una nueva humanidad.

Cierto día de 1965 confesará al presidente Nasser que en México fue él quien inició realmente a Raúl Castro en el comunismo, a pesar de la antigua pero fugaz adhesión de éste a las Juventudes Socialistas (comunistas) y que Fidel, cuando lo supo, se sintió muy molesto por que se lo hubieran ocultado.[36] Raúl, de temperamento más militar y menos filosófico, se convertirá en un marxista-leninista puro y duro, un hombre de aparato. Se apoyará sin reservas en el PSP e introducirá a sus hombres en todos los niveles del ejército y la nueva administración. Guevara, por el contrario, no se dejará maniatar por la vieja guardia del PSP alineada con Moscú. Para desesperación de algunos, procurará seguir siendo, según la gráfica expresión del habla cubano, *un marxista por la libre*, es decir, un marxista autónomo, «no alineado», celoso de su libre albedrío y partidario de no morderse la lengua.

A pesar o a causa de su intransigencia, y también porque sabe que él mismo es fiel a Fidel y el primero de sus paladines, el Che se permite el lujo algo provocador de recibir en su círculo a numerosos marginados de la revolución. Militantes poco conocidos o relevantes dignatarios izados hasta el Capitolio imploran una segunda oportunidad al incorruptible Guevara si un día de desgracia caen al pie de la roca Tarpeya. El Che es severo, todos lo saben. Puede ser brutal, grosero, implacable si es necesario. Pero no permanece sordo al debate de ideas cuando se trata de la revolución. Con él es posible explicarse, discutir, desarrollar un argumento herético sin ser excomulgado. En este inveterado francotirador la llama contestataria no se ha extinguido. Por eso él, a quien tildan de cruel —y a veces llega a serlo—, manifiesta por esos hombres caídos en desgracia una exigente indulgencia. Al recuperarlos como en un desafío, al transformar esos lisiados en incondicionales, demuestra de paso que el castigo ha sido torpe o excesivo. Algo que ciertos castigadores no le perdonarán.

Por muy poseído que esté por el sueño bolivariano, el Che no desdeña las contingencias del momento. Por muy reticente que sea a la comunicación cuando queda reducida sólo a un espectáculo, al leer la prensa cubana y los despachos de agencia advierte que la revolución no tiene medios para hacer oír su voz. En la segunda semana de enero de 1959 llega de Buenos Aires, a petición del Che, Jorge Ricardo Masetti, el periodista argentino que lo entrevistó en la Sierra Maestra y que le pareció partidario de la causa de los guerrilleros. En primer lugar le pide ayuda para organizar la «operación verdad», destinada a contrarrestar las horrorizadas exageraciones de las agencias norteamericanas y los periódicos locales sobre los tribunales revolucionarios, para explicar que los barbudos no son verdugos sanguinarios. Pero el proyecto más vasto, de una desmedida ambición para un pequeño país como Cuba, es crear una agencia de prensa nacional con vocación internacional, que pueda mostrar la otra cara de la moneda, el aspecto de la realidad que las agencias desdeñan y los periódicos conservadores deciden ignorar; es decir, ese movimiento popular que se incrementa e intentará implantar justicia y equidad en las estructuras sociales.

Nace la agencia que se llamará Prensa Latina. Con quinientos mil dólares concedidos inicialmente por Guevara, Masetti convoca, como redactores en La Habana o como corresponsales en América Latina y el mundo, a la flor y nata del periodismo latinoamericano: Gabriel García Márquez, futuro premio Nobel de Literatura, Carlos María Gutiérrez, del prestigioso semanario uruguayo *Marcha*, al novelista mexicano Carlos Fuentes, a los argentinos Rodolfo Walsh, Rogelio García Lupo, al boliviano Teddy Córdova, al colombiano Plinio Apuleyo Mendoza... Durante unos años la aventura es hermosa, exaltante y alegre. Y costosa. Seis millones de dólares para empezar. Luego, poco a poco, llega el tiempo de la glaciación...

El propio Che hace, a su escala, un trabajo de información permanente. A lo largo de sus años cubanos no deja de explicar y volver a explicar la revolución en sus distintas etapas, y por qué necesita ser apoyada con entusiasmo. Sus discursos, alocuciones y demás charlas acaban por llenar una decena de volúmenes. La primera conferencia que el comandante Guevara, aureolado por su joven gloria, acepta dar en La Habana, menos de un mes después de haber entrado a la cabeza de su columna, se reserva a un escaso público de comunistas y simpatizantes. El hecho no es inocente. Cabrera Infante sostiene que el gesto fue considerado una torpeza por los intelectuales habaneros anti-Batista, poco atraídos por los comunistas. En los salones de Nuestro Tiempo, asociación cultural del PSP, el Che explica cómo se establecieron los vínculos entre el ejército rebelde y el campesinado. Subraya que la primera ley de reforma agraria de octubre de 1958, concedida por Fidel Castro y redactada por el abogado Sorí-Marín —«y en la que tuve el honor de colaborar», modesta litote—, ha permitido distribuir tierras pertenecientes al Estado o a los cómplices de Batista a más de doscientas mil familias. Pero no es suficiente, dice, debe suprimirse la gran propiedad, el latifundio, «fuente indiscutible del atasco del país y de todos los males para las grandes mayorías campesinas».[37]

Guerra al latifundio

Las cuestiones de reforma agraria pueden parecer áridas, pero son el prisma a través del cual se ilumina toda la estrategia política de esta revolución que Castro hace avanzar, etapa por etapa, con indudable talento. Hablando de los guerrilleros desembarcados del *Granma*, Guevara subraya cómo evolucionaron en el plano ideológico al compartir la existencia «de la parte de esta clase social que demuestra más agresivamente su amor por la tierra y su posesión, [...] saben que la reforma agraria es la base sobre la que va a edificarse la nueva Cuba».[38] El Che advirtió que el latifundio, vinculado al monocultivo del azúcar, era el símbolo de la dependencia económica y política de la isla. Los grandes terratenientes se habían aliado con los monopolios norteamericanos, «el más fuerte y fiero opresor de los pueblos americanos».[39] Los cubanos, es evidente, ponían una fuerte carga afectiva en su deseo de liberarse de lo que había transformado su país en un anexo rural de la gran potencia industrial del norte.

Mientras que para presentar buena imagen, asentar su poder y calmar eventuales inquietudes de Estados Unidos, Castro permite que su ministro de Agricultura, el abogado Sorí-Marín, prepare una ley agraria de carácter reformista y liberal, sabe que en su casa de la playa el Che, rodeado de un pequeño comité de tendencia comunista, prepara en secreto un proyecto mucho más radical. «Durante dos meses, mantuvimos reuniones nocturnas en Tarará, donde el Che pasaba su convalecencia»,[40] cuenta Núñez Jiménez. Y Alfredo Guevara precisa: «Estábamos con el Che hasta el amanecer, esperando la llegada de Fidel que lo cambiaba todo.»[41] Luego, el 17 de mayo, Sorí-Marín es puesto ante el hecho consumado y dimitirá pocas semanas después. Castro se dirige con sus ministros y varios comandantes a su antiguo campamento de La Plata, en las alturas de la Sierra Maestra, uno de los lugares ya sacralizados, para promulgar con gran pompa una ley de reforma agraria que va a cambiar el curso de los acontecimientos en Cuba.

En una primera lectura, la ley no parece muy incisiva. Prohíbe, como estaba previsto, los latifundios. Ninguna propiedad podrá tener más de 400 hectáreas y, para evitar una fragmentación excesiva, no tendrá menos de dos *caballerías* (27 hectáreas), superficie mínima en un sistema de agricultura extensiva. Pero algunas explotaciones agrícolas «de punta», de elevado rendimiento, son autorizadas a conservar hasta cien *caballerías* (1.350 hectáreas). El agrónomo Michel Gutelman, autor de un sólido estudio sobre *La agricultura socializada en Cuba,* observa que «la ley del 17 de mayo de 1959 pretendía, ante todo, crear y asentar firmemente una pequeña burguesía campesina [pero] en la práctica, y al contrario de las intenciones explícitas de la ley, el sector cooperativo se convirtió con rapidez en un sector estrechamente dependiente del Estado. [...] De hecho, para suprimir realmente los latifundios, era necesario cuestionar la propiedad extranjera».[42] Con las consecuencias que pueden adivinarse.

Debe considerarse otro fenómeno de capital importancia: no son los tribunales sino un Instituto Nacional de la Reforma Agraria (INRA) —¡presidido por el propio Fidel Castro!— el que vela por las expropiaciones y redistribuciones de tierras. Se le conceden para ello tan amplios poderes que en adelante muchos verán allí el verdadero gobierno del país. Tanto más cuanto los «departamentos» creados *ad hoc* como el de Industria, se calcarán sobre los ministerios oficiales, de los que muy pronto podrá preguntarse para qué sirven. «Sobre la reforma agraria vendrá la gran batalla de la industrialización del país», explicará Guevara en 1960, dirigiéndose «a la juventud de América Latina».[43] Una milicia de cien mil hombres armados, organizada en pocos meses y constituida básicamente por campesinos, se convertirá en el brazo ejecutivo del INRA.

Al mismo tiempo, bajo la supervisión de Raúl Castro prosigue, sin especiales sobresaltos, el sucesivo desmantelamiento del ejército de Batista. «No puede existir ni siquiera el esquema del antiguo ejército», preconiza Guevara en su *Guerra de guerrillas.*[44] La intención es organizar un nuevo ejército que sea realmente, de acuerdo con la fórmula de Camilo Cienfuegos, «el pueblo con uniforme».

Al decretar en enero de 1959 la suspensión de los desahucios de inquilinos, y en marzo la reducción a la mitad de todos los alquileres, el nuevo régimen había obtenido una inmensa popularidad entre las poblaciones urbanas. Con la proclamación de la reforma agraria de mayo, los guajiros de todo el país gritan su alegría y su agradecimiento. Tras siglos de explotación, los campesinos, pueblo olvidado y despreciado, tienen la sensación de que por fin se les hace justicia. Se convierten en incondicionales de la revolución.

Por mucho que Guevara intente pasar inadvertido en esos primeros meses de 1959, ningún protagonista de la vida política ignora que él es el más «fanático», el *rojo* por excelencia. Durante una gira efectuada por América Latina tras las huellas de su viaje a Estados Unidos (abril de 1959), Castro inventó en Montevideo un eslogan liberal, apaciguador y muy apreciado. Lo que Cuba quiere, dice, es «pan y libertad, pan sin terror. Ni dictadura de derechas, ni dictadura de izquierdas: una revolución humanista». ¡Aplausos generales!

Por el contrario, lo que Guevara reclama es el combate justiciero, antiimperialista, llevado a cabo por los que saben «que la reforma agraria dará tierra a todos los desposeídos pero desposeerá a los injustos poseedores; y saben que los más grandes de los injustos poseedores son también influyentes hombres en el Departamento de Estado o en el gobierno de Estados Unidos de América».[45] Es comprensible que Castro considerara oportuno mantener alejado por algún tiempo a ese *enfant terrible* ajeno al arte de lo maquiavélico, en el que él descolla, y que dice con inoportuna franqueza lo que todavía es conveniente callar. Primer ministro, jefe del ejército, patrón del INRA, Castro proclama que su revolución es verde olivo, tan verde como las palmas cubanas. Pero, al escuchar a Guevara, la oposición adivina —como recalca el conservador *Diario de la Marina*— que esa revolución parece una sandía: verde en la superficie y roja en su verdad profunda.

Fidel sugiere entonces a su ardoroso amigo —se lo ha merecido— que vaya a recorrer el ancho y ajeno mundo o, para ser exacto, el ancho Tercer Mundo. El revolucionario sin fronteras, de alma siempre errante, acepta encantado ya que se trata de llevar la buena nueva de Cuba. Además ya se ha recuperado de sus problemas de salud. Sin embargo, antes quiere resolver dos «detalles» de su vida personal: un divorcio y una nueva boda.

Con Hilda Gadea, como hemos visto, las cosas están claras. La pareja había dejado de funcionar antes incluso de que la singladura del *Granma* les separase. Hilda ha encontrado empleo en el apartado económico de Prensa Latina (la organización de los «hombres del Che») y se ocupa de la pequeña Hildita, que su padre va a ver cuando tiene un rato libre; pero durante la fase tuberculosa del papá, para evitar el contagio, la pequeña lo saluda a distancia, sin acercarse.

El 2 de junio de 1959, en La Habana, Ernesto Guevara de la Serna se casa con la cubana Aleida March. Tiene treinta y un años. Ella veinticinco. Tendrán cuatro hijos en seis años. La convencional foto de boda publicada en los periódicos nos muestra, en el despacho del Che en La Cabaña, a una esposa discreta peinada como Juana de Arco y con un vestidito blanco de mangas cortas, el rostro grave, casi huraño, mientras su marido el comandante, como siempre con uniforme verde olivo y boina con estrella, luce una sonrisa burlona con las cejas levantadas bajo las características protuberancias superciliares, que denotan la ironía con que se presta al juego. A su lado —presencia no desprovista de significado político— el amigo de los primeros días, Raúl Castro y su joven esposa Vilma Espín, de origen francés, que han oficiado de testigos. También ellos están recién casados. A comienzos de enero, Raúl, de veintiocho años, ha «regularizado» en Santiago de Cuba la relación iniciada en la sierra con la responsable local del M-26. Ni Fidel ni el Che, demasiado atareados en La Habana, habían podido desplazarse al otro extremo de la isla para asistir al evento. La ceremonia de la boda de Guevara es la más «civil» que pueda pedirse. Ernesto es un ateo redomado y Aleida ha abandonado, al parecer, la religión presbiteriana en la que fue educada en Santa Clara.

Una segunda foto tomada con ocasión del acontecimiento merece ser mencionada, porque es uno de los escasos documentos en los que se ve a Guevara riendo francamente. Régis Debray, advirtiendo que nunca vio a Fidel ni al Che entregados a este ejercicio, observa que reír en público es descubrirse. Cierto es que, con el transcurso del tiempo, Guevara irá riendo cada vez menos. Más bien sonreirá, con una sonrisa astuta, bastante sarcástica. Su humor (preferentemente negro) gusta del doble sentido. Pero son numerosos los testigos que hablan de su risa franca y contagiosa en privado. Calica Ferrer recuerda la alegría espontánea y estruendosa de su compañero Ernesto durante su viaje *beatnik*, en 1953. Ricardo Rojo, Alberto Granado, Gustavo Roca y otros compañeros de juventud dan fe de ello. Pero tal vez haya sido con su auténtico compinche Camilo Cienfuegos con quien Guevara, entre amistosos insultos y afectuosas interjecciones, soltó sus mayores carcajadas. Julio Chaviano, aquel capitán atildado al que Guevara despidió como una «cosa» cuando se presentó ante él en La Cabaña, escribe en su librito de recuerdos: «Todo lo que hacía y decía [Camilo], y era mucho, era motivo de risa para el Che, de diferente carácter, a quien aquél le hacía transformarse. Che lo miraba enternecidamente, con una mezcla de admiración, cariño y amor, como se mira a un hermano menor al que se quiere mucho.»[46] Esa foto de boda nos muestra a un Guevara que se «delata». Con las manos enlazadas, doblados de risa, los jóvenes recién casados huyen del salón como si acabaran de hacerle una jugarreta a la concurrencia...

Ancho es el Tercer Mundo

El 12 de junio de 1959, apenas diez días después de los breves esponsales, Guevara emprende el vuelo —pero no en viaje de bodas sino solitario— hacia Madrid, primera escala de un periplo de tres meses que le llevará a Oriente Medio y Asia: Egipto, India, Japón, Indonesia, Ceilán, Pakistán, Yugoslavia, Marruecos. Todos esos países rechinan en adherirse a uno de los dos bloques que, desde los acuerdos de Yalta en 1945, se han repartido el planeta en zonas de influencia. A excepción de Japón, que ha recuperado rápidamente su salud económica tras la derrota de 1945, todos forman parte del ancho «Tercer Mundo». La denominación, propuesta en 1952 por el demógrafo Alfred Sauvy, es reciente todavía. Apareció en Francia en un artículo del semanario *L'Observateur* que evoca «ese Tercer Mundo ignorado, explotado, despreciado como el estado llano»,[47] categoría social que en tiempos de la Revolución Francesa no era nada y quería ser algo.

El pretexto para la gira del comandante Guevara es ambiguo y múltiple: visita de amistad, búsqueda de contratos económicos, apoyo diplomático en caso de conflicto con Estados Unidos, compra de armas si procede. Según algunos, los escasos resultados concretos de ese largo viaje no incluyen nada que pueda ser contabilizado de manera precisa. Ese juicio pasa por alto un resultado importante, difícil de evaluar porque pertenece a lo cualitativo: la imagen positiva que el Che da vívidamente de un pequeño país de América Latina, poco conocido si no desconocido por completo, que intenta escapar de la tutela de Estados Unidos y está dispuesto a unirse al bando de los que pronto se denominarán «no alineados». Cuando, como contará a su regreso, cierto ciudadano atónito de aquellos lejanos parajes le toca la barba «preguntando en lengua extraña: «¿Fidel Castro?», comprende que su sola presencia física da realidad a «un hecho para ellos casi abstracto, que se llama Revolución Cubana».[48]

La leyenda, difusa todavía, de ese argentino convertido en cubano ha llegado hasta las cancillerías de lejanos países. El personaje intriga, lo intuyen importante. Aunque se niegue a utilizar, como Fidel Castro, el registro de la seducción, aunque sea muy poco aficionado a las sofisticaciones del protocolo que a menudo considera ridículas, Guevara —como buen hijo de familia patricia— sabe cuáles son los buenos modales. Su cultura es amplia, sabe responder con seguridad y claridad a las preguntas de los periodistas, evitar las encerronas. Al mandar a aquel *rojo* al otro extremo del mundo, Castro no hizo una mala jugada. No sólo tranquiliza a su ala derecha y a una oposición burguesa anticomunista a la que comenzará a meter en cintura. Al mismo tiempo transforma a su más leal partidario, si no en embajador de gran pericia —es necesario mucho oficio para ello— sí al menos en excelente «objeto mediático» *ad majorem gloriam*... Barba, uniforme y boina con estrella son elementos fotogénicos. Gracias a ellos, poblaciones incapaces hasta entonces de situar la isla en el mapa, descubren que existe un país amigo que se llama Cuba. En sus seis años de vida cubana «oficial», el Che pasará más de once meses —casi una sexta parte del tiempo— en giras de este tipo, vendedor ambulante o portavoz de la revolución.

Comenzar por El Cairo no es casual. La elección no ha sido dictada sólo por comodidad geográfica en un itinerario complicado. Responde también a ciertas afinidades personales de Guevara. Egipto acaba de dar al mundo una soberbia lección de antiimperialismo. Su presidente, el coronel Nasser, consiguió su «26 de julio» en 1956, al proclamar aquella noche ante una muchedumbre que lloraba de entusiasmo, ebria de dignidad recuperada, la nacionalización del canal de Suez, ese Estado dentro del Estado, bajo control anglofrancés. El líder egipcio sacó el mejor partido del juego de equilibrios entre la URSS y Estados Unidos para transformar en victoria política la abortada respuesta militar de Gran Bretaña, Francia e Israel. También él realiza una ambiciosa reforma agraria y, con la gigantesca presa de Asuán, espera transformar la economía del país. Los cubanos pueden aprender mucho de todo eso.

El Che había quedado impresionado por esos acontecimientos cuando estaba todavía entrenándose en México, junto a los hermanos Castro. Había perpetrado entonces, exaltando la hazaña, uno de aquellos malos poemas de receta propia, en que los buenos sentimientos importan más que la factura literaria. Celebrando al Nilo, escribe: «Si hoy le canto al ayer de muerta piedra / y convoco los recuerdos de Tebas, / es que el presente aflora en tu pasado, / es que vive en la presa de Asuán / y en Suez reconquistado.»[49] He aquí pues al enamorado de postales e imágenes realizando su «viaje a Oriente». Asiste a unas maniobras navales en el Mediterráneo pero, en cuanto puede, se escapa de sus guardaespaldas y se va a comer pinchitos morunos por las calles de El Cairo.

Que el embajador extraordinario Ernesto Guevara decidiera caminar deliberadamente por fuera de la alfombra roja desplegada para él, como cuenta uno de sus lugartenientes, es simplemente anecdótico.[50] Conocemos la poca afición del comandante por la etiqueta. Más interesante es la primera pregunta que hace al jefe de Estado de la República Árabe Unida* en cuanto abordan el tema de la reforma agraria: «¿Cuántas personas se han visto obligadas a aban-

---

* En 1958 Egipto y Siria constituyeron la República Árabe Unida (RAU); en 1961 Siria recuperó su autonomía.

donar el país?» Cuando el presidente Nasser responde que muy pocas, Guevara no oculta su escepticismo: «Eso significa que en su revolución no ha sucedido gran cosa.» El consejero privado de Nasser, Mohamed Hassanein Heikal, que asiste a las entrevistas, cuenta que Guevara añadió: «Yo mido la profundidad de una transformación social por el número de gente afectada por ella y que piensan que no tienen cabida en la nueva sociedad.»[51] Nasser, alto y fuerte, diez años mayor, parece divertido por aquel joven petulante. Le explica que los propietarios pierden importancia cuando se destruye el sistema que se la concedía.

Durante su estancia, del 15 al 30 de junio de 1959, el Che mantendrá varias entrevistas con el Rais, que según Heikal «estaba fascinado por Guevara».[52] En esos quince días, el comandante-embajador multiplica los contactos y las visitas. Se dirige a Gaza, donde los israelíes han efectuado un devastador ataque. Se le aclama allí como «el libertador de todos los oprimidos». Visita campos de refugiados palestinos y sigue el previsible programa que, con pocas variantes, se repetirá en la mayoría de países: visitas a fábricas, refinerías de azúcar, instalaciones militares, etc. En un banquete conoce al futuro y efímero presidente de Brasil, Janio Quadros, con quien se reencontrará dos años más tarde. Explica a los periodistas la solidaridad de Cuba con Egipto, que apoya la lucha de los argelinos por su independencia. Cuando Anuar al-Sadat, futuro sucesor de Nasser, invita a Cuba a participar en la próxima Conferencia Afroasiática de la que es secretario general, Guevara escribe: «África y Asia empiezan a mirar más allá de los mares.»[53] Desarrollará este punto de geopolítica en un artículo publicado a su regreso titulado: «América desde el balcón afroasiático.»[54]

Lo tratan casi como a un jefe de Gobierno pero la pompa no le embriaga. Exige de los cinco miembros de su pequeña delegación un comportamiento de lo más austero. Cuando dos de ellos le piden permiso para comprarse zapatos nuevos, refunfuña —el dinero pertenece al Estado cubano, dice— pero los autoriza. Sin embargo, para demostrar a los intempestivos compradores que aquel gasto no es indispensable, decide ponerse el par de botas usadas abandonado por uno de ellos y acudir a visitar al presidente Nasser.[55] Incorpora a su reducido equipo a su compañero el Patojo, el pequeño comunista guatemalteco al que Fidel no quiso embarcar en el *Granma* pero que, tras la victoria, llegó a La Habana para reunirse con su célebre amigo.

Con Nehru, presidente de la India y «patriarca» de setenta años, el contacto es distinto. Es un *pandit*, un letrado, un socialista ilustrado, tan frágil y menudo como sólido y vigoroso era Nasser. Vestido con su eterna túnica blanca, filosofa sobre la no-violencia y la resistencia pasiva, como su maestro Gandhi. En su primera juventud Ernesto se había sentido atraído por Gandhi. Había leído *El descubrimiento de la India* y había regalado la obra con una dedicatoria a Chichina, su primera novia de Córdoba. Ahora su punto de vista ha cambiado. «Puede que el sistema sea bueno para los indios —dice—, pero lo que es en América no sirve. Nuestra resistencia tiene que ser activa...»[56] Y cuenta a los miembros del estado mayor indio cómo, con unos campesinos armados con viejos fusiles, la guerrilla cubana derrotó a la dictadura.

Permanece dos semanas en la India, del 1 al 14 de julio, y se sorprende de los suaves métodos de la reforma agraria en curso. «La gran nación india, [...] convence a los grandes terratenientes de la justicia de dar la tierra a quien la trabaja y al campesino de pagar un precio por esa tierra.»[57] En honor de ese embajador extraordinario, Nehru ofrece un suntuoso banquete y sienta a Guevara entre él y su hija Indira (que llegará a la jefatura del Estado en 1966). Pardo Llada, un periodista de pluma acerada y a veces venenosa que ha llegado en sustitución del Patojo, quien regresa a Cuba, asiste a este banquete y repara en «el esfuerzo del comandante por demostrar los más finos y exquisitos modales».[58] Cierta noche, un funcionario cubano de las Naciones Unidas, Eugenio Soler, a quien encuentran en Nueva Delhi, les lleva a casa del embajador de Chile, adepto del yoga; allí «el Che sorprendió a todos tirándose en el suelo para ofrecer demostraciones de habilidades yoguis, parándose de cabeza en medio de la sala».[59] Es comprensible el asombro de los invitados al contemplar al honorable guerrillero haciendo «el pino» en el centro del salón. ¿Protocolo? ¿Qué es eso?

Un cruzado

Por más que Guevara sea un dignatario del nuevo régimen cubano, no ha perdido su espontaneidad, que manifiesta cuando está cansado de desempeñar su papel. En la edición española de la hagiografía que Guevara Lynch escribió sobre *Mi hijo, el Che,* figura el facsímil de una sorprendente carta sin fecha enviada por el Che a su madre en papel con logotipo de Air India, desde alguna parte «sobre la India», sin duda cuando se dirige a Bombay para visitar una planta de montaje de aviones, en la segunda semana de julio de 1959. El texto debe citarse casi *in extenso*, no tanto por la alegría algo ingenua que el hijo pródigo reconoce sentir cuando visita esos parajes que excitaron su imaginación adolescente, como por la fe revolucionaria que nuestro epistolista revela. Está en la India, ya no en Egipto, donde «se habla de problemas políticos y económicos, se dan fiestas en las que lo mejor que podría hacer sería ponerme un frac y olvidarme de uno de mis mayores antojos: dormirme a la sombra de una pirámide o del sarcófago de Tutankamón [...] Egipto ha sido un éxito diplomático de primera». Con la sinceridad que siempre ha manifestado con su madre, confidente privilegiada, Guevara desvela en esta carta lo que en adelante dirige su vida: un radicalismo que hace estremecer. Reconoce que lamenta la ausencia de Aleida, *«a quien no pude traer por un complicado esquema mental de los que tengo yo»* [sic], pero quince líneas más abajo se entrega a una confesión de mayor importancia. «Se ha desarrollado en mí el sentido de lo masivo en contraposición a lo personal, soy el mismo solitario que era, buscando mi camino sin ayuda personal, pero *tengo ahora el sentido de mi deber histórico*.» Y añade, revelando la clave de una mutación psíquica que ilustrará su comportamiento ulterior: *«No tengo casa, ni mujer, ni hijos, ni padres, ni hermanos. Mis amigos no son mis amigos si no piensan políticamente como yo.* Sin embargo estoy contento; me siento algo en la vida, no sólo una fuerza interior poderosa, que siempre la sentí, sino una capacidad para transmitir a los demás. *Un absoluto sentimiento fatalista de mi misión me quita todo miedo.* No sé por qué te escribo esto, quizá sea sólo añoranza de Aleida. Tomalo como lo que es, una carta escrita una noche de tempestad en los cielos de la India, lejos de *mis patrias* y de mis seres queridos. Ernesto.»[60]*

Apego a la soledad, individualismo, «deber histórico», fatalismo, absoluto predominio de lo político, aceptación implícita de la muerte. Todos los ingredientes del *fatum* se resumen en este documento cuya importancia sólo puede compararse a la de la «revelación» de 1952. Cierta noche (siempre de noche) en los Andes venezolanos, había hablado una extraña «boca de sombras», y desde entonces el joven había jurado «preparar [su] ser para que en él resuene [...] el aullido bestial del proletariado triunfante». Esta vez no es ya el aspirante a revolucionario que descubre su camino y se exalta. Es el revolucionario consumado que levanta acta. No es ya un comisionado

---

* Todas las cursiva son nuestras.

sino un misionero, encargado de la salvación de las masas, motivación mesiánica que lo cambia todo. Si se desea descubrir el secreto profundo del hombre-Guevara, su *rosebud*, su irreductible punto ciego, tal vez sea necesario buscar por el lado de la identificación absoluta con ese destino asignado. No es ya el pequeño *condottiere* con que suele comparársele. Se desmarca del clásico aventurero, modelo Lawrence modificado por Malraux. ¿Tendrá algún día que cabalgar de nuevo *Rocinante*? ¿Superará en locura a su héroe Don Quijote? En adelante es un cruzado cuya Jerusalén es la lucha antiimperialista.

En Japón, la estancia es algo más breve —del 15 al 26 de julio— pero rica en enseñanzas económicas y políticas. Guevara se entera de que Japón sólo participó en la conferencia de Bandung —tan importante por el no-alineamiento que de ella se desprende— porque Estados Unidos lo alentó a ello para oponerse a China comunista, representada por Chou en-Lai. Japón sigue alineado con Estados Unidos, hasta el punto de que fue el general MacArthur quien, para acabar con el tradicional sistema feudal, impuso después de la guerra una reforma agraria draconiana: ¡no más de una hectárea por habitante! De modo que el país sólo obtiene su prosperidad gracias al desarrollo industrial, aunque no posea petróleo ni carbón. Carente también de minerales, salvo níquel, Japón pudo crear una industria pesada: «Hay que tener presente que, en el mundo moderno, la voluntad de realización es mucho más importante que la existencia de materias primas.»[61] Una visita de un solo día a Hiroshima le deja mudo. «Todo lo que se pueda decir de Hiroshima lo llevo en los cuatro rollos de fotografías que tomé.»[62] En Osaka, el Che reacciona menos como puritano que como político prudente. Prohíbe a los tres militares de su equipo ir a un cabaret, célebre por sus seiscientas bailarinas, pero deja a los civiles «[...] que vayan si quieren, allá ellos si algún fotógrafo de *Time* se aprovecha para armarles escándalo y que luego aparezca que la delegación cubana se gasta el dinero del pueblo en fiestas y borracheras con putas...».[63] En cambio, en Tokio acepta asistir a la ceremonia del té y no puede evitar la risa al ver el rostro desilusionado de su adjunto, el capitán Omar Fernández, al comprobar que la geisha que lo sirve con pequeños y preciosos gestos no es la hermosa hetaira soñada sino una dama «venerable» de más de cincuenta años... «Esta ocasión fue la única que lo vi alegre, franco, divertido —escribe Pardo Llada—. Guevara era un hombre parco y contenido.»[64]

Durante su periplo se mantiene tan al corriente como puede de los sobresaltos de la vida política en Cuba. Su homónimo comunista, Alfredo Guevara, le envía informes cada tres o cuatro días. Así se entera de que, cuando se marchó, cinco ministros escandalizados por la reforma agraria, considerada demasiado drástica, dimitieron y fueron sustituidos inmediatamente por «hombres de Fidel». Más grave le parece, visto de lejos, el psicodrama iniciado el 17 de julio por Castro al fingir que dimite del puesto de primer ministro (pero no del de jefe de las fuerzas armadas), con el pretexto de que el presidente Urrutia le complica en exceso la tarea. Multitudinarias protestas orquestadas por los sindicatos. Urrutia dimite a la mañana siguiente —objetivo logrado—. Le sucede a la cabeza del país, nombrado por el gabinete, el ministro Dorticós, ex decano de los abogados de La Habana y discreto simpatizante comunista. Desde Tokio, Guevara manda sus felicitaciones al nuevo presidente. En La Habana, Castro mantiene el suspense y aguarda el aniversario del 26 de julio —declarado fiesta nacional— para «obedecer la voluntad popular» y retomar la dirección del gobierno. Con mayores poderes.

Para el Che no ha llegado aún la hora de regresar. Su presencia podría caldear los espíritus; la oposición anticomunista no ceja; han estallado bombas en La Habana. Sin embargo, el ritmo del viaje se acelera. Sólo seis días en Indonesia. Tiempo para mantener en Yakarta varios cambios de impresiones con el presidente Sukarno, que dirige el archipiélago indonesio (cien millones de habitantes) y al que se considera uno de los grandes líderes del Tercer Mundo.

Tras cuatro días en Ceilán y tres en Pakistán, va a Yugoslavia, última etapa del viaje «oficial», adonde llega en pleno agosto. Ese país interesa al futuro responsable de la economía cubana. En principio porque esa república «plural» de los Balcanes pudo abandonar la órbita soviética sin caer en la de Estados Unidos; además, porque allí funciona un sistema de autogestión que merece ser observado de cerca. El Che hace un resumen algo precipitado: «Se podría decir a grandes rasgos, caricaturizando bastante, que la característica de la sociedad yugoslava es la de un capitalismo empresarial con una distribución socialista de las ganancias, [...] pero obedeciendo las leyes de la oferta y de la demanda.» De la experiencia yugoslava retiene el principio de las jornadas de trabajo voluntario, el de la participación de los consejos obreros en la vida política y económica y la «libertad de crítica muy grande» que allí reina «aunque hay un solo partido político, el comunista».[65]

Su encuentro con Tito lo convence de que está tratando «con un grande». Sabe que el jefe de los partisanos yugoslavos considera que ha sido sacrificado en los acuerdos de Yalta. Es el hombre que se atrevió a decir a Stalin que si los resultados de la experiencia contradijeran a Marx, no obedecería a Marx sino a los resultados de la experiencia. Tito, que recibe a la delegación cubana en su refugio de la isla Brioni, pequeña joya del Adriático, le repite a Guevara un discurso que sus amigos Nasser y Sukarno conocen muy bien: «El no-alineamiento no es un estado. Es una tendencia.»[66] Explica que cada uno es libre de seguir su propia vía hacia el socialismo y expone un mensaje muy claro: «¡Bienvenidos al club, si Cuba así lo decide!» La primera conferencia de naciones no-alineadas se celebrará en Belgrado, en 1961. Cuba participará en ella.

Ya de regreso, el Che se detiene setenta y dos horas en Marruecos, tiempo para repetir que Cuba apoya la lucha del pueblo argelino por su independencia y, vía Madrid, la delegación llega por fin a La Habana el 8 de septiembre de 1959. Guevara arde en deseos de ponerse al servicio de la revolución de modo más directo que pronunciando discursos de amistad bajo dorados techos. No se verá decepcionado. Fidel está ahora en condiciones de utilizar su talento.

Muerte de un amigo

La primera función que se asigna al Che es la de director del Departamento Industrial del INRA. El cargo puede parecer pequeño, pero tiene gran importancia. En primer lugar, el poder adquisitivo de los cubanos se ha incrementado gracias al aumento de los salarios y la reducción de los alquileres; es preciso enfrentarse a un gran aumento de la demanda de productos manufacturados, en su mayoría importados de Estados Unidos. Luego, la propia reforma agraria, al multiplicar el número de explotaciones, ha generado una mayor necesidad de artículos industriales. Finalmente y sobre todo, el Departamento decide las nuevas inversiones en *todos* los sectores de la economía, desde la construcción de carreteras a la de alojamientos, y concede los créditos, tanto al sector privado como al público. Enorme asunto, como se ve, cuya dimensión política es evidente pese a la modestia del cargo. Se requiere un hombre de toda confianza.

Guevara no es un experto; pero hay que decir que los expertos son escasos en Cuba. El Che regresó de su gira tercermundista con la cabeza llena de las realizaciones que ha visto. Ha notado los puntos fuertes en los que inspirarse y también los posibles fracasos que deben evitarse. Castro escucha su informe con atención, deseando que el país se beneficie de todas estas experiencias. Con el INRA, Fidel ha fabricado una verdadera máquina de gobernar apoyada en el ejército. El nombramiento de Guevara es un discreto modo de hacer entrar en el aparato del Estado a un tipo que huele a azufre. Aunque declarado «cubano de nacimiento», los sostenedores del sistema lo perciben todavía como un extremista extranjero. La modestia del cargo oculta que Castro lo convierte en realidad en su brazo derecho. Un número dos.

Octubre es en Cuba el mes de las lluvias y de cierto frescor, muy esperado tras la canícula estival. En el plano político, octubre de 1959 es sin embargo muy caliente para Castro. Tiene que acabar con lo que él denuncia como un complot pero que es más bien un movimiento de irritación de ciertos oficiales ante la orientación demasiado «comunista» del régimen y el ejército. En efecto, el 17 de octubre Fidel ha nombrado ministro de Defensa a su hermano menor Raúl, de veintiocho años, cuyas posiciones marxista-leninistas conoce todo el mundo. De una ortodoxia total, las ideas de Raúl carecen de la reserva crítica que a Guevara le gusta manifestar. ¿Ese nombramiento molesta al comandante Huber Matos, jefe militar de la provincia central de Camagüey, que remolonea en la aplicación de la reforma agraria? El 20 de octubre envía a Fidel una mesurada carta de dimisión: «No quiero convertirme en un obstáculo para la revolución...»

Huber Matos no es un cualquiera. Ciertamente no forma parte de los expedicionarios del *Granma* que representan ya, en la «aristocracia» militar cubana, lo que el *Mayflower* significa para los *wasp* (blancos, anglosajones y protestantes) fundadores de Estados Unidos en 1620. Pero este joven profesor de colegio es un reconocido militante del M-26. Pequeño propietario en Oriente, en los confines de la sierra, ofreció sus camiones a los guerrilleros. Fue luego a Costa Rica para obtener armas y consiguió traerlas, ante las narices de las fuerzas de Batista, haciendo aterrizar su avión DC-4 al pie de la Sierra Maestra. Suficiente para organizar una columna, de la que Castro le dio el mando. Es el único que consiguió herir y poner en fuga al terrible Sánchez Mosquera, enemigo jurado del Che. Pero no le gusta el activismo de los comunistas del PSP.

Para Castro cualquier dimisión por motivos políticos es un acto de traición. Cuatro meses antes, poco después de la partida del Che hacia Egipto, otro comandante, el temerario aviador Díaz Lanz, había dimitido refugiándose en Miami. Cuando Alfredo Guevara comunicó la noticia al Che, éste reaccionó sin contemplaciones: «Es un hijo de puta. Punto final.»[67] Desde entonces se multiplicaron las incursiones de aviones procedentes de Florida para soltar sobre La Habana panfletos anticomunistas y, de vez en cuando, algunas ráfagas de ametralladora. No se puede permitir que el movimiento de rebelión se extienda, y menos aún en el ejército. Sabiendo que otros veinte oficiales de Camagüey piensan imitar a su jefe, Fidel, incluso antes de recibir la carta de Matos, envía a Camilo Cienfuegos con la orden de detener al «traidor». Él mismo se dirige enseguida hacia allí y marcha sobre el cuartel general del oficial «felón» para ahogar cualquier tentativa de resistencia. Matos será condenado en diciembre a veinte años de reclusión, que cumplirá hasta el último día.

El 26 de octubre, mientras Fidel convoca en La Habana un multitudinario mitin de «solidaridad popular» con sus medidas, acontece otro drama, esta vez en el cielo cubano. El pequeño avión en que Cienfuegos ha embarcado, solo con el piloto, para regresar a la capital, desaparece en vuelo. Durante veinte días todo el ejército rastrilla el territorio en busca de algún indicio. En vano. Camilo no aparece. No hay rastro del aparato ni de sus dos pasajeros. Misterio absoluto.

Para el Che es una tragedia personal. Camilo es aquel guerrillero intrépido y dicharachero que durante su bautismo de fuego en la desbandada de Alegría de Pío había gritado que nunca se rendiría. Habanero «de pura caña» aunque hijo de refugiados republicanos españoles, se había convertido en el mejor amigo del argentino, luego en su adjunto, por fin en su *alter ego* a la cabeza de una columna. Juntos habían entrado en La Habana. Cuando en 1960 Guevara publica su *Guerra de guerrillas*, obra llena de consejos prácticos y agudas reflexiones sobre el arte y el modo de organizar una guerrilla, una larga dedicatoria llena de ternura rinde homenaje a Camilo. «Camilo fue el compañero de cien batallas [...] debía leerlo [el texto] y corregirlo [...] Tenía la inteligencia natural del pueblo, [...] Camilo practicaba la lealtad como una religión; [...] ¿Quién lo mató? [...] Lo mató el enemigo, [...] porque no hay aviones seguros, [...] porque, sobrecargado de trabajo, quería estar en pocas horas en La Habana.»[68] Desde entonces la tesis del accidente no ha dejado de discutirse, y a ese «enemigo» algunos tuvieron la audacia de darle un gran nombre cubano.

Un joven guajiro a quien Guevara comenzó a alfabetizar en la sierra, Dariel Alarcón, más conocido con el nombre de guerra de Benigno, será el compañero del Che hasta sus últimas horas. Integrante de la columna de Camilo, que tras la victoria le nombró jefe de la policía militar de la provincia de La Habana, Benigno, ascendido a coronel, rompió con el régimen cubano en 1996, después de años de absoluta fidelidad y silencio. En un perturbador relato, *Memorias de un soldado cubano*, dice estar convencido como muchos otros (entre ellos, el coronel Manuel Espinoza, ex escolta que acompañó a Cienfuegos a Camagüey) «de que la desaparición de Camilo había sido planificada por Fidel y Raúl, porque Camilo ya sonaba más en Cuba que el propio Fidel».[69] Idéntica reflexión en otro disidente, Juan Vives: «El nombramiento de Raúl Castro para Defensa fue muy mal recibido por el ejército, que deseaba a Camilo Cienfuegos como ministro. [...] Con los elementos de juicio que poseo, estoy seguro de que, aprovechando el asunto Huber Matos, eliminaron a Camilo, matando así dos pájaros de un tiro.»[70]

Esta grave acusación se une no sólo a la de los guardaespaldas, dejados en tierra por razones desconocidas, sino a la de muchos ex integrantes de la columna de Camilo. Pero sólo descansa en convicciones personales. En 1987, ya fuera de la cárcel, Matos reveló en *Nadie escuchaba*, una película de Ulla y Almendros, que Cienfuegos, al telefonear desde Camagüey a Fidel Castro para decirle que no había rastros de complot, habría firmado su sentencia de muerte.

Consecuencia previsible en un sistema de baronías: la organización de los «hombres de Camilo» es desmantelada y Benigno, devuelto a la base, es enviado a deslomarse durante dos años en un campo de trabajo militar para construir una ciudad escolar llamada... ¡Camilo Cienfuegos!

¿El Che banquero? Una broma

La historia, gastada ya a fuerza de repeticiones, fue citada por el propio Fidel. Durante una reunión «en la cumbre» se hace una pregunta: «¿Hay algún economista entre ustedes?» Guevara levanta la mano y al punto se ve nombrado presidente del Banco Nacional. Tras ello, Fidel lo lleva aparte para decirle que ignoraba sus conocimientos de economista. Y el Che responde: «No soy economista. Me pareció que preguntaban quién era comunista...» Claro que es sólo uno de esos chistes que tanto gustan a los cubanos —inventan diez cada día, no todos de igual sabor— pero expresa el sentimiento general de que por entonces no era la competencia técnica lo que más importaba sino la determinación política.

Si en el extranjero Guevara pudo disertar sobre cómo un puñado de guerrilleros derrotó a una dictadura, en la propia Cuba se da cuenta que la batalla revolucionaria está muy lejos de haberse ganado. Una parte de la burguesía local, terratenientes y ganaderos, rechaza las medidas sociales, protesta, compra espacios en la radio para afirmar que la reforma agraria es un expolio, que se estrangulan las libertades. Una parte de la prensa se une al coro. Numerosos profesionales

—médicos, ingenieros, abogados, expertos contables, cuadros diversos— se inquietan también, y por razones que escapan a lo racional pues nada los amenaza directamente, pero obsesionados por el miedo a los *rojos*, inician un movimiento de emigración hacia la vecina Florida. Fenómeno lindante con el pánico que pertenece más a lo sociológico que a lo económico.

«No era sólo una cuestión de intereses de clase —escribe K. S. Karol—, sino el resultado de hábitos mentales, de convicciones profundas e insidiosamente arraigadas. No todos los que abandonaban Cuba eran latifundistas, grandes burgueses, ni siquiera indefectibles proamericanos; a menudo habían sido "americanizados" sin saberlo o sencillamente tenían miedo de las consecuencias de un conflicto con Estados Unidos.»[71] Se van pues «hasta que las cosas se calmen».

Pero las cosas no se calman. En 1959 la reforma agraria inicia la expropiación de los latifundios, en su mayoría de propiedad extranjera: United Fruit, obviamente, pero también el Francisco Sugar, el King Ranch (de la provincia de Camagüey, donde gobernaba Matos) y muchos más. Las compensaciones no son fijadas por los tribunales sino por el omnipotente INRA. A partir de junio el nuevo embajador de Estados Unidos, Philip Bonsan, exige «rápidas, adecuadas y efectivas indemnizaciones». Se le responde que la ley es igual para todos: pago en «bonos de la reforma agraria», al 4 % de interés en veinte años. En Washington —más tarde podrá confirmarse— algunos consideran ya la posibilidad de una intervención armada. Después de todo, en la Casa Blanca y el Departamento de Estado están los mismos hombres —Eisenhower y Foster Dulles— que organizaron cinco años atrás en Guatemala la caída del coronel Arbenz, culpable de los mismos «crímenes» contra las plantaciones norteamericanas. Prisioneros de sus viejos esquemas, se aferran a la idea de que América Latina es su «coto privado» y no tienen en cuenta un elemento fundamental que no se mide en dólares: el deseo de los países del «subcontinente» de que se reconozca su dignidad.

Testigo de su tiempo, el novelista mexicano Carlos Fuentes les dirige en 1962, sin ira pero sin cortapisas, un sencillo ruego. «Se los ruego, americanos, miren más allá del provincialismo de la guerra fría. [...] Traten de entender la diversidad del mundo. [...] América Latina no quiere ser un arrabal de su país. Queremos entrar en el mundo.»[72] Los estadounidenses —neologismo más acertado que el de «americanos», que engloba el conjunto del continente— no aprovechan la ocasión histórica que se les ofrece para revisar su posición con respecto a sus vecinos latinos. En vez de aceptar, de participar incluso, en una especie de descolonización por etapas que les habría dado una magnífica imagen de demócratas ilustrados (y les habría permitido obtener a largo plazo importantes ventajas económicas), se inquietan y elaboran oscuros proyectos de desestabilización y asesinato de Fidel Castro.

Pese al asunto argelino Guevara tiene simpatía por De Gaulle. Principalmente por haber sabido «dar la cara a los yanquis. [...] Con él, Francia podría simbolizar de nuevo lo que representaba bajo la Revolución Francesa».[73] Castro comparte este sentimiento. Comparando la histeria anticomunista de los norteamericanos con la paciencia y moderación del jefe de Estado francés ante las expropiaciones masivas decretadas por Argelia tras su independencia (1962), le dirá un día a Ben Bella: «¡Tienen ustedes suerte! ¡Si nosotros hubiéramos tenido un De Gaulle en Estados Unidos!»[74] Sin embargo, en noviembre de 1959 el general Cabell, número dos de la CIA, no se equivoca cuando afirma: «Los comunistas consideran a Castro como un representante de la burguesía. [...] Castro no se considera a sí mismo un comunista.»[75] Sin duda no habría podido decir lo mismo de Guevara...

El Che advierte que la batalla dista mucho de estar ganada. El 9 de noviembre de aquel 1959 la Iglesia católica consigue reunir un millón de personas en La Habana —¡el equivalente a la población de la ciudad!— para pedir respeto a las libertades y a la propiedad. Idéntica observación sobre el trabajo que todavía se requiere para cambiar las conciencias cuando, el 18 de noviembre, el congreso de la Confederación de Trabajadores Cubanos (CTC) aplaude a los candidatos cercanos al M-26 pero abuchea a los del PSP comunista.

Fidel Castro recurre entonces al viejo principio revolucionario de la depuración permanente. Reestructura el gobierno, elimina a compañeros como Faustino Pérez, veterano del *Granma*, y Manuel Ray, jefe de la resistencia en La Habana en 1958. Han cometido el error de pedir que se indulte a Matos. Carlos Franqui, que afirma haber recordado a Fidel sus propias palabras («Esta revolución no devorará a sus hijos»), asegura haber oído a Guevara decirle a Fidel: «Gente que tiene el valor de sostener sus opiniones como Faustino, Ray y Oltuski, a riesgo de la vida, no sólo no pueden ser fusilados. Deben seguir de ministros.»[76] Testimonio no confirmado que casaría muy bien con la faceta rebelde de Guevara, pero que parece insólito pues el Che, en la mayoría de las ocasiones, acepta la posición de Fidel cuando no la precede. En cualquier caso Fidel no parece habérselo reprochado, ya que en plena reestructuración, el 26 de noviembre, lo nombra presidente del Banco Nacional, en sustitución del economista Felipe Pazos, demasiado moderado, al que mandan a Europa para defender como pueda los intereses cubanos.

El nombramiento del médico-guerrillero a la cabeza del Tesoro Público es una deliberada señal política: «Señores especuladores, tengan cuidado.» De hecho, el Che no considera sus nuevas funciones como un regalo. Muy al contrario, se consagra a ellas con la seriedad que pone en todas las cosas cuando se trata de servir a la revolución. La Cuba en marcha hacia el socialismo se convierte, para él, en una nueva Sierra Maestra donde el combate, «más arduo que tomar el poder», es desarrollar el país y cambiar las mentalidades.

¿Se ha visto alguna vez un banquero con semejante pinta? El señor presidente del Banco Nacional de Cuba, siempre despreocupado de su apariencia, llega en uniforme verde olivo, con la camisa abierta, la pistola al cinto y las botas de paracaidista mal atadas, como de costumbre. Va rodeado de escoltas armados, que se le parecen como dos gotas de agua, capaces de asustar a cualquier visitante despistado. «Comprendo que un *businessman* americano, de rostro lampiño y estricto traje gris, me confesara su desconcierto ante aquel banquero despechugado, de sonrisa franca y ojos brillantes de inteligencia», escribe Claude Julien en *Le Monde* del 22 de marzo de 1960.

Su despacho es grande, sobrio pero confortable: alfombra, sillones de cuero. En la pared se alarga un enorme mapa horizontal de Cuba. (Otro mapa, vertical, de la Argentina, adorna el baño contiguo.) En un armario, en vez del whisky y los cubitos, propicios a las discusiones de negocios, un termo con agua caliente, un paquete de yerba y el mate con su bombilla que, según mandan las normas, los recién llegados harán circular de boca en boca en señal de amistad. Algo de lo que no se priva el argentino-cubano es de este tipo de diversión a costa de sus interlocutores. «Soy ya bastante guajiro, les voy a decir —suelta, por ejemplo, sin demagogia alguna, ante campesinos de la provincia de Las Villas—: cuando voy a la ciudad no me encuentro realmente, el aire acondicionado no se ha hecho para mí.»[77] Sin embargo se acostumbra. Lo esencial está en otra parte.

Las noches en blanco de la revolución

Su interminable jornada de trabajo comienza a media mañana y no concluye antes de las tres o cuatro de la madrugada. A menudo más tarde. ¿Se trata de la afición a la noche heredada del tiempo de la guerrilla cuando todo, marchas y batallas, se efectuaba al abrigo de la oscuridad cómplice? ¿Es temor al momento en que el asma le obligue a despertar sobresaltado? En cualquier caso, las citas se fijan a partir de medianoche. En los despachos contiguos siguen trabajando sus colaboradores (y Aleida, que se acomoda al ritmo guerrillero de su esposo). Cuando a veces, lujo excepcional, nuestro banquero encuentra un buen compañero de ajedrez, la partida, a modo de descanso, puede prolongarse hasta el amanecer. De lo contrario Guevara escribe en plena noche sus artículos, sus *Pasajes de la guerra revolucionaria* o su *Guerra de guerrillas*, vademécum del perfecto combatiente campesino que deja traslucir los escritos de Mao Tse Tung, cuya lectura le ha recomendado el comunista Carlos Rafael Rodríguez. Algunas veces dicta sus textos al magnetófono; por la mañana, los encuentra transcritos por Manresa, un antiguo soldado de Batista que durante muchos años será su fiel y discreto secretario particular. Una regla no escrita del buen revolucionario dice que no se duerme nunca, o casi nunca. Cada uno tiene demasiado trabajo. Cuba es una colmena. Las urgencias son permanentes y la revolución no aguarda. «En Cuba las noches se pasan en blanco.»

Para el Che, el desafío consiste en demostrar que se puede dirigir un gran navío como el Banco del Estado sin conocer, detalladamente, toda su maquinaria; lo esencial es saber fijar el rumbo y mantenerlo. Las recientes reformas agraria y urbana no han cambiado, ni mucho menos, el carácter todavía capitalista del sistema económico cubano. Ya en abril de 1959, aún en La Cabaña, Guevara ironizó en la televisión: «Tenemos hambre de capitales pero no queremos que vengan capitales con demasiado hambre.»[78] Ahora se trata de «tranquilizar los mercados». Y el Che no lo hace muy mal. El mismo día de su nombramiento habla como el más sagaz economista y financiero. Declara al diario *Revolución*: «Nuestro objetivo más importante, por el momento, es la defensa de nuestra reserva de divisas. Es probable que se debilite aún un poco pero se recuperará hacia mediados de enero de 1960. Hemos frenado nuestras importaciones. Hay que restringirlas más aún [...]. Esperamos una recuperación de la cotización del azúcar en el mercado internacional, para utilizar buena parte de las divisas en tareas de industrialización...»

La nueva política económica asoma la nariz. Consiste en apoyarse en el azúcar para liberarse del azúcar; es decir, para establecer una verdadera industria que garantice la independencia. Cuando Carlos Franqui le pregunta sobre los intensos movimientos bancarios que se produjeron ante el anuncio de su nombramiento, responde: «Lógico, porque el reemplazo de una persona como el doctor Pazos por un elemento que goza de la fama de ser extremadamente radical despierta en la mentalidad de los depositarios bancarios la creencia de que se van a tomar medidas contra esos depósitos. Injustificado porque el gobierno seguirá la misma política ya tomada en ese sentido, tratando de orientar la inversión privada hacia la industrialización y buscando la colaboración de la misma, pero sin utilizar métodos compulsivos. Por supuesto que defenderemos el valor de nuestra moneda al máximo.»[79]

Así habla ahora quien manifestó siempre un absoluto desprecio por el dinero, quien hace un año deseaba organizar un atraco al banco de Sancti Spiritus. ¡Helo aquí convertido en experto financiero! Seis meses más tarde, el enviado especial de *Le Monde* pregunta a un observador francés instalado en La Habana: «¿Es competente?» Respuesta: «He visto toda clase de hombres de negocios extranjeros presentarse en su despacho, convencidos de que ese médico revolucionario se dejaría atrapar por sus astucias comerciales. Salieron con las orejas gachas tras una entrevista tensa con un hombre que conoce a fondo los asuntos y defiende los intereses cubanos con sólida competencia.»[80]

Para que lo ayuden en su tarea, Guevara necesita economistas «comprometidos», capaces de comprender el sentido del cambio que debe realizarse en las estructuras del país. En el INRA, un joven chileno de veintiséis años, llamado Carlos Romeo, advierte que en Santiago de Chile hay en torno de la CEPAL (Comisión Económica de las Naciones Unidas para América Latina) un «yacimiento humano» que puede servir. Le encargan que explore esta pista y transmita a sus lejanos amigos —casi todos comunistas o próximos al partido— la oferta de ir a Cuba para «convertir los sueños en realidad». Entretanto, Carlos Rafael Rodríguez —el dirigente del PSP, antiguo ministro de Batista, que, en 1958, subió a la sierra para hablar con Castro— emprende por América Latina una gira de información y reclutamiento entre los partidos hermanos. El PC cubano trata, pues, de partido a partido, con el PC chileno para que le «preste» algunos economistas seleccionados. Guevara ve llegar así, en sucesivas oleadas, auténticos expertos que se ponen al servicio de la revolución con entusiasmo y disciplina: Jaime Barrios, antiguo alto responsable del Banco Central de Chile, Raúl Maldonado, ecuatoriano, miembro del PC chileno, Alban Lataste, Sergio Aranda, Gonzalo Martner, socialista, Alberto Martínez, ingeniero comunista, Carlos Matus, Edmundo Meneses... Todo un batallón. Más tarde reforzarán el equipo algunos argentinos y uruguayos salidos de ese Cono Sur latinoamericano, rico en cerebros bien formados.

El Che habla con divertida simpatía de sus *chilenitos*, cuya abnegación y conocimientos técnicos aprecia. En el séptimo piso de un edificio inconcluso, destinado al ayuntamiento de La Habana pero completamente ocupado por el INRA —Fidel Castro ha elegido el último piso—, los instala en un vasto despacho contiguo al suyo, de modo que, cuenta Carlos Romeo, «cuando quería ir al baño, me confiaba la custodia del 7-65 que llevaba colgado a la cintura. [...] En el INRA —añade—, desde septiembre/octubre de 1959, comenzamos a preparar las leyes revolucionarias de nacionalización y a organizar incluso un sistema central de planificación de la economía [...]. El Che creía que Fidel aguardaría un poco antes de anunciar la nacionalización de las minas y las industrias petroleras. Yo había apostado una caja de puros a que, por el contrario, Fidel iría más deprisa de lo que pensaba. Y es lo que ocurrió, en efecto. El Che, que sabía perder, hizo depositar en mi mesa una magnífica caja de cincuenta cigarros».[81]

Guevara le pide a su antiguo oficial de enlace cubano, Pancho García Valls, comunista también, que gestione con el PSP la utilización óptima de ese contingente de combatientes internacionalistas de nuevo cuño. Pero pronto evalúa quién es quién. Cuando, sin abandonar por completo el INRA, toma las riendas del banco, hace que lo acompañe Barrios.* Los chilenos, por su parte, se sienten fascinados por ese comandante joven e irónico, cuyo humor comprenden «*al tiro*» y con quien tienen más afinidades que los cubanos: «El Che no se entregaba fácilmente —sigue diciendo Romeo—, pero por la noche, tarde, venía a que le diéramos lecciones de economía.»[82] Raúl Maldonado, que se convertirá en viceministro de Comercio Exterior, agrega: «Lo aprovechábamos para tirarle de la lengua, es decir, incitarle a contarnos la historia y las historias de la guerrilla. Cuando estábamos en confianza, lo hacía de buena gana. A veces llegaban otros comandantes, Raúl Castro, Almeida, Camilo (poco tiempo antes de que desapareciese), su hermano Osmani... Todos intervenían. Se producían a veces grandes momentos de emoción y también enormes carcajadas... Aquel tipo de reunión nos llevaba, a menudo, hasta las cinco o las seis de la madrugada, ante la furiosa mirada de Aleida. Y volvíamos al trabajo a las once de la mañana.»[83]

* Jaime Barrios se unirá más tarde al equipo económico del presidente chileno Salvador Allende y morirá bajo las balas de los soldados del general Pinochet, tras el golpe de Estado de 1973.

La revolución va más deprisa que la reflexión de los expertos, que se interrogan sobre el modelo de desarrollo industrial que mejor conviene a Cuba. «Apenas nos habíamos instalado —explica Borrego—, cuando unos obreros vinieron a rogarnos que volviéramos a poner en marcha una vieja fábrica, The American Steel, abandonada por sus propietarios americanos. Pero no teníamos un céntimo. Fue necesario pedirle una pequeña subvención a Fidel que, a fin de cuentas, era el presidente del INRA. Nos dio un cheque de 200.000 pesos-dólares y pusimos en marcha la fábrica, rebautizándola como Cubana de Acero.»[84]

La visita del Espíritu Santo

En aquellos tiempos de febril y alegre construcción de una nueva sociedad, Guevara está presente en todos los frentes. Ha salido del prudente semianonimato de los primeros meses en La Cabaña pero conserva en la vieja fortaleza su personal logística militar y supervisa la formación de los cuadros del ejército rebelde. Va todavía al INRA, una vez a la semana, para seguir las consecuencias industriales de la reforma agraria. En la presidencia del banco toma clara conciencia, con las estadísticas ante los ojos, del enorme desequilibrio de los intercambios comerciales que convierten a Cuba en un país de economía colonial clásica: exporta materias primas e importa productos manufacturados. Sigue siendo informado, también, del apoyo que solicitan numerosos movimientos revolucionarios, estimulados por el ejemplo cubano. Y encuentra todavía tiempo para recibir a personalidades de paso que quieren conocer a aquella figura insólita, ya célebre, de la revolución.

Desde México, donde acaba de rodar con Buñuel *La fiebre sube a El Paso*, llega en primer lugar el actor Gérard Philipe, en la cima de su gloria, y a pocas semanas del fulminante cáncer que acabará con él. La prensa establece pronto un paralelismo entre el comandante guerrillero de rostro tan puro y el joven galán que, en París, ha encarnado un fogoso Rodrigo en *El Cid*. El actor ha sido invitado por Alfredo Guevara, otro apasionado por el cine, a quien Fidel Castro atribuye la irrisoria cantidad de 30.000 pesos-dólares para crear el Instituto Cubano de las Artes y las Industrias Cinematográficas (ICAIC), que hará una notable carrera. «Gérard hacía preguntas suaves —comenta Alfredo Guevara—; Anne, su mujer, preguntas mucho más incisivas.»[85] Por su lado, Carlos Franqui ha aprovechado un viaje a Europa para invitar a Cuba, en nombre del diario *Revolución*, a algunos grandes nombres de la *intelligentsia* cultural y artística: Sartre, Picasso, Breton, Le Corbusier...

Jean-Paul Sartre y Simone de Beauvoir son los primeros intelectuales franceses de relieve que, respondiendo a la invitación, aceptan en cierto modo llevar a la pila de bautismo a la joven revolución, concediéndole por su mera presencia una especie de honorabilidad intelectual. Sartre fue a la URSS en 1954 y a China en 1955. A sus cincuenta y cinco años ha publicado lo esencial, o casi, de su obra. Su reputación es inmensa. Y no es sólo el «papa del existencialismo» nacido en el Café de Flore y en las cavas de Saint Germain des Prés, tópicos que durante años han hecho las delicias de la prensa sensacionalista. Cuatro años antes de que le concedan el premio Nobel, y de que lo rechace, pretende ser el prototipo del escritor «en situación».

Puesto que no existe Dios ni Diablo está condenado, como cualquier hombre, por la absoluta libertad de que dispone a conciliar las exigencias de la acción, especialmente revolucionaria, con un pesimismo fundamental que es la negación misma de esta acción. En Cuba, sin embargo, parece olvidar cualquier pesimismo filosófico para dejarse embriagar por el desbordante entusiasmo de un movimiento social y político único que, según le parece, brinda una excepcional cita con la Historia. En vano intentó antes de su partida que quienes lo invitaban le dijeran si el régimen era o no socialista. «Debo reconocer que me equivocaba al considerar así el problema.»[86] Pero su prejuicio es favorable. El mismo día de su llegada, antes incluso de haber visto nada, declara al diario *Revolución*: «Realmente admiro la revolución cubana.» La visita de Sartre a Cuba es un pequeño acontecimiento nacional. «Para nosotros, intelectuales cubanos —dice uno de ellos, Juan Arcocha—, era como recibir la visita del Espíritu Santo.»[87]

Durante un mes entero, del 22 de febrero al 21 de marzo de 1960, el «espíritu santo» de la *rive gauche* parisina lo ve todo, habla con todos, viaja por toda la isla. Castro le suelta toda la panoplia, sin imaginar que puede agotar al filósofo. Le hace los honores de la Ciénaga de Zapata —marismas convertidas en reserva natural—, el «Rambouillet» cubano, lo lleva con la Beauvoir, en su traqueteante jeep, a visitar campos de caña de azúcar y tabaco, granjas cooperativas, fábricas, cuarteles convertidos en escuelas. Le cuenta de la reforma agraria, los malvados latifundistas, los buenos campesinos, los proyectos industriales, los intentos de conquista de una independencia económica amenazada por Estados Unidos, tan cercano y tan poderoso. Sartre queda como hechizado, se lo traga todo, olvida todo lo que rechina. «Es la luna de miel de la revolución»,[88] le confía a Simone de Beauvoir, a quien apoda también «el Castor». Les hacen asistir a una representación de su obra *La puta respetuosa* en el nuevo Teatro Nacional de La Habana. «Es mi mejor puta», declara.[89]

Carlos Franqui le hace descubrir el frenesí africano y danzante del carnaval cubano, desbordante de ritmos caribeños y sensualidad. En portada del diario *Revolución* se publican grandes fotografías del francés y su compañera. Al cabo de unos días, el rostro de Sartre resulta tan familiar para el ciudadano cubano como la silueta de Marilyn Monroe. Lo reconocen por la calle, lo aclaman: *¡Saltre! ¡Simona!* Sartre está encantado. Hay dos cosas que le seducen sobre todo: la juventud de todos aquellos revolucionarios y la «democracia directa» que ejerce Castro cuando «dialoga» con el pueblo, dispuesto si es necesario a ir a buscar la luna para ofrecérsela a las masas. «No hay viejos en el poder. No he visto uno solo entre los dirigentes. En todos los puestos de mando [...] he encontrado, si se me permite decirlo, a mis hijos.»[90]

Y el hijo que más le impresiona es, tal vez, el comandante Guevara. El presidente del Banco Nacional lo recibe «temprano», es decir, a medianoche, hora que al visitante le resulta insólita. Una foto nos muestra, sentados en un gran sofá, a Simone de Beauvoir con un vestido muy correcto, y a Sartre con un traje oscuro cruzado con corbata, escuchando atentamente al Che que, sentado ante ellos con uniforme de campaña y boina, les explica los goces, los infortunios y las esperanzas de la revolución.

«Respondía a todas las preguntas con gran competencia —escribirá Simone de Beauvoir en el *France-Observateur* del 7 de abril de 1960—. [...] Sólo hablé con él dos o tres horas, y no soy evidentemente una especialista; pero me han dicho que asombraba a los propios especialistas; al llegar se imaginan que Guevara será fácil de manejar, y luego no es así [...]. Al final él acaba metiéndoselos en el bolsillo.» Sartre añade: «Guevara pasa por ser hombre de gran cultura y eso se nota. No es preciso mucho tiempo para comprender que detrás de cada frase hay un amplio saber. [...] De tez mate, llevaba un collar de barba y largos cabellos, pero su rostro liso y dispuesto me pareció matinal. [...] La noche no penetra en aquel despacho. Ignoro cuándo descansa Guevara [...] Imaginen un trabajo continuado, tres turnos de ocho horas ejecutados desde hace catorce meses por un mismo equipo. En 1960 y en Cuba las noches se pasan en blanco. Se las distingue de los días sólo por cortesía y para respetar al visitante extranjero. [...] Esos jóvenes rinden discreto culto a la energía que tanto amaba Stendhal. [...] Son felices. Seguramente van a gastarse demasiado pronto. [...] ¿Pero tantas ganas tienen de morir viejos? [...] La presencia de la muerte está en ellos; su existencia ha sido ya entregada. No se la han arrebatado todavía pero siguen ofreciéndola. Su vida arde.»[91] Por muy estrábico que sea Sartre, no lleva ninguna venda en los ojos. Pese al deslumbramiento tropical, su visión es premonitoria.

El escritor Erik Orsenna, en busca de un lejano antepasado cubano, encontró en La Habana en 1995 a Álvaro, el guía que acompañó a «los Sartre» durante su estancia cubana. Con maliciosa pluma, finge hacer el relato del encuentro, al que el tal Álvaro no asistió, entre el Che Guevara y aquel «hombrecillo muy feo» acompañado por una mujer «alta y hermosa, algo pasada de moda, rígida, con aspecto de una monja vestida de paisano». Lo que da como resultado un texto divertido, fácil e injusto.

«Se abrió una puerta y apareció el comandante.

»—¿Qué tal por Francia?

»Tan alto, tan apuesto, tan brillante y tan paternal... Por un instante vi a los intelectuales franceses deslumbrados, infantiles... Me pregunté si iban a lanzarse en los abiertos brazos del Che. Pero se sobrepusieron. Y, apenas sentado, Sartre adoptó un aire severo, el del papa titular del existencialismo, encargado de informar al mundo.

»—¿Cuál es el proyecto de su revolución?

»—Hacer retroceder el campo de lo posible.

»Aquel vasto programa reanimó de pronto a nuestros dos enviados parisinos. Siguió un exaltado diálogo.»[92]

Juan Arcocha, que sirvió de intérprete a Sartre, confiesa: «Siempre he lamentado no haber podido acompañarlo cuando visitó al Che Guevara que, para mi desgracia, hablaba francés.»[93]

Cuando regrese a París, Sartre publicará, no en Les Temps modernes sino, deliberadamente, en el popular France-Soir, con el título de «Huracán sobre el azúcar», una serie de artículos a toda página tan favorables a la revolución cubana, tan torpes a veces en su ingenuidad, que no serán incluidos en su bibliografía. (Pero, editado en un folleto en Brasil, Cuba y Estados Unidos, ese «Huracán sobre el azúcar», será un éxito.) «Los reportajes sorprenden por su carácter anecdótico, su sencillez, su cursilería incluso —escribe uno de sus biógrafos—. En el estilo "Castro contado a los niños" Sartre es muy bueno.»[94] Severo juicio, pues en esos papeles circunstanciales encontramos una ilustración de la situación internacional de Cuba, benevolente, es cierto, pero lúcida. «Les pido algo difícil pero justo —requiere Castro—. No digan que somos socialistas.»[95] El «hombrecillo» cumple su palabra. Pero hace sin embargo algunas preguntas y enuncia algunas verdades indiscutibles que se desprenden tanto de sus observaciones como de una geopolítica de sentido común.

«Al reivindicar su independencia —escribe Sartre—, Cuba entra en lucha contra la fuerza de atracción de una enorme masa continental que quiere reintegrarla a su campo de gravitación. [...] Las relaciones de la isla con Estados Unidos no son buenas, en efecto. [...] ¿Hará EE.UU. el boicot a los navíos cubanos? ¿Rebajará la cuota del azúcar? ¿Organizará el bloqueo de Cuba? [...] Hay un orden del Nuevo Mundo que se elabora en Washington y se impone al continente, a sus islas, desde Alaska a Tierra de Fuego; este orden no permitirá, por mucho tiempo, lo que considera un pequeño desorden insular; algún día, las fuerzas armadas del continente querrán meter en cintura a ese fragmento de azúcar protestatario. [...] El mundo vio, sin conmoverse, cómo Monroe impuso el orden en Guatemala. La suerte de esta república amenaza, a cada instante, a Cuba.»[96] Para un filósofo al que podríamos imaginar perdido en los meandros de una *Crítica de la razón dialéctica*, esas observaciones son de una pertinencia que ha resistido el paso del tiempo.

Leyenda de un retrato de leyenda

Las casualidades de la historia hacen que Sartre y su «Castor» asistan, como testigos oculares, a una de las probables tentativas de desestabilización del régimen: la explosión, el 4 de marzo de 1960, en el puerto de La Habana del navío francés *La Coubre* cargado de armas belgas. Un trueno inmenso y una nube de humo en el cielo. Más de ochenta muertos o desaparecidos. Se dice enseguida que es un sabotaje. Se piensa, claro, en la explosión del navío norteamericano *Maine*, en 1898, en La Habana, que sirvió de pretexto a Estados Unidos para expulsar a España y establecer su «protectorado» sobre la isla. Al día siguiente, durante las exequias de las víctimas en el cementerio Colón, Castro organiza un mitin de protesta. Señala en términos velados al culpable: Estados Unidos. Lo intentaron todo, explica, para impedir que los belgas vendieran sus armas a los cubanos, después que la mayoría de países europeos se negaran. «Responderemos al terror contrarrevolucionario con el terror revolucionario», anuncia amenazador. Y lanza la fórmula que va a convertirse en contraseña de la revolución: «¡Patria o muerte! ¡Venceremos!» Sartre le sigue: «La libertad cubana exaspera al país de la libertad. Guerra de nervios, vejaciones, alfilerazos y luego, a veces, una intuición brusca y siniestra, iluminando el mar hasta la costa: la explosión del *La Coubre*; captamos de paso la trágica verdad: Cuba es mortal.»[97]

Durante ese mitin del 5 de marzo de 1960, un fotógrafo hasta entonces desconocido, Korda, pasa a la posteridad tomando la instantánea de su vida: el retrato del Che que, convertido en póster, ha dado la vuelta al mundo, adornado habitaciones de adolescentes y servido de emblema para manifestaciones de estudiantes coléricos, simbolizando al redentor de las injusticias del planeta. Alberto Díaz Gutiérrez, que se hace llamar Korda «porque eso hace pensar en Kodak», ha recibido del diario *Revolución* el encargo de cubrir fotográficamente el acontecimiento. Ha descubierto, en la tribuna levantada en la esquina de las calles 23 y 2, a Sartre y Beauvoir junto a Castro. Guevara no está ahí. Ha encabezado el cortejo fúnebre con Fidel y los dirigentes de la revolución. Luego ha desaparecido. «Yo "ametrallo" sistemáticamente a todos los que están al lado de Fidel —cuenta Korda—. Tengo el ojo pegado al visor de mi vieja Leica. De pronto surge el Che del fondo de la tribuna, en un espacio vacío. Cuando apareció así, con una expresión brava, en mi objetivo de 90 mm, casi me asusté, viendo la cara tan fiera que tenía. Yo apreté el obturador casi por reflejo. Inmediatamente repetí la toma pero, como siempre, fue la primera la mejor. [...] Él se quedó apenas un instante y saqué estas dos únicas fotos.»[98]

La fuerza expresiva de esta foto es inmensa. Con su boina estrellada, vistiendo un extraño chaquetón de cuero verde oscuro adornado con lana azul marino —regalo de un amigo mexicano— el Che tiene una mirada sombría, lejana. Su severo rostro está enmarcado por una larga y enmarañada cabellera. Paradójicamente, esa imagen de un hombre lleno de fría rabia se convertirá en el icono del revolucionario de cara de arcángel, dulce y casi místico que los medios de comunicación, los carteles y demás chirimbolos propagarán por la superficie del planeta. Korda dice que olvidó estas fotos en el fondo de un cajón. Sin embargo, serán profusamente utilizadas y reproducidas en Cuba. Hasta el día en que el editor italiano Giangiacomo Feltrinelli las convierta en «la imagen más conocida en el mundo». «Le entregué dos copias de 30 × 40 —dice el fotógrafo—. En cuanto se supo la muerte del Che, Feltrinelli sacó un cartel con mi foto (la utilizará en la portada del *Diario de Bolivia*). Si hubiera pagado una sola lira por cada vez que la imagen ha sido reproducida, habríamos recibido centenares de millones...»[99]

Es lamentable que Feltrinelli, desaparecido más tarde en trágicas circunstancias, no pueda aportar también su testimonio. Porque la paternidad de la célebre foto es también reivindicada por un tránsfuga de los servicios secretos cubanos, Juan Vives, quien afirma que él, que tenía dieciséis años por entonces, fue el autor de la histórica instantánea. Según afirma, Castro le encargó en octubre de 1967 que encontrara documentos sobre el Che para el editor italiano. «Entre las fotos que yo había hecho [...] por casualidad, descubrí una, tomada en la tribuna durante una ceremonia en memoria de los marineros del barco *La Coubre*. [...] Fue la foto elegida, [...] el póster más vendido de la historia. Sin embargo, nunca recibí un sólo céntimo por derechos de autor.»[100] Probablemente no es más que una fabulación. La obra de Vives carece de rigor pese a algunas informaciones interesantes y plausibles que a veces incluye. Pero no aporta prueba alguna de lo que afirma. A diferencia de Korda, que exhibió el rollo donde se hallan los dos legendarios negativos.

En Cuba, entre visitas, excursiones y entrevistas diversas, Sartre tiene tiempo para redactar un importante prefacio para una reedición de *Aden Arabia*, de su compañero de la Escuela Normal Paul Nizan, caído en el frente durante la guerra en 1940, a los treinta y cinco años. La cosa no merecería mencionarse si más allá del retrato de Nizan que su biógrafo traza no se dibujara, como en sobreimpresión de sorprendente parecido, el del Che: «un militante incorruptible y crítico que espolea a los comunistas por la izquierda, incapaz de someter la práctica a la jerga almidonada de la burocracia».[101]

El militante incorruptible y sin embargo banquero ha sugerido a Sartre que no deje de entrevistarse con su adjunto, Orlando Borrego, si quiere captar algunos aspectos inéditos del proceso económico de la revolución. Borrego propone al ilustre visitante que se encuentren en el INRA al día siguiente, a las nueve de la mañana, para asistir a «algo interesante». «¿De qué se trata?» Del nombramiento de muchachitos de quince a veinte años para cargos de administradores de empresa.

Por temor al «peligro comunista», muchos jefes de pequeñas y medianas empresas han preferido ir a Miami a esperar que el aire en Cuba vuelva a ser respirable. Entregaron sus empresas a los obreros, que carecían de competencia en materia de administración. Así pues, hacía falta encontrar urgentemente personal más o menos cualificado para que la producción funcionase al servicio de la revolución. A Borrego se le ocurrió utilizar la buena voluntad de una promoción de doscientos jóvenes, adolescentes en su mayoría, que habían ofrecido su saber para «alfabetizar» a quienes habían sido abandonados por el antiguo régimen en la ignorancia. Habló de ello con Guevara, a quien la idea le pareció «genial» y logró que Castro lo acompañase para explicar a aquella juventud la imprevista tarea que la revolución les pedía. Entusiasta respuesta de los «alfabetizadores». Dos días de formación acelerada —contar el dinero de la caja, comprobar la cuenta corriente, proteger los documentos, apoyarse en los elementos más «revolucionarios», etc.— ¡y en marcha!

Borrego recuerda el pasmo de Sartre al asistir aquella mañana a la entrega de nombramientos oficiales: «"Están ustedes locos", me dijo. Pero sentí que nos admiraba. Para nosotros, dada la urgencia, no quedaba otra solución.»[102] Cuando unos meses más tarde, en París, algunos jóvenes le pregunten por el sentido que deben dar a sus vidas, Sartre responderá abruptamente: «¡Sean cubanos!»[103]

El ping-pong de David y Goliat

Mientras que Estados Unidos observa cada vez con mayor suspicacia la evolución del régimen cubano, sus relaciones con el oso soviético se distienden un poco. Desde que en septiembre de 1959 Khruschev visitó a Eisenhower en Camp David, se advierte cierto deshielo. Pero lo que es válido de superpotencia a superpotencia no lo es cuando un «pedazo de azúcar protestatario» pretende desprenderse de la tutela estadounidense. Que Mikoyan, vicepresidente del Consejo de Ministros de la URSS, vaya a inaugurar ferias comerciales en Nueva York o incluso en México es aceptable. Pero que ese mismo Mikoyan, veterano de la revolución de 1917, vaya a Cuba en febrero de 1960 con el pretexto de una exposición de ciencia y tecnología soviéticas, gusta menos a Washington. Recibido por Castro y Guevara, trata con ellos el restablecimiento de relaciones diplomáticas, la venta de armas, la compra de azúcar y un crédito de cien millones de dólares, entre 1961 y 1964, para adquirir maquinarias y material y recibir asistencia técnica.

Colocando al Che a la cabeza de las finanzas del Estado, Castro ha puesto en sus manos la economía de la isla. Posición esencial puesto que el combate político se librará cada vez más en el terreno de los intereses financieros. Para Guevara —y Castro asiente sin proclamarlo todavía— el porvenir de Cuba se halla, cueste lo que cueste, en una liberación absoluta de su dependencia del poderío imperial de Estados Unidos. Por eso aquel 1º de mayo de 1960 aparece el eslogan «libertador» que, adaptado por cada país a su propio caso, será repetido por el conjunto de América Latina: *¡Cuba sí, yanquis no!*

La visita de Mikoyan ha esbozado la constitución de un eje La Habana-Moscú que se traduce en la reanudación de las relaciones diplomáticas, el 7 de mayo de 1960, y en una larga y discreta estancia de Raúl Castro en la URSS y Checoslovaquia. El hermano menor, ministro de Defensa, firma contratos para la obtención de armas pesadas (tanques, piezas de artillería, aviones Mig) y ligeras destinadas a las milicias populares mientras los primeros pilotos cubanos parten hacia Praga para entrenarse en el manejo de los cazas a reacción. Enviado a Moscú y los países del Este para finalizar los acuerdos establecidos con Mikoyan, Núñez Jiménez, responsable del INRA, regresa entusiasmado.

En realidad Cuba no presenta aún gran interés para Khruschev, empeñado como está en una política de distensión con Estados Unidos. Pese a los éxitos soviéticos en tecnología espacial —lanzamiento del Sputnik y demás hazañas— la economía soviética está agotada. Tiene una aguda necesidad de los enormes recursos consagrados hasta entonces a las industrias militares. Sólo una «coexistencia pacífica» entre ambos bloques permitiría a la URSS tomarse un respiro económico. En Camp David se consolida el proyecto de una conferencia en la cumbre, en París, en mayo de 1960, con participación de Gran Bretaña y Francia.

Ahora bien, el 1º de mayo de 1960, un avión espía americano U-2 es derribado sobre la Rusia continental y su piloto es hecho prisionero. Cuando Eisenhower arguye que, tratándose de su seguridad nacional, Estados Unidos tiene derecho a violar el espacio aéreo soviético, Khruschev se indigna. En la cumbre de París, el presidente americano se niega empecinadamente a presentar excusas. Puesto que la elección presidencial está próxima en Estados Unidos, Khruschev declara a la prensa que rompe el diálogo con Washington, esperando que pronto ocupe la Casa Blanca un interlocutor «más responsable». Más allá del asunto del U-2 se perfila el del estatuto de Berlín, que los soviéticos reivindican para la RDA. De momento, no satisfecho aún, Khruschev recuerda la existencia del diablillo cubano que desafía el «gran garrote» del Tío Sam. Ante la prensa, en París —como una leve represalia destinada a vengar el amor propio nacional herido— proclama: «El alba del progreso se levanta incluso en las Américas, en las narices de los americanos», y declara su apoyo a la «lucha del pueblo cubano por su independencia».[104] En La Habana, Castro y Guevara, que no esperaban tanto, están exultantes.

En este nuevo contexto internacional se adoptarán una serie de medidas que generarán, entre el David caribeño y el Goliat estadounidense, un dramático vaivén de decisiones de orden político, económico y finalmente militar. Al acabar esa partida de «ping-pong», Cuba se encontrará, mucho antes de lo que suponía, liberada del sistema capitalista y comprometida en un sistema de tipo socialista. Al margen de algunos fanáticos (entre los que se hallan los comunistas), ¿eran muchos los que, como Guevara, habían ya visto y a veces anunciado cuál sería el camino?

A fines de mayo de 1960, el Che se dirige a las tres compañías petroleras instaladas en Cuba: Standard Oil y Texaco (Estados Unidos) y Shell (angloholandesa). Se les informa que, en adelante, deberán refinar petróleo bruto soviético y no el que ellas extraen e importan del subsuelo venezolano. Además, en su calidad de presidente del Banco Nacional, les comunica que el Estado cubano no está en condiciones de pagar una anterior deuda de cincuenta millones de dólares. Las compañías vacilan, consultan y finalmente se niegan. El 29 de junio Castro ordena que se intervengan las tres compañías mientras llega el primer buque-tanque soviético. Un 4 de julio, pura ironía, fecha del *independence day* de Estados Unidos, pero para la revolución cubana hito simbólico en el proceso de su nueva independencia.

A partir de ese momento la cronología enloquece. El «gigante del Norte» se enfada, sin que por ello los nuevos dueños de la pequeña isla acepten variar su política. Muy al contrario, contando con la esperada ayuda de los soviéticos, su determinación se fortalece y la escalada va en aumento. El 6 de julio Eisenhower anuncia que Estados Unidos pone fin a sus compras de azúcar cubano para el año en curso (700.000 toneladas), e insinúa que en el futuro su país podría no comprarle absolutamente *nada*. Teniendo en cuenta que el azúcar representa para Cuba el 80 por ciento de sus exportaciones, se comprende la reacción del ministro cubano de Economía, Regino Boti. «Es una puñalada.» ¿Acudirán los soviéticos en auxilio de sus nuevos amigos cubanos, a riesgo de que se enfríen nuevamente sus relaciones con Estados Unidos?

K. S. Karol, politólogo especializado en el análisis de la URSS y de China, ofrece en *Los guerrilleros al poder* una interesante ilustración de las reacciones en Moscú.[105] La política de distensión de Khruschev, recuerda, no gustaba a los chinos, que tachaban de «revisionista» al jefe del Kremlin y defendían una estrategia combativa para el conjunto del movimiento revolucionario internacional. Khruschev había previsto ya decretar contra China un bloqueo análogo al que en 1948 organizó Stalin contra Yugoslavia cuando se salió de la fila: congelar cualquier ayuda económica y repatriar a todos los técnicos soviéticos que trabajan en el país. Cada bloque tiene sus rebeldes a los que meter en cintura.

Por lo que se refiere a la decisión de Eisenhower de prescindir del azúcar cubano, se debe más al orgullo herido de una gran potencia que a una reacción fría y sensata. Si la Casa Blanca hubiera querido realmente dar una «puñalada» por la espalda a la economía cubana, habría aguardado tranquilamente a que Castro tuviera en las manos toda la cosecha de la próxima zafra. Algunos como el presidente argentino Frondizi, imaginan incluso que se trata de una simple advertencia y ofrecen su mediación. Castro acepta esperar un mes antes de poner en práctica la amenaza lanzada contra Estados Unidos dos semanas antes en un discurso televisado: «Si perdemos toda nuestra cuota de azúcar, ya pueden despedirse de todas sus inversiones en Cuba.»[106]

Tratándose de Khruschev, dice Karol, «el asunto cubano le proporcionaba una inesperada coartada internacionalista».[107] Ve en ello la ocasión de demostrar a los chinos que es posible hablar de «coexistencia pacífica» entre los dos bloques y no obstante proteger una pequeña isla lejana que tiene el coraje de declararse antiimperialista. El 9 de julio, la URSS se convierte en comprador de todo el azúcar cubano que Estados Unidos se niega a comprar y del que se niegue a comprar mañana. En Cuba el debate fundamental entre mantenimiento del monocultivo azucarero, tradicional proveedor de divisas, y una industrialización innovadora, garante de autonomía, no ha sido zanjado todavía. Pero de momento hay euforia. La supervivencia económica está garantizada. Tanto más cuanto el primer ministro soviético ha añadido una frasecita claramente explosiva al indicar que, «hablando de un modo gráfico», en la era de los cohetes intercontinentales, la URSS podía actuar sobre Estados Unidos como si fueran vecinos cercanos.[108]

A Guevara eso le basta para exaltar tan ejemplar generosidad. Al día siguiente, el 10 de julio, ante cien mil personas reunidas en La Habana el Che, que sustituye a un Fidel Castro enfermo, olvida que Khruschev ha hablado «de un modo gráfico» y se lo agradece calurosamente, tomando la fórmula al pie de la letra. «Cuba —proclama, provocando una inmensa ovación— es una isla gloriosa en el centro del Caribe, defendida por los cohetes de la más grande potencia militar de la historia.» Por su lado, Khruschev se pavonea. ¿Cómo pueden seguir reprochándole los chinos su «egoísmo de gran potencia» y su revisionismo? Estados Unidos, en cambio, se preocupa y el candidato demócrata a la presidencia, John F. Kennedy, indignado de que se hayan atrevido a tocar el «coto privado» americano, asegura que están asistiendo a «la primera violación de la doctrina Monroe desde hace un siglo».[109]

El 28 de julio, inaugurando el I Congreso Latinoamericano de la Juventud —de donde saldrán cantidad de militantes revolucionarios del continente— Guevara subraya la importancia del apoyo soviético en un momento crucial. Su discurso, sencillo y fuerte, evita la jerga y escapa de la retórica a veces ambigua de Castro: «Si no existiera la Unión Soviética que nos diera petróleo y nos comprara azúcar, se necesitaría toda la fuerza, toda la fe y toda la devoción de este pueblo, que es enorme, para poder aguantar el golpe que eso significaría.» Guevara explicita, para que no queden dudas, la solidaridad con la que Cuba puede contar sin hacer la menor alusión, desde luego, a las disensiones internas en el bloque socialista: «La Unión Soviética, China y todos los países socialistas, así como los países colonizados o semicolonizados que se han liberado, son nuestros amigos.» Y respondiendo a las «acusaciones de comunismo venidas del imperialismo y de los poderes coloniales», afirma: «Esta Revolución, en caso de ser marxista, y escúchese bien que digo marxista, sería porque descubrió también, por sus métodos, los caminos que señalara Marx.»[110] El condicional, figura retórica, es sólo una prudencia postrera ante una opcsición que no ceja, ni mucho menos. Es también una estocada, con el florete, para arañar un poco la epidermis del «enorme Tío Sam». Por otra parte, con el pretexto de la presencia en la sala del coronel Arbenz, ex presidente de Guatemala derrocado en 1954 por las maniobras de la CIA (y fustigado entonces por el propio Guevara por su actitud indecisa), el Che explica de modo diplomático que el ejemplo de aquella reforma agraria frustrada permitirá a Cuba ir al fondo de la cuestión «y decapitar de un solo tajo a los que tienen el poder y a los esbirros de los que tienen el poder».[111] Léase: Cuba no será una segunda Guatemala.

Estados Unidos capta muy bien el mensaje. Sin andarse por las ramas, la prensa norteamericana destaca en titulares el reconocimiento por parte de Guevara, responsable de la economía cubana, de sus convicciones comunistas. Hace ya un año que el periodista del

Chicago Tribune Jules Dubois ha denunciado el hecho, y el propio Guevara, al recibir a unos estudiantes estadounidenses, ha dicho con ironía: «En Cuba, según Dubois, hay un solo comunista y se llama Guevara.»[112]

En su número del 8 de agosto de 1960 la revista *Time*, uno de los principales «fabricantes de opinión» del país, publica en portada el retrato del Che presentándolo como «el cerebro de Castro». Guevara, dice el artículo de fondo, desea «romper los vínculos históricos entre Cuba y Estados Unidos, con la fría voluntad de un marxista fanático...». Al señalar que el presidente del Banco Nacional ha tomado la precaución de poner a cubierto en Suiza las reservas de oro y dólares depositadas hasta entonces en Estados Unidos, *Time* sugiere que el comandante marxista ha comenzado a prepararse para «la guerra» inminente con Estados Unidos y que la influencia revolucionaria está propagándose «audazmente» por América Latina. «Fidel es el corazón y el alma de la Cuba actual —subraya el autor del artículo—: Raúl Castro es el puño que sostiene la daga de la revolución. Guevara es el cerebro. Él es el responsable esencial del giro a la izquierda efectuado por Cuba. [...] Es el elemento más fascinante y más peligroso del triunvirato. Mientras luce una sonrisa de dulce melancolía, que muchas mujeres encuentran arrebatadora, el Che dirige Cuba con frío cálculo, enorme competencia, gran inteligencia y agudo sentido del humor.»

El gran giro

La «guerra» anunciada no tarda en producirse. Un mes después de la decisión americana de interrumpir la compra de azúcar cubano, Castro se encierra con Guevara tres días y tres noches en las oficinas del INRA para preparar la respuesta. De allí saldrán los decretos de nacionalización del 7 de agosto de 1960 que, según Washington, firman lo irreparable. Se nacionalizan treinta y seis grandes propiedades azucareras, entre ellas la emblemática United Fruit, dos refinerías de petróleo (Esso y Texaco), las compañías de electricidad y de teléfonos... todas pertenecientes a empresas norteamericanas. En total, más de 750 millones de dólares; las tres cuartas partes de los bienes que Estados Unidos posee en la isla. Por si fuera poco, las indemnizaciones previstas son ilusorias al estar subordinadas a la compra anual de más de tres millones de toneladas de azúcar a un precio fijado por encima de la cotización mundial. En La Habana, una vez más, estalla el entusiasmo y la fiesta. Fidel, afónico, no puede terminar su discurso, pero los eslóganes de la muchedumbre reemplazan su silencio: «¡Fidel, seguro! ¡A los yanquis dales duro!» Raúl Castro es quien finalmente lee el decreto con voz estremecida. El pueblo desfila cantando y danzando ante las escaleras del Capitolio donde se han depositado, antes de ser arrojados al mar, ataúdes con el nombre de las compañías nacionalizadas.

Rabioso, Estados Unidos marca el paso. Para la nación que quiere ser arquetipo de la democracia occidental, una intervención armada de los marines ya no es presentable en 1960. De todos modos, el período electoral impediría este tipo de decisión. Así pues, Washington elige por el momento pedir a la OEA, reunida a finales de agosto en San José de Costa Rica, que condene la «amenaza de ingerencia de potencias extracontinentales» en los asuntos del hemisferio americano. Castro replica haciendo que se apruebe por aclamación una Declaración de La Habana, que rechaza «cada uno de los términos» de la Declaración de San José y, de paso, posterga las elecciones. Aprovechando el entusiasmo colectivo, logra que se ovacione también el anuncio de que se restablecerán las relaciones diplomáticas con China Popular y con todos los países socialistas. Más vale ampliar el escudo protector. Nunca se es demasiado prudente.

Pero ello no basta. Para Castro, la provocación más exquisita a la Casa Blanca será recibir el abrazo de Khruschev en la propia Nueva York, «en las entrañas del monstruo», como decía Martí. Experto en puestas en escena espectaculares, el primer ministro cubano convertirá su participación en la Asamblea General de las Naciones Unidas en un *show* mediático. Fingiendo una expulsión de su hotel en el centro de la ciudad, va en compañía del comandante mulato Almeida y de sus ochenta barbudos a «refugiarse» en un hotel del barrio negro de Harlem, alquilado de antemano, como más tarde se sabrá. Una jauría de periodistas sigue sus pasos. Allí acude personalmente el jefe del Kremlin, bajo y gordo, de cráneo calvo, para rodear con sus cortos brazos al guerrillero alto y robusto, vestido de uniforme, feliz de burlarse impunemente del gigante americano. Khruschev, encantado, repetirá la operación en la bella sala de sesiones plenarias de las Naciones Unidas, ante los flashes de los fotógrafos y la mirada divertida, consternada o fascinada de los jefes de Estado del mundo.

Hoy no cabe duda de que a partir de ese momento la CIA intentó eliminar a Castro, con las bendiciones del jefe de la Agencia, Allen Dulles, y la ayuda directa de la Mafia.[113] Pero es menos conocido que la decisión se había tomado también con respecto a los otros dos miembros del «triunvirato» señalado por *Time*: Raúl, la «daga», y Guevara, el «cerebro». Tad Szulc cuenta que, en alguna comparecencia ante una comisión de investigación del Senado, el jefe de la división del hemisferio occidental de la CIA reconoció que «si los tres principales jefes no son eliminados de un solo golpe —algo casi imposible— esta operación puede prolongarse y el actual gobierno sólo podrá ser derribado por el uso de la fuerza».[114]

A la espera de la puesta en práctica de sus planes Washington decide, el 18 de octubre, imponer un embargo a todas las exportaciones destinadas a Cuba, salvo medicamentos y productos alimenticios. Respuesta inmediata: Cuba nacionaliza todo lo norteamericano que aún queda en la isla. Ya en julio el hotel Hilton, paradigma del confort yanqui en La Habana, había sido requisado y rebautizado como Habana Libre. El 13 de octubre, días antes del embargo estadounidense, un importante contingente de empresas pertenecientes a la burguesía cubana había sido también expropiado, al igual que el conjunto de los bancos, salvo los establecimientos canadienses. Esta vez la revolución nacionaliza las últimas 166 sociedades norteamericanas cuya mera lista, no exhaustiva, da idea de la importancia de la presencia física de Estados Unidos en la vida cotidiana de los habitantes de la isla: Coca-Cola, claro, pero también General Electric, Remington Rand, los grandes almacenes Sears and Roebuck, Woolworth, etc., y, para completar el peso, las minas de níquel de Nicaro y de Moa que en tiempos de la guerrilla en Oriente se las habían visto ya con los rebeldes.

Así, en pocos meses, la estructura capitalista del sistema económico cubano ha saltado en pedazos. El Estado es ya propietario de un inmenso patrimonio y no sólo le será necesario aprender a administrarlo sino a defenderlo, pues la avalancha de medidas económicas y políticas de ese «gran giro» ha provocado en la clase media y la burguesía cubanas un alud de protestas. La oposición —que todavía existe— hace tanto ruido como puede contra el rumbo «comunista» del país, pero sus días están contados. A este respecto, Guevara se declara más radical que nunca: «Se nos ataca, se nos ataca mucho —dice—. Nosotros, los miembros de la Revolución Cubana, que somos el pueblo de Cuba, no admitimos términos medios: o se es amigo, o se es enemigo.» Y denuncia a «todos aquellos que eran la reserva del gobierno norteamericano en este país, y que se vestían de antibatistianos, pero querían derrotar a Batista y mantener el sistema: los Miró, los Quevedo, los Díaz Lanz, los Huber Matos».[115]

Miró Cardona, nombrado primer ministro cuando al día siguiente de la victoria era preciso tranquilizar a la opinión pública, y que había sido «dimitido» cinco semanas después, queda expulsado de su cátedra en la universidad y parte al exilio. Díaz Lanz y Matos, ambos comandantes rebeldes, comparten la misma repulsa por el comunismo. El primero organiza desde Florida incursiones aéreas sobre Cuba para incendiar, con napalm, campos de caña de azúcar o avituallar con armas y materiales una resistencia que se organiza en la montaña del Escambray; el segundo está condenado a veinte años de cárcel. En cuanto a Quevedo, amigo de Castro y director de *Bohemia*, el más importante semanario de Cuba, se ve obligado a refugiarse en una embajada, lo que ilustra un proceso de control de la prensa que va endureciéndose a medida que aumentan las tensiones políticas.

A finales de 1959 apareció en los periódicos un insólito procedimiento de contestación, la *coletilla*. Se trata de una «apostilla», es decir un comentario añadido por los trabajadores de la empresa que se permiten expresar una opinión distinta a la del autor del artículo o a la del pie de foto. (Hacia finales de los años setenta, en París, las *notes de la claviste* del diario *Libération* retomarán el procedimiento.)

En Cuba, lo que se inició como un debate público y original se transforma en un sistema organizado, coordinado por un comité político que desde el interior vacía de sustancia el periódico. Los directores que intentan resistir deben emprender el camino del exilio. Desaparecen así *Prensa Libre*, *El País*, la revista popular *Carteles*, etc. La mayoría reaparecerá en Miami, donde está asentándose la mayor comunidad cubana de Estados Unidos.

El caso del conservador *Diario de la Marina* es ejemplar. Venerable institución de derechas, el diario, que tiene entonces ciento cuarenta años de antigüedad, defendió en su momento la esclavitud de los negros, condenó a José Martí, elogió a Franco y a todos los fascismos. Guevara no deja de leer los reaccionarios editoriales de la *Marina* para evaluar la virulencia de la opinión adversa. A diferencia del personal de los demás diarios, la mayoría de sus obreros y empleados rechaza la práctica de la *coletilla* y refrenda incluso, en mayo de 1960, una toma de posición anticomunista de la dirección. El sindicato de artes gráficas manda entonces a sus sicarios para que tomen por asalto el periódico.

El Che designa como *interventor*, es decir, como nuevo director, a René Depestre, el poeta haitiano comunista recibido el año anterior en Tarará. «Era una especie de comisario —cuenta Depestre—. Llegué uniformado al despacho del director para decirle que se marchara. Era divertido... Lo que extrañaba a mucha gente es que yo escribiera, a la vez, en *Hoy* y en *Revolución.*»[116]

Aunque todos los partidos políticos fueron disueltos a comienzos de 1959, el partido comunista organiza sin problemas su congreso en agosto de 1960. *Hoy* es el órgano del PC cubano mientras *Revolución*, creada en la Sierra Maestra como portavoz del Movimiento 26 de Julio, se ha convertido en el periódico de Fidel Castro. Carlos Franqui, su director, intenta no aparecer demasiado como «la voz de su amo» y se desmarca como puede de los comunistas. Se distingue por un suplemento cultural, semanal, que aparece el lunes y se convierte en punto de referencia, *Lunes de Revolución*, confiado al escritor iconoclasta Guillermo Cabrera Infante. Este último azuza a los Jóvenes Turcos de la *intelligentsia* literaria y artística cubana que encuentran, gracias a la revolución, un amplio espacio de libertad. «Teníamos el credo surrealista en materia estética, el trotskismo, todo mezclado con malas metáforas, como un cóctel embriagador.»[117]

Cuando se instale en los soberbios locales del *Diario de la Marina* una Imprenta Nacional, será también el Che, fiel a sus sueños de infancia, quien decida que la primera publicación de la nueva editorial sea una edición de cien mil ejemplares del *Don Quijote* de Cervantes, en cuatro volúmenes. «Yo redacté la presentación —prosigue Depestre—. Era la primera vez en Cuba que un libro simbólico como éste alcanzaba aquella tirada. Por otra parte, no lo vendieron sino que lo *regalaron* a la gente, a los jóvenes, al público. Todo el mundo leyó *Don Quijote*... Más tarde, la Imprenta Nacional será confiada al novelista Alejo Carpentier, al regresar del exilio, pero yo tuve que librar una muy dura batalla contra viejos comunistas como Octavio Fernández, mano derecha de Escalante, que querían imponer un montón de malas obras traídas de Moscú, toda la literatura del realismo socialista. Era preciso negociar título a título. El Che me había dicho: "Sobre todo, no confundas tus posiciones con las de estos caballeros. Son sectarios, gente difícil." Sabía que yo no era un comunista cerril.»[118]

Llegará el tiempo en que los «comunistas cerriles» la tomarán con el propio Guevara, demasiado libre para su gusto. Hasta entonces, de las prensas del *Diario de la Marina* saldrán gigantescas ediciones de Marx, Engels, Lenin, Mao y Kim Il Sung, pero también *Moby Dick, Robinson Crusoe* y, naturalmente, *El viejo y el mar*. Hemingway, celebérrimo ciudadano de honor en Cuba, puntualizó cierto día a un periodista de Prensa Latina: «*I'm not a yankee, you know*» (Yo no soy un yanqui, sabe).[119] Guevara le pidió a Depestre que hiciera lo que mejor sabía hacer, escribir: «Me pidió que preparara para *Revolución* unas crónicas sobre la guerra de Argelia. El padre Berenguer, un sacerdote oranés *pied-noir* enviado por el FLN argelino, me proporcionaba las informaciones para mis artículos. Había numerosas tendencias en el seno de *Revolución* y al Che no le disgustaba tener en el periódico a alguien de los suyos.»[120]

A finales de 1960 sólo quedan pues periódicos, emisoras de radio y televisión favorables a la revolución. Estimulada por los artículos de Sartre en *France-Soir*, la revista *L'Express* había mandado a la joven Françoise Sagan a las festividades del 26 de Julio de aquel año, en Cuba. Regresó con un reportaje muy favorable al régimen pero que reconocía: «Ya no hay prensa libre y los resultados de ello son lamentables.»[121]

En marzo de 1960 —más tarde se confirmará[122]— Eisenhower dio luz verde a un proyecto de la CIA defendido por Richard Nixon, el vicepresidente y candidato republicano a la presidencia. Antes de atacar al régimen con las armas hay que desestabilizarlo; instalación de una radio anticastrista en América Central, espionaje, entrenamiento de comandos, etc. El objetivo consiste en alentar la oposición y reforzar los numerosos grupos de guerrilla anticomunista que, sin coordinación, actúan un poco por todas partes a partir del refugio de la Sierra del Escambray. Fidel asegura que existen 179 de esos grupos en Cuba, avituallados por lanzamientos en paracaídas procedentes de Estados Unidos. Su hermano Raúl concreta que el número de esos *bandidos* —así los llama— se eleva por lo menos a tres mil quinientos, lo que no es ninguna tontería. Serán necesarios meses, años, para que las «operaciones de limpieza», difíciles y costosas en vidas humanas, acaben con esa resistencia que tiene la desvergüenza de volver contra Castro el método de la guerrilla que le dio el poder. Una legión especial, la LCB (Lucha Contra Bandidos), es reclutada entre los campesinos fieles a la revolución, para ayudar al ejército y las milicias; pero, a pesar de miles de arrestos, ejecuciones y deportaciones, algunos focos de esta oposición armada persistirán hasta 1965.

Retomando una estructura ya existente, el ejército de Castro montó un excelente servicio de contraespionaje, el G2, bajo la dirección de la antigua mano derecha de Guevara, Ramiro Valdés, acompañado a su vez por un adjunto, el capitán Manuel Piñeiro, más conocido como *Barbarroja* a causa del color de su pelo. (Responsable del Departamento América Latina, se convertirá en una celebridad entre los revolucionarios del continente, que tratarán todos con él.) Sin embargo, «el síndrome de Guatemala» sigue vigente. A medida que se precipita la escalada de represalias económicas del poderoso vecino, la idea de una invasión directa o apoyada por Washington toma de nuevo cuerpo, se propaga entre la población llamada a movilizarse a la menor alarma. Con el transcurso de los meses, puntuadas por las bombas que estallan en La Habana y en algunas grandes ciudades, se suceden las medidas que acabarán de «normalizar» la prensa, la Iglesia, la universidad, los sindicatos.

La Iglesia cubana tradicionalmente ha apoyado a los poderosos. En 1959 comenzó saludando la dimensión cristiana de una revolución «humanista». Pero, al año siguiente, esa buena disposición habrá desaparecido. El arzobispo de Santiago denuncia el comunismo ateo, la requisa de los medios de comunicación, los excesos de la reforma agraria. «Cuba sí, comunismo no, esclavo nunca», proclama en octubre de 1960. El régimen ha prohibido ya las procesiones y el uso de los campanarios de las iglesias. Meses más tarde, el periódico católico *La Quincena* es clausurado, las escuelas y universidades católicas nacionalizadas, y un centenar de sacerdotes expulsados.

En la universidad, donde el estamento estudiantil nunca ha apreciado mucho a los comunistas, mancillados por su colusión histórica con Batista, Castro considera que la autonomía tradicional no tiene razón de ser en un régimen revolucionario. Unas comisiones mixtas estudiantes-profesores organizan una depuración política sistemática que empuja al exilio a excelentes cerebros. Mientras el rector es sustituido por Juan Marinello, presidente del partido comunista, una nueva asignatura, el estudio del materialismo histórico, se introduce en todas las especialidades.

Hay similares maniobras en los sindicatos. La Confederación de los Trabajadores Cubanos (CTC), reacia también a la dialéctica comunista, tuvo que aceptar a su cabeza a un hombre de Castro, David Salvador, más bien moderado. Al año siguiente, su moderación parece ya excesiva. Sobre todo cuando las nacionalizaciones producen un alineamiento salarial a la baja, en especial en la electricidad, donde tradicionalmente las compañías norteamericanas pagaban con generosidad a sus obreros. Éstos —¡oh, escándalo!— llegan a desfilar coreando: «*¡Cuba sí, Rusia no!*»[123] Así pues, un comandante del ejército rebelde, puesto al frente de la CTC para reinstaurar el orden, se apresura a declarar «huelga a la huelga» y a remodelar el sindicato.

Pese a sus reservas frente a la vieja guardia comunista, a Guevara no le sorprendieron los intensos cambios de ese segundo semestre de 1960, cargado de decisiones revolucionarias y de amenazas. Muy al contrario, su radicalismo le llevó a impulsar a Castro a ser más intransigente todavía, a librarse de las ovejas negras. Cuando la patria está en peligro, es intolerable permitir que la oposición mine la moral de las tropas, fomente conjuras y ayude al enemigo. Recuérdese su observación ante Nasser, cuando afirmó evaluar la importancia de una revolución por la cantidad de gente que abandonaba el país.

Analizando en 1960 «la situación cubana, presente y por venir», el Che precisa, en un apéndice a su *Guerra de guerrillas*, que «desde la fuga del dictador» se ha asistido al «resultado de una larga lucha civil armada del pueblo cubano». Siguen a esto una decena de páginas sorprendentes donde se pasa revista a los distintos escenarios, políticos, económicos y militares, de una agresión imperialista de Estados Unidos contra Cuba. El Che examina la «variante Guatemala», la «variante Santo Domingo», la «variante española», con un frío cálculo de pérdidas probables en uno y otro bando, pero con una ardiente incitación a organizar ya la respuesta, tanto en las ciudades como en el campo, gracias a la alianza de las milicias y el ejército que representan «el pueblo uniformado».[124] «Nuestro enemigo —martillea el Che ante unos médicos, en agosto de 1960— y el enemigo de la América entera, es el gobierno monopolista de Estados Unidos de América.»[125] Guevara no se inmuta y más bien aplaude cuando Castro pone en marcha los CDR. Estos *Comités de Defensa de la Revolución*, creados en septiembre de 1960, establecerán calle por calle, casa por casa, fábrica por fábrica, una temible red de vigilancia de los hechos, gestos y disposiciones revolucionarias de cada cual. Actuarán como un poderoso montacargas que baja hasta la base las directrices políticas, y sube las informaciones adecuadas hasta la jerarquía... Y el G2 comienza a recibir la asistencia de consejeros soviéticos del KGB.

Muchos ciudadanos no soportan ese estrecho control policiaco (según creen, anunciador del siniestro *mundo feliz* de Huxley) y prefieren abandonar el país. Entre ellos, de nuevo numerosos técnicos y miembros de las profesiones liberales. Llegará un día en que el Che haga sobre este punto una autocrítica y lamente esos abandonos; pero de momento procura que el proceso sea irreversible.

Cuando, tras una estancia en mayo, el agrónomo francés René Dumont vuelve a Cuba en agosto de 1960 por invitación de Castro, le repite a Guevara, «gran inspirador de la política económica cubana», lo que le ha dicho a Fidel: que la reforma agraria requiere una gestión correcta y no ese desorden intempestivo en el que se nacionaliza a todo tren cuando no se es aún capaz de administrar. Relato: «El Che me recibe muy pronto (son sólo las 22 horas) en su presidencia del banco. [...] Propongo [...] que los cooperantes participen sin remuneración en la construcción de sus alojamientos [...] e inviertan trabajo en su cooperativa durante la estación baja [evitándoles así] sentirse asalariados del gobierno, casi funcionarios. [...] Esta participación les daría un *sentimiento de copropiedad*, de vinculación personal a su colectivo de trabajo.» El Che, que ha leído algunas obras de Dumont, reacciona con viveza: «En 1959 hubo aquí una marcada tendencia hacia el "yugoslavismo" y los consejos obreros. No hay que dar (a los cooperantes) el sentido de la propiedad sino el de la responsabilidad.» «El Che —prosigue Dumont— desarrolla una especie de visión ideal del hombre socialista, ajeno ya a la faceta mercantil de las cosas, trabajando por la sociedad y no en busca de beneficios.» Comienzan a entreverse las líneas de ese *hombre nuevo* que Guevara no dejará de intentar formar, un ser de calidad, animado por los más generosos sentimientos, siempre dispuesto a realizar un trabajo voluntario, más sensible a los estímulos morales que a las recompensas materiales. «El Che se ha adelantado mucho a su tiempo —concluye el agrónomo—. Con el pensamiento se encuentra ya en la etapa del comunismo [...]. Pero este adelanto en el encendido del motor entorpece la marcha...»[126]

¡Trabajo, trabajo y más trabajo!

Según Guevara, al reaccionar contra Cuba de esa manera, Estados Unidos ha mostrado su verdadero rostro. El de una potencia colonial que no acepta que una pequeña parte del imperio se rebele. En esta guerra no declarada pero real, el Che está presente en varios frentes. Prepara el porvenir velando para que los militantes revolucionarios que llegan de todos los rincones del Tercer Mundo reciban la formación adecuada, el apoyo financiero, las armas a veces, para combatir al común enemigo imperialista. Esta solidaridad activa no se detiene en América Latina. Los futuros dirigentes de Zanzíbar, colonia británica en las costas del África oriental, recordarán su entrenamiento en Cuba y, tras haberse fusionado con Tanganika para formar Tanzania, no vacilarán en proporcionar a Cuba (y a Guevara en especial) un apoyo indispensable cuando las circunstancias lo exijan. El Che ha saludado calurosa y reiteradamente el valeroso comportamiento antiimperialista de Patrice Lumumba en el ex Congo belga. El asesinato del líder congoleño, en 1961, lo llenó de indignación. El comandante no olvida sus responsabilidades de gran organizador del departamento de instrucción militar de las fuerzas armadas cubanas, importante tarea en períodos de tensión, en particular a partir que las milicias obreras y campesinas se militaricen cada vez más. Y sigue manteniendo un pie en el INRA, cuyo patrimonio industrial ha aumentado, enriquecido por la confiscación a menudo desordenada de los «bienes mal adquiridos» por los aprovechados del antiguo régimen.

Pero Guevara, concienzudo, consagra lo más importante de su tiempo al banco. En cuanto ocupó el cargo, instauró un severo control de cambios. Desde entonces, día tras día, observa el nivel de la reserva de divisas. Ha mantenido para el personal los altos salarios existentes, pero se asignó a sí mismo y a sus adjuntos una remuneración inferior (que él ni siquiera percibe, porque sigue cobrando su sueldo militar). Los fines de semana predica con el ejemplo y ayuda a quienes se lo piden a transportar sillares de piedra para la construcción de las casas obreras. No hay demagogia alguna en ese «trabajo voluntario» al que a su asma le cuesta adaptarse, pero que lo obliga a seguir superándose. Se limita a aplicar el principio erigido en regla de vida: un revolucionario debe consagrar toda su existencia a la revolución. Le escribe a un amigo americano: «Todo se puede describir en una sola palabra: trabajo, trabajo y más trabajo. La revolución necesita de todos nuestros minutos.»[127] Serán muchos los que no puedan aguantar tan austero rigor.

Por más que este monje comprometido con su tiempo haya declarado que sólo sus amigos tienen derecho a tratarlo de Che, cada vez se le conoce más en todo el país con ese apodo familiar, signo de una popularidad análoga a la que impulsa a los cubanos a no decir nunca Castro sino Fidel. «Sólo los soberanos son llamados por su nombre», ironiza a este respecto Régis Debray.[128] La identificación es tal que cuando el presidente del Banco Nacional debe firmar los nuevos billetes, no vacila: traza maliciosamente las tres letras de Che a guisa de firma. Se preocupa tan poco por su irreverencia que incluso envía a algunos amigos extranjeros billetes así firmados, que se convertirán luego en objetos de colección. Esta burla del sacrosanto papel moneda provoca numerosos comentarios, agrios y dulces. Algunos chistosos tendrán el mal gusto de añadir una cruz ante la firma, para que se lea *cruz-che* —aproximación fonética a Khruschev—, una manera de indicar el sometimiento a los soviéticos imputado a Guevara.

Ahora que se han abierto las hostilidades y Castro no teme ya la ira de la burguesía cubana o de la opinión norteamericana, el Che, abandonando la semiclandestinidad de los primeros tiempos, desempeña plenamente su papel de coadjutor. No hay visitante que no solicite verlo. A veces la sorpresa es conmovedora. Cierto día llega Granado, el viejo compañero de Córdoba con quien realizó su memorable primera gira latinoamericana. «El comandante ha dado órdenes de que no se lo moleste —indica Manresa, el abnegado secretario—. Está estudiando matemáticas.» «Anúnciame de todos modos», insiste Granado. Ernesto aparece enseguida. Abrazos y palmoteos. El *Pelao* no merece ya ese nombre: su melena se ha desbordado. No se veían desde 1952; ¡ocho años ya! Alberto se ha casado. Guevara explica que ha estado a punto de irse en misión oficial a Venezuela pero que su reputación de sembrador de revueltas lo ha precedido y el gobierno de Caracas le ha rogado que renunciara al proyecto. De modo que es Mial quien hizo el viaje para encontrarse con Fuser y ponerse al servicio de la revolución.

Unas semanas más tarde, invitado por Franqui en nombre del diario *Revolución*, se presenta Pablo Neruda, *el* poeta por excelencia, del que Guevara sabe de memoria centenares de versos. «Me había citado para la medianoche —cuenta Neruda—, pero era casi la una cuando llegué, retrasado por un acto oficial interminable.» (Franqui evoca la sorda rivalidad que oponía a Nicolás Guillén y Neruda, bardos comunistas ambos. El cubano Guillén consigue ser el primero en recitar sus poemas, pero el público ovaciona al chileno.) Como a todo el mundo, a Neruda le impresiona el contraste entre el aspecto marcial de ese presidente de banco con pistola al cinto y el decorado presidencial del despacho. «El Che era moreno, pausado en el hablar, con indudable acento argentino. Era un hombre para conversar con él despacio, en la pampa, entre mate y mate. Sus frases eran cortas y remataban en una sonrisa, como si dejara en el aire el comentario. Me halagó lo que me dijo de mi libro *Canto general*. Acostumbraba leerlo por la noche a sus guerrilleros, en la Sierra Maestra. [...] Algo me dijo el Che aquella noche que me desorientó bastante pero que tal vez explica en parte su destino. Su mirada iba de mis ojos a la ventana oscura del recinto bancario. Hablábamos de una posible invasión norteamericana a Cuba. Yo había visto por las calles de La Habana sacos de arena diseminados en puntos estratégicos. Él dijo súbitamente: "La guerra... La guerra... Siempre estamos contra la guerra, pero cuando la hemos hecho no podemos vivir sin la guerra. En todo instante queremos volver a ella."»[129] ¿Clave para una muerte anunciada?

Aleida, la esposa, sigue como puede el movimiento. Guevara se siente muy unido a ella. «Eres, además de mi madre, la única mujer a la que realmente he querido», le dice un día.[130] Lo acompaña con menos frecuencia en sus largas jornadas y noches de trabajo: espera un hijo. Después de la mansión de Tarará, han cambiado tres veces de casa por recomendación de los servicios de seguridad. Desde junio de 1960 están instalados en una villa que les ha sido atribuida, en la calle 18, en Miramar, el barrio elegante de La Habana. El guajiro Alarcón, reclutado en la Sierra Maestra y ascendido desde entonces a capitán, manda por una temporada el equipo de sus guardaespaldas y sube con el Che en el Oldsmobile negro, modelo 1958, que ha sustituido al Studebaker de La Cabaña. Sólo con verlo adivina si el comandante sale de las reuniones satisfecho o de mal humor. Guevara es un personaje al que debe protegerse pues la contrarrevolución no ceja. El interesado gruñe un poco ante ese molesto despliegue de precauciones, pero el resonar de los fusiles-ametralladoras contra el suelo del coche no le disgusta. Al Che le han gustado siempre las armas de fuego.

En mayo, su madre vuelve a visitarlo, esta vez sola. La lleva a una partida de pesca de altura a la que lo ha invitado Fidel Castro, con ocasión de un trofeo Hemingway. Algunas fotografías nos los muestran a ambos, en la popa de una cómoda lancha: él con el torso desnudo, la caja torácica ancha, la melena cubierta con la proverbial boina negra; Celia, sentada a su lado, sonriente. Imagen de una pareja feliz. Más tarde, el Che invitará a su madre a acompañarle en avioneta por Oriente, la excursión que su padre no había podido realizar. El piloto, Eliseo de la Campa, cuenta que al llegar a las minas de El Cobre encuentran unas mesas preparadas con una suntuosa comida destinada al poeta antifascista español Marcos Ana, que está de visita en Cuba. Invitan a Guevara y a su madre a unirse al festín. «¿Eso suelen comer los obreros de Santiago?», pregunta. Le responden que la gente común y corriente tiene derecho a espaguetis y carne rusa en conserva. Bueno, replica el presidente del Banco Nacional, «nosotros no somos visitantes, ni mamá tampoco es visitante; mamá es una ciudadana, una compañera más y no es para que hagamos estos gastos a la revolución».[131] De regreso a Buenos Aires, Celia de la Serna escribirá una serie de cuatro artículos elogiosos sobre Cuba vista por dentro, publicados por el semanario socialista argentino (de escasa tirada) *La Vanguardia*.

El mismo Eliseo de la Campa cuenta una anécdota que da idea del estilo de vida de los barbudos en los primeros tiempos de la revolución y de la severidad que Guevara se imponía. Cierta noche tras una reunión en Bayamo, al este de la isla, el Che insiste en regresar a La Habana en una avioneta Cessna, a pesar del mal tiempo reinante. Despegan, pero las condiciones son tan espantosas que deben regresar a Bayamo. Aleida, que participa en el viaje, pregunta entonces al piloto si lleva dinero encima: «El problema que tiene el Che —dice ella— es que no tiene dinero para pagar el hotel, ni la comida, y no se atreve a pedírselo a usted. Por eso quería volver, de cualquier modo.» De la Campa añade: «¡Y pensar que en esos momentos el Che era presidente del Banco Nacional!»[132]

Pese a los apremios de su agenda, el Che encuentra siempre tiempo para escribir, una disciplina cotidiana a la que se sometió durante toda su vida. Artículos para la revista *Verde Olivo*, firmados «el francotirador», reflexiones políticas sobre la orientación de la revolución, planes de discursos, cartas. En abril de 1960 responde a su «querido compatriota» Ernesto Sábato, «poseedor —le dice— de lo que para mí [es] el título más sagrado del mundo, el de escritor. Por muy ciudadano cubano de nacimiento que me hayan hecho por decreto pertenezco, a pesar de todo, a la tierra donde nací». Naturalmente, confiesa, empuñaría de nuevo un fusil «con entusiasmo, si es necesario». Eso lo colmaría mucho más que dirigir un banco, aunque sea nacional. Pero ese combatiente es también un intelectual (en Cuba no son tantos, los que poseen ambas cualidades). Admite, sarcástico, que «esta revolución, la más genuina creación de la improvisación, es así porque caminó mucho más rápido que su ideología anterior».[133] Simpática lucidez que le impulsa a querer elaborar una tentativa de explicación histórica de esa velocidad revolucionaria. Pero cuando tras el anuncio de las nacionalizaciones de los bienes americanos, un joven estudiante de medicina chileno, Hernán Sandoval, le pregunta hasta dónde llegará la revolución, Guevara apenas bromea al hablar de «salto al vacío». «Escuchá —le dice—, cuando te tirás de un décimo piso no se te ocurre preguntarte, al pasar por el quinto, adónde irás a parar.»[134]

Ernesto en el continente de las maravillas

El 21 de octubre de 1960, para asegurarse de que existe la red de protección que le evite a la revolución un derrumbe, Fidel manda al «digno representante» de dicha revolución a una larga gira de dos meses por cinco países socialistas: Checoslovaquia, URSS, China, Corea del Norte y la RDA. En vísperas de su partida, en directo por televisión, Guevara explica el sentido de su misión. Definir las importaciones que Cuba necesita para que estos países puedan integrarlas en su planificación económica. En total, dice, unos diez millones de toneladas de productos diversos.

Regresa del viaje deslumbrado. Como Aragón, está dispuesto a gritar *Hourra l'Oural!* Todo le ha parecido admirable, exaltante, formidable. El 6 de enero de 1961, también por televisión, cuenta: «Cuando el camarada Núñez Jiménez hizo su resumen, después de un viaje por los países socialistas hace algunos meses, la gente lo llamó "Alicia en el país de las maravillas". Puedo decirles que a mí, que he viajado mucho más, que he visitado todo el continente socialista, pueden llamarme "Alicia en el continente de las maravillas".»[135]

La razón esencial de su asombro es de orden político, e insiste en ello. La URSS ha prometido proporcionar petróleo a cambio de azúcar «durante varios años»; los países socialistas en su conjunto se han comprometido a comprar de inmediato cuatro millones de toneladas del principal producto cubano, a cuatro centavos la libra, «es decir, a un precio netamente más alto que el fijado por las dos grandes bolsas de Nueva York y de Londres». Pero no por razones económicas, subraya, sino en virtud de «un principio político», porque «la petición cubana ha sido presentada en términos políticos». Entrevemos esa filosofía de una indispensable solidaridad en el interior del campo socialista que Guevara reivindica sin cesar; es decir, que los países socialistas «ricos» tienen el deber moral, el *deber político*, de ayudar con toda generosidad y desinteresadamente a los países en vías de desarrollo que van hacia el socialismo. Cierto día de 1965, en Argel, llegará más lejos y acusará a los países socialistas que incumplen este deber de comportarse como países neocolonialistas. La irritación con el país-faro del socialismo será entonces tan grande, que precipitará la marcha de Guevara de Cuba. Pero, por el momento, todavía es el tiempo de la admiración sin reservas.

Pese a sus simpatías marxistas el Che está mal informado sobre las costumbres secretas de la familia comunista. Su conocimiento de la URSS es casi de orden poético. Ha leído muchos libros edificantes de esos escritores apologéticos a los que Stalin llamaba «ingenieros del alma», ha visto numerosas películas no menos edificantes, que exaltan a los «héroes positivos». Los soviéticos son hombres de epopeya. Su prejuicio es tan favorable que no se da mucha cuenta de lo que ocurre detrás de las apariencias. Cree a pies juntillas lo que le dicen, le muestran y le prometen. Ha bajado la guardia y compra como buenas instalaciones industriales que en la práctica resultarán de calidad mediocre: 61 por el momento, anuncia. Otras cien más hasta 1965. En Moscú le miman. Única sorpresa desagradable resultan los besos en la boca, a la rusa, cuando lo reciben. A partir de entonces, cuando llega el momento de los saludos mantiene su habano entre los dientes.

Para asistir a las festividades del 43º aniversario de la Revolución de Octubre (celebradas el 7 de noviembre, de acuerdo con el calendario gregoriano), es invitado a la tribuna de honor de la plaza Roja. Nada menos que junto a Khruschev y Maurice Thorez, «primer comunista de Francia». Más lejos, para admirar el tradicional desfile, han sido colocados los dirigentes chino (Liu Chao-Chi), vietnamita (Ho Chi Min), polaco (Gomulka), checoslovaco (Novotny), etc. Como en el protocolo soviético ningún detalle carece de significado, es conveniente advertir que en la recepción vespertina en el Kremlin, el Che, siempre con su uniforme verde olivo, tiene el privilegio de ser admitido en la rotonda especial reservada para el primer ministro, los miembros del Presídium y los jefes de Estado de los países comunistas. Khruschev, que acaba de regresar de una histórica sesión de la ONU en Nueva York, hace un brindis por Fidel Castro y por su heraldo, el «valiente y glorioso comandante Guevara».

«Mientras nos reuníamos, los delegados de los partidos comunistas de 81 países se reunían también para resolver problemas importantes.» El Che no comenta estos «problemas» cuya verdadera importancia tal vez se le escapa, pues en ningún momento se refiere a ella. Moscú pretende que ese cónclave apruebe la estrategia de «coexistencia pacífica» con Estados Unidos: sólo esta política permitiría proceder al desmantelamiento del complejo militar-industrial que desangra la economía soviética. China popular rechaza de plano semejante *revisión* política considerada «contrarrevolucionaria». Aníbal Escalante, representante del PC cubano, asiste a los debates, pero no dice ni una palabra a Guevara. K. S. Karol sostiene que «por increíble que parezca, aquella familia desunida, en plena pelea, conservaba sus hábitos de "secreto entre iniciados" (frente al mundo exterior) hasta el punto de que incluso un Che Guevara progresista, revolucionario, amigo por excelencia del bloque socialista, no tenía derecho a ser informado, ni siquiera parcialmente, de la situación. [...] Guevara no tenía segundas intenciones y no imaginaba que los demás pudieran tenerlas».[136]

La ingenuidad de los cubanos se vuelve una ventaja. Seguros como están (como creen estar) de la protección de los cohetes soviéticos, se burlan a gusto de los norteamericanos, a riesgo de acelerar una prueba de fuerza. «Estamos en guerra económicamente, y casi en guerra realmente, contra una enorme potencia», declara Guevara antes de agregar, con delicia: «Pero también somos apoyados por una enorme potencia»; un modo de recordar la frasecita pronunciada el 10 de julio ante cien mil personas en La Habana: «Somos los árbitros de la paz en el mundo.»[137] Este ardor revolucionario no interesa a Khruschev, que desea eliminar los «puntos calientes» y toma conciencia de que, si se trata de defender una isla a diez mil kilómetros de Moscú, la superioridad soviética en armamento convencional queda anulada por la distancia. Claro que siempre es agradable abrir un poco la puerta, tan bien cerrada hasta entonces, de aquella América Latina proclamada *off limits* desde 1823 por el presidente Monroe. Pero ¿a qué precio?

Karol explica el malentendido. Al recibir la ayuda económica de la URSS y de sus aliados, Cuba, comenzando por su fogoso número dos, aspira a demostrar la superioridad del modelo de desarrollo socialista, convertirse en una especie de «escaparate» de la eficacia soviética en América Latina. Eso supone desconocer dos elementos de importancia. En primer lugar, que pese a las apariencias y a los discursos, y dejando al margen algunos islotes de tecnología avanzada, la URSS se parece más a los engañosos «pueblos Potemkin» erigidos artificialmente ante Catalina II por el mariscal del mismo nombre. Este país, cercano todavía al Tercer Mundo en muchos aspectos, está muy retrasado en su desarrollo, castigado por la guerra fría, deprimido por la revelación de los crímenes estalinistas y despolitizado. Su prosperidad es ficticia.

Por su parte, la URSS no evalúa el esfuerzo que debe realizar para ayudar a un país como Cuba, muy americanizado. Si bien un tercio de la población no tiene posibilidad de acceder a los bienes y servicios, y la situación es agravada por la situación neocolonial de la isla, los otros dos tercios gozan de un nivel de vida y consumo superior al de los ciudadanos soviéticos, por no mencionar a los chinos. Si Guevara se indigna en público de que le hayan pedido, antes de su marcha, que compre materiales para fabricar desodorantes cuando en el Este, dice, no saben lo que eso significa, subraya sin querer la distancia, el foso que existe entre una sociedad acostumbrada a consumir a la americana y otra para la que es primordial tener un simple jabón y algo para comer.

Más tarde, el Che se sobrepondrá, pero en el calor tropical de La Habana y en el de los focos de televisión, al amanecer de aquel año 1961 que acaba de ser declarado «año de la educación», se esfuerza por aportar su contribución educativa haciendo una apología de lo que ha visto. Arrastrado por su arrobo, delira casi como la heroína de Lewis Caroll ante las montañas de chocolate y los arroyos de miel. «Este país [la Unión Soviética], que tan profundamente ama la paz, está dispuesto a arriesgarlo todo en una guerra atómica [...] simplemente para defender un principio y para proteger Cuba. [...] Los soviéticos tienen todos un nivel muy alto de cultura política.» Después de su exposición, responde a una pregunta hablando de la «enorme libertad individual [...], la enorme libertad de pensamiento» de que goza cada individuo en la Unión Soviética. A Michel Tatu, corresponsal del diario *Le Monde*, durante una entrevista en una dacha cerca de Moscú, le dice, febril, que «la URSS es, de acuerdo con la frase de Neruda, la madre de la libertad».[138]

Ante los telespectadores cubanos agrega, hablando de Corea del Norte donde ha permanecido cinco días, que entre los países visitados es «uno de los más extraordinarios». «Este país ha podido sobrevivir —dice— gracias a un sistema y dirigentes admirables, como el mariscal Kim Il Sung. [...] Todo lo que puede decirse parece increíble.» En China, donde ha sido recibido brevemente por Mao Tse Tung y se ha entrevistado con Chou en-Lai, «todo el mundo está lleno de entusiasmo, todo el mundo hace horas extraordinarias, se interesa por la producción». «Los chinos —explica con admiración—, no quieren que se mencione su desinteresada ayuda, porque están *interesados* en ayudar a Cuba que se bate, a la vanguardia, contra el enemigo común de los pueblos, el imperialismo.»

El razonamiento le encanta. Resumiendo, incluidas Checoslovaquia, Alemania del Este y Polonia (adonde uno de sus adjuntos va para firmar algunos acuerdos), «las realizaciones de los países socialistas son extraordinarias. No hay comparación posible entre sus sistemas de vida, sus sistemas de desarrollo y los de los países capitalistas».[139]

Incluso colocado en el contexto de un país amenazado como Cuba, que tiene una gran necesidad de esos nuevos aliados, este florilegio de ingenuidades soltado con tanta seguridad es lamentable. Nos revela a un Guevara desconocido, a quien el radicalismo maniqueísta ha privado de esa lucidez, ese hablar claro, ese aire un poco distante que suelen caracterizar su ingenio y su encanto.

Adviértase, como recordatorio, que en la RDA, en Leipzig, ha conocido a una simpática compatriota, Tamara Bunke Bider, de veintitrés años, que los servicios del Ministerio del Interior y probablemente de la Stasi (policía especial) le han gentilmente proporcionado para que le sirviera de intérprete. Hija de comunistas alemanes refugiados en Argentina en los tiempos del nazismo, nació en Buenos Aires, creció allí y luego a los catorce años, a principios de los cincuenta, regresó con sus padres a la RDA. El Che volverá a verla el año siguiente en La Habana, convertida ya en ardiente militante revolucionaria. Le hará desempeñar un papel en su historia (y en la Historia).

El señor ministro

A su regreso Guevara conoce a la niña que Aleida ha dado a luz el 24 de noviembre de 1960, mientras él estaba en Shanghai. La chiquilla recibe el mismo nombre que su madre, como manda la tradición; pero la euforia rusófila del viaje convierte inmediatamente a la pequeña Aleida en Aliosha. Por el momento el padre no tiene mucho tiempo para entregarse a las delicias familiares. Las cosas están que arden entre Cuba y Estados Unidos, y se lo necesita.

Desde que la escalada de expropiaciones y medidas de represalias ha comenzado, Castro y Guevara han admitido que una intervención militar de Estados Unidos entra en la lógica de las cosas. Apelan pues, preventinamente, a los recursos económicos y militares de los países socialistas y, si es necesario, a su apoyo diplomático. Para celebrar el segundo aniversario de la victoria sobre Batista, los soldados del ejército rebelde, de verde olivo, y los milicianos con camisas azul celeste desfilan por La Habana el 2 de enero de 1961, ataviados de un modo muy distinto al de los harapientos guerrilleros de 1959. Lucen uniformes impecables, armas nuevas (soviéticas, checas, belgas) e incluso conducen tanques Stalin. No hay todavía desfile aéreo; los Migs encargados llegarán más tarde. En su discurso, Castro exige a Estados Unidos que los más de sesenta miembros del personal de su embajada en Cuba (de los que casi la mitad trabajan para la CIA o el FBI) se reduzcan a dieciocho personas, número equivalente al de los cubanos destinados en la embajada en Washington. Esta provocación suplementaria le sirve a Eisenhower de postrer pretexto para adoptar una medida que estudia desde hace meses. Al día siguiente, 3 de enero, anuncia la ruptura de relaciones diplomáticas, lo que es un modo de evitarle a su sucesor encargarse de este tipo de decisión.

John Fitzgerald Kennedy, el joven y brillante candidato demócrata que ha ganado las elecciones de noviembre, debe asumir sus funciones el 20 de enero. Hasta entonces, piensa Castro, todo es posible. Decreta una «movilización general» que pone al país en estado de alerta. Se prohíbe acceder a las playas y aparecen en el bulevar frente al mar, el Malecón, en La Habana, hileras de cañones que apuntan al horizonte. El argumento del peligro exterior será utilizado por Castro, de modo recurrente, para galvanizar las energías revolucionarias. Pero esta vez las informaciones de los servicios cubanos coinciden. Se prepara una acción militar, una invasión. En la población se desarrolla una mentalidad de país sitiado y aparece una nueva consigna marcial: *¡Si vienen, se quedan!*

El tema de la patria-en-peligro puede aglutinar una nación por cierto tiempo, pero no basta para disimular los primeros fracasos de la economía. Las inquietantes predicciones de René Dumont se confirman: la reforma agraria, realizada de modo anárquico por los improvisados administradores del INRA, ha desorganizado los campos, produciendo sobresaltos e irregularidades tanto en la producción como en la distribución. La caótica gestión de las cooperativas, las decisiones contradictorias de los distintos planificadores comienzan a provocar penurias. En el momento en que los campesinos ven cómo aumenta su capacidad adquisitiva, algunos artículos de consumo corriente —el jabón por ejemplo— comienzan a escasear hasta en las *tiendas populares*, establecimientos instalados en el medio rural que venden en pesos y a precio normal lo que antes se pagaba en dólares. Resulta urgente repensar por completo la economía del país, sobre todo ahora, cuando el sector bajo control del Estado se ha hecho enorme. El 21 de febrero de 1961 Castro transforma el Departamento Industrial del INRA en un verdadero Ministerio de Industria y coloca a la cabeza a su hombre de confianza, el comandante Guevara.

Unos días después de su nombramiento, el *señor ministro*, entrevistado por el diario *Revolución* (27 de febrero de 1961), esboza los grandes ejes de una tarea que no parece haberlo cogido desprevenido. Repite en lo esencial el mito estalinista de la industria pesada. «El próximo quinquenio será el de la industrialización de Cuba [...] Queremos montar, en forma paralela, una industria ligera y una industria pesada. La primera será producto de nuestro esfuerzo; la segunda, la crearemos gracias a los créditos y las ayudas de los países socialistas [...] minas, siderurgia, petróleo y altos hornos [...]. La Junta Central de Planificación [Juceplan] establecerá programas que tendrán fuerza de ley [...]. La industrialización es uno de los grandes objetivos del gobierno revolucionario [...]. A diferencia del imperialismo yanqui, los países socialistas no se contentan con concedernos créditos para que podamos comprar maquinarias; nos las venden para que podamos fabricar luego nuestras propias máquinas.»[140] ¡Exaltadoras perspectivas de prosperidad futura! Pero nada se dice de lo que va a ocurrir con el recurso esencial de Cuba, el azúcar. El diario menciona, como conclusión, un punto al que parece darle especial interés el nuevo patrón de la economía nacional: la importancia para todo responsable gubernamental de realizar actividades manuales, lo mismo que hacen, dice, los gobernantes de China popular: «Porque todos somos obreros y estando el poder en manos de la clase obrera, parece lógico que trabajemos juntos, al menos una vez por semana, para mejor conocernos y mejor integrarnos.»

Que en febrero de 1961 el poder está en manos de la clase obrera cubana es una afirmación algo apresurada. Guevara, como sabemos, tiende a bailar más deprisa de lo que marca la música. Pero la esperada intervención militar —el desembarco frustrado de mil quinientos mercenarios en la costa sur de la isla— va a acelerar el ritmo de la historia.

Un magnífico fiasco: playa Girón

El sábado 15 de abril de 1961 al amanecer, dos bases aéreas en La Habana y otra en Santiago, en Oriente, son bombardeadas por unos B-26 que la CIA ha camuflado con los colores cubanos para hacer creer que se trata de pilotos rebelados contra Castro. Los aparatos han despegado de territorio nicaragüense, cortésmente ofrecido por el dictador Luis Somoza, el segundo de su nombre. Su objetivo —destruir en tierra la pequeña fuerza aérea cubana— sólo se alcanza en parte. Castro ha ocultado, dispersándolos, ocho aparatos que harán maravillas cuando resuciten.

El bombardeo de La Habana ha producido siete muertos que son enterrados ceremonialmente el domingo 16 en el cementerio Colón. Durante la oración fúnebre, ritual clásico en la vida política de Cuba, Castro da libre curso a su indignación. Compara el ataque norteamericano con el de los japoneses contra Pearl Harbor, el 7 de diciembre de 1941, y trata a Estados Unidos de «mentiroso» por haber afirmado que los bombardeos eran cosa de cubanos pasados al enemigo. En la ONU, efectivamente, el embajador norteamericano Stevenson, engañado por sus propios servicios, muestra fotografías de los B-26 y asegura que son cubanos. Su humillación es inmensa cuando debe reconocer que las fotografías han sido trucadas y los aparatos son americanos.

Pero el 16 de abril de 1961 es una fecha que debe recordarse porque, por primera vez y en pleno arrebato retórico, Castro confirma una evidencia nunca reconocida hasta entonces: «Lo que los imperialistas no pueden perdonarnos es haber hecho una revolución socialista en las propias narices de Estados Unidos, una revolución socialista —repite— que defenderemos con nuestros fusiles.»[141] La verde sandía de la revolución «humanista y liberal» de 1959 estalla para dejar al descubierto su roja verdad profunda.

Un régimen socialista ha podido instalarse, pues, a ciento sesenta kilómetros de Estados Unidos, gendarme del continente; un régimen que reivindica una filosofía política, social y económica en las antípodas de los principios rectores de la potencia imperial. Apoyado con mil argumentos, este escándalo hubiera podido justificar por sí solo una intervención militar. Con tal de tener éxito. La operación de playa Girón es, por el contrario, un desastre estrepitoso, uno de los más importantes fracasos de Estados Unidos en el siglo XX. Y, por el contrario, un triunfo total para Castro.

A comienzos del mes, en Cuba se detiene a numerosos opositores. Durante el fin de semana del 15-16 de abril la actividad policial es más intensa que nunca. Los Comités de Defensa de la Revolución han cumplido con su trabajo de descubrimiento y delación, casa por casa. En La Habana, treinta y cinco mil personas son amontonadas en cárceles, cuarteles, cines y un estadio. Cien mil en todo el país. «Es la más gigantesca redada de la historia de las Américas.»[142] Los «invasores» ya no podrán contar con ningún apoyo local. Un acto de sabotaje consigue sin embargo prender fuego al gran almacén de la capital, El Encanto. Guevara pone en guardia a sus milicianos: «Será la lucha de todo un pueblo contra una ínfima parte de ese pueblo que no se resigna a perder sus privilegios.»[143]

El 17 de abril por la noche, en playa Girón, la más importante de bahía de Cochinos, comienza el desembarco de mercenarios, la brigada 2506. Son descubiertos muy pronto por los milicianos que abren fuego y dan la alarma al ejército, que informa enseguida a Castro. Éste conoce la zona a la perfección, es la de las ciénagas de Zapata que mostró con cierto orgullo a Sartre; un espacio natural preservado donde abundan los caimanes y que, liberado de mosquitos, sería un lugar de vacaciones ideal para el buen pueblo de Cuba. Pero teme que vayan a producirse otras tentativas en los extremos del país.

Guevara se encarga de dirigir las operaciones en la parte occidental de la isla, la más sensible al ser la más cercana a la Florida. «Fidel me dice que ha enviado considerables fuerzas a la costa oeste, a las órdenes del Che Guevara, para defender la costa»,[144] escribe Herbert Matthews. La parte oriental se confía a Raúl Castro y la región central a Juan Almeida. Desde su cuartel general, *Punto Uno*, en La Habana, Castro coordina y da órdenes. Como en la Sierra Maestra, los veteranos del *Granma*, de vuelta en servicio, están nuevamente en la línea del frente.

Sobre el espectacular fiasco de esta operación de bahía de Cochinos se han escrito miles de artículos, centenares de informes, decenas de libros. Del conjunto se desprenden algunas conclusiones que demuestran hasta qué punto las mejores instituciones —una CIA famosa por su eficacia—, pueden equivocarse cuando obedecen a las pulsiones de sus dirigentes más que a las exigencias de la realidad. Intoxicados por su propia propaganda, los servicios americanos dan muestra de una pasmosa ignorancia del ambiente psicológico de la isla. Pues, salvo una minoritaria franja de cubanos perjudicados en sus bienes o sus convicciones, la gran masa sigue vinculada a una revolución rica todavía en promesas y risueños porvenires. Además Castro, líder carismático aún, hace meses que no deja de «calentar» la opinión nacional contra la inminente invasión de los *gusanos*, epíteto despectivo con el que se designa a los exiliados que, como gusanos que salen de la fruta, han abandonado el país para unirse al bando de los imperialistas.

La CIA ha actuado por *wishful thinking*, es decir que sólo ha querido escuchar los relatos de quienes habían huido del «comunismo cubano». Se añade a ello cierta arrogancia de gran potencia, segura de su modo de vida y pensar, convencida de que la mera aparición de los «combatientes de la libertad» bastará para que se levante una población impaciente por liberarse del yugo castrista. Y además, se cometen errores tácticos y técnicos: la guerrilla contrarrevolucionaria del Escambray, muy cercana, ni siquiera ha sido puesta al corriente; los estadounidenses están convencidos de que el bombardeo de los aeropuertos ha bastado para aniquilar la pequeña aviación cubana. ¡Hasta el punto de que los navíos de la operación de desembarco ni siquiera llevan cañones antiaéreos!

Concebido por Allen Dulles, que sigue siendo jefe de la CIA y ha intentado repetir su éxito de Guatemala, el proyecto, aprobado por

Eisenhower y Nixon, fue «congelado» en noviembre, tras la elección de Kennedy. Al heredar el asunto, éste vaciló mucho tiempo antes de darle luz verde. Consultó, preguntó, dudó y luego, prescindiendo de las reservas de algunos de sus consejeros, acabó cediendo a los tranquilizadores argumentos que le garantizaban el éxito. El 12 de abril tiene la precaución de declarar, sin embargo, que las fuerzas americanas no intervendrán en Cuba. La fórmula es hipócrita pero el mensaje es oído por Castro, que comprende que la operación será ejecutada por cubanos contrarrevolucionarios. La Habana no ignora que también se ha organizado minuciosamente un Frente Democrático Revolucionario encabezado por Miró Cardona, el ex primer ministro destituido en 1959.

Estados Unidos no interviene en el sentido literal de la palabra y cierto es que la tropa que desembarca está compuesta casi exclusivamente por cubanos. Pero la ficción no va más allá. Es Estados Unidos quien ha organizado en Guatemala el entrenamiento de los mil quinientos hombres de la brigada de invasión. Les ha equipado, transportado, escoltado con sus destructores, proporcionado las armas y todo el apoyo logístico. Estados Unidos también pagó, a cada uno de ellos, un sueldo en dólares, variable según las cargas familiares, justificando de este modo el calificativo de «mercenarios» que no los abandonará ya. La implicación de Washington es total y, tras haber dudado, Kennedy tendrá el valor de asumir ante la opinión pública la responsabilidad del fracaso.

Las cosas van deprisa y todo queda casi resuelto el primer día. Mientras que, antes del amanecer del 17 de abril de 1961, un millar de alumnos-oficiales de la milicia cubana corren hacia playa Girón para prestar ayuda al ejército y los milicianos que se encuentran allí, Castro utiliza su «bota secreta», su pequeña aviación, y hace salir de sus escondrijos los ocho aparatos (heredados de Batista) que han escapado al bombardeo. Ha reconvertido discretamente los tres aviones de entrenamiento a reacción T-33 en aviones de combate rápidos y peligrosos, dotándolos de ametralladoras del calibre 50. Su misión es eliminar los pesados bombarderos B-26, lentos y poco maniobrables, que van y vienen entre Nicaragua y bahía de Cochinos, y cubrir a los dos Sea Fury monoplazas provistos con bombas cuyo objetivo es atacar sin cuartel las embarcaciones de la flotilla de invasión. Castro quiere evitar a toda costa que los mercenarios se apoderen de un trozo de territorio cubano, donde pueda instalarse un «gobierno provisional» inmediatamente reconocido por Washington que, respondiendo a la apremiante petición habitual, podría actuar entonces a la luz del día y con todos sus medios. El procedimiento es de manual.

No se llegará a eso. Por la mañana, las bombas de los Sea Fury hunden dos navíos: el *Houston*, que zozobra con un batallón de casi doscientos hombres, y el *Río Escondido*, cargado de municiones y material de comunicación, que estalla. Los demás barcos consideran más prudente retirarse a toda velocidad, abandonando a su suerte a los combatientes ya desembarcados. Durante el día de aquel histórico 17 de abril, los T-33 derriban cuatro B-26, dos de ellos pilotados por ciudadanos norteamericanos. Cuando Kennedy se niega a comprometer más aún la US Air Force, la batalla de bahía de Cochinos resulta casi ganada por Castro. Se producirán aún, durante un día y medio, encarnizados combates arcaicos: en uno y otro bando se reconocen y se insultan, como en la Sierra Maestra, antes de disparar. Pero, privados de apoyo marítimo o aéreo, abandonados de un modo poco humano por quienes los habían alentado a participar en lo que parecía un paseo militar, los emigrados anticastristas se rinden la tarde del 19 de abril. Son tomados 1.183 prisioneros y entre los asaltantes se cuentan 114 muertos. Dos o tres veces más, sin duda, entre los «leales».

Guevara disfruta más que ninguno el sabor de la victoria de playa Girón. Para él es una histórica revancha de su amarga experiencia de Guatemala, cuando ardía en deseos de luchar y estaba solo y sin armas. Las informaciones sobre su actividad durante aquellas intensas jornadas son fragmentarias. En cierto momento corrió una alarmante noticia: el Che había sido herido, víctima de un atentado. Carlos Franqui, mucho más tarde, aseguró incluso que durante los combates al Che le perforaron la mejilla.[145] Cuando en 1975 Sam Giancana, un jefe del hampa norteamericana, sea encontrado muerto a balazos en su domicilio, el *New York Times* revelará que la CIA había pensado utilizar los servicios del gángster para que asesinara a Ernesto Guevara y Raúl Castro, desmoralizando así al ejército cubano.[146] Pero nada de eso ocurrió. La verdad es más prosaica. Existió efectivamente el disparo pero procedente... de la pistola del propio Guevara. Al caer de su funda, el arma se disparó y afortunadamente sólo arañó la mejilla del comandante. «No ha sido más que un accidente sin importancia —dice Guevara a Hilda Gadea cuando ella examina la pequeña herida—. Esta vez me escapé. Pero si la bala no se hubiera desviado no estaría aquí para contártelo.»[147] Los gatos tienen siete vidas, o eso se dice. Pero ¿y Guevara?

El único testimonio directo sobre el Che en bahía de Cochinos es el muy anecdótico de una francesa, Ania Francos, de viaje por aquel entonces en Cuba a sugerencia del cineasta Joris Ivens. Veintidós años, rubia y rosada, muy excitada por la batalla de playa Girón, la «fiesta cubana» y los «hermosos revolucionarios», hace de un año de estancia un relato de enternecedora ingenuidad maravillada —la revolución contada a los niños—, que contribuye mucho a hacer soñar a los (as) estudiantes del Barrio Latino.

Puede advertirse al leerlo que, en 1961, todos los ingredientes del mito están ya fijados: «El Che Guevara es el que más me impresiona. Recupero mis emociones de adolescente. [...] Rodeado por un mar de milicianos, el hermoso rostro pálido del Che aparece de vez en cuando. Lleva una boina negra y en su uniforme verde oscuro, que lleva a la china, ningún signo distintivo. Nada permite saber que es uno de los primeros comandantes y el ministro de Industria, salvo el afecto que le demuestran los milicianos. Recuerdo lo que me decía una amiga argentina: "Todas las chicas de América Latina están enamoradas del Che. Es apuesto y romántico, con grandes ojos negros y una barbita enmarañada. ¡Es Saint Just! ¡El más radical! ¡Y es asmático!" Me llevan ruborizada hasta el Che, que me dice amablemente, en francés: "*Bonjour, ça va?*" Y yo le respondo, inteligentemente: "*Très bien, et vous?*"»[148]

Más interesante que este sublime diálogo es el que Guevara mantiene con algunos prisioneros de playa Girón. Un cura español falangista, que pide perdón pero al que se lo enviará de vuelta a Franco, un *playboy* que afirma también su inocencia y no quiere que lo confundan con los esbirros, un negro a quien el Che alecciona: «Has venido a combatir en una invasión financiada por un país en el que reina la segregación racial, para permitir que los "niños bien" recuperen sus clubes privados. Tienes menos excusas que los demás.» «Ya lo sé —responde el negro apesadumbrado—. Es lo que me han dicho los milicianos.»[149]

Más desenvuelta de lo que parece, la francesita logra que la lleven a La Habana «en un coche inmenso y atestado, entre el Che, que conduce, y un comandante desconocido. "Desconfía del Che, es un bárbaro", se burla el otro comandante. Me ruborizo. Debe de advertirse incluso en la oscuridad. "No tengas miedo, francesa, soy un excelente esposo", dice el Che». Ella se dormirá en su hombro.[150] Así va la revolución...

Será necesario aguardar un año y medio para que, tras infinitas negociaciones, los prisioneros sean cambiados por medicamentos y víveres. Sobre la composición social de los prisioneros, Claude Julien retomó un ilustrador inventario establecido por Castro. La brigada de los emigrados contaba con 194 antiguos policías de Batista y 112 hombres con antecedentes penales y demás truhanes. Se trataba, por otra parte, de recuperar 371.930 hectáreas de tierras, 9.666 edificios, 70 fábricas, 10 centrales azucareras, 3 bancos, 5 minas y 12 cabarets.[151] Lo bastante para justificar todos los discursos guevaristas sobre la lucha de clases entre una minoría de privilegiados y los demás.

Esta «guerra de bolsillo», que concluye en menos de tres días, tendrá insospechadas consecuencias. Parece confirmar el anuncio, hecho por Khruschev en julio de 1960, de que la doctrina Monroe ha terminado. Incitará a Estados Unidos a combatir con mayor ardor el comunismo en todo el mundo —por ejemplo, en Laos y Vietnam del Sur— y a hacer hincapié sobre su propia seguridad. Incubará las premisas de la «crisis de los cohetes» que un año más tarde pondrá al planeta al borde de una guerra nuclear. Por lo que a Castro se refiere, su poder está en el cenit. El fiasco americano le parece magnífico. *¡Fidel, campeón, te comiste el tiburón!*, corea una jubilosa muchedumbre. «Debiera estarnos agradecido —dirá Kennedy a Matthews—. Nos dio una patada en el trasero y eso lo ha hecho más fuerte que nunca.»[152] Una inmensa pancarta proclama desde entonces, en el lugar de los combates: *Girón, primera derrota del imperialismo en América.*

El impaciente Guevara baila al fin al compás de la música. No necesita ya pedir a Depestre que guarde el secreto, como hizo en Tarará cuando le reveló, con dos años de antelación, que aquella revolución, *chico*, era so-cia-lis-ta. Aquella revolución, roja como una sandía.

6

EN BUSCA DEL HOMBRE NUEVO

La pachanga y después

En Cuba, la *pachanga* es la fiesta. La victoria de playa Girón intensificó el jolgorio que acompaña invariablemente las hazañas y grandes decisiones revolucionarias de 1959: reforma agraria, reforma urbana, apropiación de los medios de producción... Y la bulliciosa alegría, la danza, el cha-cha-cha y la rumba ahogan las protestas provocadas por los «atropellos» de los CDR que acosan, molestan, hacen detener a quienes no se unen (o no lo hacen con bastante rapidez) al entusiasmo general. El porcentaje de negros y mulatos, muy mayoritario en la población, acentúa la carcajada nacional que sacude a los cubanos ante el menor éxito anunciado por el gobierno. Los españoles, según se dice, están marcados por el sentimiento trágico de la existencia. Los negros subliman esa tragedia en la melopea que se convierte a menudo en éxtasis y trance, de acuerdo con los ritos de la *santería* africana.

El mestizaje cubano ha producido una sociedad alegre, espontánea, extrovertida, iconoclasta a veces, pero de modo inocente. Se pone música a las consignas políticas que se transforman en *sones;* acompasan, sincopándolas, las marchas populares. *La Internacional* se convierte en una conga. Durante una de las memorables fiestas del periódico *Revolución*, pudo verse al subdirector disfrazado de Groucho Marx, con un ejemplar de *El capital* debajo del brazo. Humor sacrílego que inquieta a los comunistas del diario *Hoy*, decididos a poner orden en la anarquía de tales carnavales. Los consejeros «rusos» (es decir soviéticos), ucranianos, checos, no comprenden nada de esos sorprendentes comportamientos. Surgidos de la grisalla burocrática que los ha moldeado, se niegan a abandonarse al placer del cuerpo y comprueban con espanto que en Cuba, de acuerdo con la fórmula de Guevara, la revolución coexiste con la pachanga. En cuanto Castro proclamó, por ejemplo, que esta revolución era socialista —sí señores, socialista— la calle comenzó a bailar cantando: *¡Somos socialistas! ¡P'alante, p'alante!* Nadie había advertido a los soviéticos que existía una versión tropical de la revolución...

El colombiano Gabriel García Márquez es, por entonces, un desconocido periodista de Prensa Latina. «Hasta el desembarco de playa

Girón —escribe—, los casinos permanecían abiertos y algunas pequeñas putas sin turistas callejeaban por las esquinas con la esperanza de que un azar de la ruleta les salvase la noche. [...] En La Habana, la fiesta estaba a tope. Había mujeres espléndidas cantando en los balcones, pájaros luminosos sobre el mar, música por todas partes. [...] La ciudad parecía un santuario de los placeres, con puestos de lotería hasta en las farmacias. [...] Las noches de La Habana y de Guantánamo eran siempre largas y desveladas y la música de las fiestas se prolongaba hasta el amanecer.»[1]

Raros son los visitantes extranjeros y reporteros internacionales que se muestran insensibles a este «fervor contagioso». Pero raros son también quienes calibran las consecuencias de la medida adoptada por Kennedy el 25 de abril de 1961: un embargo comercial, rígido y absoluto, contra Cuba. El cordón tradicional del consumo cotidiano queda cortado y pueden preverse mil complicaciones. Los cubanos se sienten protegidos por la URSS cuya tecnología, en la cima de su prestigio, introduce en el lenguaje una nueva palabra: «cosmonauta». El poderío soviético ha conseguido lanzar un hombre al espacio, el primero, el camarada Gagarin. Guantazo para Estados Unidos. Además, como nuevo signo de amistad, Moscú concede a Castro el premio Lenin de la Paz, recompensa simbólica para el vencedor de playa Girón que ha sabido dar jaque a Gulliver. El ilustre Gagarin honrará con su presencia las fiestas del aniversario del 26 de Julio.

Apenas diez días después de la batalla ganada contra la brigada 2506, la manifestación del 1º de mayo es una apoteosis. ¿Un millón, dos millones de personas? Nadie lo sabe. Ania Francos a quien los dirigentes cubanos llaman, con divertida indulgencia, *la francesita loca*, ha logrado subir a la tribuna, en la plaza de la Revolución donde desde la víspera ya no se puede circular. Hacia las seis de la mañana, con el fresco, mientras los altavoces emiten sin interrupción *La Internacional* (en versión ortodoxa), los dirigentes cubanos abren el desfile avanzando tomados del brazo. Bajo un sol de justicia, durante todo el día, la marcha se prolonga, salpicada de pancartas: «¡Vivan los obreros en el poder!», «Los cubanos no se venden ni se rinden al bloqueo económico yanqui», «No tenemos jabón pero tenemos valor». El calor es más que tropical y «la francesita» comenta: «Es un concurso de tocados variopintos. [...] El Che desaparece bajo un sombrero de cortador de caña y el embajador soviético se ha puesto un gorro de miliciano... Por fin, a eso de las diez de la noche, Fidel toma por fin la palabra. "Tiene como para cinco horas" dice Celia [Sánchez] instalándose en el suelo. [Castro] habla de las declaraciones de Kennedy ("No podemos permitir una revolución socialista a ciento sesenta kilómetros de nuestras costas"). "Pero nosotros —dice Fidel— bien que soportamos un país capitalista a ciento sesenta kilómetros de nuestras costas" [...] Estoy sentada a los pies de Fidel y junto a uno o dos ministros que duermen erguidos. El Che sostiene a su mujer cuya cabeza se bambolea, hay cuerpos dormidos por todas partes. Abajo, la muchedumbre no se dispersa y me da la impresión de que va a *pachanguear* toda la noche.»[2] García Márquez insiste también en «la impresión de fenomenal feria que daba la Cuba de la época. [...] Cuba fue, en esos primeros años, el reino de la improvisación y del desorden. A falta de una nueva moral (que no podía formarse tan pronto en la conciencia de la población) el machismo caribeño había encontrado una razón de ser en aquel estado de urgencia general».[3]

Guevara se resiste tanto como puede a esa vida «un poquito muelle», como dice. La misma víspera de este 1º de mayo memorable, hace por televisión un largo resumen de la situación económica de Cuba y de los problemas que deben resolverse, aunque concede que «el momento emocional no es el más adecuado». El país carece de técnicos, dice, no de los que sólo sabían comprar por catálogo en Estados Unidos los artículos necesarios y las piezas de recambio, sino de hombres realmente cualificados. Hay una hemorragia de técnicos: «No es un secreto para nadie que todos los días algún hombre toma el camino del exilio. [...] Tenemos que recurrir a la calificación en masa, [...] alfabetizar a la gente rápidamente, [...] que por lo menos sepan leer, escribir y las operaciones.»[4]

Iniciada en octubre de 1960, la campaña de alfabetización recibe un nuevo impulso después de Girón. La tasa del 23,6 por ciento de analfabetos (censados en 1953) no es la más alta de América Latina, ni mucho menos, pero afecta sobre todo al medio rural (40 por ciento). Se presentó así una manera de matar dos pájaros de un tiro «concientizando» al mismo tiempo, en una fecunda mescolanza política y social a quienes, procedentes de las ciudades, se disponen a enseñar y también a los guajiros que reciben a sus jóvenes maestros. En 1961, durante el «año de la educación», toda la población se moviliza para convertir Cuba en algo todavía nunca visto en tan breve lapso de tiempo: un verdadero «territorio liberado del analfabetismo». Doscientos setenta mil «alfabetizadores» —de los que casi la mitad son alumnos de doce a dieciocho años— parten, en entusiastas brigadas, hasta lo más profundo de los campos, provistos de sus cuadernos y sus manuales *ad hoc*, y descubren la precaria vida de los campesinos mientras les enseñan que R se escribe como Revolución, F como Fidel y que la CH se pronuncia Che como el comandante. Todos quieren vengar a uno de los suyos, Conrado Benítez, un joven negro que ha sido matado por los anticastristas en el Escambray; el paseo no carece de riesgo. La parte de adoctrinamiento es innegable, pues nunca nadie ha pretendido que la educación pueda ser inocente. Cuando el objetivo se alcanza, se iza una bandera azul, señal de que la ignorancia ha sido vencida. Balance: setecientas mil personas sabrán en adelante firmar con su nombre y deletrear los titulares del periódico *Revolución*. Claro que de ahí a convertirse en técnicos...

Entre los anónimos artesanos de este triunfo, dos «internacionalistas» ignoran todavía que el destino los reunirá algún día en Bolivia: Tamara Bunke, la argentina en quien el año anterior se fijó Guevara en la RDA, y Régis Debray, un joven estudiante francés de veintiún años. Llegado un poco por azar, procedente de Miami, atraído por «cierto olor a fiesta, a fervor verde olivo», se siente casi como Victor Hugues, «el jacobino extraviado que Carpentier instala en *El siglo de las luces*».[5] En La Habana es recibido en la Imprenta Nacional por René Depestre, francófono, que lo recuerda como un muchacho tímido que le causó buena impresión. «Me lo tomé en serio. Me pidió que le presentara a algunas personas. Le di una pequeña lista...»[6] «Simple turista estudiante», el francés intercambia con el Che «dos palabras en una tribuna» (de las que Guevara no guardará recuerdo alguno). Debray reconoce no saber ni una palabra de español, ignorancia venial que no le impide encontrarse en un campamento de «alfabetizadores» en plena Sierra Maestra, donde le asignan una familia de campesinos analfabetos. «Pasé tres meses acostumbrándome a las hamacas, donde era duro dormir boca abajo, a los mosquitos, a las coces de los mulos y al corned-beef soviético.»[7] La alfabetización no siempre es una fiesta.

Un poco de seriedad, por favor

Los comunistas del PSP no han perdido tiempo para sacar provecho de la profesión de fe socialista de Castro. El año 1961 no es sólo el de la educación —todas las escuelas privadas han sido nacionalizadas— sino también el del enclavamiento ideológico de la información y la cultura. Suprimidos los periódicos de oposición, comienza el control de lo que debe ser políticamente correcto. La historia de la agencia Prensa Latina es emblemática.

Al día siguiente de la victoria sobre Batista, Guevara pide al periodista argentino descubierto en la Sierra, Jorge Ricardo Masetti, que monte una agencia y le da los medios para ello. PRELA, como la denominan en la jerga de la prensa, se convierte pronto en un elemento esencial de los servicios de información de Cuba. Elemento demasiado importante, sin duda, para que su dirección se entregue a un periodista cuya competencia profesional es reconocida, cuyas opiniones de izquierdas son manifiestas pero cuyo alineamiento político tiene el inconveniente de no coincidir del todo con el modelo «socialista». Plinio Mendoza, responsable con García Márquez de las oficinas de Prensa Latina en Bogotá, describe muy bien cómo poco a poco «ellos» (los comunistas) fueron apoderándose de la agencia, enviando primero a sus comisarios políticos para controlar los despachos antes de cesar al director.[8] Cierta noche, Mendoza ve llegar de improviso a un enviado de La Habana que comienza a examinar los cables del día y a rectificar su vocabulario. «Diplomático americano» se convierte en «agente imperialista», «fuerzas del orden» se convierte en «fuerzas de la represión», etc... El comisario hace su informe. Los comunistas lo transmiten a Guevara que la emprende con Masetti; éste defiende a su personal y explica al Che la maniobra. García Márquez, designado para trasladarse a las oficinas de Nueva York, pasa por entonces unas semanas en La Habana: «Gabo hierve de informaciones que confirman todo lo que yo había adivinado. Él también había advertido muy rápidamente la línea divisoria, hostil, establecida entre "ellos" y el resto de los periodistas.»[9]

Creyendo poder contar con el apoyo del Che e incluso de Castro, que le pregunta casi todas las noches por las noticias del día, Masetti contraataca despidiendo a aquellos «comisarios» o mandándoles a los países del Este. Réplica inmediata del Ministerio de Trabajo (en manos del PSP): orden de readmitir a todos los despedidos. Desautorizado de tal manera, Masetti apela a Castro y presenta su dimisión. Por toda respuesta, se presentan unos milicianos armados que expulsan al equipo en activo para instalar en su lugar a un grupo de «periodistas» sumisos. Mendoza, García Márquez (más tarde) y otros dimiten de sus cargos. Los tiempos del periodismo alegre y combativo han terminado.

Para Guevara el golpe es rudo. Él no es un hombre de poder, a diferencia de Castro, pero Prensa Latina era hasta cierto punto su creación. A veces, de madrugada, iba a tomarse un mate o a escuchar un tango en compañía de Masetti. Atacando a éste último, lo están sometiendo a una miniprueba de fuerza, una especie de test para juzgar y evaluar su reacción. Pero el Che no reacciona. La intervención de la milicia no ha podido efectuarse sin autorización de Fidel y le es impensable oponerse a él, menos aún para defender a un argentino, un compatriota suyo. Sólo se limita a reforzar la distancia que quiere mantener con respecto a los comunistas, procurando rodearse sólo de hombres en los que tiene absoluta confianza. Masetti, murmura sonado: «Che, no puedo asilarme.»[10] Despojado de su oficio, destituido sin miramientos, no irá a refugiarse en ninguna embajada. Le queda el recurso que Guevara le sugiere: recuperarse trabajando cierto tiempo en una granja del Estado. Pero el Che también le propone ir a Argelia, para unirse al FLN, que está en la última fase de su combate por la independencia. Más tarde, tras un entrenamiento militar en Cuba regresará a Argentina para organizar, en 1963-1964, una guerrilla de la desesperación que finalizará en una muerte que algunos han comparado a un suicidio. Tenía treinta y cinco años. Este destino casi anónimo prefigura, de un modo extraño, el del «guerrillero heroico» de las leyendas de este siglo.

En el frente cultural, la verdadera piedra en el zapato de los comunistas es el semanario *Lunes* de Guillermo Cabrera Infante, editado ese día de la semana por *Revolución*, el órgano del M-26. Con más de 250.000 ejemplares de tirada, su influencia es muy grande, Demasiado; su libertad de lenguaje, excesiva. Una «comisión de orientación revolucionaria» que pretende regir la propaganda de Estado, bajo la égida de Aníbal Escalante, número dos del PSP, y del Consejo Nacional de la Cultura, en manos de la temible comunista Edith García Buchaca, reprocha a *Lunes* su diletantismo pequeñoburgués, su tendencia a la provocación y al escándalo. Mezclar a Marx con Kafka, Virginia Woolf, Breton, Beckett, Trotski y Picasso, dedicar un número especial a Camus después de su muerte, otro a Sartre y Beauvoir, jugar con la tipografía al modo de Apollinaire, todo demuestra un culpable elitismo, una grave irresponsabilidad en la formación cultural del país. «Sean serios, señores intelectuales» se convierte en la consigna.

En junio, durante tres sábados consecutivos, la Biblioteca Nacional de La Habana se transforma en tribunal al que son convocados trescientos intelectuales y artistas, la flor y nata de las artes y las letras cubanas. El pretexto es la polémica abierta por un artículo de un director de fotografía cinematográfica, Néstor Almendros, quien, exiliado más tarde, se convertirá en una celebridad mundial, *oscarizado* en 1978. Defiende en *Lunes* un cortometraje experimental, *P. M.* (Tarde), que ha sido prohibido por tener el mal gusto de mostrar la vida nocturna en los bares populares de La Habana y hacer cine-verdad en vez de exaltar los-auténticos-valores-revolucionarios. Severa requisitoria del comunista Alfredo Guevara; empecinada defensa de Carlos Franqui, director rebelde de *Revolución*. Fidel Castro acude personalmente, rodeado de su estado mayor. Invita a hablar a «quienes tienen miedo». Una gran mayoría tiene el valor de declararse favorable a *Lunes* y a la libertad de expresión. Castro pronuncia entonces un largo discurso para los intelectuales, del que se recuerda sobre todo una fórmula: «*Dentro* de la revolución, todo; *contra* la revolución, nada.»[11] Pero hay un pequeño problema, lamentablemente fundamental: ¿quién va a decidir lo que está «dentro» o «contra» la revolución, sino la propia autoridad revolucionaria? Gracias a ello, *Lunes* se suprime al cabo de unos meses. Pero, a partir de entonces, cada cual establece su autocensura.

Guevara, que se ha mantenido (¿ha sido mantenido?) al margen de los debates, observa, dos meses más tarde, que «la belleza no es una cosa que esté reñida con la Revolución».[12] Dos meses antes, el 28 de marzo de 1960, entrevistado con ocasión del primer aniversario del suplemento, había declarado que *Lunes* constituía «la mejor contribución a la realidad cubana». Tampoco él desdeña jugar al provocador: durante una velada oficial de ballet en el Teatro Nacional, planta sin miramientos los pies en la balaustrada de su palco, lo que tiene la virtud de indignar a la esposa de Cabrera Infante. Pero hasta 1965 no expresará una opinión concreta sobre la cuestión. Nunca ha apreciado mucho a los «racionalizadores», sospechosos de buscarle cinco pies al gato. Retomando los términos de la insoluble alternativa planteada por Castro, adopta una posición más radical todavía, que supone prohibir a los intelectuales que no combatieron a Batista el derecho a ejercer cualquier reflexión crítica: «La culpabilidad de muchos de nuestros intelectuales y artistas reside en su pecado original; no son auténticamente revolucionarios. [...] Nuestra tarea consiste en impedir que la generación actual, dislocada por sus conflictos, se pervierta y pervierta a las nuevas.»[13]

Este concepto de perversión que supone la existencia de valores morales «puros» y establecidos, puede servir de fundamento, ya en 1961, a la primera gran redada selectiva organizada por la policía durante la famosa «noche de las tres P» (pederastas, prostitutas, proxenetas). El conocido escritor Virgilio Piñera es detenido en su domicilio, en principio por ser *homosexual*. Pero su *fechoría* es otra. En la Biblioteca Nacional, tuvo la imprudencia, o el impudor, respondiendo a la invitación de Castro, de hacer unas preguntas de mal gusto:

«¿Por qué un escritor debe tener miedo a su Revolución? ¿Por qué la Revolución debe tener miedo a sus escritores?»[14]

Cuando se produce el ascenso potente de los comunistas, durante los meses que siguen a playa Girón, Guevara intenta frenar la inquisición. Cuando sabe que en el seno de la población se lleva a cabo una «caza de brujas» para hacer una selección entre «los que piensan bien» y los demás, interviene en el único campo donde tiene competencia legal y emite, el 19 de mayo de 1961, una resolución que, «considerando que el ministerio [de Industria] tiene plenos poderes para fijar las normas que mejor convienen a los objetivos que se propone, [...] decide [...] prohibir a los directores de centros de trabajo dependientes de nuestro ministerio la realización de interrogatorios ideológicos a los trabajadores».[15]

Pese a sus perentorias afirmaciones y a su radicalismo a ultranza, el Che no es un sectario. Jamás caerá en la repetición estúpida de las consignas de la propaganda soviética. Cuando cantaba loas a los países socialistas, lo creía realmente. Más tarde tendrá el valor de hacer, como Gide, ciertos «retoques a [su] regreso de la URSS». No se regodea en la mala fe. Tampoco rechaza nunca la discusión escudándose en una verdad admitida como inmutable. En realidad, el Che es un revolucionario impaciente en quien sigue ardiendo una llama contestataria. Tal vez sueña con enriquecer de un modo u otro la teoría marxista, pero en la verdad de la acción y una vez fijado el rumbo político, no se detiene más en los matices, elige la «buena» ideología.

Cuando K. S. Karol le pregunta, en mayo de 1961, sobre la elección de esta ideología, Guevara no aporta ninguna revelación pero explica perfectamente la faceta, antes que nada práctica, de un comportamiento que es también el de Castro y satisface, sin duda alguna a los comunistas ortodoxos. «En un país que debe afrontar tareas sin precedente en la historia del continente, sería criminal y absurdo dar a la gente el derecho a vacilar entre la buena y las malas ideologías. [...] Queremos formar a nuestros jóvenes lo más rápidamente posible en la ideología de los países socialistas.»[16] Esta actitud es considerada eficaz; al menos en ese minuto está convencido de ello. Puesto que, al liberarse del poder económico de Estados Unidos, Cuba ha elegido dirigirse hacia el socialismo, es preciso ir aprisa, porque las amenazas son numerosas y el único modelo disponible es el de los países socialistas. Así pues, ya no es momento de andarse por las ramas.

Karol, que ha probado el dogmatismo en la URSS y sabe de qué está hablando, evoca los perjuicios que ha observado por sí mismo:

despolitización, cinismo, semiparálisis intelectual estalinista. Pero el Che, para responderle, recurre al argumento que se convertirá en muletilla justificatoria y constante de los excesos autoritarios del régimen: «Cualquier revolución comporta, lo quiera o no, guste o no, una inevitable porción de estalinismo, porque cualquier revolución debe enfrentarse al asedio capitalista.» Pero añade, tranquilizador: «Las condiciones para una evolución estalinista no existen en Cuba; este fenómeno no puede reproducirse entre nosotros.»[17] Seducido como todos por «su encanto intelectual», Karol advierte de todos modos: «Me daba la impresión de que cerraba los ojos ante cierta realidad del mundo socialista porque eso le convenía.»[18] Más claro, ni el agua.

Dos meses más tarde, en su discurso de celebración del 26 de julio de 1961, Castro anuncia la constitución de la Organización Revolucionaria Integrada (ORI), donde se reunirán comunistas y miembros del M-26 y del Directorio. Es el primer esbozo del Partido unido de la revolución, que se convertirá luego en el Partido único.

Soñar despierto en Punta del Este

Guevara piensa, como Castro, que tras su derrota en bahía de Cochinos (los cubanos dicen playa Girón) Estados Unidos intentará tomarse la revancha y mejorar su deteriorada imagen. La victoria del impertinente Liliput caribeño ha provocado un júbilo desbordante en los sectores populares de América Latina, e incluso una discreta satisfacción en ciertas cancillerías. Kennedy, que ha despedido a Allen Dulles, cuyos servicios lo informaron tan mal, intentará utilizar métodos más sutiles que los de su predecesor. Esboza las grandes líneas de un plan de ayuda económica de envergadura, una «Alianza para el Progreso» destinada a mantener el continente americano en el marco de la doctrina Monroe, tan perjudicada por la subversión cubana. Un encuentro del CIES (Consejo Interamericano Económico y Social) reunirá a los ministros de Economía de la OEA para discutir el alcance de este plan y los medios que deben concederse. La asamblea se celebrará a partir del 5 de agosto de 1961 en Uruguay, concretamente en Punta del Este, una selecta localidad balnearia a orillas del Atlántico sur, frecuentada en verano por la burguesía argentina que sólo debe cruzar los doscientos kilómetros del estuario del Río de la Plata (*el charco*, como se le llama en ambas orillas). Castro pide a Guevara que represente a Cuba con la misión de establecer todos los cortafuegos posibles y evitar las provocaciones.

En el hemisferio austral agosto es un mes de pleno invierno, como enero al norte del ecuador. Hace frío y el tiempo es gris cuando el cubano-argentino llega al aeropuerto de Montevideo, donde lo espera como a un héroe una multitud de estudiantes, militantes de izquierdas y casi toda su familia, que ha llegado de Buenos Aires. ¿Será la emoción de encontrarse tan cerca del país natal, de oír de nuevo el acento suave y cantarino de la gente que se interpela diciéndose *che*? ¿Será, tras los alisios tropicales, el sobrecogimiento provocado por la humedad y el cierzo que sopla de las altiplanicies de la Patagonia? Lo cierto es que no más llegar el héroe, se ve asfixiado por un violento ataque de asma, el primero de una serie que lo asaltará durante toda su estancia.

Uruguay, al que se califica someramente de «Suiza de América Latina» por su apacible historia cívica y su culta clase media, sería un «invento» de los ingleses que, a comienzos del siglo XIX, impulsaron la creación de ese Estado-tapón entre Argentina y Brasil, eternos rivales. La población es poco numerosa —unos tres millones de habitantes en un territorio algo menor que la mitad de España—, el país es próspero —carnes y cueros— y la legislación muy democrática. A lo largo de los ciento cincuenta kilómetros de la carretera que lleva a Punta del Este, la gente agita pequeñas banderas cubanas de bienvenida y grita ¡*Cuba sí, yanquis no!* Convocado por Guevara, Ricardo Rojo, bien introducido aún en los medios políticos, se reúne con su amigo aquella misma tarde en el viejo hotel donde se han instalado los cuarenta y cuatro miembros de la delegación cubana, periodistas, consejeros y guardaespaldas mezclados. Rojo cuenta que Ernesto, a pesar de sus dificultades para respirar, le explica con voz sibilante que en Pekín, en 1959, durante su breve encuentro con Mao Tse Tung sufrió un ataque tan fuerte que tuvo un paro cardíaco y se derrumbó ante el presidente chino. A pesar de todos los recursos de la acupuntura y los médicos de Mao, el asma no cedió fácilmente.[19]

En la conferencia, Guevara es un modelo de puntualidad y asiduidad. Escucha las intervenciones, especialmente la de Douglas Dillon, subsecretario de Estado enviado por Kennedy. Cuando el 8 de agosto le llega el turno de hablar olvida el asma. Sabe que su exposición es esperada porque Cuba se insinúa al trasluz en todos los debates. Advierte que no será breve —su discurso durará dos horas y media— y que tratará temas políticos porque lo económico no puede separarse de lo político, y que «esta conferencia es política porque está concebida contra el ejemplo que Cuba significa en todo el continente americano».[20]

Por lo general, en esta clase de reuniones los discursos suelen ser retóricos y soporíferos. El de Guevara destaca del gris habitual y olvida el *teque teque* diplomático. Cuba, recuerda, ha demostrado que es posible levantarse contra «un monstruo invencible» y ponerlo contra las cuerdas. «Esto es una novedad en América, señores.» Y atribuye el carácter socialista de la revolución cubana tanto a las agresiones externas como a una revolución interna.

Emprendiéndola con el documento de trabajo de la conferencia, redactado por unos técnicos, no resiste la tentación de ironizar sobre la «letrinocracia» de los autores que, considerando que las condiciones sanitarias son un paso previo al desarrollo económico, quieren «convertir las letrinas en un elemento fundamental». La higiene, como se recordará, nunca fue para él una prioridad. Sus sarcasmos se dirigen sobre todo a la mirífica suma de veinte mil millones de dólares que Estados Unidos enarbola como un señuelo para los diez próximo años... «Cuba no ha venido a sabotear esta reunión», precisa, pero desconfía plenamente de esa promesa norteamericana, acompañada además de cautas condiciones. Aunque se cumpliera, sólo representaría los dos tercios de lo que Fidel Castro pidió en mayo de 1959, en una reunión análoga en Buenos Aires, donde reclamó treinta mil millones. En el fondo, da a entender, es gracias a la rebelde isla que América Latina se ha convertido para Estados Unidos en objeto de semejante solicitud. «Un poquito más que se empuje y llegamos a esos treinta mil millones contantes y sonantes —dice, dirigiéndose al representante de Estados Unidos—, [para] los países de América, menos esta pobre cenicienta, que probablemente no recibirá nada.»[21] («Hilaridad» mencionan en este punto las transcripciones del discurso.)

Sigue entonces una larga descripción, idílica, maravillosa, de lo que Cuba será cuando termine el próximo plan cuatrianual, bajo un socialismo de pura jauja. Ernesto se convierte en la pequeña Alicia soñando, en voz alta, en el país de las maravillas. Gracias a los quinientos millones de dólares en créditos, asegurados por los países socialistas, Cuba conocerá «una tasa de crecimiento global del 12 por ciento». Lo que la convertirá en «el país más industrial de América Latina en relación a su población».[22] Mil millones de dólares se invertirán en la industria, de modo que Cuba se situará «en el primer puesto de América Latina con respecto al acero, el cemento, la energía eléctrica [...], en el primer puesto en la producción de tractores, de calzado, de textiles, etc. En el segundo puesto mundial en la producción de níquel. [...] Su producción de azúcar oscilará entre ¡ocho millones y medio y nueve millones de toneladas!» Incluso predice: «En 1980 el ingreso neto per cápita será de unos tres mil dólares: más que en Estados Unidos.»[23] ¿Delira el comandante Guevara, ministro de Industria? En absoluto. Dibuja «con toda objetividad los contornos del paraíso».

Al día siguiente, durante una conferencia de prensa, un periodista pregunta: «¿Cuándo habrá elecciones en Cuba, doctor?», y provoca un interesante diálogo:

—Elecciones, cuando el pueblo las pida.

—¿En qué forma las pedirá?

—En las Asambleas Generales Nacionales. En la Asamblea General Nacional del pueblo, adonde va un millón de personas. [...] Es una forma de democracia directa.

—¿Y los cinco millones restantes, cómo se sabe lo que opinan?

—En una fórmula muy sencilla. Cuando vienen mil doscientos gusanos a atacar, todo el pueblo se moviliza y liquida rápidamente a los gusanos.

—¿En esas reuniones alguien ha pedido elecciones en Cuba?

—La primera vez que se habló de elecciones en Cuba, gritaron que todavía no querían elecciones.[24]

La pirueta es hábil pero la respuesta, que se alinea con las de Castro, manifiesta cierta mala fe o, aún más probable, el deliberado rechazo de un sistema tan manipulado en América Latina por el fraude que le parece obsoleto. Churchill decía que la democracia electoral era el peor de los sistemas, a excepción de todos los demás. Como recordaremos, Guevara había provocado la indignación del padre de su primera novia, en Córdoba, cuando trató a Churchill de viejo chocho.

Se sabe que los asuntos diplomáticos serios se tratan entre bastidores, al abrigo de los curiosos. En la delegación de Estados Unidos figura Richard Goodwin, consejero de Kennedy para América Latina y su representante ante los cubanos exiliados. Desearía mantener un informal cara a cara con Guevara. Ciertos «periodistas amigos» se encargan, en uno y otro bando, de arreglar un encuentro discreto en casa de un diplomático brasileño, con la excusa de una recepción. Goodwin quiere saber si Cuba estaría dispuesta a unirse al campo «occidental» en la hipótesis de que, a través de México y Brasil, se le proporcionara ayuda económica. La historia ha confirmado que Cuba rechazó el pacto, prefiriendo permanecer en el campo de los países socialistas. El jefe de la delegación cubana responde además a Goodwin en la asamblea plenaria. Su país no votará a favor de una Alianza para el Progreso de la que está excluido, pero considera positivo que el documento final admita de hecho la coexistencia de regímenes distintos en América Latina pues, insiste, «la Revolución cubana es irreversible».[25]

Guevara es la estrella indiscutible de aquellas agitadas jornadas que conmocionan Uruguay. Los movimientos de izquierdas, especialmente los estudiantes, han reclamado desde el principio reunirse con quien representa el arquetipo del revolucionario. Los diarios uruguayos han publicado numerosas fotografías del ministro-guerrillero, cuyo uniforme verde olivo destaca entre los trajes grises de los participantes. Es inteligente, es apuesto, tiene sentido del humor, sigue tomando mate como todos. Y, positiva señal en un país machista, quiere mucho a su madre que lo acompaña a todas partes. Es casi un hijo del país: «Los argentinos son nuestros hermanos», dicen. La tarde del 17 de agosto, el Che consigue hacerse un hueco de tres horas para dirigirse a la Universidad de Montevideo y ofrecer una conferencia, en principio de carácter económico, pero los gritos, los vivas a Cuba, los abucheos contra Estados Unidos la transforman pronto en una reunión política. Horas antes, grupos de derechas han inundado el anfiteatro de bombas fétidas. Cuando Guevara comienza a hablar, de pie ante el micrófono y con la camisa al viento, se respira sobre todo el olor a clorofila de los productos desodorantes. A la salida, habrá tiros, reyertas y un profesor morirá de un disparo.

Guevara retoma, resumiéndolos, los temas desarrollados en Punta del Este, pero hace hincapié en una curiosa descripción del «diálogo» entre el gobierno y el pueblo y del modo en que se organiza la participación popular en las decisiones: «Hay momentos en los que la multitud, silenciosa, está pendiente de los labios de Fidel (aplausos). Pero hay otros momentos en que el pueblo pide también su participación en la discusión colectiva, grita, a veces baila, salta, aclama, demuestra, en fin, de mil maneras sus emociones y las demuestra de tal forma que nosotros los hombres de gobierno sabemos qué es lo mejor, qué es lo más interesante para el pueblo, qué es lo que más le gusta, cuál es el camino más justo y por dónde hay que seguir.»[26] Complemento perfecto del sistema no-electoral cubano, esta práctica del «poder popular» no será fácilmente comprendida por las academias de ciencia política. En 1961, «en el clima de real democracia» que, según Guevara, «reina en Uruguay»,[27] no parece escandalizar. Los estudiantes ovacionan hasta el delirio.

Aquella noche, en la Universidad de Montevideo el Che se encuentra con un amigo, el socialista chileno Salvador Allende, que a invitación de los mismos estudiantes ha pronunciado por su parte

dos conferencias «antiimperialistas». Se conocen de los tiempos de
La Cabaña, en los primeros días de la revolución, cuando el joven
comandante asmático recibió, tendido en la cama y con el inhalador
en la mano, al valeroso parlamentario que no temía declararse
marxista en plena guerra fría. Le había dicho entonces: «Allende,
sé muy bien quién es usted. He oído dos de sus discursos durante la
campaña presidencial de 1952: uno muy bueno, el otro muy malo.»[28]
Esta vez, de pie en un pasillo, mantienen sólo una breve conversación. «Guevara me dijo: "Salvador, salgamos por separado para no
presentar un blanco único en caso de atentado."» Por la noche, los
dos hombres cenan juntos, en compañía de la madre del Che, que
siempre que puede no se separa de su querido hijo. En 1970, convertido en presidente de Chile gracias a unas elecciones sin fraude,
Allende mostrará con cierto orgullo la obra que conserva del Che,
La guerra de guerrillas, cuya dedicatoria, viniendo de un hombre
que no parece apreciar demasiado la vía electoral, merece ser mencionada: «A Salvador Allende que, por otros medios, persigue el
mismo objetivo.» «He conocido a mucha gente en las más altas responsabilidades —dirá Allende—, pero sólo dos hombres me han impresionado por algo que los demás no tenían, su mirada: Che Guevara y Chou en-Lai. En ambos había una fuerza interior, la misma
firmeza, la misma ironía. Cuando miraba a Guevara, hablándole,
conocía ya la respuesta. En sus ojos percibí a menudo la ternura y
la soledad.»[29]

Del lado argentino también se han desarrollado complicadas
maniobras, pues el presidente Frondizi, siempre dispuesto a hacer
de mediador, querría entrevistarse con ese extraño comandante cubano al que considera un compatriota. Sus servicios le han confirmado que «la conferencia ha sido dominada psicológicamente por
Guevara»[30] y que Kennedy no sería reacio a una negociación. Se organiza un complejo dispositivo para asegurar el secreto de la entrevista, pues los militares argentinos vigilan de cerca a ese presidente
sospechoso de haber pactado con el peronismo. Recibir a Guevara,
el *rojo*, se vería como una provocación. Pero el secreto se esfuma
pronto. El 18 de agosto por la mañana, un pequeño avión civil deposita al peligroso ministro-guerrillero en un discreto aeropuerto
de los alrededores de Buenos Aires. Dos agregados militares, que a
duras penas disimulan su sorpresa al reconocerlo, lo conducen a la
residencia presidencial de Olivos. Cuando Guevara atraviesa el
municipio de San Isidro, ciertos sabores a magdalenas de Proust
hacen aflorar antiguos recuerdos: allí pasó tres años de su infancia;

allí, a orillas del río, adquirió su terrible asma. Hace ocho años que salió de su Argentina natal. No sabe que ese primer regreso, fugaz, será también el último.

La entrevista con Frondizi es bastante larga —una hora y cuarto— como para fijar las posiciones de cada uno. Guevara pide que se respete el derecho de Cuba a adoptar el régimen político que elija. Por supuesto, Cuba no exportará su revolución facilitando armas a los movimientos de «liberación» —lo ha afirmado en la conferencia—, pero eso no impedirá que el ejemplo cubano se extienda como una mancha de aceite: «La revolución es inevitable», afirma con seguridad. Frondizi dirá más tarde que «la tesis de Guevara sobre la violencia correspondía a un estado primitivo del pensamiento revolucionario y no obedecía a la actual situación mundial».[31] Pero por el momento el presidente argentino obtiene la seguridad de que Cuba no entrará en el Pacto de Varsovia, que obligaba al conjunto de países socialistas a una defensa militar solidaria. Interesante información para transmitir a los caballeros del Pentágono.

Regresando enseguida a Montevideo, como estaba convenido, Guevara se ofrece a dar un breve rodeo para ir a besar a María Luisa, una anciana tía paterna que está enferma. Así, al no alejarse de las afueras elegantes de la capital, no tendrá el placer siempre conmovedor de volver a ver Buenos Aires, la ciudad que por sí sola es un tango. A mediodía han comenzado a correr rumores sobre la presencia del Che en Argentina. Sin duda lo han filtrado los militares, o algún otro testigo. Cuando vuelve a embarcar en la avioneta, un fotógrafo oculto inmortaliza el instante con un teleobjetivo. La noticia aparece en primera plana de los periódicos. El ejército gruñe y se irrita por haber sido burlado. No obstante, Frondizi logrará calmar la impaciencia de los generales durante siete meses más antes de ser derrocado.

Menos tiempo se le concederá al presidente brasileño Janio Quadros antes de sufrir la misma suerte. Al día siguiente, 19 de agosto, de camino hacia Cuba, Guevara hace una rápida escala en Brasilia donde Quadros le da un abrazo cordial ante las cámaras de la televisión, nombrándolo caballero de la Cruz del Sur. Quadros es amigo de Cuba, y de Guevara en especial, a quien conoció en Egipto cuando ambos eran invitados de Nasser. Esta demostración de afecto hacia un tipo que huele tanto a diablo tampoco gusta a los militares brasileños, obligados a rendirle honores. En Río, en São Paulo, los manifestantes se han lanzado a la calle para festejar la noticia, portando retratos del Che y pancartas de amistad hacia Cuba. Pero apenas cuatro días después de la visita de Guevara, Quadros, acusando a

unas «fuerzas ocultas que le impiden gobernar», no ve otra salida que
la dimisión.

¿Un terrón o sin azúcar?

A su regreso a La Habana, el Che se zambulle en las exigencias
de una situación económica que dista mucho del venturoso cuadro
que ha trazado en Punta del Este. Diagnostica una crisis de la producción debido a la confluencia de «numerosos factores negativos».
Durante dos días (26 y 27 de agosto de 1961), en el gran Teatro Cha-
plin de la capital, tres mil quinientos cuadros y responsables se reúnen para estudiar el estado de la producción. La revolución no se encuentra ante ninguna crisis productiva, afirma Fidel Castro de
entrada, se trata sólo de un brusco aumento de la demanda debido a
que el poder adquisitivo popular ha aumentado. Regino Boti, que se
encarga de la planificación (Juceplan) y de la economía, habla a su
vez del milagro económico que debería permitir a Cuba ser, dentro de
cinco años, el país más industrializado de América Latina.

Paradójicamente, esta vez es Guevara quien se niega a exagerar y
no ahorra palabras para subrayar lo que no funciona. Los efectos del
bloqueo americano comienzan a dejarse sentir. Hay fábricas paraliza-
das por falta de piezas de recambio, numerosos artículos han desaparecido de los anaqueles y debe establecerse un inicio de racionamiento
para ciertos productos esenciales, como las grasas y los aceites. La esperada ayuda de los países socialistas aún no ha dado los resultados
deseados. En cuanto a la calidad de lo que se fabrica «a la cubana»,
deja mucho que desear. El dentífrico se endurece tan deprisa que debe
utilizarse inmediatamente; la coca-cola se parece a jarabe para la tos
y, cuando hay con qué llenarlas, faltan botellas para la cerveza y las
gaseosas, que tienen además un sabor muy extraño. Dice el Che: «sólo
cuando el pueblo tiene los medios de producción en sus manos es posible desarrollar políticas correctas de planificación de la economía y
además se puede permitir un desarrollo con altas tasas de crecimiento»,[32] pero —hace su autocrítica— «también hemos dado valor a los datos estadísticos, porque son datos que están muy enredados».[33] Se añaden a ello la falta de coordinación entre los distintos ministerios, la
burocracia, el absentismo que alcanza proporciones alarmantes y una
grave carencia de buenos técnicos.

Lo que Guevara no dice, aunque haya abordado el tema en otras
ocasiones, es que después de la gran redada que acompañó al inten-

to de invasión de bahía de Cochinos, los comunistas del PSP aprovecharon el estado de emergencia para ajustar ciertas cuentas. No fueron detenidos sólo los opositores, reales o supuestos, sino también muchos independientes que habían participado incluso en la resistencia contra Batista sin aceptar por ello la «verdad» comunista. Algunos permanecerán encarcelados durante años; la mayoría son liberados al cabo de unas semanas. Miles de ellos, traumatizados, perdidos para la revolución, se apresuran a abandonar el país; muchos son técnicos, ingenieros, médicos, educadores, etc. La previsible fuga de cerebros.

La franqueza algo ruda de Guevara tiene el don de disgustar a los comunistas, que pretenden mostrarse ante todo tranquilizadores y procuran con constancia y discreción colocar a sus hombres en los puestos clave de la administración, sea cual fuere su competencia. A partir de entonces, a espaldas de Guevara se esboza una sorda campaña contra su exagerada exigencia; en el fondo lo consideran sólo un izquierdista. Sin embargo, los comunistas hubieran debido comprender que las críticas del Che eran superficiales. No se dirigían al fondo, no iban a las fuentes reales de las disfunciones de la maquinaria productiva y en absoluto abordaban la cuestión esencial de la democracia de base, la participación obrera o campesina en las decisiones. Tampoco ponían en cuestión —todavía no— la mala calidad de los productos importados de los países socialistas (por ejemplo, el ingrediente que hacía inutilizable el dentífrico procedía de Polonia). El auténtico problema, el de la dependencia «colonial» de Cuba, es esbozado por el joven Alberto Mora, ministro de Comercio Exterior, al señalar que un tercio de los recursos nacionales se dedica al pago de las importaciones. Incluso el azúcar, recuerda, producto emblemático de la cubanidad, exige cada año, para una zafra media de cinco millones de toneladas, veinte millones de dólares en equipo y suministros no cubanos. El paraíso no está desde luego al alcance de la mano.

«¿Un terrón o sin azúcar?», se dice que preguntaba la mariscala Lyautey a sus invitados. En Cuba el dilema no se plantea en términos de todo o nada. Pero la cuestión de la prioridad que debe concederse al azúcar es decisiva en la reorientación general de una economía cuya ambición es permitir a los cubanos acceder finalmente a una verdadera autonomía.

En 1961, la zafra alcanza seis millones y medio de toneladas. Una cifra récord. Todas las cañas maduras han sido cortadas, incluidas las todavía jóvenes. René Dumont, que ha puesto de relieve ante el Che el peligro de sustituir las cooperativas por granjas estatales que incitan a los campesinos a comportarse como funcionarios, da —no sin malicia— la explicación de este éxito: «El pleno empleo no se había alcanzado todavía. Cada cual temía aún perder su puesto, lo que incitaba al esfuerzo.» Y observa: «Fue el canto del cisne azucarero, pues en 1962 la cifra baja a 4,8 y en 1963 a 3,8 millones de toneladas.»[34]

La decisión de diversificar los cultivos es la primera razón de la caída. No sólo se intenta responder a la presión del bloqueo esforzándose en sustituir las importaciones por una producción *made in Cuba* sino que se intenta desmentir el lema nacional que afirma, desde tiempos de la colonia, que *sin azúcar no hay país*. El azúcar es símbolo de una sujeción histórica al imperio, símbolo de esclavitud en cierto modo. Cuba dependía del azúcar y el azúcar dependía de Estados Unidos. Así pues, la idea no es librarse del todo del azúcar —necesario para conseguir divisas, fábricas, material «socialista»— sino disminuir su importancia en la producción agrícola. Fidel Castro llega a pedir que se destruyan cañaverales para sembrar legumbres. Craso error. Se necesitan años para que un campo de caña de azúcar sea productivo. Franqui cuenta que estaba presente en el Consejo de Ministros donde Castro anunció su intención de transmitir, al día siguiente y por televisión, una consigna en este sentido. El Che intentó disuadirlo, aunque formaba parte del bando «antiazúcar»: «Fidel —dijo el Che—, si tú, con tu influencia, haces un discurso así, con el odio que tiene la gente a la caña, van a destruir mucho más de lo que piensas.»[35] Fue inútil. Obedeciendo la consigna, se destruyó casi la mitad de los cañaverales; serán necesarios mucho tiempo y dinero para reconstituirlos.

Otra razón para que el azúcar quede relegado a un segundo lugar es que se da prioridad a las necesidades de las industrias. Guevara, y con él el gobierno, apostó por la industria pesada: refinerías de petróleo, electricidad, acero, níquel, cementos, medios de tracción, etc. Es también necesario aprovisionar las industrias de transformación. Las fábricas textiles exigen el cultivo de algodón (y de pita para los sacos). Almidones, cerveza, pienso para el ganado y conservas quieren a su vez tubérculos, maíz, frutas y legumbres. La construcción, la industria del papel y la flota pesquera necesitan madera, por lo que se inicia una reforestación general del país. Todo eso exige un riguroso plan de producción. La paradoja es que a pesar de los himnos a la planificación, no fue así.

En el difuso marco de la «diversificación agrícola», sólo se propo-

nen consignas generales: «El estilo de trabajo de los nuevos administradores [...] era como mínimo anárquico; actuaba cada uno a su
aire»,[36] escribe el agrónomo Michel Gutelman, que pasó varios años
«en el terreno» y se deslomó para lograr que crecieran palmeras acei-
teras en la región de Sancti Spiritus. Cuando Estados Unidos decreta su bloqueo, la producción nacional de aceites vegetales no supera
el 10 por ciento del consumo. El resto es importado. «En unas pocas
semanas se decidió desarrollar un programa de cultivos que prácticamente desconocíamos: soja, girasol, ricino, maíz, etc...»[37]

La falta de coordinación es evidente. Se planifican cultivos que
llegan simultáneamente a la madurez, cuando falta mano de obra
para atenderlos. «Los casos más espectaculares fueron los de la caña
de azúcar y los tomates, o la caña de azúcar y el algodón.»[38] Pese a la
mano, por lo general torpe, que echaron los voluntarios de la ciudad,
«fue necesario abandonar importantes cantidades de productos para
poder cortar la caña antes de que llegaran las lluvias».[39] Adviértase
que los *macheteros*, los cortadores de caña, prefirieron en casi todos
los casos en que les fue posible, abandonar un trabajo penoso y tem-
poral para incorporarse como asalariados fijos y estables en alguno
de los numerosos organismos creados por la reforma agraria. Evocando «el ambiente de desorganización de una economía que se pretendía dirigir por completo desde la capital», René Dumont cita la es-
timación de un «notable economista soviético» —que los hay— quien
calculó que «cada vez que el obrero cubano produce un peso de género, recibe por término medio dos pesos como salario».[40] Claro que
nada es bastante para compensar a los proletarios rurales por sus vidas de sufrimiento antes de la revolución, pero el procedimiento resulta poco rentable a escala nacional.

A la cabeza de la industria, sector declarado prioritario, el Che es
el primer afectado por estos problemas de aprovisionamiento, ya que
toda cuestión agrícola conlleva una dimensión industrial. La dificultad —en absoluto pequeña— consiste en armonizar agricultura e industria. Guevara reprocha amistosamente a los administradores o
directores de cooperativas que quieran hacerlo todo, resolver solos
mil pequeños detalles. Eso supone dar pruebas de una «mentalidad
guerrillera», tal vez simpática, pero los responsables tienen otras cosas que hacer. Lo más grave, dice, es que «ha existido una falta considerable de coordinación entre las distintas unidades administrativas del país y entre las distintas unidades de producción entre sí».[41]

Multiplicado a escala nacional, ese fallo produce un caos general.
Gutelman cita el caso del tabaco, otro cultivo emblemático donde

«desconectada la elaboración industrial de la demanda, [cada cual] se limita a intentar cumplir su plan sólo en su aspecto cuantitativo, desdeñando los problemas de ajuste, que se supone no tiene por qué conocer».[42] Y lo mismo ocurre con el azúcar, que a pesar del anatema no es menos fundamental. También ahí es flagrante la desconexión entre un sector agrícola que depende del INRA y un sector industrial donde es el ministerio confiado a Guevara el que controla el trabajo de unas ciento cincuenta «fábricas azucareras».

Al reorientar su economía, al romper con el sacrosanto monocultivo azucarero diversificando los cultivos «a toda prisa», Cuba ha conseguido que el bloqueo norteamericano no la asfixie. Inmensas superficies abandonadas por el sistema latifundista, sabanas silvestres jamás surcadas por el arado fueron desbrozadas y dedicadas al cultivo. Casi 900.000 hectáreas. Pero todo se hizo precipitadamente, con desorden e improvisación. La producción es caótica; la burocracia, absurda; las consignas, tan numerosas como contradictorias. Gutelman señala que «una encuesta efectuada en 1963 mostró que ciertas granjas debían tener en cuenta directrices procedentes de más de veinte entidades administrativas».[43] Dispersión de esfuerzos, atomización de los cultivos, grandes costes de transporte, torpe utilización de los medios técnicos y humanos desembocan en una distribución errabunda y en «caprichosas» penurias. Hoy falta un producto, mañana otro. El fenómeno no afecta todavía la moral de una población a la que las cosas siguen pareciéndole color rosa; las antiguas reservas no se han agotado por completo.

«A veces no quedaba comida en los restaurantes después de medianoche —recuerda García Márquez—, pero nos importaba poco porque se podía conseguir pollo. A veces no había plátano verde, pero nos importaba poco porque se podían conseguir boniatos. Los músicos de los clubes vecinos, los gigolós impasibles que esperaban su cosecha nocturna delante de un vaso de cerveza parecían tan distraídos como nosotros ante la erosión inexorable de la vida cotidiana. [...] Las primeras colas habían hecho su aparición en el centro comercial y un mercado negro, reciente pero muy activo, comenzaba a controlar los artículos industriales [...] casi un año después de que Estados Unidos hubiese decretado el embargo total sobre el comercio con Cuba, la vida continuaba sin cambios notables, menos en la realidad que en el espíritu de la gente.»[44]

El 12 de marzo de 1962, trescientos veintidós días después del comienzo del embargo total, se impuso un severo racionamiento a la mayoría de productos de primera necesidad, desde la carne y la leche hasta los zapatos, telas, jabones, etc. Al habitual consumo, en alza desde la revolución, le sustituyó la espera ante las tiendas para obtener lo que correspondía a cada uno gracias a un documento singular, la *libreta*. Los cubanos no pueden resistirse nunca a los juegos de palabras, aunque sean amargos. Ya no se puede comprar *por la libre*, dicen, sino *por la libreta*.

«Orientar los oscuros deseos de la masa»

Al compañero Guevara le cuesta pilotar su navío. El Ministerio de Industria es una maquinaria pesada que sufre por la enormidad de la tarea. K. S. Karol señala una traba más para su buen funcionamiento, de la que no es seguro que Guevara haya percibido su gravedad: «El dominio del antiguo PSP sobre el sector industrial constituyó un enorme obstáculo para el desarrollo de cualquier investigación original sobre el modo de organización, el papel de los sindicatos y las posibilidades de participación de la base en el control y gestión de la economía.»[45]

En octubre, el camarada ministro reúne a todo su personal ministerial de La Habana para una gran sesión de puntualizaciones. Comienza haciendo su autocrítica y, sin quejarse —no es su estilo—, se esfuerza en explicar por qué no ha organizado antes esa reunión. Un «trabajo abrumador» y mil actividades anexas que casi no le dejan tiempo para dormir, de ahí un «estado de tensión continuo que lleva a olvidar poco a poco la realidad cotidiana»... Y por primera vez se abandona a una confesión de sorprendente sinceridad con la que de pronto parece liberarse —¿revelarse?— el hombre-Guevara: «Puedo decir que no conozco no solamente un cabaret, ni un cine, ni una playa, es que no conozco una casa de La Habana, nunca, prácticamente nunca, he estado en la casa de una familia de La Habana, no sé cómo vive el pueblo de Cuba, solamente sé cifras, números o esquemas, pero llegar a lo que es el individuo y a sus problemas no lo he hecho nunca, y hay momentos en que uno se da cuenta de lo importante que es esto. [...] He considerado a la gente como soldados de una guerra encarnizada que había que ganar. [...] Tenemos que hacer algo para que este organismo [...] no sea tan deshumanizado.»[46]

Algo, pero ¿qué? ¿Se llegará a dar la palabra a los interesados? ¿Se organizará una auténtica circulación de mensajes entre quienes dirigen, desde el vértice de la pirámide, abrumados por los problemas que resolver, y quienes tienen la nariz hundida en realidades insoslayables? Estos últimos podrían decir lo suyo, aportar sugerencias, tal vez formular críticas sobre los efectos al final del recorrido de las decisiones tomadas en la cumbre. Pero que el procedimiento sea despersonalizado, sistematizado, que se llegue incluso a utilizar la papeleta de voto —tan vilipendiada— para permitir a todo el mundo influir en las decisiones, expresarse con toda libertad sin ser tratado de contrarrevolucionario en caso de desacuerdo, es algo que ni siquiera piensa. Porque en este campo la visión de este contestatario es de una ortodoxia total.

En 1963, al presentar a los lectores un manual sobre *El partido marxista-leninista*, escribirá que el marxista debe ser «un orientador que plasma en directivas concretas los deseos a veces oscuros de la masa [*sic*]».[47] Cómo adivina el «marxista», cómo interpreta esos «deseos oscuros», es algo que Guevara no explica. Sigue creyendo, como Fidel Castro, modelo absoluto, que hay diálogo con dicha masa cuando en verdad sólo se trata del monólogo público del «jefe». (Castro no soporta que lo traten de *caudillo*, pese a serlo más que nadie.) Por eso, aunque su ejemplo personal sea considerado irreprochable, Guevara no consigue que se le escuche del todo, a causa de lo que considera una «carencia de motivaciones internas» que imputa, sin pensarlo mucho, a una «falta de claridad política».[48]

Una mañana de octubre de 1961, decide dar una vuelta por los despachos de su ministerio. Comienza por el piso inferior al suyo. Cuenta, no sin humor, que antes de que «el tam-tam de la selva» —es su expresión— dé aviso al personal, tiene tiempo de comprobar que son muchos los ausentes, que otros charlan tranquilamente, algunos leen el periódico y muchos han ido a desayunar. Dice que ha encontrado a una «compañera románticamente inclinada sobre un escritorio escuchando una melodía con un radio prendido ahí tan tranquilamente, a las diez de la mañana».[49] Sentencia: «Hay falta de vigilancia. No tenemos derecho a perder el tiempo.» No obstante, no abandona su optimismo y señala que en dos años y medio, desde la victoria de la revolución, se ha demostrado que es posible «organizar al cubano», algo que se pensaba sería más difícil «que ver la otra cara de la luna».[50] Pero sus últimas palabras son reveladoras de su concepción verticalista del poder: «Quien debe orientar siempre, sin que sea su presencia gravosa para la gente, es el núcleo de las Organizaciones Revolucionarias Integradas.»[51] Avancen sin temor, nosotros marcaremos el rumbo.

Aunque Guevara no va a los cabarets, ni a la playa ni al cine, a veces asiste a algún partido de fútbol. Allí se le reúne de improviso un amigo de la infancia, Fernando Barral, hijo de republicanos españoles refugiados en 1939 en Alta Gracia y Córdoba. Barral, que como Ernesto estuvo enamorado en su juventud de la *Negrita* Carmen Córdova, fue expulsado de la Argentina en 1950 por comunista y aterrizó en Hungría. Guevara le había escrito: «Sigo siendo un aventurero, sólo que ahora mis aventuras tienen un fin justo.»[52] Y lo había invitado a unirse a la revolución cubana. Tras tantos años, los dos amigos se encuentran en el estadio Latinoamericano donde se disputa un partido contra un equipo soviético. El relato del encuentro es significativo, sobre todo porque nos habla del calor y del afecto popular por el Che. «Me hizo sentar a su lado durante el resto del partido y me pidió luego que lo acompañase al ministerio. Fuimos en su coche, que él mismo manejaba. Se metió por las calles, en medio de la multitud que le aclamaba gritando *¡Che! ¡Che!*, le daba la mano y trataba de tocar su ropa. Él sonreía, irónico y bonachón a la vez...»[53]

Pero el ídolo no se deja seducir. Si algunos «aflojan», nunca será el caso de los que forman parte del equipo de incondicionales que ha reunido a su alrededor. Además de las jornadas de trabajo «normales», es decir más largas que para los demás, propone a su estado mayor distintos seminarios y cursos especiales. Insiste en que los cuadros tienen el deber de estudiar más que nadie, de perfeccionarse sin cesar. Anastasio Mancilla es un viejo comunista español refugiado en la URSS tras la victoria de Franco. Se convirtió allí en profesor de marxismo y Moscú lo ha enviado a Cuba para propagar la buena nueva. Especialista en *El capital*, da cursos a todo el Consejo de Ministros. El Che le ha rogado que prosiga su seminario en el Ministerio de Industria. «Una vez a la semana —cuenta Orlando Borrego, nombrado viceministro—, a partir de las nueve de la noche nos reuníamos con Mancilla. Todos debíamos explicar el capítulo de Marx que habíamos leído (en la edición mexicana, en tres tomos, del Fondo de Cultura Económica). Eso nos llevaba hasta el amanecer. El Che y Oltuski (recuperado en Industria) eran los más polémicos. Querían comprender cómo podía ponerse en práctica la teoría marxista. Durante este seminario el Che comenzó a cuestionar la praxis del sistema socialista.»[54]

Para otros cuadros de su ministerio, Guevara organiza en 1961 un seminario intensivo de seis meses sobre planificación socialista. El año 1962 es declarado «año de la planificación» y se requiere personal con conocimientos al respecto. El chileno Alberto Martínez lo recuerda: «Planificadores checos, al ritmo de ocho horas por día, nos explicaron cómo organizar una economía socialista.»[55]

Edward Boorstein, un economista americano de izquierda que

trabajaba junto a Guevara en el Banco Nacional, y el argentino Néstor Lavergne, economista especializado en modelización matemática, son utilizados por el ministro para que hagan partícipes de su saber al comité de dirección del ministerio. «El Che era, con mucho, el mejor alumno, el más exigente, el más riguroso —comenta Lavergne—. Para cuando se fue de Cuba, había adquirido en ciencias exactas un saber superior al de un ingeniero. Era capaz de dar clases sobre métodos matemáticos en economía.»[56] Raúl Maldonado, el ecuatoriano comunista reclutado en Chile que se convertirá en viceministro cubano de comercio exterior, precisa: «Era un buen pedagogo, sabía analizar un problema, pero se moría en eso. Prefería mil veces combatir realmente.»[57] La nueva consigna es no permitirse un solo momento de ocio que no esté consagrado al estudio, a la lectura. Cualquier «internacionalista» de buena voluntad que pasa por Cuba es utilizado para ayudar a formar los técnicos que sustituirán, urgentemente, a los que han preferido el exilio.

Puesto por razones políticas a la cabeza de un importantísimo sector de la economía nacional, Guevara parece tomarse como una cuestión de honor el dominio de la economía, para desmentir el chiste nacional que afirma que Castro lo nombró para ese puesto confundiendo comunista con economista.

Nunca va sin un libro. El francochileno Carlos Romeo cuenta que, cierto día tras visitar una fábrica, consigue llevar a Guevara y su madre a un paseo en barco de tres horas, pero el Che se sumerge enseguida en la lectura de una obra de Mao. «Hacía un tiempo espléndido pero sólo dejó de leer para fotografiar la barracuda que conseguí pescar. Entonces se lanzó al agua y comenzó a nadar en un magnífico estilo mariposa. Era un buen nadador. Su madre lo miraba, enternecida y orgullosa. Entre el hijo y la madre se adivinaba una relación muy hermosa de adoración mutua, de ternura y de estima.»[58]

Esos momentos de descanso son pocos. Guevara desearía que el rigor que se impone fuera compartido por todos, en especial por el pequeño círculo que lo rodea. Lavergne no ha olvidado la historia de los cigarrillos Bock: «Eran cigarrillos negros, muy fuertes, de exportación cubana. Se habían dejado de fabricar durante la "racionalización". Pero Santiago Riera, responsable del *consolidado* del tabaco, me había regalado unos cartones que quedaban. [El *consolidado* es la reunión bajo una sola dirección del sector que trabaja el mismo producto.] Cuando el Che me vio fumar Bock, me preguntó de dónde los había sacado. Se lo dije. Entonces telefoneó a Riera, delante de mí. "Son bienes del Estado. Descuenta de tu salario el valor equivalente a los cartones que tan generosamente has regalado a Lavergne."»[59]

El régimen alimenticio superfrugal impuesto por el asma lo hizo indiferente a las delicias gastronómicas: «La catástrofe —cuenta también Lavergne sonriendo— era cuando el Che nos invitaba a una comida de trabajo en el ministerio, pues el menú era de extrema austeridad. Invariablemente, arroz y pastas hervidas. Sin ningún condimento... Sin embargo, en una ocasión llegó con una botella de vino francés, pero se la bebió solo. "Lo siento, —nos dijo burlón—, acabo de robársela a alguien a quien se la habían regalado. Hubieran hecho lo mismo."»[60] Conclusión de Lavergne: «No era muy "democrático"; era supercentralizado, pero lo tratábamos de igual a igual, sin tener que hacer reverencia. Era un tipo bien.»[61]

El «tipo bien» tampoco tolera el estilo demasiado llamativo en su equipo. Borrego tiene un recuerdo a este respecto: «El mismo Santiago Riera, de Tabacos, había encontrado al llegar a la fábrica un hermoso Jaguar abandonado por sus propietarios con el que no sabía qué hacer. Me lo regaló, sabiendo que yo adoraba los coches. Cierto día, lo aparco junto al Chevrolet Impala del Che, un coche de categoría media en Cuba. "Pareces un gigoló con este coche —me dijo—. Líbrate de él y pídele a Omar Fernández que te dé un Impala como el mío." Me correspondió un modelo bicolor, rojo por arriba y blanco por abajo. Lo conservé diez años.»[62] Así anda la revolución.

Marx, más Don Quijote, menos los molinos de viento

A partir de 1962, Guevara reúne cada dos meses a los directores de los sectores industriales, los consolidados, para hacer balance y examinar el modo en que las cosas funcionan, se estancan o retroceden. La discusión es libre. Se dan ejemplos. Se habla de política internacional. «Un día se le plantea que nos hable de moral —dice Alcides Bedoya, uno de los participantes—: "Es lo más difícil que me han puesto", nos dice.»[63] No ha elaborado todavía su tesis sobre «el hombre nuevo» que debe producir la revolución, pero todo lo que dice está sostenido por una ética elemental. Hacer que el hombre sea más humano incitándolo a superarse sin cesar. Presiente que «es preciso fabricar algo nuevo».

En vez de ponerse firme ante Marx, sobre todo el Marx joven, filósofo, que no ha escrito todavía *El capital*, intenta sacar todo el jugo de un pensamiento que le parece, en primer lugar, un humanismo.

Pero eso no le impide reivindicar una pizca de locura romántica, nacida de la necesidad de provocar en el hombre una actitud que le transforma en «un trabajador sufrido que entrega sus horas de descanso, su tranquilidad personal, su familia o su vida a la Revolución, pero nunca ajeno al calor del contacto humano».[64] Reconciliando a los dos héroes del panteón privado de Guevara, el nuevo híbrido, si se consigue, debiera ser el producto de Marx, más Don Quijote, menos los molinos de viento —pues el enemigo es muy real—. El 20 de octubre de 1962, dirigiéndose a la Unión de Juventudes Comunistas, arguye: «Si se nos dijera que somos casi unos románticos, que somos unos idealistas inveterados, que estamos pensando en cosas imposibles, y que no se puede lograr de la masa de un pueblo el que sea casi un arquetipo humano, nosotros tenemos que contestar, una y mil veces, que sí, que sí se puede, que estamos en lo cierto, que todo el pueblo puede ir avanzando, ir liquidando las pequeñeces humanas.»[65]

Tras la victoria de playa Girón, un grupo de jóvenes había ido a informarle que se disponía a organizar un homenaje para agradecerle la magnífica formación que había dado a los milicianos: «Me parece que ustedes no entienden lo que yo escribo y repito en mis conferencias —les dice—. Aquí lo que hace falta no son homenajes, sino trabajo. [...] En cuanto a los honores, se los agradezco, pero les voy a responder en francés, que es más delicado, para no ofenderlos: *Les honneurs, ça m'emmerde!*»[66] El Che exige a sus cuadros que vuelvan a la base un mes por año, para no dejarse embriagar por los «honores», no tomarse demasiado en serio a riesgo de olvidar la pedregosa realidad. Esta severa disposición no provoca resentimiento alguno. No tiene el carácter cristiano de purificación que podría atribuirse; procede más bien de Epicteto, el estoico que decía: «Si en el espíritu de alguien pasas por ser un personaje, desconfía de ti mismo; no seas nadie para ti; prefiere a cualquier otro.»[67]

«¿Por qué le querían tanto si era tan duro?», pregunta Oltuski, al que ha convertido en uno de sus más íntimos colaboradores. «Porque era justo y no manifestaba acritud alguna aunque su lenguaje fuera rudo. [...]. Naturalmente, si se cometía un error administrativo, había castigos. Los más graves mandaban al culpable a Guanahacabibes, un campo de trabajo al extremo oeste de la isla. Pero cuando regresaba, todo había terminado. Recuperaba el puesto que había abandonado.»[68]

Él mismo se obliga, sean cuales fueren sus compromisos, a realizar visitas a las fábricas por lo menos dos veces al mes. Cierto día, está presente cuando se declara un incendio en una fábrica de plástico. Los bomberos no dejan entrar a nadie pues los gases son tóxicos y el edificio amenaza con derrumbarse. ¿Recuerda que, en su juventud viajera, también él jugó a ser bombero una noche en Chile? No vacila, olvida los consejos de prudencia que habría dado a cualquier otro y se lanza, «sin máscara, sin nada», relata un testigo. Permanece cuatro días junto a los trabajadores. Su «mentalidad guerrillera» ha prevalecido. Cuando una vecina le ofrece un vaso de leche, pregunta: «¿Hay para los demás?» No, no hay. Entonces lo rechaza. Su asma es intensa, pero prosigue hasta el final.[69] Los ejemplos de este comportamiento de caballero andante son innumerables. Cuando llega el racionamiento, vela porque los menús del ministerio sólo incluyan carne una vez a la semana, como dicta el reglamento. Oltuski, que nunca se calla, le hace observar que esa severidad no se aplica a la propia familia de Guevara. Éste lo verifica inmediatamente y comprueba que a sus espaldas «se» proporcionan a Aleida provisiones que superan lo que la *libreta* autoriza. Se indigna, hace que cese inmediatamente el «escándalo» y castiga a «quien había creído obrar bien».[70]

Durante esos agitados años, de permanente sobrevoltaje, Guevara ejerce su trabajo de ministro con puntilloso rigor. Su primer viceministro Borrego publicó en 1966 siete valiosos volúmenes de una edición que incluye cronológicamente, no sólo la mayoría de los textos escritos por el Che durante su estancia en Cuba, sino también los informes estenográficos de sus visitas a fábricas, sus intervenciones en los consejos de dirección semanales del ministerio, las actas de las reuniones bimestrales con los directores de sectores industriales (consolidados), los textos de los objetivos fijados e incluso sus informes de actividad en el Consejo de Ministros, más una abundante correspondencia en la que a veces es muy directo. Cuando se lee ese inmenso corpus de documentos, a veces técnicos, a veces áridos, nunca faltos de interés, sorprende la extraordinaria seriedad con que Guevara hizo las cosas, la minucia que él mismo puso y exigió de sus colaboradores para examinar detalladamente las razones que provocaron la parálisis de determinda fábrica, las dificultades de otra para obtener tubos de cierto diámetro o soldaduras de cierto tipo. Todo se transcribe textualmente, incluso con las torpezas del lenguaje coloquial. Se tiene la impresión de asistir *in vivo* a los debates. Se oyen las «descargas» de Guevara cuando juzga determinada situación escandalosa, cuando explica que cierto cuadro ha sido castigado a un mes de campo de trabajo en Guanahacabibes porque lo tiene bien merecido, pero que el interesado puede rechazar el castigo dimitiendo, si así lo desea.

La mayor parte del tiempo, sin embargo, demuestra una notable paciencia. Escucha, responde, interroga a su vez, consulta en público a unos y otros, intenta ejercer en su nivel directivo esa «democracia directa» cuyo mérito atribuye a Fidel Castro. Da la palabra al director de Tabacos o al de Siderurgia, pone el ejemplo del Azúcar, Cerámica protesta, Petróleo aprueba, Electricidad se queja... Todo aparece con una franqueza que sólo es permisible en el seno de la «familia» y que no se encuentra en los discursos públicos, más elaborados. Esta libertad de lenguaje, transcrita casi en estado bruto, explica el carácter confidencial y casi secreto de esta notable edición en cartoné gris (*El Che en la revolución cubana*) jamás traducida ni puesta a la venta, de la que sólo se imprimieron en La Habana doscientos o trescientos ejemplares distribuidos con cuentagotas y solamente a los miembros del Comité Central y a unos pocos afortunados. Quien tenga la curiosidad y el valor de zambullirse en estos miles de páginas, encontrará una visión inédita de Cuba, mucho más sorprendente desde luego que la de los manuales. Pero, sobre todo, encontrará la personalidad de Guevara con una veracidad que permite afinar su retrato. Se lo ve arraigado en las dificultades de lo concreto, en un permanente vaivén entre el acontecimiento minúsculo y el horizonte socialista, que en ningún momento deja de imaginar radiante. Desfilan así, desde una inesperada perspectiva, tres años claves —1962, 1963 y 1964— de la historia de Cuba.

La cuestión de los estímulos, morales o materiales, se aborda ya en la primera reunión del 20 de enero de 1962. Es el fundamento a partir del que podrá moldearse algún día ese «hombre nuevo» sensible a los goces del trabajo creador más que a los aumentos de salario. «¿Qué siente el individuo revolucionario, motor de todas las cosas? ¿Siente el estímulo directo del dinero o bien la satisfacción de trabajar donde le gusta, reconocido por la gente que él dirige, por la masa, por los dirigentes?» Guevara responde, citando su propio caso: «No creo que tengamos que considerarnos seres especiales. Por mí lo puedo asegurar, no tengo interés de ninguna clase que no sea el de ver todos los días cómo se va adelante un poquito en el país, incluso a veces desligados de cosas de ideología lírica, de que el pueblo está mejor, que se está construyendo la patria, o que se está cumpliendo con el deber.» Resume en una frase su mensaje: «No sentarse diciendo: "Trabajen, que es una obligación con la Revolución", sino predicar con el ejemplo.»[71]

A lo que el director de Minas responde: «Incluso con respecto a los estímulos materiales, entre nosotros nadie recibe lo más mínimo si no cumple primero con los objetivos.» El director de Madera cita, por el contrario, el caso de siete antiguos patronos que trabajan con entusiasmo en el consolidado, sin ocultar que algún día saldrán del país. Algo que corrobora el director de Confección textil citando el «caso de un técnico que fue premiado y a pesar de tener el pasaporte listo para irse, lo expuso en una asamblea agradeciendo que lo premiaran [...]. El énfasis principal debe prestársele al estímulo moral, pero sin abandonar el estímulo material».[72] Otra pregunta recurrente de todos los directores: «¿Cómo es posible que no tengamos todavía el Plan del año en curso?» Respuesta sin rodeos del camarada ministro: «No voy a decirles que hay dificultades de compatibilización, ni esto ni aquello. Les digo simplemente que aún no hemos sido capaces de hacerlo.»[73]

Al hilo de las reuniones descubrimos que la ORI, esa fusión entre comunistas, M-26 y Directorio, es ya para Guevara mucho más que el esbozo de un partido: es *el* Partido, con sus células, que en Cuba se llaman *núcleos*, «núcleos revolucionarios activos». El Che pide a esos núcleos (reunión del 10 de marzo de 1962) que no abandonen su papel de animadores políticos, que no sustituyan a la administración y, sobre todo, como ha podido comprobar en el sector Harina («Esto es un lío que pasó por allá, por Oriente»), que no cacen brujas. «Ésa no es función del núcleo».[74] Reconoce que el entusiasmo está disminuyendo, pese a que «la Revolución debe hacerse a tambor batiente». Pero es por culpa del imperialismo, afirma. Sigue entonces un extraño razonamiento como mínimo incongruente: «Ahora llevamos casi un año sin agresiones, sin invasiones. Pues la gente responde mucho a estos estímulos.» En esas condiciones, concluye nuestro analista: «Si no vienen las agresiones tenemos que buscar dentro de nosotros los estímulos.»[75] *¿Quién teme al lobo feroz?*

Una gran parte de los debates se consagra a la cuestión de los salarios. Un verdadero rompecabezas, pues la situación heredada por la revolución es que a igual trabajo desigual salario. Pero si se liberan al alza todos los salarios, se producirá una inflación peligrosa, observa el antiguo presidente del Banco Nacional. Se lanzan entonces a complicados cálculos sobre los que nadie está de acuerdo, en particular los sindicatos, reticentes durante mucho tiempo al poder comunista pero que aun así han pasado por el aro. Resultando que nadie cree ya en ellos. «Aquí se hicieron los sindicatos mecánicamente —dice Guevara—, porque en la Unión Soviética hay sindicatos administrativos. [...] ¿Qué papel tan pobre puede jugar una institución creada como una copia al carbón de la experiencia histórica de otro país? Eso no es marxista; eso fue una equivocación de las tantas que cometemos nosotros.»[76]

El camarada Malmierca, volviendo a los salarios, concluye: «¿Los sindicatos los han resuelto definitivamente y han dejado a los obreros contentos? No. [...] Se la pasan hablando de Patria o Muerte, de Fidel, del Che y de todo el mundo. [...] Pero cuando decimos "vamos a discutir con el Sindicato", nos dicen: "No, para qué, si el Sindicato tiene la misma opinión que la Empresa Consolidada."»[77]

No faltan tampoco las ideas extravagantes. Guevara reconoce que «La Unión Soviética con todo el poderío que tiene, no tiene el nivel de vida que tiene La Habana, chico».[78] Pero mantiene toda su confianza en los expertos soviéticos que lo rodean. Uno de ellos le ha soplado una idea de «racionalización» cuya componente de insensatez no advierte: ¡fabricar todo el pan que Cuba consume en sólo seis fábricas! «Debemos deshacernos de golpe —dice Guevara muy seriamente—, de todas estas pequeñas tiendas y locales, de todas estas porquerías ineficaces; y a toda esta gente que vive en condiciones inhumanas la enviaremos a hacer sus estudios. Y eso no nos costará nada.»

Cuando alguien le hace observar que para la «campaña de emulación nacional» los modos de cálculo son de terrible complejidad, que la cosa obliga a reunir un montón de comisiones, etc., se libra con una pirueta y cita al argentino Sarmiento: «Las cosas hay que hacerlas; mal, pero hacerlas.»[79] Pero cuando le citan el caso de toneladas de cemento que duermen en sacos y van a endurecerse porque no hay manera de transportarlos, monta en verdadera cólera y, a contrapelo de todas las consignas que él mismo ha dictado para que se obedezca la planificación, proclama: «Yo voy a organizar un plan por la "superlibre".»[80]

La reunión del 14 de julio de 1962 es una de las más interesantes del año. En primer lugar porque por primera vez el Che parece despertar, salir de sus locas ensoñaciones donde la mera planificación acaba con todos los problemas. Habla de la construcción de fábricas que no sirven para nada: hilaturas cuando no se ha cultivado todavía algodón suficiente y es preciso importarlo; metalúrgicas cuando el mineral no se ha extraído todavía. «Hicimos los cálculos alegres del 20 por ciento; de que las fábricas se hacían en los tiempos programados; [...] Nos olvidamos del comercio exterior; nos olvidamos de las dificultades prácticas y dale para adelante con eso. El resultado es que ahora hay una serie de esqueletos que se están haciendo en todo el país y después para llenar esos esqueletos tenemos que importar la carne, que es lo que debíamos producir aquí.»[81] Él, que con tanto ardor cantaba las alabanzas de la tecnología de los países socialistas, acaba preguntándose en voz alta: «¿Por qué la misma fábrica de levadura, para producir la misma cantidad, ocupa en Francia veintisiete obreros, mientras en Polonia necesita doscientos? [...] Recuerdo que cuando el camarada Abello, me parece, me dijo que la fábrica embotelladora de los alemanes era una porquería, yo lo tomé como una manifestación de anticomunismo. Pero la triste realidad es que la fábrica alemana era muy mala. [...] La fábrica norteamericana [...] era mejor, más adelantada, más técnica, con mayor productividad. [...] Entonces nosotros hemos comprado esa otra fabriquita y realmente es una mala inversión.»[82]

La segunda enseñanza de esta reunión es de orden político. Al escuchar a Guevara hablando de «la irresponsabilidad en todos los niveles del gobierno» se descubre que por lo menos uno de los culpables de estos desórdenes ha sido identificado, el camarada «Aníbal, que llevaba una serie de gente por fidelidades políticas y a la gente que había que quitarla de un cargo, por irresponsabilidad total se la ponía en otro cargo».[83] Se descubre la clásica infiltración del Estado por parte del partido comunista.

El 2 de diciembre de 1961 Castro ha revelado: «Soy marxista-leninista y lo seré hasta el último día de mi vida.»[84] La declaración no mejora su imagen en Estados Unidos, pero compromete un poco más a la URSS a defenderlo contra el coloso americano. Aníbal Escalante, veterano comunista y número dos del PSP detrás de Blas Roca, nombrado secretario general de la Organización Revolucionaria Integrada, aprovechó el cargo para colocar a sus hombres de confianza, y sólo a ellos, en todos los niveles decisivos, hasta al frente de la menor granja estatal. Era de esperar. Pero la maniobra parece haber sido un intento de desplazar poco a poco al M-26, incluyendo a Castro, para permitir a los comunistas apoderarse del mando del país.

El *caballo*, como se denomina familiarmente a Castro porque, como el caballo, «los tiene», es demasiado astuto como para no ver el peligro de transformarse en un adorno. Ha pedido a Guevara que forme parte de una comisión investigadora secreta sobre las maniobras de Escalante y los cuadros del PSP. Fidel espera el momento propicio y, el 26 de marzo de 1962, denuncia por televisión, con el conveniente dramatismo, el «sectarismo» de quienes, en vez de formar «un auténtico partido marxista» han intentado preparar «un ejército de revolucionarios domesticados y amaestrados, que en lugar de integrar desintegre».[85] ¿Todos los comunistas están implicados en este intento de golpe de Estado silencioso? Castro tiene la habilidad de designar sólo un chivo expiatorio, pero la advertencia se dirige a todos. «¿Quién es esa impresionante basura? [...] Es el camarada Aníbal Escalante»,[86] anuncia con énfasis. La oveja sarnosa es enviada inmediatamente a Checoslovaquia y el embajador de la URSS, cómplice sin duda, prefiere regresar a Moscú. «La historia de Aníbal —comenta Guevara— obliga a todo un sector de la vida de la nación, que eran los viejos miembros del Partido Socialista Popular, de los conductores de todo, a pasar a la defensiva.»[87] Por lo que a los soviéticos se refiere, han comprendido el mensaje y lo hacen saber por un editorial de *Pravda*, el 11 de abril de 1962, a la mayor gloria de Castro. Este último, inigualable estratega, ha ganado la partida. Los comunistas cubanos se inclinan, reconociendo que es el jefe. Guevara-Lancelot, fiel paladín del rey Arturo, le sigue los pasos.

«Lo que se da no se quita»

Hay en la cronología de los hechos y gestas del Che un viaje muy discreto. El que efectuó del 17 de agosto al 7 de septiembre de 1962 a la URSS, con el pretexto de una misión económica. El verdadero objeto de la misión era de orden militar: establecer el protocolo que organizaba la instalación de cohetes soviéticos en territorio cubano. Acompañado por el jefe de las milicias, el comandante Emilio Aragonés, viejo militante del M-26 fiel a los hermanos Castro, visita a Nikita Khruschev en su dacha de Crimea, sin que comunicado alguno mencione la entrevista. Y es que el asunto es grave.

Desde el espectacular fracaso de bahía de Cochinos, la CIA, humillada, arde en deseos de tomarse la revancha, y el gobierno de Fidel lo sabe. Cuba es una isla asediada, los cubanos lo advierten día tras día. Hacia mediados de enero de 1962, el general Edward Lansdale, especialista en antisubversión, ha presentado en la Casa Blanca las distintas fases de una operación de envergadura destinada a barrer el régimen comunista cubano. A esta operación, llamada «Mangosta» por el nombre del pequeño mamífero que devora las ratas, se destinan a tiempo completo cuatrocientos agentes de la CIA, tanto en Washington como en Miami; y se piensa de nuevo en requerir la ayuda de la Mafia para suprimir a Castro y los suyos. El 31 de enero de 1962, una reunión de ministros de Asuntos Exteriores celebrada en Punta del Este, esta vez en pleno verano austral, decide expulsar a Cuba de la Organización de Estados Americanos. Seis países entre los más importantes de América Latina, que representan dos tercios de su superficie y las cuatro quintas partes de su población —Brasil, Argentina, México, Chile, Ecuador y Bolivia—, se han negado a obedecer al consenso; pero se acentúa el aislamiento diplomático del «primer territorio libre de América». Cuba, la rebelde, replica inmediatamente. La isla del azúcar no es una isla de azúcar. El 4 de febrero, en la plaza José Martí de la capital, Castro hace aprobar, por aclamación como de costumbre, una lírica «Segunda Declaración de La Habana» por la que «la Asamblea General Nacional del Pueblo de Cuba» llama a los «pueblos de América y del mundo» a levantarse para hacer la revolución, sin esperar «sentados ante sus casas a que pase el cadáver del imperialismo». Castro utiliza una fórmula de Guevara: «El deber de todo revolucionario es hacer la revolución»,[88] pero aunque cite la frase de Martí («Mi honda es la de David») pretende dotarse de armamento mucho más poderoso.

¿Fue Khruschev quien ofreció cohetes con cabezas nucleares? ¿Los pidió Castro? Nada es más confuso en esta aventura, sin duda la más enloquecida que haya vivido el planeta desde el final de la Segunda Guerra Mundial y el bombardeo atómico de Hiroshima. Harold Macmillan, primer ministro británico por entonces, escribirá en 1969, como prefacio a la historia de esta crisis contada por Robert Kennedy, que «el asunto de los cohetes apenas es inteligible aún».[89]

Aunque fabulador cuando le conviene, Juan Vives, miembro de los servicios secretos cubanos convertido en tránsfuga, defiende una hipótesis verosímil. Fueron los soviéticos, en especial los hombres del KGB, quienes, agudizando el clima de histeria que reinaba en Cuba con respecto a una invasión que se anunciaba sin cesar como inminente, desinformaron a los servicios cubanos e impulsaron a Castro a pedir a la URSS una protección militar seria. Khruschev lo aprovechó para colocar sus cohetes ante las narices de Estados Unidos. Su objetivo es doble. En primer lugar, responder a los cohetes del mismo tipo instalados por los americanos alrededor de la Unión Soviética; luego, intentar meter una cuña entre los *halcones* del Pentágono y de la CIA y las *palomas* de la Casa Blanca. Está convencido de que John Kennedy pertenece a estos últimos y que le falta madurez política, aunque se haya negado con firmeza a ceder Berlín a la RDA.[90] La construcción del muro que divide Berlín, en agosto de 1961, ha teatralizado aún más el reparto del mundo en zonas de influencia entre ambas superpotencias.

En enero de 1962 el yerno de Khruschev, el coronel del KGB Adjubei, que además es jefe de redacción de *Izvestia*, pasa a visitar al primer ministro cubano antes de entrevistarse con el presidente Kennedy. Castro, que acaba de declararse marxista-leninista, le contó a Jean Daniel, por entonces reportero del semanario parisino *L'Express*, cómo ocurrieron las cosas: «Una semana después de la entrevista recibíamos en La Habana una copia del informe de Adjubei a Khruschev. Aquella copia desencadenó todo. [...] Kennedy había dicho que la nueva situación de Cuba era "intolerable". Y sobre todo *había recordado a los rusos que Estados Unidos no había intervenido en Hungría,* lo que evidentemente era un modo de exigir la no intervención rusa durante la proyectada invasión. [...] [Khruschev] nos preguntó qué deseábamos. Respondimos: poner las cosas de modo que Estados Unidos sepa que atacar a Cuba sería como atacar a la Unión Soviética.»[91] Los soviéticos explicaron entonces que para intimidar a ese adversario no bastaban las armas convencionales y que se requería una amenaza nuclear. De ahí los misiles.

Raúl Castro, ministro de Defensa, va a Moscú en julio para estudiar el problema con sus homólogos soviéticos y con Khruschev. En agosto comienzan a desembarcar en Cuba las primeras unidades de combate del Ejército Rojo, la vanguardia de un considerable contingente que llegará a veinte mil hombres. Numerosos son los que vienen con sus familias. Los cubanos, acostumbrados a la moda americana, descubren algo asustados que esos rusos que han lanzado un Gagarin al espacio se visten como campesinos, que sus mujeres no conocen los tacones altos, que existen enormes diferencias de tratamiento entre los jefes, los ingenieros y la soldadesca (la plebe de obreros y albañiles llegados para construir bases militares y búnkers al abrigo de las miradas cubanas). «No eran mala gente esos rusos —escribe Franqui—. [...] Cuando se emborrachaban lo daban todo por una botella, desde los instrumentos de trabajo hasta la ropa, desde el jeep, el radio, la pluma, a los pantalones. [...] Pero su policía, porque tenían su policía especial, pegaba duro y cómo.»[92]

Un convoy de cargueros transporta veinticuatro baterías de misiles antiaéreos tierra-aire, con un alcance de cuarenta kilómetros, así como cincuenta bombarderos Iliuchin 18, trasladados en contenedores (!) para ser montados sobre el terreno. Guevara está todavía firmando los acuerdos militares en Moscú cuando ya van llegando al puerto cubano de Mariel los primeros cohetes nucleares de alcance medio que pueden alcanzar buena parte del territorio de

---

* En noviembre de 1956, las tropas soviéticas entraron en Hungría para reprimir una insurrección antiestalinista. (La cursiva es nuestra.)

Estados Unidos. Enormes convoyes, con las luces apagadas, cruzan por la noche o al amanecer pueblos en los que se ha cortado la electricidad para proteger mejor de los curiosos unos grandes camiones con extrañas formas alargadas y cubiertas por lonas. En Washington, por mucho que el embajador soviético asegure que la URSS sólo entrega a Cuba «armas defensivas», Kennedy obtiene del Senado autorización para llamar a filas a ciento cincuenta mil reservistas. Estados Unidos está en plena campaña electoral para sustituir la mitad del Congreso y JFK necesita demostrar que sabe ser enérgico.

El 15 de octubre de 1962 la Casa Blanca conoce las fotografías obtenidas la víspera por un avión espía U-2, pilotado por un tal mayor Anderson. Éstas revelan, sin sombra de dudas, que se han instalado rampas de lanzamiento para treinta y nueve cohetes, distribuidas por todo el territorio cubano pero situadas en su mayoría en la provincia occidental de Pinar del Río, a menos de cien kilómetros de La Habana, justo frente a la Florida. Los cohetes no parecen tener todavía cabezas nucleares, pero pueden ser provistos de ellas de un momento a otro. Kennedy vacila unos días antes de elegir la respuesta que considera más adecuada. Un bloqueo total que impida el acceso a la isla a cualquier navío sospechoso de transportar armas a Cuba. Informa de esta medida a sus aliados europeos (OTAN) y americanos (OEA), que la aprueban. Y el 22 de octubre al anochecer, por radio y televisión, en un discurso de acentos dramáticos, el presidente explica a la nación la razón del bloqueo, denominado eufemísticamente «cuarentena». Ambas K comienzan entonces echando un pulso que durará seis días. Seis días durante los cuales numerosos politólogos consideran que el mundo estuvo a un hilo de la guerra nuclear.

La primera concesión de Khruschev data del 24 de octubre. Una flota de veinticuatro navíos soviéticos, cargados con armas para Cuba, se detiene al límite de las quinientas millas marinas fijado por la US Navy, que moviliza ciento ochenta navíos de guerra. Moscú da órdenes de no forzar el cerco y volver atrás. En las Naciones Unidas, el delegado norteamericano Adlai Stevenson se toma la revancha de la humillación sufrida el año anterior, cuando presentó fotos de bombarderos que habían sido trucadas. Ahora tiene el placer de mostrar a Valerian Zorin, representante de la URSS, que afirma que no hay cohetes soviéticos en Cuba, las fotos que demuestran lo contrario. Mientras que, de cara a la galería, Khruschev hace —como Kennedy— grandes declaraciones, informa en secreto al otro señor *K*, el de la Casa Blanca, que la URSS podría retirar sus cohetes si Estados Unidos se compromete a no seguir intentando invadir Cuba. Pide también que los cohetes norteamericanos instalados en Turquía e Italia sean retirados. Kennedy acepta este último punto, pero en una cláusula mantenida secreta durante mucho tiempo, lo que robustece su imagen de triunfador en toda la línea. Por otra parte, los cohetes Júpiter en cuestión están ya obsoletos.

En la pequeña isla del Caribe, objeto de un regateo que pasa por encima de su cabeza, el tercero en discordia está furioso. Castro, inicialmente encantado de jugar por fin «en el patio de los mayores» con sus cohetes, monta en cólera al comprobar que cuando llega el momento de la verdad resulta sólo un peón que los reyes colocan o desplazan a su guisa sobre el gran tablero. Ha puesto toda Cuba en estado de sitio. Más de ochenta mil hombres han sido movilizados. El acceso a las playas ha quedado nuevamente prohibido. Todas las costas están vigiladas. La alerta es máxima. Apenas si ha tenido tiempo para ocuparse de un huésped ilustre llegado el 16 de octubre, Ben Bella. Sin embargo, se han prodigado todas las muestras de amistad al hombre que pronto será el primer presidente de una Argelia independiente tras siete años de guerra. Cuba nunca ocultó que sus simpatías estaban con los combatientes anticolonialistas.

El comandante Guevara ha sido encargado de la defensa de la provincia más provista de rampas de lanzamiento y cohetes, la de Pinar del Río. Ha instalado su cuartel general en una gruta convertida en búnker. Forma parte del reducido grupo de siete militares cubanos de alto rango, incluido Fidel Castro, que tiene acceso al *sancta sanctórum*, las bases de misiles donde sólo trabajan los militares soviéticos bajo el control del KGB. Pero ni siquiera en plena tormenta el Che olvida el porvenir. Su optimismo parece inquebrantable. El 20 de octubre encuentra tiempo para dirigirse a los Jóvenes Comunistas y hablarles de «la sociedad perfecta» que será «la sociedad socialista, la sociedad sin clases [...] de luminoso futuro [...] en estas horas de construcción febril, de preparativos constantes para la defensa del país». Recuerda con sangre fría que no basta con empuñar un arma sino que también es preciso sacrificar las vacaciones estudiantiles para ir a recolectar café en Oriente. Naturalmente, dice, los jóvenes que consiguieron derribar un avión yanqui en playa Girón debieron considerar aquello como «el día más hermoso de su vida», pero eso no debe hacer olvidar a nadie que el primer deber es «levantarse contra la injusticia» y «purificar lo mejor del hombre por el trabajo».[93]

Castro no supo por radio, como afirmó Arthur Schlesinger, consejero de Kennedy, que la URSS retiraba sus cohetes de Cuba, sino por un despacho de la Associated Press que Carlos Franqui le leyó por teléfono el domingo 28 de octubre de 1962. «¡Pendejo, hijo de puta, cabrón!» El *caballo* siente una rabia incontenible.[94] ¡Hacerle eso a él, traicionarlo de ese modo! En su buena biografía de Castro, Jean-Pierre Clerc cita a Guevara, que cuenta cómo al saber la noticia Fidel la emprendió a puñetazos con la pared y rompió un par de gafas.[95] Cuatro meses más tarde, ante Claude Julien, del periódico *Le Monde*, Castro admite que «si Khruschev hubiera venido personalmente le habría dado de puñetazos».[96] La vejación es mayor porque en una carta que ha enviado a Khruschev la antevíspera, el 26 de octubre, Castro le aseguraba la determinación cubana y llegaba a sugerirle... un ataque nuclear contra Estados Unidos en caso de desembarco norteamericano en Cuba. «¡No deje que los imperialistas den el primer golpe de una guerra nuclear!»[97] Toda la orgullosa locura del *líder máximo* cubano está en esa delirante recomendación. Antes el apocalipsis nuclear que ceder. Que perezca mi pueblo y yo con él, que el planeta sea aniquilado antes que quedar en ridículo. En esta interpretación paroxística del «patria o muerte», en esta forma exacerbada del «machismo-leninismo» hay un comportamiento casi patológico que no responde ya al sentido común.

Tratándose de radicalismo, Guevara no se queda atrás y su posición, una vez más, corresponde a la de Castro (¿quién sabe si no fue incluso a la inversa?). En un artículo escrito en plena crisis, pero que sólo se publicará en *Verde Olivo* el 6 de octubre de 1968, seis años más tarde, el Che la emprende sarcástico con los países de la OEA que temen el peligro que representa el ejemplo de la «subversión cubana». «Tienen razón —dice—. Es el ejemplo escalofriante de un pueblo que está dispuesto a inmolarse atómicamente para que sus cenizas sirvan de cimiento a las sociedades nuevas y que cuando se hace, sin consultarlo, un pacto por el cual se retiran los cohetes atómicos, no suspira de alivio, no da gracias por la tregua, salta a la palestra para dar su voz propia y única; [...] su decisión de lucha, aunque cuando fuera solo, contra todos los peligros y contra la mismísima amenaza del imperialismo yanqui.»[98]

Casi treinta años más tarde, en 1990, el diario *Le Monde* publicará íntegramente el texto de las cinco cartas intercambiadas, una tras otra en el lapso de una semana (26-31 de octubre de 1962) entre los dirigentes cubano y soviético. No sea irresponsable, le pide en definitiva Khruschev el 28 de octubre. «No se deje arrastrar por su sentimiento de indignación. [...] La respuesta de Kennedy [...] nos da la garantía de que Estados Unidos no invadirá Cuba.» Y reprocha a

Castro que haya respondido a los vuelos provocadores de los aviones norteamericanos: «Ayer derribaron ustedes uno. Van a utilizar este hecho para alcanzar su objetivo.»[99] En efecto, un avión espía U-2 ha sido derribado la víspera y resulta que el piloto muerto, Anderson, es el mismo que obtuvo las fotos reveladoras de los cohetes. Será la única muerte del conflicto. Por lo que se refiere a la identificación de los autores del disparo mortal, las versiones difieren. Es probable que no fueran cubanos sino soviéticos quienes lanzan el misil tierra-aire que dio en el blanco. Pero, para la historia en minúscula, Franqui mantiene obstinadamente una versión bastante divertida según la cual fue Fidel quien, el 27 de octubre, ignorando aún el abandono soviético, fue a dar con impaciencia una vuelta por las bases soviéticas. Le mostraron precisamente en los radares el rastro de los aviones espías que sobrevolaban Cuba. «¿Cómo hacen para derribarlo?», pregunta. Le indican el botón. «Y Fidel puso el dedo y paf; ante el asombro de los rusos, el cohete disparado en un instante tocó el U-2.»[100] ¡Homenaje al macho! *Se non è vero...*

Puesto ante el hecho consumado del acuerdo de las dos *K*, Castro reacciona como puede. Finge creer que las negociaciones no han terminado y pone cinco condiciones para aceptar el acuerdo en cuestión: Estados Unidos deberá previamente poner fin al bloqueo económico, a la subversión, a las actividades de los emigrados cubanos, a la violación del espacio aéreo y, finalmente, devolver la base de Guantánamo. No se hace ilusión alguna, pero quiere recordar que existe. «Hemos decidido no cruzarnos de brazos»,[101] asegura a Khruschev el mismo 28 de octubre. El 20 de octubre, el jefe del Kremlin explica a su amargado aliado que el riesgo nuclear no puede ser compartido. «Su posición me parece incorrecta. [...] Eso supondría la guerra mundial termonuclear. [...] Consideramos que el agresor ha sufrido una derrota. Se disponía a atacar Cuba, lo hemos detenido.»[102] Castro, por su parte, se obstina y persiste. Su orgullo está incólume. Su ceguera sigue siendo total: «No ignorábamos que íbamos a ser exterminados en caso de guerra nuclear», repite aún el 31 de octubre. «Numerosos cubanos y soviéticos derramaron lágrimas al saber la decisión sorprendente, inesperada y prácticamente incondicional de retirar las armas.»[103]

Para miles de cubanos, incluidos Castro y Guevara, el sueño soviético se desvanece. En adelante, ya sólo subsistirán, más allá de los previsibles discursos, relaciones de negocios algo cínicas en las que cada parte buscará en primer lugar su interés. Los chinos comparan el abandono soviético al de los europeos, en Múnich, ante Hitler.

Otros, al pacto germano-soviético firmado a espaldas de los aliados, en vísperas de la Segunda Guerra Mundial. El cambio de camisa del gran hermano socialista lleva en su interior los gérmenes de los reproches que Guevara dirigirá a la URSS en 1965 en su famoso discurso de Argel. El estado mayor cubano no se da mucha cuenta de que, analizándolo bien, la verdadera beneficiada de este megaconflicto abortado es Cuba, segura en principio de que no verá ya desembarcar a los marines. La CIA y el ejército norteamericano, que estaban dispuestos a organizar una invasión mucho más seria que el fiasco de bahía de Cochinos, se han visto detenidos en seco. Le reprocharán a Kennedy haber frustrado así sus ansias de revancha, pero no en voz muy alta pues los medios de comunicación saludan el valor del presidente. Desde entonces Estados Unidos ha intentado otras mil maniobras contra Castro y su régimen, pero nunca han roto el compromiso verbal de JFK.

Castro tardará mucho en calmarse. Se opondrá inapelablemente a la inspección internacional del desmantelamiento de las bases de misiles. Haciéndolo esperar deliberadamente, humillará durante tres semanas al viceprimer ministro de la URSS, Mikoyan, el «primer amigo» y emisario especial, antes de autorizarlo a repatriar los bombarderos Iliuchin, como Kennedy ha exigido. Por lo que a Khruschev se refiere, a pesar de todos sus argumentos en favor de una «defensa de la paz», su metedura de pata cubana marcará el comienzo de su declive y una pérdida de crédito internacional. Los suyos no le perdonarán la humillación de tener que quitar en alta mar las lonas que cubrían los misiles en la cubierta de los navíos que los devuelven a la URSS, para que los helicópteros americanos comprueben a baja altura si están todos. «Vergonzoso striptease», ironizarán tanto en Cuba como en Moscú. En La Habana, en cuanto se anuncia la retirada de los cohetes una muchedumbre bien manejada invade las calles, protestando contra la afrenta y repitiendo un eslogan poco grato para el poderoso aliado de pies de barro: *¡Nikita, mariquita, lo que se da no se quita!*

La guerrilla fantasma de Argentina

La ducha fría de la crisis de los misiles ha despertado a los cubanos, adormecidos en la adoración soviética predicada por los comunistas. Aunque no haya solución de recambio —la supervivencia económica obliga—, Castro y Guevara van a dedicar una nueva atención a la *patria grande* americana, y en especial a los movimientos revolucionarios de América Latina. La Segunda Declaración de La Habana reclamaba levantamientos populares en todo el continente. Internacionalista de primera hora, el Che se encarga de velar con devoto interés por la Preparación Especial de Tropas Irregulares (PETI). Estas «tropas irregulares» son jóvenes combatientes extranjeros a quienes los cubanos enseñan el arte de organizar la lucha armada en sus respectivos países. Es la época en que en América Latina corren aires cada vez más cubanos. La victoria de Castro ha demostrado que es posible una revolución, que el enemigo puede ser puesto en jaque. Una extrema izquierda llamada castrista —más tarde se la llamará guevarista— adopta posiciones que coinciden muy poco con las de los partidos comunistas tradicionales, los cuales siguen como siempre las «pacientes» consignas de Moscú: coexistencia pacífica, defensa de la paz, etc. Contra esos «tigres de papel» se ha desencadenado ya, más radical aún, la diatriba china.

Al este de La Habana, no lejos de la capital, oculto de la carretera central por colinas plantadas de palma reales, se esconde un campo de entrenamiento bastante misterioso llamado Punto Cero. Desde América Latina, desde África, desde todas partes, llegan miles de aprendices de guerrillero para seguir sus cursos: manejo de armas, explosivos y municiones; técnicas de información, chequeos de los planos operacionales y contrachequeos... Cada movimiento revolucionario está compartimentado, aislado en una de las treinta y seis zonas del campo, para no mezclarse con el vecino. A veces el propio Guevara se entrevista con algunos militantes que han dado pruebas de su combatividad. Así, por ejemplo, con los peruanos Héctor Béjar y Javier Heraud que animan, con Hugo Blanco, una rebelión rural no lejos de la frontera boliviana. Normalmente es el viceministro del Interior, el temible Manuel *Barbarroja* Piñeiro, a la cabeza del Departamento América y del frente Liberación, quien controla estas bien camufladas actividades de espionaje y subversión.

En este reajustamiento de la distancia focal hacia las Américas, el Che no olvida a sus compatriotas argentinos. Mantiene con ellos una actitud algo reservada. La distancia le ha permitido percibir mejor sus defectos, especialmente esa prepotencia que los hace a veces insoportables, sobre todo cuando la demuestran fuera de su casa. El periodista chileno Carlos Jorquera recuerda una reunión de enero de 1961 en la que Guevara —que había acudido a saludar a las delegaciones de varios países de América Latina— fue acosado por las arrogantes preguntas del grupo argentino, propenso a dar lecciones sobre los problemas del comercio internacional y las finanzas. «En este campo —acaba replicando el presidente del Banco Nacional, recuperando un chiste conocido—, el buen negocio sería comprar argentinos por lo que valen y venderlos por lo que creen valer.»[104]

Pese a su demencial agenda, Guevara procura encontrar tiempo para recibir a algunos antiguos «compañeros» argentinos. Muchos presumen de ser sus amigos, muy pocos lo son realmente. En realidad, desde que desapareció Camilo Cienfuegos no tiene a su alrededor «amigos de verdad». El fiel Granado se ha marchado a ejercer en Oriente. Masetti, marginado, ha ido a Argelia para alistarse en el FLN. Gustavo Roca y Ricardo Rojo van poco por allí. A veces lo ve a Barral, con quien, por lo demás, nunca ha intimado. Pepe Aguilar y su mujer Marita Lamarca van ocasionalmente a comer espaguetis en su casa. El Che no deja de burlarse de la faceta *pituca* (esnob) de Marita, que tampoco sabe callarse. (Cuenta, con malicia, una trivial anécdota sobre Guevara, encerrado un día tanto tiempo en el baño que la concurrencia comienza a preocuparse. La explicación era sencilla: había dado con *El Principito* de Saint-Exupéry. «Lo leí de una cagada», dice con su lenguaje directo.[105])

Queda el núcleo duro, Fidel y Raúl, pero ambos como él, corren tras mil urgencias. Además, los «servicios» han recomendado a los tres hombres más importantes del régimen que eviten permanecer mucho tiempo juntos, por razones de seguridad. Con respecto a los colaboradores del ministerio, son sólo compañeros de trabajo. No amigos. Mantiene con ellos cierta reserva. Un día, su viceministro Oltuski se entusiasma y le pone una mano en el hombro, como signo de amistad. Guevara reacciona: «¿Y esta confianza?»

El 25 de mayo de 1962, fiesta nacional argentina, Guevara acepta participar en el tradicional asado criollo organizado por la pequeña colonia de trescientos o cuatrocientos argentinos en La Habana. Tamara Bunke, la joven comunista argentina que conoció en la RDA, ha querido dar a la fiesta un carácter folklórico. Mate, guitarra, *zambas* y *chacareras* (danzas y canciones pampeanas), escarapelas con los colores nacionales, celeste y blanco, etc. John William Cooke habla en nombre de los argentinos. Cooke es aquel dirigente peronista de izquierda a quien el joven Ernesto defendió un día en Mar del Plata contra los adolescentes burgueses que le acosaban. El *Gordo* se ha convertido en un intelectual bohemio, simpático, buen conocedor de Sartre y de los tangos de Discépolo. Con su compañera Alicia Eguren, una mujer esbelta, inteligente y muy militante, forman una pareja con la que a Guevara le gusta discutir. A Cooke le encargó llevar a Perón, refugiado en Madrid, una invitación de Fidel para que fuese a Cuba cuando lo deseara.[106] Más vale, ahora, olvidar la demagogia y las malversaciones del general argentino para recordar sólo su «antiimperialismo».

Cuando le llega el turno de responder a los discursos, el Che se define como «un argentino con voz extranjera» y precisa que habla en nombre del gobierno cubano. Tiene entonces treinta y cuatro años. En la cima de su gloria en aquel país de adopción, sigue siendo «buen mozo» y atractivo. Ministro, combatiente listo para reanudar la pelea cuando es necesario, diplomático brillante e incisivo como lo ha demostrado en Punta del Este, es, por añadidura, un padre de familia colmado: Aleida acaba de dar a luz, el 20 de mayo, un niño al que llaman Camilo, en homenaje a Cienfuegos. Guevara evoca las luchas armadas que se han producido en Santo Domingo, Nicaragua, Perú, Venezuela. Y formula entonces un íntimo deseo: «Celebrar un próximo 25 de mayo no en esta tierra generosa [Cuba] sino en la tierra propia, bajo el símbolo de la construcción del socialismo.»[107] Estas palabras no son un tópico circunstancial. Dicen realmente lo que piensa el que las pronuncia. Por muy cubanizado que pueda estar, el Che no ha tirado por la borda su identidad argentina. Ciertamente su perspectiva es continental, pero acaricia la idea de librar, como Fidel, un combate revolucionario en su tierra natal. Aunque para hacerlo deba dar algunos rodeos.

Su ejemplo incitará a dos amigos íntimos a intentar prender, por su parte, focos guerrilleros en sus respectivos países. El Patojo en Guatemala y Masetti en Argentina. Ambos perderán en ello la vida. Su fracaso afectará a Guevara pero no lo desalentará.

El Patojo es aquel joven comunista guatemalteco, algo enclenque, con quien Ernesto había hecho amistad en el tren que los llevaba a México, mientras huían de una Guatemala donde la CIA había dado su golpe contra Arbenz. Castro no lo había querido en el *Granma*, pero el muchacho se le reunió más tarde en el INRA y trabajó a su lado, hasta el momento de regresar para dirigir la guerrilla en su tierra. El Che le había recordado las tres enseñanzas fundamentales sacadas de su experiencia en la Sierra Maestra: movilidad permanente, desconfianza permanente, vigilancia permanente. Por no observar al pie de la letra estos principios básicos, el Patojo será sorprendido con su grupo y morirá en combate. Guevara incluirá un artículo especial de homenaje al amigo desaparecido en sus *Recuerdos de la guerra revolucionaria*.

La desaparición de Masetti, en 1964, lo afectará aún más porque su complicidad era mayor: él había iniciado la guerra que el propio Che pretendía librar algún día en su país natal. La historia de la guerrilla de Masetti es tal vez una de las más descabelladas aventuras sin futuro vividas en el continente americano durante el siglo XX. Muestra hasta la caricatura cómo una verdadera alucinación revolucionaria puede apoderarse de ciertos seres, separarlos por completo de la realidad de su época. El fracaso dramático de «el-hombre-que-quería-parecerse-al-Che» merece alguna reflexión al respecto porque es premonitorio. Prefigura, sin que nadie sepa aprovechar la lección, el que sufrirá en Bolivia la empresa a la que va a lanzarse un tal *Ramón*.

Tras la marginación de Prensa Latina, y después de una breve experiencia de fraternidad combatiente con los fellaghas argelinos, pronto victoriosos, Jorge Ricardo Masetti volvió a Cuba —había vuelto a casarse, con una cubana— y regresa a la Argentina a fines de 1962. Está impaciente por organizar el foco a cuyo alrededor cristalice la rebelión nacional que él espera, dirigida por el EGP, Ejército Guerrillero del Pueblo. Ardiente peronista en sus años mozos, se ha impregnado del castrismo que le ha insuflado Guevara, su amigo, su modelo.

No cabe duda que fue el Che quien incitó a Masetti a optar por la lucha armada en Argentina, porque siempre acarició el proyecto de ver allí una revolución análoga a la que tan bien hizo Fidel Castro en Cuba. Recordemos que, escribiendo a Ernesto Sábato, Guevara reivindicaba «a pesar de todo» su pertenencia a Argentina. Al regalar un ejemplar de su *Guerra de guerrillas* al compatriota novelista, había escrito: «Para Cuba este manual ya no sirve casi; para nuestro país, en cambio, puede servir. Solamente que hay que usarlo con inteligencia, sin apresuramiento ni embelesos.»[108]

Guevara, a quien su madre acaba de hacer una nueva visita, a comienzos de 1963 prefiere escuchar a su compadre Rojo haciendo balance de la situación en Argentina. El peronismo, movimiento muy popular a pesar de sus escorias, sigue fuera de la ley. Pese a un gobierno civil de fachada, los generales dictan su política, aunque hayan prometido próximas elecciones.

En junio de 1963 Masetti, provisto del breviario guevarista, se instala primero en Bolivia, en compañía de cinco combatientes cubanos que le ha «prestado» Guevara. Entre ellos el capitán Hermes Peña, un fornido mestizo con sangres india y mulata mezcladas, que forma parte de su guardia personal. El grupito se establece muy cerca de la frontera argentina. Pero en julio, catástrofe para una guerrilla que necesita el descontento popular y un clima social agitado. Las elecciones llevan a la presidencia a un bonachón papá radical «a la antigua», Arturo Illia, amable médico rural de la provincia de Córdoba. Se «le tomará el pelo» por la tranquila lentitud de sus decisiones y por su carencia de brillantez, pero pone fin a treinta y tres años de estado de sitio y restablece un estado de derecho convertido casi en insólito (aunque el movimiento peronista quede todavía marginado). Argentina vuelve a ser un país apaciguado y «democrático» donde el ambiente no es en modo alguno favorable a la lucha violenta.

Masetti, zambullido en su sueño de combate, no tiene en cuenta el cambio de situación. Pasa a territorio argentino y a partir de octubre de 1963 se instala en la parte más desolada de la provincia fronteriza de Salta, del lado de Tartagal. Y dirige al nuevo presidente electo una carta abierta de tono inflamado en la que le exige que dimita. Firma «comandante *Segundo*», no tanto para referirse al comandante *primero*, Ernesto Guevara, autor intelectual de la operación, como ha podido creerse, sino por identificación simbólica con un personaje de gaucho muy representativo del pueblo de la pampa: *Don Segundo Sombra*, que el novelista Güiraldes convirtió en el arquetipo de la argentinidad rural. Guevara, considerado «miembro de honor» de la guerrilla de Masetti, es bautizado como *Martín Fierro*, primer símbolo del gaucho rebelde y sentencioso.[109] La carta aparece en *Compañero*, una publicación peronista de izquierda. La pequeña guerrilla cuenta con unos veinte jóvenes voluntarios procedentes, en su mayoría, de una fracción disidente del partido comunista argentino. Al parecer, pese al escaso número de participantes, la policía ha conseguido infiltrar uno de sus agentes.

Pronto el grupito va a la deriva por una vegetación espinosa y árida, sin encontrar alma viviente, sin contacto con La Habana ni con nadie. La radio no funciona. Los víveres son tan escasos como el agua. Algunos se arrastran, no pueden más, descubren la vanidad de la empresa, quieren abandonar. Masetti es intransigente. El primero que pretende desertar es condenado a muerte. Tenía veinte años. Otro, de diecinueve, sufre la misma suerte por unas negligencias veniales. El desaliento se extiende. En aquel «encierro» natural, al no poder enfrentarse con un enemigo que por ninguna parte aparece como en *El desierto de los tártaros* de Buzzati, los «guerrilleros» vuelven sus armas contra sí mismos. Peña se encarga del entrenamiento militar del grupo; pone buena voluntad pero no tiene demasiada inteligencia, si hay que creer lo que el Che decía de él: «Es tan tonto que no tiene sentido alguno del peligro.»[110] Cierto día, al dar por casualidad con un puesto avanzado de gendarmería, el cubano dispara y mata a un gendarme. Será la única refriega de aquella guerrilla fantasma. Los gendarmes reaccionan y dan muerte a Peña y su compañero. Rojo —que con Gustavo Roca y otros abogados se encargó de la defensa de algunos supervivientes— asegura, según los testimonios de éstos, que tres miembros del grupo murieron de inanición. Otros, acosados por el hambre, se rindieron a los gendarmes (que los torturaron sin piedad). Dos de ellos, Méndez y Jouvé, desmentirán desde su prisión de Salta el relato que Rojo hará en 1968 de su triste epopeya, en *Mi amigo el Che*. Lo considerarán la versión de «un caradura».[111] Un cubano, Alberto Castellano, antiguo chófer del Che, consigue salvar la vida diciendo que es peruano. Por lo que a Masetti se refiere, su fin está envuelto en el misterio. Se hunde, al parecer, en el infierno de maleza y animales salvajes de aquella región perdida del Chaco argentino. «La selva se lo tragó.» Nadie vuelve a oír hablar de él. Muerte de un guerrillero sin guerrilla.

Un *lobby* anti-Che

El 9 de diciembre de 1962 un editorial del diario comunista de La Habana *Hoy* señala, admirado, que durante la crisis de los misiles muchas fábricas no sólo mantuvieron sino que incrementaron sus índices de producción e incluso desaparecieron los problemas de bajo rendimiento y absentismo. Eso pese a que un tercio o en algunos casos hasta la mitad del personal había sido movilizado para defender el país. Se trata, evidentemente, de la «inyección de adrenalina» que el doctor Guevara consideraba necesaria para levantar el ánimo de la participación popular y provocar el despegue de la economía nacional. No obstante, una medicina de este tipo debe manejarse con precaución. Alzarse armado de misiles contra el enemigo sólo puede constituir una terapia excepcional para un mal económico endémico, el del subdesarrollo. Lo que el ministro de Industria busca para sacar a Cuba de su situación neocolonial es poder fabricar lo esencial que el país necesita, en vez de importarlo a costa de preciosas divisas. Pero es más fácil decirlo que hacerlo.

En enero de 1963 Anne Philipe, viuda del actor, da cuenta en *Le Monde* de una larga conversación en la que el Che le explicó que «los cuatro años actuales» (1959-1962) han sido sólo «el período probatorio del desarrollo industrial; la verdadera industrialización comenzará luego». Tomando entonces un habano, realiza ante su interlocutora una gráfica demostración de la dependencia. «Quita la primera vitola: *importación*; luego la segunda: *importación*; separa las hojas de tabaco y me explica que para que se adhieran utilizan un producto especial: *importación*. Ahí está, y todo para un producto que parece esencialmente cubano. Enciende el cigarro y mantiene el fósforo en la mano: *importación*; el producto químico del que brota la llama: *importación*; el rascador: *importación*; la cola con que se pega a la caja: *importación*. Ya ve los problemas que ha planteado este cigarro y esta pequeña caja de fósforos...»[112]

El drama para nuestro fumador de puros es que no parece darse cuenta de que la solución de estos problemas resulta casi una misión imposible, pues requiere la industrialización acelerada de un país instalado en un tranquilo monocultivo de dependencia y con una infraestructura industrial casi inexistente. La mano de obra, con el estilo de vida tropical, se ha acostumbrado a cierta languidez favorecida según dicen por el clima, y su nivel de formación no supera por término medio el de la enseñanza primaria. Lo que explica que a pesar de todas las llamadas a la producción y la movilización obrera, los directores de sectores «consolidados», mencionen siempre durante las reuniones bimestrales los recurrentes fallos: falta de cuadros especializados, incoherencias en el aprovisionamiento de materias primas, absentismo, burocratización, datos estadísticos fantasiosos, autoritarismo resultante de una excesiva centralización, etc. Guevara no se libra, pues le reprochan su temperamento impulsivo y la brusquedad de algunas decisiones demasiado severas. Durante la sesión del 10 de marzo de 1962 habla él mismo del rumor que circula a su costa: «Aquí hay un ogro fundamental que es el Che; el tipo que manda para Guanahacabibes; el que castiga; el que rompe cabezas; el que fusila; el que se mete en todo.»[113]

Apenas exagera, pues es cierto que sus cóleras son ruidosas y sus broncas muy temidas. En cuanto se trata de una falta a la moral del trabajo, su intransigencia le lleva a fustigar al culpable poniéndolo verde. A veces no tiene más remedio que citarse como ejemplo. Emplea entonces el tan desagradable «nosotros» del discurso oficial, menos para ocultarse que para evitar, tal vez por modestia, parecer presumido utilizando el «yo»: «Nosotros dijimos que íbamos a hacer una serie de cosas de tipo ético, digamos, y las hicimos. Tenemos cierto prestigio.»[114] Un año más tarde (reunión del 10 de agosto de 1963), la cuestión reaparece en un enfrentamiento verbal con un compañero, llamado Edison, que se mete con sus colegas de la sala porque afirma que se comportan «como un rebaño de corderos» ante el ministro. El citado ministro protesta: «He defendido siempre la libertad de que se diga lo que se quiera de mí. No me importa, con tal de que cada uno haga su trabajo.» Pero admite que su carácter tiene «deficiencias»: «Lo he reconocido en el Consejo de Ministros y en todos lados; [...] Tengo el carácter explosivo; y eso es un defecto que se va corrigiendo con la Revolución, pero que no se corrige muy fácil.»[115] Cuando advierte, en determinada fábrica, que el abandono es flagrante, que nadie se toma en serio las cosas, «estalla» efectivamente, porque considera que el comportamiento es «indignante». «¿Es que soy un ser mágico? ¿Que no hay aquí veinte, sesenta, cien Ches que tengan todo el día la misma preocupación; que salgan, que griten, que pataleen a todos los niveles?»[116] Al francés David Rousset le dice: «El partido que queremos construir será el partido del sacrificio.»[117]

Hay una palabra que aparece constantemente, como un estribillo, en sus intervenciones, sus artículos, sus charlas televisadas para la universidad popular, sus debates con los directores de fábricas y el personal en general, una palabra clave que no puede despertar precisamente entusiasmos: la palabra «sacrificio». Insiste sin descanso en la idea de que el socialismo sólo se construye a fuerza de sacrificios, que la revolución necesita el sacrificio de todos, que nadie puede evitarlo. Podríase discutir en términos metafísicos sobre la importancia de esta noción para un asmático que entrevé la muerte por asfixia en cada ataque, o sobre la dimensión mística de esta llamada a superarse. Pero su discurso evoca menos el supremo sacrificio que la necesidad personal de renunciar a parte de los placeres de la vida para que se repartan equitativamente las inevitables dificultades del paso al socialismo. Los dirigentes, claro está, deben ser modélicos. Ni soñar con formar parte de una *nomenklatura*, como la que más tarde se descubrirá entre los soviéticos. Ni soñar en traer de sus viajes, por ejemplo, el juguete que haría de sus hijos unos privilegiados con respecto a los demás, ni permitir que su mujer Aleida utilice el coche oficial para hacer sus compras. En la nueva villa que se le ha atribuido en el barrio tranquilo y burgués de Nuevo Vedado, el mobiliario es escaso y la comodidad espartana. Hay libros por el suelo de baldosas a lo largo de las paredes desnudas.

Cuando en 1964 los estudiantes de la Universidad de La Habana tengan el mal gusto de ofrecerle dinero para dar ante ellos una conferencia, lo considerará «una injuria gratuita» y lo rechazará indignado. «Es inconcebible que se ofrezca una retribución monetaria a un dirigente del Gobierno y del Partido, por cualquier trabajo que sea. Entre las muchas retribuciones que he recibido, la más importante para mí es la de ser considerado parte del pueblo cubano; no sabría valorarlo en pesos y centavos.»[118] Desde que se instauró el racionamiento pretende que cierta austeridad sea la regla común, comenzando por quienes tienen el mando del país. Durante una reunión (10 de marzo de 1962) repite las recriminaciones que oye aquí y allá, y que resume: «"Hay un tratamiento especial para los jefes de la Revolución, reciben una serie de regalitos, de cositas." Resulta ser que uno se separa de los sufrimientos del pueblo, de los problemas que tiene el pueblo [...], y después es fácil llamar al sacrificio. Ahora, cuando la barriga empieza a sentir sus problemitas es que la cosa se pone más dura: [...] uno puede incluso pararse con más autoridad.»[119]

Dos semanas más tarde (24 de marzo), en público esta vez, en la fábrica textil más importante del país, pone en guardia a los trabajadores que han sido seleccionados como miembros de lo que ha sustituido a la ORI pero se le parece mucho, el Partido Unido de la Revolución Socialista Cubana (PURSC): «Hay que poner coto a la idea de que ser elegido miembro de una organización de masas o del partido ofrezca la menor ocasión de obtener cualquier cosa de más que los otros.»[120] Su reputación de integridad sin grietas se extiende por el país. El comandante Guevara es el «caballero blanco» de Cuba.

A partir de 1962 comienza a manifestarse en las esferas del poder cierto hartazgo con respecto al Che. Reflexiones agridulces, chistes no muy finos, reticencias a seguirle en sus razonamientos y en el radicalismo de sus opciones, perfilan una corriente de opinión, informal todavía pero que con el transcurso de los meses acabará tomando el aspecto de un verdadero *lobby* anti-Che. Estarán allí todos aquéllos a quienes indispone la ejemplaridad de este revolucionario demasiado perfecto, que acaba provocando mala conciencia, casi un sentimiento de culpabilidad. El jansenismo de sus exigencias se considera demasiado severo y contrario a la «idiosincrasia nacional». (En América Latina adoran esta fórmula.) Las especiales características del temperamento cubano —explican, acudiendo a los tópicos más gastados— inducen a la población hacia la sensualidad y la música, la fiesta, la bulla alegre, el placer de vivir, la afición al ocio. Y si realmente es indispensable trabajar, los resultados se adaptan a un *más o menos* al que se opone con excesiva fuerza el detallismo y el rigor guevarista. Nadie lo dice claramente. Pero para los alérgicos a los encantos del Che, es un modo de devolverle a su «extranjería». Claro que ese Guevara ha demostrado una adhesión admirable a nuestra causa, una solidaridad formidable hacia Cuba, pero su cultura no es la nuestra, hay demasiadas cosas que no comprende en nuestra cubanidad, sutilezas, impulsos que no consigue adivinar.

A este respecto, René Depestre cuenta una anécdota edificante: «Fue a finales de 1962, un poco antes o después de la crisis de los cohetes. Yo vivía en La Habana, en Nuevo Vedado. Una gran casa que el Che me había proporcionado y que yo compartí con el cineasta holandés Joris Ivens, que por aquel entonces organizaba el servicio cinematográfico del ejército rebelde. Joris hablaba en francés pero no en español. De modo que yo traducía sus clases. A casa venía gente muy importante, comandantes y así. Un día recibí la visita de Ifigenio Ameijeiras, un veterano del *Granma* y jefe de la policía revolucionaria, y de René Rodríguez, de la época del Moncada, personajes a los que se llamaba ya "combatientes históricos". En el despacho, donde habíamos colocado una gran foto del Che, se detuvieron en seco, sorprendidos. Y en un tono despectivo me preguntaron: "¿Y éste, qué hace aquí?" Quedé helado. ¡Hacerme esa clase de pregunta y en ese tono! Me dio que pensar... A partir de entonces, observé que en la nomenclatura cubana no les caía ya tan simpático. Creo que al principio, hasta 1963 aproximadamente, el Che los impresionó. Era muy distinto a ellos, muy estricto. Su humor no era el suyo. Le gustaba la puntualidad. No son cualidades tropicales de la zona del Caribe... Pero el pueblo cubano quería mucho a Guevara.»[121]

Todo aquello habría tenido muy poca importancia y acaso desaparecido con el tiempo si la situación económica hubiera sido medianamente buena, si las fábricas compradas con los ojos cerrados a los países socialistas hubieran funcionado. Por desgracia, la desorganización es patente. Los nuevos equipos no pueden ser utilizados por falta de edificios adecuados para ello. En los muelles se amontonan delicadas máquinas que el clima tropical y la humedad del mar amenazan con una rápida oxidación. Nunca la situación económica se ha acercado tanto al desastre como en aquel 1963. En el gobierno y en el Partido algunos comienzan a considerar a Guevara como el principal responsable del caos.

«El socialismo económico, sin la moral comunista, no me interesa»

Si bien no todo es culpa del ministro de Industria, ni mucho menos, forzoso es reconocer que ha puesto su granito de arena. Su tozudez al querer centralizar el conjunto del sector industrial, más aún que en los países socialistas, procedía de una hermosa lógica teórica: a saber, que cuanto más centralizado está el sistema más fácil es dirigirlo a partir de una sola torre de control. En el boletín interno del ministerio (marzo de 1963) Guevara precisa: «Somos un país pequeño con buenas comunicaciones, terrestres, aéreas, telefónicas y radiofónicas, lo que da la posibilidad de un control continuo y cotidiano.» Y añade: «Vamos a conseguir que la gestión administrativa se convierta en un perfecto mecanismo de relojería.»[122] (!) Pero la realidad cubana no se deja controlar con tanta facilidad como suponía, y el mecanismo de relojería se encalla a cada rato. Los sectores «consolidados», como hemos visto, no dejan de lanzar mensajes de alerta y señalar distorsiones en todos los niveles. Cuando Fidel Castro le pida ayuda, el agrónomo René Dumont declara a quemarropa: «Es preciso ser un economista de despacho y no tener ninguna noción práctica de la gestión de una empresa industrial para imaginar que algún día pueda obtenerse, sobre todo por gestión telefónica, la "perfección del cronómetro"»; y cita, para ratificar lo que dice, una observación del propio Castro extraída de un discurso del 10 de abril de 1963: «Primero, apoyarse firmemente en las realidades, no olvidarlas. No vivir en las nubes.»[123]

¿Dirigió el Che las grandes maniobras de la industrialización de Cuba desde las nubes? Sería injusto afirmarlo en términos tan duros. Sin embargo, tal vez desdeñó las realidades de lo posible, las del medio plazo, dirigiendo su mirada demasiado lejos o demasiado cerca. El largo plazo es, como dijo, «el advenimiento definitivo del comunismo, la sociedad sin clases, la sociedad perfecta».[124] El corto plazo son las urgencias permanentes que lo reclaman y a las que tiene la debilidad de responder con ese espíritu guerrillero que no lo abandona. Pierde un tiempo precioso «tapando agujeros» o «apagando incendios». Lo deplora pero no se corrige. Llega incluso a hacer pasar personalmente cuestionarios escritos a los directores de fábricas (reunión del 9 de marzo de 1963), con «prohibición de copiar del vecino» (!). Estas diversiones de maestro de escuela son poco propicias a la elaboración por el ministro y su equipo del vasto *plan prospectivo*: el plan-marco que sigue sin llegar pero que todo el mundo espera pues debe determinar las prioridades, indicar lo que se ha decidido producir, fijar por fin la política industrial del país.

El año 1962, que debía ser el de la planificación, fue más bien el de la desorganización industrial. Incapaz de controlar convenientemente la marcha de las fábricas, la ultracentralización desemboca en una mezcla de anarquía en la base y de «organizacionismo» formal donde a los holgazanes les resulta fácil protegerse tras las múltiples y contradictorias instrucciones procedentes «de arriba». «La garantía de un salario cotidiano, sea cual fuese el esfuerzo realizado, relajó la disciplina del trabajo —prosigue Dumont—. Sobre todo con la sensación, dominante ya, de que por poco que hagas nunca serás despedido [...], desastroso ejemplo.»[125]

¿Era necesario cuestionar la primacía concedida a la industria en un país de tradición agrícola? Lo que está en juego es primordial, pues pone en cuestión todo el combate por la independencia nacional. Sin embargo Guevara, conocido por sus posiciones «antiazúcar», es uno de los primeros que parece admitir que, puesto que se necesitan divisas para comprar las materias primas que las fábricas necesitan, lo mejor será rehabilitar la fuente de divisas más segura: el azúcar, símbolo de todas las servidumbres. El 19 de diciembre de 1962, dirigiéndose a los trabajadores que van a iniciar la recolección de caña, la zafra de 1963 (la más pobre en treinta años: 3,8 millones de toneladas) el Che hace una autocrítica general que anuncia el cambio de tendencia: «¿Cuál fue la primera reacción de la Revolución, o de los compañeros revolucionarios? Tratar de huir del espíritu cañero que significaba la esclavitud de la caña. Fue una actitud correcta pero no fue una actitud lúcida por lo menos. [...] Nosotros vivimos una etapa de descoordinación absoluta entre la agricultura y la industria. [...] Cuba, todavía hoy, depende para su desarrollo acelerado de una eficaz producción de azúcar. [...] Nuestra proyección del desarrollo no puede estar basada nunca en el menosprecio o en el olvido de nuestra primera industria.»[126]

Este importante discurso, muy poco conocido, parece haber sido publicado sólo en la edición «confidencial» de 1966, *El Che en la revolución cubana* (tomo IV). Muestra que Guevara anticipa lo que Castro anunciará seis meses más tarde (27 de junio de 1963) ante los mismos obreros del azúcar, tras la lamentable zafra, proclamando «la importancia vital del azúcar para nuestro país» y recordando que «el azúcar es la base de nuestra economía y es indispensable».[127] Como siempre, la cronología es importante pues este viraje histórico en la estructura general de la economía cubana podría hacer pensar que el «regreso al azúcar» significa *ipso facto* que Castro desautoriza a Guevara. Numerosos observadores adoptaron esta interpretación. Ricardo Rojo cuenta que Guevara le habría dicho (en febrero-marzo de 1963): «Una Cuba agrícola, una Cuba otra vez "azucarera del mundo" pondría en duda la supervivencia del socialismo y sería, por añadidura, tan débil internacionalmente como para vivir pendiente de la protección soviética. Y la revolución no se hizo para eso.»[128] Palabras en privado, verosímiles tal vez, pero que no son apoyadas por ningún texto ulterior.

No parece que Castro haya desvinculado a Guevara de los acuerdos que va a firmar en la URSS porque desconfiara de él o desee apartarlo. Pero el *líder máximo* no desea tener a su lado ninguna personalidad importante en su primer viaje a un país socialista. Nada ni nadie que pueda hacerle sombra. Tras la crisis de los cohetes, Fidel había permanecido varios meses rabioso contra la «traición» de Khruschev. Finalmente aceptó la invitación de Moscú. Los soviéticos son conscientes de que deben hacerse perdonar un comportamiento que ha herido a Cuba en su «dignidad». Demostrar que ayudan a la pequeña isla revolucionaria es, por otra parte, un argumento contra los chinos que les reprochan con palabras muy fuertes su reformismo, su revisionismo, la pusilanimidad que se oculta tras su eslogan de «coexistencia pacífica».

Cuando *Le Monde* del 22 de marzo de 1963 publica la entrevista de siete horas concedida por Castro a Claude Julien, en la que afirma que fue la URSS la que ofreció los cohetes, que Khruschev no hubiera debido retirarlos sin consultarle, ya que «no somos un satélite» y que «nadie tiene derecho a disponer de la soberanía cubana», Moscú se apresura aún más a colocar la alfombra roja bajo los pies del dirigente cubano. Tras cuarenta días de gira triunfal (abril-mayo de 1963), el primer ministro de la isla del azúcar vuelve con el compromiso de los soviéticos de comprar una cuota de azúcar que garantice la supervivencia económica del país y el de proporcionar para la próxima zafra máquinas de cortar caña que deberían mejorar el rendimiento. De este modo, el objetivo industrial del que Guevara había sido heraldo pasa a segundo lugar. Se acabó el sueño de una industria pesada que sería la panacea. No se habla ya de desarrollo «agroindustrial». De pronto el Ministerio de Industria, pieza clave del sistema económico, pierde mucha de su importancia. Pero ello no implica que Guevara, partidario de esta opción ante todo el mundo, sea marginado. Al menos todavía no.

Por otra parte, desde hace meses, sea cual fuese el objetivo económico prioritario, el Che está sumido en una reflexión de fondo que agita al intelectual que es. Cuestiona la filosofía general de la acción política que debe llevarse a cabo, intenta recuperar el fundamento humanista del marxismo. Se interroga sobre la actitud del hombre ante el trabajo, sobre el fundamento de las relaciones mercantiles en el seno de una economía socializada, en el seno de un sistema de intercambios entre países socialistas. El debate radical que de ese modo va a alentar abarcará los años 1963 y 1964 antes de estallar en 1965. Y provocar la ruptura.

De momento, Guevara manifiesta más interés que nunca por todo lo que en el plano internacional permite reforzar el frente antiimperialista. El 14 de junio de 1963, día en que cumple treinta y cinco años, nace su cuarto hijo (el tercero de Aleida). Es una niña. La llamarán Celia, como la madre de Ernesto, tan unida a ese hijo admirado. «Quise hacerle ese regalo de aniversario —dice Aleida—. Pedí que me hicieran una cesárea aquel día.»[129] Pero el padre apenas dispone de tiempo para tomar al bebé en sus brazos. Como de costumbre, tiene prisa. Va de reunión en conferencia, a las fábricas que tienen dificultades, y el domingo participa en los trabajos voluntarios. Los documentos filmados nos lo muestran rebobinando hilos en una fábrica textil, o en una harinera transportando sacos de harina. Cuando llega la época de la zafra, puede vérsele cortando caña con un machete pero también conduciendo las primeras máquinas cubano-soviéticas que deben substituir parcialmente la mano de obra en ese esfuerzo agotador (cuando no estén averiadas). Gutelman recuerda los domingos de trabajo voluntario. «La presión social era muy fuerte para que todo el mundo fuera a la zafra. Salíamos al amanecer en camiones rusos de tres toneladas y media, con banderas rojas y cubanas al viento. La jornada era larga. Era duro, el sol abrasaba. A veces, algunos no ponían mucho entusiasmo en el trabajo. Cuando el Che, aspirando su chirimbolo para el asma, lo advertía, no encontraba mejor castigo que obligar a los gandules a permanecer sentados junto al camino, viendo trabajar a los demás. Era la vergüenza.»[130] En febrero de 1963, en la provincia de Ciego de Ávila, Guevara hará quince días consecutivos de trabajo voluntario para la zafra. Toda una hazaña.

En las fotos aparece con el torso desnudo, ancho de hombros, con el rostro ennegrecido por el hollín pues a menudo la caña es quemada antes de cortarla. Lleva el tradicional sombrero de paja de los *macheteros* y parece haber echado panza, pero sólo es una ilusión: todo el cuerpo está hinchado por la cortisona que en vano le administran por entonces contra el asma. Esta imagen ejemplar de un ministro en los campos ilustrará, más tarde, los billetes de tres pesos.

En julio de 1963, «inopinadamente», como dirá a su regreso, le piden que represente a Cuba en las ceremonias del primer aniversario de la independencia argelina. «Los viajes eran en Cuba signos de desgracia», observa Carlos Franqui que, mientras intenta organizar una exposición fotográfica sobre Cuba, se encuentra con el ministro en Argel.[131] Pero para el Che el viaje es una alegría. Dirá más tarde cuánto le sedujo aquella Argelia de clima cálido y seco, que sin duda le recuerda la vegetación y los olores de la sierra de Córdoba de su infancia. Además, se trata de un país que tras siete años de una cruel guerra de guerrillas ha hecho ceder al colonialismo francés, lo que no es poca cosa. Habla en francés con sus interlocutores y confirma con ardor la total solidaridad de Cuba, manifestada ya a los emisarios del FLN y al propio Ben Bella. Llegado el 4 de julio para una estancia de cuatro días, permanecerá allí tres semanas. En Argel, Jean Daniel, también para *L'Express*, mantendrá con él una memorable entrevista que apareció el 25 de julio de 1963. Observa que si a Guevara le parece apasionante «este país donde todo, incluso el desorden, es revolucionario», los argelinos lo han acogido con un entusiasmo no menos intenso. «La prueba de esta adopción pude verla en un estadio de fútbol donde los argelinos se jugaban contra los egipcios su honor, su cara, su derecho de reintegrarse a la familia árabe. [...] Esta vez, veinte mil argelinos realizaban la hazaña de distraerse, arrancarse de su más ardiente pasión, para gritar su simpatía a Guevara. Él estaba muy conmovido.»[132]

Pero más importante aún que ese fervor popular, que indica que el Che comienza a ser un personaje de leyenda, es la conversación que el argentino-cubano mantiene con el periodista francés. Cuando Daniel lo interroga sobre las dificultades provocadas por el bloqueo de Estados Unidos y sobre la cuestión de las granjas estatales que pueden transformar a los campesinos en funcionarios, el comandante reacciona como economista y como filósofo político. «Nuestras dificultades proceden principalmente de nuestros errores —explica—. Lo que más daño nos hace es la subexplotación de la caña de azúcar.» Por lo que respecta a la cuestión del comportamiento de los trabajadores en las granjas estatales de Cuba, su respuesta —pronunciada, indica Daniel, «con el acento de Saint Just»— merece ser citada por completo pues resume lo que puede considerarse su doctrina: «A mí el socialismo económico sin la moral comunista no me interesa. Luchamos contra la miseria pero también contra la alienación. Uno de los objetivos fundamentales del marxismo es lograr que desaparezca no sólo el beneficio sino el interés, el factor "interés individual". Marx se preocupaba por los hechos económicos pero también por su traducción en el espíritu. Llamaba a eso "hechos de conciencia". Si el comunismo desdeña los "hechos de conciencia", puede convertirse en un método de reparto de la producción pero no es ya una moral revolucionaria. Porque si se trata de producir más e incluso de comer mejor, entonces los capitalistas son más fuertes que nosotros. Basta con dejarles hacer.»[133] Daniel observa: «Guevara me decía esas palabras mientras el comunismo soviético, por voz de todos sus líderes, presumía de derrotar al imperialismo en el terreno de la producción. [...] El marxismo de Guevara era exactamente el que Gide había soñado en 1936 y no había encontrado en la URSS.»[134]

Los argelinos tuvieron mil delicadezas con aquel dirigente cubano tan ardiente, tan brillante en sus explicaciones sobre los escollos que deben evitarse luego del triunfo de una revolución. Ben Bella será elegido presidente en octubre, pero es ya el primer personaje del Estado. Se entrevista varias veces con el Che y pone a su disposición a su ayudante personal, Miriam Merzouga, una militante de veintiséis años, lozana y atractiva. Ella recuerda todavía hoy la «mirada extraordinaria» del Che, su aspecto juvenil y admite que una amistad amorosa pudo haber existido entre ambos, pero que no llegó a superar el nivel de las bromas: «Tengo alma de musulmán —le decía él—, pues soy polígamo y creo que es posible amar a varias mujeres al mismo tiempo.»[135]

Guevara recorre la Cabilia, visita la willaya donde se había instalado el estado mayor, se detiene en Orán, asiste al trabajo de unos técnicos llegados de países socialistas para limpiar de minas la frontera de Marruecos. Pronto estallará un conflicto entre argelinos y marroquíes por el trazado de esta frontera. Cuando se le pida ayuda, Cuba acudirá en auxilio de Argel y enviará enseguida un carguero que —además de azúcar, claro— transporta veintidós tanques, artillería pesada y ligera y también un batallón —varios centenares de hombres— a las órdenes de Ameijeiras, el mismo que había ironizado sobre el Che en casa de Depestre. Entre ellos, el guajiro Dariel Alarcón, descubierto en la Sierra Maestra y cuyos pasos se confundirán con los del Che en los próximos años. Los cubanos han infringido alegremente la consigna de los soviéticos de no poner al servicio de un país del Tercer Mundo ese sofisticado material blindado, provisto de rayos infrarrojos que permiten actuar de noche. El conflicto con Marruecos quedará pronto resuelto y los argelinos, en agradecimiento, devolverán el navío cargado de productos locales ofrecidos a Cuba, con el agregado de algunos caballos árabes.

Con el primer embajador cubano en Argelia, Jorge Serguera alias *Papito*, el Che se permite unas buenas partidas de ajedrez, como en La Habana. A ambos les gusta mucho. Suele ganar Papito; pese a su dominio del juego, a Guevara le falta flexibilidad: nunca tiene tiempo de estudiar debidamente las estrategias de los grandes maestros. Serguera es un personaje simpático y malicioso que pronto comprendió que su misión superaba lo que se espera de un simple embajador. Trata a los dirigentes de la nueva Argelia y conoce ya a mucha gente. Se deja cortejar de buena gana por algunos jóvenes franceses de izquierda, llegados de la antigua «metrópoli» para proseguir, junto a las juventudes del FLN, el combate iniciado por la independencia. Dos de ellos —Tiennot Grumbach y Jean-Paul Ribes, veinticuatro años ambos— serán contratados por Guevara para que traduzcan una conferencia que debe ofrecer. (Como agradecimiento, les regalarán dos semanas de estancia en Cuba.)

El Che confía a Serguera una delicada misión que demuestra que no olvida la Argentina de su corazón, aquélla en la que Masetti va a lanzarse a la aventura que ya conocemos. Envía al embajador a Madrid para que entregue una carta personal al general Perón, refugiado en España. Le sugiere al presidente derrocado, pero muy popular en su país, que abandone el país donde Franco hace de las suyas y se instale en Argelia, dispuesta a recibirlo, o en Cuba, que le tiende los brazos. El mensaje va acompañado de cien mil dólares ofrecidos por la revolución cubana. Perón se embolsa los dólares pero sigue viviendo en Madrid. El franquismo no le molesta en absoluto.

Al regresar a La Habana —intercambio de cortesía— Guevara se lleva, para que asista a las festividades del 26 de Julio, a Huari Boumediene, el enigmático jefe de las fuerzas armadas de gélida mirada, a quien ni siquiera Castro conseguirá alegrar. Antes, el 16 de julio de 1963, durante un seminario sobre la planificación, el Che ha tenido en Argel una intervención que es casi el exacto contradiscurso del de Punta del Este. Alicia, caída de la cama, ha despertado de su sueño en el «continente de las maravillas». No se trata ya de dibujar un país onírico donde todo funcionará del mejor modo gracias a la cooperación de los países socialistas. Aquel discurso se justificaba entonces, ante los representantes de Estados Unidos y sus aliados de la OEA. Ahora, entre amigos, puede confesar la verdad: «Cometimos errores de varios tipos. Fundamentalmente, en el orden de la planificación, hicimos dos cosas contradictorias. Por un lado copiamos detalladamente las técnicas de planificación de un país hermano, cuyos especialistas vinieron a ayudarnos, y por otro lado mantuvimos la espontaneidad y la falta de análisis de muchas decisiones, sobre todo de tipo político pero con implicaciones económicas [...]. No nos basamos en la estadística ni en la experiencia histórica, tratamos subjetivamente a la naturaleza como si hablando con ella se la pudiera convencer. [...] Si hoy volviéramos a plantearnos el problema, ¿cómo lo haríamos? [...] Daríamos al conocimiento estadístico y contable, carácter de una verdadera necesidad nacional, [...] y haríamos un plan perspectivo, general y flexible [...].» Buena autocrítica, pero que no deja de entonar un himno moderado a la planificación, «centro político de toda acción» y liberadora del pueblo que podrá, gracias a ella, «consagrar su tiempo al estudio, a la supervisión cultural, a todo lo que hace la vida digna de ser vivida».[136]

«Hay que cambiar al hombre»

En 1963, quinto año de la revolución, los farolillos de la fiesta cubana aún no se han apagado. El temperamento nacional es de un optimismo a toda prueba, el entusiasmo por una sociedad nueva perdura y la música y la risa parecen consustanciales a ese país. Al imperialismo se le atribuyen todas las dificultades del momento, y nadie piensa que el gobierno pueda tener parte de responsabilidad. Sin embargo, en la vida cotidiana comienzan a aparecer los signos exteriores de la degradación producida por el bloqueo norteamericano. A falta de pintura, producto importado que escasea, las claras fachadas de las casas comienzan a desportillarse por la humedad del clima y la cercanía del mar. En La Habana el parque automovilístico no se renueva y el paisaje de la calle se ha transformado. Siguen circulando los enormes coches americanos, mullidos, llenos de cromados, pero empiezan a tener aspecto de vehículos del Tercer Mundo con sus carrocerías abolladas, remendadas, pintadas a medias. Los transportes públicos, las denominadas *guaguas*, se arrastran rechinando, tiradas por gastados motores. «En vano hemos intentado poner motores soviéticos en los autobuses de la General Motors —explica Regino Boti, ministro de Economía, a K. S. Karol—. Habría sido necesario también cambiar las cajas de cambio automáticos, pero en la URSS no existían.»[137] Se recurre por ello al ingenio y la chapuza. En el campo, los tractores norteamericanos sólo funcionan gracias al contingente de los averiados, que sirven para proporcionar piezas de recambio.

El racionamiento ya se ha convertido en costumbre, pero numerosos economistas han puesto de manifiesto que la dieta alimentaria, que alinea a todo el mundo en el mismo régimen, sigue siendo superior a lo que ciertas clases de la población podían permitirse en la época de Batista. Cuando llega género, acostumbran a hacer cola ante las tiendas medio vacías, y como ocurre siempre en una situacion de penuria aparece un discreto mercado negro, asociado a mil chanchullos. Observador de las cosas de la vida, el periodista García Márquez advierte que «el país producía entonces bastantes zapatos para que cada habitante pudiera comprar un par al año, de modo que la distribución se canalizó a través de las escuelas y los centros de trabajo».[138] Pero Carlos Franqui, más crítico, vuelve al ejemplo concreto de los zapatos para mostrar la incoherencia de la política en exceso centralizadora de Guevara. El consolidado del calzado, instalado en el Ministerio de Industria, no sólo nacionalizó las fábricas sino también las pequeñas zapaterías. De modo que es preciso enviar los zapatos gastados a la capital provincial para cambiarles las suelas, y tardan un mes en volver si no se pierden por el camino.[139] ¡Ubú rey!

A José Medero Mestre, un corresponsal ilustrado que le escribe haciendo probablemente el elogio de los métodos socialistas de administración de fábricas (no se conoce el texto de la carta), Guevara le responde, más ácido que nunca: «Oponer la ineficacia capitalista a la eficacia socialista, es tomar los deseos por realidades.» Pero agrega, y en este caso es él quien manifiesta su ceguera: «Es en la distribución donde el socialismo alcanza ventajas indudables y en la planificación centralizada donde ha podido eliminar las desventajas de orden tecnológico y organizativo del capitalismo.»[140]

Y prosigue con un tema que le resulta más querido que ningún otro. Hay que sustituir «el hombre-lobo» por otro tipo de hombre que no tenga ya «la compulsión desesperada de robar a sus semejantes, porque la explotación del hombre por el hombre habrá desaparecido [...] (Si) la palanca del interés material se constituye en árbitro del bienestar individual y de la pequeña colectividad (la fábrica, por ejemplo) [...] ahí es donde yo veo la raíz del mal. [...] Vencer al capitalismo con sus propios fetiches, a los que se les haya quitado su cualidad mágica más eficaz, el lucro, me luce una empresa difícil».[141]

Esta carta es del 26 de febrero de 1964. En ese momento de su existencia, tras cinco años de gestión de la revolución, llegado a este punto de una reflexión de filosofía política que desde hace años considera esencial, el camarada Guevara nos ruega que sigamos con atención un breve curso de economía política, elemental pero indispensable. Sin ello resulta imposible comprender el sentido de su enfoque y por qué, lógico consigo mismo, pronto se decidirá a realizar la proeza de abandonar Cuba.

Lo ha dicho y lo ha repetido, incluso lo ha explicitado con muchos argumentos en un artículo de la revista de su ministerio, *Nuestra Industria* (febrero de 1964) sobre un tema en apariencia técnico titulado: «El sistema presupuestario de financiación.» El objetivo final es el comunismo, pero éste no llegará sólo por el juego de contradicciones de clase que tan bien describió Marx sino también —y tal vez *sobre todo*— gracias a la acción revolucionaria *consciente* de los hombres (la cursiva es de Guevara). Cree en la flecha de la Historia, pero asimismo en la aceleración que los hombres pueden dar a esa Historia. Antes de llegar a ese lejano Graal, existe una fase de transición del capitalismo al socialismo, durante la cual dos métodos se oponen con respecto a la ley del valor.

¿Qué es la ley del valor? Es el fenómeno económico, más complejo de lo que parece, que engloba moneda, precio, comercio, crédito, etc., y que atribuye a cada cosa un valor mercantil. Los soviéticos parten del principio de que esta ley del valor sólo se extinguirá en la fase superior del comunismo. Mientras tanto, se puede evaluar la producción de cierta fábrica y compararla con la de otra fábrica. Cada centro de producción tiene una rentabilidad separada. El sistema descansa sobre una planificación general e implica que, para incitar a producir más y mejor, es legítimo impulsar a los trabajadores a esforzarse en la tarea ofreciéndoles primas, aumentos de salario, estímulos materiales.

Guevara, con algunos economistas de su equipo, rechaza por completo este procedimiento, que para él desnaturaliza el sentido del combate de los trabajadores para liberarse de las antiguas categorías legadas por la sociedad capitalista. Es un decidido partidario de la planificación total y centralizada de la economía. Pero mantiene que la ley del valor no puede aplicarse en el interior de una economía socialista, donde el Estado se concibe como una sola y única gran empresa en cuyo seno no se trata de obtener beneficios puesto que todo corresponde a la comunidad nacional. No le parece legítimo recurrir a estímulos materiales para aumentar o mejorar la producción. «No negamos la necesidad objetiva del estímulo material», escribe, admitiendo que lamentablemente será preciso recurrir a él durante cierto tiempo, pero «sí somos renuentes a su uso como palanca impulsora fundamental. Consideramos que este tipo de palanca adquiere rápidamente categoría *per se* y luego impone su propia fuerza en las relaciones entre los hombres. No hay que olvidarse que viene del capitalismo y está destinada a morir en el socialismo. [...] Luchamos contra su predominio, pues significaría el retraso del desarrollo de la moral socialista.»[142] He aquí, pronunciada de nuevo, la palabra *moral*, de la que el Che decía, en su entrevista en *L'Express*, que sin ella el socialismo meramente económico no le interesaba.

Integrando de nuevo la ética en la reflexión política, introduciéndola en pleno mecanismo de los intercambios, nuestro moralista cuestiona no sólo las relaciones entre las empresas estatales y el propio Estado sino también la filosofía de los intercambios entre Estados socialistas. Del mismo modo que no puede haber beneficio entre determinado sector industrial y otro, pues ambos sirven al común interés del país, en el plano internacional tampoco puede concebirse que, en sus transacciones, un país socialista obtenga beneficios a costa de otro país socialista o «en transición hacia el socialismo». Sólo debe aplicarse la regla de la solidaridad desinteresada, ya que con ello el conjunto del campo socialista se verá reforzado.

«Afirmamos —dice Guevara—, la necesidad de que este comercio pase a formas más elevadas.» Cortés eufemismo cuando se comprende que se dirige a las potencias socialistas. «Es necesario —dice— hallar fórmulas de comercio que permitan el financiamiento de las inversiones industriales en los países en desarrollo, aunque esto contravenga los sistemas de precios existentes en el mercado mundial capitalista, lo que permitirá el avance más parejo de todo el campo socialista, con las naturales consecuencias de limar asperezas y cohesionar el espíritu del internacionalismo proletario.»[143] ¡Con qué delicados términos se dicen las cosas! Se trata nada menos que de definir un nuevo orden internacional que regule, con «generosidad proletaria», las relaciones entre países socialistas ricos y países socialistas pobres. En cuanto a las «asperezas», no es necesario ser muy listo para adivinar que efectivamente existen en los intercambios de Cuba y sus aliados de Europa del Este, comenzando por la URSS.

Hay una estrecha lógica en el pensamiento de Guevara, entre su condena de las relaciones mercantiles en el seno del mundo socialista y «la actitud nueva» que reclama de cada individuo para rechazar cualquier estímulo material y seguir sólo las incitaciones de orden moral al servicio del bien general. Dirigiéndose a los obreros elegidos para ser miembros del partido (25 de marzo de 1963), el propio Che cuenta una pequeña historia que considera «contrarrevolucionaria» pero también reveladora del camino que queda por recorrer para que en Cuba aparezca el famoso «hombre nuevo» que está buscando. A un candidato al partido se le explican los deberes de un buen comunista. Hacer horas suplementarias, servir de ejemplo, pasar su tiempo libre estudiando, realizar el domingo trabajos voluntarios, olvidar cualquier vanidad, pensar sólo en trabajar, participar en todos los movimientos de masas, etc. Le preguntan, por fin, si está dispuesto a dar su vida por la revolución. Y el pobre hombre responde: «Bueno, si voy a llevar esa vida que usted dice ¿para qué la quiero? Se la doy encantado.»[144] Ante las risas de la sala, Guevara puntualiza que la anécdota expresa «la concepción antigua», pero que el trabajo revolucionario no debería suponer un deber impuesto, un sacrificio, sino responder a un impulso consciente de la voluntad: «No hacer el sacrificio se convierte entonces en el verdadero sacrificio para un revolucionario.»[145] Vuelve a ello como una obsesión.

Contra un fondo de ética laica, vemos dibujarse con majestuosidad, respondiendo exclusivamente a estímulos morales, esta nueva categoría humana que asegurará la redención revolucionaria. Se comprende que esta visión, considerada idealista, provocara risas sarcásticas entre los escépticos. Pues más allá de cuestiones a veces bizantinas sobre el valor mercantil en la fase de transición del socialismo, el Che ha abierto un verdadero debate sobre la naturaleza y la estructura del poder político. Condenando la estimulación material y la exaltación del individualismo egoísta que acarrea, va exactamen-

En busca del hombre nuevo

te a contrapelo del modelo soviético de organización de la sociedad. Semejante modelo, petrificado, no le permitiría al hombre nuevo aparecer y mucho menos intervenir en las decisiones. Más aún, la cuestión de los métodos de construcción del socialismo se halla en el centro de la disputa sino-soviética.

Aunque declara que Cuba pretende pemanecer neutral en el conflicto, Guevara subraya con fuerza el lugar esencial que concede al hombre, «liberado de las cadenas de la alienación», en el cambio revolucionario de las estructuras; lo que supone, pese a todo, un modo de tomar posición. «Es necesario todavía acentuar su participación consciente, individual y colectiva, en todos los mecanismos de dirección y producción», escribe en un texto clave, un poco «cajón de sastre» pero importante, *El socialismo y el hombre en Cuba*: «Persiguiendo la quimera de realizar el socialismo con la ayuda de las armas melladas que nos legara el capitalismo (la mercancía como célula económica, la rentabilidad, el interés material individual como palanca, etc.), se puede llegar a un callejón sin salida. [...] Para construir el comunismo, simultáneamente con la base material hay que hacer al hombre nuevo.»[146]

Hay ahí una carga de dinamita que explica el ardor del debate aunque no se desarrolle en el ágora, aunque se oculte bajo cuestiones de apariencia técnica cargadas de ingratas terminologías, con apoyo en numerosas citas de los oráculos venerados, Marx y Engels, Lenin, Stalin (presente todavía pese a la carga de profundidad del informe Khruschev). Guevara, impertinente, recurrirá incluso a Trotski.

El primero en reaccionar es el joven y brillante comandante Alberto Mora, ministro de Comercio Exterior. En una revista editada por su propio ministerio expresa posiciones cercanas a las del antiguo partido comunista cubano. Cuba, dice, no puede negar la ley del valor sobre todo cuando se aplica a sus intercambios exteriores. Guevara reproduce lealmente el artículo de Mora en *Nuestra Industria* de octubre de 1963 y responde a él. Intervienen luego algunos expertos europeos. El profesor francés Charles Bettelheim, marxista ortodoxo, especialista en planificación socialista, sostiene en la revista *Cuba Socialista* (abril de 1964) que la ley del valor y las primas al rendimiento están justificadas en un régimen socialista. En el siguiente número de la misma revista, en julio, el Che refuta la refutación. Si la ley del valor debiera guiar las inversiones socialistas, ello significaría el final de cualquier planificación pues se buscaría sólo lo más rentable sin preocuparse por el desarrollo de los sectores «pesados» de la economía. Sin duda ignora que ya en 1956 el economista polaco Bienkowski, en un artículo sobre «la economía de la luna», puso de manifiesto las aberraciones planificadoras de la época estalinista.[147] Pero, provocador hasta el fin, invita a participar en el debate a Ernest Mandel, un reconocido trotskista belga, dirigente de la IV Internacional.

Guevara sabe que el trotskismo hace mucho que ha sido puesto en la picota por el comunismo oficial. No lo preocupa. Siempre ha defendido el derecho e incluso el deber de que cada uno conduzca su reflexión libremente, sin aferrarse a un dogma. En lo que será su última reunión directiva en el ministerio, el 5 de diciembre de 1964, ironiza sobre el hecho de que «desgraciadamente la Biblia, aquí, no es *El Capital* sino el Manual» (de marxismo); y refiriéndose al revisionismo y a Trotski, precisa: «Tenemos que tener la suficiente capacidad como para destruir las opiniones contrarias con argumentos o si no dejar que las opiniones se expresen. Opinión que haya que destruirla a palos es opinión que nos lleva ventaja a nosotros. [...] Yo creo que las cosas fundamentales en que Trotski se basaba eran erróneas, pero que se pueden extraer no pocas cosas de su pensamiento.»[148] En *Nuestra Industria*, en junio de 1964, el camarada Mandel rebate punto por punto las posiciones del camarada Bettelheim: rechaza la ley del valor ya en la fase de transición al socialismo, lo que permite que desaparezcan las «supervivencias del hombre viejo que no ha salido todavía del reino animal»; esto supone, en el fondo, un mensaje similar al del hombre nuevo soñado por el Che.[149]

Mucho más tarde, en octubre de 1977, en un artículo de *Rouge*, diario trotskista francés, Mandel advertirá que «retrospectivamente podemos decir que aquel debate era el gran viraje de la revolución cubana», y pondrá de relieve que «fundamentalmente la problemática era política. Era una cuestión de estructura de poder en la lógica de la posición del Che. Nunca lo dijo ni lo percibió claramente, pero no había más salida que los consejos obreros, los consejos populares».[150] Esta afirmación lleva a Guevara con excesiva facilidad a posiciones que nunca hizo suyas. Más interesante en cambio es la última observación del viejo militante, cuando señala que por aquel entonces un «debate secreto» agitó la dirección comunista.[151]

Secreta o no, la convicción de los comunistas es ya evidente. El argentino, aceptado durante algún tiempo como *l'enfant terrible* de la Revolución, está transformándose en un «electrón libre» cuyos movimientos pueden ser peligrosos. Precisamente cuando, atacados por China, la Unión Soviética y sus aliados, que-tan-generosamente-nos-ayudan, rehabilitan en parte la ley del mercado en su fatigada economía, he aquí a nuestro sabihondo que proclama que eso es «meter el capitalismo de contrabando».[152] Esta libertad de pensamiento y de lenguaje causa muy mala impresión entre los nuevos valedores de la creciente burocracia cubana. Con respecto a las concepciones igualitarias —por no decir igualitaristas— del Che, ¿llegarán acaso a cuestionar el estatuto de los cuadros del partido que se benefician, como es debido, de cierto número de legítimos privilegios? Por muy ministro y «combatiente histórico» que sea, el camarada Guevara se ha vuelto demasiado imprevisible. Debe ser vigilado. Algunos murmuran en sus propias barbas: debe ser apartado.

No nací para morir abuelo

Mientras Guevara goza de la confianza de Fidel, la malevolencia de la burocracia nada puede contra él, permanece al abrigo de las zancadillas de la «privilegiatura». Pero Castro no toma partido en la polémica. Pragmático y prudente, apoya, al menos al comienzo, el radicalismo de las posiciones guevaristas en las que intuye, más allá de su aspecto moral, el provecho que puede sacar de ellas para disimular las mil vejaciones de la vida cotidiana. A fin de cuentas, no está tan mal apelar a las mejores virtudes de los trabajadores para que acepten que la semana laboral sea más larga y que la abundancia prometida por la revolución se aplace para un futuro mejor.

Guevara tiene aún absoluta confianza en Castro, que para él sigue siendo «el gigante» como en tiempos de la Sierra Maestra. Si se entera de que ciertas transgresiones de la moral revolucionaria, ciertas villanías son cometidas a veces por algunos cuadros o algunos dirigentes, lo deplora, se indigna por ello, condena pero no puede ir mucho más allá en su discurso. La policía no está bajo su mando. Cuando el príncipe comienza a comportarse como monarca, ni siquiera lo advierte. Su confianza es ciega. Nunca será un Maquiavelo. Antes Antígona que Creonte. La revolución no ha sido sólo una máquina de fabricar sacrificados, también ha producido amistad. El Che cree en la de Fidel. En el sentimiento de fraternidad que él mismo experimenta por el *líder* indiscutido se mezclan admiración y estima. Sin duplicidad alguna. Hacia 1963 comienza a dibujarse en Cuba un razonamiento simple, si no simplista: Fidel lleva el Estado en brazos. Necesita administrar una complicada combinatoria y lo hace a las mil maravillas. Que el Che se permita el lujo de hacer filosofía, según se cree, no genera demasiados problemas.

Sin embargo nada es menos cierto. Coherente, Guevara pretende extraer con honestidad las consecuencias de sus posiciones teóricas. Puesto que una mayor centralización debe permitir una planificación más seria, que garantice una distribución equitativa, sigamos centralizando más aún, pongamos bajo el control del Estado al sector rural que escapó de la primera reforma agraria. Los medianos propietarios, que disponen de 67 a 400 hectáreas, siguen ocupando el 56 por ciento de las superficies cultivables. Son un obstáculo para la concentración parcelaria y, por añadidura, sirven de «base objetiva» a todas las figuras de los movimientos contrarrevolucionarios que no ha conseguido aniquilar una severa represión. El Che impulsa pues la segunda reforma agraria que, por ley del 13 de octubre de 1963, limita la superficie máxima de las propiedades privadas a cinco *caballerías*, o sea 67 hectáreas. Con el 60 por ciento de las superficies, el Estado se convierte en el sector dominante, lo que permite una mayor especialización de ciertas granjas en la producción azucarera.

En el campo quedan tan sólo como independientes, *por la libre*, algunos pequeños campesinos a los que la ANAP (asociación de pequeños agricultores) se esfuerza por inculcar una mentalidad socialista. Incluso con ellos Guevara muestra un radicalismo total. Afirma categórico: «Es verdad que el pequeño campesino ha sido un puntal de la Revolución, Fidel lo dijo una vez, pero por pobrecito que sea es un claro generador de capitalismo [...] se transforma poco a poco en un explotador que retarda el desarrollo de la sociedad. Entonces, hay que liquidarlo.»[153] Difícil manifestar mayor intransigencia.

En enero de 1964, el acuerdo firmado con la URSS oficializa ese «regreso al azúcar», que vuelve a ser el pilar de la riqueza cubana. Gracias a un precio garantizado de seis centavos por libra inglesa, Cuba se encuentra al abrigo de la fluctuación de las cotizaciones mundiales hasta 1970. Para esta fecha, Castro prevé ya una zafra gigantesca de diez millones de toneladas destinada, dice, a asegurar los recursos necesarios para el «despegue» de la industria. Advirtamos que no hay excesiva generosidad «proletaria» en el trato propuesto por la URSS. René Dumont calculó que producir la misma cantidad de azúcar a partir de la remolacha les habría costado a los soviéticos dos veces más.[154] Así pues, además del interés geopolítico que supone asegurar la supervivencia de la isla revoltosa y tan cercana a Estados Unidos, Moscú no hace un mal negocio. Tanto más cuanto Cuba sólo consigue obtener que se le pague en divisas una parte de la producción. Por lo que, para todo el aspecto técnico exigido por el cultivo del azúcar, tiene que invertir en dólares para vender en rublos. Pero Castro no se queja. Tampoco está en condiciones de regatear.

El hilo que permite seguir la evolución de un pensamiento que se va radicalizando son las reuniones en el ministerio, en las que Guevara participa regularmente. Las discusiones con los directores de las distintas ramas industriales ofrecen un carácter menos romántico, sin duda, que las brillantes acciones del guerrillero pero nos brinda, bimestre a bimestre, el ambiente general, el color de la vida del país, el relato de los éxitos y los desfallecimientos que no se desvelan en público. A través de ellas es posible comprender que, si bien se siente más cómodo en el ámbito de la macroeconomía —en el horizonte del siglo XXI, el del comunismo realizado por fin—, no por ello el Che deja de obstinarse en examinar detalladamente los puntos donde falla la planificación en el nivel «micro». Si hubiera conocido entonces las maravillas de la gestión informática... Numerosas veces lo sorprenden profetizando que la electrónica, disciplina balbuciente todavía, ayudará a resolver todos los problemas administrativos. Hasta que llegue ese momento, le quita horas al sueño para perfeccionar sus conocimientos matemáticos y aprender a dominar la «programación en línea».

La reunión del 12 de octubre de 1963 se celebra menos de una semana después de que se haya alejado el huracán *Flora* que ha destruido fuentes y caminos, inundado fábricas, destrozado vías férreas «azucareras», ahogado ganado y arrancado el tejado de algunas centrales. «Esto es como en la época de octubre [de 1962: la crisis de los misiles]. Hay una gran colaboración, se han resuelto problemas, la gente ha coordinado muy bien. [...] [pero] ahora hay que hacer un esfuerzo máximo para que se aumente la productividad de los equipos y que con el mismo equipo se rinda el doble de trabajo, y es más difícil.»[155]

Ante la concurrencia de unos cincuenta colaboradores, pule y pone a prueba el argumento que desarrollará en sus artículos teóricos para defender sus tesis sobre los peligros de la ley del valor y los estímulos materiales, sobre las condiciones propicias para el surgimiento del hombre nuevo, etc. Estas cuestiones reaparecen de vez en cuando incluso con algunos arañazos al modelo soviético, sospechoso de revisionismo reformista. Da a entender que en Cuba hay ciertas circunstancias atenuantes. El país está en fase de transición y acaba de sufrir los efectos de un huracán devastador. Pero ¿por qué hay «catástrofe agrícola» en la URSS?, pregunta. «Algo anda mal en su sistema. Y no puede decirse que sea a causa de calamidades naturales. A mí se me ocurre, instintivamente, que eso tiene que ver con la organización de los koljoses, la descentralización, la autogestión financiera o los estímulos materiales, además de otros problemas, naturalmente.» Aunque piensa que el principal de ellos es «el poco cuidado que se le ha dado al desarrollo de los estímulos morales».[156] He aquí una excesiva impertinencia para con el «hermano mayor».

El 17 de marzo de 1964 viaja a Ginebra para representar a Cuba en la primera Conferencia de las Naciones Unidas para el Comercio y el Desarrollo (CNUCED). En el avión se sienta a su lado el joven embajador (veintiocho años) de Cuba en Brasil, hijo del ministro cubano de Asuntos Exteriores, Raúl Roa. Lo llaman *Raulito* para distinguirlo de su padre. Fidel le ha encargado una misión precisa: transmitir textualmente a Guevara lo que acaba de exponer confidencialmente en Varadero ante un reducido comité. Se trata del proyecto del diputado brasileño Leonel Brizzola, cuñado del presidente Goulart, de organizar en Brasil una guerrilla «a la cubana», y para ello se requiere la ayuda de los cubanos. El Che escucha con suma atención y le confía luego un significativo mensaje: «Dile a Brizzola que si necesita un buen jefe guerrillero, ofrezco mis servicios.»[157]

El ofrecimiento debe ser tomado en serio. Sabemos que nuestro guerrillero nunca se adaptó por completo al trabajo de «funcionario» que Castro le pidió que realizara como un servicio a la revolución. Sabemos también que, tras la victoria, el objetivo del argentino era marcharse a propagar otros incendios por otros países. Pero se produjo la petición de Fidel Castro, a quien nadie se puede resistir. Ocurrió su boda cubana y esa segunda patria en peligro que había que defender. Los años han pasado, pero no han calmado su deseo de cabalgar de nuevo a lomo de *Rocinante*, lanza en ristre. Hasta ahora sólo ha alentado a algunos amigos, con resultados decepcionantes: el Patojo, que ha fracasado en Guatemala; Masetti, del que acaba de saber que su tentativa argentina ha sido un desastre (¡morir sin combatir!). Al fiel Granado le confía con aire abatido: «Mírame un poco, detrás de este escritorio, mientras otros mueren por sus ideales. [...] Yo no nací para dirigir ministerios ni para morir abuelo.» Y cuando Granado le revela que vuelve a sentir la comezón de partir, le responde: «Yo también. A mí también me gustaría caminar, pero con una metralleta y escuchando el grito de guerra de los pueblos.»[158]

A modo de grito de guerra, por el momento, sólo le ofrecen Ginebra, su apacible lago y sus jardines ingleses. Tiendas rebosantes de lo necesario y lo superfluo, una sociedad de la abundancia donde todo funciona con normalidad, próspero escaparate del capitalismo bancario. Es la segunda vez que Guevara participa en una reunión internacional de envergadura. A diferencia de la de Punta del Este, que sólo reunía representantes del continente americano, esta conferencia es a escala mundial. Su discurso es esperado. El Che no ha perdido un ápice de su mordiente. Se burla del nuevo presidente de Estados Unidos, Lyndon Johnson, al que califica de «granjero de Dallas» más agresivo y menos *florido* que Kennedy, asesinado cinco meses antes, y la emprende sin miramientos contra la famosa Alianza para el Progreso que, como se preveía, se va convirtiendo en un fracaso, incapaz de cumplir sus promesas. Pero insiste en la contradicción esencial de esa conferencia cuya intención expresa es reducir la desigualdad de los intercambios comerciales, cuando esa misma desigualdad es la razón de ser del imperialismo. No se le puede pedir «que renuncie a ello, que es casi como pedirle que renuncie al sistema. Y al imperialismo no se le puede hacer ese tipo de demanda, hay que conquistarla».[159]

Para que las cosas queden claras ante la opinión pública, en una entrevista en *France-Observateur* (16 de abril de 1964) precisa: «En América Latina, la línea general es la de la vía armada: los imperialismos y sus marionetas nos la imponen.» En Brasil, el presidente Joao Goulart, que había sustituido a Janio Quadros, sospechoso de tener simpatías procubanas, acaba de ser destituido a su vez por un golpe de Estado que ha llevado al poder al mariscal Castelo Branco. Es el inicio de una larga serie de golpes en Latinoamérica llevados a cabo por los llamados *gorilas*, militares de derechas. Guevara finaliza la entrevista con una amenaza: «Quien siembra vientos recoge tempestades.» Comprende perfectamente que el proyecto de guerrilla brasileña de Brizzola debe empezar, de nuevo, desde cero. ¡Y él bajo techos dorados en vez de entrar en combate!

Jorge Edwards, joven secretario de embajada invitado como relleno a una «cena de gente importante» en casa de Ramón Huidobro, embajador de Chile ante la ONU-Ginebra, cuenta cómo el comportamiento de Guevara durante esa velada lo situó en las antípodas de la diplomacia discreta y las medias palabras que constituyen la norma. Allí están el vicepresidente del Perú, un futuro presidente de Colombia, personalidades eminentes. El Che llega con retraso y no sólo desentona por su uniforme verde olivo en un areópago de trajes azul marino, sino también por algunas frases de franqueza escandalosa. Ante el argentino Raúl Prebisch, organizador de la conferencia al que ha saludado amistosamente en su discurso por haberse «alinea-

do claramente al lado de los desheredados», declara sin matices que
esa CNUCED es una pérdida de tiempo, que no se siente cómodo y
que admira a dirigentes como los de Vietnam, que viven en chozas
sin diferenciarse del pueblo llano. Y luego de provocar en la concurrencia unas forzadas sonrisas de circunstancias, se retira antes que
los demás.[160]

El personaje cataliza el interés de los medios de comunicación.
No sólo porque su uniforme de combate es fotogénico sobre el fondo
de aquellos alfombrados salones, sino también porque representa
una revolución insolente cuyos desplantes contra el Tío Sam parecen más bien simpáticos y porque el encanto que desprende su persona y el humor algo sardónico de sus réplicas desentonan en aquel
ambiente envarado. Le basta aparecer con sus ojos brillantes para
conmover a sus interlocutores. En su conferencia de prensa, los periodistas se apretujan. Pero no sólo ellos: más de una belleza está
dispuesta a entregarse sin remilgos al menor gesto de aliento por su
parte. Cosa que se guarda muy bien de manifestar. Acaso por ello, de
regreso a La Habana, confesará a Oltuski: «¿Sabes?, a veces es duro
ser un revolucionario.»[161] Es austero, incorruptible. Lo que no significa puritano.

En el camino de regreso a Cuba, se permite dos breves escalas en-
trañables: París y Argel. Siempre ha soñado con Francia y París. Su
adolescencia fue acunada por heroicas historias de la Revolución
Francesa. Desde el tiempo de su juventud vagabunda, ¡cuántas veces
habrá soñado con Francia y con París! En 1955, hallándose en México, escribía a su madre para que abandonase todo en Buenos Aires y
se reuniese con él como una novia en París, donde esperaba obtener
una beca. Su deseo de conocer aquella ciudad era —decía— una «necesidad biológica». La madre se ha adelantado a su querido hijo, demasiado enfrascado en sus actividades, y ha visitado sola la Ciudad
Luz. Allí se hospedó en el pequeño apartamento que el escritor peruano Mario Vargas Llosa tenía en Saint Germain des Prés. Pero
cuando el Che recala en la capital francesa, ella ha regresado ya a
Buenos Aires donde la policía le creará miles de problemas.

Así pues, Ernesto Guevara llega a París, la patria de sus héroes,
Baudelaire y Jules Verne. Siente simpatía por ese país cuyo colonialismo acaba de fracasar en Argelia, lo que ha calmado las críticas formuladas por Cuba, solidaria con los combatientes argelinos. Además, el triunfal viaje que De Gaulle acaba de hacer en marzo a
México, su «mano en la mano» con los hermanos latinoamericanos, le
ha parecido un soberbio desafío lanzado a Estados Unidos.

Sus dos jornadas parisinas, 14 y 15 de abril, son intensas. Descubre el Barrio Latino, come tranquilamente en el primer piso de una pizzería en lo alto del bulevar Saint Michel con su apreciado contradictor Charles Bettelheim, profesor de la Escuela Práctica de Altos Estudios. Pasea por los alrededores de la Sorbona, por la rue Soufflot y la rue des Écoles, donde provoca una aglomeración ante la librería Présence Africaine cuando unos estudiantes lo reconocen vestido con impermeable caqui y llevando su boina negra.

La visita a aquel centro de la africanidad intelectual en París no es inocente. Su estancia argelina del año precedente, más aún que su primer viaje a Egipto, lo ha convencido —lo dirá meses más tarde— de que «África representa uno de los más importantes terrenos de lucha contra todas las formas de explotación».[162]

Guevara ha quedado fascinado por la lectura de *Los condenados de la tierra* de Frantz Fanon, antorcha del anticolonialismo radical, que vuelve contra el opresor la violencia-como-partera-de-la-historia. De ella, según explica, recupera el colonizado su propia humanidad. Depestre, su admirador haitiano en La Habana, le recomienda el importante texto prologado por un brillante Jean-Paul Sartre. El Che podría, sin modificar una coma, reivindicar las últimas palabras: «Camaradas, hay que cambiar de piel, desarrollar un nuevo pensamiento, intentar poner de pie un hombre nuevo.»[163] Psiquiatra martiniqués expulsado de Argelia en 1957 por haber abrazado la causa de la rebelión, Fanon murió en 1961, unos meses después de esa tentativa de «reiniciar una historia del hombre». La tarde del 15 de abril de 1964 en la amplia cocina de la embajada de Cuba, en la avenida Foch, herencia de la época de Batista, el Che expone a François Maspero, editor de la traducción francesa de su *Guerra de guerrillas*, su proyecto de publicar en Cuba el libro de Fanon con un prefacio suyo.

Tras ello el comandante-ministro se va al Théâtre des Nations, en la plaza del Châtelet, para asistir a una representación de los ballets cubanos que están de gira. En 1959, Raúl Castro de paso por París en viaje a Moscú, sondeó la posibilidad de una cooperación económica francesa para ayudar a la revolución a resistir las primeras manifestaciones del mal humor comercial norteamericano. Pero el Quai d'Orsay lo despidió cortésmente. París había consultado con Washington, que aconsejó negar cualquier ayuda, y la gestión finalizó allí.[164] Ahora, De Gaulle no recibe a Guevara, número dos de un pequeño país rebelde que se levanta contra Goliat. Bifurcaciones de la historia.

Por el contrario, en Argel, al Che el presidente Ben Bella lo acoge como a un hermano y escucha con suma atención sus comentarios sobre la Conferencia de Ginebra. Guevara admira el proceso de instalación de la joven república «popular y democrática», concede muchas entrevistas y luego regresa a La Habana vía Praga. Punto de llegada y de partida de todas las líneas aéreas de La Cubana de Aviación, la capital checa es, con Moscú, el inicio y el final de un acrobático circuito que pasa por Canadá desde que tras la crisis de los misiles fueran suspendidos los vuelos a Miami y Nueva York.

Era un hombre

En apariencia el monolítico bloque del equipo dirigente sigue unido alrededor de Castro y su incólume carisma. Pero, para los observadores atentos, a partir de 1964 y del cambio de tendencia económica expresado por el regreso a la «prioridad azucarera» el Che y Fidel comienzan a dar la impresión de no estar participando en la misma película. Tanto por su temperamento calculador como por la fuerza de las cosas, Castro hace de la política el arte de lo posible, según el esquema clásico. En cambio, Guevara tiende a invertir la fórmula. Cree que aceptando lo que hoy parece imposible pero mañana será realizable *lo* político conserva su nobleza y salvaguarda la revolución de *la* política. Esto no es ser utópico, se defiende; sólo es adelantarse un poco a la historia. Tal vez ni el uno ni el otro han tomado conciencia aún de que difieren con respecto al «proyecto de sociedad», como se dirá más tarde. Pero ¿lo tuvo realmente Castro alguna vez? En todo caso, si existe alguna grieta todavía es invisible para la gente. El Che sigue siendo la figura más popular del régimen; pero el *caballo*, de autoridad indiscutida, es el que hipnotiza. Sin embargo, cada cual evoluciona ya en una órbita distinta.

A su regreso de Ginebra el Che recupera el timón de su ministerio. Hasta que se decida lo contrario ésta es la tarea que se le ha asignado y, como buen soldado, procura realizarla con disciplina y del mejor modo posible. Pero quien analice con atención lo que dice y escribe en aquel año 1964 (al que a veces se le dedica muy poco tiempo, reteniendo sólo sus viajes) apreciará un endurecimiento del tono, una especie de ferocidad más evidente en sus sarcasmos. Y también una mayor libertad de comportamiento.

En su reunión ministerial del 9 de mayo de 1964 se permite una «descarga» emprendiéndola contra la mala calidad de los productos cubanos, que no pueden compararse, dice, con los suizos o incluso los checoslovacos. «La calidad es el respeto al público —declara—. Ése es el principio que deberá regir de ahora en adelante la producción de este ministerio.» Interpreta entonces un número que mereciera ser filmado. Para que la concurrencia los contemple, blande una serie de artículos que sólo son *porquerías*: cierres de cremallera llamados Camilo y que no funcionan —cada vez que se encallan, el usuario maldice al tal Camilo—, un triciclo que es pura quincalla, un par de zapatos cuyo tacón fijado con dos clavos salta apenas moverlo, un champú que no hace espuma, tapones que no tapan, polvos de maquillaje demasiado rojos, muñecas que parecen brujas... Todo eso injuria a la revolución. En resumen, «es inadmisible».[165]

El 14 de julio de ese mismo año, retoma por enésima vez la necesidad del trabajo voluntario; pero aquel día, ante sus directores reunidos, hace una sorprendente confesión porque ha advertido con preocupación que aquel voluntariado, al que él se obliga como todo el mundo (o casi), se ha convertido en algo vacío de sentido, «sin contenido», según precisa. Ahora bien: «... la sensación más desagradable que uno puede tener es la de perder el tiempo. El domingo pasado me tocó ir al trabajo voluntario a perder el tiempo y me pasó lo que nunca me pasa a mí en un trabajo voluntario, salvo la caña, y es que estaba mirando el reloj cada quince minutos para ver cuándo se acababan las horas para irme, porque es que no tenía sentido».[166] Es un síntoma, y grave. Seis meses antes (diciembre de 1963) había hecho a este respecto una importante confesión: «el batallón rojo», creado para realizar durante los domingos doscientas cuarenta horas de trabajo voluntario por semestre... ¡no sabía adónde ir! Había sido necesario «inventarle» trabajo. El INRA no quería aquel voluntariado inoperante que costaba muy caro y cortaba muy mal la caña. De acuerdo —había dicho Guevara—, pero el primer objetivo es pedagógico. «Se trata en principio de educar a la gente.»[167] Pero si incluso este objetivo pedagógico desaparece, ¿cómo moldear una nueva mentalidad?

La reunión del 12 de septiembre de 1964 en su ministerio tiene especial interés porque el Che, cuyo rigor conocemos, se ve obligado a precisar su posición ante una cuestión de moral sexual. En el Malecón de La Habana han sorprendido al director de un consolidado en situación comprometida con su secretaria, lo que ha producido su cambio de destino pues el compañero es casado y padre de familia... ¿Qué piensa de ello el comandante? Sus palabras se resumen en la fórmula: no lo convirtamos en un drama. «Todavía nadie ha establecido que en las relaciones humanas tenga un hombre que vivir con una mujer todo el tiempo... Yo no sé por qué tanta discusión, porque considero que es un caso lógico que le puede suceder a cualquiera, incluso habría que analizar si la sanción... no es extrema [...] Evidentemente para que se produzca un hecho, es porque la mujer quiere, si no sería un delito grave. [...] Nosotros hemos defendido el no ser extremistas en estas cosas; además hay un poquito de beatería socialista en una serie de manifestaciones de éstas y la verdad verdadera es que si uno pudiera andar metido en la conciencia de todo el mundo habría que ver quién tira la primera piedra en estos asuntos. [...] Nosotros siempre hemos sido partidarios de no extremar la cosa, y sobre todo no hacer de esto una cosa capital y además que no esté en boca de todo el mundo, que pueda incluso llegar a destruir hogares [...] pues son cosas bastante naturales, bastante normales, y que suceden.»[168] Y tras haber citado el caso de Engels, que vivía con su sirvienta, y advertido que a fin de cuentas «el hombre es un animal fisiológico como los demás», el Che invita a la concurrencia a no caer en una «mojigatería socialista» o en «extremos estalinistas [...] A mí me parece realmente peligroso para el porvenir de un país socialista. [...] ¿Vamos a hacer —concluye— un tratado de filosofía sobre las relaciones entre el administrador y su secretaria? Hay problemas más serios.»[168]

Este liberalismo puede sorprender en un hombre conocido por su intransigencia y su firmeza de principios. Tal vez convenga mencionar aquí un rumor persistente que circula por Cuba desde 1990, y según el cual el propio Che habría mantenido una relación amorosa de la que habría nacido un hijo, el 19 de febrero de 1964, en La Habana, llamado Omar Pérez. Intelectual rebelde que escribía a veces para *El Caimán Barbudo*, una revista que quería ser de vanguardia, el joven militó en un movimiento de oposición llamado Tercera Opción. Los servicios de información cubanos, en conocimiento de la historia, habrían filtrado la noticia deliberadamente para desestabilizarlo. Omar pregunta por la veracidad del rumor a su madre, Lilia Rosa López, casada por aquel entonces con un tal señor Pérez del que se separó tras el nacimiento del bebé. Ella lo confirma. En aquellos años era periodista en Radio Progreso y conoció a su padre, el *comandante*, en casa de unos amigos. Ésta es la versión que se desprende del relato del interesado y de dos de sus amigos, Rolando Prats[169] y Norma Guevara.[170] ¿Testimonios plausibles o superchería de dudoso gusto? «No quise saber más —declara Omar Pérez, de paso por París en 1996—. Pero eso no me ha hecho cambiar de idea, ni de comportamiento, ni de nombre. No he intentado obtener privilegio alguno. Muy al contrario. Tuve que hacer un servicio militar muy duro en la provincia de Pinar del Río y el grupo Tercera Opción se deshizo. Pero he seguido siendo amigo de mi hermanastra Hildita y escribiendo poemas.»[171] Sonríe con cierta timidez. Su mirada brilla con leve ironía, su seguridad desconcierta. Es un poco más rechoncho que su supuesto padre, menos alto, lleva los largos cabellos negros recogidos en una coleta. Su rostro, bien perfilado, tiene cierto parecido con el de Guevara. Pero ¿bastan estos elementos para dar crédito al rumor?

«¿Qué puedo decir del Che que no hayan dicho?», se preguntaba Oltuski, antiguo compañero y finalmente amigo: «Que al principio era muy estricto en eso de las mujeres pero que después terminó diciendo que no le cuidaba la portañuela* a nadie.»[172] El jefe de sus escoltas, el guajiro Dariel Alarcón, ascendido más tarde a coronel, reconoce como algo normal que a veces el comandante mandara a buscar a una de las dos «amiguitas» que tenía en La Habana —«una era mulata»—. Entonces se encerraba en su despacho y daba órdenes de que no lo molestaran bajo ningún concepto.[173] Tres años antes, el 9 de agosto de 1961, en Montevideo, en respuesta a un periodista durante una conferencia de prensa, había declarado: «Dejaría de ser hombre si no me gustaran las mujeres. Ahora, dejaría de ser revolucionario si yo dejara de cumplir uno solo de mis deberes, incluyendo mis deberes conyugales, porque me gustan las mujeres.»[174] Estas aventuras se adaptan mal a la imagen de caballero blanco de las hagiografías, pero la revelación que suponen es reconfortante: ¡Guevara no era Supermán! Tenía cualidades excepcionales, pero ese dechado de virtudes era un hombre de carne y hueso. «Hecho como todos los hombres y con el mismo valor que todos ellos», pero también, como dirá Sartre más tarde, «el hombre más completo de nuestra época.»[175] Y su verdadera novia era la revolución.

En cualquier caso, en lugar de demorarse en unos debates que considera inútiles, el Che procura combatir una plaga mucho más dañina que pone en peligro la supervivencia del régimen y su integridad: el burocratismo; es decir, el nacimiento de una casta de aprovechados de la revolución. El artículo que escribe sobre el tema en la revista oficial del partido, *Cuba Socialista* (febrero de 1963), levanta revuelo. «La dirección económica de la Revolución —afirma— es la responsable de la mayoría de los males burocráticos [...]. Un cúmulo de decisiones menores limitó la visión de los grandes problemas. [...]

* Bragueta.

Los organismos afectados están amenazados con ser ahogados por los papeleos.»[176] Una pequeña anécdota contada por el periodista italiano Roberto Savio ilustra lo poco que al comandante le gustaban dichos papeleos. Durante la entrevista el soldado que sirve el café, metralleta al hombro, provoca un falso movimiento de Savio que vuelca su taza sobre la mesa del ministro. Éste, con un oportuno sentido del humor, exclama: «¡Por fin alguien que me libra de esos papeles!»[177]

Aunque él mismo hubiera denunciado el peligro de una «centralización excesiva», Guevara no parece haber comprendido que el centralismo absoluto que defendía para administrar la economía cubana era la causa fundamental de ese burocratismo galopante, fuente de todas las «privilegiaturas». En El Cairo, en 1965, ante Nasser reconocerá: «Encontramos gente capaz de dirigir empresas nacionalizadas, [...] creímos que representarían la revolución, pero descubrimos que pertenecían al partido "administracionista". Olvidaron su fervor revolucionario en los brazos de encantadoras secretarias, en sus suntuosos coches, con sus privilegios y aire acondicionado. Comenzaron a cerrar las puertas de sus despachos para mantenerlos frescos en vez de abrirlas al pueblo trabajador.»[178]

Durante el verano cubano de 1964, al Ministerio de Industria le arrebatan todo el sector azucarero. Sesenta mil trabajadores de los ciento cincuenta mil que controla. Más de un tercio. Se crea un Ministerio del Azúcar para el que Guevara propone a Orlando Borrego, su mejor ayudante, cosa que se le concede. Se añade la decisión de Castro de confiar la responsabilidad global de la economía del país al presidente Dorticós, próximo a los comunistas. El propio Dorticós representará a Cuba en la II Cumbre de los No-Alineados, a comienzos de octubre, en El Cairo. Y no Guevara, a pesar de su especial sensibilidad para los problemas del Tercer Mundo. Fue él quien, el primero, desde el «balcón afroasiático» reveló a los cubanos la existencia de esta cara oculta del planeta, tras su gira de 1959. Comienza a haber pues, aunque nada salga a la luz pública, cierta marginación de Guevara. Discreta pero real.

A partir de 1964 Fidel Castro paseará a su amigo el Che por todo el mundo. En este contexto toma pleno sentido el sarcasmo de Franqui: «En Cuba viajar es signo de desgracia.» Tal vez no signifique desgracia sino cierta provocación mandar a Moscú a un hombre cuyo espíritu crítico se conoce, poco aficionado a las jergas codificadas y que exige, incansable, un mayor equilibrio en los intercambios con los países del Este. En Ginebra, en marzo, él mismo planteó el problema ante una asamblea en la que los países pobres eran mayoritarios. De discurso en discurso, la tesis del Che se ha hecho más precisa. No es aceptable que los países socialistas comercien con los países en vías de desarrollo sobre la base de los precios fijados por el mercado capitalista.

En Moscú, del 4 al 8 de noviembre, Guevara no protagoniza sin embargo escándalo alguno, preocupándose de defender sólo la posición oficial cubana. Nikita Khruschev, el «hirviente y pequeño patán de nuca fruncida», tan bien descrito por Jean Lacouture, acaba de caer en desgracia. El 15 de octubre, lo han expulsado del Comité Central y ha sido sustituido por una troika dirigida por Leonid Brezhnev. ¿Debe Guevara, por encargo de Castro, averiguar de dónde sopla el viento? Es probable. Al Che no parece haberle impresionado el ardor revolucionario del nuevo equipo. Con los economistas Trapeznikov y Liberman, que predican una especie de prudente regreso al capitalismo, evita cualquier polémica. Pero no por ello deja de opinar. En un trabajo inédito, que su hermano Roberto ha podido transcribir en La Habana, afirma: «La investigación marxista avanza por un camino peligroso. Al dogmatismo intransigente de la época de Stalin le ha sucedido un pragmatismo inconsistente. Y lo trágico es que lo mismo ocurre en todos los aspectos de la vida de los pueblos socialistas.»[179]

Su tercer viaje a «la patria del socialismo». En la plaza Roja, aplaude como conviene el desfile militar que tanto lo impresionó cuatro años atrás, en ese mismo aniversario de la revolución soviética. Aunque procedente esta vez de la cumbre de El Cairo, el presidente Dorticós es quien dirige la delegación cubana, de acuerdo con el protocolo. Guevara, tachado de belicista, acepta no obstante, porque esa es la consigna, la idea retomada por Brezhnev de una coexistencia pacífica entre los dos bloques. Pero reclama para los países colonizados el derecho a levantarse contra su opresor. Desmarcándose de la vulgata marxista que insiste en que la revolución será obra del proletariado urbano, se reafirma más que nunca en lo que proclamó la Segunda Declaración de La Habana: que «pese a la dureza de las condiciones obreras en las ciudades, la población rural vive en condiciones más horribles todavía de explotación y de opresión». En este «sector mayoritario que supera el 70 por ciento de la población americana» se sitúan los verdaderos «condenados de la tierra». De ahí nacerá la inmensa oleada revolucionaria del siglo xx. En el artículo «La guerra de guerrillas, un método» (1963) ya había profetizado que la lucha será larga y sangrienta y que tendrá carácter continental.[180] Ese continente de los anunciados combates tanto puede ser América Latina como África o Asia.

A su regreso, en una entrevista con el periódico uruguayo *Época*, Guevara recupera el tono combativo y no disimula que «nuestras relaciones con Estados Unidos se agravan irremisiblemente a medida que se agrava la situación en Latinoamérica».[181] Con la sola excepción de México, los Estados miembros de la OEA aún reticentes —Chile, Bolivia, Uruguay— acaban doblegándose a las presiones de Estados Unidos y suspenden sus relaciones diplomáticas con Cuba. Al Che no le inquieta. Muy al contrario. «Lo mejor en esta situación es que la cosa vaya mal.»[182] La resonante gira del general De Gaulle por diez países de América Latina hace surgir, por algún tiempo, la esperanza de una «tercera fuerza latina» bajo la influencia de París y Castro aplaude la idea. Pero es sólo una hermosa ilusión. Francia no tiene medios adecuados a sus ambiciones.

En Santiago de Cuba, en Oriente, durante el homenaje al levantamiento de la ciudad, iniciado por «el heroico Frank País», para apoyar el desembarco rebelde en la frustrada cita del 30 de noviembre de 1956, Guevara da unos consejos prácticos a los jóvenes. «Formo parte de la juventud», precisa. Tiene treinta y seis años y medio y, si bien es un poco más corpulento que el joven de aspecto adolescente de 1956, incluso ha mejorado su buena planta. No tiene tiempo de hacer deporte; una ocasional partida de golf disputada cierto día con Fidel ha sido básicamente un pretexto para hacer fotografías, un modo de demostrar que la burguesía cubana había sido desposeída incluso de ese símbolo aristocrático. En otra ocasión aceptó jugar un partido de béisbol, juego típicamente gringo que los cubanos se han apropiado, del que no entiende mucho. Todo sea para complacer a Fidel.

Pero el verdadero placer físico que a veces se concede para mantenerse en forma es un buen paseo, a pie y en mulo, por las escarpadas y húmedas laderas de la Sierra Maestra, «montaña mágica» donde se reveló a sí mismo y a los demás. El pobre Granado, invitado a uno de esos paseos, lo recordará por mucho tiempo. ¡Agotador! En Santiago el discurso del comandante, algo embarullado, aborda mil temas. Entre otros el de la «división internacional del trabajo, que establece la necesidad de que ciertos países se consagren a determinado tipo de actividad».[183] La alusión al papel «azucarero» de Cuba es clara, pero no dice nada más de ello. Y puesto que el embajador de Checoslovaquia está presente, el Che se permite un chiste que revela la frustración del pobre con respecto al rico. ¿Por qué no imaginar, pregunta, que algún día Cuba proporcione su ayuda técnica a Checoslovaquia? En efecto ¿por qué no? Soñemos.

Unos días más tarde, el 5 de diciembre de 1964, firme en su puesto inaugura la reunión bimestral de directivos en el ministerio. No ceja. «Apenas llegado de un viaje —dice— y debo volver a partir para otro viaje.» Explica concienzudamente cuáles serán las tareas para 1965. Su exposición es a la vez crítica y autocrítica, con cierto regusto de amargura y por momentos aparece, hecho insólito y conmovedor, el fugaz esbozo (reprimido enseguida) de un estado de ánimo personal. La emprende primero con las etiquetas de «prochino» y de «trotskista» que le endosan. «En toda una serie de aspectos yo he expresado opiniones que pueden estar más cerca del lado chino (guerra de guerrillas, guerra popular, trabajo voluntario, hostilidad ante los estímulos materiales), sobre cosas que preocupan también a los chinos. [...] Y como dicen que ellos son fraccionalistas y trotskistas, me cuelgan también a mí el *sambenito*.»[184] Reconoce que el trabajo voluntario no merece ya ser llamado así, que ese tipo de actividad ahora se está imponiendo: «No hemos sido capaces de darle un carácer desinteresado.»[185] Esta aceptación de un fracaso debe compararse con sus palabras de esperanza, seis meses antes (15 de agosto de 1964), cuando felicitando a los obreros comunistas recompensados por su abnegación, con una sonrisa había citado unos versos del poeta español que conoció en México, León Felipe, contemporáneo de Machado y de Lorca: «... *Pero el hombre es un niño laborioso y estúpido que ha convertido el trabajo en una sudorosa jornada*, [...] Podríamos decirle hoy a ese gran poeta desesperado que viniera a Cuba [...] para que viera una nueva actitud frente al trabajo [que] se hace con una alegría nueva.»[186] Bien hizo el poeta, al parecer, en no apresurarse a aceptar la invitación, pues ahora Guevara, sincero hasta la médula, admite ante sus colaboradores: «Los defectos de nuestro sistema tienden a transformar el hombre en una máquina.»[187]

Y de pronto, reaccionando ante la intervención de un especialista en psicología del trabajo, hace una confesión patética que roza el desaliento. «La vida de un dirigente de la revolución del nivel de la Dirección Nacional es realmente una vida que si no tuviera la compensación que uno puede lograr por la existencia de una obra [...] sería realmente algo decepcionante. [...] Es evidente, uno no tiene familia prácticamente. [...] Los hijos míos le dicen papá a los soldados que están ahí, que los ven todos los días, a uno no lo ven nunca. [...] Una vida como la que llevamos es una vida que consume. [...] el esfuerzo tan constante, pues, quita años de vida. [...] Hay que hacer un sacrificio enorme. [Pero es un] deber social que tiene que ser parte de eso que pudiéramos llamar la mística del socialismo, si no fuera una palabra un poquito peligrosa.»[188]

«Esta gran humanidad ha dicho ¡Basta!»

Cuando el 9 de diciembre de 1964 Guevara llega a Nueva York para hablar, en nombre de Cuba, en la decimonovena sesión de la Asamblea General de las Naciones Unidas, su gloria mediática está en el cenit. En Cuba, las sutilezas de la polémica sobre el mejor modo de lograr que el país pase al socialismo no son perceptibles para la gente. En el plano internacional, la imagen del ministro con uniforme verde olivo se ha hecho tan famosa como sus cáusticas frases. Después de Punta del Este y Ginebra, su presencia en el seno de la más alta instancia mundial parece atestiguar el relevante papel que se le confía para que exprese las posiciones de la isla rebelde, que tanto hacen rabiar a Estados Unidos. Él mismo anunció a sus colaboradores que se marchaba a «un viaje de ésos con una bronca».[189]

El discurso que pronuncia el 11 de diciembre en la gran sala de plenos del rascacielos de la ONU, parece una declaración de guerra lanzada por el Tercer Mundo contra lo que denomina «la internacional del crimen» constituida por los imperialistas. Tras haber reclamado una cohesión interna en el campo socialista «para luchar hasta la muerte en defensa de la revolución», pasa revista a todos los puntos calientes del planeta subrayando aquellos, innumerables, en que está comprometida la responsabilidad de Estados Unidos. Esos conflictos dan un mentís a esa coexistencia pacífica que no puede, dice, reservarse para el uso exclusivo de las grandes potencias. Manifiesta especial indignación con respecto a Vietnam y al «invasor» norteamericano. En Cuba ha mantenido una larga entrevista con el vietnamita Dinh Noup, y ha felicitado el carácter campesino del combate vietnamita en un ardiente prefacio para el libro *Guerra del pueblo, ejército del pueblo*, del general Giap, vencedor de los franceses en Dien Bien Phu.

Pero suelta un verdadero grito de rabia cuando evoca «la impunidad más absoluta, el cinismo más insolente» manifestado en el antiguo Congo belga durante el asesinato del primer ministro Patrice Lumumba, encubierto por Estados Unidos. Recupera los acentos de Frantz Fanon para denunciar «lo que nuestra condición de esclavos coloniales nos ha impedido ver en otras ocasiones: que la "civilización occidental" disimula, tras su suntuosa fachada, una banda de hienas y de chacales. [...] Todos los hombres libres del mundo, proclama, deberían aprestarse a vengar el crimen del Congo». Y concluye con la lírica protesta de fe de la Segunda Declaración de La Habana, a la que pretende dar resonancia universal: «Porque esta gran humanidad ha dicho "¡Basta!" y ha echado a andar. Y su marcha de gigante ya no se detendrá hasta conquistar la verdadera independencia.»[190]

Mientras habla, emigrados anticastristas, desafiando el gélido frío, provocan incidentes ante el edificio de cristal de la ONU. Una manifestante que quería arriar la bandera cubana que ondea ante el edificio es detenida y se le requisa un cuchillo con el que, según reconoce, le habría gustado matar a Guevara. Informado del asunto, éste la perdonará con una de sus habituales ocurrencias: «Más vale morir por el cuchillo de una mujer que por el fusil de un hombre.» Más grave es que un obús de bazuca, disparado desde el otro lado del East River, a unos mil quinientos metros, cae en el río apenas a treinta metros del edificio, levantando una enorme cortina de agua.[191]

Dos días más tarde, entrevistado en directo por tres periodistas ante las cámaras de la CBS, Guevara elude las preguntas que se refieren a las diferencias entre Cuba y la URSS y entre ésta y China. Pero afirma de buena gana que sólo ve posible la liberación de América «por las balas. [...] Si es preciso que nos pongamos de rodillas para obtener la paz [con Washington], será necesario que los americanos nos maten».[192] Y como sólo le conceden diez segundos para decir qué porcentaje de la población apoya la revolución en Cuba, responde que sin necesidad de elecciones «en este momento» la gran mayoría apoya al gobierno. Trivialidad impuesta por las circunstancias. Al salir del estudio, nuevas manifestaciones de hostilidad contenidas por la policía, y nueva sonrisa burlona del Che. Para los *gusanos* recupera, como un desafío, el gesto clásico de Perón de levantar ambos brazos, como un boxeador saludando a la muchedumbre.

Al día siguiente, como dato anecdótico, acepta acudir a una recepción privada que le parece de un anticonformismo digno de ser alentado. Tres años más tarde, el 19 de octubre de 1967, el semanario neoyorquino de moda, *Village Voice*, publicará una reseña de esa velada organizada en honor del Che por *Bob* Rockefeller, miembro herético de la dinastía emblemática del capitalismo triunfante, pariente de Nelson Rockefeller, gobernador del Estado de Nueva York. Vestido con un uniforme bien planchado (y ya se sabe que no siempre es así), el Che encuentra a una antigua amiga de su hermana, de los tiempos de Córdoba, Magda Moyano, así como a una periodista de *Look* que le ha entrevistado en otra ocasión, Laura Bergquist. Cuando llega se produce un gélido silencio; luego el hielo se rompe y un líder estudiantil se acerca para pedirle consejo sobre cómo... ¡crear una guerrilla en Estados Unidos! Velada algo irreal, dice la revista, pero sin duda muy *smart*.

Tras esas futilidades, Guevara no regresa a La Habana. Se dirige directamente a Argel para una larga gira que le mantendrá alejado de Cuba durante tres meses. Regresar a la capital argelina le resulta siempre un deber agradable. Argel-la-blanca, con sus barrios ruidosos y animados que bajan hacia el Mediterráneo, como los cerros de Valparaíso hacia el Pacífico, no es sólo la luminosa ciudad de una revolución que le parece fraterna y audaz sino también —sólo más tarde se sabrá— una muy discreta base de repliegue para los movimientos de liberación latinoamericanos y africanos.

Ben Bella no le regateará su apoyo. Ha nacido una verdadera amistad entre ambos hombres, que hablan tanto en francés como en español (el presidente argelino nació en Marnia, en el Oranesado empapado de influencias hispánicas). El Che le transmite una petición en nombre de Fidel Castro. ¿Aceptaría acoger en su territorio algunos cuadros revolucionarios latinoamericanos entrenados en Cuba? ¿Podría Argelia servir de puente para encaminar armas hacia América Latina? En efecto, la estrecha vigilancia de Estados Unidos hacía complicada, para Cuba, esta indispensable tarea de apoyo. «Evidentemente, mi respuesta fue inmediata y positiva —dice Ben Bella—. Se organizó la infraestructura para recibir a los representantes de los movimientos revolucionarios latinoamericanos colocados bajo la autoridad del Che. [...] Se instaló un estado mayor en la parte alta de Argel, en una gran mansión rodeada de jardines, que decidimos regalarles como un símbolo. Esa Villa Susini había sido célebre, en los tiempos de las luchas de liberación, como centro de tortura. Muchos de los nuestros perecieron allí. [...] Cierto día, el Che me dijo: "Ahmed, hemos recibido un golpe duro: algunos hombres entrenados en la Villa Susini han sido atrapados en la frontera entre dos países (ya no recuerdo cuáles) y temo que hablen cuando les torturen." [...] Le preocupaba que se descubriera la verdadera naturaleza de las "sociedades de *import-export*" que habíamos constituido en América Latina para apoyar la revolución armada.»[193]

El universitario venezolano Oswaldo Barreto, por entonces en Argel, confirma punto por punto ese desconocido papel de Argelia. El partido comunista venezolano era el más importante en la lucha armada, en el seno de un «frente» que incluía a los castristas del MIR (Movimiento de la Izquierda Revolucionaria). A Barreto, militante comunista en aquella época, le habían encargado «montar un dispositivo» en aquel lejano rincón norafricano y encaminar a buen puerto las armas graciosamente cedidas por chinos y coreanos. «Eran armas americanas, tomadas al enemigo y no Kasashnikov, pues los cubanos, que estaban en el origen de la maniobra, no querían que se les acusara de habernos proporcionado material soviético.» Cuba había pedido a los argelinos que se encargaran de hacer llegar a China diez mil toneladas de azúcar a cambio de ciento veinte toneladas de armas. Papito Serguera, amparado en su calidad de embajador, sirvió de intermediario. «Me hice pues argelino —prosigue Barreto— y monté una sociedad-pantalla de exportación de aceite de oliva; ocultábamos las armas en los barriles.»[194]

En aquel diciembre de 1964, mientras Guevara recorre el mundo, Fidel Castro convoca en secreto, en La Habana, una conferencia de los dirigentes de los partidos comunistas de América Latina. ¿Supone un intento de presentar un frente común latinoamericano antes de la reunión comunista internacional fijada por Moscú para el 1 de marzo de 1965? Tras el abandono soviético en la crisis de los misiles y a pesar de la componenda de abril de 1963 entre Castro y Khruschev, el foso se ha hecho más ancho entre los simpatizantes procastristas y los PC ortodoxos del continente, que siguen la tesis moscovita de una descansada «coexistencia pacífica» incluso en el plano nacional. Pese al talento oratorio del camarada Castro, que les pide una solidaridad activa con las guerrillas, son muchos los que vacilan. Los comunistas argentinos y uruguayos son los más reticentes. La conferencia acaba aprobando un apoyo a la lucha armada pero sólo en seis países: Venezuela, Colombia, Guatemala, Honduras, Paraguay y Haití. Adviértase que no figura aquí el PC boliviano...

A este respecto Barreto cuenta una historia que conoce de primera mano, cuyo interés es grande ya que determina un punto cronológico esencial sobre la elección del teatro de operaciones al que Guevara intentará llevar sus pasos y sobre el momento en que tomará su decisión. No cabe duda, para quienes le tratan, que cada vez le acucia más el deseo de lanzarse a la acción armada directa. Esta vez no mira hacia Brasil sino hacia Venezuela. Una guerrilla armada ha conseguido implantarse ya en seis provincias para combatir el régimen reformista del presidente Betancourt. Desde que en Costa Rica Betancourt había respondido «EE.UU.» a la pregunta —«¿URSS o EE.UU.?»— que el joven Guevara le había formulado a quemarropa en 1953, el político había sido clasificado en la categoría de traidor potencial. A la cabeza del movimiento armado venezolano se halla Medina Silva, un antiguo capitán de navío rebelado y que, por casualidad, está de paso por París aquella semana del 18 al 25 de diciembre del 1964 cuando el Che se encuentra en Argel. Le ruegan que viaje a la capital argelina porque Guevara desea entrevistarse con él en privado. «Lo que el Che me propuso —dijo luego Medina Silva a Barreto— fue venir a combatir con nosotros. Le respondí que sería bienvenido pero que quedaría a mis órdenes.»[195] Finalmente, el Che renuncia al proyecto. «Consideraba —prosigue Barreto— que los venezolanos no estaban dispuestos a ir hasta el fin, que hacían chantaje con su guerrilla. Pero estaba claro que Guevara quería volver a combatir en otra parte. Veía venir la sovietización de Cuba.»[196] Queda claro también que en diciembre de 1964 el Che no ha decidido todavía a qué «tierra del mundo» llevará el concurso de «sus modestos esfuerzos». ¿Le ayudará su viaje africano a elegir el rumbo?

Argel es mucho más que una base logística de apoyo para revoluciones latinoamericanas. Con la bendición de Ben Bella, es una plataforma ideal para organizar, a escala africana, una red de solidaridad revolucionaria entre Cuba y los países «progresistas» del continente, recién liberados del colonialismo. En Nueva York, cuando el soviético Gromyko había reunido en el marco de la ONU a los jefes de delegación de los países socialistas, la ausencia de los representantes africanos había sido flagrante. Sin embargo el Che había aprovechado su estancia en la «Gran Manzana» para entrevistarse con un líder negro americano que reivindicaba sus raíces africanas: Malcolm X, que sería asesinado pocas semanas más tarde. Aunque, por consejo de Castro que temía un atentado, Guevara renunció a participar en un mitin en Harlem, en compañía de un ministro tanzano, para denunciar la intervención belgo-americana en el Congo, quiso sin embargo enviar por medio de Malcom X un mensaje de simpatía a sus «queridos hermanos y hermanas» de Harlem.[197]

Desde el triunfo de la revolución, Guevara no ha dejado de interesarse por todos los movimientos de liberación estimulados por el victorioso ejemplo de Castro. No se trata de «exportar» la revolución, siempre se ha guardado mucho de hacerlo, sino —importante matiz— de proporcionar apoyo técnico, financiero y militar a los revolucionarios valerosos decididos a pasar a la acción en sus respectivos países. Él supervisa, como hemos visto, la solidaridad concreta que Cuba puede ofrecer a los combatientes latinos o africanos en centros dedicados a esta tarea. El Che advirtió muy pronto que el hecho más significativo del siglo XX no sería la revolución del proletariado anunciada por Marx, sino la inmensa oleada de liberación de las «neocolonias» de América Latina, África y Asia. En 1966 prepara a fondo esa gran reunión del Tercer Mundo que va a celebrarse en Cuba: la Conferencia Tricontinental. Durante sus estancias argelinas ha mante-

nido apasionantes conversaciones sobre la cuestión con Michel Rap-
tis alias *Pablo*, un trotskista herético de origen egipcio, de cultura
griega y lengua francesa a quien Ben Bella ha nombrado su consejero. Por aquel entonces en Argel hormiguea una fauna de «internacionalistas» que desean inflamar el continente, despertar el Tercer
Mundo. Hay entre ellos un personaje generoso y algo misterioso,
Henry Curiel, rodeado de numerosos *pies rojos* (apelativo de los franceses de izquierda que, tras haber militado por la independencia argelina, pretenden seguir ayudando a sus «hermanos»). Serge Michel,
pintoresco *pie rojo* y antiguo agregado de prensa de Lumumba en el
Congo, recuerda toda una noche pasada con el Che y Papito prepa-
rando una entrevista-manifiesto para *Alger, ce soir*, con mucho ron
cubano y humareda de tabacos.

Guevara cree firmemente que ese continente está preñado de esperanzas, que representa —le dice a Ben Bella— «el eslabón débil del
imperialismo. Debes consagrar a él todas tus fuerzas».[198] Para verificar esta hipótesis y llevar la buena nueva subversiva cubana a los
nuevos gobernantes mejor dispuestos a recibirla, a partir del 25 de
diciembre de 1964 y en compañía del embajador Serguera emprende
una gran gira por siete países africanos de reciente independencia.
No han sido elegidos al azar. Son los que han manifestado, de manera evidente o velada, una ideología de ruptura con Occidente. El objetivo de ese periplo continental de casi dos meses se lo reveló en términos genéricos a Josie Fanon, viuda del intelectual Frantz Fanon,
para el periódico *Révolution Africaine* del 23 de diciembre de 1964:
«Una lucha revolucionaria internacional de proletarios y campesinos. [...] Un frente continental.» En privado, Papito Serguera es más
explícito: «Soñábamos en constituir nada menos que una Unión de
Repúblicas Socialistas de África. Habíamos encontrado ya las siglas:
URSA. Nunca lo dijimos, y, sobre todo, no se lo dijimos a los países
socialistas. "Nosotros", es decir, el Che, Fidel, Raúl y algunos miembros de la dirección y del gobierno. Pero no todos. Era algo compartimentado. Porque el proyecto abría nuevos horizontes.»[199]

El África Negra, un descubrimiento interrumpido

«Teníamos a nuestra disposición un avión Iliuchin 18 con capacidad para ochenta personas, de fabricación soviética. Pero el aparato
era cubano. Al margen de la tripulación, cubana también, en el avión
éramos sólo cuatro. Nuestra primera etapa fue Malí.» Instalado en

su balancín, a la sombra de la veranda de su villa de Miramar, en La Habana, Jorge *Papito* Serguera recuerda cada una de las peripecias de aquel viaje «que deben conocerse —dice— para comprender cómo pudo esbozarse en el espíritu del Che, poco a poco, el proyecto del Congo».[200]

Para Guevara, la prioridad de la misión es política. Pero es también el descubrimiento físico de un continente «exótico» que sólo conoce por los ecos de su combate anticolonialista. Al llegar a Malí, el 26 de diciembre de 1964 tiene la primera revelación de un África muy distinta de la del litoral mediterráneo, ya occidentalizado: la verdadera África Negra, subsahariana, la de la sabana seca y el monte bajo, marcada por el desierto y el Islam, por una visión del mundo y unos razonamientos que escapan a los esquemas del racionalismo cartesiano. Antiguo Sudán francés conquistado por Gallieni a finales del siglo XIX, Malí formó con el limítrofe Senegal una federación que se rompió cuando el país accedió a la independencia en 1960, perdiendo el acceso al mar. En su capital Bamako se creó en 1946 el Rassemblement Démocratique Africain (RDA), del que nacerán la mayoría de los movimientos de liberación contra el colonialismo francés. Allí hizo sus primeras armas el hombre que está a la sazón a la cabeza del país, Modibo Keita. Acaba de superar una rebelión tuareg en el norte, pero escucha con interés el discurso de Guevara y le asegura sus simpatías socialistas.

La ventaja de tener un hermoso avión a tu disposición es que puedes despegar cuando lo deseas. Pero el problema es que a la llegada no siempre te esperan adecuadamente. Después de Malí, Guevara va directamente a Brazzaville (2 de enero de 1965), capital del ex Congo francés que no debe confundirse con el ex Congo belga, cuya capital es Léopoldville, al otro lado del río. Es domingo. Nadie parece haber sido avisado; la torre de control no contesta pero el avión consigue aterrizar. «Yo había hablado ya con el presidente Massemba-Debat —dice Serguera—. Fidel me había dado una carta para él. Deseaba establecer relaciones diplomáticas [...]. Nunca hablábamos de una participación directa de Cuba en un combate armado pero tanteábamos el terreno para saber hasta dónde estaban dispuestos a comprometerse los gobiernos.»[201] Guevara es el encargado de plantear un acercamiento y también allí las respuestas son positivas. Massemba-Debat, cuyo Movimiento Nacional de la Revolución ha proclamado un «socialismo africano», está preocupado por la situación neocolonialista que reina en el antiguo Congo belga, un vecino demasiado próximo. Manifiesta su total acuerdo en «ayudar a los cubanos a ayudar a los congoleños». Y desde luego a demás hermanos africanos. En Brazzaville el Che se encuentra con Agostinho Neto, dirigente de la revolución angoleña, y le ofrece instructores cubanos expertos en guerrilla. Tras ello, el 7 de enero, despega hacia Conakry.

Con Sekou Touré, presidente de Guinea, el contacto es mejor todavía. Es el único jefe de estado del África occidental que optó por la independencia total, en 1958, votando «no» al referéndum del general De Gaulle que ofrecía permanecer en la comunidad francesa. Con Ghana y Malí, hostiles también aunque de modo desigual a Occidente, Guinea ha formado desde 1961 la Entente de los Estados Africanos. El país recibe ayuda de la URSS, Checoslovaquia y China. Así pues, Guevara está en terreno conocido para referirse a la experiencia cubana y subrayar ante su interlocutor las ventajas y los peligros de semejante cooperación. «Sekou Touré —prosigue Serguera— nos invitó a ir hasta la frontera con Senegal para asistir a la representación teatral de una obra en francés de Leopold Sedar Senghor. Presidente de Senegal, Senghor también había viajado hasta allí. Su obra hablaba de la negritud e ironizaron un poco sobre tal concepto. La conversación se hizo muy alegre entre Sekou Touré, Senghor y Guevara. El que más se reía era el propio Senghor.»[202] En Conakry, el Che se entrevista también con Amilcar Cabral, dirigente marxista del Frente de Liberación de Guinea-Bissau, conocido ya en La Habana. Con la conformidad de Sekou Touré los cubanos enviarán a Cabral un barco cargado de armas. «Yo mismo asistí, meses más tarde, a la descarga y almacenamiento de esas armas en Conakry —sigue recordando Serguera—. Son cosas que nunca había dicho.»[203]

En Ghana, antigua colonia de la corona británica (Costa de Oro) independiente desde 1975, el caso es aproximadamente lo que el azúcar en Cuba, un recurso esencial. Desde que los precios han caído, acarreando una crisis económica, el presidente Nkrumah se ha acercado a los países socialistas, especialmente a China cuyo sistema de planificación quiere imitar. Nadie está mejor colocado que Guevara para aportar ciertas indicaciones de prudencia extraídas de la experiencia. En diciembre pasado reconoció que el presidente Dorticós y él mismo sentían una especie de angustia cada vez que firmaban una orden de planificación recalcando «la inseguridad que se tiene, cada vez que se firma un papel, de si se está haciendo una cosa inteligente o si se está firmando una barbaridad».[204]

Concede una entrevista al diario francófono de Accra, *L'Étincelle*, donde destaca las semejanzas culturales con Cuba, sobre todo en el campo de la música, amable vaguedad cuya chispa sólo pueden apreciar quienes saben que en música es una auténtica nulidad.[205] Más en serio evoca —es un estribillo— la necesaria unidad de acción entre América Latina y África. Y puesto que en Ghana existe también un partido único, y sabe que Prensa Latina publicará inmediatamente sus palabras (*Revolución* del 19 de enero de 1965), refiriéndose a Cuba, se permite una «indirecta», como se dice en Argentina. «Nuestra organización será diferente de la de todos los otros partidos hermanos. Hoy en día, después de la crisis de sectarismo de 1962, todos los miembros del partido deben ser elegidos por las bases o, al menos —prudente matiz—, aceptados por ellas.» Y agrega, exaltando el espíritu de libre examen, que hace falta «observar, aprender y pensar, no copiar a nadie, y después empezar a caminar, tal es la forma que nosotros aplicamos».[206] Colocadas en el contexto nacional e internacional de la época, estas evidencias son menos triviales de lo que parece.

Tejiendo concienzudamente su tela africana, Guevara viaja a Dahomey (500 kilómetros de ida y vuelta por carretera, cruzando Togo). Bien escolarizado por las misiones religiosas francesas, el país era considerado como «el barrio latino» de la antigua AOF (África Occidental Francesa). El Che prosigue su trabajo de representante de la revolución ante el presidente Apithy, ignorando que éste será derribado pocos meses más tarde. «De Accra a Porto-Novo hicimos el trayecto en coche —cuenta Serguera—. Fue necesario atravesar el río Volta en una barcaza. Apithy nos enseñó una ciudad lacustre: paisajes maravillosos pero una miseria increíble.»[207] El Che se toma el tiempo de enviar una tarjeta postal «pedagógica» a su primogénita Hildita que ya tiene ocho años: «Querida, estoy en Dahomey, búscalo en el mapa...»[208] No olvida que le ha enseñado a leer y escribir, como a sus guardaespaldas, cuando se la llevaban al despacho de ministro a la salida de la escuela.

Pero, de pronto, inesperado cambio de programa: al salir de Accra el 25 de enero, en su gran avión vacío, el comandante Guevara interrumpe su periplo africano. Regresa a Argel y de inmediato se dirige a París. Su próximo destino, insólito, será China. Conviene preguntarse sobre las razones de esta abrupta decisión. En París debe aguardar a que se le reúnan dos emisarios de confianza de Castro, Emilio Aragonés y Osmany Cienfuegos, a los que acompaña Manresa, su fiel y concienzudo secretario que llega para ponerlo al corriente de las últimas noticias de Cuba. Aquellos dos días en París, 28 y 29 de enero de 1965, por breves que sean representan una especie de vacaciones obligadas, caídas del cielo para aquel hombre siempre apurado. Prefiere alojarse en el hotel Vernet, junto a los Champs Elysées, en lugar de hacerlo en la cercana embajada, para evitar así las mundanidades que el embajador Antonio Carrillo, un «funcionario», ha preparado para él. En el hotel charla con un joven médico cubano, José Luis Llovio-Menéndez, por quien siente simpatía y que vive en Francia casado con una francesa.[209] Se encuentra también con su viejo compañero argentino, Gustavo Roca, que viaja mucho entre Argentina, Cuba y Europa. Roca recuerda la pesadumbre de Ernesto cuando aquel día evocaron el trágico fin de Masetti.

Apasionado como siempre por la lectura, Guevara encuentra tiempo para hurgar en las librerías de la orilla izquierda del Sena donde consigue una buena cosecha de libros. Por la noche anula una cena y se lanza sobre los libros, en vez de ir de festejos con el resto de la delegación. Algunas revistas y periódicos han publicado fotos suyas en Ginebra y en Nueva York, de modo que no pasa por completo inadvertido. Serguera afirma que «por la calle algunos lo miraban, vestido con su abrigo caqui, con botas y boina, con el tabaco brotando de un rostro barbudo, y exclamaban: "Éste se ha disfrazado de Che Guevara." La cosa nos sucedió también en el avión. Los pasajeros lo miraban, intrigados, cuando paseaba en calcetines por el pasillo. Algunos le hacían preguntas, aquello nos divertía. Él respondía con evasivas».[210]

¿Por qué China? ¿Y por qué en ese momento preciso? Al regresar a Cuba, en una charla ante el personal de su ministerio, Guevara pasará, de modo no menos evasivo, sobre este extraño rodeo de veinte mil kilómetros o más, incongruente, entre Ghana y Tanzania. «El viaje a China fue un viaje relámpago, para discutir una serie de opiniones con el Partido chino; discusiones con Liu Chao-chi; prácticamente con la secretaría completa del Partido. [...] Hicimos un convenio a largo plazo de intercambio de opiniones, para ver si podíamos, en fin, desarrollar algunos aspectos concretos de nuestra ayuda mutua.»[211] Difícil ser más ambiguo. Un despacho de AFP precisa que «el señor Deng Xiaoping, secretario general del PC chino, ha recibido en Pekín el 3 de febrero de 1965 al señor Guevara y sus dos compañeros». Osmany Cienfuegos, hermano de Camilo, es un antiguo miembro de las juventudes comunistas del tiempo de Batista, uno de los veinticinco dirigentes del partido comunista cubano en formación, «pupilo» de los hermanos Castro; el capitán Emilio Aragonés es un dirigente del ex M-26, convertido en jefe de las milicias.

La imprevista misión del Che se inscribe, con evidencia, en el conflicto sino-soviético. Pues Cuba, por su decisión de combatir por todos los medios al imperialismo y por su contagioso ejemplo en América Latina, pero también por sus vínculos económicos y políticos particulares con la URSS y sus aliados, se ha convertido en una pieza clave de las diferencias entre los hermanos enemigos del campo socialista. Oswaldo Barreto cuenta que, tras su conferencia clandestina de La Habana, en diciembre de 1964, una representación de varios dirigentes de partidos comunistas latinoamericanos, sin sospechar nada, había creído oportuno ir a predicar la reconciliación entre los dos gigantes de la revolución marxista. Según el testimonio del venezolano Eduardo Gallegos Mancera, Moscú se dignó escuchar a la delegación con un oído atento en principio, mientras que en Pekín Mao, acompañado por Liu Chao-chi, había mostrado hacia ellos una desdeñosa ironía, evocando a «los tres diablillos» que asustan a la revolución: el imperialismo, el revisionismo y el pueblo.[212]

Ahora bien, al Che se ha encomendado una misión de buenos oficios análoga. Se guarda mucho de opinar sobre la política interior china. Ignora sin duda, como casi todo el mundo por aquel entonces, las locuras de su política económica, los treinta millones de muertos —¡treinta millones!— provocados por la gran hambruna campesina de los años 1959-1961. Es el período llamado del «gran salto hacia adelante». Guevara es portador del texto «neutralista» del discurso que Fidel Castro pronunciará, el mes siguiente, en la reunión de Moscú convocada por Brezhnev para que el conjunto de los partidos comunistas condene a China. Cuba considera oportuno que Pekín lo conozca. Pero a los chinos no les gusta que Cuba participe en esta farsa destinada a excomulgarlos de la familia comunista internacional. El Che insiste, personalmente, sobre el debilitamiento que representa la querella sino-soviética en el combate contra el imperialismo, objetivo central que tienen en común.

Porque el tiempo apremia. En Vietnam del Norte los norteamericanos inician sus bombardeos intensivos, pero el interior de China puede servir de base de apoyo para los vietnamitas. En Cuba, por el contrario, a pesar de la promesa verbal de Kennedy a Khruschev —ambos desaparecidos— el peligro de un ataque militar de Estados Unidos no puede descartarse por completo. Los cubanos se han enterado, con la amargura que cabe imaginar, que no pueden contar con una respuesta inmediata de la URSS, tal vez ni siquiera con su ayuda económica si Estados Unidos endurece aún más su bloqueo. Para Cuba, dispuesta a tomar cualquier iniciativa para ayudar a los «patriotas» a abrir otros frentes en el mundo, la tarea es urgente. Que Guevara decidiera, en aquellas fechas, combatir junto a esos patriotas es posible. Que haya solicitado, para ello, la ayuda de los chinos, también es plausible.

Mao, en cualquier caso, no recibe esta vez al Che y la acogida que los chinos dispensan a la delegación cubana es bastante fría.[213] K. S. Karol, que en marzo de 1965 se encontraba en Pekín, cuenta que los maoístas latinoamericanos que había allí sólo tenían sarcasmos para Castro, a quien juzgaban muy lejos de tener «el estómago en Moscú y el corazón en Pekín» como quería hacer creer. A su entender, «estaba atado de todo corazón» a los soviéticos porque era un «pequeñoburgués» que se sentía a gusto con los nuevos ricos de la URSS.[214] Si se excluye la referencia a Castro, intocable, esta crítica del comportamiento soviético no está desprovista de cierta coloración guevarista.

Los países socialistas deben pagar

La última parte del largo viaje alrededor del mundo que realiza el Che, ofrece algunos hechos sobresalientes que contarán en su carrera y su imagen internacional. Tras el interludio chino regresa a África. Una brevísima escala en París le proporciona la ocasión de visitar el Louvre y admirar algunos cuadros muy alejados del realismo socialista, El Greco, Rubens, la inevitable *Gioconda, La nave de los locos* de El Bosco.[215] Luego viene Tanzania, adonde llega el 11 de febrero. La elección es fácil de entender. En Cuba, en el mayor secreto y pese a las recomendaciones soviéticas de «coexistencia pacífica», fueron entrenados y formados los revolucionarios negros y africanos que un año atrás derribaron la aristocracia árabe de Zanzíbar para fundar Tanzania, un nuevo Estado resultante de la unión de la pobladísima isla y del vasto Tanganica, país de los grandes lagos, hasta entonces bajo tutela británica. En la capital Dar Es Salam, abierta al océano Índico, el Che se entrevista con el presidente Julius Nyerere, originario de la región del lago Victoria, un católico formado en Edimburgo y de inspiración socialista que pronto se inclinará hacia la cooperación ofrecida por los camaradas chinos. Mantiene también conversaciones separadas con dirigentes congoleños, epígonos de Lumumba, Gaston Soumialot y Laurent-Désiré Kabila.

Un cable de Prensa Latina del 18 de febrero de 1965 señala que «el ministro Guevara ha traído a los movimientos de liberación instalados en Tanzania el pleno apoyo moral de Cuba».[216] Este apoyo no será sólo moral, aunque a Guevara no le engañen las rimbombantes declaraciones de algunos revolucionarios de salón que encuentran siempre mil pretextos para justificar que es imprescindible esperar. «Particularmente instructiva fue la visita a Dar Es Salam, residencia de una considerable cantidad de "freedom fighters" que, en su mayoría, viven cómodamente instalados en hoteles y han hecho de su situación una verdadera profesión, oficio a veces lucrativo y casi siempre cómodo. En este ambiente se sucedieron las entrevistas, en las cuales solicitaron, en general, entrenamiento militar en Cuba y ayuda monetaria. Era el *leitmotiv* de casi todos.»[217] Y añade, ilustrando el próximo desarrollo de los acontecimientos: «Conocí también al grupo de luchadores congoleños. Desde el primer encuentro pudimos precisar la extraordinaria cantidad de tendencias y opiniones diversas que matizaba el grupo de dirigentes de la revolución congoleña.»[218] Pero lo esencial es que Nyerere ha dado su bendición para que Tanzania sirva de base de retaguardia. La situación de este país es ideal, separado del ex Congo belga sólo por el lago Tanganica, aunque éste es verdaderamente inmenso. Pese a sus inquietudes, el Che no abandona «el optimismo de su voluntad». «Después de completar mi gira por siete países africanos —declara en conferencia de prensa—, estoy convencido de que es posible crear un frente común de lucha contra el colonialismo, el imperialismo y el neocolonialismo.»[219] Y para el semanario *Jeune Afrique* (21 de marzo de 1965) declara: «He encontrado pueblos enteros bajo presión, como agua a punto de hervir.»[220]

El 19 de febrero acompañado por Pablo Rivalta, un maestro comunista negro, corpulento y antiguo miembro del PSP ascendido a embajador en Tanzania, se detiene tres días en El Cairo. Renato Guitart, otro embajador cubano, les espera allí. Con Serguera es el tercer hombre del dispositivo de apoyo cubano en África: Argel-El Cairo-Dar Es Salam. Los cubanos saben que pueden contar también con la complicidad activa de la red diplomática argelina en África, instruida en este sentido por Ben Bella. Nasser recibe a Guevara al día siguiente de su llegada. Es casi un antiguo amigo. Entre ambos hombres se han establecido relaciones de mutua confianza. Guevara siente admiración por ese militar excepcional que ha devuelto Egipto a los egipcios, competente jefe de Estado y hábil diplomático. Por su parte, Nasser siente una simpatía viril por las generosas ideas de ese hermano menor llegado de otro continente, cuyas intransigencias intenta atemperar. «Nasser tuvo la inmediata impresión de que Guevara estaba apagado —cuenta Mohamed Heikal—. Le pidió que hablara pero él no quiso sincerarse. Siguió mostrándose poco comunicativo.»[221] El Che debe regresar a Argel pero promete volver pronto, y en esa ocasión se abrirá a Nasser como a un confidente, con una sinceridad conmovedora.

La nueva estancia de Guevara en Argel está marcada por su resonante intervención del 24 de febrero de 1965 en un seminario económico de solidaridad afroasiática, donde Cuba está invitada en calidad de observadora. Se trata de un seminario de trabajo al que Ben Bella ha solicitado, en la apertura, que ponga de relieve «líneas de acción comunes a escala afroasiática». Pero están presentes 35 delegaciones, entre ellas las de la URSS y China, así como representantes revolucionarios de Vietnam del Sur, África del Sur, Angola, etc.

Lo que en sus escritos quedará como «el discurso de Argel», retoma lo esencial de lo que el Che ha defendido en sus artículos, conferencias, reuniones ministeriales y demás debates: que la ley del valor es contraria a la ética cuando rige los intercambios entre países comprometidos en la vía del socialismo.[222] Sin embargo, el tono nunca había sido tan duro. El ministro cubano no cita explícitamente a la URSS, pero a ella se refiere cuando proclama que la «práctica del internacionalismo proletario» es «un deber» contra el enemigo imperialista común. «El desarrollo de los países que se comprometen en la vía de la liberación debe ser pagado por los países socialistas», asesta sin ambages. Durante la previa transcripción del texto, Oswaldo Barreto, el comunista venezolano que tradujo el discurso pronunciado en francés se detuvo, algo sofocado, en este punto: «¿Dices que deben pagar?» «Eso es —le responde con una especie de rabia—. ¡Que paguen, carajo!»[223] La indignación de Guevara aumentó un poco más cuando Serguera, Pedro Duno y otros camaradas latinos vinculados a la embajada le hicieron observar que los países del Este no vacilaban en presentar factura a Argelia, incluso para la cooperación médica, mientras Cuba se hacía cargo de todos los gastos de los médicos que, por solidaridad, ponía al servicio de los camaradas argelinos.

El discurso del Che se inflama, se transforma en requisitoria. Brotan de él severas fórmulas que dan en el blanco, que van a doler. «Los países socialistas son, en cierta medida, cómplices de la explotación imperialista; [...] tienen el deber moral de liquidar su complicidad tácita con los países explotadores de Occidente.»[224] Convirtiéndose en heraldo de los países pobres contra los países ricos, Guevara reclama una «concepción totalmente nueva de las relaciones internacionales». Evoca tres temas importantes que, en los dos siguientes decenios, se convertirán en reivindicaciones clásicas y recurrentes de los países del Tercer Mundo. Primero, una equitativa transferencia de conocimientos («poner al alcance de los países subdesarrollados toda la tecnología de los países avanzados sin utilizar el método actual de las patentes»). Segundo, el respeto de las identidades culturales («los técnicos que vienen a nuestros países deben ser ejemplares», deben tener en cuenta el medio, la lengua, las costumbres diferentes»). Tercero, renegociación de la deuda («ha llegado la hora de sacudir el yugo, de imponer la revisión de las deudas exteriores que nos abruman»). Pero ante todo, martillea como conclusión, es preciso ayudar a los pueblos todavía oprimidos a liberarse «sin querer verificar [su] solvencia. Las armas no pueden ser mercancías; deben ser entregadas totalmente gratis [...] a los pueblos que las piden para disparar contra el enemigo común».

Es difícil imaginar el impacto de semejante discurso, especialmente en el mundo socialista. Fue tremendo. «Nunca —dice K. S. Karol— un dirigente comunista en el poder se había dirigido a los soviéticos en esos términos sin que su país rompiese con la URSS o no fuera excomulgado.»[225] En el microcosmos parisino de los estudiantes de izquierda, la filípica guevarista se difunde de inmediato, ciclostilada. Los ortodoxos del partido comunista están consternados; los izquierdistas se sienten, por el contrario, encantados por esa tunda contra el revisionismo soviético. Philippe Robrieux, joven dirigente comunista, propone a la dirección de la UEC (Unión de Estudiantes Comunistas) organizar un gran debate sobre el estalinismo durante una *mutu* (un mitin en la sala de la Mutualité, en París), a la que sería invitado el Che Guevara, muy popular ya entre la juventud. Miembro del buró nacional de la UEC, la camarada Jeannette Pienkny, que desde 1962 viaja constantemente entre París y Cuba —donde se ha puesto el uniforme de miliciana—, pone a Robrieux en contacto con la embajada cubana en París. Y ésta, telefoneando a Argel, transmite la petición al interesado, que pide pensárselo. Pero Robrieux es desautorizado inmediatamente por su jerarquía y el proyecto fracasa.[226]

En La Habana, Castro confirma la participación de Cuba en la conferencia comunista internacional convocada por Moscú para condenar a China. Envía a su propio hermano, junto a Osmany Cienfuegos, el mismo que acaba de acompañar a Guevara en Pekín. ¿Es señal de que Fidel se desentiende de las críticas del Che? Sí, si nos atenemos a las contingencias de la *realpolitik*, pues la economía de Cuba sólo sobrevive gracias a la prodigalidad soviética. No si se quiere admitir que, en el reparto de papeles, Guevara ha proclamado en voz alta lo que Castro piensa por lo bajo y que su función de jefe de Estado no le permite reconocer. Y además nunca es malo encender una vela a Dios y otra al Diablo, sobre todo si se es, como Castro, más pragmático que doctrinario. Desde ese momento Guevara es considerado «herético», tanto en Moscú como en los medios comunistas «tradicionales» latinoamericanos. En cambio, su brutal franqueza no deja de regocijar al conjunto de los movimientos revolucionarios.

El mismo día del famoso discurso, Aleida, la esposa cubana, da a luz en La Habana a su cuarto hijo. Es un varón y se llamará Ernesto, como su padre. Ausente desde hace más de dos meses, arrastrado por una gestación de otro tipo, la de una guerra de liberación en el continente africano que le parece de primera necesidad, Guevara está muy lejos de esos acontecimientos familiares. «Los dirigentes de la Revolución tienen hijos que en sus primeros balbuceos no aprenden su nombre, y mujeres que son también sacrificadas al triunfo de la revolución. [...] Nuestra familia debe comprenderlo»,[227] escribe en un texto clave que ha comenzado a redactar durante su periplo africano.

«Fuera de la revolución no hay vida»

El 2 de marzo de 1965, de regreso a El Cairo como prometió, para pasar ocho días, el Che se organiza un espacio de reflexión personal y balance logístico antes de volver a La Habana. Parece haber tomado ya entonces la decisión de terminar con el ingrato confort del trabajo de ministro para recuperar la voluptuosidad áspera del combate guerrillero, en contacto directo con el enemigo. No será en América Latina, como podría pensarse, sino en el Congo-Léopoldville, donde «el neocolonialismo ha mostrado sus garras», como denunció en su discurso de Argel. La realidad impone casi su elección. Apenas hace tres meses, en noviembre de 1964, unos comandos de paracaidistas intervinieron en Stanleyville, al norte del país, para liberar, según dijeron, a dos mil blancos tomados como rehenes por los rebeldes congoleños. El colmo es que los paracaidistas fueron transportados por aviones norteamericanos pilotados por cubanos anticastristas, tal vez los mismos que se habían distinguido tristemente durante el fracaso de bahía de Cochinos, cuatro años antes. En Nueva York, Malcolm X le habló al Che de su proyecto de crear una brigada de voluntarios negros afroamericanos para acudir en ayuda de los congoleños. Para Guevara no basta ya con castigar esta fechoría. Hay que ir más

437

lejos. En una entrevista para el semanario marroquí *Libération* (17-23 de marzo de 1965) es más explícito. «La victoria en el Congo demostrará a los africanos que la liberación nacional abre el camino al socialismo; una derrota abrirá el camino al neocolonialismo. [...] Éste es el envite.»[228]

Ya en su primera entrevista con Nasser, Guevara le revela el secreto y le indica que ha decidido tomar personalmente el mando de un destacamento de cubanos negros que irán en ayuda de los rebeldes congoleños. En principio tiene la conformidad de Ben Bella para que Argelia contribuya a la operación. Solicita una participación egipcia. «He pasado toda la noche andando por mi habitación en el hotel de los Shepheards, procurando decidir si tenía que decírselo»,[229] reconoce.

El testimonio de Heikal, que transcribe estas palabras en sus *Documentos de El Cairo*, es de gran importancia aunque a veces vacile sobre la cronología. Confidente y consejero del Rais, asistió a las conversaciones o escuchó el relato de los propios labios de Nasser. Al saber el proyecto de su amigo, el presidente egipcio no oculta su escepticismo. Le habla sin cortapisas. «Me sorprende usted mucho. ¿Quiere convertirse en un nuevo Tarzán, en un blanco que se mezcla con los negros para guiarlos y protegerlos?... Es imposible. [...] No tendrá éxito. Como blanco, lo descubrirán fácilmente y si encontramos otros blancos que lo acompañan, proporcionarán a los imperialistas la ocasión de decir que no hay diferencia alguna entre ustedes y los mercenarios. [...] Si va usted al Congo con dos batallones cubanos y yo le envío un batallón egipcio, lo llamarán injerencia y eso hará más mal que bien.»

La conversación prosigue otra noche en el domicilio personal de Nasser. El Che explica por qué se ha sublevado contra las prácticas egoístas de los países socialistas, vuelve a subrayar el papel de Cuba en América Latina y habla de Argentina. Antes de Castro, dice, sólo Perón había conseguido provocar un movimiento popular realmente serio; «pero Perón se portó como un cobarde. No tuvo el coraje de afrontar la muerte y huyó». Y añade: «El momento crítico de la vida de un hombre es aquél en que toma la decisión de afrontar la muerte. Si decide afrontarla, es un héroe, termine en éxito o fracaso su empresa. Puede ser un buen o un mal político, pero si no es capaz de afrontar la muerte, nunca será más que un político.» También ahí Nasser reacciona como un prudente hermano mayor. Le reprocha, como habría dicho Montaigne, tener continuamente «la muerte en boca». «¿Por qué hablar siempre de la muerte? Es usted un hombre joven. Si es necesario, moriremos por la revolución, pero es preferible que vivamos para ella.»

Puesto que Eros nunca está lejos de Tánatos, Guevara, estimulado por el epicureísmo egipcio, se abandona una noche y muerde un trozo de vida. Acepta la invitación de un colaborador de Nasser, Lofti El Kholi, periodista en el gran diario *Al Ahram*, para admirar las bellezas de El Cairo nocturno. En el Albergue de las Pirámides, un cabaret elegante, el Che ve a una muchacha que le pone ojos tiernos. Le propone que se reúna con él más tarde en el hotel. La hetaira lo hace pero, en el suntuoso hotel de los Shepheards, los guardias egipcios apostados ante la habitación se interponen. El Kholi cuenta que, al oírlos, el honorable comandante aparece y, haciendo entrar a la moza en su dúplex, les dice a los guardias que se vayan a tomar viento.[230]

Por su parte, Nasser lo invita a visitar la monumental presa de Assuán, construida en el sur del país con la ayuda de los países socialistas. Guevara queda deslumbrado. El Rais, que opta a una segunda presidencia, lleva también a su fogoso amigo de gira electoral para la inauguración de una fábrica. «Nasser recibió una entusiasta acogida —escribe Heikal, honesto cronista del viaje—. Todos los habitantes de los pueblos corrían para saludar al coche, se apretujaban delante, intentando detenerlo. Guevara se mostró muy conmovido. "Eso es lo que yo quiero; eso es, el fermento revolucionario." "De acuerdo —replicó Nasser—. Pero no se puede tener eso —y señaló a la muchedumbre— sin aquello —y señaló la fábrica—. [...] El día de la revolución es la apoteosis del romanticismo, la noche de bodas. Pero después hay que tener éxito en el matrimonio, cumplir con la aburrida y difícil tarea de construir fábricas y desbrozar el suelo." Desengañada respuesta del comandante: "Después de la revolución, no son ya los revolucionarios quienes hacen el trabajo sino los tecnócratas, los burócratas. Y ellos son contrarrevolucionarios".»[231]

Durante su estancia en Egipto Guevara termina una larga carta prometida, desde tiempo atrás, a Carlos Quijano, intelectual uruguayo de izquierda que dirige *Marcha*, un semanario montevideano de gran prestigio. Más que una carta es un breve ensayo de unas quince páginas al que incluso le pone título: «El socialismo y el hombre en Cuba.» Muchos verán en esas páginas una biblia del pensamiento guevarista, otros su testamento. No es lo uno ni lo otro, aunque es cierto que ese panfleto algo alucinado fascinará a varias generaciones por sus exageraciones y fulgores. En Francia, por ejemplo, proporcionó argumentos a las Juventudes Comunistas disidentes.

La mayoría de los temas que preocupan al Che desde hace años se abordan, enunciados más que desarrollados, en ese resumen de la temática guevariana. Más unos *Cantos de Maldoror* del «patria o muerte» que meditación de un revolucionario solitario, el texto, extraño y terrible, merece que nos detengamos en él.[232] Se advierte una especie de fiebre, una prisa por querer decir lo esencial, un radicalismo más férreo aún que en cualquier otro escrito del Che. Y planeando sobre el conjunto, el entusiasmo permanente por sacrificar su vida por la revolución, suprema señora.

La idea inicial es clara y participa del marxismo clásico. Sólo la revolución es capaz de gestar «el hombre futuro» que construirá el socialismo. En Cuba, «vanguardia del pueblo que está a la cabeza de América Latina», se ha iniciado el proceso que permitirá algún día al hombre nuevo, el del siglo XXI, liberado de la alienación impuesta por el trabajo, desarrollarse por fin en la cultura y el arte (incluyendo de paso una flecha envenenada contra el «realismo socialista»). ¿Le faltó a Guevara tiempo para releerse? ¿Se dejó más bien arrastrar por el ardor de sus impulsos combativos? Lo cierto es que su propuesta, muy respetable por lo demás, está atiborrada de fórmulas que pueden hacer sonreír unos decenios más tarde, y que incluso, tomando en cuenta las iluminaciones de la época, pertenecen a un dogmatismo ya anticuado.

No llega a las tautologías que cometerá en 1966, el Pequeño Libro Rojo chino. Pero, aunque el texto pretende ser la exaltación del individuo, «ser único con nombre y apellido», ¿qué pensar del himno a la elite revolucionaria surgida de la dictadura del proletariado y de las instituciones «que permitirán la *selección natural** de quienes están *destinados** a marchar en la vanguardia»? Más allá de este extraño determinismo, ¿qué decir del éxtasis que se manifiesta al leer lo siguiente: «El hombre en el socialismo, a pesar de su aparente estandarización, es más completo; a pesar de la falta de un mecanismo perfecto para ello, su posibilidad de expresarse y hacerse sentir en el aparato social es infinitamente mayor»? Creemos estar soñando, desde luego, cuando es bien sabido que el hombre, domesticado, ha sido incapaz de «hacerse sentir» en nada en un régimen socialista. ¿Lo ignoraba Guevara? ¿Dónde está el libertario, el igualitario? ¿Dónde está el protestatario herético? ¿Cómo entender semejante ceguera salvo en la abstracción en que parece nadar nuestro pensador?

Sobre la participación del individuo en las decisiones, Guevara subraya que el pueblo no es «un rebaño dócil (aunque algunos regí-

---

* La cursiva es nuestra.

menes lo reduzcan a eso)». Bien observado. Pero el análisis se detiene aquí. Llevar más lejos el razonamiento sería arañar la estatua del Comendador. ¿Tocar a Castro? Impensable. «Vistas las cosas desde un punto de vista superficial —dice—, pudiera parecer que tienen razón aquellos que hablan de la supeditación del individuo al Estado.» Muy interesante, pero esperamos una continuación que no llega. Desviándose, la explicación se empantana en lo irracional y lo emocional. «La iniciativa parte en general de Fidel o del alto mando de la Revolución y es explicada al pueblo, que la toma como suya. [...] Utilizamos por el momento el método *casi-intuitivo** de *auscultar** las reacciones generales frente a los problemas planteados. Maestro en ello es Fidel. [...] Fidel y el pueblo comienzan a vibrar en un diálogo de intensidad creciente hasta alcanzar el "clímax", en un final abrupto coronado por nuestro grito de lucha y de victoria.» ¿El orgasmo como mecanismo inédito de democracia directa?

Algunas hermosas fórmulas brillan, sin embargo, en lo que el firmante reconoce como «una carta balbuceante»: la exigencia de «desarrollar en las conciencias nuevos valores», los «grandes sentimientos de generosidad» que deben guiar al «verdadero revolucionario», la necesidad de «tener una gran dosis de humanidad, una gran dosis de sentido de la justicia y de la verdad para no caer en extremos dogmáticos, en fría escolástica, en aislamiento de las masas». Todo eso, que resonará como un bofetón en los oídos de los ricachones de la revolución —que los hay— será sin embargo arruinado por otros aforismos no menos rotundos que predican, por el contrario, una visión verticalista, autoritaria y elitista del poder, reservado sólo para los miembros del partido. A esta flor y nata le corresponde la tarea de «educar al pueblo, masa todavía dormida», porque, escribe el Che, «Nuestros revolucionarios de vanguardia [...] no pueden descender con su pequeña dosis de cariño cotidiano hacia los lugares donde el hombre común lo ejercita» (!). Guevara no advierte la enormidad de semejantes palabras, ni del provecho que de ellas podrían sacar todos los totalitarismos. Utiliza ciertamente palabras —justicia, libertad, verdad, revolución...— que aún no están contaminadas, sin sospechar los horrores que, en nombre de estos principios, los guardias rojos, «hombres nuevos» —o que pretenden serlo—, podrán perpetrar en la China popular a partir del siguiente año, durante la llamada Revolución Cultural.

Poco a poco lo que pretendía ser un himno ejemplar al hombre liberado por el socialismo se transforma en una llamada casi desespe-

* La cursiva es nuestra.

rada a los mañanas anhelados que deberían cantar. «Fuera de la Revolución no hay vida», proclama el ensayista. Esta convicción a la que se aferra, justifica las más extremadas abnegaciones. Y advirtiendo que «el camino es largo y en parte desconocido», concluye con un imperativo categórico tan abstruso como los del presidente Mao: «Nosotros, socialistas, somos más libres porque somos más plenos, somos más plenos por ser más libres.» Para concluir su carta, vuelve al tropismo mortífero que le reprochaba Nasser: «Nuestra libertad y nuestro sostén cotidiano tienen color de sangre y están henchidos de sacrificio. [...] El revolucionario [...] se consume en esta tarea ininterrumpida que no tiene más fin que la muerte...» La muerte, sin cesar invocada.

A puerta cerrada

El 14 de marzo de 1965 es una fecha clave en la trayectoria de Ernesto Che Guevara. Es la última vez que aparece en público, y sólo fugazmente. Tras esta «larga ausencia», cuando desciende del aparato de La Cubana de Aviación que le trae de Praga, finalizando de este modo su vuelta al mundo en 96 días a través de cuatro continentes, nadie es consciente —ni siquiera él mismo— de que pronto desaparecerá para siempre de la escena pública. En Cuba, a pesar de la faceta bonachona y caribeña de las cosas, el protocolo ha adquirido como en la URSS un significado preciso. No carece pues de interés señalar que en la pista del aeropuerto de La Habana aguardan los más importantes dirigentes del país: Fidel Castro, el presidente Dorticós, Carlos Rafael Rodríguez —el más fidelista de los comunistas «históricos»—, Aragonés y Osmany Cienfuegos —los compañeros de la misión china—, varios ministros —entre ellos el fiel Borrego— y también Aleida, la esposa-Penélope que a lo largo de estos años, en lugar de tejer y destejer ha dado a luz cuatro hijos, de los que el último tiene sólo tres semanas. Incluso la mayor, Hildita, la «mexicana», está allí para besar al papá que tan hermosas postales le ha mandado. El recibimiento es digno del «número dos» que sigue siendo para los cubanos.

¿Qué ocurre luego? Los testimonios son fragmentarios, imprecisos, dudosos. Una filmación del noticiero cubano revela que las miradas del Che y de Fidel se cruzan sin encontrarse. ¿Flota en el ambiente cierto malestar? Al parecer Castro se lleva enseguida a Guevara en coche. Dirección: la casa de la colina en Cojímar, no lejos de la de Hemingway, a veinte kilómetros de La Habana.

Según Ricardo Rojo, cuando dos días más tarde su común amigo el abogado Gustavo Roca se encuentra con el Che, éste le dice que acaba de salir de «casi cuarenta horas de entrevista seguidas» con Fidel.[233] ¿Eran necesarias tantas, y con tanta urgencia, para hacer un informe del viaje y sacar sus conclusiones? Es probable que la discusión fuera mucho más que un simple informe de la misión. ¿Fue tormentosa? ¿Hubo pelea? El Che no dice nada de esto a su compañero cordobés, pero unos años más tarde un pequeño indicio revelará que Castro se sulfuró, que el tono subió más de lo habitual en un país donde todo el mundo habla muy alto. El agrónomo Dumont lo proporcionará de pasada: en 1969 fue llamado para dar su opinión de experto en vísperas de la gran zafra de los diez millones de toneladas y, al finalizar la comida, Castro montó en cólera contra él, acusándolo de haber mantenido contactos con hombres que lo traicionaban. Dumont trató de justificarse. Imposible. «Comenzó entonces a gritar y mi intérprete (de los servicios secretos) me dijo: "Ya no entiendo nada." Y más tarde añadió: "Me ha recordado *los aullidos que oí el día en que el Che lo abandonó*. Yo estaba precisamente en la habitación contigua."»[234]

No ha trascendido nada de lo que ambos hombres se dijeron durante la hermética entrevista a puerta cerrada; Castro nunca ha dicho nada a nadie. Como mucho, algunas trivialidades. Ese misterio tan bien guardado, que representa el «agujero negro» de cualquier biografía de Castro y de Guevara, ha intrigado a los periodistas, excitado su imaginación, alimentando sus más locas fantasías. Cada cual ha pergeñado su propia novela sobre la disputa entre los dos personajes más carismáticos de la revolución cubana. En *Paris-Match*, Jean Lartéguy, campeón en el género, se superó elaborando a partir de nada una inverosímil ficción en la que, ante un impasible Castro, «el presidente Dorticós desenfunda su pistola, apunta a Guevara... y al parecer dispara».[235] ¡Vaya imaginación!

La verdad sólo puede reconstruirse a partir de las hipótesis más verosímiles. Guevara no cree en la «coexistencia pacífica». Ahora bien, los soviéticos la han convertido en la piedra de toque de su política internacional. La necesitan y han pedido a sus aliados que se abstengan de arrojar aceite al fuego en cualquier parte del mundo. Pero para el Che sólo hay un imperialismo, y hay que atacarlo allá donde sea posible y en un combate sin cuartel.

En Cuba algunos comparten esta convicción y han aplaudido las críticas formuladas en Argel. Pero no son muchos. Cuando Raúl Roa hijo, el embajador, le telefonea para felicitarlo por su memorable discurso de Argel, Guevara le responde con huraña amargura: «Eres uno de los pocos *comemierdas* que piensan así.»[236] El propio Castro tal vez no esté lejos de esta línea. Pero pocos son los que aceptan andar hasta el extremo de lo que significa esta aprobación y seguir al Che en un radicalismo, admirable tal vez, pero que consideran suicida.

Cuba necesita demasiado a la URSS y el flujo de alimentos de los países socialistas para subsistir y defenderse. Puede ser admirable exigir más generosidad del campo socialista y armas gratuitas para los pobres que se sublevan, pero es un lujo un poco irresponsable lanzar semejantes reivindicaciones en público, por generosas que sean. *Primum vivere deinde philosophari*, primero hay que vivir y luego teorizar; lo que significa consagrarse a las ingratas tareas de la zafra, vender azúcar, recibir a cambio petróleo, máquinas, más de un millón de dólares diarios en diversas mercancías. ¿Era oportuno, en vísperas de la conferencia comunista internacional, declarar que los países del bloque son objetivamente cómplices del imperialismo? Semejantes acusaciones han herido a los camaradas soviéticos y encantado a los chinos. Raúl Castro y los cubanos, presentes en el cónclave del 1 de marzo en Moscú, escucharon las observaciones más que acerbas y las amenazas apenas veladas provocadas por la requisitoria de Argel. Por su cargo de ministro, su posición de dirigente del partido, el sitial que ocupa en la dirección revolucionaria del país, Guevara ha arrastrado en su diatriba al gobierno cubano, en su conjunto. No se le habían dado poderes para llegar tan lejos.

¿Estalló efectivamente Castro al formular sus reproches? ¿Sacó el Che con rapidez las conclusiones obvias? Hipótesis. La «política de lo real», en cualquier caso, no se compagina ya con la de los sueños. Derrotado en el plano político, desautorizado en el plano económico, al Che no le queda más salida que una huida hacia adelante que, por lo demás, satisface su deseo latente de reanudar el combate armado. Cuando se ha probado la guerra no se puede ya prescindir de ella, había reconocido ante Neruda. Recuérdese, además, que en los primeros tiempos de su asociación, en la época mexicana de las ilusiones líricas, el joven médico argentino había anunciado al fornido cubano que tanto lo fascinaba que se lanzaría de cabeza a la expedición de desembarco pero que luego, tras la victoria, volvería a marcharse. Por América Latina, por Argentina, por un más allá sin límites precisos... A su secretario Manresa le había anunciado, al llegar a Industria, que no se quedaría más de cinco años, plazo en el que todavía sería apto para la guerrilla. Ha llegado el momento, apenas antes de lo previsto. Para Castro no es una sorpresa. Estaba seguro que, antes o después, perdería a ese lugarteniente excepcional. ¿Acaso no fue él quien, un año atrás, en marzo de 1964, le hizo llegar la proposición brasileña de ayudar a organizar una guerrilla? El Che había mordido el anzuelo sin vacilar.

Ahora, exceptuando Vietnam, el frente antiimperialista más «caliente» al parecer de Guevara es el ex Congo belga. Puesto que Cuba ha comenzado a preparar tropas, formadas exclusivamente por negros, para acudir con la mayor discreción en ayuda de los rebeldes congoleños, él mismo, a pesar de la blancura de su piel, pide el privilegio de tomar el mando del contingente. (A menos que el propio Castro se haya adelantado a su petición...) El Che promete actuar sólo como consejero de los congoleños en su batalla contra los paracaidistas y mercenarios occidentales (salvo en caso de fuerza mayor, claro está). Si apoyada así por Cuba, África lograra sacudirse el yugo neocolonialista, más peligroso tal vez por perverso y retorcido que el antiguo colonialismo, todo el Tercer Mundo podría sacudirse y ser arrastrado a participar en un movimiento armado. Se perciben ya en estos argumentos los prolegómenos de una gran política africana por parte de Cuba. Ya no se trata más de una cuestión de moral «internacionalista» sino de una estrategia política a escala mundial, que haría menos pesadas para Castro la tutela soviética y la presión norteamericana. Naturalmente, la operación tendrá que llevarse a cabo con el mayor sigilo. El Che sabe que es demasiado conocido y que no debe filtrarse la menor información sobre su participación directa en el conflicto.

¿Intentó Castro retener a su amigo? ¿Se rindió, por el contrario, a sus razones? ¿Lo incitó tal vez a lanzarse a esta nueva aventura? Dejar marchar al Che no sería, a fin de cuentas, una mala maniobra. De ese modo apaciguaría las murmuraciones y manifestaciones contra aquel «aguafiestas», que irritaba tanto la epidermis comunista internacional como la de los nuevos *apparatchiks* nacionales, algunos instalados ya en el confort de la burocracia revolucionaria, disconformes con este *pesado*. Entre Fidel y el Che siempre hubo una sintonía especial. Oswaldo Barreto reconoce que, en privado, escuchó a Castro proferir contra la URSS las mayores barbaridades, cosas mucho más duras de las que dijo Guevara en Argel. «Fidel —añade— escuchaba a los hombres que estaban cerca de él, como su hermano Raúl, Armando Hart, Dorticós, etc., pero en el fondo le importaba un pito lo que pudieran decir. Mientras que con el Che era distinto; prestaba atención a lo que le decía.»[237]

Sea como fuere, Castro se ha negado obstinadamente a hablar de las circunstancias de la partida del Che. Veinte años más tarde, en 1985, en una entrevista con Frei Betto, un religioso dominico instalado en Brasil, entreabre unos milímetros la famosa puerta cerrada, aunque lo haga en términos convencionales: «Cuando [el Che] me dijo: "Esta vez quiero marcharme para cumplir mi misión de revolucionario", le contesté: "De acuerdo. Trato hecho."»[238] Tampoco dice mucho más al periodista italiano Gianni Mina, insinuando sin embargo que había intentado contemporizar: «Yo pensaba que era posible crear mejores condiciones para lo que él proyectaba hacer y le pedí que no fuera impaciente, que se tomara su tiempo. [...] Preferíamos que otros cuadros, menos conocidos que él, se encargasen de las tareas iniciales. [...] Pero él veía que el tiempo iba pasando, y era consciente de sus especiales condiciones físicas. [...] Estaba impaciente.»[239]

Hablar de *pacto de caballeros* sería exagerado. Entre ambos hombres existen innegables divergencias, y son graves. Pero creer que sus diferencias se transformaron en ruptura también sería un error. Castro, como se sabe, no soporta que lo dejen. Abandonarlo es traicionarlo. Huber Matos pagó ese tipo de presunción con veinte años de prisión. Si algunos compañeros se apartan de la moral revolucionaria, como Efigenio Ameijeiras, jefe de policía, revolcándose en la *dolce vita* —mujeres, drogas y otras diversiones—, la condena será indulgente porque su fidelidad al soberano no ha sido puesta en cuestión. Con el Che, Castro comprende en cambio que no hay traición sino evolución revolucionaria. Y además está el antiguo pacto que respeta, porque esa partida le conviene (aunque al mismo tiempo le ponga en una situación difícil). «Un visir le hace siempre alguna sombra al sultán», murmuraba Racine. La continuación de la historia demuestra que sin la luz verde del *caballo* el Che, a pesar de su autoridad, no habría podido forzar las cosas; y que tampoco lo deseaba.

De creer a Rojo, que conoce el detalle por Gustavo Roca, Guevara al salir de su interminable cara a cara con Castro —pero ¿cuándo duermen esos dos?—, redacta una carta de dos páginas para su madre, con fecha 16 de marzo de 1965. La confía a su amigo Roca, que debe regresar a Buenos Aires tras un nuevo viaje por Europa. La misiva sólo será entregada a su destinataria el 13 de abril. Aquella misma noche, Celia de la Serna llama a Rojo y le pide que vaya a verla lo más pronto posible. «Acudí enseguida porque sabía que ella estaba enferma, del cáncer del que finalmente moriría —cuenta Rojo—. Vivía sola, en la vieja casa ahora muy deteriorada de la calle Aráoz, separada desde hacía bastante de Ernesto padre. [...] Me dijo: "Lee esto." La lectura de la carta de Ernesto me sumió en la perplejidad. Decía que se retiraba, que se iba a cortar caña, a trabajar en las fábricas. Y le ordenaba que no fuese a Cuba bajo ningún pretexto. [...] Ya en 1963 el Che me había dicho que pensaba irse a combatir de nuevo. En esa época yo estaba seguro de que se iría a Venezuela.»[240] El texto exacto de esta importante carta nunca ha podido ser conocido por el público ni reproducido. Tal vez el documento duerma en la caja fuerte de Buenos Aires donde —según la segunda esposa de Ernesto padre, Ana María Erra— aún hay depositados algunos documentos inéditos de Ernesto hijo.[241]

La respuesta que redacta Celia a vuelta de correo, el 15 de abril de 1965, tiende a confirmar el posible tenor de la carta. Inteligente y perspicaz a pesar de la enfermedad que la corroe, la madre se indigna ante la «absurda» decisión de su hijo. Cortar caña o dirigir una fábrica no hará progresar el socialismo, le dice él. «Si por cualquier razón los caminos se te han cerrado en Cuba», le pide que piense en los servicios que podría prestar a hombres como Ben Bella en Argelia o Nkrumah en Ghana (lo que indica, de paso, que el hijo la ha tenido al corriente de las peripecias de su viaje), aunque «Sí, siempre serías un extranjero. Parece ser tu destino permanente».[242] Dos alusiones resultan misteriosas en esta carta donde se percibe la angustia contenida de la que adivina, por un sexto sentido, los pensamientos de su muchacho. En primer lugar «el amor oculto» de Guevara, que ocupa los comentarios de «G» y «J» (probablemente Gustavo Roca y John William Cooke, ambos en la órbita guevarista). Celia madre alaba «su tipo exótico, su gracia, su dulzura oriental»... Hay aquí material para la prensa amarilla. ¿Tal vez un Lartéguy podría proporcionarnos la clave del misterio? Pero la respuesta es sencilla. Se trata simplemente de Hildita, la niña nacida en México, mezcla de peruana medio china y de argentino hispano-irlandés, cuyo tipo indígena es bastante pronunciado. La abuela pide una foto... Otra expresión parece sibilina, la que se refiere al «payaso cósmico». ¿La toma con el propio Fidel, al que nunca ha querido y que, según dice Rojo, le inspira desconfianza y una especie de rechazo?[243] ¿O, hipótesis más probable, se trata de Perón, otro caudillo cordialmente detestado? Lo cierto es que la carta tendrá un infeliz destino que ha permitido, sin embargo, conocer su contenido. Confiada a un sindicalista amigo de Rojo que debía partir hacia Cuba, nunca llegará al admirado hijo. Dicho dirigente sindical, demasiado peronista a criterio del partido comunista argentino consultado previamente por La Habana, no obtendrá permiso para viajar a Cuba y la misiva será devuelta a Rojo el 19 de mayo de 1965. En esta fecha, Ernesto Guevara ya está lejos. Nadie sabe dónde.

La ceremonia del adiós

Guevara no entra de inmediato en la clandestinidad, como suele hacerse antes de iniciar una operación secreta. Muy al contrario, disimula hasta el final y procede a una ceremonia del adiós con un ritual cuyo simbolismo regula personalmente.

El 22 de marzo de 1965, ocho días después de su regreso, se despide de sus colaboradores en el gran salón del Ministerio de Industria, sin que nada pueda hacer pensar que se trata de una última reunión. El pretexto es evidente: dar cuenta de su largo viaje. La charla es relajada. El ministro, sereno, demuestra que no ha perdido el sentido del humor. Algunos creen que el Pireo es un hombre, ironiza. El Che ha podido comprobar una ignorancia análoga en un camarada que, oyéndolo hablar de Malawi, le pregunta si el tal Malawi ha ido ya a Cuba. Sigue una pequeña y rápida clase de geografía elemental sobre África, con mapa incluido, prologada por algunas oportunas observaciones sobre «el extraordinario parentesco» biológico entre África y Cuba —el 20 o 30 por ciento de cuya población, observa, es de sangre negra— y por el parentesco cultural (véase el ejemplo de la música). Sin ir más lejos, cuando la orquesta cubana de Jorrín, el «inventor» del cha-cha-cha, hizo una gira por África tuvo un éxito enorme.

Hay que aguzar el oído para adivinar lo que se prepara entre bastidores y observar que, cinco veces en una hora, menciona el caso del ex Congo belga: «La lucha está en Guinea portuguesa y en el Congo [...] El Congo sí —repite—, porque el Congo, hoy por hoy, es la frontera entre el colonialismo y el resto de los países. [...] Pero este país, con su millón y medio de kilómetros cuadrados y las riquezas mayores del África, corre el riesgo de transformarse en una colonia norteamericana; porque eso de Bélgica... eso es un cuento; los belgas no son nada más que testaferros de los norteamericanos. [...] Los congoleños tienen que llevar una lucha que triunfará si es bien dirigida.» Y retomando una fórmula ya utilizada durante la crisis de los misiles, dice que al imperialismo hay que «abrirle setenta mil frentes, si se puede, y ayudar a cuanto patriota esté echando tiros por cuanto lugar del mundo esté».[244] Nunca estrategia alguna fue anunciada con tanta claridad. «Hasta pronto en los campos de caña de azúcar», dice sin embargo a modo de despedida.

Ésta es la última manifestación semipública de Guevara en Cuba. A partir de entonces, desaparición total. El comandante no está en ninguna parte. Algunos, a título personal, aseguran haberlo visto en los días siguientes, pero siempre de modo fugaz. De regreso a Cuba tras su estancia parisina, el joven Llovio-Menéndez evoca una conversación sin orden ni concierto en una cabaña junto a la carretera de Pinar del Río, «una noche de abril de 1965».[245] Hilda Gadea, su primera mujer, comenta que tras haber anunciado varias veces su visita para ver a la pequeña Hildita, acabó anulándola. El escritor Roberto Fernández Retamar, que por casualidad fue su compañero de viaje entre Praga y La Habana, vuelve a verlo a finales de marzo en el umbral de su despacho, en el séptimo piso del Ministerio de Industria, despidiéndose de Regino Boti. Una avería en su avión los había retenido dos días en Shanon (Irlanda), permitiéndoles así hablar y conocerse mejor. Aquella noche, el literato va a recuperar una antología de poesía de lengua española que había prestado al ministro. De pie en el pasillo, intercambian unas frases triviales. Retamar, sorprendido por el aspecto «limpio» del Che, que se ha cortado el pelo, le hace una broma: «"Veo que se ha pelado. Yo sigo peludo y cesante." Él: "Bueno, yo también estoy de más en el ministerio."»[246] Antes de devolver la antología, ha copiado, sin decírselo, un poema que le gusta, *Farewell*, todo un símbolo, en el que un Neruda, que no tiene todavía veinte años, declara a una imaginaria mujer amada, que desea «que nada nos amarre / que no nos una nada. [...] (Amo el amor de los marineros / que besan y se van.) [...] Ya me voy. Estoy triste / pero siempre estoy triste».[247]

Al joven Miguel Ángel Figueras, que se encarga de la secretaría de redacción de la revista *Nuestra Industria*, le pide que incluya en el sumario del próximo número su larga carta a *Marcha* sobre «El socialismo y el hombre en Cuba», un artículo de Alberto Mora preconizando los estímulos materiales, otro del trotskista Mandel defendiendo lo contrario, un artículo de un psicólogo argentino sobre el modo como responde el hombre a los estímulos y también... ¡un texto sobre los métodos de formación de cuadros del vicepresidente de la Ford, Lee Iacocca![248] Semejante eclecticismo le valdrá al camarada Figueras algunos sermones del partido.

Cuando sube al coche, Guevara da con un programa de tangos por la radio. «No, no bajes el volumen —le dice al chófer—, al contrario, más fuerte.» *Adiós muchachos*, un tango que adora y que nunca sabrá cantar correctamente, le parece ideal para las circunstancias.[249]

Las palabras de despedida que garabatea en los libros son reveladoras de su estado de ánimo. A Alberto Granado, su primer cómplice, le envía un clásico de la historia del azúcar en Cuba, *El ingenio*, de Moreno Fraginals. «No sé qué dejarte como recuerdo. [...] Mi casa rodante tendrá de nuevo dos patas y mis sueños no tendrán frontera, hasta que las balas digan, al menos... Te esperaré, gitano sedentario, hasta que el olor de la pólvora disminuya...»[250] A su otro amigo, José Aguilar, le escribe en la página de guarda de sus *Pasajes de la guerra revolucionaria*: «Es hora de partir. [...] Te dejo esto que espero no sea el recuerdo póstumo; no es vanidad intelectualoide, un gesto de amistad, nada más.»[251] A Orlando Borrego, su fiel adjunto de los duros años de la imposible apuesta de la industrialización, le deja, como «testimonio de una amistad que no se expresó a menudo en palabras», los tres tomos de *El capital* de Marx, en la edición mexicana del Fondo de Cultura Económica: «Borrego, aquí está la fuente. Aquí dentro hemos aprendido juntos, en busca de lo que sólo es aún una intuición. Parto hoy a cumplir con mi deber y satisfacer un deseo. Gracias por tu lealtad.»[252]

Cierta noche, Raúl Maldonado, el economista ecuatoriano que forma parte de la banda de los «chilenos», pide verlo con urgencia. Se había convertido en viceministro de Comercio Exterior pero le atribuyen simpatías prochinas y *se* le pide la dimisión. Encuentra a Guevara haciendo abdominales en su despacho, tendido de espaldas: «Un revolucionario no dimite nunca», le dice el Che. El *chico* Maldonado atiende el consejo. «Pero "ellos" me dimitieron de todos modos —dice con una sonrisita—. Unos días más tarde, lo supe por el Diario oficial...»[253]

Guevara limpia su biblioteca, ordena sus papeles, vacía su mesa. A su piloto personal, el fiel Eliseo de la Campa, le lega *Vuelo nocturno* de Saint-Exupéry. ¿Mientras estaba poniendo orden habrá enviado a Castro el último número de la revista francesa *Les Temps Modernes* que incluía un interesante artículo de un tal Régis Debray sobre «El castrismo, la larga marcha de América Latina»? Se hace allí un razonado elogio del castrismo, «una acción empírica y consecuente que en su camino ha encontrado el marxismo como su verdad». Puede leerse también que «entre los focos revolucionarios potenciales, Bolivia es el país que reúne las mejores condiciones subjetivas y objetivas, el único país de América del Sur donde la revolución socialista está a la orden del día»...[254] En la novela, *Las máscaras*, Debray da con fundamentada pluma, su versión del periplo algo complicado de ese texto, fundacional para él, pues tendrá como consecuencia mandar al joven profesor de filosofía a cruzarse, dos años más tarde, con el destino del «guerrillero heroico» en el altiplano andino. «Oswaldo [Barreto] puso en manos del Che [...] un ejemplar de la revista de Jean-Paul Sartre. Guevara se interesó lo bastante por el texto [...] como para, de regreso a La Habana, indicárselo a Fidel, que lo hizo traducir y circular.»[255] La versión de René Depestre, distinta, es más verosímil pues el Che a su regreso tiene sin duda preocupaciones más graves que la prosa por interesante que sea, de uno de esos intelectuales franceses sospechosos siempre de teorizar: «En 1965, estando en París, escucho: "¡Depestre!" Era Debray. Me acordé de él. Me dijo: "Me recibiste muy bien en Cuba... Tengo que mandar para allí un largo artículo. ¿Puedo confiártelo? Saldrá en *Les Temps Modernes* pero quisiera que los cubanos lo tuviesen ya." En el avión, de regreso a La Habana, leí aquella "Larga marcha" que se tradujo y publicó enseguida, entregando un ejemplar a Fidel. Así fue como se lanzó Régis en alta mar.»[256]

Sobre las circunstancias y la cronología exacta de la partida clandestina del Che de Cuba, sobre las peripecias de su aventura congoleña, un novelista hispano-mexicano, Paco Ignacio Taibo II y dos periodistas cubanos, Félix Guerra y Froilán Escobar, publicaron en 1994 un libro *El año en que estuvimos en ninguna parte*. Los autores aseguran haber gozado de la ayuda de un miembro importante del aparato de Estado cubano, el «hombre que nos abrió el archivo del Che y que prefiere modestamente el anonimato».[257] La generosidad de ese «importante» caballero deja pensativo cuando se nos dice que hizo llegar, a dichos autores, nada menos que el manuscrito consagrado por Guevara a su experiencia de guerrilla en el Congo* titulado, por analogía con la epopeya de la Sierra Maestra, *Pasajes de la guerra revolucionaria, el Congo*. Algunos afirman que fue la generosidad (en dólares) de los autores lo que les permitió tener acceso a esos documentos.

Que el aparato de Estado cubano, ferozmente celoso de cualquier archivo que se refiera al Che acepte por fin, después de treinta años, ofrecer al público documentos inéditos de considerable interés sobre la intervención de Cuba en África sería una bendición si el acceso a tales inéditos fuera posible, si fuera fácil comprobar su autenticidad, conocerlos íntegramente. Por desgracia, no es así. Pero que la autoridad cubana haya permitido dejar filtrar algunos «fragmentos escogidos», que haya autorizado a algunos de los protagonistas a hablar (incluso bajo control), es no obstante un signo positivo que debe tra-

---

* Se ignora si se trata del doble manuscrito, el de las notas tomadas por el Che día tras día y el del texto redactado a partir de estas notas.

451

tarse con la mayor prudencia, pues nunca nada es inocente en el seno de un régimen donde cualquier información está vigilada, donde sólo se admite la versión oficial de la historia y donde el icono Guevara está petrificado para la eternidad.

A pesar del «descuartizamiento» de los escritos, cortados a veces en finas rodajas —una frase, algunas palabras—, a pesar de la falta de rigor del libro —ausencia total de indicaciones sobre fechas, lugares, condiciones en las que se recogieron los testimonios—, el texto «más que mutilado, asesinado» (Maspero) sigue siendo lo más ilustrativo que existe sobre un período que durante mucho tiempo fue *terra incognita*. Por su estilo, difícilmente imitable, Guevara esquiva —en un corte de mangas póstumo— los artificios de sus manipuladores. Tomando en cuenta que algunos «detalles» de orden cronológico o algunos datos pueden haber sido fabricados por necesidades de la causa, a partir de este documento truncado es posible reconstruir, en lo esencial, los episodios de ese año misterioso en el que Guevara no estaba en ninguna parte.*

Según el capitán Víctor Dreke, la partida del Che hacia el Congo se produce el 1 o el 2 de abril de 1965. Dreke es un negro alto de veintisiete años, uno de los escasos oficiales de color del ejército rebelde, a quien se le ha confiado la responsabilidad del pequeño ejército de un centenar de soldados, negros también, seleccionados en toda la isla. El 28 o el 29 de marzo, en La Habana, en el vigiladísimo barrio residencial de Laguito, Osmany Cienfuegos le presenta, dice, a un desconocido llamado Ramón. «Desde la sala llega un compañero, blanco él, pelado al rape, con espejuelos.»[258] Dreke no conoce al tipo. Se sientan alrededor de una mesa y comienzan a hablar. Pero de pronto el negro se levanta dando un brinco, como electrizado, cuando le dicen que es el Che... Este primer testimonio se equivoca en un año. En efecto, el mismo disfraz, el mismo procedimiento, el mismo nombre de batalla saldrán a escena un año más tarde en el marco de un campamento militar, en la provincia de Pinar del Río, cuando un tal señor Ramón reanude el entrenamiento para lanzarse a lo que

---

* Agosto de 1997. Sorpresa. Las agencias noticiosas señalan que, después de treinta y dos años de prohibición, la publicación del diario del Che en el Congo está finalmente lícita. Un miembro del Comité Central del partido Comunista de Cuba, Jorge Risquet, dio el visto bueno oficial al presentar el libro del general cubano William Gálvez en que se encuentra la totalidad del diario y que lleva por título: *El sueño africano del Che. ¿Qué pasó con la guerrilla congoleña?*

De ser auténtico, queda por averiguar cuáles elementos nuevos aporta ahora el texto integral.

será su última aventura. Pero en 1965, si bien el Che se ha afeitado la barba conserva sus cabellos.

Guevara redactó tres cartas de despedida antes de abandonar Cuba, una dirigida a sus hijos, otra a sus padres y la última a Fidel Castro. De creer en Dreke, interrogado esta vez por Juana Carrasco, la carta destinada a Fidel la redactó el 30 o 31 de marzo: «El Che tardó mucho en escribirla, quemando las páginas que rompía.»[259]

El padre, tan a menudo ausente, dice a sus cinco hijos —«Hildita, Aleidita, Camilo, Celia y Ernesto»— que espera volver a verlos pero también que si alguna vez leen aquella carta, será porque ya no estará entre ellos. «Casi no se acordarán de mí y los más chiquitos no recordarán nada. Su padre ha sido un hombre que actúa como piensa y, seguro, ha sido leal a sus convicciones. [...] Sobre todo, sean siempre capaces de sentir en lo más hondo cualquier injusticia contra cualquiera en cualquier parte del mundo. Es la cualidad más linda de un revolucionario.»[260]

En la carta común a los dos padres separados —*queridos viejos*— apunta más el joven soñador que conocieron, impaciente ahora por lanzarse al asalto de nuevos molinos de viento. «Otra vez, siento bajo mis talones el costillar de Rocinante.» Pero ya no es por completo el mismo Quijote. Refiriéndose a su carta de despedida de 1956, antes de embarcarse en el *Granma*, «hace casi diez años», observa: «Nada ha cambiado en esencia salvo que soy mucho más consciente, que mi marxismo está enraizado y depurado», y proclama algo que puede estremecer a los soviéticos, que con razón desconfían de aquel incontrolable fuego fatuo. «Creo en la lucha armada como única solución. [...] Muchos me dirán de aventurero y lo soy; sólo que de un tipo diferente y de los que ponen el pellejo para demostrar sus verdades.» El pudor le impide entregarse demasiado pero, siempre dispuesto a la autocrítica, reconoce: «No he sabido expresar mi cariño; soy extremadamente rígido en mis acciones.» La conclusión es ejemplar revelando la verdad, el secreto y el drama de un hombre excepcional: «Ahora, una voluntad que he pulido con delectación de artista sostendrá unas piernas flácidas y unos pulmones cansados. Lo haré. Acuérdense de vez en cuando de este pequeño *condottiere* del siglo XX...»

La muerte, la nostalgia, cierta amargura, una fe de vicario hacia su pontífice flotan sobre la desgarrada carta que el *condottiere* escribe a Castro.[261] Es a la vez un mensaje personal para Fidel y un documento político importante. Nostalgia del «me recuerdo» al evocar su primer encuentro en México, «cuando te conocí en casa de María Antonia». Revelación de la muerte posible cuando le preguntan a quién avisar en caso de fallecimiento. «En una revolución se triunfa o se muere.» Balance rápido de aquellos años intensos, «magníficos», de los que sobresalen «los días luminosos y tristes de la crisis del Caribe» (la de los misiles). «Otras tierras del mundo reclaman el concurso de mis modestos esfuerzos [...] —anuncia—. [...] Llegó la hora de separarnos. [...] Lo hago con una mezcla de alegría y de dolor.» Pero para que nadie imagine que entre ellos hay divergencias, precisa: «Yo puedo hacer lo que te está negado por tu responsabilidad al frente de Cuba.» A lo que se añade el total despojo, calificado de «cristiano», precaución política indispensable sin la que es probable que Castro no hubiera dado luz verde a la marcha del Che: «Hago formal renuncia de mis cargos en la Dirección del partido, de mi puesto de Ministro, de mi grado de Comandante, de mi condición de cubano. Nada legal me ata a Cuba...» Insiste en este punto: «Digo una vez más que libero a Cuba de cualquier responsabilidad, [...]. Que he estado identificado siempre con la política *exterior** de nuestra Revolución [...] Siento que he cumplido la parte de mi deber que me ataba a la Revolución Cubana *en su territorio*** [...] Que no dejo a mis hijos y a mi mujer nada material y no me apena: me alegra que así sea. Que no pido nada para ellos pues el Estado les dará lo suficiente para vivir y educarse.» ✳

Lo que molestó a numerosos admiradores del Che fueron las enormes alabanzas, sin reservas, que dirige en está última carta al *conductor* ejemplar. Muchos han afirmado que estos ditirambos no pudieron salir de la pluma de Guevara, que aquello no cuadraba con el burlón sarcástico, contestatario, provocador a veces, que debía tratarse de una carta fabricada o «arreglada» por los «servicios» *ad majorem gloriam* del líder supremo. Aunque finja rechazar cualquier culto a la personalidad, Castro reina ya como dueño absoluto sobre el país y castiga con severidad a quienes tienen el descaro de ironizar. «Mi única falta de cierta gravedad —escribe Guevara—, es no haber tenido mayor confianza en ti desde los primeros momentos en la Sierra Maestra y no haber comprendido con bastante rapidez tus cualidades de conductor y de revolucionario. [...] Llevaré a los nuevos campos de batalla la fe que me has inculcado. [...] Esto reconforta y cura con creces cualquier desgarradura. [...] Te agradezco tus enseñanzas y tu ejemplo...»

---

* La cursiva es nuestra. ¿Sólo con la política exterior? ¿Significa esta restricción, que no es gratuita, que Guevara no siempre se ha identificado con todos los aspectos de la política *interior* de Cuba?

** La cursiva es nuestra. Esta precisión implica, evidentemente, que Guevara se reserva aún una misión que cumplir *fuera* del territorio cubano.

No estamos ya muy lejos de las consignas militares que pronto dará Raúl Castro y que escandalizarán a René Dumont en 1969: «Para lo que sea, donde sea, y no importa en qué circunstancia, comandante en jefe, a tus órdenes.»[262] Parece casi el ¡*Presentes!* franquista.

Sin embargo, es preciso que los celadores del Che se resignen. Nuestro héroe podrá comportarse como protestatario contra todo el mundo, *salvo* contra «esa estatua ecuestre que ha bajado de su pedestal» (Debray), a la que sólo se llama por su nombre, Fidel, igual que a los reyes y emperadores. Desde el primer momento Guevara quedó como alucinado por el absoluto poder de seducción, el carisma de ese «gigante» que no necesita proclamar con su voz infantil: «La Revolución soy yo» para que todos estén convencidos de ello. El Che es sincero en su adoración. Basta con recordar su himno, compuesto en México, al «ardiente profeta de la aurora». Sigue siendo fiel a su inicial deslumbramiento. La carta será leída más tarde en todas las escuelas de Cuba.

Aunque, como es probable, el documento sea auténtico, las circunstancias en que fue entregado a su destinatario siguen discutiéndose. Carlos Franqui afirma que Guevara salió de Cuba sin ver de nuevo a Castro, sin conversar más con él. Dice conocer el detalle por Celia Sánchez, generosa ninfa Egeria de Fidel, depositaria de las tres cartas del Che y muy entristecida por el hecho de que el *líder* se negara a despedirse de su amigo pues estaba «todavía bravo con Guevara».[263] Pero Víctor Dreke cuenta, según nos dicen, una historia distinta. «La víspera de nuestra salida de Cuba, el comandante en jefe vino a despedirse del Che y entonces él [el Che] le dio la carta de despedida que se hizo pública en octubre.»[264] ¿A quién creer? Esta versión, al mostrar una perfecta armonía entre ambos hombres, se inscribe tan bien en la historiografía oficial que resulta sospechosa.

Si hubo manipulación ésta no puede ocultar lo esencial. Que la pareja mágica de la revolución cubana se rompe allí, que *invitus, invitum*, Aquiles se separa de Patroclo y que eso duele. Aunque empezara a leer a Freud a los catorce años, Guevara no ha tenido tiempo de pensar en lo que hay de fascinante y misterioso en una amistad entre dos hombres, ni de analizar lo que pudo «por completo a su presa ligarlo». Pues esos dos seres se amaron. Llega luego el día en que el monarca comprende que es preciso deshacerse de su anti-Maquiavelo. Jean-Pierre Clerc, biógrafo de Castro, evoca con respecto a las relaciones Guevara-Castro la pareja shakespeariana Thomas Becket-Enrique II, «la conmovedora amistad, la maravillosa complicidad que, por una oposición política, se desgarra. Y el rey no conocerá nunca más la felicidad ni el descanso».[265] Cierto día de 1993, en el interior de un coche en circulación —de ese modo funciona Castro cuando quiere hablar en serio—, el anciano se abandonará a una sorprendente confidencia ante Max Marambio, un chileno que conoció de niño y que luego fue responsable de la guardia personal del presidente Allende. «Nunca —le dijo—, desde que murió, ha pasado un mes, una semana sin que la presencia del Che aparezca en mi descanso y en mis sueños.»[266]

TERCERA PARTE

OTRAS TIERRAS DEL MUNDO...

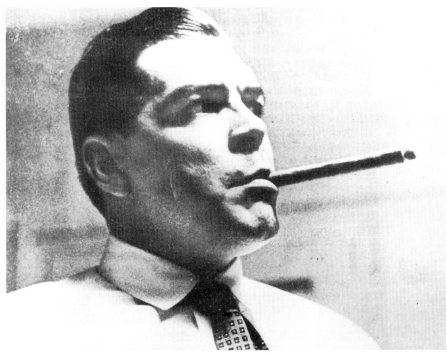

Un Guevara insólito: afeitado y con corbata. Dispuesto a partir de incógnito para intentar encender un nuevo Vietnam en el ex Congo belga.

La Habana, 1966. Aleida March con los cuatro hijos cubanos de Guevara: Aleida, Camilo, Celia y Ernesto. Pero la revolución prevalece sobre la familia.

Tanzania, abril de 1965. De civil todavía, Guevara se encamina hacia el Congo.

Kibamba, en la orilla congoleña del lago Tanganika, precaria base para unos guerrilleros que rodean, sonrientes, al comandante Tatu.

Enseñar la guerrilla a los congoleños, duro trabajo para Tatu.

¿En qué desvanecida victoria sueña Guevara, solitario, en la neblina de la selva congoleña?

20

1965. Buen trabajo de los servicios cubanos. Un Che irreconocible, transformado en anónimo pequeño burgués, antes de emprender el vuelo hacia el Congo. A su lado, Fidel Castro.

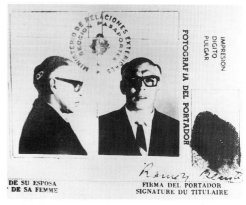

1966. Antes de entrar en Bolivia. Uno de los dos pasaportes falsos uruguayos de Ramón Benítez, calvo y miope de 46 años.

1966. Otro estupendo trabajo de los servicios. El Che, transformado, a punto de emprender el vuelo hacia La Paz.

Febrero de 1967. Los guerrilleros del Che en Bolivia (en primer plano, con una gorra, Guevara, alias Ramón).

1967. Cuando en la selva boliviana los guerrilleros vadean un río (arriba)*, los soldados no están muy lejos* (a la izquierda)*.*

RECOMPENSA
Se ofrece la suma de 50.000.- Pesos bolivianos (Cincuenta millones de bolivianos), a quién entregue vivo o muerto, (Preferiblemente vivo), al guerrillero Ernesto "Che" Guevara, de quién se sabe con certeza de que se encuentra en territorio boliviano.

Vivo o muerto, la cabeza del guerrillero Ernesto Che Guevara puesta a precio por las autoridades bolivianas.

Ñancahuazú: campamento base de los guerrilleros. Dos hombres con gorra y pipa. El de la izquierda es Ramón.

24

1967. Cuando en febrero el Che sienta en sus rodillas a los hijos del campesino Honorato Rojas (a su izquierda), ¿adivina ya que éste va a traicionar a los guerrilleros seis meses más tarde?

El Che, de guardia en su árbol, jamás sin un libro.

La Higuera, 9 de octubre de 1967. Sí, es él... un desaliñado vagabundo que huye del objetivo, flanqueado por el agente de la CIA que hincha el pecho. Dentro de unos instantes, una ráfaga mortífera...

Pedro   Nato   Camba

Andrés   Isaac Rutman   Inti

Luis   Ramón   Pombo

Urbano   Ricardo

27

Marcos   Alejandro   Miguel

Pacho   Benigno   Rolando

Moro   Médico   Chino

La CIA y el ejército boliviano no pedían tanto. Al entregarles el retrato de los guerrilleros, el argentino Ciro Bustos hizo un alarde de ignominia.

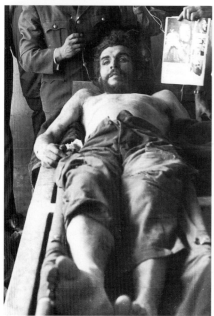

A la derecha, Cristo yacente, *de Mantegna.*

La lección de anatomía, *de Rembrandt*.

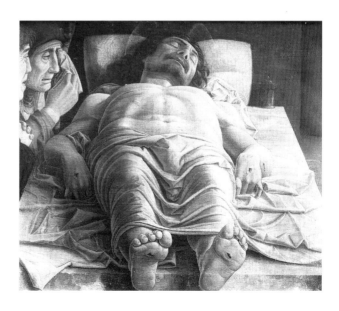

30

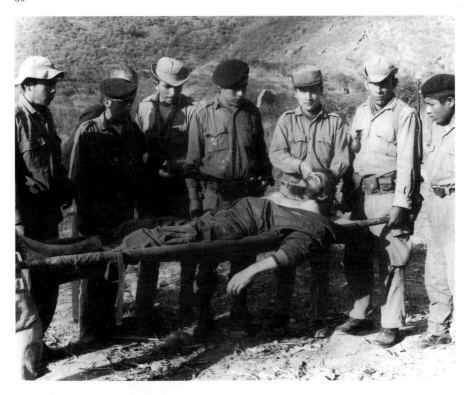

La Higuera, 9 de octubre de 1967. Ernesto Guevara acaba de ser ejecutado por el sargento Mario Terán (a la izquierda). Los rangers bolivianos se disponen a colocar el cuerpo del Che en el helicóptero que le transportará a Vallegrande.

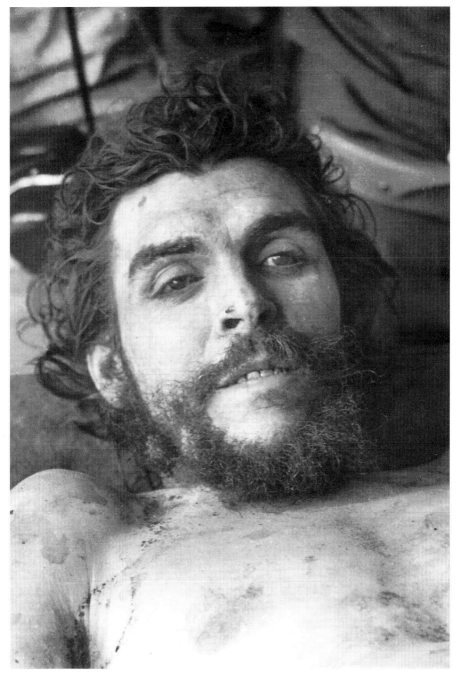

En un rostro de Cristo, la sonrisa de un hombre convertido en leyenda.

32

Cuba, treinta años después.

7

«*TATÚ*» EN EL CONGO

«Por qué combatimos»

No es *Tintín en el Congo* pero se le parece. En su álbum de 1930, período colonial todavía, el dibujante belga Hergé reunió, con la conciencia muy tranquila, los tópicos más odiosos del racismo colonialista. Cuando el paquebote en el que viajan el joven reportero y su perro se aproxima a lo que aún es posesión del reino de Bélgica, en la orilla, un negro en taparrabos y con una azagaya en la mano le dice a otro: «Ya ver, Bola de Nieve, ahí estar Tintín y *Milú*...»[1] Desfilan luego variaciones sobre el tema del blanco astuto que se divierte con la credulidad de los buenos negros analfabetos.

Por supuesto, Guevara está en las antípodas de esa caricatura paternalista. Para él, el imperialismo mostró en el Congo su rostro más detestable y el deber de todo revolucionario «internacionalista» es combatirlo sin cuartel. Pero sigue siendo cierto que, en esta batalla justa y noble, su visión continúa marcada por una racionalidad cartesiana «blanca» que inevitablemente chocará con un universo mental y cultural vinculado al fetichismo y al pensamiento mágico. Tintín, como Peter Pan, no quiere crecer. El Che, como Tintín, quiere permanecer fiel a cierta idea, juvenil y generosa, del combate contra los malos. Al retomar el camino de la guerrilla Guevara se vuelve a encontrar con Ernesto, el joven con aspecto de chiquillo que descolló en la Sierra Maestra.

Al amanecer del 1º de abril de 1965, en el aeropuerto de La Habana, tres pasajeros muy convencionales subieron en el último momento al aparato soviético de La Cubana que se aprestaba a despegar hacia Moscú. En medio de una fila de tres butacas se instaló un caballero anodino, con traje gris, corbata, cabello corto y bien peinado, de barba afeitada y el rostro cubierto a medias por unas gafas de gruesa montura. A su derecha, junto a la ventanilla, va un negro alto y esbelto, y a su izquierda un fortachón de tez mate bastante corpulento. Nadie puede imaginar que se trata del comandante Guevara y sus ángeles custodios, Víctor Dreke y José María Martínez Tamayo, de veintinueve años, alias Papi. Este último, cofundador de los servicios de seguridad cubanos, ha efectuado ya —en 1963 y para el Che, a quien adora— una misión especial en Bolivia: organizando una base de apoyo para la guerrilla de Masetti en Argentina.

Tras un largo periplo en zigzag —Europa del Este, África, Argel, El Cairo, Nairobi— donde en cada etapa les están esperando amigos solícitos, los tres hombres llegan el 19 de abril a Dar Es-Salam, meta provisional de su viaje. Son recibidos por Pablo Rivalta, embajador de Cuba en Tanzania. Aunque Rivalta acompañó al Che durante una parte de su gira africana, hace apenas unas semanas, no reconoce enseguida al número dos cubano en aquel tipo sin relieve, de edad madura, algo obeso y que fuma en pipa. La iconografía sobre el Guevara de esta época es escasísima. Hasta octubre de 1987 —en *Granma*, el periódico del partido comunista cubano— no aparecerán las primeras fotos del Che maquillado, alteradas por la mala calidad del papel.[2] Nos lo muestran con el cabello peinado hacia atrás mientras le están afeitando «una barba de ocho años». Está claro que en Dar Es-Salam la presencia del Che debe permanecer secreta. Ni siquiera el presidente Nyerere, favorable a la «cooperación» cubana, debe enterarse todavía del asunto.

Al mismo tiempo, a Brazzaville al otro lado del ex Congo belga, llegan más soldados y oficiales cubanos que se dirigirán a Dar Es-Salam, punto de reunión. En pequeñas unidades, durante los siguientes meses desembarcarán más de un centenar de hombres, todos de color salvo escasas excepciones. «Al llegar el Che comienza a dirigirlo todo —cuenta Dreke—. Busca un diccionario y decide adjudicar nombres en suahili;* pero luego le pareció más fácil poner números.»**[3] Rafael Zerquera, que será médico del grupo, precisa: «Comenzó por orden de llegada: "A ver, Dreke será Moja (el 1); Papi Martínez Tamayo, M'bili (el 2); yo, Tatú (el 3); y tú, Zerquera, Kumi (el 10)."» El comandante Tatú no revela enseguida su identidad, ni siquiera a los miembros de su pequeño grupo. «Entonces dijo "Yo soy el Che" —cuenta el sargento Torres—. Me dio una emoción del carajo. Alegría.» «Yo nunca había visto al Che de cerca —dice Kumi que recuerda todavía las consignas de Tatú—: Estábamos allí para ayudar a un movimiento de liberación [...] para dar, no para recibir. Había que sacrificarse. Los guerrilleros nativos eran los que tenían derecho a comer primero [...] que éste era un país con cuatro siglos de retraso. [...] Nos enseñó un mapa...» A Guevara le gustan los mapas.

---

* El suahili es una lengua bantú con influencias árabes que se utiliza como idioma vernáculo en todo el este de África. Tanzania y Kenia lo han convertido en su lengua oficial.

** Todas las citas sin referencia de este capítulo se han extraído de la obra de Paco Ignacio Taibo II, Froilán Escobar y Félix Guerra, *El año en que estuvimos en ninguna parte*.

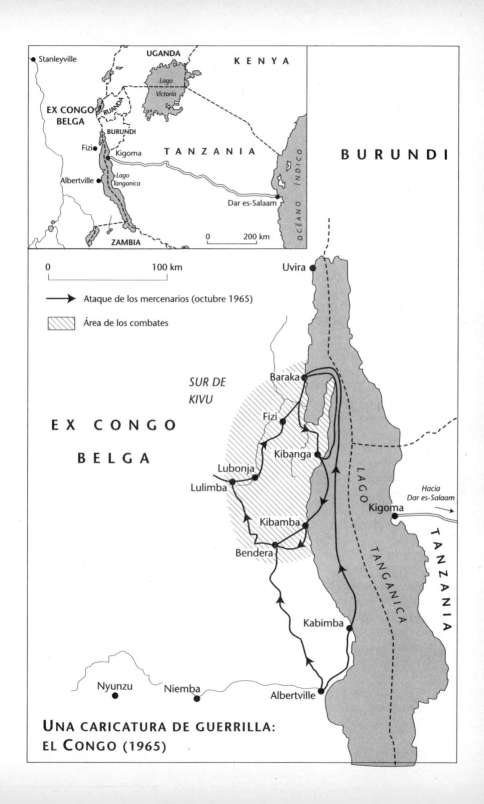

UNA CARICATURA DE GUERRILLA:
EL CONGO (1965)

Al igual que en el Ministerio de Industria, un més atrás, nueva clase de geografía, acompañada esta vez por un necesario resumen histórico. El Che explica a su grupito «por qué combatimos» y en qué contexto. El Congo es una antigua colonia belga que limita con Tanzania, de la que lo separa el inmenso lago Tanganica. Es un país desmesurado, poblado por doscientas cincuenta etnias, veinte veces mayor que Cuba, muy importante para los colonialistas porque posee cobre, cobalto y sobre todo oro, diamantes y radio. Que nadie confunda ese Congo-Léopoldville* con el Congo-Brazzaville amigo de Cuba, antigua posesión francesa, en la orilla opuesta del río Zaire que sirve de frontera al oeste.*

El 30 de junio de 1960, el Congo-Léo, como lo llaman abreviando, obtuvo su independencia y el gran patriota Patrice Lumumba fue elegido jefe del Gobierno. En la ceremonia de proclamación de la independencia, ante el rey de los belgas, recordó con valor que la nueva libertad había sido conquistada con la lucha, «una lucha de lágrimas, fuego y sangre [...] para poner fin a la humillante esclavitud».

Pero Lumumba no tuvo tiempo de gobernar. El ejército congoleño se amotinó enseguida contra los oficiales belgas. Bélgica intervino entonces, permitiendo que un fantoche, Moïse Tshombé, proclamara por su cuenta la independencia de la región de Katanga, al sur del país. Allí se encuentra la Unión Minera que representa los intereses belgas más importantes. Los cascos azules de las Naciones Unidas, cuya ayuda se pidió, se comportaron más bien como agentes de Estados Unidos y protegieron a los separatistas en vez de combatirlos; y en septiembre de 1960 Mobutu, un antiguo sargento ascendido a coronel, arrestó a Lumumba, lo que impulsó a algunos de sus ministros a formar un gobierno leal en Stanleyville, al norte del país.

Golpeado y torturado, Lumumba fue entregado en enero de 1961 a su enemigo Tshombé, quien lo hizo ejecutar en cuanto bajó del avión en Elizabethville, capital de Katanga. Desde entonces el combate no ha cesado. En 1963 Pierre Mulele, antiguo ministro de Lumumba, inició una guerra «revolucionaria» en el Kwilu, al oeste, y en 1964 Gaston Soumialot tomó el control del este del país y en Stanleyville constituyó un gobierno de la República Popular del Congo. Tshombé, nombrado primer ministro por la gracia de Mobutu, lanzó a sus hom-

---

* El Congo-Léopoldville será llamado Congo-Kinshasa a partir de 1966, Zaire de 1971 hasta 1997, y República Democrática del Congo desde la fecha. Sus fronteras actuales se fijaron en 1885 durante una conferencia internacional de las potencias coloniales en Berlín.

bres contra aquella rebelión, con el apoyo de aviones norteamericanos pilotados por *gusanos*, cubanos contrarrevolucionarios. En noviembre de 1964, comandos de paracaidistas belgas acompañados por mercenarios blancos sudafricanos, rodesianos, franceses, británicos, etc., ocuparon Stanleyville so pretexto de evacuar a la población blanca ayudaron a los soldados de Mobutu a exterminar a miles de congoleños leales. Guevara ha denunciado este escándalo con todas sus fuerzas, en diciembre, en Nueva York ante las Naciones Unidas. Ahora se trata de ayudar a los combatientes del Congo revolucionario...

Los camaradas escuchan con suma atención la exposición del comandante, que les parece ilustradora. Sobre el mapa, las cosas se hacen más claras todavía. Para combatir en territorio congoleño primero es necesario atravesar Tanzania, desde Dar Es-Salam, junto al océano Índico, hasta el lago Tanganica que sirve de frontera con el Congo-Léo, en el extremo este del país. Cuando lleguen a Kigoma, un pequeño puerto en la orilla tanzana del lago, «alguien» los esperará para ayudarlos a llegar a la orilla opuesta. En aquel punto el lago alcanza unos cincuenta kilómetros de anchura. Todas estas explicaciones tienen un olor de aventura que rompe con la interminable rutina de la LCB (*Lucha Contra Bandidos*), esa continua batalla contra la guerrilla anticastrista en la propia Cuba, de la que han salido la mayoría de los efectivos seleccionados para ir al Congo. «Era una hermosa idea regresar al lugar de origen de nuestros antepasados, África», había dicho uno de ellos, Marco Antonio Herrera (Genge), cuando le revelaron el teatro de operaciones.

Guevara no oculta su deseo de entrar en acción lo antes posible. No importa que la logística sea imperfecta, no importa que aún no hayan llegado todos los hombres. Esa impaciencia, subrayada muchas veces por Castro, le valdrá ser acusado de «blanquismo» por algunos. Él dice sin avergonzarse: «Tenía ganas de estar en el Congo lo antes posible [...] Siempre puede comenzarse siendo diez.» ¿Piensa en reproducir el momento, recordado ya como simbólico por la historiografía oficial de la gesta cubana, cuando el profeta Fidel se encontró por espacio de unos días rodeado por sólo unos quince hombres, convertidos en «los doce apóstoles» de la Sierra Maestra? El Che no aguarda, en cualquier caso, que lleguen a Dar Es-Salam los dirigentes congoleños —Laurent-Désiré Kabila, Massengho, Soumialot— para poner a punto la operación de infiltración. Le informaron que todos están en El Cairo, en una reunión en la cumbre del Movimiento de Liberación, y no regresarán antes de «algún tiempo». «Peor para ellos y, en el fondo, mejor así», reconocerá.

En las playas de Dar Es-Salam compran una embarcación de diez metros, la cargan en un camión y en un extraño convoy —compuesto por siete vehículos: un Land Rover, dos jeeps, tres berlinas Mercedes y el camión con toldo— comienzan a recorrer los 1.300 kilómetros de una ruta mala, tan larga como la carretera central de Cuba, rumbo a Kigoma, a orillas del lago. Los cubanos son catorce. La idea que tienen de África es la de los estereotipos: selva virgen, elefantes, leones, cerbatanas... Algunos han visto a sus padres participando en *la santería*, culto sincrético en el que las diosas yoruba, como Oshún, toman los rasgos de imágenes católicas como por ejemplo la Virgen del Cobre. Pero a la revolución no le gustaba *la santería*, y la obligó a refugiarse en la semiclandestinidad. No podía existir, de acuerdo con sus argumentos, una idea plural de la cubanidad.

La realidad africana que tienen ahora ante los ojos es distinta: caminos de tierra, malísimas pistas polvorientas, tiendas regentadas por libaneses que a lo largo de la carretera venden toda clase de artículos. «Pasamos por aldeas en que los hombres parecían animales» (Zerquera). Ya que no disponen de la ayuda de dirigentes importantes, han convencido a Chamaleso, un delegado congoleño de tercera categoría, para que les acompañe. Éste, con algunos amigos, escuchó algo pasmado el discurso de aquellos sorprendentes «hermanos de raza» venidos del fin del mundo. El Che ha improvisado una pequeña puesta en escena. Finge que traduce al francés el español de Dreke, presentado como el jefe del grupo, pero es él quien, con sus propias palabras, explica la posición cubana. Fidel Castro los ha enviado para ponerse al servicio de la revolución y enseñar el manejo de las armas a los guerrilleros de este país, participando con ellos en el combate antiimperialista. La perspectiva no parece alegrar mucho a los interesados. «La idea no les gustó mucho —dice Dreke—. Ellos informaron que estaban divididos en varios frentes, entre ellos el del lago, el más importante. Tenía cierta discrepancia con el movimiento de Mulele. Se percibían problemas de tribalismo por todos lados.» El señor Tatú, que se guarda mucho de revelar su identidad, obtiene en principio la conformidad de los congoleños para recibir un contingente de ciento treinta combatientes cubanos de color.

La táctica del Che es sencilla. Una vez al pie del cañón, poner a todo el mundo ante los hechos consumados. Lo reconoce: «Estaba realizando un chantaje de cuerpo presente.» Por eso la ausencia de los dirigentes le resulta más bien favorable, «pues tenía interés en la lucha del Congo y temía que mi oferta provocara reacciones demasiado agudas y que algunos congoleños, o el mismo gobierno amigo, me pidiera abstenerme de entrar en la lid.» Su auténtica preocupación es la escasa combatividad de los congoleños, su falta de organización y el dudoso comportamiento de los dirigentes. El embajador Rivalta, que los conoce mejor que el Che, no se anda por las ramas: «Mis valoraciones eran muy malas. Esta gente se dedicaba a beber, a andar con mujeres. Siempre fuera del Congo, metidos en Kigoma y en Dar Es-Salam. Eran vive-bien. No eran gente realmente decidida a luchar por la liberación. A mí, el gobierno de Tanzania me enseñó la lista de gastos de esta gente, de todo el movimiento de liberación. La cifra era alta, en bebidas, en burdeles. Kabila [...] era una gente muy locuaz. Soumialot a mí personalmente me parecía un poco mentiroso.»

¿Un *remake* de la Sierra Maestra?

Es bien sabido que la historia tartamudea. Y se repite como caricatura. La agitada travesía del lago Tanganica por el pequeño grupo del Che parece un irrisorio *remake* de la loca expedición de Castro en el *Granma* que se inspiraba a su vez en una acción análoga de José Martí... Esos juegos de espejo no son inocentes. «Fuerzas militares de Tshombé vigilan y patrullan el lago constantemente», observa Dreke, que sitúa el acontecimiento el 23 de abril por la noche. En Kigoma, al zarpar, «pequeña dificultad con el barco que está fallando. El Che se encabrona. Tenemos que irnos, en lo que sea» (Dreke). Con Chamaleso, el responsable congoleño, y uno o dos más, son dieciséis o diecisiete —Dreke no lo sabe con precisión— los que embarcan con armas y bagajes.

La travesía se hace de noche para escapar a la vigilancia de los hombres de Tshombé. La oscuridad es profunda, la navegación difícil. El lago está muy crecido pues es el fin de la estación de las lluvias. Precisamente está lloviendo. En la oscuridad, el piloto se pierde y el motor se descompone, igual que ocurrió en el *Granma*. Pero, a fuerza de *puteadas*, vuelve a ponerse en marcha. Luego se inicia una tempestad y el lago se transforma en un océano furioso: «Aquello se movía como un cascarón», dice Dreke. La embarcación hace agua. Achican con cubos. «El agua seguía subiendo; habíamos perdido el rumbo. [...] El Che me preguntó si sabía nadar —añade Zerquera [Kumi]—. Cuando le dije que no, me hizo una broma: "Coño, mira de la forma en que vas a morir." Sin embargo, aquella noche Dios debía ser cubano, congoleño o revolucionario porque hacia las cinco o las seis de la madrugada termina la pesadilla y el cascarón acaba embarrancando «del lado de Kibamba» en la orilla congoleña del lago. El Che concluye la noche en pleno ataque de asma, pero no importa. Dariel Alarcón, el guajiro a quien Guevara enseñó a leer y escribir, afirma que él estaba ya, en Kibamba, con algunos tipos de la embajada cubana de Dar Es-Salam, para recibir al primer contingente de camaradas. Pero entre los testimonios recibidos, nadie, ni siquiera el Che en lo que se ha publicado de su diario, hace referencia a la presencia de cubanos aquella mañana en tierra congoleña. Por el contrario, Dreke dice: «Nadie nos estaba esperando. Incertidumbre y tensión.» Llegan por fin, sorprendidos y más curiosos que desconfiados, unos congoleños que visten el uniforme amarillo proporcionado por los chinos, con eslóganes y cantos: «Fue la única vez que les encontramos cierto aire marcial», se burla Zerquera. Bueno, Tatú está finalmente en el Congo.

Por muy informado que esté, Guevara no sospecha que esta zona de combate, entre Albertville y Bukavu, se halla en los límites de una región explosiva. Ancestrales conflictos étnicos enfrentan a los autóctonos con algunas poblaciones de origen ruandés, marcadas por sus antagonismos: pastores tutsi minoritarios, que emigraron en el siglo XIX para instalarse en los altiplanos, contra agricultores utu, mayoritarios, instalados en los valles fértiles. Esa región de colinas y volcanes apagados pertenece, geográficamente, a la cuenca de los grandes lagos africanos, alojados en la larga falla geológica continental. Pero políticamente forma parte del Congo, orientado hacia la cuenca del Zaire desde que los occidentales lo decidieron así al trazar en 1885 unas fronteras artificiales. El comandante Tatú no advierte que en ese contexto de violentos antagonismos locales el concepto de revolución o imperialismo no tiene para sus interlocutores el mismo sentido que para él. Está muy lejos de imaginar que las batallas liberadoras que reclama con todas sus fuerzas se convertirán, treinta años más tarde, en sangrientas operaciones de «limpieza étnica», en las que genocidios y contragenocidios se sucederán en interminables tragedias ocupando algún tiempo las portadas de los diarios.

El Che describe bastante bien «el escenario geográfico en que nos tocó vivir», sobre todo porque cuando el camino penetra en las montañas que se yerguen por encima del lago, a una altitud media de 1.500 metros, se convierte en un «escenario conveniente para la guerra de emboscadas».

Sin embargo el Che no verá demasiadas emboscadas y sólo participará en ellas de un modo episódico. «Estamos aquí para quedarnos por lo menos cinco años», había anunciado a sus hombres. Pero, ¡ay!, su aventura congoleña no superará los siete meses. Va a ser, como escribirá, «la historia de un fracaso». Fracaso militar por ser fracaso cultural, antinomia entre dos visiones del mundo, dos tipos de racionalidad completamente distintas.

La primera señal de alarma la menciona el propio Guevara. Se niega a creer a un jefe congoleño que se presenta como teniente coronel y explica que una poción mágica, la *dawa*, tiene la virtud, no de dar a los combatientes una fuerza prodigiosa —¡eso sería puro Astérix!— pero sí de hacerlos invulnerables a las balas enemigas, «que caen al suelo sin fuerza». «A poco me di cuenta de que la cosa iba en serio —se lee en sus cuadernos—. Siempre temí que esta superstición se volviera contra nosotros y que nos echaran la culpa del fracaso de algún combate en que hubiera muchos muertos, y busqué varias veces la conversación con distintos responsables para tratar de ir haciendo una labor de convencimiento contra ellas. Imposible. [La *dawa*] es reconocida como un artículo de fe.»

El segundo malentendido, de carácter político, también tiene una base cultural. El universo mental que rige a los dirigentes congoleños es el de una sociedad que obedece una jerarquía marcada por los reyes, las tribus, los clanes. Se han lanzado a una lucha armada, pero menos para combatir al imperialismo o crear un segundo Vietnam en África que para recuperar las posiciones de poder y el estatuto que Tshombé, Mobutu y sus mercenarios les arrebataron. Aquellos dirigentes comprendieron pronto que es fácil mentir a quien llega de lejos, y que proclamar con ardor en el extranjero intrépidos objetivos revolucionarios era el mejor medio de obtener prestigio, financiación, invitaciones y demás ventajas materiales... Todo eso es mucho más gratificante que los combates de guerrilla, agotadores, peligrosos e inciertos. De ahí la desesperación del Che, a quien se le inflige el suplicio más atroz para un hombre impaciente: ¡esperar! Esperar a que los dirigentes congoleños, a quienes han venido a ayudar, decidan abandonar las comodidades de la ciudad y se dignen aparecer «sobre el terreno»; esperar a que esos mismos jefes-fantasmas le den autorización para combatir. Durante cuatro largos meses el camarada Tatú no hará más que esperar...

A la mañana siguiente de su llegada, el Che decide revelar su identidad al responsable congoleño que los ha acompañado y que le inspira confianza. Chamaleso se queda pasmado. «La reacción fue de aniquilamiento —escribe Guevara—. Repetía las frases: "Escándalo internacional" y "que nadie se entere, que nadie se entere".» El congoleño se apresura a regresar a Tanzania para comunicar la inaudita noticia a su jefe Kabila. Antes de cruzar otra vez el lago, ha revelado el secreto a Freddy Ilanga, un muchacho de diecisiete años, que en su ausencia actuará de traductor. Como muchos de sus camaradas Ilanga ignora quién es el Che. Nada comprende de todo aquel jaleo. «Me dijo que si no era discreto, sería fusilado. Y me dije: "¿Quién mierda será ese Che para que me amenacen con fusilarme?"»

A la espera de que la revelación produzca efecto, Tatú organiza su campamento junto al poblado de Kibamba, donde han desembarcado, a orillas del lago. Y ofrece a los congoleños que están allí un programa de formación militar y marchas de entrenamiento, con acciones armadas realizadas en pequeños grupos. Dado el tipo de reclutamiento, se hace pocas ilusiones: «Debíamos considerar que, de cien hombres, sólo quedarían veinte como posibles soldados y de allí dos o tres como futuros cuadros dirigentes.» El activismo de aquel blanco, prodigador de consejos, choca con la pasividad de sus interlocutores locales, que le piden que formule sus proposiciones por escrito. «Por el momento estamos en reuniones», le responden. Pasan así quince días sin hacer nada. Los cubanos negros observan a los congoleños negros que a su vez los observan, y cada cual adivina sin expresarlo claramente, que algo falla en el comportamiento del otro.

Sobre el terreno, la verdad de los hombres y las cosas tiene una consistencia distinta que en las proclamas revolucionarias difundidas en el exterior. Los reclutas de Kibamba parecen estimar poco a sus dirigentes. Son unos ladrones, les dicen a los cubanos, unos oportunistas, su comportamiento es sospechoso, algunos tratan con la embajada de Estados Unidos... Guevara advierte que «el lago era cruzado por distintos mensajeros, con una fabulosa capacidad para distorsionar cualquier noticia». Le preocupa ver que los soldados de Kibamba, provistos de un salvoconducto cualquiera, se transforman en «turistas» para cruzar el Tanganica y visitar en Kigoma, del lado tanzano, a las prostitutas que allí abundan. El sida no existe aún, pero se transmiten numerosas enfermedades venéreas. «¿Quién pagaba a esas mujeres? —pregunta el Che—. ¿Con qué dinero? ¿Cómo se gastaba el dinero de la revolución?» Se vuelve de nuevo, como dice, «discípulo de Esculapio» para ayudar al médico Zerquera a curar otra plaga: la intoxicación alcohólica provocada por un brebaje peligroso, el *pombe*, que se fabrica a partir de harinas fermentadas de maíz y yuca, destiladas de modo rudimentario (y las consiguientes peleas y heridas de bala durante las borracheras). Por otra parte, ha bastado con que en la zona se conozca la presencia de médicos para que los campesinos de los alrededores acudan en busca de asistencia. Pero se da prioridad a los «combatientes». «Participé personalmente en el reparto de las medicinas soviéticas y aquello parecía un mercado gitano. Cada uno de los representantes de los grupos en armas sacaba cifras [...] Empezaron a barajarse sumas fabulosas de hombres; uno anunció cuatro mil, otro dos mil y así...» Pablo Rivalta precisa: «Los chinos proporcionaban también ayuda, sobre todo en armas. Los soviéticos mandaban medicamentos y armamento inadecuado al que le faltaban piezas.»

Pese a su impetuosidad Guevara tiene un carácter metódico. Se enfurece al ver la «desastrosa» organización de aquel Ejército de Liberación del Congo, y se pregunta qué tipo de ejército es. Los víveres y las armas se amontonaban en la playa, «todo mezclado en un alegre y fraternal caos. Varias veces traté de que nos dejaran organizar el depósito y aconsejé sobre todo que algunos tipos de municiones como las granadas de bazuka o morteros fueran quitadas de allí, pero hasta mucho después no se logró organizar nada». Tiene pues que armarse de paciencia y aguardar el regreso de los dirigentes que, en la conferencia de El Cairo, no han vacilado en dar una visión triunfalista del combate congoleño. Para evitar que sus hombres caigan en el ocio, peligro principal, el Che les ordena hacer patrullas de reconocimiento. Le pide a Dreke que investigue las posibilidades de instalar una base no lejos de allí, en algún lugar de la montaña de Luluabourg cuya cima culmina a unos 3.000 metros. Los cubanos regresan ateridos por la humedad, la niebla y las temperaturas que bajan hasta los seis o siete grados. El África de los grandes lagos es muy distinta a la de los habituales tópicos que describen soleadas sabanas y baobabs. Aquí todo es verde y está mojado, incluso durante la estación llamada seca, de junio a septiembre. En las montañas llueve durante todo el año. A orillas del lago otro mal se apodera de los hombres del Che: la fiebre —paludismo u otro tipo de fiebre tropical— que produce un sentimiento de cansancio general y hace nacer, dice el Che, una pizca de pesimismo.

La llegada, el 8 de mayo, de dieciocho cubanos acompañados por el dirigente congoleño Mitoudidi levanta el ánimo de la compañía. Guevara, a quien Laurent-Désiré Kabila manda decir que se mantenga de incógnito, decide establecer su base en una meseta del Luluabourg donde se hallan ya algunos pastores tutsi originarios de

Ruanda. «Esta vecindad nos permitía recurrir a la preciosa carne vacuna, que cura, casi, hasta la nostalgia», anota el argentino, carnívoro por definición y nostálgico como todos los amantes del tango.

Cinco horas de ascenso por nueve kilómetros de senderos entre una espesa vegetación; ¿de nuevo coincidencia histórica? Ese campamento instalado en las alturas recuerda la elección de Castro cuando decidió acampar cerca del Turquino, la cima más alta de la Sierra Maestra. En lugar de lanzarse de cabeza al ataque de la ciudad de Albertville, como ordena Mitoudidi, irrealista proyecto, Guevara prefiere enviar primero unas patrullas para que inspeccionen la zona. Los cubanos están allí para obedecer y para servir a sus hermanos africanos en su justo combate, pero eso no impide conservar cierto sentido común.

Nada más edificante que los informes de los «exploradores» cubanos sobre las cantidades reales de hombres y armas. Las hinchadas cifras mencionadas en Tanzania no se corresponden con realidad alguna. «Contamos ochenta hombres armados cuando ellos afirmaban que eran miles —dice Dreke—. Los jefes nunca iban al frente, no querían saber nada de la guerra.» Y lo mismo dice el sargento Torres, alias *Nane*, que llevó consigo algunos autóctonos para espiar una central hidroeléctrica, Force de Bendera, a dos días de marcha. «Los congoleños estaban muertos de miedo cuando descubrieron a los centinelas. Huyeron corriendo, repitiendo *"Askari Tshombé"* (los soldados de Tshombé) [...] "una organización de venados.» El despecho que ese juicio expresa nos remite a la fórmula española *vergüenza ajena*. Los congoleños querían que los instructores cubanos fueran negros. Lo son, aunque de etnias distintas pues la población negra de Cuba procede sobre todo de las riberas atlánticas de África. Pero tres siglos después de la trata negrera, los negros cubanos se han convertido en hombres bien entrenados, disciplinados y valerosos. Ahora se enfrentan con una imagen de sí mismos históricamente retrasada, y el espectáculo de la desbandada vergonzosa de sus camaradas congoleños es como una humillación. Eso explica, tal vez, la severidad de sus opiniones. Y también explica la insólita indulgencia de Guevara que relativiza el problema afirmando que, en la época de las guerras de independencia, «también los cubanos se rajaban». Aceptar que los congoleños son unos gallinas que huyen del combate, sería admitir que Cuba tal vez se haya equivocado en su política africana. Por nada del mundo.

El universo cultural del otro

«Yo te explico lo que es el imperialismo —dice Tatú— y tú me das una buena lección de suahili.» El mejor reportaje sobre el Che en campaña, en la montaña congoleña, se lo debemos a su joven profesor Ilanga, un muchacho despierto y travieso que ha sido investido por los suyos con el poder de distribuir la *dawa* mágica, y que más tarde será médico en Cuba. Le han ordenado no separarse ni un ápice del camarada Tatú. Su testimonio coincide con las descripciones que se han hecho del argentino desde la época de la Sierra Maestra. Sin galones en la camisa, despierta sin embargo un respeto unánime hacia su persona, que demuestra que es el jefe. Su mirada sigue siendo penetrante. «Te miraba como si quisiera obligarte a decir algo.» Juntos, en la selva húmeda, realizan unas marchas que parecen escaladas. El sol no atraviesa el espeso follaje, todo está fresco y en penumbras. A media ladera el Che se detiene para aspirar unas bocanadas de su aerosol. Viendo la sorpresa del muchacho, le explica los ardides del asma y por qué no hay que ceder al pánico del ahogo. La mochila que lleva es más pesada que la de los demás porque está llena de libros. De su cuello cuelgan los gemelos y el altímetro, sus bolsillos desbordan de papeles. Siempre lleva el termo con agua caliente para tomar su mate amargo. Si hay café, le sirven primero, no como un favor particular (no lo admitiría) sino porque es el único que lo toma sin azúcar. Por la noche, siempre un poco insomne, escribe sentado junto al fuego encendido en la choza que comparte con Dreke e Ilanga, o lee hasta pasada la medianoche la biografía de Karl Marx escrita por Mehring, mientras fuma su pipa; los habanos son escasos.

Los testimonios reunidos por los tres autores del montaje elaborado a partir de extractos del diario del Che, plantean a veces ciertas dudas. Pero en este caso hay una observación que hace verosímil el relato del profesor de suahili: «No se lavaba todos los días. ¡Eso no! No se le veía a menudo bajando a bañarse en el río.» Inveterada afición del *chancho* por la mugre, que sólo señalamos para que el doctor Freud la interprete a su gusto.

Apenas un mes después de la llegada, fuerte ataque de paludismo. «Rendí tributo al clima del Congo en forma de una fiebre bastante alta.» Pero rechaza cualquier antibiótico a causa de su alergia. Y además, según el médico Zerquera, «en aquel campamento, en lo alto, muy boscoso, hacía un frío del carajo». Apenas la fiebre comienza a bajar a fuerza de quinina, Guevara se levanta, pues un hombre herido en una escaramuza necesita cuidados. Recaída. Fiebre más alta aún.

«Deliraba.» No es Rimbaud en el Harar etíope pero en la persecución de la quimera parece haber la misma voluntad de dominar el cuerpo que no debe convertirse en obstáculo. Lo que da como resultado «Un extraordinario decaimiento, quitándome el ánimo hasta de comer.» Cuando escucha que alguien del grupo sugiere hacerlo marchar, encuentra fuerzas para gritar: «Yo no me voy. ¡Primero me muero aquí!»

Luego, el 22 de mayo, recibe una visita inesperada. Le informan que un ministro cubano lo espera abajo, con todo un grupo. Es Osmany Cienfuegos, brazo derecho de Barbarroja (Manuel Piñeiro), que ha logrado con algunas dificultades el permiso de Dar Es-Salam para ir a ver cómo van las cosas. Encargado de las acciones internacionalistas, lo acompaña un tercer contingente de treinta y cuatro cubanos. Ahora son más de sesenta, a los que se sumarán otros. Osmany pone al Che al corriente de los mil rumores que circulan por Cuba y el mundo entero sobre su «desaparición». Se afirma que está en el Vietnam, en Brasil, en Argentina, que está encarcelado en Cuba, encerrado en un hospital psiquiátrico de México... Cuando el mes anterior los yanquis invadieron Santo Domingo, temiendo que aquella mitad de La Española se convirtiera en una segunda Cuba, al parecer lo vieron disparando contra los marines. Su ausencia en las festividades del 1º de mayo dio pie a las más locas suposiciones, sobre todo porque Fidel, el 20 de abril, abordado por los periodistas extranjeros, respondió que «el comandante Guevara está donde mejor sirve a la revolución».[4] Por lo demás, las noticias son en general buenas. Con una importante excepción: «Personalmente, sin embargo, trajo para mí la noticia más triste de la guerra: en conversaciones telefónicas desde Buenos Aires, informaban que mi madre estaba muy enferma, con un tono que hacía presumir que ése era simplemente un anuncio preparatorio.» Osmany salió de La Habana antes de que la noticia de la muerte de Celia de la Serna llegase a Cuba. «Tuve que pasar un mes en esa triste incertidumbre», escribe el hijo que se esfuerza por disimular su desolación.

Ricardo Rojo, amigo y confidente de Celia en Buenos Aires, es quien mejor cuenta cómo fue ingresada en la clínica Stapler, en el elegante Barrio Norte de la capital argentina, el 10 de mayo y cómo la aristócrata venida a menos se vio obligada a marcharse al cabo de unos días, cuando los propietarios del establecimiento alegaron que la madre de tan peligroso comunista sólo podía perjudicar la reputación de su establecimiento. El 16 de mayo, desde la nueva clínica, Rojo consigue una comunicación telefónica con Aleida en La Habana. Le pasa el auricular a Celia que insiste en hablar con su hijo: «Voy a morir. Quiero verlo. Tiene que venir enseguida.» Y al advertir el apuro de su nuera le dice a Rojo: «Ocurre algo con Ernesto.»[5] Dos días después, Aleida llama para explicar que... es difícil. Pero el cáncer no espera. El 19 de mayo de 1965, a los cincuenta y ocho años, la valerosa Celia de la Serna fallece sin poder ver de nuevo a su hijo predilecto.

Lo asombroso es que nadie desde Cuba informe enseguida al Che del triste acontecimiento, aunque fuese apelando a la embajada en Dar Es-Salam. Sólo semanas más tarde, en la selva congoleña, Zerquera se entera de la noticia leyendo una revista cubana. Le ruega al comandante que se dirija al campamento de abajo. Para Ernesto, el golpe es muy fuerte aunque lo esperara. Su madre ha muerto sin haberse enterado de la carta de despedida que dejó para sus padres, y él nunca leerá la última carta que ella le envió antes de morir. Su mejor confidente, su auténtica cómplice ha desaparecido. Ahora está muy solo en aquel lejano entorno. «Se sentó en su hamaca —recuerda Zerquera—. [...] Comenzó a hablar de su niñez. Quería tomarse un té. Le pedí que no se fuera. No me dijo ni que sí ni que no, pero se quedó. Compartimos la comida. Él andaba por ahí, cantando tangos.» Cantar tangos argentinos en plena África negra y en semejantes circunstancias puede parecer surrealista. Pero la reacción no es absurda. Ningún himno fúnebre se presta mejor a la evocación de la muerte de una madre que el tango, «pensamiento triste» por esencia. Incluso desafinado, incluso sin el lamento del bandoneón. En Guevara, el cantejondo de una argentinidad nunca repudiada reaparece de pronto, desde un tiempo antiguo, como un soliloquio del dolor.

Con la llegada de Mitoudidi, considerado el jefe de estado mayor de la guerrilla congoleña, Tatú había tenido la esperanza de que podría recuperar el tiempo perdido, y en junio estaría, por fin, en condiciones de entablar combate. Esperanza frustrada. Mitoudidi intenta imponer cierta disciplina, castiga a los que se emborrachan, sólo da armas a quienes saben utilizarlas, mas también él comienza a esperar la anunciada llegada de Kabila para dar la señal de partida hacia uno de los frentes. Pero Kabila no llega, al parecer entretenido por la visita a Tanzania del chino Chou en-Lai. Paradójica situación: Guevara, interlocutor oficial antaño del mismo Chou en-Lai en Pekín, se aburre hoy en una choza perdida del sur Kivu congoleño, clandestino e inactivo. «Todos los días teníamos el mismo canto matinal —se lee en sus cuadernos—. Kabila no llegó hoy pero *mañana* sin falta, o pasado mañana... [...] Ha anunciado su ingreso en reiteradas oportunidades y nunca lo ha hecho; la desorganización es total.» El Che ya había combatido en Cuba contra los estragos del *mañana* latinoamericano. Intentó inculcar a todos los que trabajaban con él las virtudes de la puntualidad. Ahora se las ve con un *mañana* elevado a la enésima potencia, y no tiene otra solución que doblegarse. Son las reglas del juego. Dar tiempo al tiempo es una hermosa fórmula, pero no está hecha para él. Los continuos aplazamientos lo corroen. El paisaje es soberbio, pero ya no ve su belleza. «Jornadas angustiosas —escribe— en que el ángulo formado por las dos colinas que morían en el lago, dejando ver sólo el pedazo de agua por ellas enmarcado como horizonte, empezaba a hacerse odioso.»

Si al menos tuviera un buen rival en el ajedrez. Pero ninguno tiene siquiera un nivel medio. Mover pieza es para él una pasión, tal vez su único vicio. La primera vez que oyó hablar de Cuba —era todavía un chiquillo— fue porque el maestro Capablanca, que a la sazón hacía gala de su destreza en Argentina, era cubano. Después del triunfo de la revolución volvió a encontrar a ese personaje en ocasión de los campeonatos organizados en el Ministerio de Industria para despertar en el personal, y en la juventud en general, la afición a ese antiguo juego procedente de Persia con el que se ejercitan los mejores estrategas. En La Habana, Aleida había acabado comprendiendo que algunas de las largas veladas que mantenían a su ilustre esposo fuera de casa, estaban consagradas al ajedrez. Antes de partir hacia el Congo, puso mala cara al advertir que eran escasos en el grupo los que sabían utilizar un tablero. Para aumentar la emoción, juega a veces de espaldas, a ciegas, dictando la posición de las piezas que deben moverse. Una vez lo venció el camarada Dogna y cuando éste se negó a concederle la revancha lo amenazó con... matarlo. En realidad, él se esfuerza por matar el tiempo. ¿Habrá viajado tan lejos sólo para jugar al ajedrez?

Guerrillero sin guerrilla, enseña el francés, organiza cursos de suahili, intenta atrapar a algunos congoleños para enseñarles a disparar, a caminar, a llevar mochilas. Se enfurece al comprobar que éstos, que disponen de armas excelentes, malgastan a tontas y a locas las municiones y se niegan a llevar la menor carga, ni siquiera cuando se trata de ir al campamento de abajo en busca de alimento. «Yo no soy un camión», responden; o peor aún, «Yo no soy un cubano». Su concepción de la estrategia inspirada en la experiencia de la sierra, es hostigar sin descanso al enemigo. Los congoleños, en cambio, prefieren acampar en sus posiciones. Han instalado «barreras» de difícil acceso en unas colinas y no se mueven ya, «confiando en la pasividad del enemigo y contando con los campesinos para su abastecimiento». Un mes y medio después de su llegada, el Che tiene formada su opinión. Escribe: «La característica del Ejército Popular de Liberación era la de un ejército parásito, no trabajaba, no se entrenaba, no luchaba, exigía de la población abastecimiento y trabajo, a veces con dureza extrema. [...] De no cambiar el orden de cosas existente, la revolución congoleña estaba irremisiblemente condenada al fracaso.»

¿Hay por su parte una ceguera de occidental impermeable a las peculiaridades del comportamiento local? Por supuesto, Guevara es un blanco. Nacido en el muy «europeo» cono sur latinoamericano. Su modo de pensar ya desentonaba en Cuba, empapada de indolencia africana y de relojes blandos. Pero para él abordar las diferencias culturales no significa un verdadero problema. Rechaza cualquier compasión sospechosa hacia África, cualquier visión dolorista del Tercer Mundo. No hay «sollozo del hombre blanco» en su caso. Su explicación marxista del mundo, que define el imperialismo como el único enemigo, basta para darle buena conciencia. Hay los explotadores y los demás. El color de la piel se descarta en esta separación entre buenos y malos. Si lo que hacen los «hermanos» negros le parece estúpido o condenable, lo dice sin pelos en la lengua. En 1983 Carlos Moore, un exiliado cubano de origen jamaicano, presentó en la Universidad de París VII una tesis doctoral afirmando que el racismo antinegro no ha desaparecido de Cuba con el castrismo. Citó una reflexión de Guevara, irritado por las preguntas «impertinentes y provocadoras» de un grupo de estudiantes negros de Estados Unidos, invitados a Cuba para las festividades del 26 de julio de 1963: «¿Por qué no se enseña en Cuba la historia de las culturas y la civilización africanas en las escuelas? ¿Por qué hay tan pocos negros en las universidades? ¿Por qué...? ¿Por qué...?» Respuesta tajante del comandante: «¿Qué quieren decir con "historia africana"? ¡La historia africana no existe! Los cubanos negros no tienen más razones para estudiar "la historia africana" que mis propios hijos para estudiar la historia de Argentina... Lo que los negros de Cuba deben estudiar es marxismo-leninismo...»[6] Que en el Congo el contingente cubano esté compuesto por negros es una característica casi accesoria, aceptada por Cuba para engañar al adversario. El verdadero combate se define por el bando en el que se está. Cuando Tatú se interesa por las costumbres locales, cuando escucha con interés las explicaciones de Ilanga a quien pregunta sobre la poligamia, las costumbres culinarias, los tres modos de preparar la yuca, las creencias fetichistas o animistas, no lo hace como un turista fisgón sino como un hermano de armas deseoso de comprender mejor al otro.

Este modo de pensar tiene su importancia, ya que cabe preguntarse si los infortunios y tribulaciones de los cubanos en el Congo no proceden de un profundo malentendido cultural y político de dos sistemas de pensamiento distintos. Al ir en ayuda de un pueblo al que consideran comprometido en una urgente batalla antiimperialista, los cubanos dan prueba de un internacionalismo que puede, que debe aliviar la presión sobre Cuba, y les proponen un método ya probado con éxito, como es la guerrilla de acoso y hostigamiento. Los congoleños, al menos los de la «dirección revolucionaria» (que se niegan a ser confundidos con sus tropas, consideradas como carne de cañón), reivindican primero su nacionalismo. Para ellos la revolución más que un cambio de las estructuras sociales es un medio para llegar a posiciones de poder. Y todos los medios son buenos: apoyarse en los reflejos etnicistas de las poblaciones o recibir a algunos incongruentes cubanos cuya presencia no han solicitado con insistencia pero que tienen la amabilidad de proveerles de armas, víveres, medicamentos... «Contrariamente a lo que se ha dicho, nunca he sido marxista», afirma Laurent-Désiré Kabila, al reaparecer en 1996 para proclamarse «jefe» de la rebelión en Kivu y apoderarse en algunos meses de todo el país.[7]

Los fallos de la poción mágica

Cuando Guevara comienza a recuperar la esperanza viendo que Mitoudidi intenta «implantar un comienzo de organización en aquel caos terrible que era la base de Kibamba», éste se ahoga en el lago, un día de mal tiempo y a sólo sesenta metros de la orilla. «Hemos perdido al único hombre eficaz de esta guerrilla», escribe el Che. Kabila se limita a manifestar su pésame. Como de costumbre, anuncia que acudirá dentro de poco y envía desde Dar Es-Salam a algunos delegados que tras unos días en el campamento se apresuran a largarse. Llega un nuevo emisario, Léonard Mundandi, un ruandés que trae un mensaje importante: Kabila da por fin la orden de pasar a la acción. Se trata de atacar el cuartel de Bendera, llamado Front de Force, que defiende una central hidroeléctrica a cincuenta kilómetros de allí. Mundandi se encargará del mando de la operación, con el refuerzo que solicitan de cincuenta cubanos del Che. Éstos reciben la noticia con alivio, «ya que en días anteriores —dice Mena, uno de ellos— casi todos tuvimos el temor de que se nos planteara que regresáramos a Cuba [...] en primer lugar, Tatú».

El señor Tatú tiene ciertas dudas sobre la eficacia del plan de ataque, que le parece apresurado y sumario (han fracasado ya dos intentos de tomar el cuartel). No se fía tampoco del comandante Mundandi. Éste le causó al pio buena impresión, cuando le habló de una temporada que había pasado en China. Pero preguntado sobre un ataque que afirma haber realizado recientemente con un bazuca contra un camión de soldados enemigos, es sorprendido en flagrante delito de fabulación y debe admitir, confuso, que ni siquiera estaba presente durante el enfrentamiento. El ruandés se siente herido y el Che reconoce que «como la exageración es una norma habitual en esta zona, decir con tanta franqueza que una mentira es una mentira no es el mejor método para establecer relaciones de amistad fraterna con nadie». Esa litote retórica de Guevara, tal vez nos dé la clave del drama que vivirán los cubanos y su comandante en tierra africana. El modo en que Mundandi percibe la realidad, su manera de contar un acontecimiento embelleciéndolo, asignándose un buen papel imaginario, está lejos del rigor del Che que en una ocasión repuso a un corresponsal: «La primera cosa que debe hacer un revolucionario que escribe historia es ceñirse a la verdad como un dedo en un guante.»[8] Pero ¿la verdad de un ruandés es la de un argentino? Una vez más, el debate es de orden cultural.

A Guevara le cuesta disimular el despecho que le produce que no lo autoricen a participar en la operación. «Debo ponerme a sus órdenes de modo incondicional», admite en una carta a Kabila, pero añade: «Mi impaciencia es la de un hombre de acción.» Y a los cuarenta y tres cubanos que se ponen en camino —no llegan a cincuenta porque muchos están enfermos— les explica: «No puedo ir. No me han dado la orden.» A Dreke, su segundo, le dice: «¿Si voy y nos botan? Porque éste es su país...» Su presencia en el Congo es secreta todavía, el gobierno tanzano sigue sin saber nada. Pero él insiste: «Le pido un favor: déme permiso para ir a Front de Force, sin otro título que el de comisario político de mis compañeros, a las órdenes del camarada Mundandi.» Kabila ni siquiera responde.

Mientras cubanos y ruandeses además de algunos congoleños se dirigen hacia el cuartel fortificado, un cuarto grupo de treinta y nueve cubanos, tan negros como los anteriores, llega a la base de Kibamba. Entre ellos, dos mocetones de los que se oirá hablar: Harry Villegas, llamado *Pombo* (porque es grande y fuerte) y Carlos Coello, apodado *Tuma*, de veinticinco años ambos. Son «veteranos» de la columna del Che. Tuma fue durante mucho tiempo uno de sus guardaespaldas. Castro les ha pedido que velen por la seguridad de Guevara. Todos han tomado caminos distintos. Algunos han pasado por

Argel, donde Jorge Serguera, *Papito*, sigue siendo embajador, aunque no por mucho tiempo. Discretamente, puso en guardia a Ben Bella contra las maniobras de Bumedián, jefe de las fuerzas armadas. Y su pronóstico acaba de cumplirse. El 19 de junio de 1965 Ben Bella es derrocado. Cuba, que había convertido al jefe de Estado argelino en uno de los pilares de su estrategia africana, teme que Bumedián no manifieste la misma simpatía hacia La Habana. Papito es trasladado enseguida para abrir una embajada de Cuba en Brazzaville, capital del ex Congo francés donde, con el Che, habían sido recibidos a comienzos de año por el presidente Massemba Debat. Acudirán más de un centenar de cubanos, dispuestos a prestar socorro a quienes se instalaron de incógnito en las riberas congoleñas del lago Tanganica. «La embajada de Brazzaville parecía un cuartel. Había hombres, armas, municiones por todas partes», recuerda Elisabeth Lagache, una francesa conocida en Argel por Serguera.[9] Se enamoraron y viven juntos desde entonces. Algo que abreviará la carrera de nuestro embajador, pues el régimen no aprecia demasiado que quien maneja informaciones confidenciales se case con una extranjera.

Apenas desembarcados en Kibamba, los recién llegados reciben su bautismo de fuego. Ocho aviones los riegan con napalm que estalla en el aire y bombardean los barcos que los han transportado, haciendo saltar en pedazos uno de ellos. «Hubo muertos entre los congoleños», indica el jefe del grupo de cubanos, Erasmo Videaux. El ascenso hasta el «campamento de arriba», en el Luluabourg, llamado «la base», es extenuante. «Vegetación muy tupida, tiempo fresquecito. Hubo que ponerse los *jackets*.» En el poblado fortificado, varias chozas que pueden albergar de cinco a diez personas. En el centro, la de Tatú. Cuando Videaux se cuadra ante el Che, éste lo libera de un protocolo que ya no sirve. «Lo encontramos sentado en un pequeño banco de cuje, en el interior de la choza [...] El vestuario de Tatú era el característico del Che pero sin estrella en la boina.» La imagen, sencilla, da margen para imaginar. ¿En qué reflexión está sumido el hiperactivo Che, sentado en su banco en medio de la choza?... Videaux le lleva lo que había solicitado. Libros, medicamentos, dos metralletas para uso personal y también algunos largos cigarros, de unos cuarenta centímetros. Fidel ha añadido como regalo un reloj Rolex. Desde la Sierra Maestra, entre los «combatientes históricos» se ha instaurado el fetichismo del reloj de pulsera que se obsequia en señal de reconocimiento.

El ataque a Front de Force es la más importante de las escasas operaciones militares a que los cubanos serán invitados a participar. Es un desastre total, pero lleno de enseñanzas. En principio, los asaltantes serían más de ciento cincuenta, esencialmente ruandeses vestidos con uniformes chinos y bien armados, bazucas, ametralladoras pesadas e incluso un cañón chino de 75 mm. Pero sólo «en principio» pues antes incluso de que comience el combate, cuenta Dreke, «un grupo de veinticinco o treinta ruandeses hizo saber que no irían. Zakarías, su capitán, les quitó la ropa, las armas, repartió bofetadas y los dejó en calzoncillos...». La idea no es apoderarse del cuartel, rodeado de alambradas y trincheras y custodiado por un batallón de quinientos a setecientos hombres (es un bocado demasiado grande) sino obligar a sus ocupantes a salir para tenderles emboscadas. Mal preparadas, resultarán un completo fracaso. Ni siquiera actúa el efecto sorpresa. Un disparo que de madrugada se le escapa a un ruandés basta para aterrorizar a algunos miembros del grupo que desaparecen corriendo, y pone el cuartel en alerta. Al fuego a discreción de los rebeldes responden morteros y artillería. «Pero sólo los cubanos disparaban —cuenta Dreke—. Los ruandeses, que no sabían disparar en ráfagas cortas, dejaban el dedo en el gatillo y vaciaban enseguida los cargadores.» Tras ello, según el relato de los cubanos, huían abandonando armas, material, heridos y muertos. «Naturalmente —concluye Dreke—, un estruendo del calibre 50 o una 30 en plena selva oscura, con niebla y animales despavoridos huyendo, es impresionante. [...] Nuestra gente no entendió. Esperábamos más de ellos.» Idéntico y lamentable escenario en la emboscada tendida en un lugar inadecuado —«los cazadores resultan cazados»— y carente de una elemental sincronización. En total, veintidós muertos, de ellos cuatro cubanos, y unos sesenta heridos. «Desbandada completa», resume Tatú.

Al principio, dice el sargento Torres, el Che no podía creer que aquella gente no quisiera combatir. Pero luego, puesto al corriente del fracaso, recupera una pasmosa serenidad. Su reacción «sorprendió a quienes lo conocían» (Dreke). En sus libretas, Guevara no puede evitar la ironía sobre los fallos de la *dawa* mágica y la ineficacia del brujo que «se las vio negras y fue sustituido». Lo que indigna al Che es el ignominioso abandono de los heridos y las armas, el pánico de los que huían. «A menudo —añade— quienes dieron el ejemplo, fueron los oficiales y entre ellos los comisarios políticos, una lacra del Ejército de Liberación.» El comandante Tatú ignora aún que, pese a las medidas de seguridad, el combate revelará lo que deseaban ocultar: la presencia de cubanos en el asunto. Éstos han tenido la precaución de no llevar encima documento alguno, pero en una mochila perdida hay un diario de a bordo personal olvidado y en los calzoncillos de uno de los muertos se lee *made in Cuba*...

«El Che había sido siempre un ardiente defensor de los africanos —dice Dreke—. Intentaba siempre explicar sus debilidades.» Sin embargo cuando hace balance de la derrota, debe reconocer: «Gran desmoralización entre congoleños y ruandeses pero también entre los cubanos se produjo un gran abatimiento.» Sin embargo Mundandi, el ruandés —¿será ceguera o una visión deformada de la realidad?— manda a Tatú «una larga carta desbordante de historias heroicas [...] «Estas cartas —escribe Guevara— no eran sino el principio de la descomposición que envolvería posteriormente a todo el Ejército de Liberación e incluiría en sus mallas a las tropas cubanas.»

Fenómeno grave, en efecto. Algunos cubanos abandonan, desisten, aceptan ser clasificados en la infamante categoría de los *rajados* (los cagones que «se largan», los que piden volver). Entre ellos, tres médicos que participaron en los combates. Pero, vergüenza suprema y síntoma inquietante, Sitaini, llamado *el Chino*, ayudante personal del Che, veterano de rasgos asiáticos que no se ha separado de él desde la Sierra Maestra, también quiere marcharse. No soporta ese caos y, por añadidura, sufre de una hernia. «¿Quién habría podido imaginar al Chino atreviéndose a decir al Che que se marchaba?», exclama Dreke, poniendo de relieve cómo impone Guevara, pero revelando al mismo tiempo que el prestigio de Tatú comienza a disolverse en la humedad fría de la selva del sur de Kivu.

El Che reconoce haber estado de mal humor y pesimista durante aquellos días. Delante de sus hombres trata de que no se advierta. «Nos dijo —cuenta Videaux— que nos quedaríamos [en el Congo] de tres a cinco años, que la victoria estaba casi asegurada [!] y que cuanto más rápido se iniciara la guerra más rápido obtendríamos la victoria.» Admirable voluntarismo que rechaza cualquier idea de dimisión y considera el fracaso de Front de Force como una infeliz peripecia que será superada en el curso de la «verdadera» guerra, que prevé larga y dura. Para acentuar el aspecto irreversible de la situación, manda a Rivalta la orden de informar al gobierno tanzano de su presencia en el Congo, rogando a dicho gobierno que perdone el método empleado, del hecho consumado, que en modo alguno compromete la responsabilidad de Cuba.

«Yo, loco de rabia; ellos, partiéndose de risa»

Por fin llega Kabila... El 7 de julio, acompañado por su jefe de estado mayor Massengho y por su ministro de Relaciones Exteriores

—no se ahorran títulos—, rodeado de algunas cajas de whisky y una escolta de mulatas guineanas, el inaprensible y huidizo Kabila viene a observar cómo marcha la revolución congoleña. De pronto, según el propio relato que hace Guevara de la visita, se desprende una evidencia: encaramado en su pico Turquino congoleño y pese a sus loables esfuerzos, ¡el Che aún no ha entendido nada del mundo en el que se ha zambullido! Ernesto Guevara no comprende el continente negro. Al igual que Tintín, Tatú, rígido cartesiano a pesar de todo, no entiende un ápice de los pensamientos mágicos, los razonamientos en espiral y las hipérboles argumentales de sus interlocutores africanos. ¿Pero hay acaso algún interlocutor? La palabra implica la existencia de dos locutores. Y él sólo puede comunicarse en francés con unos pocos que traducen el mensaje en suahili a un tercer bribón que, a su vez, lo traduce a la lengua de la etnia correspondiente, si puede.

Cuando cierto día, indignado una vez más al ver desertar a los congoleños, el comandante Tatú desata una de esas rabietas que por lo general siembran el terror entre los cubanos, confiesa «la impotencia que da la falta de comunicación directa. [...] La deformación de la traducción y quizá la piel lo anulaba todo. [...] Me dirigí a ellos en francés, enfurecido; con mi pobre vocabulario, les decía las cosas más terribles que podía encontrar, en el colmo del furor. Y mientras el traductor vertía la descarga al suahili, todos ellos me miraban, partiéndose de risa, con desconcertante ingenuidad». Lo ridículo provoca el derrumbe de la imagen del militante viril. Dos culturas se expresan ahí, frente a frente.

Pero la lengua no es el único obstáculo. Lo que desconcierta a Guevara son los comportamientos que escapan a su lógica, la maraña de los conflictos tribales y étnicos que, más o menos soterrados por la férula del colonizador, han vuelto a despertar, los bofetones y las patadas en el culo para hacerse obedecer, las torturas para castigar a los recalcitrantes, el exagerado respeto atribuido aún al hombre blanco, considerado superior y temible. Nasser se lo había advertido. El hecho de tener la piel blanca haría que lo consideraran extranjero, aunque no fuese Tarzán. «No podía entender que un blanco viniera a ayudarnos a nosotros los negros, si la lucha de nosotros era contra los blancos», confiesa un congoleño, Alexis Tunjiba, con quien Tatú mantiene un breve diálogo a tres voces, gracias a Ilanga. «No sabíamos muy bien por qué luchábamos. No creíamos liberar nuestro país. Los dirigentes sólo querían vivir cómodos.» En el fondo lo que nadie ha explicado al Che, lo que debe aprender a descifrar con humildad y paciencia, son las claves de interpretación de las mentalidades.

Cuando el tan esperado Kabila se digna por fin a aparecer, el Che queda fascinado por la facilidad con que el retorcido político, acostumbrado a esos juegos, toma las riendas de una situación que hasta entonces a él, blanco procedente de otro planeta, se le había escapado. En unos zinstantes se organiza un mitin. El Che no oculta su asombro. «Realmente fue interesante. Kabila demostró tener conocimientos de la mentalidad de su gente; ágil y ameno, explicó en suahili todas las características de la reunión de El Cairo y los acuerdos a que llegó. Hizo hablar a los campesinos, dando respuestas rápidas y que satisfacían a la gente. Todo acabó con una pequeña pachanga bailada por los mismos participantes al son de una música cuyo estribillo cantado era "Kabila va, Kabila eh".» De pronto el campamento vuelve a funcionar. Se reorganiza la defensa. Se reúnen rápidamente sesenta hombres para cavar trincheras, aprender a disparar con tres instructores cubanos... Guevara repite su súplica. «Le repetí mi vieja cantinela: quería ir al frente.» Kabila sigue dando largas y, por lo que respecta a informar al gobierno tanzano de la presencia del comandante cubano, se niega en redondo. Y luego, sin muchos aspavientos, con el pretexto de no dejar que su socio y rival Soumialot (de quien cuenta pestes) se aproveche de la situación, vuelve a marcharse casi a hurtadillas al cabo de cinco días y olvidando despedirse.

El campamento cae de nuevo en la apatía. Amarga nota del Che: «Los soldados encargados de las trincheras dijeron que ese día no iban a trabajar porque el jefe se había marchado.» El asunto de las trincheras, por otra parte, fue siempre un rompecabezas pues por superstición los congoleños se negaban a meterse en hoyos que ellos mismos hubiesen cavado.

Los cubanos comienzan a ser presas del desaliento. Son ya más de un centenar distribuidos en cuatro campamentos, a los que llaman «frentes», en un radio de cincuenta a sesenta kilómetros, para poder «pegarse» a sus compañeros africanos. Los cuatro muertos cubanos del frustrado ataque a Front de Force han afectado la moral de todo el contingente. El deseo de marcharse se contagia. Aferrado a su deseo de guerra, Guevara se niega a admitir lo absurdo de una situación que sus hombres perciben con más lucidez que él mismo. Sarcástico, atribuye sus reacciones a las «condiciones actuales de la revolución en Cuba. Además —dice—, lo contrario sería sorprendente. Algunos años de vida cómoda cambian a los individuos, sin contar con que, a la inmensa mayoría, es la revolución la que les ha hecho revolucionarios».

Para no quedarse con el amargo sabor de la derrota, Guevara envía a Dreke y sus cubanos para que intenten entrenar a los ruandeses a tender emboscadas en la carretera de Albertville. Una vez más, éstos huyen al primer disparo. La guerrilla adquiere un aspecto de ataque a la diligencia. Dirigido por Martínez Tamayo, *Papi*, un grupo de cincuenta combatientes —veinticinco cubanos, veinticinco ruandeses— consigue apoderarse de un camión cargado de alimentos, cigarrillos y bebidas. Los cinco soldados (negros) mueren pero los ruandeses, que han disparado «corriendo hacia atrás», vuelven muy pronto para pillar una borrachera monumental ante la consternada mirada de los cubanos, a quienes les está prohibido beber. Enterado, el Che rectifica su pronóstico: «Cinco años son un plazo muy optimista para la victoria de la revolución congoleña.»

Otro modo de combatir el ocio y el mal ambiente que hace reinar el grupito de los «rajados» es la marcha. El primer día, un kilómetro; al siguiente, dos; luego tres... Los caminantes descubren poco a poco una parcela de África exótica. «Veíamos muchos animales —dice Videaux—, no leones, porque huelen al hombre [...] pero sí elefantes, monos. La humedad era terrible para el asma de Tatú. [...] Pero eso no le impedía moverse más que un ratico, lo necesario para darse un *spray*, comer un par de ajíes, tomar té y mirar al cielo.» En el campamento, Guevara endurece la disciplina ferozmente. Tres días sin comer para el cocinero que se ha servido primero; seis u ocho horas de guardia seguidas para otro; otro más será enviado a participar en una emboscada, pero sin armas... Dariel Alarcón cuenta que un cubano que infringió la regla de no acostarse nunca con una congoleña, fue condenado a casarse y a regresar con ella a Cuba. Como está ya casado, da algún dinero a la mujer para que vuelva a su aldea. Tatú la hace regresar al campamento, insistiendo en el castigo. Entonces el hombre se vuela la tapa de los sesos.[10]

Cubanos, ruandeses y congoleños viven «juntos pero no revueltos». De modo que cada cual se ocupa de su condumio. Los cubanos que comienzan a arreglárselas con el suahili compran víveres a los campesinos que han permanecido en la región. Han aprendido a doblegarse al ritual de las inacabables zalemas, elemento codificado de una cultura donde la palabra y la medida del tiempo participan de un ritmo de vida distinto. «En suahili decir buenos días requería tiempo —cuenta el llamado Herrera—. Cinco minutos para "¿Ha dormido usted bien? ¿Se encuentra bien? ¿Cómo está la familia? ¿Adónde va usted?, etc.".» La vida sigue su curso y a pesar de su ardor, Guevara debe aceptar que pasen las semanas sin que el imperialismo se vea afectado en absoluto por algunas escaramuzas esporádicas en un Sur Kivu muy marginal. Detalle anecdótico, el doctor Tatú ha adoptado un perrito. Desde que era muy niño, desde su infancia cordobesa, a Ernesto le han gustado los perros. Tiene dos, sucesivamente, en Sierra Maestra (y ha contado en un sobrio relato, bastante conmovedor, cómo fue necesario estrangular en silencio al cachorro para impedir que sus ladridos denunciaran a los guerrilleros perseguidos por los guardias de Batista).[11] En el Ministerio de Industria, el perro mal educado que asistía a las reuniones con el comandante ministro se llamaba *Muralla*. Esta vez, la mascota del señor Tatú no es *Milú* ni *Idefix*, sino *Simba*, que significa león (nombre que se atribuyen los combatientes autóctonos; salvo los que huyen).

Cuando los jefes de zonas rebeldes organizan una reunión y se niegan una vez más a permitir que Guevara tome parte en los combates, una pérfida idea se desliza en la reflexión del argentino; se pregunta si la verdadera razón de la negativa no es querer evitar un enojoso contraejemplo: «El hecho de que el jefe de los cubanos participara en la lucha en el frente mientras los responsables congoleños no lo hacían, podía crear nuevos motivos de crítica.» Como única concesión, le permiten hacer algunos reconocimientos. Por fin podrá salir de su prisión sin barrotes. Pero, en julio, su balance es sombrío. «Por ahora sigo de becario.» En realidad, desde el principio todo el asunto congoleño parece más un juego de *boy scouts*, con pistas enmarañadas y nombres cifrados para todos, que una auténtica guerra de liberación. Pero el ambiente sigue sin ser bueno entre los cubanos, que no son precisamente *boy scouts* y murmuran, se burlan de la cobardía de los autóctonos y no les ahorran pullas.

Para puntualizar las cosas, el 12 de agosto el Che dirige a sus hombres un *mensaje a los combatientes* pidiéndoles que lo lean, lo discutan y lo quemen luego. Su llamada a comprender mejor al otro se transforma en una requisitoria contra los camaradas africanos. Naturalmente, invoca la «modestia revolucionaria que debe guiar nuestro trabajo político»; recuerda que «nuestra misión es ayudar a ganar la guerra» y pide «mostrar con nuestro ejemplo pero sin hacernos odiosos a los cuadros». Con la franqueza que le caracteriza, el panorama que traza Guevara de la situación es de implacable realismo: «No podemos decir que la situación sea buena: los jefes del movimiento pasan la mayor parte del tiempo fuera del territorio [...]. El trabajo organizativo es casi nulo, debido a que los cuadros medios no trabajan, no saben hacerlo, además y todo el mundo les tiene desconfianza [...] La indisciplina y la falta de espíritu de sacrificio son la característica dominante de todas (estas) tropas guerrilleras. Naturalmente, con esas tropas no se gana una guerra.» Duro, duro.

Sin embargo, aunque se dé cuenta de que él mismo, Fidel y otros han sido engañados por los hermosos discursos «revolucionarios» de los dirigentes congoleños, no llega hasta condenar la pertinencia del compromiso de Cuba en el conflicto. Sólo queda la huida hacia adelante. Tras cuatro meses mordiéndose las uñas, sin poder aguantarse más, un día el Che infringe todas las consignas y sale hacia el «frente» donde el 21 de agosto lo reciben «sus» cubanos que intentan preparar, con los ruandeses, un nuevo ataque al cuartel Front de Force. «Me sentía un poco como delincuente en fuga —escribe Guevara—, pero estaba decidido a no volver a la base en mucho tiempo.» Asume su «desobediencia»: «Si Kabila quiere verme, tendrá que venir pa'ca. Yo ya no voy para allá.» Los cubanos están encantados, pero Dreke se siente inquieto y Zakarías, el jefe ruandés, pone mala cara viendo que el mando se le escapa.

A fines de agosto Guevara anota que su «beca de estudios» ha terminado por fin. Decide que los congoleños tienen el deber de participar en los combates y se dirige a su zona para convencerlos de que «son ellos, a fin de cuentas, quienes deben liberar el Congo». Tibio recibimiento. Entretanto, llega un grupo de estudiantes congoleños entrenados en China y Bulgaria, que comienzan reclamando quince días de vacaciones, «plazo que iba a revelarse extensible». El Che no oculta la opinión negativa que tiene de esos hijos de cacique que hablan francés; han tomado lo peor de la cultura europea y parecen no tener más ambición que formar parte de la futura privilegiatura. «No podían correr riesgos en combate —ironiza—. Llegaban con un superficial barniz de marxismo, imbuidos de su importancia de "cuadros" y con un enorme deseo de mando, de conspiración incluso.» El modelo perdura...

Como los combatientes congoleños son casi inoperantes, no es posible contar con ellos para llevar a cabo operaciones de envergadura. De ahí el modesto repliegue hacia la conocida técnica de la emboscada. En ese caso, la estrategia se transforma en la interminable espera de camiones que nunca llegan. Tatú incluso tiene tiempo para ir a orillas del lago y recibir a dos oficiales cubanos, Emilio Aragonés y Óscar Fernández Mell. Este último, capitán del ejército rebelde y médico, ha sido convocado por Guevara. Se conocen bien. Pero que un personaje que se ha vuelto tan importante como el gordo Aragonés, antiguo conocido, se haya desplazado también, lo deja perplejo: «No me cabía en la cabeza que el secretario de organización del partido abandonara su puesto para hacer el viaje.» ¿Sería para rogarle que regresara? ¿O tiene el encargo de procurar que no se produzca ninguna metedura de pata que pueda turbar la política de coexistencia pacífica de los camaradas soviéticos?

El 11 de septiembre, un convoy de camiones se acerca por fin, transportando su ración de marihuana y la paga de una guarnición. La consigna es no disparar hasta que hayan pasado cuatro o cinco vehículos. La consigna no se respeta. Un ruandés dispara el bazuca contra el segundo camión. Y falla. Tiroteo general. Los guardias saltan de los camiones —son blancos— y se despliegan mientras que (una historia que se ha hecho ya clásica por lo reiterada) «los congoleños huían corriendo». Pese a la docena de muertos en las filas de los mercenarios de Tshombé y algunos fusiles capturados, es un nuevo fracaso. Guevara ha revelado en la acción hasta qué punto es intenso su deseo de guerra. En vez de permanecer como mandan las normas en su puesto de mando, donde todos lo buscan para pedir instrucciones, no pudo resistir el frenesí de la acción, más fuerte que todos los principios. Hace cuatro meses que esperaba este momento. Mejor aún, hace más de cinco años ya, desde la entrada de los guerrilleros en La Habana en 1959 que no había disparado un tiro; playa Girón y la crisis de los misiles no le ofrecieron ocasión de apretar el gatillo. Llevado pues por su impaciencia se lanzó a la batalla empuñando el fusil ametrallador y se quedó solo, disparando mientras los demás se replegaban. Cuando Dreke, a cargo de su seguridad, se permite reprochárselo, él, tan partidario de la disciplina, le da una insólita respuesta: «Es que de vez en cuando hay que violar algo.»

Sacando partido de su nueva libertad de movimiento, recorre la región, comprueba el estado de las fuerzas y habla con los responsables. Llega hasta Fizi, «el poblado más importante que he conocido en el Congo», donde encuentra a un «coronel» Lambert y a un «general» Maulana que se detestan porque pertenecen a tribus hostiles pero alimentan una común aversión contra Massengho y Kabila, que sólo ha equipado y puesto en condiciones de combate las zonas tribales de su preferencia. Unos hombres armados no son todavía soldados, repite Guevara. Poseer un fusil parece más signo de prestigio que instrumento de combate. En Fizi, el Che asiste a lo que denomina un *show*: la mirada occidental puede encontrar allí imágenes de tebeo. «El general Maulana se puso su atuendo de combate que consistía en un casco de motociclista con una piel de leopardo arriba.» Luego, desfile militar «a la europea» coronado por un discurso. «Allí lo ridículo alcanzó una dimensión chaplinesca; tenía la sensación de estar observando una mala película cómica aburrido; mientras los jefes daban gritos, patadas en el suelo y tremendas medias vueltas y los pobres soldados iban y venían, aparecían y volvían a desaparecer, haciendo sus evoluciones.» En los poblados que atraviesa, Tatú-Tintín observa soldados con su arma en bandolera pero «sin el menor signo de disciplina, de ganas de combatir, de organización». Por lo que a los jefes se refiere, se han instalado en su casa o en la casa de un amigo, «por lo general empapados». ¿Cómo ganar una guerra con una tropa tan poco motivada? Más tarde, al releer sus notas, Guevara escribirá: «El proyecto de constituir un ejército estaba diluyéndose en nuestras manos. Todavía impregnado de no sé qué ciego optimismo, yo no era capaz de ver esto.»

Un entierro político

Mientras Guevara procura formar a duras penas nuevos reclutas congoleños en condiciones de combate reales —intento que será un fracaso—, Soumialot y algunos de sus amigos del Consejo Revolucionario se pagan el lujo de una nueva gira internacional, con escalas en Pekín y Moscú, para estimular la competencia entre ambos protectores. El objetivo es recoger dinero y, accesoriamente, armas y hombres. Las batallas que describen, los éxitos y las victorias futuras son puras fantasías, pues ignoran del todo la verdad «sobre el terreno». Pese a las advertencias del embajador Rivalta y del propio Che, que aconsejan al gobierno cubano mostrarse muy prudente y no recibir a aquellos fantoches, Soumialot consigue arrancar en La Habana cien mil dólares y la promesa de enviar cincuenta médicos. José Ramón Machado, el ministro de Sanidad cubano, es enviado previamente para comprobar las necesidades. Llega acompañado de Ulises Estrada, un oficial mulato de los servicios de información y portador de una carta de Castro para Guevara cuyo mensaje es que no se desaliente. Machado regresará con una respuesta del Che, bastante argumentada, en la que se advierte cierta irritación.

«No sólo no soy pesimista ni estoy desalentado», se defiende Guevara, que tiene la sensación de que evalúan mal las particularidades de la situación, sino que aquí, «según los allegados, he perdido mi fama de objetivo manteniendo un optimismo carente de bases, frente a la real situación existente. Puedo asegurarte que si no fuera por mí, este bello sueño estaría totalmente desintegrado en medio de la catástrofe general».

Lo que le desespera como subraya es el laxismo de quienes en La Habana, en nombre del internacionalismo proletario, han aceptado dar dinero a Soumialot y su pandilla. Guevara es muy tacaño, es cosa sabida, sobre todo si se trata del dinero de la revolución. Se encuentra ahora con un caso análogo al de los países socialistas, a quienes reprochaba su falta de generosidad revolucionaria para con los países en lucha por su liberación. Siempre hay alguien más pobre. Pero aquí la liberación parece todavía tan lejana que es conveniente evitar cualquier derroche. Ha calculado —«y eso me duele»— que serían necesarios unos cinco mil dólares mensuales para alimentar uno de los frentes, donde piensa formar una columna mixta bajo su mando directo. «Y me entero ahora de que los turistas han recibido veinte veces más para darse la gran vida en las capitales del mundo entero. No llegará ni un solo céntimo al frente [...] Soumialot y sus compañeros les han vendido un tranvía de enorme dimensión» (chiste argentino).

En cuanto a los efectivos cubanos en el Congo —aunque el Che haya anotado en sus cuadernos que la disciplina dejaba a veces mucho que desear—, al dirigirse a Castro afirma que los muchachos seleccionados en su mayoría son buenos soldados. «Pero aquí no hacen falta hombres buenos —añade—, sino superhombres.» Y resume la vanidad de la empresa congoleña en una fórmula ruda pero franca: «No podemos liberar solos un país que no quiere luchar. Hay que crear el espíritu de lucha y buscar los soldados con la linterna de Diógenes y la paciencia de Job, tarea que se vuelve más difícil cuanto más comemierdas encuentre esta gente en su camino.»

Dicho esto, se niega a admitir que todo está perdido e imagina aún que podrá formar un núcleo disciplinado de autóctonos, decididos a librar una guerra de guerrillas con cuadros cubanos. Pese a su empecinamiento en seguir siendo optimista, se adivina qué agotador puede resultar ese empeño por reiniciar continuamente una empresa que se desmorona. Tanto más cuanto a ello se añaden las enfermedades endémicas. Al paludismo ya de por sí debilitante, le han sucedido las gastroenteritis. Ni Guevara ni sus camaradas se libran. Las diarreas duran más de un mes; literalmente lo vacían y pierde más de veinte kilos. En su diario de campaña anota con un prosaísmo de estudiante de medicina: «Más de treinta defecaciones en veinticuatro horas», después de lo cual pierde la cuenta. Pero en estas circunstancias su voluntad, «pulida con delectación de artista», le permite seguir aferrándose a su guerra.

Mientras nuestro héroe combate contra las bacterias intestinales y la pasividad de los autóctonos, las más descabelladas fantasías siguen recorriendo las redacciones de los medios de comunicación del planeta. La CIA le busca por todas partes y concluye que sigue en Cuba. Pero lanza también mil falsas historias intentando acertar con una pizca de verdad que lleve a encontrar su rastro. La hipótesis más aceptada es la de su muerte y entierro en una fosa común cuando las tropas yanquis invadieron Santo Domingo. Pero al parecer lo han visto también en otros muchos rincones de la Tierra. Algunos dicen que es consejero militar del Vietcong; otros, que ha sido hecho prisionero en Cuzco. La agencia France-Presse se hace eco de un rumor según el cual habría intercambiado disparos ya no con Dorticós sino con el propio Fidel Castro. Los diarios recogen, en cadena, esas «noticias» sustituyendo de pasada el prudente condicional por el perentorio indicativo. Un documento apócrifo, muy extraño, ha comenzado a circular también por Cuba. El *Memorándum R* del que el novelista Taibo II y sus amigos cubanos reproducen algunos párrafos citados por un tal Hetman. Se repiten allí los reproches formulados, hasta entonces a media voz, por la vieja guardia de los comunistas del PSP (como Aníbal Escalante, que ha regresado de Praga tras su caída en desgracia de 1962 y sigue vinculado a Moscú). Allí puede leerse que luego de haber introducido el desorden en la economía cubana, la personal ansia de aventura de Guevara se transformó en una amenaza para la política nacional e internacional. Se lamenta también que las ideas del ministro desaparecido se orientaran hacia los «hiper-intelectuales franceses», más que hacia los expertos socialistas, etc... Tonterías viperinas. En semejante contexto, a Castro lo acosan los periodistas más que nunca. Todos hacen la misma pregunta: «¿Dónde está? ¿Qué ha hecho con él?»

¿Intenta el *líder máximo* conseguir que se reduzca la presión u obedece a un designio más maquiavélico? El 3 de octubre de 1965, abriendo en La Habana ante las cámaras de televisión la conferencia durante la que se presentará el Comité Central del nuevo Partido Comunista de Cuba (que sucede al PURSC), Castro señala que falta en la ceremonia alguien que tiene «todos los méritos y todas las virtudes necesarias». Y en un tenso silencio lee las páginas mecanografiadas de la carta manuscrita que Guevara le dirigió antes de su partida. «Llegó la hora de separarnos. [...] Libero a Cuba de cualquier responsabilidad. [...] Mi último pensamiento será para este pueblo y especialmente para ti...» El efecto de la carta es enorme, aunque sólo levante un poco el velo de una historia que sigue manteniéndose en el misterio. Los periódicos de todo el mundo comentan su contenido. Raros son los que advierten la presencia en la tribuna del marroquí Mehdi Ben Barka, encargado de organizar la Conferencia Tricontinental que debe inaugurarse en La Habana, en enero de 1966. Pero todos observan con atención que Aleida March, la esposa de Guevara —nadie dice «la viuda»— sentada cerca de Fidel, va vestida de negro. En París, *Le Monde*, siempre austero, consagra a la noticia parte de su portada. En Cuba, el músico Carlos Puebla compone con ritmo de guajira la conmovedora canción de despedida, muy hermosa y lacerante, *Hasta siempre*, que se convertirá en el himno popular al comandante desaparecido: «Aprendimos a quererte / [...] aquí se queda la clara / la entrañable transparencia / de tu querida presencia.» En La Habana, el 10 de octubre, Michèle Firk, otra militante comunista francesa fascinada por la revolución cubana, escribe a su amiga de París, la camarada Jeannette Pienkny: «*Ma douce*, todo el mundo llora leyendo la carta del Che [...]. He hablado con Michel Gutelman y Charles Bettelheim que opinan, como yo, que se trata de la mejor salida posible, la más hermosa, causada sin embargo por desacuerdos políticos...»[12]

Obviamente de carácter póstumo, la carta no estaba destinada a ser hecha pública en vida de Guevara. Al declarar que renunciaba a la nacionalidad cubana, que se despojaba de cualquier cargo y función oficial, al afirmar que consideraba haber cumplido «la parte de mi deber que me ataba a la revolución», al despedirse finalmente del país que le había acogido, el Che favorecía los asuntos de Cuba, especialmente las relaciones de Castro con Moscú, pero la revelación del contenido de dicha carta lo obligaba a descartar toda posibilidad de regreso, mientras viviera.

Castro esperará veintidós años antes de intentar una justificación. En 1985, hablando con el monje dominico Fray Betto, acepta por primera vez abordar el tema; pero manipula la cronología «africana», convencido de que la verdad permanecerá enterrada mucho tiempo aún en los archivos. «Cuando [el Che] se marchó, me escribió la carta de despedida que ya se conoce. Pero no quise hacerla pública durante meses por la sencilla razón de que el *Che tenía primero que salir de África*.*»[13] El falseamiento histórico es aquí manifiesto puesto que aquel 3 de octubre, Guevara sigue chapoteando en el lodo de las colinas congoleñas del Sur de Kivu, y no tiene la menor intención de «salir de África». Dos años más tarde, en 1987, respondiendo al periodista italiano Gianni Mina, pulirá su «defensa» prescindiendo de cualquier referencia cronológica: «Resultó inevitable publicar la carta, pues era muy perjudicial ya toda aquella campaña sin una respuesta.»[14] El argumento es pertinente, pero no muy convincente. Co-

* La cursiva es nuestra.

nociendo la malignidad del personaje, la astucia con que sabe utilizar los medios de comunicación y orientar la opinión, cuesta creer que su única salida fuese dar a conocer una carta casi testamentaria. Leyéndola de modo casi espectacular, Castro libera sin duda la presión, logra una atronadora ovación para el firmante ausente, pero al mismo tiempo —la maniobra es hábil— le impide de hecho regresar a Cuba a plena luz. Así lo entiende Guevara, en la profundidad de su selva.

«Esta carta sólo debía ser leída después de mi muerte. No es divertido que te entierren vivo.»[15] Ésta es la primera reacción, en caliente, que el Che manifiesta ante sus compañeros, según cita el capitán Dariel Alarcón Ramírez, alias Katenga Uno. Escuchó estas palabras estando allí, junto al comandante Tatú, con otros compañeros convocados a la base de Luluabourg, para escuchar alrededor del aparato de radio el discurso del *líder máximo* anunciado por Radio Habana Cuba. Alarcón a quien en otra aventura Guevara llamará «Benigno» a causa de su buen carácter, rompió con el régimen castrista en 1996. De ahí sin duda una libertad de palabra y un testimonio de hombre liberado menos previsible que el de sus otros compañeros. «El Che —dice— añadió, como hablando consigo mismo, aunque nosotros lo escuchábamos: "Intencionalmente o no intencionalmente, me desapareció del ámbito internacional."»

Más grave aún, Alarcón afirma que oyó a su comandante soltar una reflexión impensable hasta la fecha en boca de aquel a quienes todos consideraban el fidelista más incondicional; una reflexión decididamente iconoclasta, más escandalosa todavía por su carga de sarcasmo: «El culto de la personalidad no murió con Stalin.» El Che no dijo más. «Incluso hizo enseguida —cuenta Benigno— un gesto con la mano, como para recuperar lo que acababa de decir y luego fue a sentarse aparte, en un tronco de árbol y permaneció allí mucho tiempo silencioso.»[16]

Si las palabras del Che mencionadas son auténticas, y parecen serlo a juzgar por los diversos testimonios verificados del mismo Alarcón, se trata de una transformación radical de actitud mental de Guevara para con su mentor. ¿Acaba Cástor de sacrificar a Pólux? ¿La hermosa, la maravillosa amistad entre el argentino y el cubano queda aquel día herida de muerte? ¿Es que la política prevalece sobre lo político? Desde este momento la perspectiva general de las relaciones entre ambos hombres exige una revisión. Aunque Castro no abandone abiertamente a Guevara, el camino de Cuba queda cerrado para él. Aquel día, Pólux debió de sentirse algo solo. Guevara, en el fondo, es un militante, un combatiente revolucionario que adora la batalla contra un enemigo perfectamente identificado. Es un gran escribidor y tal vez le gustaría ser escritor. Sin duda habría preferido añadir ciertos escolios teóricos a la *doxa* marxista. No es un hombre de política, ni menos aún un politiquero. Carece de ese frío cinismo que es casi imprescindible. Prefiere el olor a pólvora y las detonaciones de su fusil-ametrallador. Pero es Fidel quien tiene todas las cualidades del verdadero *killer*.

Alguien voló sobre un nido de rebeldes

Mientras Guevara y sus cubanos se debaten en aquel apartado rincón del Congo, viéndoselas con supersticiones y creencias mágicas, dificultades de abastecimiento, bombardeos aéreos y enfermedades tropicales, muy por encima de sus cabezas se desarrollan grandes maniobras diplomáticas africanas, con el telón de fondo de la rivalidad sino-soviética. Les tocará pagar los platos rotos.

Pekín y Moscú sabían que algunos cubanos habían sido enviados en apoyo de la rebelión congoleña. Si bien los soviéticos fingen no dar demasiada importancia a un conflicto a fin de cuentas de poca intensidad, a los chinos, por el contrario, no les gusta mucho que Cuba, vinculada a su entender a los revisionistas de los países del Este, interviniese en su zona de influencia africana. Lo que explica que tomaran parte en la decisión del presidente Nyerere de suspender, en septiembre, la autorización para que los suministros militares destinados al Congo pasasen por Tanzania. Mientras en La Habana Castro «entierra» bajo un montón de flores a su amigo Guevara, en Dar Es-Salam Nyerere acoge una conferencia de los nacionalistas de las colonias portuguesas. Hablando en nombre de Cuba, Pablo Rivalta denuncia allí «a quienes intrigan para sembrar la confusión entre Estados independientes de África».

La tercera cumbre de la OUA (Organización para la Unidad Africana) debe celebrarse el 22 de octubre en Accra, en la Ghana de Nkrumah, decidido panafricanista. Algunos generosos soñadores, sensibles a la importancia de la presencia africana entre la población y la cultura cubanas, habían elucubrado la idea que se admitiese algún día a Cuba en el seno de la organización africana. El proyecto parece demasiado descabellado para ser tomado en cuenta. En la OUA, creada en 1963 para reunir a treinta Estados por fin independientes, el Congo se ha convertido en un contencioso que opone a «progresistas» y «conservadores», que reclaman la solución negociada de aquella interminable guerra civil que no es buena para el resto de África. El propio Nasser, por mucha simpatía que sienta por Guevara y sus ideales de solidaridad antiimperialista, necesita un país pacificado, pues teme que la prosecución de la guerra desestabilice el Sudán fronterizo, que también tiene sus rebeldes al sur. Egipto ha mirado siempre con mucha atención a su vecino del sur. Así pues, Nkrumah, Nasser y algunos otros presionan al presidente congoleño Kasavubu. Éste comprende el mensaje, que coincide por lo demás con el de las compañías extranjeras implantadas en el país. El 13 de octubre destituye al controvertido primer ministro Tshombé, y pide que los mercenarios blancos se retiren del país «con honores de guerra». En el mismo sentido, algunos días más tarde, ante la OUA, declara oponerse a «cualquier intervención exterior» en los asuntos de los Estados soberanos africanos. La amonestación incluye también a los cubanos. El 11 de noviembre de 1965, la proclamación por Ian Smith de la independencia de Rodesia del Sur, dominada por la minoría blanca, acelera las cosas. Para servir de contrapeso a esa Sudáfrica-bis que acaba de constituirse en sus fronteras, tan escandalosa como la de los afrikaners, los nacionalistas reaccionan reclamando para el Congo un régimen que reúna las distintas tendencias nacidas de la herencia de Lumumba. Entonces, atraído por el panal de rica miel que supone el poder, Soumialot olvida peticiones, promesas y subsidios y solicita a su vez a La Habana que repatríe a sus tropas. ¿Cómo saber que sería otro bribón, el coronel Mobutu, quien —por un golpe de Estado el 24 de noviembre— se haría con el tinglado y dirigiría el país, organizando el pillaje, durante más de treinta años?

Finalmente, en esta compleja combinatoria cuyo alcance no siempre han percibido las potencias occidentales, se inserta el juego personal de Fidel Castro. Busca asegurar el éxito de la gran Conferencia Tricontinental de enero de 1966, que debe confirmar que él es uno de los grandes líderes del Tercer Mundo, al igual que Tito, Nasser o Nehru. Los chinos han procurado por todos los medios que en su lugar se celebrara en Argel una segunda cumbre de la OSPAA (Organización de Solidaridad de los Pueblos de África y Asia), lo que les hubiera permitido negar a la URSS, potencia *blanca* y europea, el derecho a hablar en nombre de los países «pobres» del planeta. Pero la caída de Ben Bella y, sobre todo, la terrible matanza de los comunistas prochinos de Indonesia, en septiembre, hace zozobrar el proyecto. Pese al asesinato teleguiado de Ben Barka en París, la Tricontinental de Castro aparecerá, efectivamente, como «la cita de los tres continentes» gracias a la presencia de América Latina. Los movimientos prochinos no serán invitados a ella o serán tratados con la mayor frialdad. En cualquier caso, a partir de octubre, es probable que el resentimiento chino contra La Habana se traduzca en una mayor presión sobre la amiga Tanzania para que también solicite la retirada de los cubanos.[17]

Sobre el terreno, en su pequeño perímetro congoleño, Guevara no puede tomar la medida exacta de esta macrohistoria que lo supera y de la que sólo es un peón. Para los compañeros cubanos las cosas no marchan bien. Tras haber escuchado la lectura de su carta por Fidel, el Che queda algo desconcertado. Pero, por su rabiosa voluntad de mostrar que sigue vivo o por simple efecto de los medicamentos, sus cólicos cesan.[18] En cambio, aparecen otros problemas. Desde octubre se advierte que se ha iniciado una contraofensiva general. Los mercenarios se distribuyen entre el sexto comando, dirigido por el coronel belga Lamouline y por el francés Bob Denard, con sus *affreux* «horribles» (...), y el quinto comando (a las órdenes del incendiario Mike Hoare, un belicoso anglo-sudafricano al que llaman «el Loco»). Una organización-puente de la CIA, el WIGMO (Western International Ground Maintenance Operation), proporciona sus comandos con material y hombres: sudafricanos, británicos, irlandeses, belgas y... cubanos anticastristas. Las lanchas Swift, de aluminio ligero y provistas de motores silenciosos, son idénticas a las que Estados Unidos utiliza en Vietnam. Por su parte, los aviones T28 y B56 no son del último modelo pero sirven perfectamente para soltar algunas bombas y asustar a la población. La estrategia de los mercenarios, apoyados por soldados congoleños llamados *askaris* (un préstamo del persa al suahili), parece dirigirse a impedir el acceso al lago y encerrar a los rebeldes en una ratonera. Saliendo de Albertville, al sur, los hombres de Mike Hoare intentan coger en una tenaza los «frentes» rebeldes. Tienen buenas informaciones sobre las posiciones de los cubanos y rebeldes. Pasan por el lago y las tierras del interior para subir hacia el norte; se apoderan, sin disparar un solo tiro, de los pequeños poblados del macizo de Fizi-Baraka, para bajar de nuevo hacia la zona donde están Guevara y el grueso de sus tropas.

«Para el enemigo —escribe el Che— es un paseo triunfal.» Incapaces al replegarse de transportar las municiones y las armas, los cubanos deben enfadarse para que los congoleños echen una mano. Dreke mantiene una acalorada discusión con el mayor congoleño «por el descuido de echarse a dormir en lugar de salvar el parque (de municiones)». Emilio Mena, uno de sus adjuntos, reconoce que, para obligar a algunos a salir de las chozas donde estaban durmiendo, «hubo que levantarlos con cubos de agua, ya que a ellos no les interesaba el parque ni la revolución». El malentendido —cultural, ¿cuándo

no?— es más trágico que nunca. Los cubanos siguen queriendo aplicar
su modelo guerrillero revolucionario, patentado en la Sierra Maestra,
a una realidad social, política y antropológica completamente distinta. De ahí su rechazo, de ahí su fracaso. El comandante Tatú hace un
triste balance: «Habíamos venido con la idea de formar un núcleo
ejemplo, pasar todas las dificultades al lado de los congoleños y mos-
trarles con nuestro espíritu de sacrificio el camino del soldado revolucionario, pero el resultado era que nuestros hombres estaban faméli-
cos, descalzos, sin ropa y los congoleños repartían los zapatos y ropa
que les llegaban por otro conducto; lo único que habíamos conseguido
era que cundiera el descontento entre los propios cubanos.»

Cuando, tras reunir a sus tropas el Che pregunta quiénes quieren quedarse a combatir, a excepción de Dreke y Martínez-Tamayo
nadie se mueve. ¿Vergüenza para la tropa u homenaje a un reflejo de
sentido común? Guevara no tiene, como Castro, el don de galvanizar
a sus hombres con un discurso envolvente. No sabe seducir; confía
más en la convicción revolucionaria de cada cual y cree que sólo con
su ejemplo basta para convencer a los indecisos. En las condiciones
del Congo, el método no tiene éxito. Analizando el asunto con poste-
rioridad, más lúcido que nunca, aportará dos elementos de explicación para la sorprendente indulgencia con que se resignó a una conducta antaño inadmisible.

Primero menciona su extremada propensión a dar su vida en un
«sacrificio decisivo». Reconoce que no a todo el mundo puede exigírse-
le eso. Esta aceptación de la muerte en combate, heroica por definición —que no debe confundirse con una pulsión suicida—, le ha dado
una «levedad» particular del ser, insoportable para el común de los
mortales. La muerte, vieja compañera, se le ha hecho tan familiar a
cada ahogo que ya no le da miedo. La ha domesticado. La otra razón
es más sutil, más trágica y nuestro guerrillero-cronista tiene la honestidad de advertir que su explicación es subjetiva, pero no por ello
menos pertinente y acerada. Se debe a la difusión pública que Castro
hizo de la carta de despedida que le había confiado, como un documento póstumo, para evitar a Cuba conflictos diplomáticos o de otra
naturaleza. Ahora bien, al leer aquella carta en la tribuna de una
gran asamblea, ante las cámaras de cine y televisión y los micrófonos
de Radio Habana que hacen llegar la información hasta el Congo,
Castro tuvo una intempestiva iniciativa que le ha devuelto a él, el argentino, a la casilla de partida. Le ha hecho dar un repentino salto hacia atrás que termina con casi diez años de vivencias cubanas. «Los
compañeros vieron en mí, como hace muchos años, cuando empecé en

la Sierra, un extranjero. [...] en aquel momento el que estaba de llegada; ahora, el que estaba de despedida. Había ciertas cosas comunes que ya no teníamos, ciertos anhelos comunes a los cuales tácita y explícitamente había renunciado y que son los más sagrados para cada hombre: su familia, su tierra, su medio. La carta [...] me separaba de los combatientes.» Para Guevara, poco hábil en defenderse contra maniobras sesgadas, y menos aún si proceden de un hombre al que admira, la herida es grave. Nunca cicatrizará por completo.

¿«Retirada con marcialidad» o derrota absoluta?

El 24 de octubre —justo seis meses después de la llegada de los cubanos al Congo— está diluviando. Un grupo de congoleños ha ido a buscar al campamento de abajo unas planchas de zinc para construir un refugio. De pronto estalla un fuego graneado. Es un destacamento de *askaris* y mercenarios que se lanza al ataque. A Dreke le sorprende haciendo sus necesidades (él mismo da la precisión) y el Che está leyendo en su choza. Desbandada general. Tatú debe huir corriendo. «Hay que correr, pero con elegancia» —había recomendado a sus hombres—. «Te paras, das dos tiros, te paras, corres.» Esta «retirada con marcialidad» se había convertido en un tema de chistes entre los cubanos, que se burlaban del carácter hipócrita de la fórmula. Sin embargo, es el que efectúa Guevara bajando a toda prisa la colina junto a Martínez Tamayo. Los mercenarios están ya penetrando en el campamento. «El Che se puso en peligro —dice el cubano Herrera, que estaba allí—. Combatía de pie.» Los hombres encargados de protegerlo le reprochan su imprudencia. Él responde: «Aquí no hay más que un comandante.» Precisión de Dreke: «Por poco le matan al Che.» Municiones, mortero, una ametralladora, una emisora de radio china, todo perdido. La columna se ha deshecho. Durante varios días Tatú vagabundea por la selva con trece hombres. «Uno más de los que tuvo Fidel en cierto momento —anota—. Pero no era el mismo jefe.» Rafael Pérez (Bahaza), un campesino negro de Santiago de Cuba, sucumbe a sus heridas. En el entierro, «reunida la pequeña tropa de los derrotados, despedí el duelo, casi en un soliloquio, cargado de reproches contra mí mismo».

Cuando los cubanos consiguen reagruparse, les toca a los congoleños burlarse de los supermachotes que han huido. Los jefezuelos locales «riegan» el rumor de que esos extranjeros «amigos» han puesto las bombas que estallan bajo los pies de los campesinos. Guevara no se indigna demasiado ante la reacción de los congoleños, aunque la acusación le parece despreciable. «El hecho [...] tenía sin embargo las atenuantes, [...] las heridas que se había infligido a su susceptibilidad y quizá, el acontecer doloroso para sus pobres mentalidades de que un blanco los increpara, como en los tiempos malditos.» ¿No es algo tardía esa pertinente autocrítica?

Adviértase también, para la historia en minúscula, que una radio congoleña da en esos días una curiosa noticia que no es recogida por las grandes agencias, demasiado extraordinaria o poco creíble para ser tomada en serio: «El Che Guevara y Laurent Kabila han resultado muertos en el Congo.» Siempre la misma táctica de la CIA: predicar lo falso para conocer lo verdadero. Pero esta vez el chisme ha estado bastante cerca de la verdad.

Noviembre de 1965 es el mes de la derrota y de la retirada de las tropas. Los signos negativos se multiplican. Desafiando las lanchas de los mercenarios que surcan el lago Tanganica, un mensajero enviado por Rivalta lleva a Tatú la noticia que, de regreso de la cumbre de la OUA, Nyerere ruega a los cubanos que se retiren. Golpe bajo para un movimiento de liberación ya moribundo. Castro, avisado por el mismo Rivalta les envía un ingenioso cable: «Debemos hacer todo menos el absurdo.» Se deja a Tatú completa libertad para quedarse en el Congo o retirarse. Sólo él decide. «Si consideran deben permanecer trataremos de enviar cuantos recursos necesarios.»

Pero, diabólico, Fidel añade una frasecita cuyo alcance revelará el porvenir: «Si deciden salir, Tatú puede mantener *statu quo* actual regresando aquí o permaneciendo en otro sitio.» Guevara goza pues de una singular libertad: la de mantener el *statu quo*, es decir, seguir en la clandestinidad en Cuba o en cualquier parte del mundo. Tras la lectura de su carta de despedida no queda otra opción posible. El compañero argentino es así devuelto a sus juegos de guerra —que tanto le gustan—, y le apoyarán si es necesario. Pero ni hablar ya de intervenir en la política interior cubana, ni de mostrarse a plena luz, ni sobre todo de abrumar a la nomenklatura cubana con el ejemplo de su jansenismo culpabilizador.

Desde entonces la aventura congoleña se resume en una sucesión de lamentables peripecias. El Che se niega a partir. Solicita a La Habana que envíen a Tanzania «una delegación de alto nivel» para evitar «una fuga vergonzosa abandonando a nuestros hermanos en desgracia a merced de los mercenarios». Le propone en vano al congoleño Massengho reducir el estado mayor, «no como el actual que se parece al del ejército soviético en vísperas de la toma de Berlín». Desde

Lubonja, donde se encuentra, a dos días de camino, Martínez Tamayo señala que «la desmoralización es extrema». Guevara ordena que
los cubanos dispersos se reagrupen en los distintos «frentes». El teniente Cárdenas (Azima) intenta contener, como puede, el avance de
los mercenarios. Avisa a Fernández Mell. Su informe es desalenta-
dor: «La retirada es muy difícil y nuestra posición está por completo
al descubierto. No hay medio alguno de ocultarse de la aviación. [...]
No hay comida. Llueve todos los días y no hay adonde alojarse. Los
congoleños plantearon irse. [...] Nosotros estamos obligando a un
personal que no quiere pelear y yo creo que esto no es lógico.» Por su
parte, el ruandés Mundandi anuncia que se retira con sus hombres:
«Si los congoleños no combaten, prefiero morir en nuestra tierra.» Es
bien sabido que lo grotesco se codea con lo sublime. En vez de Kabila, que escondido en Tanzania se guarda mucho de aproximarse, llega inesperadamente un segundo grupo de cuarenta jóvenes congoleños, recién salidos de un curso en la URSS. Se quejan de no saber
«dónde dejar sus maletas» y reclaman quince días de vacaciones.
«Resultaría un poco cómico —escribe el Che—, si no fuera más bien
triste ver la disposición de unos muchachos en quienes la revolución
había depositado su fe.»

De creer a Rivalta, durante esas ansiosas jornadas, cuando el
círculo se cierra, Guevara intenta una inesperada gestión que revela su angustia. «El Che envió una carta a Chou en-Lai pidiéndole
ayuda. [...] Chou en-Lai le pidió que no se fuera, que formara grupos
de resistencia, evitando los combates.» ¿De modo que la seguridad de
Castro —«Les apoyaremos»— no le basta ya a Tatú? ¿O es sólo un
modo de burlar el veto de Nyerere por lo que al transporte de material hacia el Congo se refiere? ¿O tal vez es, por parte de los chinos,
un sutil modo de separar a Guevara del aparato cubano? Preguntas
que sólo podrán responderse cuando se abran los archivos.

Pero estas tentativas de última hora son vanas. «Los belgas avan-
zaban y no habíamos podido pararles en ninguna parte todavía»,
confiesa Videaux. Tatú ha vuelto a la base de Luluabourg, pero las líneas de defensa se derrumban por todas partes. El 18 de noviembre,
cuando los jefes congoleños Chamaleso, Massengho, Bemba y otros le
informan de su decisión de detener los combates y batirse en retirada, Guevara tiene una reacción insólita, que revela la importancia
que da a la imagen que la posteridad tendrá de esta empresa. Le pide
a Massengho que le comunique la decisión «por escrito». «Le dije que
había una cosa llamada historia que se compone a partir de muchos
datos fragmentarios y puede ser tergiversada.»

Pese a todas las evidencias, el Che se aferra a una última y enloquecida idea. La de atravesar el Congo de punta a cabo, de este a oeste, para intentar llegar a la zona donde al parecer Mulele, el antiguo ministro de Lumumba, mantiene un maquis, en la región del Kasai, en torno a la capital Léopoldville. ¡Más de mil quinientos kilómetros a pie, por territorio desconocido y en plena selva ecuatorial! Más delirante aún que la alucinada guerrilla de Masetti en Argentina. Ni siquiera la idea de que se quede un pequeño grupo «como símbolo del prestigio de Cuba» encuentra eco. «Nadie estaba dispuesto a continuar...» El 19 de noviembre, una escena en cinemascope. De madrugada, el Che le pega fuego a su choza, la casa «que nos había servido de alojamiento durante siete meses». Luego le llega el turno al depósito de municiones. Desde la colina mientras aguarda a los retrasados, observa con el desgarro que cabe imaginar «los fuegos artificiales del valioso cargamento ardiendo y explotando, desde la primera loma del camino».

Los mercenarios bajan en herradura hacia el lago, encerrando a los cubanos y los rebeldes congoleños en una bolsa cada vez más estrecha. Su táctica parece haber cambiado. Más que librar una batalla, tal vez difícil todavía, prefieren botar a toda aquella gente hacia Tanzania, al otro lado del lago. En la noche del 21 de noviembre de 1965, siete meses después de que los primeros de ellos desembarcaran en compañía del doctor Tatú, los cubanos cruzan en sentido contrario el lago Tanganica. Tienen la convicción de que han sido víctimas de una impostura. Abandonan sin lamentarlo aquel pequeño territorio congoleño donde incluso los campesinos comenzaban a mirarlos con malos ojos, como reconoce Guevara.

Nunca han podido llegar más allá de un perímetro —irrisorio— de menos de cien kilómetros y no tienen la sensación de haber hecho progresar la idea de la revolución. Son unos ciento veinticinco. Se llevan con ellos a seis o siete ruandeses y congoleños que, «por excepción», se han mostrado valerosos y fiables. Muchos más quisieran también marcharse, acompañarlos a Tanzania. Imposible. El camarada Bartelemi, alias *Lawton* (por el nombre de su barrio de La Habana), sólo ha encontrado dos canoas donde se amontonan como pueden, así como una barcaza a la que, casi en último lugar, el Che se resigna por fin a subir. «La idea de quedarme siguió rondando hasta las últimas horas de la noche», reconocerá. Temiendo precisamente un empecinamiento de este tipo, sus ángeles custodios empujan con firme insistencia al comandante hasta subirlo a bordo. Videaux asegura que la evacuación se llevó a cabo sin desorden, de acuerdo con las instrucciones de Tatú: «No fue una desbandada, como podría creerse.» Pero el Che, por el contrario, más masoquista que nunca en la vergüenza que siente, subraya «el espectáculo doloroso, plañidero y sin gloria» de aquella retirada donde «no hay un solo rasgo de grandeza. [...] Tenía que rechazar a hombres que pedían, con acento suplicante, que los llevaran».

Cerca del alba, lanchas y aviones enemigos vigilan sin disparar el regreso de aquellos soldados perdidos. Al llegar a Kigoma, el Che se despide, lacónico, de sus hombres. Dreke se acuerda de sus palabras: «Ha llegado el momento de separarnos [...] Si llegan a tiempo para el 24 de diciembre, cuando se estén comiendo el lechón [...] acuérdense de este humilde pueblo.» Todo el mundo llora. De tristeza, de emoción, de alegría. «Fue del carajo», añade Dreke. Guevara: «Pareciera que se hubiera roto una amarra y la exaltación de cubanos y congoleños desbordaba como líquido hirviente [...] hiriéndome sin contagiarme.»

Lo que es para todos un increíble alivio tras la extrema tensión de las últimas semanas, representa para Guevara la marca del fracaso. Lo invade la convicción de que, haga lo que haga, sigue siendo un extranjero, un ser aparte. «Durante estas últimas horas en el Congo me sentí solo como nunca lo había estado, ni en Cuba ni en ninguna otra parte de mi peregrinar por el mundo. Podría decir: "Nunca como hoy había sentido, hasta este punto, qué solitario era mi camino."» Ya no es Tatú —el personaje no tiene más razón de ser—, ya no es Tintín, que se ha disuelto en la niebla de la selva. Es Lucky Luke, Quijote melancólico en su flaco *Rocinante*: «*I'm a poor lonesome cowboy...*»

Catón autocensor

¿Qué hacer? ¿Adónde ir? Los camaradas cubanos están impacientes por lavarse, curarse las heridas, volver a su casa, por más zigzagueantes que sean los caminos de regreso. Pero ¿y él? ¿Le queda todavía un hogar? ¿No le han hecho declarar, en voz alta, que dejaba Cuba por otras tierras del mundo?... El *statu quo* amablemente ofrecido por Castro es el de un fuera-de-la-ley revolucionario. En adelante será su único hábitat.

De momento se dirige a Dar Es-Salam y se encierra en la embajada, donde Rivalta ha dispuesto el primer piso para él. Llevará allí una vida de recluso voluntario durante más de tres meses. Tiene triste figura. Pesa menos de cincuenta kilos para su 1,73 m. Está «seco de rostro y enjuto de carne». Va desaliñado y tose pero no abandona su puro. Sus enmarañados cabellos le llegan de nuevo hasta los hombros. Ha recuperado el aspecto de pálido lebrel con inmensos ojos que tenía durante la batalla de Santa Clara, en 1958, cuando lo amenazaba la tuberculosis. Tantas cosas han ocurrido desde entonces. Los momentos que está viviendo en las últimas semanas de 1965, perdido en Dar Es-Salam, son de los más dramáticos de su existencia. Por encima de todo, está deprimido. Sólo se mantienen a su lado algunos incondicionales: Coello, Martínez Tamayo, Harry Villegas *Pombo*. Piensa en el porqué y el cómo de la derrota, de *su* derrota. Hace suyos los errores, las imprudencias, la torpeza. Todo es culpa suya. Y luego, puesto que su deseo de comprender es intenso y le hace mucho caso a la historia, para superar el trauma del fracaso se dedica a la escritura. Es la mejor terapia.

A partir de las notas tomadas día tras día en sus cuadernos, elabora un relato, casi a manera de juego de espejos, comparable al que escribió antaño sobre la epopeya de la Sierra Maestra. La analogía, deliberada, se expresa en el título, idéntico: *Pasajes de la guerra revolucionaria*, al que sólo añade, como si fuera un segundo tomo: *El Congo*. Sin embargo, la diferencia es grande. No se trata ya de la crónica de una marcha hacia la victoria sino hacia un fracaso. En todo caso, esta vez el título es abusivo. Esta «guerra» ni siquiera fue una verdadera guerrilla y en cualquier caso no fue en absoluto revolucionaria. «No sabíamos, por así decirlo, qué estábamos haciendo en el Congo, y eso nos exasperaba»,[19] escribirá Alarcón, el ingenuo guajiro de la Sierra Maestra al que el Che ha seguido alfabetizando incluso en África, corrigiendo sus deberes tres veces a la semana.

Para ir más deprisa Guevara no escribe, dicta. Durante tres semanas, día tras día, el encargado de cifrar los mensajes de la embajada, un agente del Ministerio del Interior llamado Colman Ferrer, transcribe un texto de 167 hojas mecanografiadas. Su autor lo anotará y corregirá a mano. Aprovechando el regreso a Cuba de Fernández Mell, el Che le entrega dos ejemplares, uno para su esposa Aleida y otro para el propio Fidel. Más que un informe, es una especie de mensaje casi en clave para Castro, que éste sabrá descifrar mejor que nadie. Sospecha que —como escribe— «estas notas sólo serán publicadas mucho tiempo después de haber sido dictadas y tal vez el autor no pueda hacerse responsable de lo que en ellas se dice». Pero más de treinta años más tarde, es deplorable que aún no haya visto la luz ninguna edición completa del texto. El manuscrito duerme, probablemente, en las cajas del Departamento Histórico del Consejo de Estado, en La Habana, sin que sea posible acceder a ellas. Y hasta corre un rumor según el cual la publicación fragmentaria del documento, con edición a cargo del mexicano Taibo y sus asociados cubanos, procede del fondo que Aleida March empieza a comercializar.

Régis Debray y Elisabeth Burgos recuerdan la visita que hicieron en 1966 al Ministerio de Industria, con el escritor Fernández Retamar. El sucesor de Guevara fue designado en octubre de 1965 (Joël Doménech, miembro del Comité Central), pero el despacho del Che se dejó tal cual. Nadie se atreve todavía a ocuparlo. «Abrí maquinalmente el cajón de la mesa —cuenta Elisabeth Burgos— y di con su diario del Congo. Era el mismo tipo de cuaderno que utilizará más tarde en Bolivia, un modelo de agenda alemán. Nos habían dejado solos. Comencé a leer y lo dejé enseguida para decírselo a Régis y Retamar. Pero ellos ni siquiera se atrevieron a leer lo que había en los cuadernos. Entregaron los documentos...»[20] Carlos Franqui aporta un testimonio no menos interesante. Caído en desgracia al tiempo que era suprimido el periódico que dirigía, *Revolución* (sustituido por *Granma*), fue relegado a los Archivos Históricos, cuya dirección asumía Celia Sánchez, eminencia gris de Castro. «Un día de 1967 —dice—, hacia finales de año, llegaron cinco o seis grandes sacos de tela marcados "secreto" en rojo; sacos parecidos a los que utiliza correos. "Son los documentos y los diarios de viaje del Che", me dijo Fidel, "pero está prohibido abrirlos. Ni tú, ni yo ni nadie puede leerlos. Los guardará Aleida March."»[21]*

Desde entonces, la casa donde vivía el Che, en la calle 47, en el barrio de Nuevo Vedado de La Habana, se ha convertido en un centro de estudios guevaristas, un centro realmente muy discreto. Son pocos los investigadores e historiadores autorizados a entrar en él; la consulta de la crónica congoleña no está autorizada, ni tampoco la de los cuadernos de notas y demás documentos africanos. No hay para un biógrafo frustración más grande que haber tenido en las manos uno de esos cuadernos, antes que Aleida March lo recuperara enseguida para arrojarlos al cajón de un pesado archivador metálico. Pues para una biografía ningún texto es más ilustrador que la autocrítica con escalpelo a la que se entrega Guevara, analizando con una especie de morboso placer los defectos de la empresa para reprochárselos. Todo está

---

* Agosto de 1997, «año del Che Guevara» en Cuba. Despachos de agencias noticiosas informan que, después de treinta años de prohibición, la publicación de la totalidad del Diario del Che en el Congo está por fin tolerada. Jorge Risquet, miembro del Comité Central del Partido Comunista de Cuba, oficializa dicho Diario al presentarlo, acompañado de comentarios «autorizados», en un libro del general cubano William Gálvez titulado *El sueño africano del Che. ¿Qué pasó en la guerrilla congoleña?*

De ser auténtico aquel texto en su integridad, conviene verificar, más allá del oficialismo, qué novedades está aportando.

allí. «El hecho de eclipsarme para leer, huyendo así de los problemas cotidianos, tendía a alejarme del contacto con los hombres, sin contar que hay ciertos aspectos de mi carácter que no hacen fácil el intimar. Fui duro [...] Quise aplicar coerciones morales y fracasé. Traté de que mi tropa tuviera el mismo punto de vista que yo sobre la situación, y fracasé. [...] No me animé a exigir el sacrificio máximo en el momento decisivo. Fue una traba interior, psíquica.» Declara: «He aprendido en el Congo. [...] Salí con más fe que nunca en la guerrilla.» Pero se obstina en repetir que «hemos fracasado. Mi responsabilidad es grande».

¿Aprendió en el Congo tanto como piensa? No lo parece. Tampoco se ha desprendido de la faceta algo iluminada que poseen quienes creen detentar la verdad. Naturalmente no pretenderá, como ciertos grandes mogoles, que si el pueblo no comprende las virtudes de la revolución, debe cambiarse al pueblo. Es autoritario sin ser autócrata. No es un caudillo. Pero está tan lleno de la convicción del justo combate antiimperialista, el único válido, que por comparación la microrrealidad inmediata de las creencias, los rituales, los comportamientos irracionales, sigue siendo opaca para sus ojos, por muchos esfuerzos que haga para entenderla mejor. En el fondo, su autocrítica se malogra porque en ese período crucial de su vida, propicio a todos los reexámenes, no aprovecha la ocasión para hacer su propia revolución cultural y mental. No percibe la dimensión nacional, nacionalista a veces, que subyace bajo las discordias tribales. No hace, como reclamaba Sartre prologando a Fanon, el «striptease de un humanismo racista»; y, sobre todo, no abandona ese «abstracto postulado de universalidad» que le impulsa a explicar a sus soldados, nacidos de la trata negrera, que los congoleños llevan cuatro siglos de retraso; de retraso sobre los esquemas occidentales que han modelado, según se cree, los espíritus de los cubanos negros, descendientes de esclavos. Esos esquemas de comportamiento comenzaron a resquebrajarse tras sólo unos meses de vivencia africana...

Oswaldo Barreto hace, al respecto, una reflexión muy elocuente sobre el planteamiento guevarista. Cierta noche en La Habana, con el venezolano Pedro Duno y otros tienen el privilegio de escuchar a Fidel Castro leyendo unos párrafos de la crónica africana del Che. Barreto no ha olvidado la fórmula: «Habíamos ido a cubanizar a los congoleños —escribía Guevara— y, en cambio son los congoleños los que nos han congolizado.»[22] Nada resume mejor el contrasentido de esa aventura. La dialéctica amo/esclavo del devorador devorado es tan clásica que, en Brasil, ha dado origen a un movimiento literario de «antropofagia cultural» donde el colonizado absorbe, digiere y luego escupe, transformado, enriquecido con nuevas enzimas el mensaje del colonizador.[23] Si Tatú, a pesar del subterfugio más bien cómico de su nombre cifrado en suahili, no consiguió que los congoleños le aceptaran, no fue sólo porque era blanco, enemigo *a priori*, sino también porque era el Che Guevara. Inmigrante clandestino disfrazado de profesor de francés, en nombre de la buena causa, abusó de la confianza de sus huéspedes utilizando el «chantaje» del hecho consumado, que no funcionó. «Me vi trabado por el modo algo anormal en que entré en el Congo, y no fui capaz de superar este inconveniente [...]. Mantuve durante mucho tiempo una actitud [...] excesivamente complaciente pero a veces tuve explosiones muy cortantes y muy hirientes.» A esta actitud de incoherencia, que va del frío al calor, se agregó la espada de dos filos de su conocimiento del francés, que sólo le permitió comunicarse con los jefes: «No aprendí el suahili con bastante rapidez y lo bastante a fondo. [Eso] me alejaba de la base.» Importante dificultad también, «Mi peculiar situación me convertía [...] en representante de un poder extranjero, [...] en político de alto vuelo en un escenario desconocido. Y en Catón-censor, aguafiestas y machacón...» Es más bien un Catón-autocensor que se fustiga, así, con pluma acerba.

En su hermético primer piso de Dar Es-Salam, Guevara empieza a realimentarse, a cuidar como puede la amibiasis que ha contraído en las selvas del Kivu. Dicta, lee, reflexiona, fuma grandes cigarros, da vueltas en redondo. Empieza a armar dos proyectos de libros, *Apuntes filosóficos* —muy distinto del esbozo de *Diccionario filosófico* de su juventud estudiantil— y *Notas económicas* en que se ensaña en una revisión crítica del sacrosanto *Manual de política económica* considerado como el breviario del pensamiento oficial soviético en la materia. Incluso cuando juega al ajedrez con Pablo Rivalta, abnegado embajador, parece distraído hasta el punto de que pierde. Rivalta ve en ello un grave signo de melancolía avanzada. Imagina entonces que la presencia de la esposa, Aleida, podría ayudar al comandante a superarlo. Cuando La Habana da la necesaria luz verde, Aleida va a pasar unas semanas con Ernesto, en el mayor incógnito del mundo. El efecto es benéfico pues, encerrado en su piso, Guevara recupera, dice Rivalta, algo de su ánimo.

Mientras, en Cuba se movilizan todas las energías para que la gran Conferencia Tricontinental sea un éxito. Lo es. Y Fidel Castro a quien nadie le hace sombra ya, es su estrella indiscutible. Del 3 al 13 de enero de 1966, cuatrocientos treinta delegados de Asia, África y América Latina convergen hacia La Habana por los más extraños itinerarios aéreos. Representan, en un barullo de matices, tanto la flor y nata de la izquierda legal o clandestina de los tres continentes, como los movimientos nacionalistas más intransigentes. Sólo los *maos* no son muy bien vistos, aunque se autoriza la presencia de algunos como «observadores». Los vietnamitas son los héroes de esta conferencia, cuyo menor interés no es que en ella se codeen hombres que batallan «en la misma trinchera» pero que por primera vez se conocen a rostro descubierto. Los *moscovitas* dirigen la palabra a los *pequineses*, por mucho que les pese, los católicos de izquierdas brasileños conversan con los disidentes comunistas peruanos. El senador chileno Salvador Allende anuncia, premonitorio, que si gana las elecciones presidenciales tendrá que defender esa victoria con las armas. Han hecho el viaje algunos artistas e intelectuales comprometidos: el escritor Alberto Moravia, Joséphine Baker, alegre cantante del *deepsouth* norteamericano, el joven novelista peruano Mario Vargas Llosa. Profesor de filosofía en el instituto de Nancy, Régis Debray asiste con la excusa de un jurado literario organizado por la Casa de las Américas. Su artículo en *Les Temps Modernes* le ha valido la simpatía del comandante en jefe, sésamo que le abrirá todas las puertas y modificará su destino.

Unos días antes de ser raptado en pleno París (el 29 de octubre de 1965) y asesinado en una ignominiosa operación montada por el general marroquí Oufkir y sus sicarios, con la ayuda de los servicios franceses, Ben Barka, organizador de la conferencia, había expresado el deseo de que el acontecimiento fuese «histórico». Veía en él la «confrontación de las dos grandes corrientes revolucionarias del siglo XX, la surgida de la revolución de octubre y la nacida de la revolución libertadora».[24] El pequeño milagro se produjo poco más o menos. Por mucho que los chinos denunciaran la presencia de la URSS, país revisionista y «europeo», se obtuvo un consenso sobre la más amplia base, la más vaga también: luchar contra el único enemigo común, el imperialismo. Es exactamente el discurso habitual de Guevara. Si su sombra planea sobre la conferencia, su ausencia es tanto más notable cuanto que él, que acaba de combatir, ni siquiera puede permitirse enviar un mensaje. «Está ya *underground*»,[25] como dirá pronto un agente de la CIA, jugando con las palabras.

Praga: «Quiero morir en Argentina»

Se conocen bastante bien las distintas estaciones del peregrinar de Guevara en 1966, aunque la cronología exacta todavía rechine un poco. Es un año difícil de transición entre el Congo y Bolivia, entre entusiasmo, abatimiento y recuperación del ardor. Si nos remitimos al testimonio de Ulises Estrada, el Che se quedó en Tanzania al menos hasta febrero de 1966.[26] Fernández Mell afirma haberlo visto aún en marzo.[27] Estrada es un agente del Ministerio del Interior que forma parte del departamento Liberación, encargado de seguir, ayudar y orientar si es necesario los movimientos revolucionarios de América Latina y ocasionalmente de África. Conoce bien al Che, que supervisaba en Cuba el conjunto de esta clase de operaciones. Es un mulato bastante apuesto, de aspecto serio. Manuel Piñeiro *Barbarroja*, el inamovible patrón de los servicios secretos, le rogó que «entrenara» a Tamara Bunke, la camarada de la RDA nacida en Argentina, antes de que en 1964 Guevara mandara a la muchacha a Bolivia, para hacer de *topo* hasta nueva orden.

Cuando Estrada llega a Dar Es-Salam, su misión es sacar de allí a Guevara y llevarlo a Cuba. Aunque las instrucciones procedan de Piñeiro, la orden emana de Fidel. El Che se niega. Considera que tras la lectura pública de la carta ya no puede regresar. «No quería volver porque le daba mucha pena»,[28] dirá Castro con perfecto cinismo. Se elige pues un término medio para no forzar las cosas: enviarlo fuera de Tanzania a una ciudad europea amiga donde «el aparato» disponga de ciertas facilidades. Será Praga, cabeza de puente de los cubanos en el Viejo Continente. Allí pueden usar, a su criterio, varias «casas de seguridad» sin control oficial alguno.

Estrada se ha hecho acompañar a Dar Es-Salam por Eddy Suñol, un colega de «los servicios» especialista en maquillaje y transformaciones de todo tipo. Rivalta, improvisado peluquero, había cortado ya el pelo al Che. Suñol se esfuerza por modificar la apariencia del rostro, aumentando las cejas, añadiendo una prótesis bucal, ocultando de nuevo la mirada con unas gafas. Así disfrazado, Guevara se embarca hacia Praga vía El Cairo. Antes de abandonar Tanzania redacta para Hildita, su hija mayor, una carta fechada el 15 de febrero de 1966, aniversario de su nacimiento diez años atrás en México; él había asistido al parto. (Por aquel entonces Fidel había predicho: «Educaremos a esta niña en Cuba.») «Has de saber que sigo lejos —le escribe su padre— y que estaré mucho tiempo alejado de ti, haciendo lo que pueda para luchar contra nuestros enemigos. [...] Todavía faltan muchos años de lucha, y aun cuando seas mujer tendrás que hacer tu parte en la lucha. [...] hay que prepararse, ser muy revolucionaria [...].»[29] Tres veces la palabra *lucha* en pocas líneas...

En cuanto salen de Dar Es-Salam, el Che cede los mandos a Estrada. «Ahora tú tomas la dirección de las operaciones, tú eres el jefe.»

El «jefe» comienza metiendo la pata. Casi pierden el avión por su culpa. Para preservar al máximo el incógnito de su compañero y evitar la muchedumbre, como es habitual Estrada ha mandado primero a un camarada para que realice las gestiones con los billetes y el equipaje, y poder así llegar en el último minuto para embarcar. Entretanto, a diez minutos del aeropuerto vigilan desde una cafetería el ruido del avión que aterrizará muy pronto. Será la señal para ponerse en camino. «Pero no oí el aparato pasando sobre nuestras cabezas. Me distraje. El camarada Colman tuvo que venir a buscarnos a toda prisa. El avión tenía ya los motores en marcha para despegar hacia El Cairo, pero pudimos tomarlo gracias a nuestras amistades tanzanas.»[30]

En El Cairo —buena señal— el encargado de negocios cubano no reconoce al Che en aquel tipo vestido de civil, lampiño, delgado y con gafas. Se alojan tres o cuatro días en la residencia del embajador. «Sólo salíamos de nuestra habitación para ir a comer —cuenta Estrada—, pero el Che me hizo una jugarreta. Por un camarada de la embajada supo que en un cine que no estaba lejos daban una película sobre los juegos de Tokio, donde se veía la victoria de Cuba en los cien metros lisos. Quiso ir al cine. Le dije: "No, comandante. Es una imprudencia." Pero fue, de todos modos, con el camarada en cuestión. Cuando lo advertí, corrí tras ellos. Al verme en la sala, el Che se levantó y me siguió. El tipo de la embajada le había reconocido por su modo de hablar... En la escala de Belgrado, Guevara no abandonó el rincón más oscuro de la sala de espera. "Si alguien descubre aquí quién soy", dijo, "el mundo entero lo sabrá enseguida."»[31]

En 1966, Praga no está invadida de turistas. Pero la grisalla habitual de las democracias populares no consigue impedirle ser una de las más hermosas ciudades de Europa. Convertida en capital de Bohemia en el siglo XIV por un rey aficionado al esoterismo, que hacía coincidir el eje de las calles con la orientación de los solsticios, ciudad barroca de las cien torres a la que André Breton calificó de «capital mágica», ofrece un atractivo contraste con el Tercer Mundo soleado y desordenado de Dar Es-Salam. Guevara conoce un poco la ciudad, ha pasado a menudo por allí, para cambiar de avión o firmar un contrato, pero es probable que tampoco esta vez gozara en exceso de sus encantos. Si juzgamos por el relato de Estrada, su estancia debió de ser muy aburrida. «Prácticamente no salimos del apartamento de seguridad del que disponíamos. Pasábamos el tiempo leyendo, fumando, jugando un poco al ajedrez. Nunca he sido muy bueno en este juego. El Che me había dado un libro para que estudiara sus reglas. Dijo que iba a enseñarme. Incluso me dejó ganar algunas partidas para que me aficionara —algo que ocurrió, por otra parte—, pero acabó diciéndome que prefería jugar solo porque yo no era lo bastante bueno para él... Le encontré un poco de yerba mate y también unos discos. Había dos, sobre todo, que le gustaban: los Beatles y Myriam Makeba, la cantante negra africana...»[32]

De vez en cuando van a dar una vuelta por los arrabales, ya que es menos arriesgado. Guevara obliga a su compañero a tutearlo y a no tratarlo de «comandante»; no están más en el ejército. Desconfía de los servicios checoslovacos, poco fiables. Si descubrieran que está oculto en Praga, dice, los norteamericanos no tardarían en saberlo y eso no sería bueno para Cuba. Su fijación antiyanqui es tal que se manifiesta en los menores detalles. Por ejemplo, a Estrada le prohíbe comprar cigarrillos americanos «imperialistas» y prefiere verle fumar cigarrillos ingleses. Igualitario como siempre, se niega a que su compañero le sirva y decide que se encargarán por turnos de la cocina y la limpieza. Si van al restaurante, eligen rincones apartados; pero es difícil pasar inadvertido con un apuesto negro exótico a quien las camareras lanzaban miradas insinuantes. Al cabo de un mes, Guevara explica el problema al seductor mulato y solicita a Cuba que le envíen a otro, un blanco si es posible. Además cambia de domicilio para refugiarse en una casa más amplia en los alrededores de la ciudad. Durante esa estancia en Praga, que se prolongará más de cuatro meses (marzo-julio de 1966), Aleida vuelve a visitarlo así como varios camaradas, todos de su confianza: Juan Carretero, alias *Ariel*, encargado de la sección Bolivia ante Piñeiro; Harry Villegas, *Pombo*, Martínez Tamayo, *Papi*, y, ya al final, Ramiro Valdés y Alberto Fernández Montes de Oca, apodado *Pacho*.

Corre el rumor que durante aquel período de indecisión el Che vertió en algunos cuadernos sus reflexiones, vacilaciones y proyectos. Cosa imposible de comprobar dado el hermetismo oficial de Cuba para con los escritos del Che, pero parece plausible; sabemos que desde muy joven Ernesto no dejó de llevar diarios. Si existen, esos hipotéticos «cuadernos de Praga» deben de estar más guardados aún que ningún otro documento, pues sería extraño que no contuvieran ciertas referencias al nuevo cariz de las relaciones entre el Che y Fidel. Cuando se conoce la libertad de palabra de Guevara, cabe suponer que podrían ser dinamita. Pero éstas son sólo especulaciones... El interés de sus cuadernos, siempre que aparezcan algún día, sería el de informarnos del estado de ánimo del *condottiere* mientras descansaba, durante aquellas largas jornadas de absurdo ocio en una Praga soberbia y gélida. Él tuvo que realizar un doble duelo, por su madre, punto de referencia ya desaparecido, aunque haya proclamado que para un revolucionario la familia no existe, y sobre todo por la esperada victoria de una guerrilla congoleña transformada en derrota.

Sin embargo, cabe suponer que algún día despertara diciendo que todo había terminado, que no se sentía ya deprimido —¿lo estuvo alguna vez?— y que el combate continuaba. Mientras permaneció en Praga encargó a Martínez Tamayo una nueva misión en Bolivia. Es una señal. No le pide que asuma la base de retaguardia de una guerrilla argentina como la de Masetti, hace tres años, sino que examine la posibilidad distinta de instalar un centro clandestino de formación de guerrilleros para toda la región. Ése es el proyecto. Hay que prestarle cierta atención pues el malentendido trágico, en Bolivia, nacerá de la confusión, de la precipitación al convertir en combate armado lo que en principio debía ser sólo una academia militar de la guerrilla a escala subcontinental.

¿Por qué Bolivia? La respuesta a esta frecuente pregunta es sencilla y compleja a la vez; depende tanto de la geografía y la historia como de la imaginación personal del Che. Basta con mirar un mapa. Privada de la provincia marítima de Atacama, al finalizar la guerra del Pacífico perdida en el siglo XIX contra Chile, Bolivia se convirtió en un país encerrado; el único sin acceso al mar —ni siquiera indirecto— de América Latina. Pero atrapada así en el corazón del continente, Bolivia puede servir también de encrucijada, pues limita con cinco países que ocupan la mayor parte de América del Sur: Perú, Chile, Argentina, Paraguay y Brasil. Cinco países donde existen, en distinto grado, posibilidades revolucionarias que es posible canalizar, orientar, organizar. Siempre que se tengan hombres aguerridos, bien entrenados y orientados, que sepan tanto utilizar un arma como hablar con los campesinos. Bolivia es, por otra parte, un Estado muy politizado, donde durante mucho tiempo una ínfima minoría blanca ha acaparado un poder absoluto frente a las mayorías indias, quechuas y aymaras, y a los mestizos.

Con la intransigencia extremista de su juventud errabunda, en 1953 Guevara había considerado que las revueltas populares de los campesinos y los mineros, observadas como espectador algo burlón, eran insuficientes todavía. Desde entonces, había sido forzoso reconocer que suponían una verdadera revolución para la época: nacionalización de las minas, disolución (provisional) del ejército, reforma agraria.

Postrer elemento de explicación, pero no el menos importante: Bolivia es para el Che la puerta de entrada a su Argentina natal, la última etapa antes del regreso de Ulises a Ítaca. Cuando, tras una dura formación, unos y otros —peruanos, brasileños, los propios bolivianos—, vayan como guerrilleros de elite a llevar la llama revolucionaria a las zonas más propicias de sus respectivos países; cuando, encendiendo a su paso focos de rebelión, transformen la cordillera de los Andes en una inmensa Sierra Maestra, de acuerdo con la profecía castro-guevarista, habrá llegado el momento en que Ernesto Guevara, llamado el Che, deba asumir su importante papel histórico. Como Fidel Castro en Cuba, como Bolívar a escala nacional y luego continental, iniciará en Argentina la revolución liberadora que su país necesita. El Che nunca ha dejado de acariciar la idea de cerrar el círculo de esa manera heroica. Jamás ha aceptado el fracaso de la guerrilla-fantasma de Masetti, disuelta en las arenas del Chaco. Decenas de argentinos de todos los colores políticos fueron a Cuba para comunicar ciertos indicios, aunque sólo fuera del lugar donde Masetti había sido enterrado. Ninguna pista seria. El Che desea montar su operación boliviana no sólo para tomarse una simbólica revancha sino también porque, atento a la historia y obsesionado por la muerte, presiente que va a recuperar su auténtico destino. En la pampa, cuando los caballos regresan solos a la estancia o a determinados matorrales, los gauchos dicen que obedecen a una *querencia*, la llamada misteriosa de un rincón del llano donde se sienten mejor que en otra parte. Estrada recuerda que en Praga el Che le hizo, como de paso, una confesión importante: si debía morir en la aventura, le dijo, anhelaba que fuese «con, por lo menos, una puntita del pie en territorio argentino».[33]

En el exilio de Praga pues, en las antípodas, toma cuerpo ese sueño íntimo del Che elaborado durante largo tiempo. Y, en este punto, parece que Castro no manipula la verdad cuando afirma, refiriéndose al proyecto boliviano: «Esta misión no se la dimos nosotros; la idea, el plan, todo fue de él.»[34] Ya que considera que la lectura pública de su carta de despedida le quemó las naves prohibiendo cualquier regreso a Cuba, Guevara se empecina con la idea de que semejante proyecto puede organizarse desde la lejana Praga, a través de emisarios. Castro, el pragmático, advierte mejor que nadie que sería una locura. Creer que desde la lejana Praga puede ponerse en marcha, vía Cuba, una implantación guerrillera en plena Bolivia es carecer de sentido común. El *líder máximo* insiste pues en que el Che regrese primero a La Habana. Éste se obstina en su negativa, marcada por la vergüenza y, tal vez, cierto resentimiento. Hasta que Fidel, el seductor, le envía un nuevo mensaje por medio de Ramiro Valdés.

Ramiro es un veterano del Moncada y la Sierra Maestra. Ha sido el segundo del Che cuando su famosa columna marchó sobre La Habana. Ascendido a ministro del Interior, jefe de la seguridad nacional, fue nombrado para el buró político del nuevo Partido Comunista Cubano. Es pues uno de los primeros dirigentes de la jerarquía cubana, y Guevara lo aprecia. ¿Pudo más el carácter del mensaje de Fidel, el amistoso poder de persuasión de Valdés o, acontecimiento inesperado, la noticia del golpe de Estado en Argentina lo que convenció al Che, dándole la impresión que la historia se aceleraba? El 28 de junio en Buenos Aires el general Onganía, perfecto «gorila», derribó de un papirotazo al apacible presidente radical Illía. El 3 de julio en La Paz el general Barrientos, otro «gorila», se hace elegir presidente de Bolivia, legalizando el golpe que le había dado el poder en 1964. El Che cede por fin. Acepta regresar a Cuba en las condiciones del *statu quo* impuesto; es decir, en una total clandestinidad.

El 19 de julio de 1966, provisto de un pasaporte uruguayo a nombre de Ramón Benítez y acompañado por Alberto Fernández Montes de Oca, *Pacho*, Guevara abandona Praga en tren hacia Viena, y luego Ginebra y Zurich. Finalmente, vía Moscú, llega a La Habana. Quince meses después de su partida hacia el Congo, apunta ahora hacia América Latina, hacia el espejismo boliviano, una lanza mellada por el fracaso congoleño. Pero el mero hecho de volver a la acción le ha devuelto el ánimo. «Hay que imaginar a Sísifo feliz...»[35]

8

UNA TEMPORADA EN EL INFIERNO

«Es la hora de los hornos»

«Es la hora de los hornos y no se ha de ver más que la luz.» Al poner esta frase de José Martí como epígrafe del mensaje que en abril de 1967 dirige, a los «pueblos del mundo», su último texto público, Guevara da el tono de la nueva empresa que acaba de emprender. Encender los fuegos de una rebelión que se reivindica latinoamericana y que, para empezar, debe poner a prueba, entre la maleza de la montaña boliviana, el temple de los guerrilleros. Los mejores de ellos podrán dirigir las rebeliones campesinas del continente, transformándolas en revoluciones nacionales. La «hora de los hornos» es la madrugada, cuando se hace brotar la llama de las cenizas de la noche. Este simbolismo del despertar es el más adecuado para señalar la fase de renacimiento de los combates populares, tras el largo sueño de la explotación colonial y neocolonial.

Cuando regresa a Cuba, aún más clandestino que cuando se marchó quince meses antes, el Che no tiene ya autonomía de movimientos. De él se hacen cargo los servicios del Ministerio del Interior, que lo pasean por las clásicas «casas de seguridad» de La Habana y lo mandan luego a la provincia de Pinar del Río, al oeste del país. Le han asignado como cuartel general la confortable residencia de un gringo, un norteamericano que se marchó a Estados Unidos abandonando sus vastas propiedades. Situada en las estribaciones de la Sierra de los Órganos, cerca de San Andrés de Taiguanabo, la finca goza de un microclima templado y no demasiado húmedo, ideal para un asmático. Pero el enfermo se encuentra bien, recuperó su buen aspecto y ha engordado. A sus treinta y ocho años Guevara es un hombre en plena madurez, en quien no se vislumbran los rasgos casi adolescentes que, en los primeros días de la victoria, sorprendían a quienes descubrían a aquel joven comandante bajado de las montañas con una gorra estrellada.

El Che regresó a Cuba de mala gana, pero sabía que le era indispensable para obtener una logística de base antes de marcharse —lo más pronto posible— a Bolivia. No le agrada ponerse por completo en manos de los servicios de Piñeiro. El viceministro del Interior al margen de la jerarquía, pero bajo el control directo de Castro.

Sin desdeñarlo, Guevara intenta arreglárselas con la red de los veteranos de su columna, a su lado desde los tiempos heroicos de Sierra Maestra y el Congo. Los conoce, los ha visto actuar. Sin embargo nada habría podido hacerse sin la bendición de Castro, tal como éste lo recordó a un periodista italiano: «[El Che] solicitó nuestra ayuda en este sentido [y] autorizamos que partiera un grupo de camaradas muy experimentado.» Pero, cuidadoso con el sentido de las palabras, el comandante en jefe estableció sutilmente que, si hubo fracaso, la responsabilidad debe achacarse a la excesiva precipitación de su amigo argentino, cuya impaciencia evocó muchas veces. Protegiéndose siempre tras la pantalla del «nosotros» oficial, tuvo buen cuidado en precisar: «Él había escogido el territorio y había elaborado su plan de lucha. [...] Habríamos preferido un movimiento ya mucho más desarrollado y que el Che se incorporara a ese movimiento; pero él quería ir casi desde el principio, y nosotros logramos retenerlo hasta que ya por lo menos las primeras tareas se hicieran.»[1]

El Che ha repetido cien veces, en Argel y en cualquier parte, hasta qué punto el deber de solidaridad internacionalista es imperioso. Así pues, es probable que no considerara necesario deshacerse en agradecimientos por la ayuda, muy escasa, que Cuba aceptó aportar a un proyecto del que será la primera beneficiaria: debilitar el imperialismo, que con su bloqueo está asfixiando la isla. En líneas generales, su objetivo es el mismo que en el Congo: abrir un nuevo frente, un «nuevo Vietnam» que distraiga al enemigo.

Sea cual fuere el final de la operación boliviana, supondría pocos riesgos para Castro. Si tiene éxito, ¡estupendo!, le corresponderá la mayor parte de la gloria y algunas «Cubas» más en el continente americano representarán otros tantos irritantes guijarros en el zapato del Tío Sam. Si es un fracaso, le bastará lamentarlo con vehemencia recalcando que su responsabilidad nunca estuvo realmente comprometida en esa aventura personal del camarada Guevara que, como se sabe, rompió todo vínculo oficial con Cuba.

Antes incluso que el citado camarada llegue de Praga, el Ministerio de las Fuerzas Armadas (Raúl Castro) y el del Interior (Ramiro Valdés) han llevado a cabo una primera selección de personal, teniendo en cuenta sus sugerencias, para permitirle formar su equipo. No faltan candidatos que ven en esta nueva partida una inesperada posibilidad de escapar a la cotidianidad burocrática y recuperar las intensas vivencias de la Sierra Maestra. Se han olvidado los penosos recuerdos, el hambre, la sed, la fatiga, para conservar sólo la memoria de los días felices, la fraternidad viril, el olor de la pólvora, las descargas de adrenalina en la excitación de los combates, la euforia de la victoria.

Los tres meses ultrasecretos que pasará en la finca de Pinar del Río —de mediados de julio a mediados de octubre de 1966— los consagra al entrenamiento intensivo de un grupo de unos quince hombres cuidadosamente seleccionados, combatientes de elite, devueltos todos a la condición de soldados rasos —advierte el Che— cualesquiera que fuesen sus grados. Con él, serán diecisiete los miembros del comando que desembarcará en Bolivia en diversas fechas y en grupos de dos o tres, siguiendo itinerarios distintos y con nombres falsos.

La flor y nata del ejército rebelde, como se desprende de su graduación: cinco tenientes, siete capitanes, cinco comandantes (escalón superior de una jerarquía militar que no se ha alineado todavía con la soviética). De ellos, tres han trabajado con el ministro Guevara: el comandante Machín (Alejandro), viceministro de Industria; el comandante Alberto Fernández Montes de Oca (Pacho), director de Minas; y el capitán Suárez Gayol (el Rubio), que fue viceministro del Azúcar con Borrego. Con los comandantes Juan Vitalio Acuña (Joaquín) y Antonio Sánchez (Pinares, pero en Bolivia Marcos), más el capitán Eliseo Reyes (Rolando), un veterano de la columna del Che, son cinco los que proceden del Comité Central del Partido Comunista Cubano. Los capitanes Orlando Pantoja (Antonio) y Manuel Hernández (Miguel) son veteranos de la Sierra Maestra. Leonardo Tamayo (Urbano) es el único que el Che no conoce bien, aunque formó parte de la delegación cubana en la conferencia de Punta del Este, en 1961. La mayoría de los demás son o han sido guardaespaldas de Guevara, combatientes de toda confianza: el negro Harry Villegas (Pombo), Dariel Alarcón Ramírez (Benigno), Carlos Coello (Tuma), José María Martínez Tamayo («Ricardo»). Israel Reyes (Braulio) procede de la «red» de Raúl Castro; y René Martínez Tamayo (Arturo), hermano de José María, de la «red» del propio Fidel. Para enmarañar las pistas han adoptado nombres falsos, con frecuencia los de sus falsos pasaportes, salvo Pombo y Tuma que han conservado sus apodos suahilis.

No se les prohíbe llevar un diario de campaña a quienes quieren seguir el ejemplo de su jefe. Mina de informaciones si caen en manos del adversario, los diarios de Pombo, Pacho, Rolando, Braulio y Moro (el médico Octavio de la Concepción) permitirán, comparándolos con el de Guevara/Ramón (Fernando, más tarde), reconstruir los distintos momentos de una odisea que sólo tendrá un lejano parecido con la gesta de la Sierra Maestra, celebrada ya en las escuelas.

Benigno, el guajiro de la Sierra Maestra alfabetizado por el Che, cuenta de un modo muy «gráfico» la puesta en escena, tan lúdica como provocadora, montada por los «servicios» para verificar la calidad del disfraz de Guevara. A comienzos de agosto de 1966 todo el grupo fue convocado para ser presentado, en posición de firmes, a un español llamado Ramón, bastante mal hablado, según les dijeron. «No vimos llegar a un tipo con uniforme verde olivo, como pensábamos, sino a un verdadero señor de traje "a la parisina", camisa, corbata, zapatos bien lustrados. No era alto, pero sí completamente calvo en la parte superior del cráneo, con unas finas gafas sin montura y una pipa en la boca. Me dije: "No es posible. No iremos a combatir con eso".»[2]

El caballero al que llaman «doctor», se acerca y el comandante Tomassevich que lo acompaña le dice: «Ésos son los hombres. ¿Qué le parecen?» A lo que el señor Ramón responde con aire asqueado: «Me parecen todos unos comemierdas.» Indignación contenida de los susodichos, que aprietan los puños. Burlón, el doctor español da no obstante un apretón de manos a cada uno de ellos, con la misma fórmula de presentación: «¡Mucho gusto; Ramón!», pero reitera: «Mi opinión no ha cambiado. Siguen siendo unos comemierdas.» Humillación y rabioso silencio entre los soldados, a quienes se les han inculcado las virtudes de la disciplina. Sólo cuando Ramón inicia un diálogo con Pinares (el comandante Marcos), al oírle hablar, Suárez Gayol, el Rubio, tiene una iluminación: es Guevara, con quien ha trabajado mucho tiempo en Industria. Abandona la fila exclamando: «Coño, ¡qué bicho eres tú! Muchachos, ¡es el Che!» Estupefacción, alivio, hilaridad. Pinares le hace ponerse su propia camisa verde olivo, le coloca su gorra y, sin las gafas y la pipa, Ramón recupera los rasgos de Guevara. Conclusión de Benigno: «Si nosotros, que tan bien le conocíamos, no le habíamos reconocido, era que el trabajo de los "Ramiritos", los servicios de Ramiro Valdés había sido perfecto y podría pasear sin excesivo peligro por todo el mundo.»[3]

En el campamento de lujo de la provincia de Pinar del Río, las comodidades son perfectas pero el infernal entrenamiento impide el disfrute de sus delicias. Se revela a los elegidos que tendrán el privilegio de ir a Bolivia para formar a otros camaradas y combatir si es necesario. «Nos explicaron que [...] la lucha se extendería a Argentina, Brasil, Perú, Uruguay... No a Chile, que sería una base de retaguardia.»[4] Disponen de un verdadero arsenal; fusiles, pistolas, ametralladoras, morteros, bazucas, de todos los calibres, todas las marcas, todas las nacionalidades. De los Kasashnikov soviéticos a los Garand americanos. Hay incluso unos pequeños cañones chinos. Durante diez semanas el régimen impuesto por el Che será implacable para todos. Despertar a las 5 de la madrugada; de 6 a 11, ejercicios de tiro, con la amenaza de ser eliminado si el resultado está por debajo del 90%; de mediodía a las 6 de la tarde, caminata por las colinas con una mochila de más de veinte kilos a la espalda; a partir de las 7 de la tarde, dos horas de «formación cultural», seguidas de una hora de francés (para desenvolverse en las escalas europeas) y dos horas de quechua, lengua mayoritaria en Bolivia... Difícil, en tales condiciones, aprovecharse de la piscina tentadora. Sin sábados ni domingos, claro está. Muy al contrario, los fines de semana hay que poner buena cara a los eminentes personajes que llegan de La Habana. Como Ramiro Valdés, gran jefe de los «servicios», Manuel Piñeiro, encargado del departamento Liberación (se entiende «liberación de los países hermanos»), Osvaldo Dorticós, presidente oficial del país —a veces se olvida—, e incluso Celia Sánchez, la ninfa Egeria atenta a los menores detalles, nunca muy alejada de Fidel.

Nada se sabe del reencuentro entre Castro y Guevara. No debió de tener carácter de enfrentamiento, pues probablemente ya en Praga Ramiro Valdés convenció al Che para que no guardara rencor por un fracaso militar que no se le achacaba. Respecto a la razón de que se hiciera pública la carta de despedida, puede confiarse en la dialéctica zalamera del *Caballo* para demostrar que, en nombre del superior interés de la revolución, se vio obligado por las circunstancias. Lo que se sabe, cuenta Benigno, es que Castro asiste cada semana al entrenamiento, subrayando personalmente qué importante es que la atención de los yanquis se desvíe hacia otro punto del globo para que disminuya así la presión ejercida sobre Cuba: «Nos explicaba que nuestra lucha sería larga y cruenta, que duraría de diez a quince años, que teníamos pocas posibilidades de regresar vivos [...] La carta de despedida [del Che] que Fidel leyó el 3 de octubre de 1965 nos obligaba más aún porque nos veíamos un tanto como el propio Che.»[5]

¡De acuerdo por Ñancahuazú!*

Mientras Guevara vela por la forma física, política y técnica de su comando de futuros héroes, una extraña comedia hecha de malentendidos, medias verdades y silencios está representándose en Boli-

---

* *Ñancahuazú*: en guaraní significa *Quebrada Grande*.

via entre el partido comunista y la nebulosa de la izquierda revolucionaria. Esos avatares tendrían sólo una importancia relativa si no hubieran influido en la elección del terreno donde implantar la escuela de guerrilla —elección determinante para su éxito o fracaso— y en la posibilidad de recibir, en caso de emergencia, un indispensable balón de oxígeno.

Bolivia es un país desconocido. Este Tíbet de América Latina, fascinado por lo político, es mucho mejor que la reputación que le ha valido la serie de efímeros gobiernos surgidos de golpes de Estado militares o populares. Entre 1952 y 1964, bajo los renovados mandatos presidenciales de Paz Estenssoro y Siles Zuazo, Bolivia ha sido uno de los países más estables y progresistas de América Latina (uno de los tres últimos en suspender sus relaciones con Cuba). En noviembre de 1966, mientras los guerrilleros comienzan a instalarse sin prisas en el «monte» del Ñancahuazú, las organizaciones campesinas bolivianas firman un pacto militar-campesino con las fuerzas armadas, bendecido por el nuevo presidente legalmente elegido, el general de aviación René Barrientos, que derrocó a su predecesor tras un golpe de Estado. Llevando a menudo un sombrero tejano, es «gran bebedor de chicha y gran demagogo, hablando quechua y bailando con las jóvenes campesinas».[6] No le costará demasiado asentar en la masa de trabajadores campesinos una base popular para su régimen.

En el plano militar el Che, cuando domina su impaciencia, no es un mal táctico; pero en el plano político es un lamentable estratega, muy alejado del genio de Fidel Castro. Va a lo directo, no pierde tiempo en sutilezas con las corrientes comunistas, neocomunistas, disidentes o demás. Le han explicado que lo más sencillo es pasar por el Partido Comunista Boliviano (PCB), cuyo secretario general, Mario Monje, ha ido varias veces a Cuba y recibió incluso entrenamiento militar. Aunque se haya alineado con Moscú y sea en principio partidario de una «coexistencia pacífica» enemiga de las explosiones demasiado ruidosas, Monje asegura, sin proclamarlo expresamente, que no se opone a la lucha armada y que el PCB estaría dispuesto a aportar su ayuda. Sobre todo si, como se le da a entender, el combate va a desarrollarse fuera de Bolivia, en Perú, Brasil o Argentina. Esto le basta al Che para aceptar la mano que le tiende blandamente el PCB.

Algunos miembros de las Juventudes Comunistas bolivianas, por lo demás, han sido autorizados a ir a Cuba para completar su formación política (recibirán una auténtica formación guerrillera en el famoso centro *Punto Cero*). Así entrenados, hombres como los hermanos Guido (Inti) y Roberto (Coco) Peredo, Jorge Vázquez Viaña, Rodolfo Saldaña y otros, formarán muy pronto el núcleo duro del contingente boliviano en el equipo del Che sobre el terreno y un embrión de apoyo urbano. En La Habana se tiene también en cuenta que, desde 1964, una fracción del Comité Central del PCB se ha escindido, incitando a unas cuantas células obreras a crear un nuevo partido comunista que se ha proclamado prochino, con Óscar Zamora a la cabeza. De este partido, dividido en dos, se separará también un grupúsculo partidario de la acción directa, el del dirigente minero Moisés Guevara, al que los guerrilleros tendrán que recurrir cuando fallen los militantes del PCB. Los servicios de Barbarroja tampoco olvidan la existencia del POR (Partido Obrero Revolucionario), ni la del PRIN (Partido Revolucionario de la Izquierda Nacionalista) cuyo dirigente Juan Lechín está también a la cabeza de la poderosa Central Obrera Boliviana (COB), bastión de los trabajadores de las minas. Un personaje a quien el joven Guevara había calificado en 1953 de «mujeriego».

Han transcurrido casi quince años desde entonces. El trotamundos de acerados y lapidarios juicios se ha convertido en un guerrillero reconocido, ansioso de hacer estallar un combate «libertador» a escala continental. El Che no pierde el tiempo con querellas que le parecen vanas. Lo esencial es disponer de buenos combatientes, valerosos, leales y aguerridos. Confía en la acción, convencido de que la necesidad de afrontar juntos las dificultades comunes borrará las diferencias ideológicas.

Nada más ilustrativo que una cronología rigurosa para seguir los tejemanejes, las ambigüedades y las añagazas entre los que Guevara se va a mover con perfecta seguridad a finales de 1966. Esto permite también entender por qué se elegirá para la operación boliviana el peor paraje posible.

Ya en marzo, desde Praga, adonde ha llegado hace poco, el Che envió a Bolivia al capitán Martínez Tamayo, *Papi*, agente del Ministerio del Interior que conoce el país. Le encargó que restableciera el contacto, por una parte, con los peruanos tránsfugas de otra guerrilla abortada en Perú, pero que siguen dispuestos a reanudar el combate y, por la otra, con los militantes comunistas bolivianos que han pasado por La Habana. El PC prometió movilizar a una veintena para colaborar en una operación que nadie precisa todavía si se desarrollará en territorio boliviano. Misión: encontrar la propiedad mejor situada para servir de campo de entrenamiento a los cuadros de las futuras revoluciones latinoamericanas. Sin titubear, Papi hace que un hombre de paja boliviano de confianza compre una hermosa granja en la región de Las Yungas, en las laderas orientales de la cordillera de los Andes, en los cálidos valles del Alto Beni. Lamentablemente, está demasiado cerca de un campamento militar y será abandonada.

El emisario del Che ha hecho discreto contacto con «Tania», el *topo* que está allí desde noviembre de 1964. Usando sus encantos, «Laura Gutiérrez» —con este nombre vive en Bolivia— ha conseguido introducirse hasta el primer círculo del palacio presidencial, pretextando investigaciones arqueológicas y culturales; gracias a ello podrá proporcionar a un tal «Adolfo Mena» una carta de recomendación de la Dirección de Información de la Presidencia de la República. Formada en La Habana por Ulises Estrada, el amable mulato del Ministerio del Interior que le sirvió de instructor —y de amante— recibe de un nuevo agente de contacto, enviado por Piñeiro, la orden de completar sus conocimientos y renovar sus documentos falsos, en México y Praga, en abril y mayo de 1966. Pasará así algunos días en la capital checoslovaca mientras Guevara está todavía allí. ¿Se encontraron el Che y Tania? Es poco probable, teniendo en cuenta la compartimentación estricta impuesta a ambos. Pero puede hacer fantasear a quienes desean imaginar una misteriosa historia de amor entre la hábil espía germano-argentina «manipulada por la Stasi» (servicios secretos de la RDA), y el apuesto revolucionario cubano-argentino que trae de cabeza a los sabuesos de la CIA...

El 10 de julio los dos inseparables guardias de Guevara, el teniente Carlos Coello *Tuma* y el capitán Harry Villegas *Pombo*, abandonan a su vez Praga para reunirse en La Paz con Martínez Tamayo. Tienen la consigna de no seguir mezclando a Tania en el asunto y encontrar otra base más aislada, acaso en la misma zona del Alto Beni, lo cual no parece una mala elección. Entretanto, de regreso en Cuba, el Che interrumpe a finales de agosto el entrenamiento del capitán Fernández Montes de Oca, *Pacho*, para enviarlo también a Bolivia a fin de comprobar, con los tres exploradores, qué pasa con el número de reclutas locales y con el campamento base.

Llegado al país el 3 de septiembre, Pacho advierte que los jóvenes comunistas bolivianos han optado por una región muy distinta, al sudeste, en la zona de Camiri, a medio camino entre Santa Cruz, capital provincial (225 kilómetros al norte), y la frontera argentina (200 kilómetros al sur). De hecho Jorge Kolle, convertido más tarde en uno de los secretarios del PCB y en su «ideólogo», había pensado desde 1956 que aquélla era una región favorable para la implantación de una guerrilla.[7] Para el dirigente comunista esa opción está hoy descartada, pero no puede excluirse que hablara a los hermanos Peredo de aquel proyecto de juventud. En cualquier caso Coco Peredo, también gracias a los fondos cubanos, ha comprado allí una granja perdida de 220 hectáreas, no lejos del río Ñancahuazú, donde instala, a modo de peones, a tres militantes comunistas.

Las dos habitaciones de la barraca de adobe, muy poco confortables, tienen techo de plancha ondulada (*calamina*), por lo que se la conoce como la *casa de Calamina*. La «granja» sólo dispone de un rudimentario horno de pan. El lugar está aislado, la vegetación es baja pero densa, la población muy escasa. Único inconveniente: la presencia a tres kilómetros del vecino, Ciro Algañaraz, antiguo alcalde de Camiri que parece muy curioso. Piensa que los nuevos compradores se disponen a montar un laboratorio de cocaína. En su diario, con fecha 10 de septiembre de 1966, Pombo facilita, con vacilante ortografía, algunos argumentos para justificar la elección del lugar: zona tropical, despoblada, al pie de los Andes, rica en pozos de petróleo, lo que permitiría intentar un «golpe» de resonancia internacional atacando el oleoducto que exporta combustible a Estados Unidos, vía Chile.[8]

Mientras Pacho regresa a La Habana con los informes de los tres cubanos, Martínez Tamayo, disciplinado, va a explorar otras zonas que puedan ser propicias. Al leer las instrucciones del Che de que se orientaran preferentemente hacia el Alto Beni y trabajaran también con el activista Moisés Guevara, ha puesto mala cara: «[...] me manifestó que eso era una mierda de Mongo»,[9] dijo ante Pombo. Y luego se calmó. En un mensaje del 26 de septiembre, el Che le dice: «La finca actual es buena: consíguete otra sin trasladar armas hasta que te avise.»[10]

Durante el mismo septiembre de 1966, al francés Régis Debray le encargan una misión casi idéntica. Después de la Tricontinental Debray ha permanecido en Cuba, ya que prefiere el sol castrista del Caribe al gris de su instituto de Nancy, en plena Francia pompidoliana. Su brío intelectual y su devoción por la causa revolucionaria latinoamericana, lo han convertido en un privilegiado interlocutor de Fidel Castro. Éste le expone los principios esenciales de un breve ensayo que, redactado por Debray y publicado con su firma en enero de 1967, se convertirá en el texto clave de la teoría del *foco* guerrillero: ¿*Revolución en la revolución?* Puesto que el Che no puede abandonar la clandestinidad, Fidel pide al joven Régis que vaya a realizar en Bolivia un «estudio geopolítico» del Alto Beni y del

Chaparé. En septiembre aún no se ha tomado ninguna decisión definitiva respecto al mejor emplazamiento para el *foco*, aunque el foco en cuestión se destine, como calcula Guevara, a permanecer dormido durante por lo menos un año.

Así se cruzan, sin mezclarse nunca —compartimentación obliga— las redes del Che, de Fidel, de Piñeiro... En Bolivia, el francés no es totalmente desconocido en los medios de la izquierda desde que, en 1964, con su compañera venezolana Elisabeth Burgos, se había paseado por el país presentándose como colaborador del periódico maoísta *Révolution*, editado en París por el abogado Jacques Vergès gracias a los subsidios de Pekín. En cuanto llega es seguido por los moscovitas del PCB, que ven con malos ojos sus contactos con el disidente prochino Óscar Zamora. Debray vuelve con un informe detallado, acompañado de mapas, planos, relaciones de acuartelamiento, listados de militantes y simpatizantes, todo expuesto poblado a poblado. Expone los argumentos sociales, económicos, políticos y militares que justificaban una implantación, bien en el Alto Beni o bien en la zona semitropical del Chaparé, al norte de la ciudad de Cochabamba. Antes de partir, el Che apenas tendrá tiempo de echarle una ojeada. Debray opina que, para engañar a los dirigentes del PCB, que han «localizado nuestras localizaciones, un lugarteniente del Che, allí mismo y sin avisarme, optó por una tercera [zona]. Elección errónea y fatal sin duda».[11] Pero el Che ya no vacila. Puesto que la segunda granja ha sido comprada, ¡de acuerdo por Ñancahuazú!

A fines de septiembre, Mario Monje, primer secretario del PCB, comienza a manifestar cierta impaciencia ante aquella agitación. Tiene la impresión de que le toman el pelo y quiere puntualizar que aunque acepte de buen grado proporcionar su ayuda a los camaradas cubanos, no piensa dejarles organizar «por su cuenta» una guerrilla activa en territorio boliviano. Su partido se inclinaría más por un levantamiento popular, en la tradición de las insurrecciones mineras, pero «más tarde, cuando se den las condiciones», sempiterno argumento. Alertado, Guevara pide a sus hombres que eviten enfrentamientos con Monje. En octubre, para despejar cualquier malentendido, Martínez Tamayo vuelve personalmente a Cuba para explicar al Che la complejidad de la situación y expresar sus reservas en lo tocante a la elección de Ñancahuazú. Lo recibe «con bronca» un Guevara impaciente de hallarse «en acción». No quiere oír nada que pueda detenerlo. ¡No perdamos más tiempo! Ñancahuazú le parece un lugar excelente para un entrenamiento prolongado; el Alto Beni quedará en reserva para un eventual segundo frente. En el fondo, aunque primero pensara comenzar por Perú, ahora no le desagrada que la frontera argentina no esté lejos. Los hechos serán muy elocuentes sobre lo abstracto de tal razonamiento.

«Con Fidel, ni matrimonio ni divorcio»

En las colinas de Pinar del Río, en Cuba, el entrenamiento concluye el 15 de octubre. La forma física y la moral de las tropas es magnífica. Todos arden en deseos de lanzarse a una nueva aventura heroica y están convencidos de que los niños oirán hablar de ella en las escuelas, en el capítulo «Revolución». Por mucho que Guevara pinche a sus hombres anunciándoles que lo peor que pudieron soportar en la sierra o durante la marcha sobre La Habana, en 1958, sólo fue un «paseo de salud» comparado con lo que les espera, nadie imagina que la realidad será tan terrible. Debray confirmará, en efecto, que comparada con la geografía de Ñancahuazú «la Sierra Maestra parece un jardín botánico».[12]

Antes de partir, todos han recibido pasaportes falsos y los documentos referentes a las imaginarias biografías que los «servicios» han preparado para cada uno de ellos y que han tenido que aprenderse de memoria. El capitán Dariel Alarcón descubre así que es un comerciante ecuatoriano llamado «Benigno Soberón». En adelante, para todos será Benigno. Y él, que no terminó la enseñanza primaria, que apenas sabe leer y escribir, contará cómo le ayudó el comandante Machín (Alejandro), otro «ecuatoriano», a aprender todo lo necesario sobre su nuevo país: bandera, himno nacional, descripción del barrio de Guayaquil donde supuestamente tiene una tienda con un socio. «Tenía que estudiar la historia de Ecuador, país que ni siquiera sabía situar en el mapa...»[13]

Fidel Castro se siente algo celoso de aquellos tipos que van a continuar, en cierto modo, la epopeya de Sierra Maestra, demasiado breve para su gusto. A veces participa en los ejercicios, más bien como un árbitro en el estadio. Cuando no cronometra la rapidez de las caminatas (ofreciendo como premio su reloj al mejor andarín), juega con Ramiro Valdés a la Interpol haciendo insidiosas preguntas sobre las falsas biografías y controlando los documentos con ceño suspicaz. Una fotografía nos muestra a un sorprendente Guevara achicado, plegándose al ceremonial, con traje gris, sombrero de fieltro y gruesas gafas, como apesadumbrado ante un enorme Castro que hojea el pasaporte sin soltar su cigarro. A esos revolucionarios fogueados, siempre le gustó hacer algo de teatro.

Unos días antes de que termine ese acelerado entrenamiento para la guerrilla llega un auténtico fiel, incondicional de la primera hora; se trata de Orlando Borrego, ministro del Azúcar. Desde el día en que escuchó a Fidel leer la carta de despedida del Che, había decidido editar —a cargo del presupuesto de su nuevo ministerio— todo lo que el comandante ha escrito o dicho desde que se comprometió con los cubanos, hasta las actas taquigráficas de las discusiones en el seno del Ministerio de Industria. Así pues, cierta noche va a llevar a Guevara los primeros tomos de la edición restringida, no comercializada, encuadernada en cartoné gris y con una tirada limitada a unos centenares de ejemplares: *El Che en la revolución cubana*. Borrego no dice si el comandante, por muy «hombre de libros» que sea, vio en ello la señal de un brillante entierro o un homenaje algo molesto. Recuerda que Guevara quedó pasmado ante la abundancia de su propia producción: «Coño, se escriben cosas... se dicen cosas... Podría ser interesante para la América Latina. Es un popurrí...»[14]

Una de las últimas visitas que recibe el Che da origen a un enfrentamiento con Ramiro Valdés. Éste, creyendo obrar bien, le lleva una mañana de improviso a su esposa Aleida March. Gran cólera del marido al que le indigna que puedan concederle un tratamiento de favor cuando acaba de negar a sus hombres un permiso para despedirse de sus familias: «El Che montó un escándalo espectacular y lanzó veinte mil reproches a la cabeza del ministro del Interior —cuenta Benigno—. No permitió que Aleida bajara del coche, ni siquiera la saludó.»[15] Pero llega Castro y arregla las cosas. Hemos creído conveniente conceder unos días de descanso a la tropa antes de partir, le explica, y hemos pensado que también tú tenías derecho a ver a tu mujer. El incidente tiene como consecuencia un excepcional permiso de cinco días para todo el mundo.

Antes de desaparecer otra vez, Guevara pasa sus últimas horas cubanas en los alrededores de La Habana, en una gran mansión, «la misma donde vive hoy Raúl Castro», precisa Benigno en 1996.[16] Allí se produce la escena de su encuentro con sus hijos, al menos con los cuatro últimos, nacidos en Cuba, pues la mayor, Hildita, nacida en México, tiene casi once años. Es ya «mayorcita» y podría hablar; demasiado arriesgado. Aleidita, Camilo, Celia y Ernesto tienen entre uno y seis años. No ha vuelto a verlos desde que se marchó al Congo, hace año y medio. Una vez más se ha intentado hacerle irreconocible. Alrededor de su calvicie, conseguida a la navaja, sus cabellos se han vuelto canosos, lleva gafas de miope y prótesis bucal. Le presentan como el señor Ramón, un amigo español de papá. Sin embargo, la pequeña Aleidita tiene una reacción espontánea que da la señal de alarma: «Pareces argentino», le dice. Pero cuando le preguntan la razón no sabe qué responder. Cuando el señor Ramón se instala a un extremo de la mesa para la cena, la niña vuelve a intervenir: «Es el sitio de papá.» Y cuando luego, sentándola en sus rodillas, la besa y le ofrece caramelos, corre a murmurar entre las faldas de su madre: «Mamá, creo que este señor está enamorado de mí.»[17]

La edificante anécdota aporta una «pincelada humana» a la mitología del «hombre de mármol». Con los años, la leyenda del «guerrillero heroico» irá enriqueciéndose con mil fantasías. Entre otras, un rumor afirma —y es plausible— que le dejó a su esposa, grabados por su propia voz, algunos de los *Veinte poemas de amor y una canción desesperada* de Neruda, unos versos que recitaba de joven a su prima la Negrita. Pero en la iconografía soñada del imaginario colectivo, la más hermosa imagen —sobre la que faltan, claro está, testimonios— es la de ambos hombres, Fidel y el Che, sentados uno junto al otro en silencio durante más de una hora antes de separarse. Conmovedor pero difícil de creer, sobre todo tratándose de Castro, devorado por el verbo. Más verosímil parece la frase del Che que Carlos Franqui afirma haber escuchado en sus labios: «Con Fidel, ni matrimonio ni divorcio.»[18]

El 23 de octubre de 1966 Ernesto Guevara abandona La Habana, tan discretamente como había llegado tres meses antes. Destino oficial, inevitable: Moscú, Praga. Destino real: la granja de Ñancahuazú en el interior de Bolivia. Bien afeitado y encorbatado, con su anónimo traje gris, viaja como funcionario cubano del INRA, titular de un pasaporte diplomático. En Praga, cambio de identidad pero trayecto parecido al de julio, con el mismo pasaporte uruguayo a nombre de Ramón Benítez, para ir en tren hasta Viena. Allí, Benítez se convierte en Adolfo Mena, comerciante uruguayo. La multiplicación de escalas y nombres falsos permite que se pierda su pista.

En París, donde se detiene unos días, va provisto de un par de buenos botines y una gorra con orejeras verde bronce que sustituirá a su famosa boina. En el aeropuerto de Orly, antes de embarcar rumbo a Sao Paulo, se ha comprado una pipa, como aconsejó a todo el mundo: para economizar tabaco. El objeto tiene una pequeña historia que será contada a menudo en la selva boliviana. El señor Mena ha llenado ya su pipa cuando, al disponerse a encenderla, pregunta su precio. Al decirle que cuesta 22 dólares, se queda horrorizado, devolviéndosela al vendedor: «¡Demasiado cara! A ese precio puede comprarse una tonelada de azúcar de exportación.» Avergonzado por su tacaño «compatriota», Pacho (el capitán Alberto Fernández que viaja también con un pasaporte uruguayo a nombre de «Borges») paga la pipa de su bolsillo. Lo que le valdrá, a modo de agradecimiento, el epíteto de *guataca* (lameculos), sarcasmo con el que el Che, fumando su cachimba, se divertirá persiguiendo a su amigo y recordándole que ha dilapidado el dinero del pueblo cubano.[19]

Adolfo Mena y Raúl Borges entran en Bolivia por carretera, pasando por el pequeño puesto fronterizo brasileño de Corumba, en pleno Mato Grosso; eso les permite llegar al aeropuerto de La Paz (3 de noviembre) en un vuelo interior, puesto que la CIA, alertada desde hace meses, tiene la mala costumbre de interesarse por los vuelos internacionales. Para circular por el país el hombre de negocios uruguayo dispone, como cobertura, de dos documentos oficiales obtenidos gracias a la intervención del comunista boliviano Guido Peredo, *Inti*. Uno le acredita como enviado especial de la Organización de Estados Americanos, lo que no deja de tener gracia si recordamos que Cuba fue excluida antaño de la OEA. El otro, con membrete del Instituto de Colonización y Desarrollo de las Comunidades Rurales, especifica que se halla en misión de estudios. En un país donde los sellos oficiales impresionan, ese tipo de papel puede servir de salvoconducto. Guevara no tendrá que utilizarlo. Tampoco tendrá oportunidad de observar si la capital boliviana ha cambiado desde los lejanos tiempos —apenas trece años, ¡un siglo!— en que, en busca de América y de americanidad, paseaba su juventud vagabunda, burlándose de la «revolución del DDT» de Paz Estenssoro.

En La Paz, apenas dedica tiempo a hacer balance con sus tres hombres enviados como exploradores: Martínez Tamayo (convertido en Ricardo), Villegas (Pombo) y Coello (Tuma). Le indica a Tania (Tamara Bunke) que debe quedarse en la ciudad pero que la incorpora en la acción, rompiendo así el aislamiento impuesto hasta entonces. Treinta y seis horas después de haber llegado, se pone de nuevo en camino con Pacho, Pombo y Tuma. Ricardo y Tania se quedan en La Paz, en contacto con Iván, un agente de los servicios secretos cubanos que también se hace llamar Renán Montero.

Dos jeeps se dirigen hacia la provincia de Santa Cruz; a los cubanos se les ha unido un comunista boliviano formado en Cuba, Jorge Vázquez Viaña (el Loro). Hay varias fotos de Guevara durante este viaje de dos días. Parece un burgués con gafas, protegido por una cálida chaqueta tipo canadiense. Sonríe. Para no despertar las sospechas del granjero vecino, los cinco hombres prefieren llegar amontonados en un solo vehículo conducido por el boliviano. Poco antes de la llegada,

Pacho revela por fin al conductor que el tipo que va a su lado es nada menos que el Che Guevara. La estupefacción del camarada es tal que suelta el volante para lanzarse al cuello del Che; el jeep está a punto de volcar en la quebrada. «Coño, está bien que me quieras, pero vas a matarnos antes de haber comenzado a luchar»,[20] le dice Guevara, que anota en su diario que deben hacer a pie los últimos kilómetros.

«Hoy comienza una nueva etapa»

Siete de noviembre de 1966. «Hoy comienza una nueva etapa.»[*][21] En su gran agenda alemana rojo oscuro, con su escritura fina y rápida, bastante legible aún por aquel entonces, Guevara inicia su diario de campaña en Bolivia con una observación cuya banalidad es sólo aparente. Cualquiera que sea su resultado, esta «nueva etapa» significa que acaba de pasar una página de su vida. Desde que embarcó en el *Granma* (noviembre de 1956) han pasado diez «años cubanos», intensos, a menudo eufóricos, inolvidables. Ahora se trata menos de borrar el amargo sabor del fracaso congoleño que de devolver la vida al viejo sueño bolivariano de liberación continental.

Esta vez el Che no es ya *Tatú*, perdido en una guerra extranjera de la que no comprende los códigos ni la lengua, sino el latinoamericano Ramón que interviene en el propio corazón de la *patria grande*, la patria americana en sentido amplio. Habla el idioma y conoce sus costumbres. Aquí podrá formar los militantes guerrilleros que van a levantar el «subcontinente» contra el auténtico enemigo, el imperialismo de Estados Unidos y sus ejércitos a sueldo. Se ha terminado, como se prometió a sí mismo en México, eso de «copular ideas sin funciones prácticas».[22] Hoy su objetivo es grandioso: poner en marcha la dinámica revolucionaria que le convertirá en el nuevo Fidel Castro de los Andes, su vieja ambición. Sin saberlo, responde a las palabras de André Breton: «El poeta futuro superará la deprimente idea del divorcio irreparable entre la acción y el sueño.» Será ese poeta.

Mientras los periódicos señalan todavía la ubicua presencia de ese hurón de América Latina, él pone manos a la obra. Lo han dado por muerto. Cual nuevo Lázaro, resurge por todas partes. En París, *L'Express* retoma la información de un semanario italiano que dice

---

[*] Todas las citas sin referencias que siguen se han extraído de *El Che en Bolivia. T. 5 . Su diario de campaña*, editado en La Paz, Bolivia, 1996 por Carlos Soria Galvarro —Cedoin— (véase Bibliografía).

haberlo encontrado en plenos Andes peruanos.[23] Al parecer, en Chile ha tomado contacto con el dirigente sindicalista Clotario Blest, un cristiano algo anarco, amigo de la IVª Internacional.[24] *La Prensa* de Buenos Aires repite lo que afirma *O Globo* de Río de Janeiro; que ha entrado en Brasil disfrazado de religioso colombiano.[25] En Argentina le han visto simultáneamente en Buenos Aires (teñido de rubio),[26] en Córdoba,[27] en Misiones, en su natal Rosario.[28] Se ha señalado también su presencia en Montevideo...[29] El reencuentro con el feliz fantasma de una juventud ardiente sería una hermosa y conmovedora historia, antes de lanzarse por los caminos del mundo. Habría suficiente para escribir un buen guión. Pero la realidad es distinta, más prosaica; Guevara combate contra los insectos del Chaco boliviano.

El paraje donde se levanta, minúscula, la casa de techo de zinc de la Calamina es cualquier cosa menos alegre. No se trata ya de la cordillera de los Andes en toda su majestuosidad, no es todavía el llano seco y árido del Chaco, que se extiende al sur, en Argentina, mucho más allá de Tartagal, donde desapareció Masetti. Es una geografía intermedia donde todo parece hostil al hombre, un paisaje de árboles grisáceos, un bosque invadido por espinos que desgarran la piel y las ropas si se intenta penetrar en él sin un buen machete. El relieve es accidentado, hecho de una multitud de cerros, montañas de paredes escarpadas, empinadas pendientes, cimas puntiagudas, como indica claramente el nombre de una aldea cercana: Monteagudo. En los profundos cañones por donde pasa un pequeño riachuelo que se transforma en torrente cuando llueve, la vegetación es tropical, pues estamos muy cerca del trópico de Capricornio, pero la altitud —entre mil y dos mil metros— compensa el calor: incluso puede hacer frío. El pueblo más cercano, Lagunillas, a unos treinta kilómetros, antaño mercado ganadero, va languideciendo desde que finalizó la guerra del Chaco; una plaza polvorienta de la que salen algunas calles de tierra. Es preciso ir a Camiri (veinte mil habitantes), a dos horas de jeep hacia el sur, para encontrar un poco de animación gracias a la actividad petrolera.

Al día siguiente de su llegada, Guevara establece en su diario la lista de los encantadores bichos que le han recibido. Además de «una especie de yaguasas muy molestas aunque no pican» figuran allí distintos y pequeños invertebrados del mismo tipo que, por su parte, no se privan de picar o poner sus huevos debajo de la piel, lo que produce fuertes escozores, a menos que se prendan con voracidad a la epidermis, como las garrapatas. «Me saqué seis garrapatas del cuerpo», se lee con fecha 9 de noviembre; y el 11: «La plaga está infernal y obliga a resguardarse en la hamaca con mosquitera (que sólo yo tengo).» El 18: «Los mosquitos y las garrapatas están empezando a crear llagas molestas en las picaduras infectadas.» Idéntica observación por parte del teniente médico Octavio de la Concepción (Moro), sorprendido por «la gran cantidad de jejenes, guasasú y bichos de toda clase, así como sus víboras de vez en cuando; por la noche hay que taparse y por el día el calor casi es irresistible. [...] Ahora comprendo lo que nos decía nuestro máximo líder: "Si logran adaptarse al medio, triunfan."»[30]

Si se trata sólo de organizar una simple base de entrenamiento para la guerrilla, el lugar, aislado, es casi perfecto. «La región, aparentemente, es poco frecuentada —escribe el Che—. Con una disciplina conveniente se puede estar aquí mucho tiempo.» Efectivamente, la zona es casi desierta, en la frontera del territorio quechua de origen incaico y del territorio guaraní de los chiriguanos que resistieron al Inca. Ñancahuazú está situado en las estribaciones de un territorio guaraní que se extiende por un área bastante grande y que incluye Paraguay y la provincia de Misiones, en Argentina. Allí fue concebido Ernesto y allí vivió los dos primeros años de su existencia, cuando sus padres, recién casados, se instalaron en el yerbal de Caraguatay. Pero para el «revolucionario profesional» que el comandante es ahora, se trata menos de un regreso a las fuentes que de una aventura de mucha mayor envergadura.

Sin embargo la condición clave, Guevara sólo la menciona cuando ya está en el lugar: «hay que tratar de que el Partido se decida a luchar». La ambigüedad fundamental de la empresa del Che en Bolivia se sitúa en este punto concreto. Pues si «luchar» no significa sólo entrenarse y esperar —¿seis meses, un año?— el momento propicio sino, por el contrario, pasar a la acción armada, integrando en el combate a la población, entonces el contrasentido resulta total; y de hecho, Ñancahuazú se revelará como el peor lugar posible para una guerrilla de acoso y movimiento.

La posición del Che no parece aún realmente decidida. Signo elocuente: cuando, apenas una semana después de haber llegado a la Calamina, Pombo propone «probarnos a nosotros mismos» atacando un cuartel del ejército boliviano, Guevara no lo rechaza de plano: «[El Che] dice que no, a menos que se trate de uno pequeño, pues no podemos correr el riesgo de comenzar con una derrota.»[31] No se distingue muy bien dónde termina el trabajo de formación guerrillera para un contingente de voluntarios procedentes de los países vecinos y dónde comienza la «guerra de guerrillas» contra objetivos «imperialistas» o puestos al servicio de la potencia imperial.

Los meses de noviembre y diciembre de 1966 se dedican a organizar el campamento y preparar la llegada de los esperados efectivos. En La Paz, el capitán Martínez Tamayo (Ricardo) se encarga de recibir a los recién llegados y encaminarlos hacia Ñancahuazú con la ayuda de un camarada comunista boliviano, Rodolfo Saldaña, que también ha pasado por Cuba. Es uno de los cuatro militantes del PCB «ofrecidos» por Mario Monje para que se encargue del contacto con los cubanos.

A Guevara no le gusta mucho dormir entre cuatro paredes, antiguo reflejo adquirido en Sierra Maestra. No se ve llegar «al enemigo». Salvo por una lluvia muy fuerte que le obliga, al comienzo de la estancia, a refugiarse en la Calamina, prefiere la hamaca al aire libre. Aquel hombre tan culto es un «hombre de los bosques». Con su grupito comienza casi enseguida a instalarse en el monte, a unos centenares de metros, en una colina frente a la granja. La precaución es necesaria, explica, porque Pacho y Pombo, al regresar de una marcha de exploración, han sido vistos por el chófer de Algañaraz, el muy curioso propietario de la granja vecina. No se puede admitir que alguien cuente que transita gente por la Calamina, sospechosa ya de ser un laboratorio de cocaína. Se excavan fosos y túneles para servir de almacén a «todo lo que pueda ser comprometedor» como pasaportes, documentos... y latas de conserva.

Pacho, el comandante Montes de Oca, compañero de viaje del Che, «luce algo inadaptado y triste». Por el contrario, Ramón, se siente revivir: «Mi pelo está creciendo, aunque muy ralo, y las canas se vuelven rubias y comienzan a desaparecer; me nace la barba. Dentro de un par de meses volveré a ser yo.»

El mismo día de su llegada les hizo a sus compañeros una pequeña exposición, que Pombo menciona: «Bolivia es el país con las mejores condiciones para la guerra de guerrillas en el continente. [...] Pero no podemos darnos el lujo de soñar con una revolución sólo en Bolivia, sin tener por lo menos una revolución en un país costero, si no en toda América Latina.» Y Pombo sigue anotando la reflexión de su comandante, que coincide con lo que el Che confesó en Praga a Ulises Estrada: «Él dijo que vino para quedarse aquí y que la única forma en que saldrá es muerto o abriéndose paso a bala por la frontera [argentina].»[32] Tropismos...

Poco a poco van llegando los combatientes. Los veteranos cubanos pero también algunos comunistas bolivianos: Jorge Vázquez Viaña (el Loro), que debe representar el papel de nuevo dueño de la granja, Orlando Jiménez (Camba),* Aniceto Reynaga, los hermanos Coco e Inti Peredo, etc. Hablando con ellos el Che tiene la confirmación de lo que presentía. Aunque individualmente todos parecen dispuestos a combatir en una guerrilla armada, no es ésta la línea del PCB, que se niega a dar consignas en este sentido a sus militantes. Tanto por honestidad como para evitar tener hombres vacilantes y por consiguiente poco fiables, el 12 de diciembre, cuando el grupo de bolivianos ha aumentado un poco, el Che precisa: «Advertí a los bolivianos sobre la responsabilidad que tenían al violar la disciplina de su partido para adoptar otra línea.»

El asunto tiene su importancia pues el dirigente revolucionario peruano Juan Pablo Chang, el Chino, le informó el 27 de noviembre que estaba dispuesto a traer de Perú veinte combatientes para unirse a la guerrilla. Guevara lo ha juzgado prematuro «porque internacionalizaremos la lucha antes de consultarlo con Estanislao [nombre de guerra del número 1 del PCB, Mario Monje]». Y añade que los bolivianos piensan como él que es mejor «empezar acciones» antes de recibir los refuerzos peruanos. Lo que significa por una parte que se preparan, efectivamente, «operaciones» que superan el simple marco del «curso de formación» y, por la otra, que en esa fecha el Che no ha perdido todavía la esperanza de que el PCB, socio obligatorio, se una a su combate. Por el momento, Mario Monje se pasea entre Sofía, Moscú y La Habana...

Entretanto, el campamento ha sido dividido en tres zonas, de acceso difícil para aguantar «tanto tiempo como consideremos necesario»; la región ha sido explorada someramente, confirmando su carácter silvestre y aislado; el Chino Chang ha hecho una ida y vuelta entre Bolivia y Perú, para comunicar su entusiasta adhesión a la empresa y... han matado tres víboras. Su equipo de cubanos está por fin completo. El Che ha repartido las tareas y organizado el grupo como una «columna» de la Sierra Maestra, en vanguardia, centro y retaguardia. Si Fidel sólo tardó dos años en «liberar» a Cuba, él calcula que necesitará más para transformar a Bolivia y los países vecinos en «territorio libre». «Ramón explicó [...] que necesitamos 10 años o más antes de que concluya la etapa insurreccional»,[33] escribe Pombo el 20 de diciembre.

---

* *Cambas*: nombre genérico de los habitantes de la región tropical de Santa Cruz, al sur del país. En cambio, los *collas* son la gente de las alturas del altiplano, más reservados.

Para Nochebuena, un pequeño festín con lechón asado y licores reúne a todo el mundo en un ambiente festivo —«con algunos pasaditos»—. En sus recuerdos, Benigno sitúa una semana más tarde una anécdota lo bastante insólita como para ser contada, que Pombo consigna en caliente el 24 de diciembre. En la radio dan un tango. «El Che cogió un trozo de leño como de metro y medio, y salió bailando el tango con aquel leño. Nunca lo habíamos visto al Che en un acto igual.»[34] Para los cubanos, acostumbrados a la conducta severa del comandante, la sorpresa es enorme. Pero eso no es todo: «Sacó un papelito de su bolsillo y comenzó a leer [un poema]. La última estrofa terminaba así: "Abajo la gonorrea, viva la penicilina."»[34] «Eso nos dejó petrificados porque era cierto que dos compañeros, al pasar por Chile, habían estado con prostitutas [...] y allí cogieron una gonorrea espantosa. [...] No hallamos qué decir y nos retiramos a descansar.»[35] Días tranquilos en Ñancahuazú. El comandante está de buen humor. No hay tormenta a la vista.

El PC boliviano dice no

Muchas cosas se han dicho y muy contradictorias sobre la posición del Partido Comunista Boliviano, y de su primer secretario Mario Monje con respecto a la guerrilla del Che. Y la menor de las acusaciones no es precisamente la de traición, de «puñalada por la espalda». Juicio un tanto precipitado.

El escollo es la cuestión de la lucha armada. Los cubanos desean arrastrar al terreno de la guerrilla un partido comunista dividido, que recela a fondo, aunque diga que no le es hostil en principio. Sin embargo, pese a todo, no obstante, etc... La Habana finge creer que eso implica un apoyo. Tras la Conferencia Tricontinental de enero de 1966, a Monje le ofrecieron entrenamiento militar que soportó muy a pesar suyo, de creer en el testimonio del capitán Alarcón. El futuro Benigno va a buscarle al hotel Habana Libre para enseñarle los secretos del tiro con fusil ametrallador, en *Punto Cero*. «En realidad, no se tenía ninguna confianza en Mario Monje, porque a pesar de ser un primer dirigente, se le estaba espiando. En el Habana Libre se le había ubicado en el piso diecisiete, totalmente controlado por la Seguridad del Estado, técnicamente preparado, con micrófonos y cámaras. Y él, por su parte, era como un robot. [...] Los dirigentes nuestros lo venían a visitar, cuando no era Piñeiro, jefe del departamento América, era Ariel,* encargado de Bolivia, o el propio Fidel. [...] En este período el Che se entrevistó con él [...] Parece que Monje no estaba de acuerdo con nada, pues después, en Cuba, se preparó a Coco y al Inti [...] con vistas a una sustitución de Mario Monje.»[36]

En el complicado juego entre Cuba y el PCB, lo que está claro es que cada cual se esfuerza por no ser claro. El diálogo adquiere a veces aspecto subliminal. La anquilosada semántica del discurso revolucionario permite dejar que subsista una zona de sombras en la que los unos puedan reprochar a los otros haberse refugiado, y viceversa. La experiencia de Sierra Maestra transformó la aventura de Cuba en modelo casi universal, válido en todas partes, y de ella Guevara estableció el breviario en el libro *La guerra de guerrillas*. En 1960, con la fanfarrona seguridad de quienes acaban de ganar una guerra, mantiene un significativo diálogo con su compatriota Lisandro Viale:

«—En Argentina, me instalo con veinticinco hombres en las sierras de San Luis y todo el ejército argentino será incapaz de sacarme de allí.

»—Cuidado, en San Luis no tendrá usted una población campesina tan numerosa como en la Sierra Maestra.

»—No hay que aguardar a que todas las condiciones favorables se hayan reunido. Hay que crearlas.»[37]

Los partidos comunistas latinoamericanos, en su mayoría, siguen oponiéndose al método de la guerrilla, que consideran un aventurismo pequeñoburgués, separado de las masas. Preconizan, por el contrario, el trabajo de Penélope de la «concientización» popular para que, algún día, la larga paciencia de generaciones de militantes desemboque por fin en la revolución proletaria, prometida sin cesar. Este planteamiento concuerda perfectamente con la política predicada por la URSS.

Ahora bien, el Partido Comunista Boliviano intentó mantener una acrobática posición consistente en obedecer la orientación moscovita y proclamar, al mismo tiempo, su solidaridad con quienes utilizan las armas para hacer valer sus reivindicaciones. Y es que en Bolivia un singular artefacto viene marcando desde hace un siglo la historia del país: el cartucho de dinamita. Los mineros de los yacimientos de estaño, plata u oro lo han utilizado hábil y fre-

* «Ariel», nombre clave de Juan Carretero, que visitó al Che en Praga y que, como responsable de Bolivia en el seno del departamento Liberación del Ministerio del Interior en La Habana, será el contacto de «Ramón».

cuentemente para defenderse de los «barones» de la mina y de los consorcios, iniciando a veces verdaderas insurrecciones. En la historia del movimiento obrero del altiplano boliviano retumban los disparos y las detonaciones de explosivos. El PCB nacido en 1950, no puede dejar de tenerlo en cuenta. Así pues, sin adherirse a la línea de la lucha armada, aceptó ocasionalmente destinar algunos de sus militantes a echar una mano a semejantes «locuras», siempre que fuese en *otra parte*. Consintió así en servir como base de retaguardia para la guerrilla peruana (1962-1963) y la de Masetti en Argentina (1963-1964). Tímida colaboración que permite presentar, a bajo precio, una imagen de partido combativo y evitar en lo posible que esta clase de iniciativas guerrilleras aparezcan a sus espaldas en su propio territorio.

Sin embargo, esto es lo que sucede con la «guerrilla del Che». Guevara aún está en Checoslovaquia cuando Castro le pide a Monje la ayuda del PCB, para facilitar el «paso» por Bolivia de una personalidad revolucionaria de primer orden que regresa a su país natal. El dirigente boliviano promete su cooperación. Pero los preparativos llevados a cabo por Martínez Tamayo, enviado como explorador, la compra de la granja en el Alto Beni, el viaje de Debray en septiembre y sus contactos con Zamora, el vergonzoso tránsfuga prochino, han despertado las sospechas del primer secretario. Adivina una maniobra y protesta ante el emisario cubano contra esa «intromisión foránea». Ésa es, en cualquier caso, la versión que presentará del asunto ante el Comité Central de su partido, en 1968, insistiendo en cada detalle y punto cronológico, deseoso de eximirse del crimen de apostasía.[38]

Al desembarcar en La Paz, Guevara esperaba encontrarlo allí. Pero la víspera (2 de noviembre de 1966) Monje ha preferido emprender el vuelo hacia un oportuno congreso comunista en la lejana Bulgaria. En el viaje de regreso el boliviano recala en La Habana, y propone a Castro que convoque una conferencia de los partidos comunistas latinoamericanos. Lo que es un modo de torpedear cualquier apoyo estructural a la guerrilla, teniendo en cuenta la conocida hostilidad de los comunistas ortodoxos. El líder cubano percibe el peligro y pide a Monje que hable previamente con el comandante Guevara, que se encuentra «del lado de la frontera boliviana».[39] Fijada en Villazón (Bolivia), justo al otro lado de la frontera argentina, la entrevista fracasa... porque los camaradas encargados de recibir a Monje no están allí. Así pues, éste tiene tiempo de regresar a La Paz y ponerse de acuerdo con los miembros de la dirección de su partido antes de dirigirse de nuevo, no sin refunfuñar, al encuentro del Che en Ñancahuazú, para mantener una discusión de la que no espera nada bueno. Martínez Tamayo y Coco Peredo, con Tania, tienen la misión de acompañarlo, y lo hacen con amable firmeza.

Ése es el contexto en que se sitúa el breve encuentro entre Guevara y Monje del 31 de diciembre. Veinticuatro horas entre 1966 y 1967 que son un hito en la historia de la guerrilla. «La recepción fue cordial pero tirante», anota el Che en su diario. De buenas a primeras, Monje declara: 1) que está dispuesto a dimitir como primer secretario del partido para unirse al combate; 2) que reivindica su dirección política *y* militar mientras la acción se desarrolle en territorio boliviano; 3) que se ofrece para intentar convencer a los demás partidos comunistas latinoamericanos de que proporcionen su apoyo a la guerrilla.

Sin ocultar su escepticismo, Guevara concede a su interlocutor libertad para actuar como quiera respecto a los puntos 1 y 3. En cambio, tratándose de la dirección de la guerrilla es categórico. «El jefe militar sería yo y no aceptaba ambigüedades en esto. Aquí la discusión se estancó y giró en un círculo vicioso.» En su diario, al día siguiente, el Che observa: «Mi impresión es que [...] se aferró a ese punto para forzar la ruptura...»

Inti Peredo, en *Mi campaña con el Che*, da detalles complementarios. Dirigiéndose a un pequeño grupo de militantes comunistas bolivianos que se han unido al Che, Monje les conmina a abandonar inmediatamente la guerrilla y marcharse con él. «Cuando el pueblo sepa que esta guerrilla está dirigida por un extranjero le volverá la espalda, le negará su apoyo. [...] Ustedes morirán muy heroicamente pero no tienen perspectivas de triunfo.»[40] El discurso puede parecer desprovisto de grandeza, pero no debemos desdeñarlo. Ese prurito nacional, si no nacionalista, nos remite a diez años antes, cuando en el campamento de México Castro había confiado la «dirección de personal» al joven Guevara: «Algunos cubanos de los que estaban allí [...] impugnaban la jefatura del Che porque era argentino, porque no era cubano.»[41] Fidel había criticado duramente semejante conducta.

Ahora se produce un similar y enérgico rechazo por parte de los voluntarios bolivianos. Ninguno acepta «desertar» y todos reprochan al primer secretario su «sectarismo». Durante la cena de fin de año, en su indignación, ninguno de los bolivianos consiente siquiera en prestar su escudilla a Monje. Hasta el punto de que el cocinero Benigno —que cuenta la historia— decide comer de la marmita para ofrecer su propio plato al dirigente boliviano, su antiguo «alumno» de *Punto Cero*. «No sé dónde comen los cerdos en tu país —le espeta

Julio Méndez (el Ñato) a Benigno—, pero en mi casa comen en el suelo.»[42]

Podemos preguntarnos si Guevara evalúa correctamente lo grave que significa esta ruptura con el PCB, pero parece aceptarla sin angustia, casi con alivio. «Por un lado la actitud de Monje puede retardar el desarrollo, pero por el otro contribuir a liberarme de compromisos políticos», escribe en su análisis general del mes de diciembre. En un mensaje cifrado enviado el 1 de enero de 1967 a «Leche» (nombre en clave de Fidel Castro), señala: «Estanislao se ha marchado muy triste.» Anuncia también que reanudará el contacto con Moisés Guevara, el dirigente minero disidente, así como con Rhea, el médico boliviano que les facilita las medicinas.[43]

Naturalmente, al regresar a La Paz Monje no dimite y llega a afirmar que ha sido engañado por los cubanos, en particular por el Che. Cuando la joven Loyola Guzmán hace llegar el rumor al camarada Ramón, el 26 de enero, éste reconoce: «Sí, en cierto modo le hemos engañado.»[44]

No pierde el tiempo subrayando que Monje habló por hablar cuando afirmó que renunciaría a sus funciones, se uniría a la guerrilla, intentaría neutralizar a los partidos hermanos, etc. Por lo que se refiere al secreto sobre la identidad del jefe guerrillero, Monje se ha guardado de revelarlo, sobre todo —como dirá más tarde— porque «no hay que olvidar el enorme prestigio de que gozaba. Por este motivo, no es aventurado afirmar que no únicamente una docena de militantes sino muchísimos más del Partido Comunista y de otros partidos se hubieran incorporado a la lucha si hubieran tenido la certeza de que el comandante Guevara se encontraba en el país».[45]

En este lamentable episodio donde cada cual intenta engañar al otro y manipularlo, Guevara lleva las de perder. Es demasiado directo y poco maniobrero. Inti Peredo, miembro aún del Comité Central del PCB, parece tener una visión más lúcida de la situación: «La vergonzosa deserción del Partido Comunista nos provocó graves problemas. En la ciudad nos quedamos prácticamente sin organización. El trabajo de Coco, Loyola, Rodolfo y Tania era insuficiente para atender nuestras necesidades, cada vez más crecientes.»[46] En 1968, un periodista de Inter Press Service entrevistará a Pombo, que ha llegado por fin a *Chile*:

«—¿No tenían ustedes el apoyo del PCB?

»—Teníamos su apoyo moral.

»—¿De qué les servía?

»—De nada.»[47]

Puesto que, tras la marcha de Monje, resulta evidente que no se puede contar con la estructura del PCB ni con el reclutamiento en sus filas, el Che comprende que debe recurrir a nuevos reclutas, tanto en Bolivia como en el exterior. Pide a Tania que vaya a Argentina y convoque a algunos potenciales guerrilleros: Ciro Bustos, un pintor que estuvo vinculado a la guerrilla de Masetti; Juan Gelman, un poeta comunista; el abogado Eduardo Jozami, antiguo comunista también; Luis Stamponi, un militante socialista que no se halla en Argentina e ignorará hasta el final que Guevara lo buscaba.

El 2 de enero todo el mundo escucha, conmovido, el discurso de Fidel que celebra en La Habana un nuevo aniversario de la victoria sobre Batista y el mensaje «especial y caluroso» que dirige al comandante Che Guevara y a sus compañeros «sea cual sea el lugar del mundo donde se encuentren». Aunque los imperialistas le hayan matado varias veces, dice, renacerá de sus cenizas como el Fénix.[48]

«Será duro pero bonito»

«Le he encontrado más flaco que cuando se marchó de La Habana», comenta Tania al regresar a La Paz en compañía de Humberto Vázquez Viaña, el hermano del Loro, a quien le cuenta la tensa entrevista entre el Che y Monje. «Cuántos miles de revolucionarios latinoamericanos darían todo por luchar a su lado y estos desgraciados se niegan a ayudarlo.»[49] Guevara, por su parte, no parece darse mucha cuenta de la precariedad de la situación, del aislamiento en que ahora se encuentra. A los cubanos les resultaba imposible prescindir de la ayuda del PCB, por hipotética que fuese; pero se ha perdido un tiempo precioso esperando un acuerdo que finalmente no ha llegado. Una vez esfumadas las ilusiones, es muy tarde ya para crear una estructura de apoyo capaz de servir de retaguardia a una vanguardia aislada casi por completo (muy pronto también de Cuba) a partir de un puñado de militantes en la ciudad, jóvenes y abnegados pero poco numerosos, en rigor menos de diez. ¿No significa esto que el Che sigue concediendo una prioridad exagerada a la sierra sobre el llano (la ciudad), transformando en axioma el esquema cubano de 1957-1958?

A juzgar por sus notas de enero de 1967, el camarada Ramón no aparenta sentirse muy afectado por este importante problema. En las semanas siguientes a su ruptura con el PCB, se muestra preocupado más que todo por la organización del campamento, la salud y la moral de sus hombres. Se efectúan varias *góndolas** para poner a buen recaudo en «cuevas» (escondrijos y galerías subterráneas) todo el material disponible: armas, víveres, medicinas, documentos. Una lluvia torrencial ha mojado los aparatos de comunicación por radio y Guevara ironiza sobre la incompetencia de su operador. Logra recibir sin embargo un mensaje de Ariel, el oficial encargado de Bolivia en La Habana, quien le indica que «Dantón»** (Régis Debray) acaba de publicar un formidable trabajo que tendrá indiscutible resonancia: «[Se trata de *¿Revolución en la revolución?*] Remitiremos copia, [y] creo conveniente enviárte a Dantón con amplia y necesaria información que no quiero confiar al papel y para que tú le des instrucciones pertinentes.»[50]

En Ñancahuazú, convencido de que se instala para una guerra prolongada, Guevara organiza un auténtico campamento fortificado, semejante al que había creado en El Hombrito, declarado «territorio libre» en Sierra Maestra, con escuela de cuadros provista de un horno para pan, un pequeño huerto, una minibiblioteca, un aula al aire libre, etc. Lo suficiente para aguantar cierto tiempo. No obstante, la moral mejoraría sin la plaga de los insectos. Pacho (el comandante Fernández Montes de Oca) escribe en su diario que son realmente insoportables. El 11 de enero se declara «día del *boro*» en homenaje a media docena de víctimas de las larvas que esa pequeña mosca deposita bajo la piel. También el paludismo los acucia: Miguel (el capitán Hernández) presenta ya síntomas —mucha fiebre—, así como Alejandro (el comandante Machín) y algunos más. El propio Che, que lo ha probado en el Congo, se reconoce «con el cuerpo "cortado" todo el día» (19 de enero).

Aquel día, alertada por Algañaraz, el malvado vecino, la policía hace una «visita» a la Calamina en busca de cocaína. No encuentra nada, pero al Loro, que representa el papel de propietario, le confiscan su revólver. En un mensaje radiado a Castro el 23 de enero, Ramón señala el incidente subrayando: «En cualquier momento allanan la finca y quedaremos aislados al no tener más puntos de contacto. No se alarmen si eso sucede.»[51] Admirable optimismo, con-

* Palabra que designa, en el lenguaje popular boliviano, el autobús y empleada aquí, con ironía, para el transporte de material.
** «¿Por qué "Dantón"? Equivocación del señor Castañeda en *Life Magazine* (diciembre de 1967). No elegiste el nombre de Dantón a causa de la vida de ese tribuno fracasado, sino a causa de *La muerte de Dantón*, puesta en palabras y en escena por Büchner», escribe Régis Debray en su *Journal d'un petit-bourgeois entre deux feux et quatre murs* (París, ed. du Seuil, 1976, p. 78).

firmado además por la conclusión: «La moral sigue alta [...] En cuanto se arme [nos detecten] la gente arde por que llegue ese día. Todo eso indica que esto se internacionalizará de inicio; por el propio desarrollo de los acontecimientos será duro pero bonito.» Antes, en el mismo mensaje, ha indicado: «Estanislao es ya un enemigo; logró captar a los 3 últimos [bolivianos] enviados [de Cuba después de su "entrenamiento"] y pretendió infiltrarnos a un hombre de ellos. No tenemos más que 11 bolivianos incorporados.» Dos días después, mensaje de Manila.* Fidel anuncia que va a recibir al segundo secretario del PCB, Jorge Kolle, así como a Simón Reyes, eminente sindicalista comunista boliviano, y que «seremos duros y enérgicos con ellos».[52]

En el campamento, el Che procura que el entusiasmo guerrillero no disminuya. Han aparecido algunas fricciones entre los cubanos. El comandante se permite una de sus temidas *descargas* para exigir más disciplina, para que formen «un núcleo ejemplar que debe ser de acero; y por medio de eso —añade—, he explicado la importancia del estudio, indispensable para el porvenir». Guevara está tan convencido de la victoria final que piensa ya en cómo evitar que se reproduzca aquí lo ocurrido en Cuba, esto es, el recurso a cuadros de insuficiente nivel cultural. Así, en pleno Chaco, esos revolucionarios de armas tomar reciben con plácida atención clases de gramática, matemáticas, historia, español, quechua... El Che da personalmente, a quienes lo desean, lecciones de... ¡francés! Nadie le ha dicho al profesor que los campesinos de la zona suelen hablar en guaraní.

El 26 de enero llegan dos personajes que desempeñarán un papel desigual en esta historia: Moisés Guevara, minero militante de Huanuni, en el altiplano, de veintiocho años, disidente del PCB y luego del partido rival prochino, decidido partidario de la lucha armada; y Loyola Guzmán, de diecinueve años, estudiante de filosofía, miembro de la dirección de las Juventudes Comunistas.

El Che solicita al primero que se incorpore en la guerrilla con sus camaradas, pero tras la disolución de su grupo y sin que haya grados para nadie. El boliviano acepta puesto que para él —dice— lo esencial es combatir al lado de un guerrillero tan prestigioso como el Che. Advierte sin embargo que no podrá regresar con refuerzos hasta mediados de febrero, tras las fiestas del carnaval que son importantes en la región minera.

Loyola Guzmán le produce también «muy buena impresión» al co-

---

* Manila: La Habana. De hecho, se trata de un centro de comunicación muy potente (50.000 vatios) instalado en un búnker cerca de la capital.

mandante Ramón. «Es muy joven y suave, pero se le nota una cabal determinación.» La llama, con algo de ironía, «Ignacia», por san Ignacio de Loyola, fundador de la Compañía de Jesús. Detenida en septiembre de 1967, sobrevivirá milagrosamente a un intento de suicidio al arrojarse del tercer piso del edificio donde es interrogada y en 1968 escribirá a sus camaradas un largo informe que será interceptado y publicado por la prensa en 1969. Cuenta su emoción cuando por primera vez se encontró en presencia del Che: «[...] Era algo que no había esperado jamás. Su figura era ya un mito, había sido casi idealizada, y de pronto me hallé frente a un hombre sencillo, afable, que pese a su fama y prestigio no me hacía sentir intimidada y cohibida».[53] La «figura mítica» confirma a Loyola como responsable de las finanzas de la guerrilla y le pide que se encargue de la «red urbana» (bajo la dirección de un tal doctor Pareja que no aparecerá nunca, salvo para alojar a Debray en La Paz). A este efecto, el Che le da «instrucciones para los cuadros destinados al trabajo urbano» que demuestran que, cuando se trata de comunicación, está muy lejos del virtuosismo y la maestría de Fidel Castro.

En Bolivia, tanto en el sector minero como en las ciudades, existe una franca simpatía por la guerrilla. (Los guerrilleros se convertirán, con el transcurso de los meses, en seres formidables, generosos, casi invencibles.) ¿Está consciente Guevara de ese estado de ánimo, de que esa simpatía puede desembocar sin mayor dificultad en la colaboración activa de numerosos voluntarios? Es dudoso, pues sus «instrucciones» consisten en tratar de organizar un embrión de logística para ayudar a la guerrilla en el monte, proporcionarle material (siempre según el modelo cubano de la Maestra); pero dejan en blanco, para «más tarde», tanto el trabajo de propaganda y agitación ideológica en las ciudades como el tan necesario reclutamiento. El Che no se ha preocupado de disponer, como Fidel en Cuba, de un Frank País y de una «red del 26 de Julio» capaz de sensibilizar a la población, movilizarla en ayuda de los guerrilleros. Por tanto, cuando se conozcan las primeras escaramuzas, la guerrilla aparecerá «misteriosa y desconcertante, sin haber levantado el telón, sin hacerse anunciar políticamente y sin presentar signos de reconocimiento». La fórmula es de Debray.[54]

De hecho, el comandante Ramón se siente bastante cómodo en esa apartada selva del Chaco, por hostil que sea (pero tan cercana a Argentina). «La política local llama poco su atención. ¿Los comunistas bolivianos? Unos gallinas. ¿Los líderes de la izquierda nacional? Unos políticos miopes. ¿Los mineros del estaño? Una aristocracia obrera que dará mucho trabajo al igualitarismo revolucionario. La propia Bolivia: una base de retaguardia...»[55] Lapidaria sentencia también mencionada por Debray.

Con Tania, enviada a Buenos Aires, el Che manda a su padre (al que no ve desde 1961) una pequeña nota en la que se muestra bastante vivaracho. Repite, siempre burlón, la imagen clásica del «caballero de la triste figura», justiciero algo iluminado: «Don Ernesto —escribe con irónico respeto—: Entre el polvo que levantan los cascos de *Rocinante*, con lanza en ristre para atravesar los brazos de los gigantescos enemigos que le enfrentan, dejo este papelito con un mensaje casi telepático conteniendo un abrazo para todos. [...] Que pueda verlos pronto [...] son mis deseos concretos y se los confío a una estrella fugaz que debe haber puesto un rey mago en mi camino.»[56] Y firma a la italiana, es decir, a la argentina: «*Arrivedérchi, se no te veo piú.*»

Todo el mes de enero se dedica a la preparación, bastante apacible, de una futura marcha de entrenamiento para «poner a prueba la tropa». Impenitente trotamundos, Guevara es un ferviente partidario de este tipo de ejercicio. Recuérdense los principios enunciados en su *Guerra de guerrillas*: «Además de la preparación ideológica y moral, un minucioso entrenamiento físico es indispensable. [...] La marcha es el elemento básico de la guerrilla, que no puede cargar con gente lenta o cansada.»[57]

Ramón ha exigido permanentes caminatas de reconocimiento por los alrededores. Todas dan el mismo resultado. Una geografía difícil, sin senderos ni caminos trazados, pero algunos paisajes espléndidos. Rolando (el capitán Eliseo Reyes, miembro del Comité Central del PC cubano), a quien se le asignó explorar una zona a dos días de marcha, queda pasmado ante la belleza del panorama, hasta el punto de que olvida a Stendhal y *La cartuja de Parma* que está leyendo.[58] Pacho, el compañero de viaje de Ramón, anota en sus cuadernos una observación que tiene toda la ligereza de un haiku: «He liberado una mariposa de una telaraña.»[59]

¡Camina o revienta!

Prevista para durar sólo veintitrés días, la marcha de reconocimiento de febrero se prolongará cuarenta y ocho, hasta el 20 de marzo; ¡más del doble! Demasiado larga y penosa, afectará la moral de la tropa y agotará a la mayoría de los guerrilleros, precisamente en el momento en que, muy pronto, tendrán que librar los primeros combates. ¿Existe en el Che una forma peculiar de masoquismo, un deseo de vencer a toda costa su cuerpo maltrecho? Algunos lo han afirmado. La respuesta puede buscarse en los diarios de campaña que algunos de los caminantes llevaron: todos describen sus sufrimientos sin que se descubra indicio alguno de placer.

«Partimos veinticinco hombres en total, cada uno con una carga de cincuenta a sesenta libras» (más de veinticinco kilos), escribe Braulio (el teniente Israel Reyes) con fecha 1 de febrero. Cuatro hombres se han quedado en el campamento a las órdenes de Antonio (el capitán Pantoja), dos cubanos y dos bolivianos. Los demás, divididos en los clásicos vanguardia, centro y retaguardia, tienen el objetivo de descubrir la región, tomar contacto con los campesinos, aprender de nuevo el aguante. A partir del cuarto día, Guevara escribe: «La tropa está fatigada [...]. El camino [es] fatal para los zapatos pues hay varios compañeros casi descalzos [...]. Yo estoy liberado de casi 15 libras y puedo caminar con soltura aunque el dolor en los hombros se hace a ratos insoportable.» La recompensa es llegar al río Grande, que Pacho, enviado delante como explorador, llama en su cuaderno «río Big». Éste anuncia la noticia a Ramón: «Se volvió loco de contento, me dijo: "Pacho, llegamos al Jordán. Bautízame."»[61]

Para cruzar este nuevo Jordán, a falta de puentes nada mejor que una balsa. Construirán muchas y perderán algunas, arrastradas por la corriente; está lloviendo y las crecidas son rápidas. En la orilla opuesta, el 10 de febrero encuentran la casa de un campesino que se aviene a darles maíz. Su nombre se inscribirá en la historia de la guerrilla: Honorato Rojas. «El campesino está dentro del tipo; incapaz de ayudarnos, pero incapaz de prever los peligros que acarrea y por ello potencialmente peligroso.» Una foto que inmortaliza el encuentro nos muestra al Che, sentado en un árbol, melenudo y barbudo, con la pipa en la boca, el pantalón mojado sujeto a los tobillos por un cordel, con los hijos del campesino Rojas en el regazo.

Al enterarse que en la región hay unos trescientos soldados de ingeniería que están construyendo una carretera de Vallegrande a Lagunillas, Guevara expresa sus intenciones: «En principio, pienso caminar diez días más rumbo a Masicuri y hacer que todos los compañeros vean físicamente a los soldados.» Le tienta la idea de organizar un ataque contra un destacamento avanzado de esos zapadores, pero renuncia a ello. La estrategia que se ha marcado no prevé el inicio de las operaciones antes de un año; o tal vez el 26 de julio como homenaje a la fecha fetiche cubana. Esta marcha de entrenamiento va pareciéndose a la que hizo de la Sierra Maestra hacia el oeste de Cuba, con su columna Ciro Redondo. Pero no tiene carácter militar, aunque todos lleven armas y municiones. El único enemigo que los acosa es la desolación de los parajes, el *monte* espinoso que debe abrirse a machetazos, el infernal relieve —subir, bajar—, a menudo la sed a pesar de las frecuentes lluvias. Y sobre todo el hambre.

El hambre es omnipresente en todos los cuadernos de ruta, el de Pacho es ilustrativo a este respecto. Ni un sólo día deja de mencionar la escasa ración que han comido o, excepcionalmente, el casual hartazgo con lo obtenido de algún campesino. A veces (18 de febrero) realiza un trueque con Ramón, cambiando un trozo de plátano y de calabaza por uno de caña de azúcar. Cuando no pueden avituallarse con los campesinos, cazan. La mera enumeración de sus irrisorias presas sería divertida si no fuera dramática. Varias pavas, un tatú, dos monos, un halcón, un zorrillo, un «venado», algunas aves (loros, palomas, gavilanes), y un caballo.

Los guerrilleros se retrotraen así a los primeros tiempos de la humanidad, recolectando todo lo que parece comestible: brotes de palma de corojo o guayabas silvestres... Los hombres están debilitados. Son numerosos los que sufren edemas por el hambre, debido al «marasmo metabólico» que producen la desnutrición, la falta de vitaminas y minerales en el organismo. Las extremidades se hinchan, la masa muscular se reblandece como medusa y se infecta al menor rasguño. Algunos, incapaces de ponerse los zapatos, se envuelven los pies con hojas y cortezas.

La expresión *día negro* comienza a aparecer en la escritura del Che. 23 de febrero: «Día negro para mí; lo hice a pulmón, pues me sentía muy agotado [...] con un sol que rajaba las piedras, y poco después me daba una especie de desmayo al coronar la loma más alta [...] camino infernal, sin agua.» La fatiga pone nerviosa a la gente, irritable. Dos comandantes cubanos, Marcos y Pacho, miembros del Comité Central, llegan casi a las manos y se amenazan con el machete. ¡Bonito ejemplo para los bolivianos!

26 de febrero. Rolando anota en su diario que Ramón convoca a todo el mundo, haciendo el balance de la marcha. Transcribe sus palabras: «Lo que hemos experimentado es infinitesimal comparado con lo que está por venir. [...] 7 años de revolución habían influenciado a algunos camaradas que [...] recibían los servicios de chóferes, secretarios y se habían acostumbrado a [...] recibirlo todo hecho. [...] Una vida relativamente fácil nos hizo olvidar los rigores y sacrificios

que ahora vivíamos de nuevo.» Y para que ni Marcos ni Pacho lo ignoren, el comandante recuerda públicamente: «Yo no tuve amigos sino camaradas en Manila, y siempre que defendí a alguien en aprietos fue porque tenía razón y no a causa de la amistad.»[62] «El cielo estrellado sobre mi cabeza y la ley moral en mí», decía Emmanuel Kant. Pero este rigor ascético, aunque hizo que se le admirara, respetara e incluso amara como un ser casi exótico en Cuba, también lo apartó de ese fervor que Castro sabe despertar en una población propensa a dejarse llevar por la emotividad.

Aquel mismo día, Benjamín, un boliviano «agotado físicamente», resbala por una pendiente que flanquea el río Grande, cae al agua y se ahoga: ¡no sabía nadar! Rolando, que se ha arrojado enseguida al agua, es arrastrado por la corriente y sólo consigue hacer pie seiscientos metros más abajo. «Tenemos ahora nuestro bautismo de muerte a orillas del río Grande, de un modo absurdo», escribe Ramón. En su análisis general de febrero, aunque observe, como con mirada ajena, una «debilitación del entusiasmo», garabatea, impávido, aferrado a una voluntad impermeable a cualquier concesión: «la marcha se cumplió bastante bien» (!).

«A mí, la historia de una de mis locuras», proclamaba Rimbaud. ¿Podrá el Che reivindicar como el poeta lo que para él será una verdadera «temporada en el infierno»? En la tropa, algunos comienzan a preguntárselo. ¿A qué viene ese calvario de batallón penitenciario? «Hay que tener una gran dosis de humanidad [...] para no caer en extremos dogmáticos», se lee en el texto escrito en 1965 por Guevara, *El socialismo y el hombre*.[63] Ahora, el propio Guevara parece haber perdido esa humanidad, cualquier signo de viril ternura. ¡Camina o revienta! Endurece sus relaciones con todo el mundo, maltrata incluso a sus fieles más allegados. Critica a Tuma, abronca a Pacho, margina a Marcos. Martínez Tamayo (Ricardo), su ángel custodio en el Congo, le dice a Pombo, que recoge la frase en su diario (13 de marzo): «Ramón me trata muy mal, Pombo. Comete un grave error porque estoy aquí sólo por compromiso con él. Yo daría mil veces la vida por él porque usted sabe que es nuestro maestro y guía.» El análisis marxista ha quedado atrás. Estamos en plena historia sagrada del profeta y sus discípulos.

Esta opacidad del objetivo de la marcha incita a algunos a hacerse una pregunta que nadie se atreve todavía a formular por escrito, pues es sacrílega y cuestiona el fundamento político de la acción: «Bueno, caballero, pero ¿a qué venimos aquí?»[64] Aunque no tenga demasiada instrucción escolar, el capitán Alarcón (Benigno) es un hombre de sentido común. Su grito de angustia que brotó ya en el Congo, se convierte en una evidencia en Bolivia (sin embargo, esperará treinta años para atreverse a confesarla): «Entre nosotros nos lo preguntábamos. [...] ¿Qué habíamos ido a hacer allí, en definitiva? Parecíamos piedras caídas del cielo en medio de la selva. ¿Qué hacer sino caminar, recorrer la selva a ciegas, sin saber adónde íbamos ni lo que nos esperaba? Todas las organizaciones políticas o clandestinas del país estaban ocupadas trabajando en las ciudades. En la zona donde habíamos ido a operar no disponíamos de contacto alguno; apenas si sabíamos dónde estábamos [...] [No teníamos] con nosotros ningún boliviano natural de la región. ¿Cómo no habíamos pensado en ello? [...] Ninguna relación con lo que habíamos conocido en la Sierra.»[65] Ingenuas verdades.

Las tres semanas siguientes son peores aún. Llueve sin parar. Diario del Che: «El ánimo de la gente está bajo y el físico se deteriora día a día» (4 de marzo). «La gente está cada vez más desanimada, viendo llegar el fin de las provisiones, pero no del camino» (7 de marzo). «Tenía (tengo) un cansancio como si me hubiera caído una peña encima» (14 de marzo). «Decidimos comernos el caballo, pues ya era alarmante la hinchazón. Miguel, Inti, Urbano y Alejandro presentaban diversos síntomas; yo una debilidad extrema» (16 de marzo). «Otra vez la tragedia antes de probar el combate. [...] No pudieron dominar la balsa y ésta siguió Ñacahuasu* abajo, hasta que les tomó un remolino que la tumbó, según ellos, varias veces. El resultado final fue la pérdida [...] de un hombre, Carlos [...], el mejor hombre de los bolivianos en la retaguardia...» (17 de marzo).

El 20 de marzo, precedido por algunos rápidos exploradores —entre ellos Rolando, ágil, y Benigno, el de los pies alados, que recuerda su juventud guajira—, Ramón regresa al campamento. Le aguardan allí, desde hace quince días, Dantón (Debray), el Pelao (el argentino Ciro Bustos), el Chino (el peruano Juan Pablo Chang), Tania, la hábil «espía» que ha acompañado a tan selectas personas, así como Moisés Guevara, el minero, con ocho reclutas en lugar de los veinte prometidos.

La descripción que hace Debray de la llegada del Che y sus compañeros es un fragmento de antología: «A lo lejos, una procesión de pordioseros jorobados emerge poco a poco de la oscuridad, con rígida

---

* En su diario boliviano, Ernesto Guevara equivoca siempre la grafía de la región y el río donde se encuentra, escribiendo *Ñacahuasu* en vez de *Ñancahuazú*. Hemos respetado la irregularidad cuando se transcriben textualmente citas del Che. (*N. del T.*)

lentitud de ciegos. [...] Diríanse sonámbulos en fila india, enjaeza-
dos o, mejor, albardados, tambaleantes, harapientos, muy inclina-
dos por el peso de las mochilas (treinta kilos por lo menos) [...] Ramón va en medio: con el busto casi recto con una mochila que
sobresale de la nuca, el rifle M-1 en bandolera, vertical, su gorra de
fieltro beige en la cabeza, una incipiente barba. "Perdonen el retraso. [...] cocina ininterrumpida", ordena el Che. [...] "La caza es pobre,
pero queda oso, un oso pardo milagrosamente extraviado por estas
alturas que maté hace unos días"...»[66] Para el intelectual distinguido, «el cacique» de la Escuela Normal Superior, entrenado en *Punto
Cero*, no es pequeña gloria haber dado nombre a una de las estaciones de la gesta guevarista, designada desde entonces como «el campamento del oso».

Primeros combates

Lo que el Che ignora es que el ejército boliviano ha sido puesto
en estado de alerta desde el principio. El general Ovando Candia,
comandante en jefe, reconocerá: «Nos llegaron informaciones según
las cuales, entre el 26 y el 27 de febrero de 1967, cinco individuos
que parecían extranjeros tomaron contacto con los residentes en la
zona y les preguntaron por las vías de acceso al río Grande.»[67] Se
trata de la vanguardia conducida por Marcos. Algunos campesinos,
en efecto, los vieron cruzar el río y en la orilla quitarse un cinturón
de múltiples bolsas y poner a secar al sol «grandes cantidades de dólares y de pesos bolivianos». Un tal capitán Silva es enviado a per-
seguir a los que se supone traficantes de cocaína. Acuciados por el
hambre, Marcos ha cometido la torpeza de presentarse con su grupo
en casa de un empleado de las empresas nacionales de petróleo, Epifanio Vargas, que se apresuró a informar a la cuarta división militar
de Camiri.

Por otra parte, el Che se entera —Braulio lo indica en su diario
con fecha 28 de febrero—, de que dos reclutas llegados con Moisés
Guevara han abandonado ya el campamento de Ñancahuazú. El 14 de
marzo la policía los detiene en Camiri, cuando intentan vender un
arma. Uno de ellos, Vicente Rocabado, ex agente de la policía criminal (expulsado por malversaciones), cuenta con detalle todo lo que
sabe, e incluso lo que no sabe, sobre la guerrilla. Habla de la presencia de un argentino, de un francés, de un peruano y de un «jefe cubano» al que no ha visto pero que le han asegurado que es el mismísi-

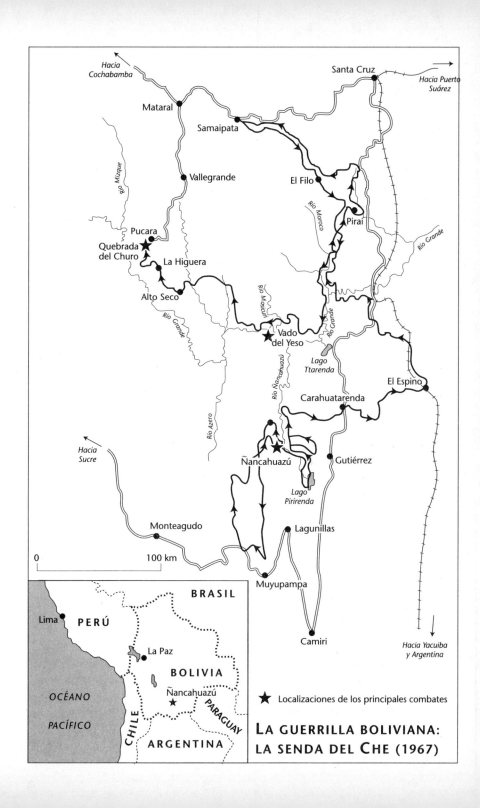

Hacia
Cochabamba

Santa Cruz

Hacia Puerto
Suárez

Mataral

Samaipata

Vallegrande

El Filo

Río Mizque

Río Moroco

Piraí

Río Grande

Pucara

Quebrada
del Churo

La Higuera

Alto Seco

Río Grande

Río Maskuri

Vado
del Yeso

Río Grande

Lago
Ttarenda

El Espino

Río Azero

Río Ñancahuazú

Carahuatarenda

Hacia
Sucre

Ñancahuazú

Gutiérrez

Lago
Pirirenda

Monteagudo

Lagunillas

0   100 km

Muyupampa

Camiri

Hacia Yacuiba
y Argentina

BRASIL

Lima   PERÚ

La Paz

OCÉANO

BOLIVIA

Ñancahuazú

PACÍFICO

PARAGUAY

CHILE

ARGENTINA

★ Localizaciones de los principales combates

LA GUERRILLA BOLIVIANA:
LA SENDA DEL CHE (1967)

mo Che Guevara. Indica dónde se encuentra el jeep de Tania, da los nombres del grupo de Moisés Guevara y se ofrece para conducir a la policía hasta el campamento.

De hecho, el reclutamiento efectuado por Moisés Guevara fue catastrófico. Para completar el grupo añadió a los camaradas conocidos algunos desconocidos encontrados casi por casualidad. En el clima duro del altiplano boliviano, las celebraciones del carnaval constituyen el pretexto de los mineros del «metal del diablo»* para abocarse a coloridos festejos y danzas, las *diabladas*, y grandes borracheras. Así pues, no todos los hombres con que contaba el minero Guevara estaban disponibles y, para no regresar con las manos vacías, reclutó incluso en las tabernas a individuos que atraía con la promesa de ganancias financieras, grados militares, viajes a Cuba, etc. Los seleccionaba meramente por su aspecto, contraviniendo el sagrado principio de la extrema vigilancia y precaución que rige cualquier acción clandestina revolucionaria. Esos pocos elementos, sin formación, salidos algunos del lumpenproletariado de la mina, contribuirán, con las informaciones que faciliten al ejército, a sellar la suerte de la guerrilla.

El Che perderá la iniciativa que se reservaba para julio o noviembre y tendrá que entrar en combate mucho antes de lo previsto. Cuando aún no conoce el terreno —la desorientada marcha que acaba de realizar lo demuestra— ni tiene una base seria de retaguardia en las ciudades, ni el indispensable apoyo popular. «La guerra de guerrillas es la guerra de todo el pueblo —escribió antaño—. [...] Es inconcebible que, sin este poderoso auxiliar, pequeños grupos armados puedan sobrevivir a la persecución organizada de un ejército bien equipado.»[68] A falta de ese «poderoso auxiliar» que en efecto habría permitido a los guerrilleros sentirse «como peces en el agua», de acuerdo con la fórmula de Mao, la guerrilla del Che transformará a los futuros libertadores del continente en una pandilla de rebeldes en fuga, aislados de todo. El prodigio no será que la guerrilla sobreviva, sino que, a fuerza de valor, tenacidad e inaudita resistencia, sobreviva durante tanto tiempo: ocho meses después de haber sido descubierta. Ocho meses erráticos.

El 17 de marzo un tercer hombre de Moisés Guevara, Salustio Choque, es detenido cerca de la casa de Calamina. No opone resistencia a la patrulla militar y confirma todas las revelaciones de ambos desertores. Jorge Vázquez Viaña, que se encuentra a los soldados cuando regresa al campamento, no se muestra tan dócil. Dispara y

---

* *Metal del diablo* es el título de la clásica novela-reportaje de Augusto Céspedes sobre la explotación de las minas en Bolivia y sobre el «barón del estaño», Simón Patiño.

mata a uno de ellos. Pacho escribe ese mismo 17 de marzo: «Comenzó la guerra. [...] Éste ha sido el primer encuentro armado.»[69] Cuando Marcos (el comandante Sánchez, llamado también Pinares) llega al campamento con la vanguardia, unos días antes que Ramón, evalúa la situación y ordena evacuar un campamento ya descubierto, y hacer que todo el mundo se repliegue a dos o tres horas de camino de allí. Indescriptible cólera del Che al conocer la decisión. ¡Nunca se abandona una posición antes de verse obligado a ello!

Debray, que asiste a esta *descarga*, escribe que este tipo de salidas «rompe el sentimiento de superioridad fraterna que, de ordinario, inspira a su alrededor. Como si quisiera quebrar la comunión, blindar su soledad. Hay una especie de miedo reverencial bajo el silencioso respeto que por él sienten sus hombres».[70] Recuperada su libertad de expresión, Benigno escribe por su lado: «Honradamente considero que aquella descarga que le echó a Marcos no era justa, pues Marcos había hecho lo que debía hacer. [...] Pero no nos atrevimos a objetárselo [...] porque cuando el Che se disgustaba nunca daba la oportunidad de explicar el motivo del error y callar era lo mejor, porque él ni le daba la palabra a uno.»[71]

¿Recuerda el autor de *La guerra de guerrillas* el primer consejo que él mismo dio a su amigo guatemalteco el Patojo, antes de que se marchara a combatir en su país: «una movilidad constante»? Sorprende que prefiera volver a instalarse en un lugar donde se ha «sedentarizado» y donde sin duda va a ser atacado por el enemigo, en vez de seguir moviéndose. No conviene dar la impresión de estar huyendo, de acuerdo, pero ¿por qué dejarse sorprender en la trampa? «Tenía una especie de pasividad extraña —comenta Régis Debray— que tal vez se debiera a un imperativo moral, pero también al hecho de que había allí instalaciones importantes, como la radio, difíciles de trasladar.»[72]

La historia supera la anécdota y revela algunos rasgos importantes del carácter del Che. En condiciones extremas, todo el mundo acaba descubriéndose. «El Che sentía un maligno placer haciendo llorar (de rabia, de humillación, de enojo) al comandante Pinares —prosigue Debray, desgranando en voz alta recuerdos y reflexiones—. Pinares me pidió que le dijera que él no podía más, que aquello era insoportable. El Che no tenía conciencia de ello. Era más bien una cosa de neurótico [...] ¡Para conseguir que reventaran hombres como aquéllos, duros entre los duros, tipos que lo habían dado todo! [...] A diferencia de Fidel, que tiene mucha, el Che no tenía ninguna psicología entendida como comprensión del otro, como entrar un poco en los problemas del otro [...] El mecanismo clásico: soy altruista para la humanidad pero no para el otro. Ahí tenemos, realmente, la estructura del sectario perfecto, como podían serlo santo Domingo, los santos y los mártires cristianos. Todos los fundadores de religión son así.»[73]

Pero esa voluntaria incomunicación no es gratuita. Guevara se lo explica a Dantón: «Hacemos lo que podemos con nuestros defectos. Soy argentino. Perdido entre los trópicos. Me fue difícil abrirme y no poseo las mismas dotes que Fidel para comunicar. Me queda el silencio [...] Si la gente no me quiere de buenas a primeras, al menos me respetan porque soy distinto.» Resultado: una ignorancia de lo que ocurre a su espalda, un clima a menudo tenso, grandes discrepancias entre cubanos y bolivianos porque, prosigue Debray, «no había catarsis alguna por el lenguaje, por la conversación. Eran murmuraciones, maniobras, doble juego, un mundo ficticio».[74]

El caso de Tania es ilustrativo. Al acompañar a los visitantes hasta el campamento y permanecer allí hasta el regreso del Che, en vez de volver enseguida a la ciudad para encargarse de los contactos, ha cometido una falta. Cuando Ramón amenaza a Marcos con expulsarle de la guerrilla, éste responde: «¡Antes, fusilado!» Tania, por su parte, aparta la cabeza con lágrimas en los ojos. La opinión de Debray sobre Tania está muy lejos de la apologética oficial. Que haya tenido algunas aventuras sexuales con Alejandro (el comandante Machín) y con Braulio, un mulato que se parece bastante a su antiguo compañero Ulises Estrada, sólo es, a fin de cuentas, una anécdota intrascendente (Benigno se hará eco de ella).[75] La cosa sólo tiene cierto interés en la medida en que se han rumoreado mil fantasiosas historias de amor con el propio Che. Probablemente sea Debray quien esté en lo cierto. «Tania, en La Paz, estaba muy sola, y por lo tanto también algo desestabilizada; era psicológicamente muy inestable [...]. Recuerdo que cuando Bustos y yo fuimos con ella de La Paz a Camiri, llamaba la atención por sus enojos, sus peleas con la gente, los bolivianos [...]. Era un personaje muy poco discreto, un personaje histérico [...]. El libro *Tania, la guerrillera inolvidable*[76] es un libro totalmente kitsch —realismo socialista mal disfrazado—, un libro típico del socialismo real, una hagiografía [...]. Que haya podido tener una historia con el Che es algo descabellado.»[77]

23 de marzo. El Che anota, lacónico: «Día de acontecimientos guerreros.» De hecho, es el primer combate serio, una verdadera emboscada que Ramón ha organizado inteligentemente para comenzar las operaciones de un modo espectacular, pues el ejército anda husmeando por el lugar. Guevara está tendido en su hamaca, lee. Cuando Coco Peredo llega sin aliento para anunciarle que la emboscada

ha tenido éxito, Debray está presente. Escribe: «El Che [...] se puso en pie y lanzó, radiante, un grito de guerra y de alegría.» El balance es excelente. No hay heridos entre los rebeldes pero en el enemigo el tiroteo, que sólo duró seis minutos, dejó siete muertos (entre ellos el delator Epifanio Vargas), catorce prisioneros, entre ellos un mayor y un capitán, y cuatro heridos, además de las armas capturadas. «Para festejar el acontecimiento, [el Che] llegó hasta encender solemnemente uno de los cigarros que guardaba en el fondo de su mochila para las grandes ocasiones. Era para todos una buena noticia, un motivo de alivio tras un período de incertidumbre y tensión.»[78]

En esta fecha, Guevara afirma en su diario que el grupo lo integran cuarenta y siete personas, «visitantes incluidos». Los cubanos siguen siendo diecisiete, con su jefe argentino-cubano, más Tania, la imprevista recluta germano-argentina. Tres combatientes son peruanos y veintidós bolivianos, a los que se añaden Debray y Bustos y cuatro guerrilleros de pacotilla llevados por Moisés Guevara, a los que el Che se refiere sólo como la *resaca* (lo sobrante, el desecho), útiles sólo para transportar material pues «el que no trabaja no come». El 25 de marzo le informan desde Cuba que Kolle, el segundo secretario del PCB, irá también a discutir; pero él, Ramón, sólo cree en los actos y no en las palabras. «Le hice al francés un largo informe oral sobre la situación. En el curso de la reunión se le dio a este grupo el nombre de Ejército de Liberación Nacional de Bolivia.»

27 de marzo. «Hoy hizo explosión la noticia acaparando todo el espacio radial.» Los medios de comunicación bolivianos transforman la emboscada de Ñancahuazú en una batalla campal donde los insurrectos han sufrido graves pérdidas. El presidente Barrientos moviliza todas las emisoras de radio del país para leer un comunicado en el que se refiere a una organización internacional compuesta por comunistas. Por primera vez se menciona la posibilidad de que el Che Guevara, el ministro cubano desaparecido, esté vinculado al acontecimiento.[79] Desde las profundidades de la selva, éste redacta una respuesta en nombre del Ejército de Liberación Nacional de Bolivia, el «comunicado número 1 al pueblo boliviano» para hacer que brille «la verdad revolucionaria [...] frente al torneo de mentiras [...] del grupo de gorilas usurpadores [que] se burló del pueblo en una farsa comicial». Explica la emboscada «tendida por nuestras fuerzas en territorio guerrillero» y da con nombres y apellidos la lista de pérdidas enemigas. «Están abiertas las hostilidades», anuncia.

Sin embargo, para la guerrilla, es más importante que esta alentadora victoria la noticia de que el jeep de Tania ha sido descubierto en un garaje de Camiri, con —absoluta imprudencia— documentos, papeles de identidad, una casete y fotografías dejadas allí por negligencia. «Todo parece indicar que Tania está individualizada, con lo que se pierden dos años de trabajo bueno y paciente —escribe Ramón—. La salida de la gente es muy difícil ahora, me dio la impresión de que a Dantón no le hizo ninguna gracia cuando se lo dije.»

28 de marzo. «Las radios siguen saturadas de noticias sobre la guerrilla.» Ironiza: «Estamos rodeados por dos mil hombres en un radio de 120 kilómetros, y se estrecha el cerco, complementado con bombardeos con napalm.» El Che ignora, aunque sea consciente de que el «imperialismo» va a reaccionar, que Estados Unidos está enviando ya a Santa Cruz al mayor Ralph W. Shelton *Pappy*, un veterano de Vietnam experto en la lucha antiguerrilla. Sobre Debray, Guevara anota: «El francés planteó con demasiada vehemencia lo útil que podría ser fuera.» Esa «demasiada vehemencia», en la pluma del Che, ha acarreado numerosos comentarios, más o menos acerbos, sobre el valor del joven universitario, brillante en la teoría pero no tanto en la práctica. Basta, sin embargo, para hacer justicia al reproche, leer lo que el Che escribió una semana antes, el 21 de marzo. «Viene a quedarse, pero yo le pedí que volviera a organizar una red de ayuda en Francia y de paso fuera a Cuba, cosa que coincide con sus deseos de casarse y tener un hijo con su compañera.» Inti Peredo le confirmará: «Che nos explicó que en esas circunstancias el filósofo francés era más necesario afuera que adentro.»[80] En 1979, Pierre Goldman le hará a Debray la pregunta sin ambages. «Si hubieras manifestado ese deseo, habrías podido quedarte al lado del Che. No lo hiciste. ¿Por qué?» Respuesta. «No estaba maduro para la muerte.»[81]

Cortados del mundo

Pocos días más tarde se produce la primera muerte en combate de un guerrillero. El 10 de abril, en Iripiti, junto a un afluente del río Ñancahuazú, aguas abajo de la casa de la Calamina, tienden una emboscada a una patrulla militar. «Un muerto, tres heridos, seis prisioneros», consigna con frialdad Guevara. Del lado de los rebeldes el capitán cubano Suárez Gayol, alias el Rubio, es fulminado por una bala en la cabeza. Viceministro del Azúcar y miembro del Comité Central, trabajó durante mucho tiempo con el Che en Industria. «La primera sangre derramada fue cubana», observa Ramón quizá en respuesta a lo que considera «una tendencia [...] a menospreciar a los cubanos», sobre todo entre los bolivianos de la vanguardia.

Tras la extenuante «larga marcha», ha sido necesario abandonar los tres campamentos complementarios antes de haber recuperado realmente las fuerzas. Las delaciones de los desertores no permiten ya gozar de la rudimentaria comodidad organizada en esa selva, donde el Che había previsto permanecer por un año. Trincheras defensivas y estacas se han vuelto inútiles. Se abandonan el huerto y el gallinero, el horno para el pan, algunas chozas de ramas y numerosos escondrijos que contienen conservas, municiones, medicinas, documentos, libros, papeles y dos máquinas de escribir, incongruentes en semejante lugar. ¿Imprudencia o convicción de que van a regresar y los escondrijos seguirán intactos? También son ocultados numerosas fotografías y algunos diarios de campaña. Este material ofrecerá al ejército una suculenta fuente de información sobre la identidad de los guerrilleros y su estado de ánimo, pues la iconografía de esa guerrilla incipiente es rica. Cada uno, convencido de que está «haciendo historia», ha querido señalar su aporte en el gran libro de oro de la revolución. El Alto Perú, convertido en Bolivia, fue «inventado» por Simón Bolívar; ¡cuál no habría sido la gloria, grande ya, del Libertador si hubiera tenido un fotógrafo para inmortalizar su epopeya!

La columna, que sigue organizada en tres grupos, se pone en movimiento el 3 de abril. Cuenta con los mismos cuarenta y siete hombres, incluyendo a los visitantes y la resaca. «La situación no es buena —escribe Ramón en su balance de fin de mes—. Evidentemente, tendremos que emprender el camino antes de lo que yo creía [...] y con el lastre de cuatro posibles delatores.» Al pasar de nuevo ante el lugar del combate de Ñancahuazú, no pueden dejar de contemplar el macabro espectáculo de los esqueletos de los soldados muertos: «Las aves de rapiña habían ejercido su función con toda responsabilidad.» Guevara propone a Debray y Bustos que elijan entre: «seguir con nosotros, salir solos o tomar Gutiérrez [una aldea cercana], y de allí tentar fortuna en la forma que mejor se pudiera; eligieron la tercera.» Para Tania y el Chino, elementos importantes de la base de retaguardia, se elabora un plan especial para «exfiltrarlos». Por el camino, los guerrilleros detienen a cuatro campesinos que llevan unas vacas del vecino Algañaraz y les compran dos animales. A uno de los campesinos, natural de Camiri, «que se mostró muy receptivo [...] le dimos el documento [número 1] y prometió difundirlo» (Che, 6 de abril).

¿Advierte el Che lo ridículo de ese acto? ¡Confiar, para su difusión, un comunicado a un campesino encontrado por casualidad —¿sabrá leer al menos?—, provisto, además, de un salvoconducto del ejército! ¿A eso ha quedado reducido el sistema de comunicación de la guerrilla? ¡Lamentablemente así es! Para dar a conocer la «verdad revolucionaria», despertar las buenas voluntades, movilizar la solidaridad, los guerrilleros ya sólo pueden contar con la casualidad, el «boca a boca», el contacto personal. Desde ese momento Guevara y sus hombres quedan aislados del resto del país (y de Cuba). Aunque su combate sea magnífico, sólo será conocido por las informaciones que de él darán sus adversarios. Apenas si conservan un maltrecho aparato de radio que puede recibir mensajes codificados de La Habana pero es incapaz de enviarlos. Otro aparato, grande y pesado, un Transoceanic, capta únicamente las informaciones de las emisoras locales o periféricas. Están incomunicados, cortados, separados del mundo. La imposibilidad de dar a conocer su situación, de pedir socorro, será tal vez la causa esencial de la tragedia.

Unas horas más tarde, aquel mismo 10 de abril, la pérdida de Suárez Gayol queda vengada. En vez de replegarse —«muerde y huye», dice la consigna guerrillera—, el comandante Ramón hace lo contrario. Tiende una segunda emboscada casi en el mismo lugar. Los refuerzos que llegan caen en la trampa. «Siete muertos, cinco heridos, veintidós prisioneros en total.» Entre ellos el comandante, Rubén Sánchez, que no carece de carácter. Se niega a dar a sus hombres la orden de rendirse, y también a que le quiten su pistola —«propiedad personal», afirma—. Se la devuelven sin su cargador. Espera ser ejecutado, pero no es así. Le explican que la guerrilla no utiliza este tipo de métodos. Se inicia entonces, mientras los guerrilleros cuidan a los heridos en torno a la hoguera, una discusión política donde cada cual explica por qué combate. El Che, que escucha sin dejarse ver, pide a Inti que se hace pasar por el jefe, que proponga al enérgico y generoso oficial que se una a la guerrilla. Éste se niega, pero se compromete a dar a conocer el comunicado que le entregan en dos ejemplares. Uno de ellos será sometido a las autoridades militares. Y el otro, en cumplimiento de su palabra, lo hará llegar a través de su hermano a un pequeño periódico de izquierdas de Cochabamba, *Prensa Libre*, que lo publicará el 1 de mayo de 1967, provocando una gran conmoción en el mundo político boliviano.

Dada la topografía, está claro que la guerrilla sólo puede desarrollarse a escala de caminata; es decir un área reducida de cien a doscientos kilómetros cuadrados. En esa región de bosque espinoso, de valles estrechos, tupidos y muy arbolados, el camino difícil y lento se cuenta por horas de recorrido más que por kilómetros. Tal vez por haber leído a Mao o al general vietnamita Giap, el Che recurre a una figura básica del juego de go, la del «cerco mutuo». Mientras los militares preparan su respuesta, él retrocede por otro itinerario y vuelve a detenerse unos días en el campamento del oso, advirtiendo que el lugar ha sido visitado por el ejército que no lo ha registrado bien; y también por algunos periodistas, más curiosos, pero eso lo sabrá más tarde.

Al soltar a los prisioneros, Coco Peredo les endilga un discursito: «Soldados, ustedes son nuestros hermanos. Les dejamos los uniformes para que no tengan frío pero nos quedaremos con sus botas porque las necesitamos. El ejército les dará otras.»[82] Y en el comunicado número 2, que al igual que los siguientes no será hecho público mientras viva, Guevara se indigna de que «los jefes del ejército manden a reclutas, casi niños, al matadero». Según la revista boliviana *Primera Plana*, el general Ovando expresará, por el contrario, la opinión de que «era sin discusión una mala táctica por parte de los guerrilleros dejar que unos veinte hombres volvieran a su base. Habrían debido [...] matarlos...» (!)[83]

La necesidad de evacuar sin tardanza al francés y al argentino lleva al Che a tomar una decisión en apariencia intrascendente, cuya gravedad nadie supo evaluar en ese momento. El 17 de abril, en respuesta al deseo de los visitantes de marcharse cuanto antes —Bustos es el que más acucia—, Guevara abandona, en principio sólo por unos días, a la muy lenta retaguardia que está al mando de Joaquín, el comandante Juan Vitalio Acuña. Éste es un robusto campesino de la Sierra Maestra, un veterano de la columna del Che en Cuba. Ha sido ascendido a comandante y miembro del Comité Central del partido. A sus cuarenta y dos años, es el de mayor edad del grupo, el «decano» de los guerrilleros. Se puede contar con él. Ramón le confía, además de los cuatro *resacas*, a tres enfermos —Moisés Guevara que sufre cólicos hepáticos, Tania y Alejandro que tienen mucha fiebre y el cuerpo hinchado por todas partes— con el Negro, el médico peruano, y nueve compañeros más. En total son diecisiete, de ellos cuatro cubanos.

Nunca más volverá a verlos. Iquira, el lugar de la cita, se ha puesto imposible a causa de los cordones militares. Durante cuatro meses y medio, unos y otros darán vueltas en redondo por un paisaje atormentado, sin conseguir ponerse de nuevo en contacto. A veces les separará sólo un kilómetro, distancia suficiente para no encontrarse en un relieve escarpado. Sus escasos walkie-talkies están hechos polvo, las pilas agotadas. Esta mutua búsqueda obligará a ambos grupos a vagabundear por una región que el ejército declarará «zona roja», donde las pocas vías de comunicación son fáciles de controlar y los campesinos desconfiados; tan escasos, además, como los manantiales. Con la muerte al final del camino.

El 19 de abril, los hombres de guardia detienen a un personaje del que nunca se sabrá si es un agente de la CIA o realmente un periodista-fotógrafo *free lance*, como afirma: George Andrew Roth, con doble nacionalidad británica y chilena. Ha tenido éxito donde los soldados han fracasado. Lograr que lo acompañen hasta la guerrilla dos chiquillos del pueblo de Lagunillas, que saben ya que los guerrilleros andan por allí. Su estancia es breve, sólo unas horas, el tiempo de ser interrogado por Inti Peredo y despertar sus sospechas. El Che escribe en su cuaderno que se trata de un «presente griego», pensando sin duda en el partido que había obtenido Fidel Castro de la entrevista concedida a Herbert Matthews, del *New York Times*, en la Sierra Maestra. Pero aún no es hora de mostrarse. Inti da apenas a Roth unas migajas de información y los comunicados del ELNB (Ejército de Liberación Nacional de Bolivia). Material insuficiente para una buena exclusiva, pero valedero para confirmar que los guerrilleros existen. El Che escribe: «El francés pidió plantearle el problema al inglés y, como una prueba de su buena fe, que ayude a sacarlos.» Así lo deciden. En plena noche, Roth, Bustos y Debray son abandonados junto a la carretera a cinco kilómetros de la aldea de Muyupampa, donde llegan al amanecer del 20 de abril.

En la aldea al parecer un minúsculo detalle llama la atención de una patrulla militar y les dan el alto. El suboficial que examina los papeles de los tres «periodistas» —la prensa merodea ya por la zona— advierte que las mejillas de Debray conservan algunos largos pelos rubios que han escapado a la navaja. Y todo lo barbudo es sospechoso. En la mochila del francés los útiles de afeitar están húmedos todavía.[84] Debray ha intentado darse un aspecto más «civilizado» procurando, en campo abierto, borrar a toda prisa varias semanas de una pilosidad no precisamente apreciada por los militares. Pero el resultado no es muy bueno; los tres son detenidos, dando inicio a un episodio que agitará los medios de comunicación de todo el mundo, hará que un numeroso público descubra la existencia de Bolivia y llevará a intervenir a Sartre, Bertrand Russell e incluso al general De Gaulle. Éste será pronto el «caso Debray», y con tela de fondo el «misterio Guevara».

Algunos detalles parecen haber contribuido a salvar la vida del francés. Una fotografía, un antiguo prisionero de la guerrilla, un coronel diplomático y... la CIA. Hugo Delgadillo, corresponsal local del principal diario de La Paz, *Presencia*, intercambia unas palabras con los miembros del trío en el patio de la comisaría adonde los han llevado, cuando todavía no han sido identificados y apenas están vigilados. Toma una fotografía de Debray conversando con el cura (alemán) de Muyupampa. Tras una inverosímil peripecia en la que el rollo de película pasó de mano en mano hasta llegar a La Paz, el diario publica la foto el 3 de mayo de 1967. En esta fecha, el autor de *¿Revolución en la revolución?* ha salido ya del coma provocado por las fuertes palizas que siguieron a su arresto, pero sigue aislado, como sus compañeros, e incomunicado. Nada impide declarar que ha muerto; las radios y los periódicos no se privaron de ello. En París, *France-Soir* da la noticia en un suelto el 23-24 de abril de 1967. Pero, tras la publicación de la fotografía, la tesis de la muerte durante un enfrentamiento con la guerrilla es insostenible.

La suerte del «guerrillero francés» no está por ello decidida. De no ser por la intervención de un oficial, «el odio visceral de los suboficiales [...] que se embriagaban con cerveza para darse valor»[85] los habría impulsado a matar a aquel reticente joven rubio. El oficial compasivo es aquel comandante Rubén Sánchez capturado y liberado hace unos días, en Iripiti, por unos insurrectos cultos que le hablaron de dignidad nacional y del combate antiimperialista. Pero el comandante no está siempre presente. Son entonces los agentes americanos del FBI y la CIA, «consejeros técnicos» amablemente ofrecidos por Estados Unidos al ejército boliviano, quienes impiden el linchamiento. Necesitan un prisionero lúcido y en buen estado para sonsacarle la máxima información. «Tal vez fuera la CIA quien me salvó la vida —dirá no sin ironía Debray—. ¿Por qué dos meses incomunicado? Para darle a la CIA tiempo de cumplir su misión.»[86] Dominique Ponchardier, un soldado de gran corazón a quien el general De Gaulle nombró embajador de Francia en Bolivia antes de su gira latinoamericana de 1964, utiliza su «fraternidad militar» con el general-presidente Barrientos para lograr que se respete la vida a su compatriota y, si es posible, no le torturen demasiado.

Entretanto, los expedientes de los servicios de información se han enriquecido con valiosas confidencias. Bastaron dos días de interrogatorio para que el argentino Ciro Roberto Bustos desembuche incluso más de lo pedido. Han comprobado en sus documentos su verdadera identidad, y encontrado fotografías de su mujer y su hija. Lo amenazan con perjudicar a su familia. Cede enseguida y lo cuenta todo. La presencia del Che con el nombre de Ramón, el número y el nombre de los guerrilleros, el papel de Tania, el emplazamiento de los escondrijos de las armas, los senderos secretos abiertos en la selva.

El agente de la CIA está encantado. «Escríbalo todo», pide. «Lo escribiré todo y no sólo eso [su declaración tendrá casi veinte mil palabras], intentaré también hacer de memoria bocetos de algunos rostros de guerrilleros que recuerdo», responde en una declaración grabada el 23 de abril.[87] Valiéndose de sus dotes de observación y su formación de pintor, proporciona a continuación una descripción física, notablemente precisa, de todos los guerrilleros. Y la ilustra con dieciocho retratos no menos útiles para la búsqueda. El de Guevara le muestra con la pipa en la boca, la melena menos espesa en lo alto del cráneo que a los lados (debido a la antigua calvicie artificial), y sobre todo con las características protuberancias de los arcos superciliares. «Bustos cantó enseguida —murmura Debray evocando sus recuerdos—. Mantuvo con el Che un doble juego muy feo. Presentó un rostro distinto pero ni un solo instante creyó en todo aquello. Le había sorprendido que el Che lo llamara. Ya no estaba en el ajo. Es un tipo de gran habilidad, un simulador rápido. Su papel fue muy nefasto.»[88]

La CIA se anota otro tanto cuando hace caer en una trampa a Jorge Vázquez Viaña, el Loro. Dos días después de haber «exfiltrado» a sus visitantes, el Che y sus hombres requisan una camioneta de los YPFB.* En la confusión del enfrentamiento, el Loro se extravía. Se encuentra solo e intenta en vano reunirse con sus camaradas. Denunciado por un campesino, es herido y capturado el 27 de abril. Lo operan en el hospital de Camiri, donde un agente de la CIA, exiliado cubano anticastrista, le hace creer que es un enviado de Cuba para ayudar al Che y consigue ganarse su confianza. El Loro se confía entonces, ignorando que lo están grabando todo. Después, será torturado y ejecutado, y su cuerpo arrojado a la selva desde un helicóptero. «Demasiado inteligente y demasiado valeroso para que le dejemos vivo», habría sentenciado un agente de la CIA ante el oficial boliviano que más tarde repetirá sus palabras.[89]

Debray ignora esas confesiones pero sus interrogadores demuestran poseer informaciones tan precisas («como suele decirse, hay detalles que no engañan. [...] No me lo podía creer») que el 12 de mayo, veinte días después de Bustos, se resigna a decir lo mínimo. «Puesto que ya lo sabían todo, decidí confirmar las evidencias, y nada más. Sí, les había mentido. Sí, había visto al Che para hacerle una entrevista».[90]

* Yacimientos Petrolíferos Fiscales Bolivianos.

El asunto repercute fuertemente en el extranjero. «Aquella primera semana de mayo —escribe Ponchardier— fue el gran estreno de las peticiones mundiales. Llegaban de todos los países. El caso había movilizado a periodistas, escritores, filósofos, políticos y demás personalidades del mundo entero. Lo que no hacía sino aumentar el furor de los bolivianos.»[91]

Crear un segundo Vietnam

20 de abril de 1967, 11 de la mañana. En la carretera, a lo lejos, traqueteando entre una nube de polvo, se acerca una camioneta que enarbola bandera blanca. Es una delegación insólita. El cura de Muyupampa, el médico y el subprefecto —pequeña autoridad local— van a parlamentar con los guerrilleros. Temen que la batalla produzca daños en su pueblo, al que han llegado los militares. Inti Peredo, que sigue actuando de portavoz, pide víveres y medicinas. Los aldeanos prometen llevárselos aquel mismo día y, de paso, cuentan que a primeras horas de la mañana han sido detenidos tres extranjeros, un francés, un argentino y un inglés. La promesa de avituallamiento no será cumplida. A la hora fijada, dos aviones militares son enviados a bombardear la finca donde se ha celebrado la entrevista.

El Che busca a Joaquín y Joaquín busca al Che. Durante los meses siguientes, la estrategia y la táctica de ambos grupos se reducirán a esta ecuación sencilla, pero irresoluble cuando es necesario ocultarse; los campesinos atemorizados no dan informaciones y mil soldados patrullan la región, controlando caminos y senderos. Pasado ya el plazo previsto y viendo que nadie llega, Joaquín ha comenzado a moverse por la zona en la que cree que debería encontrarse el Che. Éste hace el mismo razonamiento. Pero no se encuentran. Jamás una tirada de dados abolirá el azar. En la carretera de Muyupampa a Monteagudo, Joaquín se apodera de un camión de víveres (21-22 de abril). Aquella noche ambos grupos están muy cerca, pero no lo saben. De hecho, a partir de su división en dos columnas, la guerrilla iniciará su declive. Hasta entonces, aunque no haya abierto las hostilidades, ha tomado la iniciativa de tender las emboscadas. En adelante se verá obligada a permanecer a la defensiva, pues cada una de las dos columnas tiene por objetivo buscar a la otra sin saber dónde.

El 25 de abril es una de las fechas que Guevara clasifica como «días negros». Un destacamento de sesenta hombres sigue los pasos a los guerrilleros, cuando aún no han tenido tiempo de preparar su emboscada. Detienen en seco el ataque militar cargando contra la vanguardia, conducida por unos guías acompañados por perros pastores. Pero Rolando cae. El Che, que suele mostrarse reservado en su diario, donde establece casi con frialdad el balance de las pérdidas humanas, deja aflorar aquel día su pesadumbre. El capitán Eliseo Reyes, de veintisiete años, miembro también del Comité Central del PC cubano y lector de Stendhal, es un veterano de la columna del Che. «Hemos perdido el mejor hombre de la guerrilla —escribe Guevara—, [...] compañero mío desde que, siendo casi un niño, fue mensajero de la columna 4.» Y citando entonces un verso del *Canto a Bolívar* de Neruda, anota: «De su muerte oscura sólo cabe decir, para un hipotético futuro que pudiera cristalizar: "Tu cadáver pequeño de capitán valiente ha extendido en lo inmenso su metálica forma." [...] La muerte de éste último [Rolando] es un severo golpe, pues lo pensaba dejar a cargo del eventual segundo frente.»

Abril de 1967 fue rico en acontecimientos, en combates, en novedades, pero el Che escribe con lucidez: «El aislamiento sigue siendo total; las enfermedades han minado la salud de algunos compañeros, obligándonos a dividir fuerzas, lo que nos ha quitado mucha efectividad.» Y añade una frase que será muy glosada: «La base campesina sigue sin desarrollarse; aunque parece que mediante el terror planificado lograremos la neutralidad de los más, el apoyo vendrá después.» Observación bastante terrible, en efecto, ya que por esa vía podrían introducirse los Pol Pot y demás adeptos de los «senderos luminosos»; pero signo evidente, también, de esa «movilización campesina inexistente» que aparece, como un estribillo, en los cuadernos.

En su autobiografía *La muerte del cóndor*, Dominique Ponchardier menciona a este respecto una observación de un miembro de los servicios de información bolivianos que perseguían a los guerrilleros: «El Che parecía encontrarse en la situación de Lenin en 1920, durante su fracaso en Polonia, cuando explicaba que "nuestra valiente vanguardia [...] se veía regularmente privada de pan. Tenía que requisar pan y demás alimentos entre los campesinos polacos. Por eso los polacos vieron en nuestro Ejército Rojo a unos enemigos, no a unos hermanos y libertadores".»[92] ¿Puede dicha cita aplicarse al caso de la guerrilla del Che?

Si se hubiera realizado un estudio socioeconómico de la región antes de elegir casi a ciegas el «imposible» paraje del Ñancahuazú, aquél habría revelado que desde la época incaica y antes inclusive, aquella zona fronteriza entre dos sistemas morfológicos ha sido un espacio vacío o muy poco poblado. Una especie de tierra de nadie donde la geografía ha prevalecido sobre la historia, dificultando la implantación humana. Los escasos campesinos, hoscos y aislados, en su mayoría de origen guaraní, son allí más «cerrados» que en otra parte, desconfiados, hostiles a los contactos, impermeables a las influencias culturales exteriores. Guevara ignora también que, para «colonizar» esos territorios, el gobierno de Paz Estenssoro ha llevado allí agradecidos campesinos pobres de la región de Cochabamba, que sólo hablan el quechua. Su único vínculo con el resto del país pasa por el ejército, que les proporciona una pequeña logística de base: comunicaciones, atención médica de urgencia, etc. Cuando el comandante Ramón aparece con sus barbudos armados y harapientos, es comprensible que la primera respuesta de los campesinos sea el miedo, la suspicacia, la delación.

La paradoja es que mientras Guevara, «incomunicado», jadea bajo su fardo de treinta kilos para avanzar por la seca jungla del Chaco, su nombre vuelve a aparecer con más fuerza en los diarios, las emisoras de radio de Bolivia y de América Latina. Pese a que en principio haya renunciado a cualquier cargo, cualquier función dependiente del Estado cubano, el 17 de abril de 1967, *Granma* publica en La Habana con la firma del «comandante Ernesto Guevara» y a dos páginas, un «Mensaje a los pueblos del mundo a través de la Tricontinental».[93] El texto, que no tiene fecha, fue probablemente escrito en septiembre u octubre de 1966 —«veintiún años después de la rendición del Japón» (producida en septiembre de 1945)—, antes de que el Che saliera de Cuba hacia Bolivia. Los cubanos dan a conocer ese manifiesto cuando se reúne, mucho más modesta que la de enero de 1966, una segunda Conferencia Tricontinental en La Habana.

De aquella exhortación que agitó los campus y movilizó las masas, sólo se mantuvo aquello de «¡Crear dos, tres, muchos Vietnam más! ¡Ésa es la consigna!». El mensaje merece ser leído por completo, no por la sutileza del análisis de la situación mundial —la habitual descripción del mundo dividido en dos, los imperialistas y los demás, nada tiene de original— sino por la carga de cólera que expresa, la rabia intensa que se transforma en grito de guerra contra Estados Unidos, «el gran enemigo del género humano» (aún no se dice el «gran Satán»). El comandante anuncia que «surgirán nuevos focos de guerra [...] como sucede ya en Bolivia». Y aclara su sentido: «América, continente olvidado [...], tendrá una tarea [...]: la de crear el segundo o el tercer Vietnam del mundo.» Así pues, confía en que lo que fracasó en el Congo triunfe en Bolivia y luego en otras partes, en todo su continente natal.

Pero revela sobre todo, sin adornos retóricos, lo que debe ser la clave de un combate «largo y sangriento»: el odio. «El odio como factor de lucha; el odio intransigente al enemigo, que impulsa más allá de los límites naturales del ser humano y lo convierte en una eficaz, violenta, selectiva y fría máquina de matar.»

A veces, como el 3 de junio, la fría máquina de matar se encasquilla. El profeta del odio necesario deja pasar «un camión del ejército, el mismo de ayer, con dos soldaditos envueltos en frazadas en la cama del vehículo. No tuve coraje para tirarles...» Pero, salvo excepciones de este tipo (que el escritor argentino Ernesto Sábato evocará en una de sus novelas),* Guevara en su texto llega más lejos que Frantz Fanon, el cual admitía que «el odio, el resentimiento, el legítimo deseo de venganza no pueden alimentar una guerra de liberación».[94] El Che convierte el odio en el principal instrumento de esta liberación: «Un pueblo sin odio no puede triunfar sobre un enemigo brutal.» No se diferencia de Escipión, personaje del *Calígula* de Camus, que proclama con gravedad: «Lo mejor que hay en mí es el odio.»[95]

Este mensaje de combate se ha citado numerosas veces, porque es lírico, bien acompasado y de largo alcance. A quince años de distancia —toda una vida, toda su vida— cierra el círculo de la «anunciación» recibida cierta noche de 1952, en el silencio y el frío de los Andes venezolanos. Con veinticuatro años de edad, por aquel entonces, tras haber oído una misteriosa boca de sombras, escribía: «Teñiré mi arma con sangre y, loco furioso, degollaré a todos los vencidos [...] Me veo caer, inmolado a la auténtica revolución.»[96] Esta vez supera el «¡Viva la muerte!» franquista; dibuja los contornos de su propia oración fúnebre. «En cualquier lugar que nos sorprenda la muerte, bienvenida sea, siempre que ese nuestro grito de guerra haya llegado hasta un oído receptivo, y otra mano se tienda para empuñar nuestras armas y otros hombres se apresten a entonar los cantos luctuosos con tableteo de ametralladoras y nuevos gritos de guerra y de victoria.» Recuérdese la sentencia de la Revolución Francesa encontrada en su manual de historia, que de niño copiaba cuando se interesaba por la grafología: «Soy un poco de sangre que fertiliza la tierra de Francia», había dicho su héroe al subir al cadalso. La filosofía no ha cambiado. Estamos escuchando a Tertuliano: la sangre, simiente fecunda...

---

* *Abaddón el exterminador.*

El Che observa prosaicamente en su resumen de abril: «Luego de la publicación en La Habana de mi artículo, no debe haber duda de mi presencia aquí.» Se equivoca. Las dudas continúan. A pesar del detallado testimonio de Bustos y la «confesión» de Vázquez Viaña, que Régis Debray acaba confirmando a *mínima*, sólo los servicios de información militares y la CIA local están casi convencidos de que el Che Guevara está efectivamente allí, agazapado en alguna parte de un triángulo cuya superficie se reduce poco a poco. En público, el gobierno negará durante mucho tiempo la presencia del temible guerrillero; y Barrientos, que no desdeña la importancia del «foco de subversión», deja en la sombra el nombre de una superestrella de la guerrilla, cuya presencia en el territorio nacional daría demasiado fulgor a la rebelión.

Uno puede preguntarse por qué el Che no decidió revelar su verdadera identidad. Eso habría acrecentado sin duda la represión y probablemente el ejército boliviano hubiese justificado la ayuda «amistosa» de Estados Unidos (que de todos modos se produjo). Pero el anuncio de que el comandante Guevara, buscado en el mundo entero, estaba a la cabeza de un ejército de liberación en Bolivia habría podido ser «la chispa que incendia la pradera», como decía Mao, provocando un amplio movimiento de simpatía y adhesión en una población muy politizada. Puede pensarse incluso que se habrían formado brigadas internacionales en América Latina, y tal vez en otras partes. Lo que hubiera desembocado en esa *vietnamización* del conflicto a la que Guevara apelaba cuando exigía «ejércitos proletarios internacionales» y señalaba, con torpe estilo: «Cada gota de sangre derramada en un territorio bajo cuya bandera no se ha nacido es experiencia que recoge quien sobrevive.»

El Che no lo hizo. ¿Tiene aún con qué? ¿Acaso era demasiado tarde? En silencio, con sus fatigados compañeros, cargando con su asma y un aparato receptor pero no emisor, sigue enzarzado en el monte, buscando en incompletos mapas desconocidos senderos. ¿Aptitud para el supremo sacrificio? Perfecta. ¿Sentido de la comunicación? Nulo. ¿Inteligencia? Notable. ¿Flexibilidad mental? Apenas mediana. Pues en el fondo sigue aplicando el rígido esquema «sierra versus llano» en un país cuya tradición tiene sus raíces en las luchas sindicales de los mineros del estaño. Además, para reflexionar necesitaría un respiro. Y el Che ya no lo tiene. Su lento y errabundo caminar no es una fuga, pero se le parece. Tal vez aceptaría llamarlo «retirada marcial» si no temiera despertar, como en el Congo, (respetuosas) chanzas de sus compañeros.

Los guerrilleros errantes

Uno siente cierto pudor al utilizar los diarios de campaña de los guerrilleros, pues sus autores nunca habrían imaginado verlos algún día entregados tal cual al público, descarnadamente íntimos. Pero esos garabatos apresurados de hombres derrengados, hambrientos y sudorosos revelan mejor que cualquier otro relato la prosaica verdad de la guerra de guerrillas, la permanente hazaña de sobrevivir y luchar, a partir de la cual pueden elaborarse las grandes declaraciones de liberación nacional o continental. Para crear un «segundo Vietnam» en Bolivia, es necesario comenzar por que no te duelan los pies, superar el malestar de los intestinos, ser capaz de avanzar cargado como una mula, resistir tres días o más sin comer ni beber. La «revolución» se reduce a las expresiones más elementales de la condición humana.

Pombo, al sobrevivir, será el único que pueda reescribir parte de sus notas, retocarlas, hacerlas «políticamente correctas».[97] La muerte interrumpe el diario de Rolando el 25 de abril y el de Braulio el 31 de agosto. A partir del 10 de abril, Moro, apodado también Morogoro (el teniente médico Octavio de la Concepción), no escribe más nada, está demasiado enfermo. Quedan los cuadernos de Guevara y de Pacho. Llevados con regularidad, son los documentos más completos, valiosos y ricos en informaciones, aunque transformen al lector en mirón indiscreto.

El hambre atraviesa el diario de Pacho, hasta el punto que uno lo ve regurgitar su pitanza —cuando la tiene— describiéndola así, día tras día. Pero las notas del comandante Montes de Oca —es su verdadero nombre— nos permiten ver las mil miserias del caminante, análogas sin duda a las que sufren sus compañeros. Algunos pasajes dan idea del valor, del empeño con que esos navegantes sin brújula se obstinaron en sobrevivir. «Tengo ampollas; tres clavos que me molestan desde que terminé la caminata anterior y cojeo del pie izquierdo» (19 de abril). «Hemos caminado en tantas direcciones por estas lomas, que no sabemos exactamente dónde estamos» (4 de mayo). «Con el peso de las armas y los machetes, sólo la voluntad y firmeza nos mantienen» (10 de mayo). «Me di un atracón y el estómago no resiste; y es terrible» (13 de mayo). «La mochila está tan pesada que se le zafó un tirante» (1 de junio). «Se ponen las manos que es difícil cerrarlas de la frialdad» (9 de junio). «Me saqué una nigua y un boro del tamaño de un frijol» (15 de julio). «Le saco a Fernando una garrapata de la espalda y él me sacó varias» (22 de julio). «Hace tanto tiempo que no me baño que no tengo ya olor definido» (8 de agosto). Lo hieren de bala y sus compañeros lo colocan en un caballo. Escribe: «Cada rato se me engancha el pelo en los árboles y da unos tirones como para arrancármelo por estar a caballo» (17 de agosto). «Los mosquitos le toman a uno el sudor y se meten a los ojos» (26 de agosto). «Hace tres días que no tenemos una gota de agua ni nada de comer» (28 de agosto). «Estamos muertos de hambre. Débil como nunca en mi vida había estado. Cada vez que me paro si no me sujeto a un árbol o me apoyo al bastón me caigo» (1 de septiembre).[98] De esta cotidianidad sin lirismos está hecha la vida de quienes, más tarde, serán calificados de «combatientes ejemplares».

Para los veinticinco hombres que constituyen el grupo que permanece alrededor del Che, toda la historia de la guerrilla, de mayo a octubre de 1967, no es más que un deambular vacilante impulsado por las necesidades elementales: encontrar agua, alimento, medicinas. Y la perdida columna de Joaquín. Cuando por la radio —su único medio de información— el Che escucha que dicha columna ha sido víctima de una matanza (31 de agosto), al principio se niega a creerlo. Tendrá que superar la depresión provocada por esa «amputación» para tomar la decisión (a comienzos de septiembre) de no seguir dando vueltas en redondo, romper el círculo infernal de la «zona roja» y poner rumbo al norte, hacia Chaparé o Beni. Son regiones más «civilizadas», más habitadas y por tanto más peligrosas, pero donde se pensó desde el comienzo abrir un «segundo frente».

Casi siempre a pie —algunos excepcionalmente a lomos de mulo o de caballo—, recorrerán en zigzag unos seiscientos kilómetros en casi seis meses, a la velocidad media de tres o cuatro kilómetros por día; y es que la extenuación se apodera de ellos en ese laberinto de abruptos cañones y gargantas cerradas por murallas calcáreas, donde deben elegir el fondo de los encajonados valles para evitar que les descubran en las desnudas cimas. En mayo afrontan tres escaramuzas sin sufrir pérdida alguna. En el campamento del oso, al que han regresado por última vez para recuperar conservas y armas ocultas en las «cuevas» que el ejército no ha descubierto, encuentran en el bolsillo de un subteniente muerto una carta de su esposa exigiendo la cabellera de un guerrillero (!). La caza del hombre ha comenzado pero, en este auténtico western los *cowboys*, los rangers en este caso, aún no están listos.

Pese a la paranoia que domina por aquel entonces en Estados Unidos a la CIA, obsesionada por descubrir «topos» en su seno, la sección América Latina de la agencia ha mandado algunos enviados muy especiales; no sólo para investigar la realidad de ese foco de guerrilla, tan cercano a instalaciones petrolíferas de sociedades norteamericanas —la Gulf Oil Company, en especial—, sino también para comprobar el rumor de la resurrección de ese Guevara, considerado ya muerto y enterrado. Richard M. Helms, el gran jefe, no cree en ello, convencido de que el Che ha sido liquidado por Castro y de que sólo se trata de una campaña de desinformación. Sin embargo, a partir de las informaciones obtenidas en los interrogatorios de Camiri y documentos y fotografías hallados en los escondrijos de Ñancahuazú, los informes no dejan lugar a dudas. El Che dirige la guerrilla.

Por su parte, el Pentágono ha comprendido que el ejército boliviano no da la talla. Hay desorden y desmoralización en sus filas; Barrientos, el general-presidente, no confía en su jefe militar, el general Ovando, que le paga con la misma moneda. Así pues, conviene formar rápidamente un cuerpo de elite. Los rangers, especialmente entrenados en métodos de contraguerrilla rural. El pequeño libro de Guevara *La guerra de guerrillas*, entre otros, ha sido leído y estudiado. Ya en abril, el Southern Command con base en Fort Gullick, Panamá, envió a cinco expertos militares y unos quince veteranos de Corea y Vietnam, al mando del mayor *Pappy* Shelton y el capitán Leroy Mitchell, un negro. Su misión consiste en transformar soldados poco motivados en combatientes aguerridos, dignos de los Boinas Verdes norteamericanos.

Se instalan en una refinería azucarera abandonada, La Esperanza, al norte de Santa Cruz. Desde Panamá, un puente aéreo les surte de alimentos, armas y equipo. El ejército boliviano manda a este centro de instrucción de fuerzas especiales, a seiscientos cincuenta hombres que formarán el regimiento Manchego. Entre ellos un tal capitán Gary Prado, hijo de buena familia de la región. Los viejos Máuser de la guerra del Chaco son sustituidos por modernos Garand. No sólo les enseñarán las últimas técnicas puestas a punto en Vietnam (como la detección con infrarrojos de cualquier fuente de calor, la de una hoguera por ejemplo), sino también la lectura de mapas detallados de la zona, trazados a escala 1/50.000 por las compañías petroleras. Por carecer de estos planos, Guevara se pierde y se está agotando en la selva.

El Che se halla en un aislamiento absoluto. En su análisis del mes de mayo recalca la «falta de contacto con Manila [La Habana], La Paz, y Joaquín, lo que nos reduce a los 25 hombres del grupo». Ajeno a la regla básica de cualquier comunicación —según la cual «hacer saber» es tan importante como «hacer»—, descubre, algo tarde y con cierta ingenuidad: «El clamoreo del caso Debray ha dado más beligerancia a nuestro movimiento que diez combates victoriosos.» Prosigue su marcha, derrengado pero voluntarioso. «Me sentía desfallecer y debí dormir dos horas para poder seguir a paso lento y vacilante; la marcha en general se hizo así [...]. La gente está débil y ya habemos varios con edema» (9 de mayo).

Cuando llegan junto al lago Pirirenda, a mil metros de altitud, encuentran alimento en la morada de un campesino. «Se hizo un puerco grande con arroz y frituras, además de zapallo.» Y luego, en su lenguaje sin florituras: «Día de eructos, pedos, vómitos y diarreas; un verdadero concierto de órgano» (13 de mayo). Tres días más tarde, la cosa se repite; esta vez se desmaya: «Al comenzar la caminata se me inició un cólico fortísimo, con vómitos y diarrea. [...] Perdí la noción de todo mientras me llevaban en hamaca. Cuando desperté [...] estaba cagado como un niño de pecho. Me prestaron un pantalón, pero sin agua, hiedo a mierda a una legua» (16 de mayo). Lo que el Che no dice pero cuenta Benigno, es que una vez vuelto en sí preguntó por sus pantalones sucios. Los compañeros le tranquilizan: «No se preocupe, comandante, los hemos enterrado sin dejar rastros.» «Ni hablar, pueden servir todavía», responde el comandante que desentierra la hedionda prenda, la envuelve tal cual en una lona y la mete en su mochila.

Esa afición a la suciedad, casi escatológica, concuerda con aquella antipatía por los cuidados personales que se remonta a su infancia. En Córdoba, su primera novia, Chichina, ironizaba sobre la duración «semanal» de la camisa de nailon, que él solía llevar blanca el lunes y gris al final de la semana. Calica Ferrer, el compañero de viaje de 1953, dio testimonio de ello: prefería pagarse un café con leche antes que una ducha. Si nos atenemos a su diario, Guevara reconoce no haberse lavado más de dos veces durante toda la guerrilla. «Se me olvidaba recalcar un hecho —anota el 10 de septiembre—: hoy, después de algo más de seis meses, me bañé.» Lo que nos remite a fines de febrero o comienzos de marzo, cuando intentaba convertir a sus hombres en buenos guerrilleros haciéndoles recorrer la región, en plan duro. Ahora, añade, «eso constituye un récord que ya varios están alcanzando». Benigno lo confirma, reconociendo que él mismo no se lavó entre el 11 de diciembre de 1966, fecha de su llegada a Ñancahuazú, y el 6 de enero de 1968. ¡Más de un año! «La mugre nos protegía...»[99]

El 14 de junio, un pequeño signo de interrogación en el cuaderno nos hace preguntarnos: ¿tan separado está ya el Che del mundo de la vida familiar y doméstica? Es la fecha de su cumpleaños, y también el de su tercera hija, la pequeña Celia, que Aleida quiso tener por medio de una cesárea aquel día de 1963 para ofrecérsela como regalo. Escribe: «Celita: (4?)»; ya no está seguro del año de su nacimiento. Por lo que a él se refiere, indica: «He llegado a los 39 y se acerca inexorablemente una edad que da que pensar sobre mi futuro guerrillero; por ahora estoy "entero".» Entero pero enfermo. Tres días seguidos (23, 24 y 25 de junio) el asma, vieja maldición, reaparece en su diario. «El asma me está amenazando seriamente y hay muy poca reserva de medicamentos.»

Todavía sufre las secuelas de un ataque cuando menciona por primera vez las «luchas en las minas» (24 de junio). «La radio argentina —dice— da la noticia de 27 víctimas; los bolivianos callan el número» (25 de junio). Al depender sólo de las noticias de la radio, el Che ignora que el gobierno de La Paz ha intentado aplastar en sus inicios un movimiento espontáneo de solidaridad con la guerrilla, comenzado por los mineros del altiplano, en especial en las minas de estaño de Huanuni y Siglo XX (donación de una jornada de salario, de medicinas, etc.). Barrientos, que el 12 de abril ha puesto fuera de la ley al PCB y al POR (trotskista) —muy influyente entre los mineros—, organiza una verdadera matanza. Al amanecer del 24 de junio, día de la tradicional fiesta de San Juan —fogatas, cantos, bailes y chicha—, el ejército «interviene» en los centros sindicales, que hacen sonar la sirena de alarma. Todos los que acuden son barridos por las ametralladoras. Es la «matanza de San Juan». Domitila, la esposa de un minero que relató la carnicería, afirmó que «cientos de muertos»[100] tuvieron que ser enterrados al día siguiente.

Con los fragmentos de información de que dispone, Guevara adivina que se trata de un signo importante. Redacta un «comunicado a los mineros de Bolivia» que es todo un llamamiento: «Camarada minero, las guerrillas del ELN te esperan con los brazos abiertos y te invitan a unirte a los trabajadores del subsuelo que luchan a nuestro lado.»[101] El comunicado sólo tiene un valor histórico. Ni siquiera saldrá de la mochila del guerrillero *incomunicado*.

Ello no atañe al carácter latinoamericano que Guevara desea darle a esta lucha y su estatus personal en dicha lucha. Benigno cuenta al respecto una anécdota minúscula pero significativa: «Un día, cuando íbamos a la toma de Samaipata, llegamos a un alto donde se divisan unos valles muy lindos. [El Che] me pide: "Tráeme un machete." Saco el mío y se lo presto. Entonces él se pone erguido sobre el caballo, levanta el machete y me dice: "El segundo Bolívar."

Me da su máquina fotográfica y yo le saqué la foto. [...] Él se ve que tenía una imagen de sí mismo, de lo que quería ser.»[102]

Mientras tanto, en la guerrilla se produce otro «día negro». El 26 de junio, una escaramuza «hace dos heridos: Pombo en una pierna y Tuma en el vientre». Este último muere horas más tarde, mientras el médico del grupo intenta operarlo a la luz de una linterna en casa de un campesino. El teniente Coello (Tuma) es un antiguo guardaespaldas del Che. «Se me fue un compañero inseparable cuya ausencia siento desde ahora como la de un hijo», escribe, precisando en su balance de junio que cada pérdida de un hombre «constituye una derrota». Pero no cede al desaliento. Anota: «La leyenda de la guerrilla crece como espuma [...] Nuestra moral es como el Illimani [6.322 m].»

¿Abandonados por Cuba?

La moral es alta pero los héroes están cansados. Tienen hambre y están enfermos. Necesitan medicinas, sobre todo para su jefe «Fernando» (nuevo nombre de guerra con el que el Che sustituye el de Ramón, desde el arresto de Bustos y Debray). Fernando va tirando como puede; no más «a pulmón» porque el asma se hace presente más que nunca, y ni siquiera tiene sus remedios indispensables. Trajo suficientes para aguantar por lo menos un año, pero la mayor parte se ha quedado en los escondrijos del Ñancahuazú; no imaginaba que su caminata sería tan larga, tan difícil. Le cuesta avanzar y lo han colocado a lomos de una mula comprada a unos campesinos. Advierte cuán difícil es establecer contacto con la gente del lugar: «A los habitantes hay que cazarlos para poder hablar con ellos, pues son como animalitos» (19 de junio).

Los compañeros del Che, preocupados al ver su padecimiento, le incitan a dar un «golpe». Será la ocupación relámpago de Samaipata. Durante una hora, alrededor de la medianoche del 6 de julio, los guerrilleros se hacen dueños de la pequeña población (1.700 habitantes), situada a setecientos metros de la carretera asfaltada que une las capitales de dos de las principales provincias del país, Santa Cruz y Cochabamba. Neutralizan el cuartel; un soldado que intenta resistir es abatido y sus compañeros, para retrasar la reacción de los demás, son abandonados desnudos a un kilómetro de allí. Los hombres del Che despiertan al farmacéutico, le compran una buena provisión de medicinas (pero ninguna eficaz contra el asma) y se retiran sin un arañazo en los vehículos requisados para entrar en la ciudad y que devuelven a sus propietarios tras indemnizarles por las molestias. Se han tomado el tiempo de comprar muchas conservas y algunos alimentos frescos. La operación de comando, ejecutada a ritmo rápido y estilo cinematográfico, hará noticia.

Pero es el último fulgor de una guerrilla cuya audaz imagen no revela cuánto está vacilando, tanteando entre ríos y quebradas en busca de Joaquín y su columna, persiguiendo un contacto, una posibilidad cualquiera de hacer saber a «la ciudad» y a Manila, qué crítica es la situación. Entre los despojos de los guerrilleros, Luis Reque Terán, el coronel al frente de la cuarta división con base en Camiri, encontrará un mensaje del Che para Fidel fechado a mediados de abril y que no pudo jamás ser enviado. Ramón anuncia el regreso de Dantón, con informaciones más completas, y dice que piensa abrir un segundo frente en Chaparé. Es conmovedor observar cómo, a medida que llegan de La Habana otras comunicaciones, Guevara añade a su mensaje una serie de aditivos inútiles, porque Fidel Castro nunca los recibirá.[103]

El 13 de mayo, Ariel (Juan Carretero), oficial operativo responsable de Bolivia ante Manuel Piñeiro en La Habana, solicita la conformidad del Che para poner su firma al pie de una petición en favor de Vietnam, encabezada por Bertrand Russell. Claro que «pueden usar mi nombre», responde Fernando en su cuaderno; pero es como si hablara a solas. Nadie oye su respuesta. Para las celebraciones del 26 de Julio cubano, se redacta un mensaje de felicitación firmado por Inti, comisario político boliviano del ELN. El texto se queda en la mochila, tan inútil como el primero. Idéntica sensación de irrealidad se produce cuando el Che anuncia la muerte de Tuma y Papi. ¿A quién? ¿Y cómo?

Este soliloquio del Che con sus papeles tiene un aspecto tanto más patético cuanto su confianza sigue inconmovible. Como si, sin creer en el milagro, pensara que a fuerza de voluntad la suerte cambiaría. Pero ningún rey mago vuelve a cruzarse en su camino. Muy al contrario, el único contacto cubano en La Paz, Renán Montero (Iván), regresa a la isla; ¡y no será sustituido! Por lo que se refiere a Rodolfo Saldaña, encargado en principio de la «red urbana», fórmula muy pomposa para una estructura minúscula, no brilla precisamente por sus iniciativas para intentar restablecer el contacto, a juzgar por lo que el Che dice en la evaluación trimestral que hace de los miembros de la guerrilla. «No es el hombre para este puesto» (20 de febrero). «Deficiente: no se integró cuando debía hacerlo. Su actitud debe ser contemplativa e irresoluta a juzgar por los resultados» (20 de mayo).[104] Si se exceptúa a Loyola Guzmán, cuya tarea es administrar las finanzas, no queda pues casi nadie a quien recurrir en La Paz. Perdido en sus áridas montañas, Guevara está solo. Sin baliza de socorro.

¿Fue el Che abandonado por Cuba? Es difícil responder de modo categórico a una pregunta tan grave. Pero ha de admitirse que La Habana no dio muestras de demasiado entusiasmo por restablecer de un modo u otro la comunicación. ¡El último mensaje enviado por Ramón a Manila se remonta al 23 de enero! Desde entonces, al silencio radiofónico por parte de la guerrilla en Cuba, sólo responde una inquietud modestísima en relación a los hechos. Teniendo en cuenta la reconocida eficacia de los «servicios» de Fidel Castro, podría organizarse algo para acudir en socorro del antiguo número 2 de la revolución, aunque la cosa no sea fácil. A fin de cuentas, la CIA ha conseguido infiltrar en la zona a muchos agentes —a menudo exiliados cubanos anticastristas—, torpemente camuflados como mercaderes ambulantes, cazadores o comerciantes. Roth, un «periodista» algo raro, ha conseguido efectivamente establecer contacto con la guerrilla interrogando a los campesinos (¿o ayudado por el ejército?). ¿Tamaña hazaña estaba tan fuera del alcance del eficaz departamento Liberación del Ministerio del Interior de La Habana?

Como sabemos, el Che supervisaba el apoyo de Cuba a los movimientos revolucionarios latinoamericanos. ¿Hubo pasividad deliberada por parte de Manuel Piñeiro, *Barbarroja,* en movilizarse en auxilio de Guevara, su antiguo superior, quien tal vez lo picó despreciando sus servicios al declarar que Bolivia era su asunto personal? ¿O también faltó, en todos los niveles, la indispensable luz verde de Fidel? El mero enunciado de semejantes preguntas parece iconoclasta, plantea interrogantes que agrietan la estatua de comendador de Castro. Pues a Guevara, «guerrillero heroico» por antonomasia, el embalsamamiento póstumo lo hará intocable. ¡Siempre que muriese!

Hay una segunda hipótesis que se maneja. Todo ello bien podría ser una maniobra de mala voluntad para satisfacer al KGB; en efecto, el servicio secreto soviético (informado por Monje, y hay quien dice que también por los hermanos Castro) buscaba apagar ese inicio de foco incendiario, que contraviene al equilibrio de coexistencia pacífica, necesitado por la URSS en aquel entonces.

Sin embargo, los miembros de la guerrilla sí se hacen toda clase de preguntas. Comienzan a decirse que tal vez los estén dejando extinguir en ese remoto Chaco. El guajiro Benigno no es un experto en estrategia política, pero tiene experiencia, sentido común, una fe revolucionaria inquebrantable y una ejemplar fidelidad al Che. Aunque éste le riña de vez en cuando porque, cuando hace de cocinero, se muestra más generoso con unos que con otros, durante su evaluación trimestral es el único a quien atribuye un «muy bueno» invariable.[105] Benigno, experto en técnicas de supervivencia, se da cuenta de que esta marcha incoherente y solitaria no tiene más salida que la muerte.

«Recuerdo que un día, discutiendo con Antonio, Pacho, Marcos y Urbano, Antonio [el capitán Orlando Pantoja, del Ministerio del Interior] le dijo a Marcos: "Olvídalo, todo lo que querían en Cuba era librarse de nosotros." Y aquel muchacho tenía una gran experiencia en esa clase de cosas pues había sido formado en misiones de seguridad. Nos preguntó: "¿A ustedes qué les parece?" Alguno le respondió: "Creo que es eso, chico. Yo también veo así las cosas." El Che, que nos escuchaba, nos miró y dijo: "¿No creen que están removiendo demasiada mierda?"» Benigno añadirá: «Su reproche fue bastante leve, pues nuestras palabras eran realmente duras. [...] Pensándolo de nuevo, me digo que [...] también él se hacía mala sangre, pero que prefería no hablar con ninguno de nosotros, por precaución. [...] A mi entender, el Che [...] no esperaba ya que Cuba nos ayudara. [...] Fidel habría podido ordenar a Piñeiro: "Arréglatelas como puedas pero sácame al Che de Bolivia." [...] Hubiera bastado con que Cuba pusiera un millón de dólares en manos de Ovando. [...] Si Fidel le hubiera dicho al pueblo cubano: "Debemos dejar de comer una semana para salvar al Che", pues bueno, el pueblo habría aceptado con los ojos cerrados.»[106] Testimonio conmovedor en su ingenuidad, pero sin duda contiene algo de verdad.

Estas especulaciones no son precisamente de las que levantan el ánimo de la tropa, pero no impiden a esos duros proseguir su camino. Puesto que ninguno de los medicamentos de Samaipata surte efecto sobre el asma del comandante, se encaminan de nuevo hacia el sur, de regreso al campamento de Ñancahuazú donde se encuentra, bien escondida, la valiosa farmacopea. Por el camino, escuchan con atención la radio cubana y la boliviana. El 24 de julio Guevara observa: «Raúl [Castro] refutó las calificaciones de los checos sobre el artículo de los Vietnam» (mensaje a la Tricontinental), lo que no es poca cosa viniendo del mayor incondicional de la línea de Moscú. «Los amigos —prosigue el Che [sin poner unas irónicas comillas, aunque se adivinen]— me llaman el nuevo Bakunin y se lamentan de la sangre derramada y de la que se derramaría en caso de tres o cuatro Vietnam.» La comparación con el revolucionario anarquista ruso no es un cumplido si la hacen los checos. Para los comunistas, Bakunin representa una abominación. Pero también sería un contrasentido creer que

Guevara, hombre de rigor y de método, pudiera ser asimilado a alguien que consideraba la insurrección como «una fiesta, una borrachera del alma». Cuba defiende, claro que de lejos, al comandante Guevara y la vía combativa que ha elegido, pero también tiene que obedecer los amargos imperativos de su dependencia económica.

En la lejana Bolivia, la «vía guevarista» comienza a sufrir reveses cada vez más serios. El 30 de julio los militares llevan las de ganar en una escaramuza nocturna. Dos muertos en las filas de la guerrilla, uno de ellos Martínez Tamayo (Ricardo), «el más indisciplinado [...] pero un extraordinario combatiente», y un herido, Pacho. «Se pierden once mochilas con medicamentos, prismáticos y algunos útiles conflictivos, como la grabadora en que se copian los mensajes de Manila, el libro de Debray [¿Revolución en la revolución?] anotado por mí y un libro de Trotski [Historia de la revolución rusa]» (31 de julio).

Lo más grave tal vez sea que el propio comandante ya no puede más. «El asma me sonó muy duro y ya agoté la última inyección antiasmática» (2 de agosto). El 8 de agosto pierde la sangre fría que sus compañeros siempre han admirado. La pequeña mula que le lleva está exhausta. Retrasa la marcha del grupo, obliga a esfuerzos suplementarios para abrir a machetazos senderos más anchos en la jungla espinosa. En la columna, los hombres murmuran. En su impaciencia la toma con la pobre bestia y, en cierto momento, le da una cuchillada en el cuello, hiriéndola gravemente. «[...] Por la noche reuní a todo el mundo haciéndole la siguiente descarga: estamos en una situación difícil [...]. Yo soy una piltrafa humana y el episodio de la yegüita prueba que en algunos momentos he llegado a perder el control [...]. Este tipo de lucha nos da la oportunidad de convertirnos en revolucionarios, el escalón más alto de la especie humana, pero también nos permite graduarnos de hombres; los que no puedan alcanzar ninguno de estos dos estadios deben decirlo y dejar la lucha.» Benigno cuenta la continuación: «Le preguntábamos: "Bueno, pero ¿qué va usted a hacer?" Y respondía: "Yo, por desgracia, soy de nuevo el Che. Ya sólo me queda convertirme en un animal de la selva entre otros."»[107] Al día siguiente (9 de agosto) una observación aparentemente anodina en el diario revela cómo se degrada su salud, añadiendo a los sufrimientos del asma otras causas de dolor: «Me abrieron un ántrax en el talón, lo que me permite apoyar el pie, pero todavía muy dolorido y con fiebre.» 15 de agosto: «Hay que abrirme otro absceso en el mismo pie.» 16 de agosto (¿venganza animal): «La mula me sacó limpio de la montura al pincharse en un palo.

Días negros

Cortada en dos, durante algún tiempo la guerrilla ha dado la impresión de estar en todas partes. La creían aquí y se manifestaba allá. Hasta que el ejército, ayudado por la CIA, comienza a delimitar la zona de operaciones de ambas columnas. Pero los guerrilleros, en cambio, sólo disponen de las informaciones que da la radio boliviana, a propósito de esta o aquella escaramuza, para intentar situar aproximadamente en sus imprecisos mapas, los puntos donde combaten sus compañeros.

Antes de poner en marcha su grupo Joaquín esperó diez días a un Che que no volvía. Son diecisiete, pero la mitad de los mismos no son combatientes. Además de Tania, valerosa pero disminuida, los enfermos apenas recuperados siguen débiles y los cuatro *resacas* han sido desarmados, pero no puede deshacerse de ellos por temor a que hablen. En mayo uno consigue huir y se entrega al ejército, que lo pasa por las armas sin más. En junio, dos exploradores enviados a buscar víveres en casa de un campesino son sorprendidos por una patrulla. Muertos ambos. La cuarta división militar de Camiri prepara la operación *Cynthia* —por el nombre de la hija de Barrientos—, cuyo objetivo es empujar a los guerrilleros al norte del río Grande, territorio de la octava división. Centenares de hombres se despliegan por los profundos valles, los senderos para vacas, las riberas de los ríos, etc.

A fines de julio dos *resacas* consiguen desertar, pero son detenidos por un detalle; unos soldados los sorprenden bañándose en el río y los interrogan desde la orilla. Dicen ser vendedores ambulantes pero uno de los dos saca el brazo del agua y deja al descubierto un antebrazo marcado por profundos rasguños, la marca característica de los guerrilleros, obligados a abrirse camino entre los espinos para evitar las carreteras. Uno de ellos, llamado Chingolo, seguirá la senda de Bustos y lo confesará todo y más. Conduce a los militares hasta las secretas cuevas del Ñancahuazú, las que contienen los medicamentos contra el asma que tanto necesita Guevara. «Día negro», vuelve a escribir éste cuando el 14 de agosto sabe la noticia por la radio. «Ahora estoy condenado a padecer asma por tiempo indefinido. También nos requisaron documentos de todo tipo y fotografías. Es el golpe más duro que nos han dado. Alguien habló; la incógnita es ¿quién?»

A partir de ahí la historia de la guerrilla es sólo la crónica desolada de una muerte anunciada donde, uno a uno, los guerrilleros combaten y sucumben.

Extraño desfase en perfecta sincronía. Mientras el Che se agota en el calvario boliviano, en La Habana su nombre suena con más fuerza que nunca, su imagen se extiende y se hace omnipresente. Bajo su presidencia honoraria se inaugura la OLAS (31 de julio-10 de agosto de 1967), la primera conferencia de la Organización Latinoamericana de Solidaridad, creada el año anterior durante la Tricontinental. Con una tirada de centenares de miles su *Mensaje a los pueblos del mundo* de abril ha sido difundido de un modo inigualado desde el alegato de Fidel Castro después del Moncada («La Historia me absolverá»). Los edificios muestran inmensos retratos del guerrillero. Por todas partes se lee, en grandes letras negras sobre fondo rojo, su llamada a «crear uno, dos, tres, muchos Vietnam».

El ELN, el Ejército de Liberación Nacional de Bolivia, no ha mandado ningún delegado, ¡y con razón! Pero no importa. Los «servicios» cubanos inventan un mensaje de saludo, grabándolo y firmándolo con un apócrifo «Ricardo Silva». «Milagro de la telepatía», comentará sarcástico Guevara. Pero, en La Habana, el representante del Partido Comunista Boliviano es el que menos escrúpulos tiene. El discurso común del PCB, el PRIN y la Central Obrera (COB) es una obra maestra de trivialidad. Sin embargo, entre los «jefes guerrilleros» en Bolivia, menciona la presencia de Roberto Peredo *Coco* —no se habla de Inti, su hermano, miembro del Comité Central— y la tradicional declaración de cierre incluye un «¡Vivan los valientes guerrilleros!» que no compromete a nada.[108] Cuatro semanas más tarde, el Che anota en su cuaderno lo siguiente: «Se descifró el parte total en que se dice que OLAS fue un triunfo, pero la delegación boliviana fue una mierda; Aldo Flores, del PCB, pretendió ser el representante del ELN; tuvieron que desmentirlo» (5 de septiembre).

En Cuba, para quienes manejan la política y velan por la imagen internacional de la revolución ¿es realmente tan importante que Guevara esté vivo o muerto? El símbolo comienza a prevalecer sobre la realidad. A quien tuviera el atrevimiento de reprochar a los cubanos un «pacífico-revisionismo» dictado por el campo socialista —proveedor del oxígeno necesario para la supervivencia del país—, sería fácil responderle: «Miren al Che, *nuestro Che*. Combate con las armas en la mano en algún lugar de América Latina. Eso demuestra que no somos revisionistas.» La vieja fórmula de jugar con dos barajas.

Aquel mismo agosto —«el mes más malo que hemos tenido»— la odisea del Che y sus hombres se vuelve un martirio. «Caminamos solamente con el espíritu —escribe Pacho—. Desde hace tres días no tenemos una gota de agua ni nada que comer»[109] (28 de agosto). Más que el hambre, la sed atormenta a los «valientes guerrilleros» exaltados en Cuba. El Che precisa: «Algunos compañeros [...] se están desmoronando por falta de agua» (29 de agosto). «Los macheteros sufrían desmayos, Miguel y Darío se tomaban los orines y otro tanto hacía el Chino, con resultados nefastos de diarreas y calambres» (30 de agosto). En estas extremas circunstancias se reactiva la vieja cultura campesina de Benigno. Trepa a un árbol, escruta el horizonte y a lo lejos atisba una mancha algo más verde. Va a ver. ¡Salvados! Entre dos rocas corre un hilillo de agua, suficiente para llenar con paciencia todas las cantimploras de los camaradas.[110]

Cuando el 1° de septiembre el grupo del Che llega por fin a casa de Honorato Rojas, al que conocieron durante la marcha de exploración de febrero, los hombres ignoran el drama ocurrido el día anterior muy cerca de allí. Rojas es el campesino al que se ve, en una mala foto tomada el 10 de febrero, llevando un sombrero de paja y tranquilizando a uno de sus dos hijos sentados en el regazo del Che. «El campesino está dentro del tipo —había escrito entonces Ramón—, incapaz de ayudarnos, pero incapaz de prever los peligros que acarrea y por ello potencialmente peligroso.» Nunca diagnóstico alguno fue más acertado. Rojas no resisitió las amenazas de represalias ni, según Prensa Latina, las promesas de recompensa de un agente de la CIA llamado Irving Ross.

El 2 de septiembre, sin embargo, sin resignarse a creerlo, Guevara anota en su cuaderno: «La radio trajo una noticia fea sobre el aniquilamiento de un grupo de diez hombres dirigidos por un cubano llamado Joaquín en la zona de Camiri; sin embargo, la noticia la dio La Voz de las Américas...» La Voz de las Américas aquel día dijo la verdad. O casi, pues hubo dos supervivientes.

Privada de siete miembros —cuatro muertos y tres desertores—, la columna de Joaquín sólo cuenta con diez miembros. El 30 de agosto se dirigen a casa de Rojas para que los guíe y les enseñe el vado por donde cruzar el río Grande, a mil quinientos metros de allí. Cerca de la casa, hay dos soldados apostados. Cuando los ladridos de los perros anuncian la llegada del grupo de Joaquín, uno de los soldados ha ido a pescar aguas arriba; pero el otro, según contó en la revista boliviana *Sucesos*, entra en la choza, oculta su fusil y se mete en la cama fingiendo tener malaria. «Es un amigo y lo estoy cuidando», explica Rojas. Los guerrilleros van a instalar su campamento a ciento cincuenta metros de allí y Rojas manda a su hijo de ocho años para que avise al segundo soldado, que corre a transmitir la información al destacamento militar, a unos trece kilómetros. Al amanecer del día siguiente Rojas huye con toda su familia del combate que se avecina, pero es detenido por el capitán Vargas, que acude con su compañía para tender una emboscada. El capitán lo obliga a desempeñar su papel hasta el final, conduciendo a los guerrilleros al vado del río Grande, el de Puerto Mauricio. «Te pones una camisa blanca para que no te confundan», le dice. Y así lo hace.[111]

A las cinco de la tarde, la hora clásica de la muerte en las corridas de toros, mientras Rojas permanece en la orilla, Braulio es el primero en cruzar el río. Le siguen en fila india los otros nueve, separados por cinco o seis pasos. Tania va en el centro, Joaquín es el último. Cuando todos están con el agua hasta la cintura, comienza el tiroteo desde ambas orillas. Es una carnicería. Se contarán de siete a ocho impactos en cada cuerpo. Los del Negro y Tania son arrastrados por la corriente; el de ésta será encontrado algunos días más tarde. Dos hombres consiguen escapar, pero pronto serán atrapados: José Castillo *Paco*, carpintero comunista de Oruro y el único *resaca* que no desertó, que cumplirá tres años de prisión, y el médico Freddy Maimura, matado tres días más tarde.

La emboscada, de la que el ejército se vanagloria —es su primer éxito militar verdadero—, quedará en los anales como la victoria de Vado del Yeso.*

Ya no hay sólo «días negros», sino semanas enteras. Todo el mes de septiembre se consagra a proseguir, mal que bien, un lento ascenso hacia Vallegrande, al norte, y una hipotética salida de la trampa, tratando de evitar el enfrentamiento con un ejército que «da pruebas de mayor eficacia en su acción» —el Che lo admite— y refuerza su cerco. La octava división militar del coronel Zenteno (Santa Cruz) —«rival», al norte del río Grande, de la cuarta división del coronel Reque Terán (Camiri)— inicia la operación *Parabano*, destinada a rodear a los guerrilleros al sur de Vallegrande. El presidente Barrientos ya se pavonea. Acude en persona a felicitar a los soldados de Vado del Yeso, lanza octavillas y comunicados de radio anunciando a los guerrilleros bolivianos que se respetará su vida si se rinden, y promete una recompensa de cincuenta mil pesos por la captura de Guevara, vivo o muerto; no es mucho, apenas el equivalente de 4.200 dólares. «En todo caso, un periodista bienintencionado opinaba que 4.200 dólares era poca plata dada mi peligrosidad» (12 de septiembre), ironiza el Che.

Aunque conserva su afición al sarcasmo, el comandante no deja

---

* «Vado del Yeso» es el nombre de un vado, a pocos kilómetros de allí, en el río Masicuri. Pero para no despertar la ira de la cuarta división, cuya circunscripción incluye esta porción del río Grande, la octava división prefiere situar la escaramuza algo más al norte, en «su» área. Sutilezas de la burocracia militar.

de reconocer que todos están al borde del agotamiento, comenzando por él mismo. No es ya la fatiga feliz y clara que les hacía regresar, casi alegres, de sus marchas de entrenamiento en Pinar del Río, hace apenas un año, cuando Fidel cronometraba los tiempos. Hoy, un cansancio inmenso se apoderó de la tropa, incrementado sin duda por el abatimiento que ha provocado la noticia del exterminio de sus compañeros de armas en Vado del Yeso.

Por lo demás, prosaicos detalles se mezclan con las grandes emociones. Al cruzar a nado un río, el Che pierde el buen calzado comprado en París, mal amarrado, como siempre. Esta clase de acontecimiento es más grave que una pena de amor pues, para un guerrillero caminante carecer de un buen zapato es el mayor inconveniente. «Y ahora —dice— estoy a abarca, cosa que no me hace ninguna gracia» (10 de septiembre). Las abarcas son unas sandalias artesanales que los campesinos bolivianos se fabrican con todo lo que puede servir de suela y que sujetan con bastas ataduras. El Ñato (Julio Méndez), un boliviano siempre servicial, industrioso e ingenioso, ha confeccionado de inmediato un par para su comandante. Parecen mocasines de los indios de Fenimore Cooper. ¿Acaso Guevara no es para algunos el último mohicano?

Los veintidós guerrilleros supervivientes avanzan en una procesión que más bien parece de bandidos. Barbudos, con el arma en bandolera, la ropa hecha jirones, albardados como jumentos asustan a los campesinos que, en cuanto los ven, huyen aterrorizados. «Hubo muy poca colaboración y se debió recurrir a las amenazas» (5 de septiembre). Los ataques de asma han reaparecido. Carente de medicina, Guevara pide a veces que le suban a un árbol para intentar aliviar sus pulmones. Otras veces le dan un masaje en el pecho y la espalda. Ni siquiera puede aguantarse sobre la mula. «Tuve [...] que seguir a pie.» Se siente que su atormentado organismo gime a voz en grito. Pero todos se encuentran en similar situación. «Yo con un ataque al hígado, vomitando, y la gente muy agotada por caminatas que no rinden nada» (24 de septiembre). El médico está muy enfermo; desde Ñancahuazú, hace meses, se arrastra y retrasa a todo el mundo; es un peso muerto. El Chino no vale mucho más: el peruano Juan Pablo Chang había llegado, en marzo, sólo para una reunión de unos días antes de marcharse para organizar la guerrilla en su país, pero se ha visto arrastrado a la aventura. Desde hace seis meses trota, exhausto. Se queja y titubea, casi ciego y pierde de continuo sus gruesas gafas de miope que le hacen parecerse al doctor Magoo de los dibujos animados. Pero nadie puede recriminarle nada. El Che le protege con una indulgencia especial.

Ahora tienen que sumar fuerzas para romper el cerco, aunque sea corriendo riesgos; es decir utilizando caminos frecuentados, jugándose el todo por el todo. La radio ha anunciado el arresto de Loyola Guzmán, la fiel estudiante que sólo tenía noticias de sus camaradas por los partes radiofónicos de las fuerzas armadas. La han identificado gracias a las imprudentes fotografías encontradas en los escondrijos de Ñancahuazú. Con ella cae el elemento más seguro de una red urbana que siempre se quedó en estado virtual.

¡Acosados!

A fines de septiembre en la conferencia panamericana de la OEA en Washington, «el canciller boliviano causa sensación aportando "pruebas irrefutables" de la participación del comandante Ernesto Guevara en el maquis revolucionario boliviano» (*Le Monde*, 25 de septiembre de 1967). Las fotografías —¡un centenar!— que el ministro boliviano hace proyectar ante sus colegas proceden del material descubierto en el campamento guerrillero; es probable que los expertos de la CIA ayudaran a los bolivianos a seleccionar, organizar y proyectar luz sobre esos documentos. Se exhiben también los dos falsos pasaportes uruguayos con las fotografías del señor calvo, traicionado por sus protuberantes arcos superciliares; las huellas digitales están verificándose en Argentina. El diario parisino precisa: «Los medios oficiales americanos [que] habían intentado probar la tesis de la muerte del Che por orden de Fidel Castro, deben reconocer que Ernesto Guevara está vivo. [...] El presidente Johnson preconiza "un decidido uso de la fuerza" para luchar contra la "subversión castrista".»

El presidente de Estados Unidos no ignora el trabajo de sus *boys* en Bolivia. En el campamento de La Esperanza los cursos acelerados de los Boinas Verdes terminan un poco antes de lo previsto. Sucede que, en la zona de operaciones, necesitan urgentemente reclutas frescos y decididos. Se enseñó a los soldados bolivianos el arte de combatir a la guerrilla, se levantó la moral de las tropas, se les dio buenas armas, municiones, aparatos de comunicación no muy nuevos pero que funcionan; se les enseña a avanzar sigilosamente por la selva, a tender una emboscada. Todos llevan flamantes uniformes de camuflaje con el distintivo *US Army*. Son los rangers del regimiento Manchego. Seiscientos cuarenta hombres. El 24 de septiembre desfilan por la ciudad de Santa Cruz. El 25 comienzan a ser transportados en camiones a la región del río Grande, a Vallegrande y luego a

Último combate: la Quebrada del Churo y la Higuera

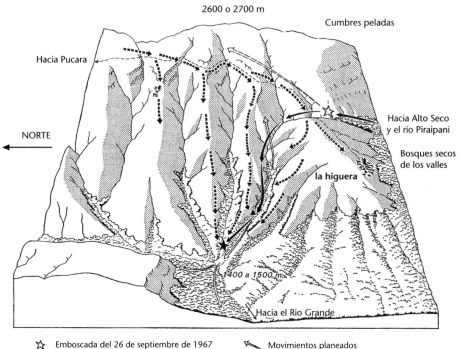

2600 o 2700 m

Cumbres peladas

Hacia Pucara

NORTE

Hacia Alto Seco
y el río Piraipani

Bosques secos
de los valles

la higuera

1400 a 1500 m.

Hacia el Rio Grande

☆ Emboscada del 26 de septiembre de 1967   Movimientos planeados

⇐===- Refugio del Che en   ◄---- Movimientos de las tropas

➜▲ Refugio del Che en la Quebrada del Yuro (Churo)   ★ Último combate (8 de octubre de 1967)

Pucará. Abundantes informaciones indican que en esa zona alrededor de La Higuera se encuentran los guerrilleros.

Luis González y Gustavo Sánchez, dos periodistas que hicieron una seria investigación poco después de estos acontecimientos, señalan que a mediados de septiembre cuando los militares, embriagados por el éxito de Vado del Yeso y el descubrimiento de los escondrijos del Ñancahuazú, comenzaron a cantar victoria, una reacción popular espontánea comenzó a manifestarse en los ambientes de izquierdas de las ciudades en torno a la consigna «Salvar al Che». Algunos comunistas disidentes habrían intentado incluso formar un contingente para unirse a los guerrilleros. Pero el proyecto no se concretó por falta de estructura y de medios. Vale la pena mencionarlo porque demuestra que había buena voluntad, y que el prestigio del Che era grande; que habría sido posible, para un partido o una organización, acudir en auxilio de Guevara. Éste fracasó por no poder apoyarse en un aparato análogo al de Castro en Cuba, el Movimiento 26 de Julio. El PCB se negó a desempeñar este papel. Y, por su parte, el Che «omitió» asegurarse de este punto antes de lanzarse a la aventura. ¿Fue engañado? ¿Se equivocó? ¿Dio por sentado —con mucha presunción— un efecto de arrastre del ejemplo guerrillero? Ahora, en todo caso, el comandante y su pequeño grupo sólo pueden contar con ellos mismos.

Los habitantes del villorrio de Alto Seco, encaramado a mil novecientos metros, se dividen entre curiosidad y temor cuando el 21 de septiembre ven aparecer con paso cansino a esos extraños fantasmas. El corregidor ha corrido a avisar a las autoridades. «En represalia le cogimos toda la pulpería», escribe el Che. Muy bien, pero ¿qué ha sido de las rigurosas medidas de seguridad exigidas hasta entonces?

Al día siguiente Inti y Coco Peredo sueltan un discursito político a los aldeanos reunidos, que los escuchan en un inexpresivo silencio ya que no comprenden sus palabras. Un periodista de *Presencia* (La Paz), que investigará por allí días más tarde (4 de octubre), afirma que un campesino preguntó a uno de los guerrilleros si podía unirse a ellos. A lo que éste respondió: «No hagas el tonto; estamos jodidos... No sabemos cómo salir de aquí.»[112]

Guevara en cambio parece saberlo, pues prosigue manteniendo un riguroso rumbo noroeste. Más extraño es que no se oculte, ni vacile en mostrarse cuando sabe que «estamos siendo previstos por Radio Bemba» (25 de septiembre); es decir, por los rumores que corren de boca en boca, y reconoce: «Marchar con mulas se hace peligroso, pero trato de que el médico siga lo mejor posible, pues viene muy débil.» ¿Su imprudencia se debe al deseo de cuidar al enfermo, o procede de un impulso más profundo, de una «conducta de fracaso», tal vez inconsciente, que sólo puede desembocar en un fin fatal?

Esta última hipótesis es la que defiende Régis Debray, a quien su encuentro con Guevara marcó como un hierro al rojo. El francés afirma: «El Che no fue a Bolivia para ganar sino para perder. [...] Yo mismo necesité veinte años para reconocer esta paradoja, corroborada por cien indicios.»[113] Sería tentador seguir al autor de *La crítica de las armas,* si no existieran ciertos indicios en sentido contrario.

26 de septiembre. Los guerrilleros abandonan toda vigilancia. Exhaustos, han dormido «a la vera del camino», a riesgo de que les sorprendieran. Al amanecer arriban a Abra del Picacho, «el punto más alto que alcanzamos, 2.280 metros». La aldea festeja la llegada de la primavera (austral) y ellos se toman un tiempo para beber un vaso de chicha antes de volver a bajar hasta La Higuera. A mil quinientos metros de altitud, la pequeña aldea perdida en la montaña ha sido casi abandonada por sus doscientos habitantes. El corregidor, Aníbal Quiroga, también ha huido. En casa del telegrafista encuentran un telegrama (con fecha 22) que pide que se avise a Vallegrande cuando se vean guerrilleros por la zona.

El Che ordena que los cinco hombres de su vanguardia salgan por un sendero bien trazado. Pero la iniciativa ha cambiado de bando. Justo a la salida de La Higuera caen en una emboscada. Nutrido tiroteo. Un detalle —uno más— salva la vida a Benigno. En cabeza de la fila («punta de vanguardia») se ha detenido un momento para quitarse un guijarro de las abarcas, porque tampoco él tiene ya zapatos. Y es el siguiente, Miguel (el capitán cubano Miguel Hernández), quien recibe el primer tiro y muere en el acto. Caen a su vez los bolivianos Julio (Mario Gutiérrez), un médico de veintiocho años formado en Cuba, y Coco (Roberto Peredo), otro militante disidente del PCB. «La pérdida más sensible» después de la de Rolando, escribe el Che. Coco está mortalmente herido, pero aún respira. Benigno, bajo las balas, consigue cargárselo a la espalda para batirse en retirada. Inclinado por el peso, recibe en la espalda una bala que remata a Coco y se aloja junto a su cuello, en el omóplato.[114] La conservará en su cuerpo durante años. En la refriega, otros dos hombres han perdido de vista al grupo: Camba (Orlando Jiménez), que había manifestado ya que deseaba abandonar, y León (Antonio Domínguez), miembro del PCB que desempeñaba el papel de peón en la finca de Ñancahuazú. El Che resume el asunto en una palabra: «Derrota.»

Ahora sólo son diecisiete, con un herido, tres enfermos y la moral por los suelos. La trampa se cierra. Buscan una rendija por dónde escapar pero hay soldados por todas partes. La radio boliviana da pocas noticias. El comandante de la columna sabe, por una emisora chilena, que el ejército ha desplegado dos mil hombres por la zona, que «el Che Guevara está acorralado en un cañón selvático» (30 de septiembre). Los diarios de campaña del Che, Pombo y Pacho concuerdan al describir la situación: «Rodeados.»

Pombo explica la táctica del Che. Quedar quietos durante unos días para hacer creer que han abandonado la zona. Sin embargo, hay que moverse. Soldados y campesinos pasan muy cerca del lugar, mal protegido, donde están agazapados los guerrilleros. Se les oye hablar. Pacho: «Abrir una lata de conservas, aún con mucho cuidado, nos parece un ruido espantoso» (28 de septiembre). «Ayer, Fernando me dijo que acabábamos de nacer por segunda vez. [...]. El ruido de una cantimplora puede costarnos la vida» (29 de septiembre). «Fernando va delante, apremiando al Chino (Mister Magoo)» (30 de septiembre). «Fernando me pide que le cargue la pistola. La tiene en la mano como si estuviera decidido a matarse antes de caer prisionero» (1° de octubre).

Fernando tiene el oído pegado a la radio. Los desertores lo han contado todo sobre el número de guerrilleros, su estado de ánimo, sus penurias, etc. Anota: «Se escuchó una entrevista de Debray, muy valiente frente a un estudiante provocador» (3 de octubre). En la evaluación que ha establecido de todos los que han pasado por la guerrilla, el Che había escrito de Dantón, tras su arresto: «Hemos perdido un cuadro intelectual magnífico, pero dudo que hubiera llegado a ser un buen guerrillero.»[115] El 26 de septiembre se ha reanudado en Camiri el proceso de Debray y de Bustos tras muchos aplazamientos, muchos interrogatorios y gestiones de Janine Debray, madre de Régis y vicepresidenta del Consejo Municipal de París, del padre, abogado, del embajador de Francia, Dominique Ponchardier. El mundo entero parece haberse movilizado para salvar al intelectual francés, que ha decidido encargarse personalmente de su defensa. Las observaciones insidiosas que sugieren que fue él quien puso a los militares sobre la pista del Che han fracasado, pero con el transcurso del tiempo resurgirán, sobre todo después de que Debray rompa con Castro y los procesos estalinistas del «invierno del patriarca».[116] Roth, el tercer detenido, ha sido liberado en julio, pues los militares bolivianos quieren demostrar que saben distinguir un «verdadero» periodista de uno falso.

Una hilera de vagabundos harapientos doblegados bajo un fardo. Ésa es la imagen de los diecisiete hombres que al ocaso se ponen silenciosamente en marcha, entre noche y niebla, conscientes de estar sitiados y de que el próximo combate puede ser definitivo. Inti está deprimido por la muerte de su hermano. Benigno camina con una bala en la espalda, pierde sangre y «sufre como una bestia». «Tengo incluso gusanos que caen por sí solos», explicará.[117] El agua rica en magnesio ha acentuado los cólicos, pero es escasa. La sed atenaza a los guerrilleros. Guevara: «Salimos al anochecer con la gente agotada por la falta de agua y Eustaquio dando espectáculo y llorando la falta de un buche de agua» (5 de octubre). En esa desolación el peruano Chino es el más lastimero: tropieza una y otra vez, no ve donde pone los pies, uno de los cristales de sus gafas se ha roto e implora: «Fernando, Fernando...» El Che vuelve sobre sus pasos y le guía como a un niño, pero masculla en su cuaderno: «El Chino se convierte en una verdadera carga.» Pocos son los que tienen todavía zapatos, perdidos a lo largo de los caminos. Casi todos se han hecho abarcas, pero no protegen de las espinas que cubren ese Gólgota. Pacho: «El camino de noche ha sido un infierno. Espinas en el camino que se nos clavan en los pies, y piernas, en los costados, a la altura de la cabeza. Es terrible. Sólo la voz de mando de Fernando hace que la gente camine»[118] (1 de octubre).

Una hazaña que deja estupefacto al grupo marca la jornada del 7 de octubre y tiene valor de símbolo. Guevara no lo menciona en su diario, pero Pombo y Benigno no lo olvidarán. Un paredón a pico, peligroso, les cierra el paso («una faralla peligrosísima»). El obstáculo parece infranqueable. Sobre todo porque luego hay que saltar una grieta de un metro y medio de ancho en cuyo fondo se estanca el agua helada. Pombo: «Los hombres estaban reventados. Nadie tenía ánimo de seguir.»[119] El Che, aunque está muy enfermo, se decide y se lanza al asalto de la pared. Se agarra a la roca como un animal, trepa, se iza, llega a la cumbre, ayuda luego a los demás. Benigno: «Cuando no queríamos hacerlo [...], cada vez que se necesitaba valor, audacia, una voluntad de acero, allí estaba el Che.»[120] ¿Es ése el comportamiento de alguien que corre hacia el fracaso, hacia la muerte? ¿Es posible ver aquí sólo el instinto de supervivencia en una conducta suicida, recurriendo a la hipótesis de Régis Debray? ¿Se dejó el Che morir en Bolivia? ¿No hay más bien, en ese empeño en aferrarse, el signo de un deseo de vida, de combate, de victoria posible aunque improbable? Preguntas sin respuesta, incluso admitiendo que la tentación de acabar de una vez es a veces seductora como un vértigo. «¿Sabe usted?, mi destino es morir como guerrillero y moriré como guerrillero», le había confesado a Carlos Rafael Rodríguez antes de abandonar Cuba.[121] Guevara, como Camilo, toreó sin cesar con la muerte.

En su diario, la página del 7 de octubre es famosa por ser la última. El Che establece con increíble serenidad una especie de balance positivo. Está cercado por todas partes, atrapado en el fondo de una quebrada y ha perdido la mitad de sus hombres. Pero escribe: «Se cumplieron los once meses de nuestra inauguración guerrillera sin complicaciones, bucólicamente [!]; hasta las 12.30 horas en que una vieja, pastoreando sus chivas, entró en el cañón donde habíamos acampado y hubo que apresarla.» Durante mucho tiempo se creerá que esa viejecita, una vez liberada, los denunció. No fue ella.

Fue Pedro Peña, un campesino atemorizado. En la noche del 7 al 8 de octubre, antes de que apuntara la aurora, iluminándose con un candil fue a abrir una acequia de riego en su campo de patatas. Guevara observó: «Salimos los diecisiete con una luna muy pequeña [...] En el cañón donde estábamos [...], sembradíos de papa regados por acequias del mismo arroyo.» El campesino, que descubre a los guerrilleros, apaga el candil y, con las primeras luces del alba, se apresura a comunicar la noticia en la aldea. Aníbal Quiroga, corregidor de La Higuera, transmite la información al subteniente Carlos Pérez, acantonado allí con un pequeño destacamento de la compañía A. Al no poder avisar por radio a su jefe, estacionado en Pucará, a quince kilómetros, Pérez informa al capitán Gary Prado de la compañía B, apostado en Abra del Picacho, a tres kilómetros. El capitán llega sin demora con cuarenta de sus rangers. Prepara un dispositivo clásico para «peinar» las dos quebradas que confluyen en el valle y conducen hasta el río Grande. El último acto del drama está comenzando.

«Tengo a Papá»

Son pocos los que saben situar con precisión Bolivia en un mapa. Menos todavía, incluso entre los bolivianos, quienes pueden decir dónde se hallan La Higuera y la quebrada del Churo, en el extremo sur del país. Este valle que «quiebra» el relieve de media montaña andina —de ahí su nombre, *quebrada*— hubiera seguido siendo anónimo durante muchos siglos, con la pequeña aldea junto a la cima, si no se hubiese convertido, durante dos días de 1967, en el escenario de un acontecimiento de alcance internacional que hizo crepitar los teletipos del mundo entero.

La noche ha sido corta para los guerrilleros. A las cuatro de la madrugada de aquel domingo 8 de octubre, los diecisiete supervivientes del ELN se ponen en marcha. A las seis, cuando la primera claridad brumosa de la aurora anuncia una cálida jornada, el Che ordena un alto. Han llegado cerca de la intersección de los tres cañones que se ensanchan bajando hacia el río Grande. «No di ni un paso más, me dejé caer», cuenta Benigno que, al no poder utilizar ya su brazo derecho, sujeta el fusil con la mano izquierda. El cansancio de aquel guajiro incansable es tal que se derrumba en un charco de agua —«muy frío»— que le llega por encima de la rodilla. Sin embargo, cuando el comandante le pregunta: «¿Estás bastante bien para salir de reconocimiento?», responde: «Claro que puedo, Fernando.» «Estamos en un buen lío»,[122] prosigue el Che. «No sé por qué pero me parece que llegó nuestro último combate.»[123]

En grupos de dos, el Che manda tres patrullas para detectar el lugar más propicio para escapar de la ratonera. Inti cuenta que el Che, en un rápido análisis, consideró que si debían entablar combate por la mañana tenían pocas posibilidades de salir bien librados, pero que pasado el mediodía tal vez pudieran aguantar hasta que la noche, vieja cómplice, les permitiera escabullirse.

Nadie está de acuerdo sobre la hora en que comenzó el combate: 11.30, dirá Benigno; 13.30, asegurará Inti; 13 horas, indicará en su informe el capitán Prado, que dirige la operación militar. Los rangers del regimiento Manchego se han dispersado por toda la zona, al mando del coronel Zenteno y del mayor Ayoroa. El capitán Prado, que manda la compañía B, tiene buenos estudios y habla inglés. Ha servido de intérprete a los Boinas Verdes norteamericanos del campamento de La Esperanza que, a excepción de dos portorriqueños, no hablaban español. Llegado a Pucará tras la escaramuza del 26 de septiembre, fue él quien capturó a Camba, el guerrillero huido; lo ha paseado ante sus soldados arrastrándolo con una cuerda, para demostrar que en el fondo un guerrillero no es tan terrible.

Es bien sabido que cada cual tiene de los combates una visión muy fragmentaria. Tal vez Benigno, mejor situado que los demás, nos dé la versión menos parcial de esa jornada «histórica». Cuando al salir el sol advierte que las cimas están erizadas de soldados, el Che le ordena volver a esconderse con Inti y Darío en la ladera opuesta, para vigilar los movimientos del enemigo. Se da la consigna de no disparar primero. Los tres hombres tienen por todo refugio un árbol poco tupido —es la estación seca— cuyo tronco apenas mide la anchura de una persona. Se relevan para evaluar con el rabillo del ojo el avance de los rangers, que bajan por todas partes desplegados en abanico.

Aniceto Reynada, un minero de Potosí, es el primero en caer. Cuando los soldados lo descubren, mientras corre hacia el puesto de mando de Fernando, inician un fuego graneado con ametralladora y mortero. Tal vez porque se expuso al intentar ayudar al Chino es probable que el Che fuese herido ya en ese primer tiroteo: una bala en la parte baja de la pantorrilla derecha; otra en el cañón de su fusil; otra en su gorra, que queda perforada... Benigno ha perdido de vista a su jefe y, pese a estar herido, apoya en su hombro izquierdo el fusil ametrallador ligero M-2, y, sin dejarse ver, hace blanco casi cada vez.

Guevara se encuentra solo con Willy (Simón Cuba, otro minero de Huanuni), que le ayuda a avanzar. Tienen que escapar de los rangers. Apoyado en su compañero, el Che trepa sigilosamente por una pequeña chimenea lateral rocosa. Ambos hombres no se percatan de que arriba los aguardan dos soldados apuntándolos con sus armas. Los guerrilleros acaban colocándose... a un metro de ambos fusiles. Ya es imposible defenderse. Todo ha terminado.

«¡Mi capitán, aquí hay dos! Los hemos agarrado», gritan los soldados de Gary Prado, que se encuentra a unos quince metros de allí. Éste acude, examina a los dos combatientes harapientos, comprueba su identidad consultando la documentación que la CIA y los servicios de información bolivianos han proporcionado a los oficiales. Mantiene su sangre fría cuando oye al comandante guerrillero murmurar: «Soy el Che Guevara.» Luego se ocupa de enviar, por la radio de corto alcance de que dispone, un mensaje a la base de Pucará para que sea retransmitido al comandante de Vallegrande: «Tengo a Papá y Willy. Papá herido leve. Combate continúa.» *Papá* es el nombre en clave de Ernesto Guevara entre los militares. Son aproximadamente las 15 horas. «Era realmente un alivio ver con qué facilidad había caído el legendario jefe guerrillero»,[124] escribirá más tarde Gary Prado, ascendido a general.

De la captura y la muerte del Che hay una historia sagrada, petrificada en la rigidez oficial a partir de la versión que de ellas dio Fidel Castro. Pese a todas las imperfecciones de la memoria, más vale remitirse a los testimonios directos de los protagonistas. Los soldados que participaron en el combate, el capitán que dirigió las operaciones. Algunos detalles concuerdan, otros no.

Gary Prado sostiene que el Che no llevaba gorra sino una boina negra con la insignia del CITE (Centro de Instrucción de Tropas Especiales). El hecho tiene su importancia en la iconografía. Benigno afirma que nunca vio semejante boina, que el Che llevaba siempre su gorra encasquetada, que incluso dormía con ella. Prado sostiene —y el hecho parece tan incongruente que es difícil creer que lo haya inventado— que, cuando fue hecho prisionero, Guevara llevaba también una olla con media docena de huevos, que su fusil era un M-1 y no un M-2, que su pistola de 9 mm estaba cargada —lo afirmó en su informe, aquella misma noche— y no desprovista de su cargador, como se afirmó en Cuba para explicar que el Che fuera capturado vivo.

Cada elemento tiene su importancia para confirmar o cuestionar la imagen del caballero andante de la revolución. Gary Prado cuenta que el Che le pidió agua y un cigarrillo; que, para evitar una eventual tentativa de suicidio por envenenamiento, él mismo le ofreció agua de su cantimplora; que el Che prefirió el tabaco negro de los cigarrillos Astoria a los rubios Pacific del distinguido capitán, y que llenó con él la pipa; que entonces liberaron las manos de los prisioneros soltando los cinturones con que les habían atado pies y muñecas, porque los apuntaban los dos hombres que los habían capturado: el cabo Balboa y un soldado llamado Choque, según ciertas versiones; Tito Sánchez y Ángel Aliaga, según Prado...

En Vallegrande, la noticia de la captura del Che parece tan increíble que se exige confirmación. A lo que el capitán Prado responde, con cierto malhumor, que no suele bromear. El día comienza a declinar. El eco de las detonaciones sigue escuchándose por la quebrada, pero ya es tiempo de volver a La Higuera. Hay muertos y heridos en ambos bandos. El helicóptero solicitado no puede aterrizar para recoger a los heridos. Por lo que se refiere a los aviones cargados con napalm, los rangers les ruegan por radio que no suelten su cargamento: soldados y guerrilleros están demasiado cerca unos de otros. Hacia las 17 horas el estado mayor de las fuerzas armadas, en La Paz, recibe la impactante noticia. Casi en el mismo instante cesan los combates en la quebrada del Churo.

Una fúnebre procesión se pone entonces en marcha, a paso lento, para ascender los dos kilómetros que separan el lugar del combate del pueblo de La Higuera. A lo largo del camino hasta el pueblo se han reunido los campesinos de la vecindad, alertados por el fragor del tiroteo, el vuelo de los aviones, el zumbido del helicóptero. En la rosada luz del crepúsculo aparecen primero los heridos, transportados en improvisadas camillas, y luego los muertos, precariamente llevados en ramas entrelazadas; finalmente, rodeados por soldados y seguidos por el grueso de la tropa, los guerrilleros prisioneros. Guevara camina cojeando. Sus brazos abiertos se apoyan en los hombros de dos soldados como en el madero de una cruz. Ya su semblante se asemeja a ese Cristo de la liberación de los pueblos en el que el mito había de transformarlo. «A la derecha iba mi amigo Hugo Franco, fallecido; a la izquierda le sostenía yo —cuenta Humberto Montenegro, posteriormente camionero en Santa Cruz—. No habló mucho por el camino. Yo intentaba convencerle de que me diera su reloj. Parecía una especie de brújula.»[125]

En la calle central del pueblo, mientras anochece, los habitantes reunidos contemplan en silencio el paso del largo cortejo de combatientes y víctimas. La pequeña escuela rural de adobe sirve aquella noche de prisión. También en eso las versiones difieren. El soldado Montenegro, que se encargó de montar guardia parte de la noche, es categórico: el Che y Willy están juntos en una de las dos aulas, sin ventanas, en compañía de los cadáveres de dos guerrilleros (Antonio, el capitán Orlando Pantoja; y Arturo, el teniente René Martínez Tamayo, antiguo guardaespaldas de Fidel Castro). «La prueba —dice Montenegro— es que mi teniente Totti Aguilera me regaló un paquete de cigarrillos LM y yo, por mi parte, ofrecí uno al Che. Me dijo que se lo diera primero al camarada que estaba a su lado. Lo que él quería, era escaparse. Me propuso, claramente, que lo dejara huir; me prometió que en Cuba trabajaría con él, que no me faltaría nada. Me habría gustado, pero era imposible. Alrededor de la escuela había un montón de soldados. Y el teniente Totti estaba allí también.»[126]

El capitán Prado indicará, por el contrario, que los dos guerrilleros están en aulas separadas, que Willy fue encerrado con los cadáveres de sus compañeros pero que el Che se encuentra solo cuando, aquella misma noche, él le visita. «Estaba sentado en el suelo de tierra, con aspecto hosco, a la luz de una vela. No fue muy parlanchín, pero charlamos un poco. Hablamos incluso de su juicio, probablemente en Santa Cruz y no en Camiri, puesto que había sido detenido en la circunscripción de la octava división.»[127]

«Me dijo también —proseguirá Prado— que los soldados que le habían ayudado a caminar hasta La Higuera le habían quitado sus dos relojes. Reaccioné enseguida, recuperé los relojes y se los devolví. "No, quédese con ellos, pueden quitármelos otra vez; me los devolverá más tarde", me dijo. Y marcó el suyo con una pequeña cruz hecha con un guijarro, para distinguirlo del de Tuma, que había heredado tras la muerte de este último. Eran ambos unos Rolex Oster...» Ésa es la versión de Prado. Entregará uno de los relojes, el de Tuma, al mayor Ayoroa, su superior jerárquico, y más adelante enviará a Cuba el del Che.

Al subir de la quebrada con sus rangers, Prado ha encontrado, aguardándolo a la entrada de La Higuera, al citado mayor Ayoroa, comandante del batallón, y al teniente coronel de ingenieros, Andrés Selich, que nada tiene que ver con el asunto —sus hombres están construyendo una carretera— pero que, como conoce bien la región, ha servido de guía al piloto del helicóptero desde Vallegrande. Los tres oficiales proceden al inventario, muy administrativo, del contenido de la mochila y los dos zurrones de Guevara: dos agendas de 1966 y 1967, que el interesado ha utilizado como diario de campaña, dos libretas con el texto de los mensajes enviados y recibidos, dos cuadernos con las claves para descifrarlos, dos «libros sobre el socialismo», varios mapas de la zona marcados con lápiz, doce carretes de película virgen y una bolsa que contiene dinero boliviano y dólares. Anotan también: «Una carabina M-1 destrozada y una pistola de 9 mm con su cargador.»[128] Refiriéndose a los cuadernos de campaña del Che, Prado observa: «Sólo los hojeamos rápidamente pero no resistimos la curiosidad de comprobar ciertas fechas en las que algunos de nuestros militares se habían atribuido un buen papel...»[129]

La notoriedad del guerrillero capturado es tal que Selich, valiéndose de su grado superior, pretende ver de cerca al famoso Guevara. Entra en la pequeña prisión con Prado y Ayoroa y se permite una broma de dudoso gusto: «Van a fotografiarlo mucho cuando lo llevemos a Vallegrande. ¿Y si lo afeitáramos primero un poco?», dice agarrándolo por la barba. Prado, único testigo con Ayoroa, contará que Guevara miró fijamente a su adversario y lo apartó «con calma» con la mano.[128] Otros, que no asisten a la escena, afirmarán que el Che, por el contrario, se libró del impertinente con un golpe seco. Muchas anécdotas de este tipo adornarán pronto la leyenda. Ya no será sólo Selich sino también el teniente Pérez quien irá a importunar al guerrillero atado, pero Guevara le suelta una patada con el pie sano y lo derriba... El capitán Prado pretende, en su libro, dar una imagen «positiva» del ejército boliviano, y es de suponer que se han eliminado algunas asperezas; pero si se toman ciertas precauciones de lectura, su testimonio presenta una ventaja de primer orden: procede de un protagonista directo.

La noche ha caído del todo. La tensión de este intenso domingo se ha diluido un poco. Guevara y Willy han recibido como cena la ración ordinaria de la tropa. «Un plato de pasta, creo, con un trozo de carne —dirá Prado, añadiendo—: La historia de la maestra que le visita, le

habla y le lleva comida es una fábula. Ella le vio sólo una vez, brevemente. ¿Cree usted que yo habría permitido que alguien que no fuera militar se acercara a Guevara?»[131]

Mientras tanto, en la quebrada los últimos guerrilleros intentan
en vano reagruparse. Buscan a su comandante sin comprender bien
qué ocurrió, sin atreverse a reconocer la angustia que les embarga.
El Chino agoniza abandonado y Pacho está también herido, no se
sabe. Cuatro hombres —entre ellos un enfermo (el médico) y un herido (Pablito)— se encuentran desconcertados sin su jefe. Conseguirán huir durante unos días antes de ser capturados cerca de allí y
masacrados. Seis más se reúnen en el punto de encuentro y deciden
romper el cerco: Pombo, Urbano y Benigno; Inti, el Ñato y Darío.
Tres cubanos y tres bolivianos. Benigno ha recibido en la batalla un
segundo disparo en la ingle, pero aún así camina porque no quiere
reventar. Nunca la frase ha sido más cierta.

En La Higuera, algunas fogatas iluminan la noche. Tres hileras
de soldados se han dispuesto en torno a la escuela-prisión. El Che
está bien custodiado. A las 22 horas llega un mensaje radiofónico del
coronel Zenteno, comandante de la octava división, que con su laconismo confirma los temores que pueden albergarse sobre la suerte
del jefe guerrillero: «Mantengan con vida a Fernando hasta mi llegada mañana a primera hora en helicóptero.» El coronel no sabe que, a
esas horas en La Paz, el general Ovando reunido con su estado mayor y el presidente Barrientos están a punto de adoptar una decisión
inapelable. La muerte.

«Han matado a nuestro Che»

9 de octubre de 1967. Hace un día espléndido. Al amanecer, la joven maestra Julia Cortez, de diecinueve años, ha sido autorizada a
entrar en el aula convertida en celda. Apenas si intercambia unas
palabras con el prisionero, que está atado de pies y manos. Muy
pronto por la mañana el helicóptero, pilotado por Niño de Guzmán,
deja en La Higuera como estaba previsto al coronel Zenteno, acompañado por Félix Rodríguez alias *Ramos*, un agente de la CIA y exiliado cubano anticastrista que se considera capaz de reconocer al
Che Guevara. Conducidos por el capitán Prado, los tres hombres penetran en la rústica celda. En la penumbra, el Che está sentado contra la pared. Su herida, precariamente vendada, no sangra ya pero
nadie la ha curado todavía. Zenteno, que fue ministro de Asuntos Ex-

teriores en el anterior gobierno, fracasa en su intento de hacer hablar al prisionero. El agente de la CIA toma algunas fotos improbables, ya que carece de flash, pero por el momento es preferible que Guevara no aparezca a la luz del día, ante los numerosos aldeanos que merodean por allí con curiosidad. El mayor Niño de Guzmán certifica que cuando Félix Rodríguez intentó interrogar al Che, éste, adivinando por el acento su origen cubano, declaró con voz inteligible: «Yo no hablo con traidores», y le escupió en la cara.[132]

Cada hora de esa dramática mañana será objeto de los más diversos comentarios; y en el futuro serán sometidos a interpretaciones y reinterpretaciones exegéticas. De momento, mientras el helicóptero devuelve a Vallegrande al patán Selich y a dos soldados heridos, el coronel Zenteno y el comandante Ayoroa acompañan unos cientos de metros al capitán Prado, que regresa a la quebrada del Churo para proseguir con su compañía un exhaustivo rastrillaje. Zenteno —«muy metódico, muy minucioso», dirá Gary Prado— se detiene en lo alto de la quebrada para hacer un croquis panorámico del lugar. Luego vuelve a la aldea con Ayoroa.

Entretanto, Félix Rodríguez no se queda de brazos cruzados. Aunque no luce galones, se comporta como un oficial (lleva el mismo uniforme de campaña que los rangers). Corpulento, fuerte y desenvuelto, su presencia impone. De la casa del corregidor Aníbal Quiroga, transformada en puesto de mando por los militares, saca al sol una cojeante mesa de madera, instala su cámara Pentax en un trípode y comienza a fotografiar todos los documentos encontrados en la mochila del Che: el diario de campaña —página a página— los códigos secretos, el texto de los mensajes, la agenda de direcciones, etc. De regreso al pueblo, Zenteno no lo interrumpe. Más le preocupa saber cómo ha reaccionado el alto mando, en La Paz, ante el anuncio de la captura del Che. Por dos veces, a través de la radio, pregunta a sus oficiales en Vallegrande si han recibido algún mensaje. «Nada todavía, mi coronel», le responden.

A las 11, siempre por radio y en lenguaje poco codificado, llega la sentencia: «Nada de prisioneros», lo que significa: ejecución inmediata de quienes han sido capturados. Prado aventura la explicación más plausible de semejante decisión. Evitar a toda costa un segundo proceso Debray. «Debray era un personaje de poca importancia en la guerrilla —dirá—, pero la conmoción que provocó su proceso se había convertido en una verdadera molestia para el gobierno, sobre todo en el plano internacional. Era preciso evitar un proceso similar que, tratándose de Guevara, habría sido cien veces más ruidoso. Además, como la pena de muerte no existe en Bolivia, la cosa hubiera planteado serios problemas de seguridad. Habría sido necesario prevenir los probables intentos de liberarlo, etc.»[133]

Así pues, Guevara y Simón Cuba van a morir. Félix Rodríguez casi ha terminado su trabajo, recogiendo un material muy valioso. Pero eso no le basta. La CIA, afirma, quiere para sí al comandante guerrillero. Durante mucho tiempo creyeron que el Che había sido eliminado por Castro, liquidado físicamente, que estaba *underground* (literalmente enterrado). Pero ahora que se ha comprobado que estaba a la cabeza de la guerrilla boliviana, quieren utilizarlo para desenmascarar la política castrista de subversión en las Américas. Lo necesitan vivo para hacerlo hablar, exhibirlo en público, utilizarlo como prueba de la malignidad cubana.

A partir de las diez semanas que pasó en Bolivia, de sus cuatro horas en La Higuera y de algunos escasos minutos que pudo permanecer junto al Che, Félix Rodríguez ha «escrito», con la ayuda del novelista americano John Weisman un relato que, lejos de ser un testimonio fidedigno, es mera fantasía. Nada en ese texto resiste una investigación mínimamente seria, salvo una observación y una fotografía. La observación es que la CIA le había dado instrucciones para conseguir al Che vivo. «Estados Unidos tenía aviones y helicópteros listos para evacuar al Che a Panamá, donde sería interrogado. Mantenerlo con vida era de importancia primordial para la Agencia.»[134] El agente Rodríguez-Ramos pretende pues haber intentado obtener de Zenteno que anulara la ejecución. Sin éxito.

En cuanto a la fotografía, se lo ve en compañía del Che y con algunos rangers a su lado deseosos también de pasar a la posteridad; fue tomada delante de la escuela por el mayor Niño de Guzmán con la cámara de Rodríguez, instantes antes de la ejecución, mientras se mantenía a distancia a los aldeanos. Con otra cámara, que le había entregado el jefe de los servicios de información de la octava división, el mayor Saucedo, el piloto del helicóptero tomó dos instantáneas más de Guevara. Éstas (una de frente, la otra de perfil, con la pipa en la boca) son de peor calidad pues con cierta perfidia el agente de la CIA, fingiendo regularlo, ha abierto el objetivo al máximo para que salgan sobreexpuestas. Son las tres últimas fotos del guerrillero al que tanto le gustaba la fotografía. Son patéticas. Aparece algo encorvado, casi harapiento, con aspecto de mendigo, pelambrera enmarañada, mejillas hundidas y barba de once meses, los brazos unidos por las muñecas que se adivinan atadas. Tiene el entrecejo fruncido, la sombría mirada de alguien puesto por la fuerza ante un objetivo al que se niega a mirar. Un búho sacado de la oscuridad. Conmovedor y lastimoso.

Para ejecutar la orden del estado mayor de La Paz, el coronel Zenteno convoca a los siete sargentos y suboficiales disponibles aquella mañana. Solicita dos voluntarios. Se ofrecen dos sargentos: Mario Terán, el de mayor grado (suboficial de primera clase) y Bernardino Huanca. «Comprueben sus armas y ejecución», les dice el coronel.[135] Las armas son fusiles-ametralladores norteamericanos M-2, de treinta disparos. Parece, según reflexiona Gary Prado, que los dos hombres no se pusieron de acuerdo en elegir a su víctima. Dando la media vuelta reglamentaria, Huanca se encuentra ante la puerta del aula donde permanece Willy; Terán frente a la del Che, después de que lo sacaran de allí unos instantes antes para fotografiarlo bajo el deslumbrador sol de octubre.

¿Había bebido ya el sargento Terán aquella mañana? ¿Estaba borracho como se ha llegado a afirmar? No hay ningún testimonio fiable. Prado afirma que ningún licor circuló por La Higuera antes de la ejecución. El argumento no vale a escala individual. En Bolivia es frecuente tomarse un trago antes de cualquier acción de cierta importancia. Al igual que es raro no encontrar, incluso en la más apartada aldea, una botella de *singani*, aguardiente mucho más fuerte que la chicha. Además, ninguno de ambos sargentos habrá tenido necesidad de recurrir a algún aliento especial para ejecutar un acto que les habían enseñado a realizar como una rutina: matar.

Al parecer, Huanca fue el primero en disparar, matando al minero comunista Simón Cuba, *Willy*. El Che, separado de su compañero por un delgado tabique, reconoce el ruido característico del M-2 y comprende inmediatamente. Casi en el mismo instante ve la pequeña silueta de Terán dibujarse en el marco de la puerta. Ha llegado la hora, tan a menudo evocada, del «sacrificio supremo». Le habría gustado morir con las armas en la mano y en tierra argentina. Era una aspiración profunda, había hablado de ella en Praga, con Ulises Estrada, y se lo repitió unas semanas atrás a Pombo. Pero eso no se elige. ¿Acaso no proclamó: «En cualquier lugar que nos sorprenda la muerte, bienvenida sea»? Pues aquí está, la muy innoble.

Es aproximadamente mediodía. Ernesto Guevara, el Che, el argentino cubanizado, «ciudadano de la gran patria latinoamericana», se desploma en la remota aldea de La Higuera ejecutado por la ráfaga de un sargento boliviano a quien el mero gesto de apretar el gatillo saca del anonimato. Se contarán nueve impactos de bala en el cuerpo; muchos más en las paredes. El rostro ha resultado ileso. Afirma la leyenda que Terán no se atrevió a disparar de entrada, que fue el Che quien le alentó tratándole de cobarde. Eso es puro cuento ya que no estuvo presente ningún testigo. Pero cuadra bien con las leyendas. Éstas son lo único serio, asegura Régis Debray. La de Guevara era grande hasta aquí. A partir de esa muerte miserable, se hace inmensa.

El sargento Terán no intuyó que la iniciativa de presentarse voluntario haría recaer sobre él el oprobio destinado a los verdugos. En adelante quedará sólo como el que fusiló al Che. Presumirá durante un tiempo de su acto. Luego, durante años, se ocultará. Se afirma que expía su abominación en un convento, exiliado en Estados Unidos, oculto en Panamá, entre los Boinas Verdes, con el rostro transformado por la cirugía estética... La verdad es más prosaica. Treinta años más tarde, sigue viviendo en Bolivia. Cierto es que nunca sale solo y suele preferir la noche y las calles poco iluminadas. Se jubiló y vive en un cuartel donde su hija se encarga de la cantina de suboficiales. Entrevistado en Santa Cruz, en 1995, viene acompañado por su hijo, responde con medias palabras, y pregunta antes cuánto le pagarán por la entrevista. Es un hombre fornido, rollizo, moreno, desconfiado. De lo que acepta decir, sin permitir que se graben sus palabras, se desprende un sentimiento de gran frustración. Los hombres de la compañía B del capitán Prado obtuvieron la gloria de la captura del Che, pero fueron él y sus compañeros de la compañía A quienes realizaron el trabajo, acorralando a los guerrilleros en la quebrada del Churo, donde fueron capturados... ¿La ejecución del Che? Una orden que obedeció sin más.

Sin más también, aquella mañana del 9 de octubre los rangers atraparon otros tres guerrilleros durante el rastrillaje de la quebrada. El Chino, Pacho y Aniceto. ¿Vivos, heridos o muertos? Pregunta inútil. La consigna es no hacer prisioneros. Todos deben morir. Cuando cinco días más tarde, el 14 de octubre, otros soldados capturen no lejos del río Grande al médico cubano Octavio de la Concepción, enfermo, y a tres guerrilleros bolivianos que intentaban huir, les hacen sufrir la misma suerte. Pura formalidad.

Sólo resisten, decididos a vender cara su piel, seis tipos duros: Pombo, Urbano y Benigno; el Ñato, Inti y Darío. Han caminado hacia las alturas durante toda la noche y se encuentran, en la mañana del 9 de octubre, a las 10 horas, a unos centenares de metros de La Higuera, cuyo rumor llega hasta ellos. Pegan el oído a la radio que ya da como probable la muerte en combate del famoso Che Guevara. No imaginan que su jefe, vivo todavía, está encerrado en una de las casas del pueblo que tienen ante sus ojos. Por la tarde, los boletines se harán más precisos, detallando las ropas hechas jirones del guerrillero, el color verde de su chaqueta, etc. Esta vez no parece haber dudas. Benigno: «Siento que las lágrimas corren por mi rostro pero no quiero reconocer que lloro... Entonces levanto los ojos, ¿y qué veo? [...] Todos están llorando y, a partir de aquel momento, *lo sé*. [...] Sé que es verdad. Han matado a nuestro Che.»[136]

Muerto sin sepultura

Tras verificar que sus órdenes fueron ejecutadas, el coronel Zenteno devuelve el mando al mayor Ayoroa y, siempre acompañado por el cubano de la CIA, regresa a Vallegrande (7.000 habitantes) en el helicóptero de Niño de Guzmán. Hasta que caiga la noche, el aparato no dejará de ir y volver a La Higuera (media hora de trayecto). Después de transportar los militares heridos, debe hacer lo mismo con los siete cadáveres de los guerrilleros.

Los periodistas son muchos en la pequeña ciudad colonial de techos de teja roja, que nunca ha conocido semejante agitación; van llegando de Camiri, donde están «cubriendo» el proceso Debray, pero otros acuden ya del extranjero. Todas las grandes agencias se interesan por el asunto. Es noticia. A las 13.45, el coronel Zenteno improvisa una conferencia de prensa en el hotel Santa Teresa de Vallegrande. Puesto que no se deja entrar a nadie en la *zona roja* de los combates, ofrece, en su calidad de comandante de la octava división, la información que llenará las primeras planas de los periódicos de todo el mundo: «El Che Guevara ha muerto en combate.» El jaleo comienza entonces y la prensa los acucia con una curiosidad «insoportable».

Aunque a los militares les han enseñado muchas cosas, no se los ha instruido en técnicas de comunicación. Nadie ha inculcado a los oficiales encargados de tratar con los medios de comunicación el arte de presentar una información ni el modo de manipularla. Se comunica «a la antigua», pergeñando algunas mentiras que no podrán sostenerse. Muy pronto surgen flagrantes contradicciones. Decenas de campesinos de La Higuera han visto al Che subiendo de la quebrada al pueblo. Algunos oficiales citan supuestas declaraciones suyas: «He fracasado», «Los soldados bolivianos son mejores de lo que creía», etc. ¿Declaraciones cuando se ha muerto en combate? ¿Son acaso mensajes de ultratumba? A propósito de la sepultura del Che, las contradicciones y rectificaciones se multiplicarán, grotescamente.

Cuando, poco después de mediodía de ese 9 de octubre, Prado y sus hombres regresaron de la quebrada con otros tres guerrilleros muertos como trofeo, Zenteno acababa de marcharse. El mayor Ayoroa salió al encuentro de su ayudante y lo puso al corriente de las instrucciones recibidas de La Paz y aplicadas inmediatamente. «Nos miramos en silencio —escribirá Prado—. No era lo que esperábamos.»[137] ¿No es ésta una reacción demasiado ingenua incluso para un militar que se considera, por aquel entonces, poco al corriente de la política? La muerte tenía que formar parte sin duda alguna de las hipótesis posibles. Y, pese a lo que Prado cuenta sobre las perspectivas de juicio ante un tribunal, es probable que el propio Guevara no se hiciera muchas ilusiones tampoco sobre el respeto de la Constitución por parte del régimen del general-presidente.

Lo que obliga a Gary Prado a encogerse de hombros cuando habla del relato de Rodríguez —que afirma haber mantenido una larga y «cordial» (!) conversación con Guevara— son «las fabulaciones de ese caballero de la CIA... No estaba ya allí cuando regresamos de nuestra operación de rastrillaje —insiste—. Nos habían dado orden de que "Fernando" fuera el último en ser evacuado. Cuando la camilla con el cuerpo fue atada a uno de los patines del helicóptero, hacia las cuatro de la tarde, me impresionó el polvo pegado al rostro del Che. Lo limpié un poco y, como la mandíbula colgaba ya, le rodeé la cabeza con mi pañuelo blanco. Como si le dolieran las muelas».[138] En aquel instante llega el cura de Pucará, Roger Schaller, un redentorista suizo, a tiempo, antes de que el aparato despegue, de bendecir el cuerpo inanimado del incrédulo Guevara y de cerrarle los ojos...

Al llegar a Vallegrande —¿acaso por efecto del frío, del viento, de la altura? (el aparato se eleva hasta los tres mil metros)—, los ojos de Guevara están abiertos de par en par, tal como nos lo muestran las fotos. En el pequeño aeropuerto hay una multitud; los habitantes de la ciudad se apretujan para divisar el cuerpo del famoso guerrillero, los numerosos periodistas son contenidos por la tropa. Junto a los soldados bolivianos que reciben la camilla y se apresuran a meterla en una vieja camioneta, hay un mocetón rubio, algo calvo, que no tiene en absoluto aspecto de boliviano: es otro agente de la CIA, Gustavo Villoldo, que se hace llamar Eduardo González. Cubano anticastrista también, lleva uniforme de ranger sin insignias y vigila de cerca el traslado del Che al hospital Señor de Malta, llamado también San Juan de Dios. Los despojos de los guerrilleros —atroz espectáculo— han sido alineados en el suelo de la lavandería del hospital, transformada en depósito de cadáveres. Es una pequeña estancia abierta que da a un terreno pelado donde, por lo general, se tiende la ropa a secar, apartada del hospital propiamente dicho. Guevara merece una atención especial pues lo depositan, con su camilla, en el banco de cemento que sirve de lavadero.

Ante la reja del hospital se impacientan unos treinta periodistas, bolivianos y extranjeros, fotógrafos, camarógrafos; deben aguardar a que termine una morbosa ceremonia. La enfermera Susana Osinaga está de guardia esa tarde. Cuenta que, bajo la dirección del doctor Martínez Casso, se practica una incisión en la arteria aorta del cadáver para inyectarle formol y retrasar así la descomposición.[139] Dos religiosas alemanas proceden luego a lavar el cuerpo y desenredar un poco su melena de bucanero. De pronto se opera una transfiguración. El vagabundo encorvado, hirsuto y huraño, se transforma en una especie de beatífico arcángel. Los ojos desorbitados parecen divisar una lejana quimera, la boca algo entreabierta deja flotar la sombra de una sonrisa, la cabeza, levantada por una tablilla, endereza el conjunto del cuerpo, que parece aceptar por fin el descanso.

Se autoriza entonces la entrada de los periodistas. Unos oficiales de impecable uniforme les explican que no cabe duda alguna. En efecto se trata de Ernesto Guevara de la Serna, las huellas digitales coinciden, los arcos superciliares prominentes no engañan. En *Le Monde* del 12 de octubre de 1967, el enviado especial de France-Presse escribe: «Los periodistas muestran estupefacción e incredulidad. Sin embargo, el error sobre la identidad parece imposible.» Una observación muy simple, que los médicos no harán aquel día ante los periodistas, echa por tierra la tesis oficial de la muerte en combate el día anterior. Aún no hay rigidez cadavérica, como sería normal. No ha costado desnudarle. Fotógrafos y camarógrafos presentan siempre una faceta algo obscena, característica de los «ladrones de imágenes». Fotografían el cadáver de Guevara desde todos los ángulos, de cerca, de lejos, visto desde arriba. Y fotografían incluso a quienes fotografían, encaramados en el lavadero para obtener la mejor toma.

John Berger, crítico de arte inglés, es el primero que llamó la atención sobre el extraño parecido entre algunas de estas fotografías y dos cuadros célebres centrados en un cadáver tendido: *La lección de anatomía* de Rembrandt en La Haya y *El Cristo muerto* de Mantegna en la Brera (Milán).[140] En una de las fotografías, la atención de los observadores de Vallegrande es tan intensa en torno al yacente como en el lienzo de Rembrandt; miran el cadáver, señalan con el dedo el impacto de las balas, se tapan la nariz contra el potente olor del formol. En la otra se ve al Che desde la misma insólita perspectiva del cuadro de Mantegna, a partir de la planta de los pies en primer plano y en la tela del pantalón verde olivo desabrochado sobre el torso desnudo hay pliegues similares a los del paño que cubre la parte inferior del cuerpo de Cristo.

Tras los periodistas entran los habitantes de Vallegrande. Se intentó impedirlo pero la presión de los que aguardan se ha hecho incontenible. Hasta que caiga la noche, son autorizados a desfilar en silencio ante los guerrilleros muertos. Guevara parece tan vivo que impresiona. No se atreven a rozarlo. Será el único cortejo fúnebre al que tendrán derecho los guerrilleros que, muy pronto, desaparecerán en una sepultura misteriosa. Porque inmediatamente se plantea la cuestión del lugar del entierro, si es que habrá entierro. Para algunos, cuyo nombre no se cita, es la fosa común, anónima e ignominiosa. No se desea una repetición de lo ocurrido con Tania, enterrada en el cementerio de la ciudad y en cuya tumba manos anónimas depositan flores sin cesar. Tratándose del Che, la solución es más complicada, aún tres decenios después de aquella fatal ráfaga de La Higuera. También en este punto los militares ofrecerán declaraciones en las que confirman y desmienten los mismos hechos con idéntico desparpajo.

El general Ovando, comandante en jefe de las fuerzas armadas, habla primero de entierro en un lugar secreto, luego de incineración, luego otra vez de entierro. Zenteno se enreda con declaraciones no menos contradictorias. Gary Prado afirma que conoce al oficial que procedió a la cremación pero que ha jurado secreto, y se niega a decir nada más. Pero no hay crematorios en Bolivia y quemar un cuerpo en una pira especial, como en la India, requiere el trabajo de varios hombres, y parece imposible que desde entonces no se hubiese filtrado algún indicio. Por lo demás, semejante procedimiento conlleva dos o tres días. Difícil de disimular. Una semirrevelación en 1995 agitará por un momento las redacciones: el general Mario Vargas Salinas habla de una inhumación secreta de Guevara, junto a la pista del aeropuerto de Vallegrande. El presidente Sánchez de Lozada acepta entonces que unos antropólogos argentinos especializados en la búsqueda de los restos de «desaparecidos» durante los «años de plomo» de la dictadura argentina (1976-1983), así como geólogos cubanos procedan a algunas excavaciones. Durante casi dos años los expertos van buscando, haciendo hoyos a intervalos regulares. Sin éxito.

Tal vez la versión fidedigna sea la del mayor Saucedo y el teniente coronel Selich, ambos *halcones* y decididos *antirrojos*. El primero presidirá el suplicio del cadáver, el segundo la desaparición de sus restos. El martes 10 de octubre, Saucedo autoriza a un teniente coronel de carabineros, Roberto Quintanilla, oficial de información enviado por el ministro del Interior, Antonio Arguedas, a tomar primero las huellas digitales mientras se espera una delegación argentina encargada de confirmar la identidad del personaje. Pero la delegación esperada no llega, y tampoco Roberto Guevara de la Serna, hermano del Che, abogado de poca fortuna que debe recurrir a la revista argentina *Gente* para pagar su viaje. La tarde del martes 10, Quintanilla comienza a hacer la máscara mortuoria del comandante guerrillero, utilizando para ello yeso de dentista. La máscara arranca las cejas e incluso los pelos de la barba. «La operación —escribe Saucedo— es un éxito.»[141] La enfermera Susana Osinaga explica, por el contrario, que el doctor Martínez Casso olvidó untar el rostro con una pomada especial y toda la piel fue arrancada, incluso la de los párpados, quedando expuesta la carne desollada. «Por eso retiraron el cuerpo, que no era ya presentable.»[142]

Pero el horror no se detiene. Se encarnizan aún más. Quintanilla declara haber recibido instrucciones del ministro para llevar a La Paz las manos y la cabeza del guerrillero. Saucedo, que no por cruel deja de ser cristiano, se opone a la profanación, aunque sea la de un odiado enemigo. Finalmente, ese macabro guiñol acaba en una transacción. Guevara conservará la cabeza pero le cortarán las manos por encima de las muñecas, alegando que servirán para la identificación. Esta vez otro médico, el doctor Moisés Abraham Baptista, procede a la siniestra tarea. Arguedas se las arreglará para hacer llegar a La Habana las manos conservadas en formol al cabo del circuito aéreo tradicional por Praga y Moscú. Por fin, a los dos médicos se les «ruega» que a pesar de su repugnancia efectúen una autopsia en regla (que no mencionará las amputaciones ni la fecha de la muerte). A ella se remiten los documentos oficiales. El llamado Guevara es declarado muerto por una bala en el corazón y otra en los estropeados pulmones. ¿Cómo pudo hacer declaraciones con una bala en el corazón? La historia no lo aclara.

¿Qué hacer con ese cuerpo mutilado si no puede ser enterrado ni quemado? Al parecer interviene entonces el teniente coronel Andrés Selich, encargado de esos asuntos. Saucedo señala que en la noche del 10 al 11 de octubre, al amanecer, Selich se lleva el cadáver. El oficial no ha olvidado aún el desprecio mostrado por ese *rojo* asesino de soldados, cuando reaccionó en su improvisada celda ante el hecho —¡una simple broma!— de que quisieran tirarle de la barba. Selich manda, como se sabe, un regimiento de ingeniería que construye una carretera de Vallegrande a Lagunillas. Dispone de apisonadoras y hormigoneras. Nada más expeditivo, para hacer desaparecer un cuerpo, que hacerlo puré y mezclarlo con la grava y la arena. No hay mejor modo de servir a los intereses de Bolivia que facilitando de esa manera las comunicaciones en esta provincia tan necesitada. ¿No es acaso una variante del ataúd de cemento utilizado por la Mafia? Es imposible, por supuesto, aportar una prueba irrefutable de semejante hipótesis. Pero el mayor Rubén Sánchez, el mismo que fue detenido y luego liberado por los guerrilleros, cree que así pudo suceder.[143] Varios investigadores aceptan esta hipótesis como la más plausible.[144] Sánchez recuerda que, después de su hazaña, Selich desapareció de la circulación durante unos meses, hasta su intervención en el golpe de Estado del general Banzer contra el general-presidente Torres, seguida de su propio asesinato, a puntapiés y puñetazos, en 1973, en el propio domicilio del ministro del Interior de la época. El horror no tiene límites.

Y he aquí que el 5 de julio de 1997 estalla una noticia. El equipo cubano-argentino que durante casi dos años, con el visto bueno boliviano, ha excavado 10.000 metros cuadrados en Vallegrande, descubre una fosa común con siete osamentas, en las cercanías del aeropuerto.

La osamenta n.º 2, así clasificada siguiendo el orden de la exhumación, parece ser la del Che. Jorge González, el médico forense cubano que dirige esta operación lo certifica en el informe pericial firmado conjuntamente por la antropóloga argentina Patricia Bernardi y los otros cuatro miembros del equipo. El informe se basa en algunos indicios: ausencia del primer molar izquierdo del maxilar superior y «coincidencias entre las regiones anatómicas del cráneo y la fotografía de quien en vida fuera Ernesto Guevara de la Serna» —lo cual alude sin duda a las protuberancias características de los arcos superciliares—. Además cuatro impactos de proyectil detectados en los huesos del torso y miembros inferiores podrían corresponder con el informe de autopsia de octubre de 1967.

De inmediato se produce una agitación general en los círculos de prensa del mundo entero. Los titulares anuncian «el retorno del Che» y recuerdan para las nuevas generaciones la historia romántica y trágica del guerrillero, su mito, su iconografía, etc.

Sin embargo, algunas voces se elevan para expresar cierto escepticismo y subrayar la extraña conjuntura de este descubrimiento. Ocurre precisamente en vísperas de la conmemoración del trigésimo aniversario de la muerte del héroe y del V Congreso del Partido Comunista Cubano y también apenas unas semanas antes de que tome posesión de su cargo el general Banzer, nuevo presidente de Bolivia (democráticamente elegido esta vez) que había anunciado su oposición a que se prosiguieran las excavaciones.

En todo caso Bolivia autoriza la repatriación a Cuba de los (supuestos) restos del Che y de tres cubanos que fueron sus compañeros de combate. Recuperado *post mortem*, el «muerto sin sepultura» descansará en un mausoleo (cuyos planos curiosamente ya estaban diseñados, en la ciudad de Santa Clara, principal escenario de sus hazañas bélicas. Para rendir homenaje al prócer acudirán los turistas, el pueblo y los colegiales de roja pañoleta...

En la izquierda se llora

Podría creerse que es la «venganza de Tutankamón», pero Guevara nunca se consideró un faraón. El periodista boliviano Ted Córdova-Claure se sorprendió de la serie de desgracias que, a lo largo de los siguientes años, cayeron sobre aquellos que tuvieron algo que ver con la captura y la muerte del comandante guerrillero;[145] lo llamó la «maldición del Che». De hecho —sin duda producto del azar— la enumeración es turbadora, incluso si nos limitamos sólo a la jerarquía militar:

— El general René Barrientos, presidente de Bolivia, muere en 1969, abrasado en un accidente de helicóptero cuya causa nunca será aclarada.

— El general Alfredo Ovando, sucesor de Barrientos, ve cómo su hijo mayor muere también en un accidente de aviación; se vuelve depresivo, pierde la afición al poder y muere en 1982.

— El general Juan José Torres era jefe de estado mayor cuando el Che fue capturado (se dice que su opinión fue determinante para decidir la muerte del guerrillero). Torres preside un gobierno de extrema izquierda en 1971, antes de ser expulsado por Banzer. En 1976 es asesinado en Buenos Aires por unos esbirros, en la época de la sangrienta dictadura del general-presidente Jorge Videla.

— El comandante de la octava división de Santa Cruz, el coronel Joaquín Zenteno (ascendido a general y luego embajador en Francia), es asesinado en una calle de París en 1976, por un supuesto «comando Che Guevara» que nunca existió. La investigación se inclinará por un ajuste de cuentas entre bolivianos.

— El coronel Roberto Quintanilla —el que quería decapitar a

Guevara— es asesinado en su despacho de cónsul de Bolivia en Hamburgo, en 1971.

— El teniente coronel Andrés Selich, el que quería «afeitar» a Guevara, muere en 1973 a causa de una paliza que le propinan en La Paz.

— El capitán Prado, comandante de la compañía que capturó al Che, recibe, de casualidad, en 1972 un balazo en los riñones que lo ata desde entonces a una silla de ruedas.

Seis muertos y un paralítico. Córdova-Claure menciona que esa especie de misteriosa fatalidad afectó a los protagonistas de un drama que aconteció en el centro geográfico del subcontinente sudamericano. ¿Se llegará a atribuir estos «accidentes» a extrañas fuerzas ocultas?... Bolivia es tierra de fantasmas y de leyendas.

El 11 de octubre de 1967, dos días después de la muerte del Che, el Congreso boliviano felicita al presidente de la República por haber defendido la soberanía nacional contra la «agresión castro-comunista». Cinco días más tarde, el Senado norteamericano expresa su gratitud a las fuerzas armadas bolivianas por su acción anticomunista, y un senador sugiere que se aumente la ayuda económica concedida a Bolivia. Pero Luis González y Gustavo Sánchez, autores de la primera investigación seria sobre esta guerrilla, indican que en Cochabamba la federación universitaria local decretó un luto general en la universidad, suspendió un baile de gala y pidió un minuto de silencio en memoria del comandante Guevara, declarado «ciudadano y patriota boliviano».[146] Parece una reacción minúscula, pero es sólo una muestra de la gigantesca oleada de homenajes que en todo el mundo saludarán al guerrillero absoluto, Don Quijote del siglo XX, *condottiere* de los tiempos modernos, etc.

En la izquierda se llora. Con un sollozo casi unánime. Los poetas escriben elegías, los músicos cantan baladas que comienzan como lamentos y terminan como gritos de rebelión. En Buenos Aires llueve, y la lluvia acrecienta el carácter indecente de las fotos del cadáver del Che en los quioscos de periódicos. El escritor Francisco Urondo siente ganas de dar un puñetazo de rabia a la pared. Un taxista admite que el Che necesitó valor para ir a meterse en ese maldito país: «En el fondo es un compatriota, viejo: como Fangio, como Gardel, hasta como San Martín.»[147]

Algunos comunistas ortodoxos se niegan a unirse al lamento. Eso hacen el Partido Comunista Argentino y el Chileno... El Che admiraba a Neruda; sin reciprocidad alguna. El vate chileno ha reconocido que los crímenes de Stalin fueron grandes y muy pequeño el valor para afrontar la verdad. Pero no se priva de condenar al rebelde con una fórmula malévola. A Sergio Insunza, antiguo camarada de célula que le dice cuánto le ha afectado el asesinato de Guevara, le responde: «¿Pero qué te pasa? ¡Si a los que tenemos que admirar y respetar son a los Recabarren,* no a estos jóvenes ilusos que andan haciendo locuras!»[148]

En La Habana, el 15 de octubre, por radio y televisión Fidel Castro declara: «Hemos llegado a la convicción de que la noticia referente a la muerte del comandante Ernesto Che Guevara es dolorosamente cierta.»[149] Las banderas permanecen treinta días a media asta. La jornada del 8 de octubre —fecha de la captura pero no de la muerte (el 9)— será conmemorada en adelante como la del «guerrillero heroico». Se decreta un luto nacional de tres días, a cuyo término el 18 de octubre se organiza un acto solemne. Esa noche será recordada por sus participantes como un acontecimiento saturado de intensa emoción. El Che quería un «sudario de cubanas lágrimas». Lo tiene. Bajo los focos, en la cálida noche tropical perfumada por la brisa marina, una multitud infinita, dolorida y silenciosa colma la plaza de la Revolución.

Nicolás Guillén lee un poema de circunstancias, algo ampuloso: «Queremos morir para vivir como tú has muerto.» Proyectan un cortometraje sobre la vida del héroe, se escuchan algunos extractos de discursos, entre ellos del ardiente que pronunció en la ONU en diciembre de 1964, antes de iniciar su año «africano». Luego, cuando se han disparado ya veintiuna salvas de artillería y un largo toque de muertos ha hecho más impresionante el silencio, se eleva con voz aguda la prosopopeya de Castro: «El Che es un modelo de hombre que no pertenece a nuestro tiempo, el Che pertenece al futuro. Se equivocan los que creen que su muerte significa la derrota de sus ideas.»[150] Vivo, molestaba. Muerto, se vuelve perfecto. La leyenda crece, se convierte en mito.

Algunos quieren ya emularlo. Entre la multitud, Pierre Goldman, «judío polaco nacido en Francia», decide, él también, no sobrevivir a su juventud. Electrizado por *La Internacional* que entonan un millón de bocas, contempla «el inmenso rostro trágico del Che, hermoso como desde un más allá donde ahora parecía que siempre había estado».[151] La mirada inspirada y lejana de esa foto extraordinaria, tomada por casualidad en 1960, ha iluminado con su oscura luz miles de lugares

---

* Luis Emilio Recabarren fue uno de los fundadores del Partido Comunista Chileno.

públicos y privados en Cuba, incluso cuando Guevara vivía aún. La ráfaga del sargento Terán dará al negativo de Korda un alcance universal. Verdadero fenómeno cultural, el póster se extiende por todo el planeta, reproducido en millones de ejemplares.

¿Se trata de la «segunda muerte de Che Guevara», como escribirá más tarde Régis Debray en *Le Nouvel Observateur*?[152] No del todo, pues con este póster como símbolo de su rebelión los campesinos chilenos marchan por el campo para apropiarse de las tierras que la reforma agraria les niega; bajo el emblema del Che se llevarán a cabo todas las rebeliones estudiantiles de 1968 en Francia, Europa, Estados Unidos, en el mundo entero. «¡Che, Che, Che!» corean los manifestantes corriendo por el bulevar Saint-Michel de París. La interjección *porteña*, cuyo significado se ignora en general, se convierte en grito de guerra contra el orden establecido. ¿Es acaso suficiente para satisfacer al maestro del odio saludable?

En Moscú, *Pravda* publica con la firma del dirigente comunista argentino Ghioldi una severa requisitoria contra la política cubana, sospechosa de haber aprobado la lucha armada insurreccional en América Latina[153] (lo que implica un contrasentido pues La Habana ya no está ahí, aunque el Kremlin lo ignore). China comunista se guarda mucho de enviar mensaje de simpatía alguno. Las relaciones entre Pekín y La Habana son gélidas. Pero en Roma las banderas rojas en la sede del Partido Comunista Italiano ondean a media asta. *L'Unità*, órgano del PCI, califica a Guevara de «mártir que será recordado durante mucho tiempo».[154]

En París, el PCF se da el lujo algo cínico de difundir un mensaje de Waldeck Rochet, secretario general, «profundamente entristecido».[155] En Francia, los más sinceros en su tristeza son los jóvenes de las JCR (Juventudes Comunistas Revolucionarias), conmovidos por la muerte del héroe de su corazón. Organizan en París, en una repleta sala de la Mutualité, en el Barrio Latino, una velada de despedida donde la emoción llega al paroxismo cuando los participantes silban *El canto de los mártires* de la revolución rusa de 1905, antes de entonar con ojos húmedos: «Habéis caído por todos los que tienen hambre...» «Más de un aprendiz de bolchevique —escribe Patrick Rotman— sintió que se derretía su coraza al escuchar a Jeannette Pienkny, la "Cubana", hablando del comandante al que había tratado a menudo durante sus estancias en La Habana. La voz de Jeannette [...] parecía correr sobre breves sollozos.»[156] En Argelia, a la que tanto amaba, las principales avenidas de las ciudades importantes toman el nombre del Che Guevara...

En su prisión de Camiri, la actitud de Régis Debray cambia por completo tras la confirmación de la muerte del Che. En agosto, vestido con el uniforme carcelario, respondía a un periodista de *Témoignage chrétien*: «Si fuera un guerrillero, lo diría.»[157] Pero a partir del momento en que todo está decidido, puesto que su condena no ofrece duda alguna, no vacila en proclamarse «corresponsable de los actos de guerra de mis camaradas. Lejos de condenarlos, los apruebo y los considero legítimos y necesarios [...] "Estafeta" [...] se adapta mejor a mi papel exacto», precisa ante el consejo de guerra. Pero no importa. «Les agradezco de antemano la dura condena que espero de ustedes.»[158] Veredicto del 17 de noviembre de 1967: treinta años de cárcel. La pena máxima. Cumplirá casi cuatro antes de que el mayor Rubén Sánchez, sin duda su providencia, aproveche un momento de tranquilidad en la situación política de Bolivia para hacerlo marchar con Bustos rumbo a Chile, donde Allende acaba de ganar las elecciones presidenciales. En Santiago, el corresponsal de Prensa Latina le pregunta: «Cuál sería la principal crítica a *¿Revolución en la revolución?*» Respuesta: «Creo que es un libro abstracto.»[159]

San Ernesto de La Higuera

En un concreto muy inmediato están sumidos los seis supervivientes que escaparon de la emboscada de la quebrada del Churo. Alrededor de ellos pululan los rangers, empeñados en terminar su trabajo. Pero esos hombres harapientos, que casi no tienen otra cosa más que sus armas, son duros de verdad y están decididos a salvar el pellejo. Se han jurado permanecer fieles al combate del Che... Cada uno intentará contar más tarde cómo, aun sufriendo de mil males, consiguieron salir vivos tras una veintena de combates, a veces cuerpo a cuerpo. En *Los supervivientes del Che*, el «guajiro» Benigno hará de esa aventura casi increíble el relato más detallado, sincero y apasionante. Iban de dos en dos, un boliviano y un cubano: Inti/Urbano, Darío/Pombo, el Ñato/Benigno. Este último es un tirador de elite pero lleva dos balas alojadas en el cuerpo, su herida supura y no puede utilizar su brazo derecho. «Debo arrastrarme sólo con la ayuda de la mano izquierda en la que llevo el fusil; avanzo, suelto el fusil, levanto mi cuerpo con la mano izquierda, vuelvo a coger el fusil, y así sucesivamente...»[160]

Han recuperado la caja de la guerrilla, el equivalente a ciento setenta mil dólares, pequeña fortuna inútil en ese lugar, que se reparten por si acaso... Decidieron recuperar el dinero y los documentos personales si uno de los compañeros muere; si queda gravemente herido y retrasa la marcha, más vale tener valor para rematarlo antes que dejarles esa tarea a los rangers. «Y conoceremos ese dolor», dirá Benigno.[161] En efecto, a él le tocó el espantoso deber de dar el tiro de gracia a su compañero el Ñato (Julio Méndez), herido de muerte el 15 de noviembre en una escaramuza cerca de Vallegrande. «Ñato se quita el reloj, saca el dinero... "Abrázame, hermano, y pégame un tiro." [...] Cada uno de los compañeros se acerca y le abraza. [...] Todos queríamos al Ñato por sus cualidades humanas, su ternura, su valentía. [...] Su mirada me da valor para cumplir mi palabra.»[162]

Ya sólo sobreviven cinco. Han puesto precio a sus cabezas: por todo el país hay carteles ofreciendo diez millones de bolivianos a quien facilite su captura. Sin embargo, en cuanto llegan a zonas más habitadas, las cosas van mejor. Encuentran campesinos partidarios del MNR que les ayudan. Pombo, que es negro, resulta difícil de hacer pasar inadvertido, pero de todos modos llegan a Santa Cruz. Por lo general, son los comunistas bolivianos disidentes quienes los apoyan, establecen contacto con las fuerzas de izquierda chilenas y organizan un intento de salvamento. Inti y Darío se quedan en su país. Volverán al combate pero ambos morirán a manos de la policía en 1969. El 18 de febrero de 1968, tras cuatro meses de acoso, los tres cubanos, acompañados por dos guías bolivianos y tras peripecias que parecen salidas de una película, consiguen cruzar a pie la cordillera de los Andes, en el helado esplendor del altiplano, a más de cinco mil metros de altitud. Entran en territorio chileno. ¡Salvados!

El presidente del Senado, el socialista Salvador Allende, ha mandado en su ayuda a su propia hija Beatriz, así como a un periodista militante del Partido Socialista, Elmo Catalán. Pero los guerrilleros por casualidad ofrecen una primicia, en una taberna de la aldea de Camiña, a un enviado especial del gran periódico de derechas de Santiago *El Mercurio*. La historia se convierte, entonces, en una rama derivada de la saga del Che. El presidente chileno Eduardo Frei, democratacristiano, «expulsa» a los guerrilleros. Lo que es un modo de devolverles a Cuba sin irritar demasiado a Washington. Allende los acompaña —y los protege— hasta Tahití. Luego, después de París, donde se les aclama en el aeropuerto de Orly, siguen el itinerario habitual, Praga, Moscú, La Habana. El 7 de marzo de 1968 el propio Fidel los recibe al pie de la escalerilla.

Un viaje igualmente complicado aguarda al diario de campaña del Che antes de llegar fotocopiado a La Habana. El simple enunciado de las tribulaciones de este documento merecería un relato aparte, en particular para evaluar el grado de venalidad de los generales bolivianos de la época, decididos a vender el diario al mejor postor. La ironía de la historia es que, en las narices de los militares y de la CIA, el propio ministro del Interior de Bolivia hace llegar, gratis, el ultraconfidencial texto a Fidel Castro. En Bolivia, como en las novelas de García Márquez, la realidad, mágica, supera la ficción.

Resumen. El 10 de octubre de 1967, al día siguiente de la ejecución del Che en La Higuera, el coronel Zenteno exhibe en una conferencia de prensa en Vallegrande los dos gruesos cuadernos rojo cereza del diario del guerrillero, indicando que contienen páginas muy amargas y revelaciones bastante comprometedoras para algunas personalidades bolivianas y extranjeras. Esto basta para aguzar la curiosidad de los periodistas y los editores, y el interés de los jueces militares que instruyen el proceso de Debray y Bustos.

Pero como se intuye un buen negocio, representantes de ciertas editoriales de Estados Unidos, entre otras Stein and Day, Holt, Random House, etc., o periodistas próximos a la CIA, como Juan de Onís (*New York Times*) y Andrew's Saint George, son autorizados a consultar el documento original. Comienzan a circular por la prensa fragmentos del diario. Fidel Castro, cuando el 15 de octubre confirma que lamentablemente Guevara ha muerto, menciona el examen grafológico de las copias que ha obtenido. Por otra parte la CIA dispone de las fotografías tomadas por el agente Rodríguez en La Higuera, antes incluso de que Guevara sea ejecutado.

Barrientos y sus generales hacen subir la puja. Por su lado, *Paris-Match* envía a la periodista Michèle Ray para que investigue. En el avión entre Lima y La Paz se encuentra con el abogado de la agencia Magnum, que ignorando el objeto del viaje de la encantadora francesa comete la imprudencia de contarle que su misión es comprar los derechos del deseado diario. Cuando llega, Michèle Ray se permite «un farol» que siembra la confusión en las negociaciones. De acuerdo con Jean-Jacques Pauvert, editor no precisamente acaudalado cuyo nombre le ha sido sugerido por François Maspero, anuncia que representa a un «consorcio europeo» y está autorizada a ofrecer una «gran suma». Se mencionan cantidades fabulosas. ¿Por qué no un millón de dólares? El presidente Barrientos y el general Ovando la reciben. Ella prolonga su juego, gana tiempo, se muestra prometedora y evasiva. El comité de padres de víctimas de la guerrilla reclama ya su parte de pastel. El objetivo que los cubanos buscan, como ella bien sabe, es evitar que algún editor norteamericano se apodere del documento y se preste a eventuales manipulaciones del diario sugeridas por la CIA. La operación tiene éxito. Magnum se retira. El editor McGraw Hill prefiere conseguir primero el acuerdo de la familia, para evitar problemas de derechos. Las discusiones se empantanan.[163]

Interviene entonces Arguedas, ministro del Interior. El personaje es extraño e inconstante. En su juventud militó en el Partido de la Izquierda Revolucionaria (PIR), de donde salieron muchos de los fundadores del PCB, y algo le ha quedado. Este hombre de confianza de Barrientos es pagado, controlado, vigilado y teledirigido por la CIA, como reconocerá abiertamente más tarde. Pero cuando advierte las maniobras de la CIA para falsear el diario e intentar, con la ayuda de grafólogos, pergeñar una versión deformada y censurada, reescrita *ad hoc*, manda a Santiago de Chile a uno de sus antiguos amigos del PIR, Víctor Zannier, con la misión de confiar el diario del Che a *Punto Final* para que lo envíen a La Habana. La revista de extrema izquierda, vinculada a Cuba, hace que el agente cubano Luis Fernández Oña (futuro yerno de Salvador Allende) examine el texto, y encarga al periodista Mario Díaz que vaya personalmente a entregar el documento a Piñeiro.

Precedido por una «introducción necesaria» de Fidel Castro, el diario del Che Guevara es editado en secreto en Cuba, y a partir del 1º de julio de 1968, con cierta teatralidad, son distribuidos por todo el país gratuitamente centenares de miles de ejemplares. Tras una rápida traducción —lo cual explica que contenga, a veces, algunos errores—, aparece simultáneamente en francés (Maspero), italiano (Feltrinelli), inglés (Rampart) y alemán (Trikont). Para mayor difusión, se confían también ediciones en español a Punto Final (Chile), Siglo XXI (México) y Ruedo Ibérico (que se encarga en París de los envíos clandestinos a la España de Franco). Se hace fracasar así de modo espectacular cualquier tentativa de manipulación. Castro prefiere dar a conocer el texto del Che con toda su libertad de lenguaje, antes que arriesgarse a una edición falsificada por la CIA. En Moscú, el semanario *Tiempos Nuevos* publica en octubre de 1968 amplios extractos de los *Cuadernos bolivianos* de Guevara, acompañados por acerbos comentarios: «Leyendo esos cuadernos, recordamos las palabras de Lenin con respecto al "levantamiento revolucionario": "No necesitamos ataques de histeria. Necesitamos un mesurado impulso de los batallones de hierro del proletariado."»[164]

Apenas tres semanas después de ese bombazo, Arguedas tiene que emprender la huida; las sospechas que pesan sobre él se han convertido en evidencia: faltan trece «días» en la versión que ha sustraído en La Paz. Son los mismos que faltan en la edición cubana. Logrará más tarde hacer llegar a La Habana las manos cortadas del Che conservadas en formol. Arguedas reaparece en Bolivia un mes después, tras un curioso viaje a Cuba, Londres y Estados Unidos. Pasa tres meses en la cárcel, paga una multa y se convierte en periodista. Sabe demasiadas cosas sobre los vínculos ocultos del presidente Barrientos con los servicios de Langley (EE.UU.) como para que le molesten mucho tiempo. Salvo si lo hacen callar para siempre.

La rocambolesca aventura de los últimos escritos del Che conoce un último episodio en 1984, con trasfondo de malversaciones. Los dos cuadernos originales de Guevara y el diario de Pombo salen a subasta en Londres, en la galería Sotheby's. Precio de salida: 350.000 dólares. El gobierno boliviano se opone, hace valer sus derechos sobre un documento que fue robado de sus archivos y obtiene satisfacción. El ladrón no era otro que el propio presidente de la República de la época, el general García Meza, condenado en 1995 a una pena de treinta años de cárcel.

Treinta años es el tiempo que ha sido necesario para que se instale en Bolivia, en la región de Santa Cruz y Vallegrande en especial, una especie de culto, el de un nuevo santo que no figura en el calendario de la Iglesia: San Ernesto de La Higuera. El movimiento se esbozó inmediatamente después de la muerte del Che, pues la tradición asegura que quienes han muerto trágicamente tienen el poder de conceder deseos y hacer milagros.

En un desmañado poema redactado entre Guatemala y México, hacia 1954 o 1955, el joven médico que descubría la injusticia y estaba devorado ya por el deseo de desfacer entuertos, había escrito: «Al fin, / ¿alguien puede afirmar sin sonrojarse / el triunfo de la espada sobre la fe del hombre?»[165] En la árida montaña de las estribaciones del Chaco boliviano, algunas campesinas invocan a san Ernesto para que las ayude a encontrar una cabra extraviada o a viajar sin contratiempos hasta el pueblo vecino. No importa el lugar donde reposan sus restos. En el hospital de Vallegrande, donde fue expuesto el yacente a la fascinada mirada de los habitantes y los fotógrafos, con el cuerpo atravesado por tantas balas como flechas el de san Sebastián, la lavandería se ha convertido en una especie de gruta de Lourdes adonde, el 8 de octubre, año tras año, llegan en pagana procesión jóvenes de todos los países para una romería de nuevo cuño. Los grafitti de las paredes proceden de una veneración análoga a la de los exvotos: «Che, has muerto por nosotros», «Che, serás nuestra estrella», «Che, eres de los que no mueren nunca»... Canonizado tanto por los creyentes como por los incrédulos, Ernesto *Che* Guevara, al término de su temporada en el infierno, goza, en el este boliviano, de una parcela de eternidad.

RÉQUIEM POR ERNESTO GUEVARA

«Vivir deprisa y morir joven»: este lema rockero que re-corre el planeta en vísperas del siglo XXI, Guevara lo aplicó sin conocerlo. Es la consigna de todos los románticos. Byron, rebelde y misántropo, marcado por su cojera y desprecio por la aristocracia, encarnó el «mal del siglo» antes de ir a hacerse matar, a los treinta y seis años, luchando con los griegos que trataban de liberarse del dominio turco. En la imaginería popular Guevara, guerrillero romántico, representaría en cambio el «bien del siglo», el de la generosidad del combate revolucionario por un mundo más justo. Sin embargo, apenas veinte años después de su muerte, la identidad del héroe se hace incierta. Adolescentes de suburbios, al entrar en una discoteca en los años ochenta, dijeron ignorar quién era el «cantante de rock» cuya mirada extática bajo la boina estrellada lucían en sus camisetas, pero les parece seductor con sus largos cabellos y grave expresión.

Esta seducción se ejerció más que nunca después de la desaparición del Che. El dolor y la rabia, la pesadumbre y la compasión provocadas por el asesinato de La Higuera —se habla incluso de «holocausto»— desembocan en una especie de resurrección de la víctima entre los vivos, con la seguridad de un agradecimiento inmediato y gratificante. Haber muerto como un perro en un lugar remoto, «bajo los golpes del imperialismo», le da al guerrillero ejemplar un crédito moral al que se abonan todos los que escuchan entonces su grito de guerra, empuñan sus armas y se levantan entonando cantos fúnebres de acuerdo con su proclama proteica. De este modo, la derrota se metamorfosea en su contrario. Himnos a la mayor gloria del combatiente se entonan en todo el globo. La canonización del Che comienza pocos días, pocas horas después de que las campanas doblen a muerto, alentada por el ditirambo de los poetas, músicos, escritores: de Luigi Nono a Mario Benedetti, de René Depestre a Margaret Randall o Laurette Sejourné. «Todavía existen héroes. [...] Che Guevara representa una de nuestras grandes figuras románticas», declara Miguel Ángel Asturias, flamante Premio Nobel de Literatura (*Il Messaggero*, Roma, 23 de noviembre de 1967). Millones de latinoamericanos, pero también de africanos y europeos, descubren de pronto que acaban de perder a un hermano, que ese tipo tan peculiar formaba parte del patrimonio de los justicieros y combatientes de la libertad.

En París, la conmoción es grande. Sartre rinde homenaje, para Prensa Latina, al «hombre más completo de nuestra época». Tres mil personas, consultadas en un sondeo del *Petit Larousse*, indican que el Che Guevara debería figurar con el número 1 entre las nuevas personalidades de la próxima edición del diccionario (*Le Monde*, 26 de octubre de 1967). Profesores de universidad y cineastas «que no pertenecen a ninguna formación política», deciden en un espontáneo homenaje a Guevara llevar flores a la estatua de Bolívar (*Le Monde*, 27 de octubre de 1967). «¿Qué acontecimiento le ha impresionado más últimamente?», pregunta *Le Nouvel Observateur* (18 de octubre de 1967) a François Mitterrand. Respuesta: «La noticia de la muerte del Che Guevara [...]. Un hombre de izquierdas francés debe decirlo, [...] el combate del Che Guevara es el de los hombres libres.» En el mismo número del semanario, Albert-Paul Lentin ve en la matanza de la quebrada del Churo «la victoria del Che Guevara». André Pieyre de Mandiargues escribe en la revista *Tricontinental* (n.° 4, 1968): «El tiempo de la acción revolucionaria se levanta ante nosotros como una luz tan pura que nos deslumbra. Seríamos locos o cobardes si dudáramos de su belleza.» ¿Pueden cumplirse mejor los deseos de Guevara?

Pero en Cuba es donde el fenómeno de transustanciación del mensaje guevarista es más extraordinario. «La sangre de Che Guevara ha corrido por todos los explotados», proclama Fidel Castro en su homilía del 18 de octubre de 1967. De la noche a la mañana el hombre que impedía entrar en ronda con Moscú, el economista demasiado centralizador, el utópico, el irreverente guerrillero que denunciaba el imperialismo camuflado de los países socialistas, se convierte en la gran figura sacrificial de la modernidad revolucionaria. Y como el *líder máximo* se declara guevarista, la jerarquía le sigue los pasos. Los grandes temas predicados por Guevara —trabajo voluntario, predominio de los estímulos morales, exaltación del «hombre nuevo»— adquieren de pronto una importancia que nunca se les había concedido en vida del Che. En La Habana, en enero de 1968, deshacen en el mejor momento una «microfracción» de activistas prosoviéticos conducidos por el incombustible Aníbal Escalante. Entre otros crímenes de exagerado sometimiento a Moscú, consideraban aquéllos que la salida de Cuba del Che Guevara había sido un «hecho saludable para la revolución».

En 1996 festejan en La Habana el septuagésimo aniversario de Fidel Castro, patriarca envejecido de una revolución exangüe.

Guevara, en cambio, tuvo la «suerte» de desaparecer a los treinta y nueve años, antes de entrar en cuarentena en su vida y en la Historia. «Murió a tiempo y se lo agradezco sin cesar», escribe Jean Cau que, en 217 páginas de una declaración de amor intempestiva y rimbombante (*Una pasión por Che Guevara*), se libra a un manoseo que el crítico literario de *Le Monde*, Bertrand Poirot-Delpech, califica de «verdadero rapto de cadáver» (12 de octubre de 1979). A todos consta sin embargo que el aplausómetro del guerrillero que muere prevalece sobre el del comandante en jefe que sobrevive, libre ya de aguafiestas a diestra y siniestra.

El Che, que en el fondo proporcionó a toda una generación visores infrarrojos para descubrir, más allá de las hermosas frases oficiales, las villanías de las revoluciones institucionalizadas, ¿qué pensaría de estas palinodias? En el calvario de las marchas y contramarchas bolivianas, cuando algunos comandantes y viceministros cubanos agotados lloran de sufrimiento porque tienen sed, porque ya no aguantan más, en el Che se refleja un secreto júbilo. A modo de consuelo, les imparte una pequeña lección sobre la comodidad dañina de los despachos climatizados, las secretarias atentas y los autos con chófer. Todo eso, afirma, ha hecho que se olvide el sentido profundo de la revolución: ¡el sacrificio! ¿Se trata de puro masoquismo, estoicismo exacerbado, obsesiva atracción por la muerte? Sabemos cómo el constante trato con el asma dio a Guevara una suerte de complicidad con «la Dama del Alba», cierta levedad del ser, una especie de desenvoltura anímica para lanzarse a las más peligrosas aventuras. Pero hay que profundizar más, buscar la explicación en la exigencia ética del personaje, radical intransigente.

El Che es ante todo un hombre de moral. Un puro. Hombre rebelde o santo laico, más camusiano que sartriano —utilizando medidas francesas—, podría hacer suyo el aforismo de Rambert en *La peste*: «Ahora sé que el hombre es capaz de grandes acciones. Pero si no es capaz de un gran sentimiento, no me interesa.» ¿No es acaso lo que el propio Guevara dijo a Jean Daniel una noche de 1963 en Argel: «El socialismo sin la moral comunista no me interesa»?

Régis Debray escribe algo análogo cuando, en 1996, evocando su propia educación política, observa que «Fidel era un hombre muy simpático y poco recomendable; el Che, un hombre antipático y admirable». La magia del mito y la leyenda ha transformado al antipático en arcángel, tótem universal de la rebelión radical, mientras que el simpático líder cubano ya es sólo un caudillo artero y obstinado que atrae, sobre todo, a los camarógrafos ávidos de mostrar las arrugas y las canas de quien antaño pasaba por el Prometeo de la revolución.

Poder de la imagen. El rostro, sombrío o radiante, con el haba-no enarbolado como un desafío dice más, a veces, sobre el Che que dos artículos de la *Encyclopaedia Universalis*. Pero la instantánea de Korda, indestructible póster, es la que se ha convertido, en el insoslayable ideograma de referencia de la mística revolucionaria. Emblema de las buhardillas de estudiantes de los años sesenta y setenta, signo de reconocimiento durante el 68 europeo y de los jóvenes de los campus californianos, la imagen de Guevara petrificado en una eterna juventud, en la movida de los años noventa, vuelve por todas partes. Tanto en los bares latinoamericanos de las capitales europeas como en las discotecas de moda de Buenos Aires, Abidján o Tokio.

En Gran Bretaña, el anuncio de una cerveza que se llama *Che* explica que siendo prohibida en Estados Unidos, es de buena calidad. En París, en el barrio de la Bastilla, nuevo polo magnético de moda, en los Havanita Café o en los Montecristo Bar, una bonachona fauna nocturna escucha rumbas, salsa y merengue degustando gambas a la ecuatoriana o tiburón con salsa Hemingway acompañado con un buen trago de cubalibre, tequila mexicana o incluso un *cheguevara*, nueva bebida al día, idéntica al mojito de la Bodeguita del Medio de La Habana (ron, azúcar, limón verde y menta fresca).

Arquetipo del revolucionario empedernido, el guerrillero se ha convertido en objeto decorativo en las paredes, al igual que otros contemporáneos ilustres iconificados como él, los Beatles o Marilyn Monroe. No se equivocó el cantante francés Renaud al utilizar sin rubor la notoriedad del Che para el cartel de su concierto de París en 1995, incorporando su propio rostro a la camiseta de Guevara. Y determinada y célebre colección de ropa deportiva festeja sus diez años de éxito organizando una «noche *Che*» en el Élysée-Montmartre. ¡Pobre Ernesto!

De hecho, la imagen de Guevara fluctúa al albur de los imperativos políticos y las oscilaciones de la moda. Durante quince años después del crimen de La Higuera, el combatiente sacrificado da todavía consistencia al sueño revolucionario (muy difuso, muy hermoso, muy arcaico tal vez, pero no importa). Se ha creado un mito en el que se mezclan la figura del Justo y la del Paladín, la del Luchador que «los tiene bien puestos» y la del Robin de los Bosques de América Latina, implacable con los malvados, generoso y tierno con los humildes. En *Las palabras y las cosas* (1966), Michel Foucault escribe, refiriéndose al Quijote: «La hazaña no consiste en triunfar realmente (por eso la victoria en el fondo no importa), sino en transformar la realidad en signo.» Es exactamente lo que le sucedió al Che en su viacrucis boliviano.

Al quijotismo del personaje se le ha agregado toda la panoplia crística que rodea su captura y su muerte. Los desertores que lo traicionaron no son más que horrendos Judas. El soldado Montenegro, que ofrece su hombro al guerrillero herido para subir hasta la aldea de La Higuera, no es sino Simón el Cireneo (que ayudó a Jesús a llevar su cruz). Y el desamparo de Guevara en Bolivia, «olvidado» por Cuba y carente de cualquier socorro, ¿no es acaso el de Cristo en los Evangelios cuando clama: «Dios mío, por qué me has abandonado»? (Salvo que el Che, demasiado orgulloso, no implora a nadie en su angustia; aprieta los dientes y arrastra a su tropa en un viaje colectivo hasta el final de sí mismos.)

En octubre de 1968, en el primer aniversario de la muerte del ahora denominado guerrillero heroico de acuerdo con la terminología cubana, una gran bandera roja se despliega como homenaje desde el primer piso de la torre Eiffel (emblema subversivo que retiran con bastante rapidez). En 1977 el Che está muy vivo todavía en la imaginación colectiva. Ernesto Guevara Lynch, el padre, se embolsa más de cien mil dólares de un editor canadiense por un libro de recuerdos donde se cuentan mil anécdotas sobre la adolescencia y la juventud del niño prodigio. Hollywood intentó explotar el filón produciendo una lamentable película de Richard Fleischer, *Che*, donde Omar Sharif se enfrenta en una involuntaria parodia a Jack Palance (Fidel Castro). Cuando el bodrio se presenta en la televisión francesa, en mayo de 1973, llueven las críticas sobre esa grosera caricatura considerada como un «insulto al pueblo cubano». Allende no ha caído todavía en el Chile de la Unidad Popular bajo los embates del general Pinochet, que señala el fin de una época...

Pero se acercan los tiempos en que el rojo de la atmósfera se diluye. La imagen del Che se empaña, se esfuma ante los ojos de una generación nueva que no ha conocido esos combates y en cuyo comportamiento entra la fascinación por un consumo «inteligente», un deseo de éxito individual y una crítica «ecológica» de ese consumo. El Che deja de ser el referente mágico. La reproducción en millones de ejemplares del póster de la boina volvió inofensiva y abstracta su figura. La efigie se convierte en un simple hito en la iconografía general de una época que sólo podemos calificar de posmoderna, cajón de sastre en el que se amontonan los más heteróclitos conceptos.

Sin embargo, con el reciente resurgimiento de la voga de los años sesenta, la resurrección del Che viene a ser un fenómeno planetario que tal vez vaya más allá de las simples consideraciones mercantiles. Algunos ven en ello un confuso intento de recuperar olvidados valores morales: honestidad absoluta, justicia igualitaria, sentido del sacrificio... Otros afirman que ese *come back* ilustra el radicalismo intransigente que reivindican los movimientos integristas. Lo cierto es que el trigésimo aniversario de la muerte del héroe mítico sirve de pretexto para un extraordinario *revival,* donde lo prosaico prevalece sobre la ilusión lírica de una edad de oro ya lejana. Una decena de películas de todas las nacionalidades, casi otras tantas biografías no menos diversas en seriedad y calidad, y un diluvio de chucherías, amuletos y baratijas de todo tipo invaden el mercado. Aparece una *chemanía* sin mucho color político. En Italia es un frenesí. Cuba, Bolivia y Argentina son arquetipos significativos de este movimiento.

En La Habana el Che fue manipulado de mil modos distintos, dejado en la sombra, amordazado cuando era preciso negociar y transigir, enarbolado de nuevo cada vez que convenía recordar al pueblo fiel las virtudes del sacrificio y los estímulos morales para apretarse el cinturón y trabajar por la gloria en «período especial». Preside majestuosamente los altares domésticos, junto a los *orishás*, divinidades africanas que los cubanos siguen venerando contra viento y marea. Ante la afluencia de peticiones para filmar los lugares sagrados donde combatió el hombre ilustre, donde vivió y trabajó, ante la multitud de solicitudes de entrevistas a los testigos que trataron al santo hombre, las autoridades comprenden que ahí hay un tesoro oculto, una ocasión que puede aprovecharse para que el país se beneficie de una imprevista fuente de dólares. El año 1997 es declarado «año del Che Guevara», y se instala un floreciente comercio que ofrece a los turistas boquiabiertos una completa variedad de *gadgets* con el rostro del Che: llaveros, *pins*, colgantes, tarjetas postales, camisetas... Se organizan excursiones a la Sierra Maestra, reservada hasta ahora prioritariamente a los cubanos meritorios. El Banco Nacional de Cuba emite un billete conmemorativo y una moneda de tres pesos con la imagen de su antiguo presidente, que se comprarán esta vez en divisas extranjeras. Correos imprime sellos *ad hoc.* Algunos chiquillos llegan a ofrecer por la calle guijarros encontrados en la playa donde han pintado el retrato del hombre. La televisión cubana pone en marcha dos series complementarias de «culebrones», una de quince episodios, otra de sesenta (!), que evocan minuciosamente la hagiografía del héroe inmortal.

El «descubrimiento» de los restos del Che en Bolivia se produce como por milagro unos días antes de que ocho mil «guevaristas», reunidos en La Habana en un festival mundial de la juventud (julio de 1997), entonen en coro un nuevo grito de amor al héroe con el cantante de la Nueva Trova, Silvio Rodríguez. Pero el mausoleo de Santa Clara, edificado en un tiempo récord, será en lo sucesivo el altar mayor del ritual conmemorativo.

Pese al «rapto de las reliquias» por parte de Cuba, los bolivianos seguirán organizando sus propias manifestaciones. El negocio es el negocio. El culto a san Ernesto de La Higuera se ha hecho tan fuerte que comienzan a llegar turistas de Argentina, Perú, Chile y Europa. Rehabilitando de hecho al guerrillero, la secretaría de Estado para el Turismo en la Paz organiza un circuito llamado «Ruta del Che» que, partiendo de Camiri, pasea a los aficionados a la aventura (y a los mosquitos) por las «estaciones» de la Pasión de Guevara. El Ñancahuazú, Vado del Yeso, la quebrada del Churo con su Gólgota de La Higuera, antes de terminar en el Santo Sepulcro sin sepulcro, Vallegrande. Más vale diseminar las devociones por todas las provincias.

Nadie es menos profeta en su tierra que un argentino. En el país de Jorge Luis Borges, la admiración por ese Guevara, que hizo famoso el apodo de *Che*, estuvo durante mucho tiempo teñida de escepticismo. A excepción de algunos militantes de extrema izquierda —montoneros peronistas o trotskistas del ERP (Ejército Revolucionario del Pueblo)—, la gran mayoría se preguntó durante mucho tiempo, como el Geronte de Molière: «¿Quién le dio vela en ese entierro?» En la derecha, la cosa es más clara todavía. Guevara es el mal pastor que llevó al sacrificio a una generación de idealistas, cruelmente castigados por la «guerra sucia» de los generales. Pero la conmemoración del famoso trigésimo aniversario en 1997, ha producido una reapropiación del personaje, orquestada por un sagaz márketing y estimulada, una vez más, por el interés de los medios de comunicación extranjeros que acuden masivamente a filmar los lugares ya históricos de su nacimiento, adolescencia y juventud. Señal que no engaña: las *hinchadas* —pandillas de aficionados en los partidos de fútbol— enarbolan en sus banderas y pancartas el retrato de Guevara. El Che es recuperado como uno de los símbolos de identidad de un país que nunca ha dejado de buscarse a sí mismo. Los *tifosi* de Nápoles lo habían comprendido. Cuando Maradona les subyugaba con sus prodigiosas fintas y sus irresistibles goles, honraban la argentinidad de su jugador preferido exhibiendo en sus banderolas el retrato estrellado del guerrillero.

Muchos argentinos se indignaron al ver en la película *Evita* cómo la maquinaria de Hollywood convertía al Che en un camarero transformado en corifeo de una Eva Perón desteñida. En 1995 un sondeo establecía que, en la clasificación de sus ídolos, los jóvenes entre quince y veinticinco años colocaban al Che Guevara por delante de Carlos Gardel (*Noticias*, 15 de octubre de 1995). Aquel mismo año el novelista portugués Antonio Lobo Antunes catapultaba la imagen de los dos símbolos en uno solo y declaraba al diario *Le Monde* (10 de noviembre de 1995) que, para protegerse de las «pesadillas burguesas», había colgado sobre su cama al «Carlos Gardel de la revolución»: el póster del Che.

¿Qué queda, medio siglo más tarde, de la vida breve pero intensa del apuesto muchacho que desembarcó en Buenos Aires a los diecinueve años para estudiar medicina? La imagen de un viajero apresurado.

Desde 1950, sin dejarse deslumbrar por las luces de la ciudad ni las perspectivas de una carrera confortable, el joven de cabellos cortos e inmensas quimeras comenzó a andar por los caminos de América. Bohemio inocente y curioso, muy pronto se convirtió en Quijote y *condottiere*, figuras recurrentes de sus espejismos personales. Cinco hitos jalonan ese viaje realizado a toda prisa: Guatemala y la revelación de la brutalidad imperialista; México, porque allí encuentra a su mesías; Cuba, que le parece tierra prometida pero insuficiente para su apetito; el Congo y la insospechada complejidad de un Tercer Mundo ignorado por las obras marxistas; Bolivia por fin, terrible frustración de un sueño libertador de la tierra natal.

En el recuerdo colectivo, la apologética de Guevara ha ocultado al hombre autoritario, impermeable a la duda, para conservar sólo el «héroe positivo» realzado por su muerte precoz. Fue sórdida la muerte, pero se la llamará gloriosa. Era áspero el carácter, intratable a menudo, pero se recordará que era sensible a la ternura. No obstante, lo que le valdrá por unanimidad todas las indulgencias, es haber mantenido las manos limpias, no haberse dejado corromper por el poder, haber resistido las delicias deletéreas de la privilegiatura.

Las mercedes las reciben sólo los ricos. El Che fue un gran imprecador, pero también «portador de sueños». Una de las paradojas del personaje así «revisitado» es la de haber simbolizado la utopía de un mundo más libre, más igualitario, más intransigente en el combate contra la injusticia aunque él mismo, en la abundante producción de sus escritos, nunca diera contornos definitivos a la utopía tras la que corría. En el medio de una frase o en ciertas observaciones dispersas en la masa de sus discursos se refiere a un feliz mañana. Son alusiones muy vagas. Un breve pasaje de *El socialismo y el hombre* anuncia que, una vez rotas las cadenas de la alienación, la liberación del hombre «se traducirá en la reapropiación de [...] su condición humana a través de la cultura y el arte». El diagnóstico es muy bueno, pero el pensamiento se queda algo corto pues no sale de la logomaquia marxista tradicional. La revolución del Che hay que inventarla todavía.

El viejo concepto de «hombre nuevo» habría podido abrir las puertas a una reflexión fecunda, que nunca se llevó a cabo. Por falta de tiempo, sin duda, pero acaso tal vez por los peligros políticos que conlleva. ¿Cuál es el tipo de sociedad capaz de promover esta nueva categoría de seres humanos? «Busco hombre nuevo desesperadamente» hubiera podido clamar Guevara, que pone en esta búsqueda una obstinación digna del capitán Achab de Melville, cuando corría tras su ballena blanca. El comandante-ministro pensó que la guerra de guerrillas, el trabajo «revolucionario» permitirían seleccionar los primeros batallones de esos «hombres nuevos». Generosa ilusión. La transformación de las mentalidades y los comportamientos es un fenómeno complejo que utiliza mil parámetros, entre ellos el de una participación real en las decisiones. ¡Peligro!

Por ello se colaron en ese vago concepto las más dispares aspiraciones revolucionarias: socialismo libertario, trotskismo, rebeliones juveniles de todo orden, estajanovismo de choque, etc. Nadie advierte el malentendido porque cada cual, al igual que Guevara, cultiva su espejismo personal, y la imagen ejemplar del comandante se yergue, tranquilizadora, lo que evita estudiarlo más de cerca. De hecho, el Che nunca ocultó que, en el momento de la verdad, prefería la acción armada al pensamiento rebuscado. A pesar de su afición por la escritura y a sus bolsillos atestados de libros y lápices, estaba convencido de que la teoría llegaría a la zagua pero que era preciso no perder tiempo y actuar. De ahí la acusación de «blanquismo» que algunos, especialmente en Pekín, profirieron contra la excesiva impaciencia del petulante *condottiere*.

«Muchos me dirán aventurero, y lo soy —escribe el Che en la carta de despedida a sus padres—, sólo que de un tipo diferente y de los que ponen el pellejo para demostrar sus verdades.» Tal vez del lado del aventurero se sitúen no *las* verdades sino *la* verdad del hombre Guevara, arrastrado por un sueño que para él fue realmente el virus de la acción, de acuerdo con la fórmula del coronel Lawrence. Un sueño de gloria y de liberación nacional, sin duda. Pero no un sueño de poder.

¿Qué importa entonces que ese vanguardista esté con una revolución de retraso? El general Arnaldo Ochoa no bromea cuando afirma, ante Aleida, la hija del Che, que su padre fue un «perdedor» como cuentan Jean-François Fogel y Bertrand Rosenthal.* Guevara cabalgaba todavía sobre Marx y Lenin cuando, en el horizonte, se perfilaba ya la contracultura anunciadora de una transformación de envergadura: la del acceso general al saber, la de la revolución informática y de Bill Gates, mucho más dañina que la del foco guerrillero, bastante elitista por cierto. De manera que el signo de interrogación que Régis Debray había tenido la prudencia de añadir al título de su panfleto de 1967 no tiene ya razón de ser.

La verdadera «revolución en la revolución» parece consistir en una forma de poder más sutil que la que se halla en la boca del fusil: la de la información y los medios para comunicar esta información. Guevara, tambaleándose en la selva boliviana, impotente, desprovisto de mapas, de puntos de orientación y de mensajes radiofónicos, ¿no es acaso el perfecto contraejemplo del subcomandante Marcos, hombre de la aldea global que, en las montañas del Chiapas mexicano, lleva a cabo una guerrilla de un nuevo estilo para reivindicar la dignidad y el derecho a la tierra? Ocultos tras sus pasamontañas, Marcos y sus compañeros disponen de teléfonos, de fax, de una sinergia de sitios «amigos» en Internet. Sus agregados de prensa hacen, con los medios de comunicación, un trabajo tal vez más importante que el de los guerrilleros armados de Kalashnikov. El Che había intuido el fenómeno, al descubrir que el proceso Debray había dado a conocer su guerrilla mejor que diez batallas ganadas. Pero no prosiguió la reflexión, ni percibió la mutación capital de la esfera mediática que, veinticinco años más tarde, analizará el propio Debray.

Si, a pesar de su destino calcinado, Guevara sigue siendo un magnífico *loser*, y no ha envejecido un solo minuto desde que su imagen de arcángel encabezaba todas las manifestaciones protestatarias, es

---

* Arnaldo Ochoa. La crueldad de la historia convertirá a este antiguo combatiente de la columna de Camilo Cienfuegos en un «perdedor» más trágico todavía, cuando sea fusilado, en 1989, al término de un ignominioso proceso llevado a cabo por los hermanos Castro.

porque el mito perdura y se agiganta, anunciando la eterna buena nueva: mañana, el mundo cambiará radicalmente. Esta permanente esperanza yace inmutable en la caja negra donde está encerrada la vida de Ernesto Guevara de la Serna. ¿Qué queda en ella aparte del acostumbrado «montoncito de secretos»? Queda el asma, que pudrió su existencia pero le permitió forjarse una voluntad de hierro. Queda el poderoso antídoto de una maravillosa complicidad materna, que le insufló los valores libertarios que plasmaron la personalidad del joven. Queda, por fin, el deslumbramiento ante la excepcional aventura brindada por Castro, otro loco genial.

Pero no encontramos lo esencial, la alquimia particular urdida por la suma de malentendidos, que permitió reconciliar a Marx y Rimbaud, un Guevara salvado por el Che, por fin en paz consigo mismo, irradiado por la leve sonrisa esbozada en la mesa mortuoria de Vallegrande, desvaneciéndose en su leyenda...

NOTAS

1. Un asmático impaciente

1. Ernesto Guevara Lynch, *Mi hijo el Che*, La Habana, Arte y Literatura, 1988, p. 126.
2. Franco Pierini, «Mio figlio Guevara», *Europeo*, Milán, n.° 1147, 2.11.1967.
3. En 1992, la casa natal, edificio burgués, en el 480 de la calle Entre Ríos, fue declarada «lugar turístico» por la ciudad de Rosario.
4. Ernesto Guevara Lynch, *Mi hijo el Che, op. cit.*, p. 147.
5. Carmen Córdova de la Serna, entrevista con el autor, Buenos Aires, 1994.
6. Ernesto Guevara Lynch, *Mi hijo el Che, op. cit.*, p. 128.
7. Ernesto Guevara Lynch, en *Gente y Actualidad*, Buenos Aires, n.° 18, p. 7.
8. François-Bernard Michel, *Le souffle coupé*, París, Gallimard, 1984, p. 7.
9. *Ibíd.*
10. Raymond Queneau, *Loin de Rueil*, París, Gallimard, 1944, col. Folio, p. 20.
11. François-Bernard Michel, *Le souffle coupé, op. cit.*, p. 8.
12. *Ibíd.*, p. 13.
13. Marcel Proust, *Correspondance, 1887-1905*, París, Plon, 1953, p. 14.
14. François-Bernard Michel, *Le souffle coupé, op. cit.*, p. 9.
15. Ernesto Guevara Lynch, *Mi hijo el Che, op. cit.*, p. 175.
16. *Ibíd.*, p. 176.
17. Adys Cupull y Froilán González, *Ernestito vivo y presente*, La Habana, Política, 1989.
18. Ernesto Guevara Lynch, *Mi hijo el Che, op. cit.*, p. 179.
19. Ernesto Che Guevara, *Obras 1957-1967*, La Habana, Casa de las Américas, 1977, t. 2, p. 685.
20. Alejandro Saez-Germain, «Los Lynch, casi mil años de historia», *Noticias* (semanario), Buenos Aires, 20.3.1994.
21. Ernesto Guevara Lynch, *Mi hijo el Che, op. cit.*, p. 200.
22. *Ibíd.*
23. *Gente y Actualidad*, Buenos Aires, 26.10.1967, en Hugo Gambini, *El Che Guevara*, Buenos Aires, Paidós, 1973, p. 27.
24. Ernesto Guevara Lynch, *Mi hijo el Che, op. cit.*, p. 220.
25. Claudia Korol, *El Che y los argentinos*, Buenos Aires, Dialéctica, 1988, pp. 33-34.
26. *Ibíd.*, p. 34.
27. *Ibíd.*, p. 36.
28. José Aguilar, «La niñez del Che», *Granma (resumen semanal)*, La Habana, n.° 43, 29.10.1967.
29. Ernesto Guevara Lynch, *Mi hijo el Che, op. cit.*, pp. 236-237.
30. Claudia Korol, *El Che y los argentinos, op. cit.*, p. 38.
31. Ernesto Guevara Lynch, *Mi hijo el Che, op. cit.*, p. 238.
32. Claudia Korol, *El Che y los argentinos, op. cit.*, p. 37.
33. *Ibíd.*
34. José Aguilar, «La niñez del Che», *art. cit.*

35. Fernando Barral, «El Che estudiante», *Granma*, n.º 43, 29.10.1967.
36. Claudia Korol, *El Che y los argentinos*, *op. cit.*, pp. 30-31.
37. Adys Cupull y Froilán González, *Ernestito vivo y presente*, *op. cit.*, p. 72.
38. Claudia Korol, *El Che y los argentinos*, *op. cit.*, p. 32.
39. Adys Cupull y Froilán González, *Ernestito vivo y presente*, *op. cit.*, p. 72.
40. *Ibíd.*, p. 83.
41. Roberto Guevara de la Serna, entrevista con el autor, Buenos Aires, 1994.
42. José Aguilar, «La niñez del Che», *art. cit.*
43. Ernesto Che Guevara, *Obras 1957-1967,* Casa de las Américas, La Habana, 1977, t. 1, p. 199.
44. Carmen Córdova de la Serna, entrevista con el autor, Buenos Aires, 1994.
45. María Rosa Oliver, «El humanismo del Che», en *Cristianismo y Revolución, Cuadernos 2*, Buenos Aires, 1968.
46. Alberto Granado, entrevista con el autor, La Habana, 1992.
47. Carmen Córdova de la Serna, entrevista con el autor, Buenos Aires, 1994.
48. *Ibíd.*
49. Ernesto Guevara Lynch, *Mi hijo el Che*, *op. cit.*, p. 211.
50. Claudia Korol, *El Che y los argentinos*, *op. cit.*, p. 37.
51. Jorge Camarasa, *Los nazis en la Argentina*, Buenos Aires, Legasa, 1992, y *Odessa al sur*, Buenos Aires, Planeta, 1995. Esta obra proporciona interesantes precisiones sobre la importancia de los europeos, colaboradores y amigos de los nazis, refugiados en Argentina tras la derrota alemana y recibidos por los «comités de bienvenida» peronistas.
52. Hilda Gadea, *Años decisivos*, México, Aguilar, 1972, p. 195.
53. Claudia Korol, *El Che y los argentinos*, *op. cit.*, p. 49.
54. Carmen Córdova de la Serna, entrevista con el autor, Buenos Aires, 1994.
55. Claudia Korol, *El Che y los argentinos*, *op. cit.*, p. 49.
56. Adys Cupull y Froilán González, *Ernestito vivo y presente*, *op. cit.*, p. 95.
57. Claudia Korol, *El Che y los argentinos*, *op. cit.*, p. 53.
58. Ernesto Guevara Lynch, *Mi hijo el Che*, *op. cit.*, p. 274.
59. Carmen Córdova de la Serna, entrevista con el autor, Buenos Aires, 1994.
60. Ernesto Guevara Lynch, *Mi hijo el Che*, *op. cit.*, p. 278.
61. Claudia Korol, *El Che y los argentinos*, *op. cit.*, pp. 51-52.
62. En Jean Cormier, *Troisième Mi-Temps*, París, Lincoln, 1991.
63. Alberto Granado, entrevista con el autor, La Habana, 1992.
64. Ernesto Guevara Lynch, *Mi hijo el Che*, *op. cit.*, p. 283. El texto de la cita, traducido y vuelto a traducir, tal vez no sea exacto al del original.
65. *Ibíd.*, p. 283-284.
66. Claudia Korol, *El Che y los argentinos*, *op. cit.*, p. 48.
67. Adys Cupull y Froilán González, *Ernestito vivo y presente*, *op. cit.*, p. 98.
68. Carmen Córdova de la Serna, entrevista con el autor, Buenos Aires, 1994.
69. *Ibíd.*
70. Fernando Córdova de la Serna, entrevista con el autor, Buenos Aires, 1994.
71. Carmen Córdova de la Serna, entrevista con el autor, Buenos Aires, 1994.
72. *Ibíd.*
73. *Ibíd.*
74. Alberto Granado, entrevista con el autor, La Habana, 1992.
75. Claudia Korol, *El Che y los argentinos*, *op. cit.*, p. 51.
76. Alberto Granado, entrevista con el autor, La Habana, 1992.
77. Carlos Ferrer, entrevista con el autor, Buenos Aires, 1994.

78. Citado en «Le péronisme», estudio del Centro Frantz Fanon, traducido del italiano y publicado en *Partisans*, n.° 26-27, París, François Maspero, 1966, p. 63.

79. Hugo Gambini, *El Che Guevara, op. cit.*, p. 61.

80. *Gente*, Buenos Aires, 26 de octubre de 1967.

81. Adys Cupull y Froilán González, *Ernestito vivo y presente, op. cit.*, p. 95.

82. *Ibíd.*, p. 99.

83. *Punto Final*, Santiago de Chile, n.° 41, 7.11.1967.

84. José Aguilar, texto inédito, Madrid-Barcelona, Centro de Producción Documental, p. 9.

85. Ernesto Guevara Lynch, ... *Aquí va un soldado de América*, Buenos Aires, Sudamericana-Planeta, 1987, p. 110.

86. Gérard Guillerm, *Le péronisme. Histoire de l'exil et du retour*, París, Publications de la Sorbonne, 1989, p. 35.

87. Tras la muerte, en 1965, de su mujer Celia, Ernesto Guevara Lynch se casó con Ana María Erra, tuvo con ella tres hijos —hermanastros de Ernesto— y hasta su muerte (1987) residió con ella en Cuba.

88. Fernando Córdova de la Serna, entrevista con el autor, Buenos Aires, 1994.

89. *Ibíd.*

90. Adys Cupull y Froilán González, *Ernestito vivo y presente, op. cit.*, p. 119.

91. Ernesto Guevara Lynch, ... *Aquí va un soldado de América, op. cit.*, p. 166.

92. *Íd.*, *Mi hijo el Che, op. cit.*, p. 288.

93. *Íd.*, ... *Aquí va un soldado de América, op. cit.*, p. 167.

94. *Íd.*, *Mi hijo el Che, op. cit.*, p. 300.

95. *Ibíd.*, p. 302.

96. Claudia Korol, *El Che y los argentinos, op. cit.*, p. 75.

97. Ernesto Guevara Lynch, *Mi hijo el Che, op. cit.*, p. 309.

98. Claudia Korol, *El Che y los argentinos, op. cit.*, p. 75.

99. *Ibíd.*, p. 75-76.

100. Fernando Córdova de la Serna, correspondencia con el autor, 2.5.1994.

101. Ernesto Guevara Lynch, *Mi hijo el Che, op. cit.*, p. 314.

102. *Ibíd.*, p. 321 y ss.

103. *Ibíd.*, p. 342.

104. Carlos Figueroa, en *Gente y Actualidad*, Buenos Aires, 12.10.1967, en Hugo Gambini, *El Che Guevara, op. cit.*, p. 63.

105. Claudia Korol, *El Che y los argentinos, op. cit.*, p. 77.

106. Adys Cupull y Froilán González, *Ernestito vivo y presente, op. cit.*, p. 136.

107. Carlos Ferrer, entrevista con el autor, Buenos Aires, 1994.

108. Claudia Korol, *El Che y los argentinos, op. cit.*, p. 76.

109. Fernando Córdova de la Serna, entrevista con el autor, Buenos Aires, 1994.

110. Chichina Ferreyra, en *Primera Plana*, Buenos Aires, octubre de 1967.

111. José Aguilar, «La niñez del Che», *art. cit.*

112. Adys Cupull y Froilán González, *Ernestito vivo y presente, op. cit.*, p. 136.

2. El hombre de las sandalias de viento

1. Ernesto Che Guevara y Alberto Granado, *Latinoamericana. Journal de voyage*, París, Austral, 1994, p. 35.

2. Ernesto Guevara Lynch, *Mi hijo el Che, op. cit.*, p. 353.

3. Ernesto Che Guevara, *Notas de viaje (tomado de su archivo personal)*, La Habana-Madrid, Abril-Sodepaz, 1992, p. 21. Adviértase que la redacción de esta obra fue realizada, en la edición cubano-española traducida al francés, por la viuda del Che, la señora Aleida March, que posee todavía parte importante de los manuscritos inéditos de su esposo.

4. Ernesto Guevara Lynch, *Mi hijo el Che*, *op. cit.*, p. 358.

5. Alberto Granado, entrevista con el autor, La Habana, 1992.

6. Ernesto Guevara Lynch, *Mi hijo el Che*, *op. cit.*, p. 367.

7. El gobierno de Unidad Popular de Salvador Allende sólo nacionaliza el cobre de Chile en 1972. Tras su golpe de Estado de 1973, el general Pinochet destinó el 10% de los recursos obtenidos por el cobre para alimentar el presupuesto de las fuerzas armadas.

8. Ernesto Guevara Lynch, *Mi hijo el Che*, *op. cit.*, pp. 405-406.

9. *Ibíd.*, p. 412.

10. *Ibíd.*, p. 407.

11. Hilda Gadea, *Años decisivos*, *op. cit.*, p. 32.

12. Adys Cupull y Froilán González, *Ernestito vivo y presente*, *op. cit.*, p. 165.

13. Carlos Ferrer, entrevista con el autor, Buenos Aires, 1994.

14. Adys Cupull y Froilán González, *Ernestito vivo y presente*, *op. cit.*, p. 172.

15. Ernesto Guevara Lynch, ... *Aquí va un soldado de América*, *op. cit.*, p. 15.

16. *Ibíd.*

17. *Ibíd.*, p 19.

18. *Ibíd.*, pp. 21-22.

19. Ernesto Che Guevara, *Obras 1957-1967*, *op. cit.*, t. 2, pp. 474-475.

20. Ernesto Guevara Lynch, ... *Aquí va un soldado de América*, *op. cit.*, p. 22.

21. *Ibíd.*, p. 16.

22. Calica Ferrer, entrevista con el autor, Buenos Aires, 1994.

23. Ernesto Guevara Lynch, ... *Aquí va un soldado de América*, *op. cit.*, p. 23.

24. Ricardo Rojo, *Mi amigo el Che,* Buenos Aires, Ed. Jorge Álvarez, 1968, p. 30.

25. *Ibíd.*, p. 29.

26. Claudia Korol, *El Che y los argentinos*, *op. cit.*, p. 90.

27. Ernesto Guevara Lynch, ... *Aquí va un soldado de América*, *op. cit.*, p. 21.

28. Alfred Métraux, *Les Incas*, París, Seuil, 1961, p. 25.

29. Ernesto Guevara Lynch, ... *Aquí va un soldado de América*, *op. cit.*, p. 19.

30. *Ibíd.*, p. 23.

31. El artículo sobre el Machu Picchu, publicado por la revista *Siete* (Panamá), en diciembre de 1953, fue reproducido en el diario *Granma*, La Habana, 5.10.1987.

32. María del Carmen Ariet, *Che. Pensamiento político*, La Habana, Política, 1988, p. 41. La historiadora cubana, siguiendo la línea de la hagiografía oficial, es, que sepamos, la única que ha tenido acceso al texto inédito del diario de Guevara en su segundo viaje. El privilegio le fue concedido gracias a su colaboración con Aleida March, viuda de Ernesto Guevara. Esta celosa depositaria de lo esencial de los archivos personales de su ilustre esposo, no autorizaba todavía la consulta cuando se redactaron estas líneas.

33. Calica Ferrer, entrevista con el autor, Buenos Aires, 1994.

34. Claudia Korol, *El Che y los argentinos*, *op. cit.*, p. 94.

35. Ricardo Rojo, *op. cit.*, p. 38.

36. Ernesto Guevara Lynch, ... *Aquí va un soldado de América*, *op. cit.*, p. 25.

37. Ricardo Rojo, *op. cit.* p. 42.

38. *Ibíd.*, p. 44.

39. Hilda Gadea, *Años decisivos, op. cit.*, p. 33.
40. Ernesto Guevara Lynch, ... *Aquí va un soldado de América, op. cit.*, p. 27.
41. Hilda Gadea, *Años decisivos, op. cit.*, p. 33.
42. María del Carmen Ariet, *Che. Pensamiento político, op. cit.*, p. 43.
43. *Ibíd.*, p. 44.
44. Hilda Gadea, *Años decisivos, op. cit.*, p. 22.
45. María del Carmen Ariet, *Che. Pensamiento político, op. cit.*, p. 43.
46. Ernesto Guevara Lynch, ... *Aquí va un soldado de América, op. cit.*, p. 29.
47. Revista de la Biblioteca Nacional José Martí, La Habana, 1988, citado por Claudia Korol, *El Che y los argentinos, op. cit.*, p. 97. Véase también Mario Mencia, «Los primeros cubanos que conocieron al Che», *Bohemia*, n.° 40, 7.10.1977.
48. Ricardo Rojo, *op. cit.*, p. 57. El testimonio de Rojo es bastante dudoso pues parece poco probable que estuviera en Costa Rica al mismo tiempo que Guevara.
49. Ernesto Guevara Lynch, ... *Aquí va un soldado de América, op. cit.*, p. 30.

3. La mutación radical

1. Ernesto Guevara Lynch, ... *Aquí va un soldado de América, op. cit.*, pp. 30-32.
2. *Ibíd.*, p. 34.
3. *Ibíd.*, p. 37.
4. *Ibíd.*, p. 33.
5. Hilda Gadea, *Años decisivos, op. cit.*, p. 21.
6. *Ibíd.*, pp. 20-21.
7. *Ibíd.*, p. 21.
8. *Ibíd.*, p. 243.
9. *Ibíd.*, p. 29.
10. *Ibíd.*
11. María del Carmen Ariet, *Che. Pensamiento político, op. cit.*, p. 47.
12. Ernesto Guevara Lynch, ... *Aquí va un soldado de América, op. cit.*, p. 36.
13. Hilda Gadea, *Años decisivos, op. cit.*, p. 36.
14. Ernesto Guevara Lynch, ... *Aquí va un soldado de América, op. cit.*, p. 39.
15. *Ibíd.*, p. 41.
16. *Ibíd.*, p. 54.
17. *Ibíd.*, p. 46.
18. *Ibíd.*, pp. 35-37.
19. *Ibíd.*, p. 41.
20. *Ibíd.*, p. 42.
21. *Ibíd.*, p. 48.
22. Hilda Gadea, *Años decisivos, op. cit.*, p. 226.
23. Ernesto Guevara Lynch, ... *Aquí va un soldado de América, op. cit.*, p. 48.
24. *Ibíd.*, p. 49.
25. Hilda Gadea, *Años decisivos, op. cit.*, pp. 54-55.
26. *Ibíd.*, pp. 55-56.
27. *Ibíd.*, p. 55.
28. *Ibíd.*, p. 41.
29. *Ibíd.*, p. 37.
30. *Ibíd.*, p. 58.
31. *Ibíd.*, p. 203.

32. Ernesto Guevara Lynch, ... *Aquí va un soldado de América*, *op. cit.*, p. 53.

33. Hilda Gadea, *Años decisivos*, *op. cit.*, p. 48.

34. Ernesto Guevara Lynch, ... *Aquí va un soldado de América*, *op. cit.*, p. 52.

35. *Ibíd.*, pp. 69-70.

36. Marcel Niedergang, *Les vingt Amériques Latines*, París, Seuil, 1969, t. 3, p. 83.

37. Ernesto Guevara Lynch, ... *Aquí va un soldado de América*, *op. cit.*, p. 55.

38. Tad Szulc, *Castro, trente ans de pouvoir absolu*, París, Payot, 1987, p. 208.

39. Ernesto Guevara Lynch, ... *Aquí va un soldado de América*, *op. cit.*, p. 56.

40. *Ibíd.*, p. 57.

41. *Ibíd.*, p. 58.

42. Marcel Niedergang, *Les vingt Amériques Latines*, *op. cit.*, p. 83.

43. Ernesto Guevara Lynch, ... *Aquí va un soldado de América*, *op. cit.*, p. 59.

44. Hilda Gadea, *Años decisivos*, *op. cit.*, pp. 72-73.

45. *Ibíd.*, p. 224.

46. *Ibíd.*, p. 226.

47. *Ibíd.*, p. 225.

48. Armand Gatti, entrevista con el autor, Santiago de Chile, 1993.

49. Ernesto Guevara Lynch, ... *Aquí va un soldado de América*, *op. cit.*, p. 61.

50. Hilda Gadea, *Años decisivos*, *op. cit.*, pp. 221-222.

51. *Ibíd.*, p. 226.

52. *Ibíd.*, p. 85.

53. Ernesto Guevara Lynch, ... *Aquí va un soldado de América*, *op. cit.*, p. 76.

54. *Ibíd.*, p. 75.

55. *Ibíd.*, p. 76.

56. *Ibíd.*, p. 77.

57. *Ibíd.*

58. *Ibíd.*, p. 80.

59. *Ibíd.*, p. 78.

60. Hilda Gadea, *Años decisivos*, *op. cit.*, p. 107.

61. Ernesto Guevara Lynch, ... *Aquí va un soldado de América*, *op. cit.*, p. 79.

62. Hilda Gadea, *Años decisivos*, *op. cit.*, p. 100.

63. Ernesto Guevara Lynch, ... *Aquí va un soldado de América*, *op. cit.*, p. 81.

64. *Ibíd.*, p. 89.

65. Ernesto Che Guevara, *Obras, 1957-1967*, *op. cit.*, t. 2, pp. 70-71.

66. *Ibíd.*, p. 71.

67. Ernesto Guevara Lynch, ... *Aquí va un soldado de América*, *op. cit.*, p. 92.

68. *Ibíd.*

69. Hilda Gadea, *Años decisivos*, *op. cit.*, p. 116.

70. Ricardo Rojo, *op. cit.*, p. 72.

71. Hilda Gadea, *Años decisivos*, *op. cit.*, p. 117.

72. Ernesto Che Guevara, *Escritos y discursos*, La Habana, Ciencias Políticas, t. 1, 1985, p. 20.

73. Hilda Gadea, *Años decisivos*, *op. cit.*, p. 116.

74. Ernesto Guevara Lynch, ... *Aquí va un soldado de América*, *op. cit.*, p. 99.

75. *Ibíd.*, pp. 99-100.

76. Hilda Gadea, *Años decisivos*, *op. cit.*, pp. 124-125.

77. Ernesto Che Guevara, *Oeuvres VI, Textes inédits*, París, François Maspero, 1972, p. 155. (Entrevista con Jorge Masetti en la Sierra Maestra; abril de 1958.)

78. Fidel Castro, *Révolution cubaine*, París, François Maspero, 1968, t. II, p. 227.

79. Fidel Castro, *Entretiens sur la religion avec Frei Betto*, París, Éd. du Cerf, 1986, p. 227.

80. Hilda Gadea, *Años decisivos*, op. cit., p. 225.

81. Ernesto Che Guevara, *Oeuvres VI, Textes inédits*, op. cit., pp. 155-156.

82. Hilda Gadea, *Años decisivos*, op. cit., p. 126.

83. Ernesto Che Guevara, *Pasajes de la guerra revolucionaria* en *Obras 1957-1967*, op. cit., t. 1, p. 193.

84. Hilda Gadea, *Años decisivos*, op. cit., pp. 127-128.

85. *Ibíd.*, p. 133.

86. *Ibíd.*, p. 119.

87. Fidel Castro, *Entretiens sur la religion avec Frei Betto*, op. cit., p. 262.

88. Ernesto Che Guevara, *Obras 1957-1967*, op. cit., t. 2, p. 690.

89. Ernesto Guevara Lynch, *Mi hijo el Che*, op. cit., p. 373.

90. Hilda Gadea, *Años decisivos*, op. cit., pp. 232-233.

91. Ernesto Guevara Lynch, *... Aquí va un soldado de América*, op. cit., p. 104.

92. *Ibíd.*, p. 109.

93. Arnaldo Orfila, «Recordando al Che», *Che*, número especial de *Casa de las Américas*, que reproduce los n.ºs 46 de enero-febrero de 1968 y 104 de septiembre-octubre de 1977, Buenos Aires, Latinas, 1986, p. 36.

94. Ernesto Guevara Lynch, *... Aquí va un soldado de América*, op. cit., p. 111.

95. Hilda Gadea, *Años decisivos*, op. cit., p. 142.

96. Ernesto Guevara Lynch, *... Aquí va un soldado de América*, op. cit., pp. 106-107.

97. Hilda Gadea, *Años decisivos*, op. cit., p. 152.

98. Ernesto Guevara Lynch, *... Aquí va un soldado de América*, op. cit., p. 130.

99. *Ibíd.*, p. 129.

100. Ernesto Che Guevara, *Pasajes de la guerra revolucionaria* en *Obras 1957-1967*, op. cit., t. 1, p. 193.

101. Hilda Gadea, *Años decisivos*, op. cit., p. 193.

102. Alberto Bayo, *Mi aporte a la revolución cubana*, La Habana, Imp. Ejército Rebelde, 1960.

103. Fidel Castro, *Entretiens sur la religion avec Frei Betto*, op. cit., p. 202.

104. Hilda Gadea, *Años decisivos*, op. cit., p. 169.

105. Tad Szulc, *Castro, trente ans de pouvoir absolu*, op. cit., p. 301.

106. *Ibíd.*, p. 169-170.

107. Néstor Almendros, entrevista con el autor, París/Londres, 1991.

108. Ernesto Che Guevara, *Obras 1957-1967*, op. cit., t. 1, p. 193.

109. Hilda Gadea, *Años decisivos*, op. cit., pp. 171-172.

110. José Pardo Llada, *Fidel y el «Che»*, Barcelona, Plaza & Janés, 1988, p. 152.

111. Ernesto Guevara Lynch, *... Aquí va un soldado de América*, op. cit., p. 137.

112. *Ibíd.*, p. 140 y ss.

113. *Ibíd.*, p. 148 y ss.

114. *Ibíd.*, p. 151.

115. Hilda Gadea, *Años decisivos*, op. cit., p. 181.

116. Ernesto Guevara Lynch, *... Aquí va un soldado de América*, op. cit., p. 152.

117. *Ibíd.*, p. 150.

118. Entrevista de Carlos María Gutiérrez en la revista *Casa de las Américas*, n.° 54, mayo-junio de 1969, citado en Philippe Gavi, *Che Guevara*, París, Éditions Universitaires, 1970, p. 50.

119. Carlos Franqui, *Journal de la révolution cubaine*, París, Seuil, 1976, p. 142.

120. Tad Szulc, *Castro, trente ans de pouvoir absolu*, op. cit., p. 310.

4. Sierra Maestra: el olor de la pólvora...

1. Ernesto Che Guevara, *Obras 1957-1967, op. cit.*, t. 1, p. 194.
2. Carlos Franqui, *Journal de la révolution cubaine, op. cit.*, p. 143.
3. Ernesto Che Guevara, *Obras 1957-1967, op. cit.*, t. 1, p. 195.
4. *Ibíd.*
5. *Centro de estudios de historia militar*, La Habana, FAR-Ed. Política, 1985, p. 104.
6. Ernesto Che Guevara, *Obras 1957-1967, op. cit.*, t. 1, p. 198.
7. Carlos Franqui, *Journal de la révolution cubaine, op. cit.*, p. 150.
8. *Ibíd.*
9. Ernesto Che Guevara, *Obras 1957-1967, op. cit.*, t. 1, p. 195.
10. Carlos Franqui, *Journal de la révolution cubaine, op. cit*, p. 144.
11. Mariano Rodríguez Herrera, *Con la adarga al brazo*, La Habana, Política, 1988, p. 81.
12. Carlos Franqui, *Journal de la révolution cubaine, op. cit.*, p. 145.
13. Ernesto Che Guevara, *Obras 1957-1967, op. cit.*, t. 1, p. 195.
14. *Ibíd.*, p. 197.
15. *Ibíd.*, pp. 196 y 198.
16. *Ibíd.*, p. 198.
17. *Ibíd.*, p. 199.
18. *Ibíd.*, p. 200.
19. *Ibíd.*, p. 199.
20. *Ibíd.*
21. *Ibíd.*
22. *Ibíd.*, pp. 204-205.
23. *Ibíd.*, pp. 201-202.
24. *Ibíd.*, p. 203.
25. *Ibíd.*, p. 205.
26. *Ibíd.*
27. *Ibíd.* p. 206.
28. Tad Szulc, *Castro, trente ans de pouvoir absolu, op. cit.*, p. 328.
29. Ernesto Guevara Lynch, *Mi hijo el Che, op. cit.*, p. 21.
30. Ernesto Che Guevara, *Obras 1957-1967, op. cit.*, t. 2, p. 96.
31. *Íd.*, «Le peuple en armes», *Partisans*, París, noviembre-diciembre, 1961, p. 24.
32. *Íd.*, *Obras 1957-1967, op. cit.*, t. 1, p. 209.
33. *Ibíd.*, p. 210.
34. *Ibíd.*, p. 211.
35. *Ibíd.*, p. 212.
36. *Ibíd.*, p. 213.
37. *Ibíd.*, p. 212.
38. *Ibíd.*, p. 214.
39. *Ibíd.*, p. 208.
40. Tad Szulc, *Castro, trente ans de pouvoir absolu, op. cit.*, p. 329.
41. Froilán Escobar y Félix Guerra, *Che, sierra adentro*, La Habana, Política, 1988, pp. 18-19.
42. Ernesto Che Guevara, *Obras 1957-1967, op. cit.*, t. 1, p. 214.
43. *Ibíd.*
44. *Ibíd.*, p. 215.
45. *Ibíd.*

46. *Íd.*, *La guerra de guerrillas* en *Obras 1957-1967*, *op. cit.*, t. 1, p. 69.
47. Fidel Castro, *Révolution cubaine*, *op. cit.*, t. II, p. 230.
48. Ernesto Che Guevara, *Obras 1957-1967*, *op. cit.*, t. 1, p. 216.
49. *Ibíd.*, p. 215.
50. *Ibíd.*, p. 216.
51. *Ibíd.*, p. 70.
52. *Ibíd.*, p. 219.
53. *Ibíd.*, p. 220.
54. *Ibíd.*, p. 221.
55. *Ibíd.*, p. 223.
56. *Ibíd.*, p. 226.
57. *Ibíd.*, p. 227.
58. *Ibíd.*
59. *Ibíd.*, p. 225.
60. Marcel Niedergang, *Les vingt Amériques Latines*, *op. cit.*, t. 3, p. 228.
61. Ernesto Che Guevara, «Le peuple en armes», *art. cit.*, p. 23.
62. Carlos Franqui, *Le livre des douze*, París, Gallimard, 1965, p. 80.
63. Herbert L. Matthews, *Fidel Castro*, París, Seuil, 1970, p. 106.
64. *Ibíd.*, p. 110.
65. Ernesto Che Guevara, *Obras 1957-1967*, *op. cit.*, t. 1, p. 232.
66. *Ibíd.*, p. 231.
67. *Ibíd.*, p. 233.
68. *Ibíd.*, p. 234.
69. *Ibíd.*, pp. 235-236.
70. *Ibíd.*, p. 236.
71. *Ibíd.*, p. 224.
72. *Ibíd.*
73. *Ibíd.*, p. 237.
74. *Ibíd.*
75. *Ibíd.*, pp. 241-242.
76. *Ibíd.*, p. 241.
77. *Ibíd.*, p. 254.
78. Carlos Franqui, *Journal de la révolution cubaine*, *op. cit.*, p. 202.
79. Ernesto Che Guevara, *Obras 1957-1967*, *op. cit.*, t. 1, p. 250 y ss.
80. *Ibíd.*, p. 250.
81. *Ibíd.*, p. 251.
82. Herbert L. Matthews, *Fidel Castro*, *op. cit.*, p. 108.
83. *Ibíd.*, p. 112.
84. Ernesto Che Guevara, *Obras 1957-1967*, *op. cit.*, t. 1, p. 252.
85. *Ibíd.*, p. 253.
86. *Ibíd.*, p. 254.
87. *Ibíd.*, p. 253.
88. *Ibíd.*, p. 263.
89. *Ibíd.*, p. 261.
90. *Ibíd.*
91. *Ibíd.*, pp. 265-266.
92. Froilán Escobar y Félix Guerra, *Che, sierra adentro*, *op. cit.*, p. 93.
93. Fidel Castro, *Révolution cubaine*, *op. cit.*, t. II, p. 228.
94. Ernesto Che Guevara, *Obras 1957-1967*, *op. cit.*, t. 1, p. 270.

95. *Ibíd.*

96. *Ibíd.*, t. 2, p. 79.

97. *Ibíd.*, p. 157.

98. *Ibíd.*, p. 278.

99. Fidel Castro, *Étapes de la révolution cubaine*, París, François Maspero, 1964, p. 44.

100. Ernesto Che Guevara, *Obras 1957-1967, op. cit.*, t. 2, pp. 12-13.

101. Carlos Franqui, *Le livre des douze, op. cit.*, p. 81.

102. Froilán Escobar y Félix Guerra, *Che, sierra adentro, op. cit.*, p. 118.

103. Ernesto Che Guevara, *Obras 1957-1967, op. cit.*, t. 1, p. 279.

104. Froilán Escobar y Félix Guerra, *Che, sierra adentro, op. cit.*, p. 125.

105. *Ibíd.*, p. 106.

106. Fidel Castro, *révolution cubaine, op. cit.*, t. II, p. 229.

107. *Ibíd.*

108. Carlos Franqui, *Journal de la révolution cubaine, op. cit.*, p. 222.

109. Ernesto Che Guevara, *Obras 1957-1967, op. cit.*, t. 1, p. 290.

110. *Ibíd.*

111. *Ibíd.*, p. 291.

112. Froilán Escobar y Félix Guerra, *Che, sierra adentro, op. cit.*, p. 128.

113. Ernesto Che Guevara, *Obras 1957-1967, op. cit.*, t. 1, p. 291.

114. *Ibíd.*, p. 298.

115. *Ibíd.*, p. 299.

116. *Ibíd.*, p. 305.

117. *Ibíd.*, p. 313.

118. Froilán Escobar y Félix Guerra, *Che, sierra adentro, op. cit.*, p. 190.

119. Ernesto Che Guevara, *Obras 1957-1967, op. cit.*, t. 1, p. 132.

120. *Ibíd.*, p. 122.

121. Enrique Acevedo, *Descamisado*, La Habana, Cultura Popular, 1993, p. 52.

122. Ernesto Che Guevara, *Obras 1957-1967, op. cit.*, t. 1, p. 110.

123. Régis Debray, *Révolution dans la révolution?*, París, François Maspero, 1972, p. 161.

124. Enrique Acevedo, *Descamisado, op. cit.*, p. 63.

125. Ernesto Che Guevara, *Obras 1957-1967, op. cit.*, t. 1, p. 295.

126. *Ibíd.*, p. 309.

127. *Ibíd.*, p. 319.

128. *Ibíd.*, p. 323.

129. *Ibíd.*, p. 327.

130. *Ibíd.*, p. 325.

131. *Ibíd.*

132. Carlos Franqui, *Journal de la révolution cubaine, op. cit.*, p. 271.

133. *Ibíd.*, p. 275.

134. Froilán Escobar y Félix Guerra, *Che, sierra adentro, op. cit.*, p. 218.

135. Ernesto Che Guevara, *Obras 1957-1967, op. cit.*, t. 1, p. 340.

136. *Ibíd.*, p. 343.

137. Carlos Franqui, *Journal de la révolution cubaine, op. cit.*, p. 283.

138. Ernesto Che Guevara, *Obras 1957-1967, op. cit.*, t. 1, p. 345.

139. Carlos Franqui, *Journal de la révolution cubaine, op. cit.*, p. 283.

140. *Ibíd.*, p. 244.

141. Ernesto Che Guevara, *Obras 1957-1967, op. cit.*, t. 1, p. 353.

142. *Ibíd.*, p. 355.

143. Froilán Escobar y Félix Guerra, *Che, sierra adentro, op. cit.*, p. 184.

144. *Ibíd.*, p. 186.

145. Enrique Acevedo, *Descamisado, op. cit.*, p. 220.

146. Ernesto Che Guevara, *Obras 1957-1967, op. cit.*, t. 1, p. 352.

147. Carlos Franqui, *Journal de la révolution cubaine, op. cit.*, p. 285.

148. Ernesto Che Guevara, *Obras 1957-1967, op. cit.*, t. 2, p. 697.

149. Carlos Franqui, *Journal de la révolution cubaine, op. cit.*, p. 279.

150. *Ibíd.*, p. 286.

151. *Ibíd.*, p. 285.

152. Ernesto Guevara Lynch, ... *Aquí va un soldado de América, op. cit.*, p. 131.

153. Carlos Franqui, *Journal de la révolution cubaine, op. cit.*, p. 285.

154. *Ibíd.*

155. *Ibíd.*, p. 289.

156. K. S. Karol, *Les guérilleros au pouvoir*, París, Robert Laffont, 1970, p. 153.

157. Ernesto Che Guevara, *Oeuvres VI, Textes inédits, op. cit.*, p. 155.

158. *Íd.*, *Obras 1957-1967, op. cit.*, t. 1, p. 31.

159. Carlos María Gutiérrez, en *Marcha*, Montevideo, diciembre de 1967, pp. 16-17.

160. Froilán Escobar y Félix Guerra, *Che, sierra adentro, op. cit.*, p. 281.

161. Tad Szulc, *Castro, trente ans de pouvoir absolu, op. cit.*, p. 373.

162. Carlos Franqui, *Journal de la révolution cubaine, op. cit.*, p. 320.

163. *Ibíd.*, p. 321.

164. Ernesto Che Guevara, *Obras 1957-1967, op. cit.*, t. 1, p. 358.

165. *Ibíd.*, p. 399.

166. Carlos Franqui, *Journal de la révolution cubaine, op. cit.*, p. 346.

167. *Ibíd.*, p. 362.

168. *Ibíd.*, p. 372.

169. *Ibíd.*, p. 397.

170. Ernesto Che Guevara, *Obras 1957-1967, op. cit.*, t. 1, pp. 388-389.

171. Jorge Ricardo Masetti, *Los que luchan y los que lloran*, Buenos Aires, 1968, Freeland, p. 46.

172. Froilán Escobar y Félix Guerra, *Che, sierra adentro, op. cit.*, p. 363.

173. Carlos Franqui, *Journal de la révolution cubaine, op. cit.*, p. 425.

174. *Ibíd.*, p. 426.

175. *Ibíd.*, p. 423.

176. Ernesto Che Guevara, *Obras 1957-1967, op. cit.*, t. 1, p. 400.

177. *Ibíd.*, 401.

178. *Ibíd.*

179. *Ibíd.*

180. Carlos Franqui, *Journal de la révolution cubaine, op. cit.*, p. 457.

181. «Diario de campaña del comandante Ernesto Che Guevara», *Bohemia*, La Habana, 11 de enero de 1959, citado en Hugo Gambini, *El Che Guevara, op. cit.*, p. 178.

182. Ernesto Che Guevara, *Obras 1957-1967, op. cit.*, t. 1, p. 403.

183. Carlos Franqui, *Journal de la révolution cubaine, op. cit.*, pp. 433 y 441.

184. *Ibíd.*, p. 460.

185. *Ibíd.*

186. Enrique Oltuski, «Gente del llano», *Casa de las Américas*, La Habana, n.° 40, 1967, p. 51.

187. Ernesto Che Guevara, *Obras 1957-1967, op. cit.*, t. 2, pp. 202-203.

188. Enrique Oltuski, «Gente del llano», *art. cit.*, p. 58.

189. Luis Simón, «Mis relaciones con el Che Guevara», en *Cuadernos*, n.° 60, París, mayo de 1962.

190. Enrique Acevedo, *Descamisado, op. cit.*, p. 275.

191. Carlos Franqui, *Journal de la révolution cubaine, op. cit.*, p. 450.

192. Enrique Oltuski, «Gente del llano», *art. cit.*, p. 51.

193. Ernesto Che Guevara, *Obras 1957-1967, op. cit.*, t. 1, p. 405.

194. *Íd., Textes militaires, op. cit.*, p. 142.

195. *Ibíd.*

196. Paco Ignacio Taibo II, *La batalla del Che, Santa Clara*, La Habana, Política, 1989, p. 70.

197. Guillermo Cabrera Álvarez, *Camilo Cienfuegos, el hombre de mil anécdotas*, La Habana, Política, 1989, p. 67.

198. Paco Ignacio Taibo II, *La batalla del Che, Santa Clara, op. cit.*, p. 114.

199. *Ibíd.*, p. 116.

200. *Ibíd.*, p. 128.

201. *Ibíd.*, p. 129.

202. Carlos Franqui, *Journal de la révolution cubaine, op. cit.*, p. 504.

203. Tad Szulc, *Castro, trente ans de pouvoir absolu, op. cit.*, p. 399.

204. Enrique Oltuski, entrevista con el autor, La Habana 1992.

205. Lee Lockwood, *Castro's Cuba, Cuba's Fidel*, Nueva York, MacMillan, 1967, p. 80.

5. La revolución como una sandía

1. Jorge Serguera, *Papito*, entrevista con el autor, La Habana, 1992.

2. Pablo Neruda, en *Partisans*, París, François Maspero, n.° 2, noviembre-diciembre de 1961, p. 165.

3. Régis Debray, *Cours de médiologie générale*, París, Gallimard, 1991, p. 179.

4. Fidel Castro, *Révolution cubaine, op. cit.*, t. I, p. 85.

5. Rufo López-Fresquet, *My Fourteen Months with Castro*, Nueva York, World Publishing, 1966, p. 68.

6. Claude Julien, *Révolution cubaine*, París, Julliard, 1961, p. 102.

7. Herbert L. Matthews, *Fidel Castro, op. cit.*, p. 148.

8. Marie-Hélène Camus, *Lune de miel chez Fidel Castro*, París, Fayard, 1960, p. 155.

9. Ernesto Che Guevara, «Hasta la victoria siempre», *Cuba*, La Habana, número especial, noviembre de 1967, p. 44.

10. Carlos Franqui, *Vida, aventuras y desastres de un hombre llamado Castro*, Barcelona, Planeta, 1988, p. 126.

11. Ernesto Che Guevara, *Obras 1957-1967, op. cit.*, t. 2, pp. 404-405.

12. Orlando Borrego, entrevista con el autor, La Habana, 1992.

13. Guillermo Cabrera Infante, entrevista con el autor, Londres, 1992.

14. Martha Frayde, *Écoute, Fidel*, París, Denoël, 1987, p. 69.

15. *Ibíd.*

16. *Ibíd.*

17. Ernesto Guevara Lynch, *Mi hijo el Che, op. cit.*, p. 86.

18. *Ibíd.*, p. 85.

19. *Ibíd.*, p. 112.

20. Hilda Gadea, *Años decisivos, op. cit.*, pp. 201-202.

21. Ernesto Guevara Lynch, *Mi hijo el Che*, *op. cit.*, p. 117.

22. Guillermo Cabrera Infante, entrevista con el autor, Londres, 1992.

23. Fidel Castro, *Révolution cubaine*, *op. cit.*, t. I, p. 87.

24. Julio O. Chaviano, *La lucha en Las Villas*, La Habana, Ciencias Sociales, 1990, p. 119.

25. Ernesto Che Guevara, *Textes politiques*, *op. cit.*, p. 254.

26. Claude Couffon, *René Depestre*, París, Seghers, 1986, p. 59.

27. René Depestre, entrevista con el autor, París, 1991.

28. *Ibíd.*

29. *Ibíd.*

30. *Ibíd.*

31. Carlos Franqui, *Retrato de familia con Fidel*, Barcelona, Seix-Barral, 1981, p. 40.

32. Herbert L. Matthews, *Fidel Castro*, *op. cit.*, p. 165.

33. Régis Debray, *Loués soient nos seigneurs*, París, Gallimard, 1996, p. 176.

34. En Hugo Gambini, *El Che Guevara*, *op. cit.*, p. 201.

35. Michael Lowy, *La pensée de Che Guevara*, París, François Maspero, 1970, p. 84.

36. Mohamed Hassanein Heikal, *Les documents du Caire*, París, Flammarion, 1972, p. 224.

37. Ernesto Che Guevara, *Obras 1957-1967*, *op. cit.*, t. 2, p. 18.

38. *Íd.*, *Ibíd.*, p. 407.

39. *Ibíd.*, p. 408.

40. Tad Szulc, *Castro, trente ans de pouvoir absolu*, *op. cit.*, p. 416.

41. *Ibíd.*, p. 417.

42. Michel Gutelman, *L'agriculture socialisée à Cuba*, París, François Maspero, 1967, pp. 53 y 55.

43. Ernesto Che Guevara, *Obras 1957-1967*, *op. cit.*, t. 2, p. 397.

44. *Ibíd.*, t. 1, p. 133.

45. *Ibíd.*, t. 2, p. 100.

46. Julio O. Chaviano, *La lucha en Las Villas*, *op. cit.*, p. 111.

47. Alfred Sauvy, en *L'Observateur*, París, 15 de agosto de 1952.

48. Ernesto Che Guevara, *Obras 1957-1967*, *op. cit.*, t. 2, p. 389.

49. Hilda Gadea, *Años decisivos*, *op. cit.*, p. 230.

50. Luis Alberto Lavandeyra, entrevista con el autor, París, 1991.

51. Mohamed Hassanein Heikal, *Les documents du Caire*, *op. cit.*, p. 220.

52. *Ibíd.*, p. 224.

53. Ernesto Che Guevara, *Obras 1957-1967*, *op. cit.*, t. 2, p. 388.

54. *Íd.*, «América desde el balcón afroasiático», *Humanismo*, La Habana, septiembre-octubre de 1959, en *íd.*, *Obras 1957-1967*, *op. cit.*, t. 2, pp. 387-389.

55. Luis Alberto Lavandeyra, entrevista con el autor, París, 1991.

56. José Pardo Llada, *Fidel y el «Che»*, Barcelona, Plaza & Janés, 1988, p. 144.

57. Ernesto Che Guevara, «La India: país de grandes contrastes», *El Che en la revolución cubana*, t. I, pp. 8-9. (Esta edición en siete tomos, no comercializada, de tirada limitada, fue realizada en La Habana por el Ministerio de la Industria Azucarera bajo el control de Orlando Borrego, probablemente a partir de 1966. Pero no incluye mención alguna de lugar o fecha.)

58. José Pardo Llada, *Fidel y el «Che»*, *op. cit.*, p. 141.

59. *Ibíd.*, pp. 143-144.

60. Ernesto Guevara Lynch, *Mi hijo el Che*, Madrid, Planeta, nuev. ed. 1982, al margen del texto.

61. Ernesto Che Guevara, «Recupérase Japón de la tragedia atómica», *El Che en la revolución cubana, op. cit.*, t. I, p. 15.

62. José Pardo Llada, *Fidel y el «Che», op. cit.*, p. 166.

63. *Ibíd.*, p. 185.

64. *Ibíd.*, p. 186.

65. Ernesto Che Guevara, «Yugoslavia, un pueblo que lucha por sus ideales», *El Che en la revolución cubana, op. cit.*, t. I, p. 33.

66. Mohamed Hassanein Heikal, *Les documents du Caire, op. cit.*, p. 277.

67. Alfredo Guevara, entrevista con el autor, París, 1991.

68. Ernesto Che Guevara, *Obras 1957-1967, op. cit.*, t. 1, pp. 27-28.

69. Dariel Alarcón Ramírez, *Benigno, Vie et Mort de la Révolution cubaine*, París, Fayard, 1996, pp. 76-77.

70. Juan Vivés, *Les Maîtres de Cuba*, París, Robert Laffont, 1981, p. 49.

71. K. S. Karol, *Les guérilleros au pouvoir, op. cit.*, p. 305.

72. Jean Lartéguy, *Les guérilleros*, París, Presses-Pocket, 1972, p. 305.

73. José Luis Llovio-Menéndez, *La vie secrète d'un révolutionnaire à Cuba*, París, Ergo Press, 1989, p. 33.

74. Herbert L. Matthews, *Fidel Castro, op. cit.*, p. 109.

75. *Ibíd.*, p. 173.

76. Carlos Franqui, *Retrato de familia con Fidel, op. cit.*, p. 109.

77. Ernesto Che Guevara, *Escritos y discursos, op. cit.*, t. 4, p. 24.

78. *El Che en la revolución cubana, op. cit.*, t. II, p. 44.

79. *Ibíd.*, p. 124.

80. *Le Monde*, París, 22 de marzo de 1960.

81. Carlos Romeo, entrevista con el autor, París, 1991.

82. *Ibíd.*

83. Raúl Maldonado, entrevista con el autor, Santiago de Chile, 1993.

84. Orlando Borrego, entrevista con el autor, La Habana, 1992.

85. Alfredo Guevara, entrevista con el autor, París, 1991.

86. Jean-Paul Sartre, en *Obliques*, París. n.°ˢ 18-19, «Sartre», 1979.

87. Juan Arcocha, «Le voyage de Sartre», en *Autrement*, París, *La Havane, 1952-1961*, 1994, p. 200.

88. Simone de Beauvoir, *La force des choses*, París, Gallimard, 1963, t. 2, p. 286.

89. Carlos Franqui, *Retrato de familia con Fidel, op. cit.*, p. 131.

90. Annie Cohen-Solal, *Sartre, 1905-1980*, París, Gallimard, 1985, p. 513.

91. Jean-Paul Sartre, «Ouragan sur le sucre», *France-Soir*, París, 10 de julio de 1960.

92. Erik Orsenna y Bernard Matussière, *Mésaventures du Paradis, mélodie cubaine*, París, Seuil, 1996, pp. 37-39.

93. Juan Arcocha, «Le voyage de Sartre», *art. cit.*, p. 513.

94. Annie Cohen-Solal, *Sartre, 1905-1980, op. cit.*, p. 513.

95. Carlos Franqui, *Retrato de familia con Fidel, op. cit.*, p. 132.

96. Jean-Paul Sartre, «Ouragan sur le sucre», *art. cit.*

97. *Ibíd.*

98. Alberto Korda, en *La Razón*, Buenos Aires, 10 de julio de 1986.

99. *Íd.*, en *L'autre journal*, París, octubre de 1990.

100. Juan Vivés, *Les Maîtres de Cuba, op. cit.*, pp. 184-185.

101. Annie Cohen-Solal, *Sartre, 1905-1980, op. cit.*, p. 559.

102. Orlando Borrego, entrevista con el autor, La Habana, 1992.

103. Jean-Paul Sartre, en *Revolución*, La Habana, 4 de octubre de 1960.

104. K. S. Karol, *Les guérilleros au pouvoir*, op. cit., p. 203.
105. *Ibíd.*, p. 204 y ss.
106. Tad Szulc, *Castro, trente ans de pouvoir absolu*, op. cit., p. 458.
107. K. S. Karol, *Les guérilleros au pouvoir*, op. cit., p. 205.
108. *Ibíd.*
109. Ernesto Che Guevara, *Escritos y discursos*, op. cit., t. 4, p. 171.
110. Jean-Pierre Clerc, *Fidel de Cuba*, París, Ramsay, 1988, p. 222.
111. *El Che en la revolución cubana*, op. cit., t. II, pp. 288-289.
112. *Ibíd.*, p. 96.
113. Tad Szulc, *Castro, trente ans de pouvoir absolu*, op. cit., pp. 463-464.
114. *Ibíd.*
115. *El Che en la revolución cubana*, op. cit., t. II, pp. 296 y 298.
116. René Depestre, entrevista con el autor, París, 1991.
117. Citado por Pío Serrano, «La Havane était une fête», en *Autrement, La Havane, 1952-1961*, op. cit., p. 222.
118. René Depestre, entrevista con el autor, París, 1991.
119. Citado por Jean-François Fogel, «"Papa" dans sa Finca vigia», en *Autrement, La Havane 1952-1961*, op. cit., p. 195.
120. René Depestre, entrevista con el autor, París, 1991.
121. Françoise Sagan, en *L'Express*, París, 11.8.1960.
122. Tad Szulc, *Castro, trente ans de pouvoir absolu*, op. cit., pp. 455-456.
123. Jean-Pierre Clerc, *Fidel de Cuba*, op. cit., p. 238.
124. Ernesto Che Guevara, *Obras 1957-1967*, op. cit., t. 1, p. 135 y ss.
125. *Ibíd.*, t. 2, p. 125.
126. René Dumont, *Cuba, socialisme et développement*, París, Seuil, 1964, pp. 53-55.
127. *El Che en la revolución cubana*, op. cit., t. I, p. 406.
128. Régis Debray, *Loués soient nos seigneurs*, op. cit., p. 161.
129. Pablo Neruda, *Confieso que he vivido*, Buenos Aires, Planeta, 1992, p. 439.
130. Aleida March, entrevista con el autor, La Habana, 1992.
131. Mariano Rodríguez Herrera, *Con la adarga al brazo*, op. cit., p. 168.
132. *Ibíd.*, pp. 173-174.
133. Ernesto Che Guevara, *Escritos y discursos*, op. cit., t. 9, pp. 375-377.
134. Hernán Sandoval, entrevista con el autor, Santiago de Chile, 1995.
135. *El Che en la revolución cubana*, op. cit., t. III, p. 3 y ss.
136. K. S. Karol, *Les guérilleros au pouvoir*, op. cit., p. 209.
137. *Le Monde*, París, 12.7.1960.
138. Michel Tatu, *Ibíd.*, 21.12.1960.
139. *El Che en la Revolución cubana*, op. cit., t. III, p. 3 y ss.
140. *Ibíd.*, p. 77 y ss.
141. Tad Szulc, *Castro, trente ans de pouvoir absolu*, op. cit., p. 488.
142. Jean-Pierre Clerc, *Fidel de Cuba*, op. cit., p. 254.
143. *El Che en la revolución cubana*, op. cit., t. III, p. 64.
144. Herbert L. Matthews, *Fidel Castro*, op. cit., p. 218.
145. Carlos Franqui, entrevista con el autor, Monte Catini, 1991.
146. *Le Monde*, París, 21.6.1975.
147. Hilda Gadea, *Años decisivos*, op. cit., p. 205.
148. Ania Francos, *La fête cubaine*, París, Julliard, 1962, pp. 222 y ss.
149. *Ibíd.*
150. *Ibíd.*

151. Claude Julien, *L'Empire américain*, París, Grasset, 1968, p. 364.
152. Herbert L. Matthews, *Fidel Castro*, *op. cit.*, p. 226.

6. En busca del hombre nuevo

1. Gabriel García Márquez, en *Juventud rebelde*, traducido y reproducido en *Autrement*, París, *Cuba, 30 ans de révolution*, enero de 1989, pp. 28-29.
2. Ania Francos, *La fête cubaine*, *op. cit.*, pp. 236 y ss.
3. Gabriel García Márquez, en *Cuba, 30 ans de révolution*, *op. cit.*, p. 26.
4. *El Che en la revolución cubana*, *op. cit.*, t. III, p. 165.
5. Régis Debray, *Les Masques*, París, Gallimard, 1987, pp. 48-49.
6. René Depestre, entrevista con el autor, París, 1991.
7. Régis Debray, *Les Masques*, *op. cit.*, pp. 48-49.
8. Plinio Mendoza, *La llama y el hielo*, Barcelona, Planeta, 1984.
9. *Ibíd.*, p. 88.
10. *Ibíd.*, p. 99.
11. Fidel Castro, «Adresse aux intellectuels», *Partisans*, París, François Maspero, noviembre-diciembre de 1961, p. 173.
12. *El Che en la revolución cubana*, *op. cit.*, t. III, p. 394.
13. Ernesto Che Guevara, *Obras 1957-1967*, *op. cit.*, t. 2, p. 380.
14. Carlos Franqui, *Retrato de familia con Fidel*, *op. cit.*, p. 264.
15. Ernesto Che Guevara, *Oeuvres V, Textes inédits*, *op. cit.*, p. 60.
16. K. S. Karol, *Les guérilleros au pouvoir*, *op. cit.*, p. 56.
17. *Ibíd.*, pp. 55-56.
18. *Ibíd.*
19. Ricardo Rojo, *Mi amigo el Che*, *op. cit.*, p. 138.
20. *El Che en la revolución cubana*, *op. cit.*, t. III, pp. 251 y ss.
21. *Ibíd.*, p. 268.
22. *Ibíd.*, p. 216.
23. *Ibíd.*, p. 269.
24. *Ibíd.*, pp. 301-302.
25. *Ibíd.*, pp. 311 y ss.
26. *Ibíd.*, p. 324.
27. *Ibíd.*, p. 304.
28. Régis Debray, *Entretiens avec Allende sur la situation au Chili*, París, François Maspero, 1971, p. 77.
29. *Ibíd.*, p. 81.
30. Hugo Gambini, *El Che Guevara*, *op. cit.*, p. 363.
31. *Ibíd.*, p. 371.
32. *El Che en la revolución cubana*, *op. cit.*, t. III, pp. 373 y ss.
33. *Ibíd.*, p. 403.
34. René Dumont, *Cuba, socialisme et développement*, *op. cit.*, p. 62.
35. Carlos Franqui, *Retrato de familia con Fidel*, *op. cit.*, p. 339.
36. Michel Gutelman, entrevista con el autor, París, 1995.
37. Michel Gutelman, *L'agriculture socialisée à Cuba*, *op. cit.*, p. 156.
38. *Ibíd.*, p. 166.
39. *Ibíd.*
40. René Dumont, *Cuba, socialisme et développement*, *op. cit.*, p. 67.

41. *El Che en la revolución cubana*, t. III, *op. cit.*, p. 449.
42. Michel Gutelman, *L'agriculture socialisée à Cuba*, *op. cit.*, p. 85.
43. *Ibíd.*, p. 89.
44. Gabriel García Márquez, en *Autrement, Cuba, 30 ans de révolution*, *op. cit.*, p. 26.
45. K. S. Karol, *Les guérilleros au pouvoir*, *op. cit.*, p. 237.
46. *El Che en la revolución cubana*, *op. cit.*, t. III, p. 465.
47. Ernesto Che Guevara, *Obras 1957-1967*, *op. cit.*, t. 2, p. 207.
48. *Ibíd.*, p. 125.
49. *El Che en la revolución cubana*, *op. cit.*, t. III, p. 468.
50. *Ibíd.*, p. 474.
51. *Ibíd.*, p. 475.
52. *Granma*, ed. en lengua francesa, 29.10.1967, p. 11.
53. *Ibíd.*
54. Orlando Borrego, entrevista con el autor, La Habana, 1992.
55. Alberto Martínez, entrevista con el autor, París, 1992.
56. Néstor Lavergne, entrevista con el autor, Buenos Aires, 1994.
57. Raúl Maldonado, entrevista con el autor, Santiago de Chile, 1993.
58. Carlos Romeo, entrevista con el autor, París, 1991.
59. Néstor Lavergne, entrevista con el autor, Buenos Aires, 1994.
60. *Ibíd.*
61. *Ibíd.*
62. Orlando Borrego, entrevista con el autor, La Habana, 1992.
63. En *Cuba*, La Habana, número especial, noviembre de 1967, p. 59.
64. Ernesto Che Guevara, *Obras 1957-1967*, *op. cit.*, t. 2, p. 207.
65. *Ibíd.*, p. 174.
66. Hugo Gambini, *El Che Guevara*, *op. cit.*, p. 341.
67. Citado por Bertrand Poirot-Delpech, *Le Monde*, París, 16.11.1994.
68. Enrique Oltuski, entrevista con el autor, La Habana, 1992.
69. Osvaldo Rodríguez, en *Cuba*, La Habana, número especial, noviembre de 1967, p. 60.
70. Enrique Oltuski, entrevista con el autor, La Habana, 1992.
71. *El Che en la revolución cubana*, *op. cit.*, t. VI, pp. 151-152.
72. *Ibíd.*, pp. 158-159.
73. *Ibíd.*, p. 170.
74. *Ibíd.*, pp. 179-180.
75. *Ibíd.*, p. 176.
76. *Ibíd.*, p. 272.
77. *Ibíd.*, p. 197.
78. *Ibíd.*, p. 214.
79. *Ibíd.*, p. 234.
80. *Ibíd.*, p. 240.
81. *Ibíd.*, p. 287.
82. *Ibíd.*, pp. 288-291.
83. *Ibíd.*, p. 257.
84. Fidel Castro, *Révolution cubaine*, *op. cit.*, t. I, p. 210.
85. *Ibíd.* p. 237.
86. *Ibíd.* p. 238.
87. *El Che en la revolución cubana*, *op. cit.*, t. VI, p. 268.
88. Fidel Castro, *Révolution cubaine*, *op. cit.*, t. I, p. 142.

89. Harold MacMillan, prefacio a Robert Kennedy, *13 Days. The Cuban Missile Crisis*, Londres, Macmillan, 1969.

90. Juan Vivés, *Les Maîtres de Cuba*, *op. cit.*, pp. 131 y ss.

91. Jean Daniel, en *L'Express*, París, diciembre de 1963.

92. Carlos Franqui, *Retrato de familia con Fidel*, *op. cit.*, p. 391.

93. Ernesto Che Guevara, *Obras 1957-1967*, *op. cit.*, t. 2, pp. 169, 172-173.

94. Carlos Franqui, *Retrato de familia con Fidel*, *op. cit.*, p. 405.

95. Jean-Pierre Clerc, *Fidel de Cuba*, *op. cit.*, p. 283.

96. Claude Julien, en *Le Monde*, París, 22-23 de marzo de 1963.

97. *Ibíd.*, 24.11.1990.

98. Ernesto Che Guevara, *Obras 1957-1967*, *op. cit.*, t. 2, p. 500.

99. *Le Monde*, París, 24.11.1990.

100. Carlos Franqui, *Retrato de familia con Fidel*, *op. cit.*, p. 402.

101. *Le Monde*, París, 24.11.1990.

102. *Ibíd.*

103. *Ibíd.*

104. Carlos Jorquera, entrevista con el autor, Santiago de Chile, 1993.

105. Marita Lamarca, entrevista con el autor, Santiago de Chile, 1994.

106. Claudia Korol, *El Che y los argentinos*, *op. cit.*, p. 127 y ss.

107. *Ibíd.*

108. Ernesto Che Guevara, *Escritos y discursos*, *op. cit.*, t. 9, p. 379.

109. Claudia Korol, *El Che y los argentinos*, *op. cit.*, pp. 127 y ss.

110. Carlos Romeo, entrevista con el autor, París, 1991.

111. Claudia Korol, *El Che y los argentinos*, *op. cit.*, p. 179.

112. *Le Monde*, París, 2.1.1963.

113. *El Che en la revolución cubana*, *op. cit.*, t. VI, p. 212.

114. *Ibíd.*, p. 203.

115. *Ibíd.*, p. 371.

116. *Ibíd.*, p. 238.

117. David Rousset, *Une vie dans le siècle*, París, Plon, 1991, p. 156.

118. Ernesto Che Guevara, *Cartas inéditas*, Editosa, 1967, p. 35.

119. *El Che en la revolución cubana*, *op. cit.*, t. VI, p. 215.

120. Ernesto Che Guevara, *Obras 1957-1967*, *op. cit.*, t. 2, p. 154.

121. René Depestre, entrevista con el autor, París, 1991.

122. Citado en René Dumont, *Cuba, socialisme et développement*, *op. cit.*, p. 103.

123. *Ibíd.*, p. 104.

124. *El Che en la revolución cubana*, *op. cit.*, t. IV, p. 464.

125. René Dumont, *Cuba, socialisme et développement*, *op. cit.*, p. 108.

126. *El Che en la revolución cubana*, *op. cit.*, t. IV, pp. 295 y ss.

127. *Fidel Castro, Révolution cubaine*, *op. cit.*, t. II, p. 56-57.

128. Ricardo Rojo, *Mi amigo el Che*, *op. cit.*, p. 199.

129. Aleida March, entrevista con el autor, La Habana, 1992.

130. Michel Gutelman, entrevista con el autor, París, 1996.

131. Carlos Franqui, *Retrato de familia con Fidel*, *op. cit.*, p. 447.

132. Jean Daniel, *Le temps qui reste*, París, Stock, 1973, p. 154.

133. *Ibíd.*

134. *Ibíd.*, p. 155.

135. Miriam Merzouga, entrevista con el autor, París, 1996.

136. *El Che en la revolución cubana*, *op. cit.*, t. IV, pp. 455 y 463.

137. K. S. Karol, *Les guérilleros au pouvoir*, op. cit., p. 226.

138. Gabriel García Márquez, «La Havane au temps du blocus», en *Autrement, Cuba, 30 ans de révolution*, art. cit., p. 31.

139. Carlos Franqui, *Vida, aventura y desastres de un hombre llamado Castro*, op. cit., p. 326.

140. Ernesto Che Guevara, *Cartas inéditas*, op. cit., p. 30.

141. *Ibíd.*

142. *Íd.*, *Obras 1957-1967*, op. cit., t. 2, p. 263.

143. *Ibíd.*, p. 273.

144. *El Che en la revolución cubana*, op. cit., t. IV, p. 387.

145. *Ibíd.*

146. Ernesto Che Guevara, *Obras 1957-1967*, op. cit., t. 2, pp. 367 y ss.

147. K. S. Karol, *Les guérilleros au pouvoir*, op. cit., p. 318.

148. *El Che en la revolución cubana*, op. cit., t. VI, p. 566.

149. Ernesto Che Guevara, *Écrits d'un révolutionnaire*, París, La Brèche, 1987, p. 132.

150. *Rouge*, París, 11.10.1977.

151. *Ibíd.*

152. *El Che en la revolución cubana*, op. cit., t. VI, p. 577.

153. *Ibíd.*, p. 581.

154. René Dumont, *Cuba, socialisme et développement*, op. cit., p. 126.

155. *El Che en la revolución cubana*, op. cit., t. VI, p. 385.

156. *Ibíd.*, p. 390.

157. Raúl Roa-Kouri, entrevista con el autor, París, 1996.

158. Claudia Korol, *El Che y los argentinos*, op. cit., p. 176.

159. *El Che en la revolución cubana*, op. cit., t. I, p. 80.

160. Jorge Edwards, *Persona non grata*, Barcelona, Barral, 1975, pp. 83-84.

161. Enrique Oltuski, entrevista con el autor, La Habana, 1992.

162. Ernesto Che Guevara, *Oeuvres VI, Textes inédits*, op. cit., p. 192. Se trata de una entrevista realizada por Josie Fanon, viuda de Frantz Fanon, para el diario *Révolution Africaine* y reproducida en el diario *Revolución*, La Habana, 23.12.1964.

163. Frantz Fanon, *Les Damnés de la terre*, París, François Maspero, 1966, p. 242.

164. León Bouvier, entrevista con el autor, París, 1992. León Bouvier era, por aquel entonces, redactor a cargo de Cuba en el Ministerio de Asuntos Exteriores.

165. *El Che en la revolución cubana*, op. cit., t. VI, p. 470-472.

166. *Ibíd.*, p. 508.

167. *Ibíd.*, p. 429.

168. *Ibíd.*, p. 522 y ss.

169. Rolando Prats, entrevista con el autor, París, 1996.

170. Norma Guevara, entrevista con el autor, París, 1996.

171. Omar Pérez, entrevista con el autor, París, 1996.

172. Enrique Oltuski, «¿Qué puedo decir?», *Casa de las Américas*, número especial, *Che*, editado en Argentina y que reúne artículos aparecidos en los n.ºs 46 y 104, Buenos Aires, Ed. Latinas, 1986, p. 39.

173. Dariel Alarcón Ramírez, *Benigno,* entrevista con el autor, París, 1996.

174. Paco Ignacio Taibo II, *Ernesto Guevara también conocido como el Che*, México Planeta-Joaquín Mortiz, 1996, p. 429.

175. Jean-Paul Sartre, en *Granma* (en francés), La Habana, 24.12.1967.

176. Ernesto Che Guevara, *Obras 1957-1967*, op. cit., t. 2, p. 179.

177. Roberto Savio, entrevista con el autor, Roma, 1992.

178. Mohamed Hassanein Heikal, *Les documents du Caire, op. cit.*, p. 225.

179. Roberto Guevara, entrevista con el autor, Buenos Aires, 1994.

180. Ernesto Che Guevara, *Obras 1957-1967, op. cit.*, t. 1, p. 161 y ss.

181. Jean-Jacques Nattiez, *Che Guevara*, París, Seghers, 1970, p. 169.

182. *Ibíd.*

183. Ernesto Che Guevara, *Escritos y discursos, op. cit.*, t. 8, p. 229.

184. *El Che en la revolución cubana, op. cit.*, t. VI, p. 567.

185. *Ibíd.*, p. 562.

186. Ernesto Che Guevara, *Escritos y discursos, op. cit.*, t. 8, pp. 149 y ss.

187. *El Che en la revolución cubana, op. cit.*, t. VI, p. 562.

188. *Ibíd.*, p. 571 y ss.

189. *Ibíd.*

190. Ernesto Che Guevara, *Obras 1957-1967, op. cit.*, t. 2, pp. 541 y ss.

191. *Le Monde*, París, 14.12.1964.

192. *Ibíd.*, 16.12.1964.

193. Ahmed Ben Bella, discurso leído en Atenas el 9 de octubre de 1987 por Zohra Ben Bella, en *Conoscere il Che*, Roma, Data News, 1988, p. 138.

194. Oswaldo Barreto, entrevista con el autor, París, 1992.

195. *Ibíd.*

196. *Ibíd.*

197. Carlos Moore, *Le castrisme et l'Afrique noire, 1959-1972*, tesis de Estado en etnología, inédita, París, Universidad París-VII, 1983, pp. 608-609.

198. Ahmed Ben Bella, en *Conoscere il Che, op. cit.*, p. 136.

199. Jorge Serguera, *Papito*, entrevista con el autor, La Habana, 1992.

200. *Ibíd.*

201. *Ibíd.*

202. *Ibíd.*

203. *Ibíd.*

204. *El Che en la revolución cubana, op. cit.*, t. VI, p. 549.

205. *Ibíd.*, t. V, p. 349 y ss.

206. *Ibíd.*

207. Citado por Carlos Moore, *Le castrisme et l'Afrique noire, 1959-1972, op. cit.*, p. 624.

208. Hilda Gadea, *Años decisivos, op. cit.*, p. 211.

209. José Luis Llovio-Menéndez, *La vie secrète d'un révolutionnaire à Cuba, op. cit.*, p. 138.

210. Jorge Serguera, *Papito*, entrevista con el autor, La Habana, 1992.

211. *El Che en la revolución cubana, op. cit.*, t. V, p. 392.

212. Oswaldo Barreto, entrevista con el autor, París, 1992.

213. K. S. Karol, *Les guérilleros au pouvoir, op. cit.*, p. 370.

214. *Ibíd.*, p. 303.

215. Luis Alberto Lavandeyra, entrevista con el autor, París, 1991.

216. *El Che en la revolución cubana, op. cit.*, t. VI, p. 356.

217. Paco Ignacio Taibo II, *Ernesto Guevara también conocido como el Che, op. cit.*, p. 514.

218. *Ibíd.*

219. *El Che en la revolución cubana, op. cit.*, t. V, p. 355.

220. *Jeune Afrique*, 21.3.1965.

221. Mohamed Hassanein Heikal, *Les documents du Caire, op. cit.*, p. 223.

222. Ernesto Che Guevara, *Obras 1957-1967, op. cit.*, t. 2, pp. 367 y ss.

223. Oswaldo Barreto, entrevista con el autor, París, 1992.

224. Ernesto Che Guevara, *Obras 1957-1967, op. cit.*, t. 2, p. 574.

225. K. S. Karol, *Les guérilleros au pouvoir, op. cit.*, p. 298.

226. Philippe Robrieux, *Notre génération communiste, 1953-1968*, París, Robert Laffont, 1977, pp. 316-317.

227. Ernesto Che Guevara, *Obras 1957-1967, op. cit.*, t. 2, p. 382.

228. Citado en Jean-Jacques Nattiez, *Che Guevara, op. cit.*, pp. 175-176.

229. Mohamed Hassanein Heikal, *Les documents du Caire, op. cit.*, pp. 223 y ss.

230. Lofti El Kholi, entrevista con el autor, París/El Cairo, 1996.

231. Mohamed Hassanein Heikal, *Les Documents du Caire, op. cit.*, pp. 223 y ss.

232. Ernesto Che Guevara, *Obras 1957-1967, op. cit.*, t. 2, p. 367 y ss. Las citas siguientes se han extraído, todas ellas, de estas páginas.

233. Ricardo Rojo, *Mi amigo el Che, op. cit.*, p. 205.

234. René Dumont, en *Autrement, Cuba, 30 ans de révolution, op. cit.*, p. 56.

235. Jean Lartéguy, *Paris-Match*, n.° 958, 19.8.1967.

236. Raúl Roa-Kouri, entrevista con el autor, París, 1996.

237. Oswaldo Barreto, entrevista con el autor, París. 1992.

238. Fidel Castro, *Entretiens sur la religion avec Frei Betto, op. cit.*, p. 263.

239. Gianni Mina, *Habla Fidel*, Madrid, Mondadori, 1988, p. 312.

240. Ricardo Rojo, entrevista con el autor, París, 1992.

241. Ana María Erra, entrevista con el autor, La Habana, 1992.

242. Ricardo Rojo, *Mi amigo el Che, op. cit.*, p. 208.

243. Ricardo Rojo, entrevista con el autor, París, 1992.

244. *El Che en la revolución cubana, op. cit.*, t. V, p. 377 y ss.

245. José Luis Llovio-Menéndez, *La vie secrète d'un révolutionnaire à Cuba, op. cit.*, pp. 150 y ss.

246. Roberto Fernández Retamar, «Aquel poema», *Casa de las Américas, Che, op. cit.*, p. 46.

247. Pablo Neruda, *Crepusculario*, Barcelona, Planeta, 1990, p. 29.

248. Paco Ignacio Tabio II, *Ernesto Guevara también conocido como el Che, op. cit.*, p. 525.

249. *Ibíd.*

250. Alberto Granado, entrevista con el autor, La Habana, 1992.

251. En *Granma*, La Habana, 29 de octubre de 1967.

252. Orlando Borrego, entrevista con el autor, La Habana, 1992.

253. Raúl Maldonado, entrevista con el autor, Santiago de Chile, 1993.

254. Régis Debray, *Révolution dans la révolution?, op. cit.*, p. 18.

255. *Íd., Les Masques, op. cit.*, p. 54.

256. René Depestre, entrevista con el autor, París, 1992.

257. Paco Ignacio Taibo II, Froilán Escobar y Félix Guerra, *El año en que estuvimos en ninguna parte*, Buenos Aires, Ed. del Pensamiento Nacional, 1994, p. 10.

258. *Ibíd.*, p. 32.

259. Juana Carrasco, «Che en África», *Cuba International* (versión inglesa), n.° 3, marzo de 1989.

260. Ernesto Che Guevara, *Obras 1957-1967, op. cit.*, t. 2, p. 696.

261. *Íd., Obras 1957-1967, op. cit.*, t. 2, pp. 697-698.

262. René Dumont, *Cuba est-il socialiste?*, París, Seuil, 1970, p. 181.

263. Carlos Franqui, *Vida, aventuras y desastres de un hombre llamado Castro*, *op. cit.*, pp. 330-331.

264. Juana Carrasco, «Che en África», *art. cit.*

265. Jean-Pierre Clerc, *Fidel de Cuba*, *op. cit.*, pp. 312-313.

266. Max Marambio, entrevista con el autor, Santiago de Chile, 1993.

7. «*Tatú*» en el Congo

1. Hergé, *Tintin au Congo*, Tournai, Casterman, 1946, p. 9. (La primera edición remonta a 1930.)

2. *Granma*, La Habana, 9 de octubre de 1987, p. 4.

3. Paco Ignacio Taibo II, Froilán Escobar y Félix Guerra, *El año en que estuvimos en ninguna parte, op. cit.* Todas las citas sin referencia del capítulo se han extraído de esta obra.

4. Tad Szulc, *Castro, trente ans de pouvoir absolu, op. cit.*, p. 516.

5. Ricardo Rojo, entrevista con el autor, París, 1992.

6. Carlos Moore, *Le castrisme et l'Afrique noire 1959-1972, op. cit.*, pp. 530-531.

7. *Le Monde*, París, 13 de noviembre de 1996.

8. Ernesto Che Guevara, *Cartas inéditas, op. cit.*, p. 22.

9. Elisabeth Lagache, entrevista con el autor, París, 1992.

10. Dariel Alarcón Ramírez, *Benigno*, entrevista con el autor, París 1996.

11. Ernesto Guevara, *El cachorro asesinado*, La Habana, Letras Cubanas, 1978.

12. Citado en Hervé Hamon y Patrick Rotman, *Génération*, t. 1, *Les années de rêve*, París, Seuil, 1987, p. 287.

13. Fidel Castro, *Entretiens sur la religion avec Frei Betto, op. cit.*, p. 264.

14. Gianni Mina, *Habla Fidel, op. cit.*, p. 314.

15. Dariel Alarcón Ramírez, *Benigno*, entrevista con el autor, París, 1996.

16. *Ibíd.*

17. Carlos Moore, *Le castrisme et l'Afrique noire 1959-1972, op. cit.*, pp. 713-714.

18. Dariel Alarcón Ramírez, *Benigno,* entrevista con el autor, París, 1996.

19. «Benigno» (Dariel Alarcón Ramírez), *Vie et Mort de la Révolution cubaine, op. cit.*, p. 111.

20. Elisabeth Burgos, entrevista con el autor, París, 1992.

21. Carlos Franqui, entrevista con el autor, Monte Catini, 1991.

22. Oswaldo Barreto, entrevista con el autor, París, 1992.

23. Pierre Kalfon y Jacques Leenhardt, *Les Amériques Latines en France*, París, Gallimard, 1992, pp. 87 y ss.

24. Albert-Paul Lentin, *La lutte tricontinentale*, París, François Maspero, 1966, p. 43.

25. *Le Monde* (artículo de Marcel Niedergang), París, 11.10.1967.

26. Ulises Estrada, entrevista con el autor, La Habana, 1992.

27. Paco Ignacio Taibo II, *Ernesto Guevara también conocido como el Che, op. cit.*, p. 610.

28. Gianni Mina, *Habla Fidel, op. cit.*, p. 314.

29. Ernesto Che Guevara, *Obras 1957-1967, op. cit.*, t. 2, p. 694.

30. Ulises Estrada, entrevista con el autor, La Habana, 1992.

31. *Ibíd.*

32. *Ibíd.*

33. *Ibíd.*

34. Gianni Mina, *Habla Fidel, op. cit.*, p. 327.
35. Albert Camus, *Le mythe de Sisyphe*, París, Gallimard, 1958, p. 168.

8. Una temporada en el infierno

1. Gianni Mina, *Habla Fidel, op. cit.*, p. 315.
2. Dariel Alarcón Ramírez, *Benigno*, entrevista con el autor, París, 1996.
3. *Ibíd.*
4. *Ibíd.*
5. Dariel Alarcón Ramírez, *Benigno, Memorias de un soldado cubano*, Barcelona, Tusquets Ed., 1997, pp. 116-117.
6. Alfonso Gumucio-Dagron, *Bolivie*, París, Seuil, 1981, p. 40.
7. Saverio Tutino, *Il Che en Bolivia. Memorie di un cronista*, Roma, Editori Riuniti, 1996, p. 23.
8. Carlos Soria Galvarro, *Por primera vez, el verdadero diario de Pombo*, separata del diario *La Razón*, La Paz, 9.10.1996, p. 20.
9. *Ibíd.*, p. 19.
10. *Íd.*, *El Che en Bolivia. Documentos y testimonios*, La Paz, Cedoin, 1996, t. 4, *Los otros diarios y papeles*, p. 298.
11. Régis Debray, *Les Masques, op. cit.*, p. 66.
12. *Íd.*, *La guérilla du Che*, París, Seuil, 1974, p. 104.
13. «Benigno», *Vie et Mort de la Révolution cubaine, op. cit.*, p. 129.
14. Orlando Borrego, entrevista con el autor, La Habana, 1992.
15. «Benigno», *Vie et Mort de la Révolution cubaine, op. cit.*, pp. 131-132.
16. *Ibíd.*, p. 134.
17. Aleida March, entrevista con el autor, La Habana, 1992.
18. Carlos Franqui, *Retrato de familia con Fidel, op. cit.*, p. 449.
19. Dariel Alarcón Ramírez, *Benigno*, entrevista con el autor, París, 1996.
20. *Ibíd.*
21. *El Che en Bolivia* (tomo 5), *Su diario de campaña*. Esta edición, a cargo del historiador Carlos Soria Galvarro, ha sido publicada en marzo de 1996, en La Paz, Bolivia, después de una minuciosa verificación con el texto original conservado en la bóveda del Banco Central de La Paz. Todas las citas del diario de campaña de este capítulo se han extraído de este volumen.
22. Hilda Gadea, *Años decisivos, op. cit.*, p. 225.
23. *L'Express*, París, 9 de mayo de 1966.
24. Óscar Ortiz (secretario de Clotario Blest), entrevista con el autor, Santiago de Chile, 1993.
25. *La Prensa*, Buenos Aires, 9.3.1967.
26. *Primera Plana*, Buenos Aires, 17.10.1967.
27. Hugo Gambini, *El Che Guevara, op. cit.*, p. 461.
28. Óscar Ortiz, entrevista con el autor, Santiago de Chile, 1993.
29. *La Nación*, Buenos Aires, 22.1.1967.
30. «Diario de Morogoro», en Carlos Soria Galvarro, *El Che en Bolivia*, t. 4, *Los otros diarios y papeles, op. cit.*, p. 254.
31. «Diario de Pombo», en Carlos Soria Galvarro, *El Che en Bolivia*, t. 4, *Los otros diarios y papeles, op. cit.*, p. 61.
32. *Ibíd.*, p. 60.

33. *Ibíd.*, p. 65.

34. Dariel Alarcón Ramirez, *Benigno, Memorias de un soldado cubano*, op. cit., p. 135.

35. *Ibíd.*

36. *Ibíd.*, p. 130.

37. Claudia Korol, *El Che y los argentinos*, op. cit., pp. XIII-XV.

38. Carlos Soria Galvarro, *El Che en Bolivia*, La Paz, Cedoin, 1992, t. 1, *El PCB antes, durante y después*, p. 298.

39. *Ibíd.*, p. 147.

40. *Ibíd.*, p. 189.

41. Fidel Castro en *Punto Final*, Santiago de Chile, 7.12.1971 (discurso en San Miguel del 28.12.1971).

42. «Benigno», *Vie et Mort de la Révolution cubaine*, op. cit., p. 144. La anécdota, con más detalles, le fue contada al autor en París, en 1996.

43. Carlos Soria Galvarro, *El Che en Bolivia*, t. 4, *Los otros diarios y papeles*, op. cit., p. 289.

44. *Ibíd.*, t. 1, *El PCB antes, durante y después*, p. 207.

45. Humberto Vázquez Viaña y Ramiro Aliaga Saravia, *Bolivia. Ensayo de revolución continental*, documento mecanografiado inédito de 172 páginas, 1970, p. 30.

46. Carlos Soria Galvarro, *El Che en Bolivia*, t. 1, *El PCB antes, durante y después*, op. cit., p. 195.

47. Citado en Luis González y Gustavo Sánchez Salazar, *Che Guevara en Bolivie*, París, Stock, 1969, p. 67.

48. Humberto Vázquez Viaña y Ramiro Aliaga Saravia, *Bolivia. Ensayo de revolución continental*, op. cit., p. 29.

49. *Ibíd.*, p. 30.

50. Carlos Soria Galvarro, *El Che en Bolivia*, t. 4, *Los otros diarios y papeles*, op. cit., p. 300.

51. *Ibíd.*, p. 290.

52. *Ibíd.*, p. 301.

53. *Ibíd.*, t. 1, *El PCB antes, durante y después*, p. 207.

54. Régis Debray, *La guérilla du Che*, op. cit., p. 123.

55. *Íd.*, *Les Masques*, op. cit., pp. 77-78.

56. En *Punto Final*, Santiago de Chile, 13.10.1970.

57. Ernesto Che Guevara, *Obras 1957-1967*, op. cit., t. 1, p. 132.

58. Carlos Soria Galvarro, *El Che en Bolivia*, t. 4, *Los otros diarios y papeles*, op. cit., p. 104.

59. *Ibíd.*, p. 150.

60. *Ibíd.*, p. 137.

61. *Ibíd.*, p. 157.

62. *Ibíd.*, p. 111.

63. Ernesto Che Guevara, *Obras 1957-1967*, op. cit., t. 2, p. 382.

64. «Benigno», *Vie et Mort de la Révolution cubaine*, op. cit., p. 150.

65. *Ibíd.*

66. Régis Debray, *Les Masques*, op. cit., pp. 69-70.

67. Luis González y Gustavo Sánchez Salazar, *Che Guevara en Bolivie*, op. cit., p. 73.

68. Ernesto Che Guevara, *Obras 1957-1967*, op. cit., t. 1, p. 132.

69. Carlos Soria Galvarro, *El Che en Bolivia*, t. 4, *Los otros diarios y papeles*, op. cit., p. 169.

70. Régis Debray, *Les Masques*, op. cit., p. 71.

71. «Benigno», *Vie et Mort de la Révolution cubaine*, op. cit., p. 163.

72. Régis Debray, entrevista con el autor, París, 1992.

73. *Ibíd.*

74. *Íd.*, *Les Masques*, op. cit., p. 73.

75. Dariel Alarcón Ramírez, *Benigno*, entrevista con el autor, París, 1996.

76. *Tania, la guerrillera inolvidable* es una colección de testimonios y relatos reunidos por dos periodistas cubanas, Marta Rojas y Mirta Rodríguez (con la colaboración de Ulises Estrada). Con una tirada de trescientos mil ejemplares, el libro fue publicado en La Habana (1970), por el Instituto del Libro.

77. Régis Debray, entrevista con el autor, París, 1992.

78. *Íd.*, *La guérilla du Che*, op. cit., p. 122.

79. Telegrama de Associated Press, publicado por el diario *El Mercurio*, Santiago de Chile, 28 de marzo de 1967.

80. Inti Peredo, *Mi campaña con el Che*, Santiago de Chile, Prensa Latinoamericana, 1971, p. 77.

81. Hervé Hamon y Patrick Rotman, *Génération*, t. 1, *Les années de rêve*, op. cit., p. 378.

82. Luis González y Gustavo Sánchez Salazar, *Che Guevara en Bolivie*, op. cit., p. 126.

83. *Ibíd.*, p. 129.

84. Saverio Tutino, *Il Che en Bolivia*, op. cit., p. 62.

85. Régis Debray, *Les Masques*, op. cit., pp. 95-96.

86. Luis González y Gustavo Sánchez Salazar, *Che Guevara en Bolivie*, op. cit., p. 151.

87. *Ibíd.*, p. 148.

88. Régis Debray, entrevista con el autor, París, 1992.

89. Luis González y Gustavo Sánchez Salazar, *Che Guevara en Bolivie*, op. cit., p. 158.

90. Régis Debray, *Les Masques*, op. cit., pp. 83 y 85.

91. Dominique Ponchardier, *La mort du condor*, París, Gallimard, 1976, pp. 305-306.

92. *Ibíd.*

93. Ernesto Che Guevara, *Obras 1957-1967*, op. cit., t. 2, pp. 584 y ss. Todas las citas del «Mensaje a los pueblos del mundo a través de la Tricontinental» se han extraído de esta edición cubana.

94. Frantz Fanon, *Les damnés de la terre*, op. cit., p. 104.

95. Albert Camus, *Caligula*, en *Théâtre, récits, nouvelles*, París, Gallimard, col. Bibliothèque de la Pléiade, 1963, p. 53.

96. Ernesto Che Guevara y Alberto Granado, *Latinoamericana, Journal de voyage*, op. cit., p. 137.

97. El diario de Pombo consta de dos partes. La primera (julio de 1966-mayo de 1967) fue publicada en Bolivia en 1969, a partir del texto encontrado por el ejército boliviano (y vendido al editor norteamericano Stein and Day, sin duda gracias a la mediación de la CIA); la versión más fiable de esta primera parte fue editada en La Paz por Carlos Soria Galvarro en 1996 (*El Che en Bolivia*, t. 4, *Los otros diarios y papeles*, op. cit. y *La Razón*, op. cit.). La segunda parte ha sido publicada en La Habana por Editora Política, en 1996 (Harry Villegas, *Pombo, un hombre de la guerrilla del Che*). El autor, ascendido a general, retomó retocándolas las notas de la segunda parte de su diario que habían sido conservadas por las autoridades chilenas en 1968.

98. Carlos Soria Galvarro, *El Che en Bolivia*, t. 4, *Los otros diarios y papeles*, op. cit., p. 143 y ss.

99. Dariel Alarcón Ramírez, *Benigno*, entrevista con el autor, París, 1996.

100. Domitila, *Si on me donne la parole*, París, François Maspero, 1981, pp. 119 y ss.

101. Ernesto Che Guevara, *Escritos y discursos. op. cit.*, t. 3, p. 223.

102. «Benigno» Dariel Alarcón Ramírez, *Benigno Memorias de un soldado cubano*, *op. cit.*, pp. 152-153.

103. Carlos Soria Galvarro, *El Che en Bolivia*, t. 4, *Los otros diarios y papeles*, *op. cit.*, pp. 291-295.

104. *Íd.*, *La Razón, El Che evalúa a sus hombres*, *op. cit.*, p. 7.

105. *Ibíd.*, p. 11.

106. «Benigno», *Vie et Mort de la Révolution cubaine*, *op. cit.*, pp. 165 y ss.

107. *Ibíd.*, p. 168.

108. *Marxismo Militante* (revista teórica del Partido Comunista Boliviano), La Paz, n.° 2, octubre de 1968, pp. 22-25.

109. Carlos Soria Galvarro, *El Che en Bolivia*, t. 4, *Los otros diarios y papeles*, *op. cit.*, p. 230.

110. Dariel Alarcón Ramírez, *Benigno*, entrevista con el autor, París, 1996.

111. Luis González y Gustavo Sánchez Salazar, *Che Guevara en Bolivie*, *op. cit.*, pp. 181-182.

112. *Ibíd.*, p. 183.

113. Régis Debray, *Loués soient nos seigneurs*, *op. cit.*, p. 194.

114. Mariano Rodríguez, *Ellos lucharon con el Che*, La Habana, Políticas, 1989, pp. 112-114.

115. Carlos Soria Galvarro, *Por primera vez, el verdadero diario de Pombo*, *op. cit.*, p. 14.

116. Régis Debray, *Contretemps, éloge des idéaux perdus*, París, Gallimard, col. Folio, 1992, p. 167.

117. Dariel Alarcón Ramírez, dit *Benigno*, et Mariano Rodríguez, *Les survivants du Che*, Mónaco, Éd. du Rocher, 1995.

118. Carlos Soria Galvarro, *El Che en Bolivia*, t. 4, *Los otros diarios y papeles*, *op. cit.*, p. 246.

119. Pombo, en *Granma*, La Habana, 8 de octubre de 1970.

120. Dariel Alarcón Ramírez, dit *Benigno*, et Mariano Rodríguez, *Les survivants du Che*, *op. cit.*, p. 14.

121. Herbert L. Matthews, *Fidel Castro*, *op. cit.*, p. 305.

122. Dariel Alarcón Ramírez, dit *Benigno*, et Mariano Rodríguez, *Les survivants du Che*, *op. cit.*, p. 16.

123. Dariel Alarcón Ramírez, *Benigno*, entrevista con el autor, París, 1997.

124. Gary Prado Salmón, *La guerrilla inmolada*, Santa Cruz, Punto y Coma SRL, 1987, p. 273.

125. Humberto Montenegro, entrevista con el autor, Santa Cruz, 1995.

126. *Ibíd.*

127. Gary Prado, entrevista con el autor, Londres, 1992.

128. *Íd.*, *op. cit.*, p. 195.

129. *Íd.*, entrevista con el autor, Londres, 1992.

130. *Ibíd.*

131. *Ibíd.*

132. *Íd.* entrevista con Jean-Pierre Clerc y Maurice Dugowson, Santa Cruz, 1997.

133. *Íd.* entrevista con el autor, Santa Cruz, 1995.

134. Félix I. Rodríguez y John Weisman, *Guerrero en la sombra*, Buenos Aires, Emecé, 1991, p. 178.

135. El relato de esos instantes ha sido reconstruido por el capitán Prado a partir de las conversaciones mantenidas con el coronel Zenteno y con ambos sargentos. No figura en su obra. Entrevistas con el autor, Londres, 1992, y Santa Cruz, 1995.

136. Dariel Alarcón Ramírez, dit *Benigno,* et Mariano Rodríguez, *Les survivants du Che*, *op. cit.*, p. 30.

137. Gary Prado Salmón, *La guerrilla inmolada*, *op. cit.*, p. 283.

138. *Íd.*, entrevista con el autor, Londres, 1992.

139. Testimonio obtenido por dos investigadores franceses, Jean-Luc Quémard y Cyrille Hanappe, Vallegrande, 1992.

140. John Berger, «Che Guevara mort», en *Les Lettres Nouvelles*, París, número especial, *Écrivains de Cuba*, París, diciembre de 1967-enero de 1968, p. 218.

141. Carlos Soria Galvarro, *El Che en Bolivia*, *op. cit.*, t. 2, p. 202.

142. Testimonio obtenido por dos investigadores franceses, Jean-Luc Quémard y Cyrille Hanappe, *op. cit.*

143. Ruben Sánchez Valdivia, entrevista con el autor, Cochabamba, 1995.

144. La hipótesis que se formula fue utilizada por Roberto Savio en la película *Inchiesta su un mito*, realizada por la RAI, Roma, 1973, y por Saverio Tutino, ex corresponsal de *L'Unità* (Roma) en La Habana, *Guevara al tempo di Guevara, 1957-1976*, Roma, Riuniti, 1996, p. 188.

145. Ted Córdova-Claure, entrevista con el autor, La Paz, 1995.

146. Luis González y Gustavo Sánchez Salazar, *Che Guevara en Bolivie*, *op. cit.*, p. 219.

147. Francisco Urondo, «Descarga», en *Cuba por argentinos*, Buenos Aires, Merlín, 1968, p. 82.

148. Luis Poirot, *Neruda, retratar la ausencia*, Santiago de Chile, Hachette-Los Andes, 1991, p. 146.

149. *Granma*, La Habana, ed. especial del 16.10.1967.

150. *Ibíd.*, ed. semanal en francés, 29.10.1967.

151. Pierre Goldman, *Souvenirs obscurs d'un juif polonais né en France*, París, Seuil, 1975, p. 65.

152. Régis Debray, «Les deux morts du Che», *Le Nouvel Observateur*, París, 10.10.1977.

153. *Le Monde*, París, 27.10.1967.

154. *Ibíd.*, 18.10.1967.

155. *Ibíd.*

156. Hervé Hamon y Patrick Rotman, *Génération*, t. 1, *Les années de rêve*, *op. cit.*, p. 384.

157. *Témoignage chrétien*, París, 24.8.1967.

158. Luis González y Gustavo Sánchez Salazar, *Che Guevara en Bolivie*, *op. cit.*, pp. 264 y ss.

159. *L'Express*, París, 11-17.1.1971.

160. Dariel Alarcón Ramírez, dit *Benigno,* et Mariano Rodríguez, *Les survivants du Che*, *op. cit.*, p. 33.

161. *Ibíd.*, p. 34.

162. *Ibíd.*, pp. 87-88.

163. Michèle Ray, entrevista con el autor, París, 1992.

164. *Le Monde*, París, 25.10.1968.

165. Hilda Gadea, *Años decisivos*, *op. cit.*, p. 231.

BIBLIOGRAFÍA

La bibliografía referente a Ernesto Che Guevara es inmensa e incompleta. Inmensa porque el personaje, por su singularidad, ha incitado a numerosísimos autores a publicar sus propias reflexiones o a reunir ciertos testimonios. Sin embargo son raras las obras que han evitado el prejuicio, hagiográfico en su mayor parte, o la requisitoria.

Incompleta porque los escritos del propio Guevara están lejos aún de haber sido hechos públicos en su totalidad. Numerosos textos inéditos del inveterado polígrafo duermen todavía un sueño incomprensible, treinta años después de su muerte.

Estos inéditos se encuentran en el antiguo domicilio familiar de los Guevara, en La Habana, transformado en Centro de Estudios (bastante confidencial), bajo la vigilancia de la señora Aleida March, viuda del héroe, o en los archivos del Departamento Histórico del Consejo de Estado y del Ministerio de las Fuerzas Armadas Revolucionarias, bajo el control de Raúl Castro.

Recuérdese a este respecto el testimonio de Carlos Franqui, incluido en la presente obra. Después de que el diario *Revolución*, que él dirigía, fuese suprimido en 1965 para fusionarse con *Hoy* y dar nacimiento a *Granma*, Carlos Franqui se vio «retirado» al Servicio de Archivos Históricos. Allí acudió, tras la muerte del Che, el propio Fidel Castro para entregar «cinco o seis sacos postales con lacre rojo» y «prohibición de abrirlos». Es probable que desde entonces el material haya sido ya clasificado y seleccionado, pero nada se ha publicado nunca salvo, y con ciertos «retoques», el relato del primer viaje latinoamericano de 1952, con Granado, al cuidado de Aleida March ayudada por María del Carmen Ariet. En este libro (cap. 7) hemos narrado la frustración que sentimos cuando, tras habernos confiado por unos momentos uno de los cuadernos de notas del Che en el Congo, Aleida March nos lo arrebató enseguida para devolverlo al marasmo de documentos amontonados en un gran archivador metálico, cerrado con llave, en una habitación desprovista de aire acondicionado y condiciones propicias para la conservación de los documentos.

En agosto de 1997, «año Che Guevara» en Cuba, un signo positivo se manifestó en La Habana. Con el patrocinio del Partido Comunista de Cuba y tras treinta y dos años de prohibición, se autorizó por fin la publicación de la totalidad del diario del Che en el Congo. Lo presenta y comenta el general cubano William Gálvez en un libro titulado: *El sueño africano del Che. ¿Qué pasó en la guerrilla congoleña?*

Obras

ACEVEDO, Enrique, *Descamisado*, La Habana, Cultura Popular, 1993.

AGUERO, Luis y otros, *Che comandante*, México, Diógenes, 1968.

ALARCÓN RAMÍREZ, Dariel, *Benigno*, y Mariano Rodríguez, *Les survivants du Che*, París, Éd. du Rocher, 1995 (Benigno, testigo de excepción, aporta precisiones inéditas sobre el período de preparación del comando en Cuba, sobre los subterfugios utilizados para entrar en Bolivia y, en particular, sobre la «temporada en el infierno» boliviano).

ALCÁZAR, José Luis, *Ñancahuazú, la guerrilla del Che en Bolivia* (sin mención de editor, fecha ni lugar de edición).

ALCÁZAR, José Luis y BALDIVIA, José, *Bolivia: otra lección para América*, México, Era, 1973.

ALEMÁN, José Guerra, *Barro y cenizas*, Madrid, Fomento Editorial, 1971.

ALMEIDA BOSQUE, Juan, *Por las faldas del Turquino*, La Habana, Política, 1992.

ALMEYRA, G. y SANTARELLI, E., *Che Guevara, il pensiero ribelle*, Bussalengo, Italia, Demetra, 1996.

ANDERSON, Jou Lee, *Che Guevara, a revolutionary life*, Nueva York, Grove Press, 1997.

ARGUEDAS, Alcides, *Raza de bronce*, Buenos Aires, Losada, 1945.

ARIET, María del Carmen, *Che. Pensamiento político*, La Habana, Política, 1988 (esta historiadora cubana, situándose en la línea de la hagiografía oficial es, que sepamos, la única que ha tenido acceso al texto inédito del *Diccionario filosófico* y del diario que llevó Guevara en su segundo viaje de juventud por América Latina).

ARNAUD, Georges, *Indiens pas morts*, Zurich, Robert Delpire, 1956.

ARON, Raymond, *Penser la guerre*, París, Gallimard, 1976.

Atti del convegno di Urbino, *Ernesto Guevara, la storia, la memoria*, Roma, *Rivista Latinoamerica*, 1989.

BAYO, Alberto, *Mi aporte a la Revolución cubana*, La Habana, Ejército Rebelde, 1960.

BEAUVOIR, Simone de, *La force des choses*, París, Gallimard, 1963.

BENEMELIS, Juan F., *Castro: subversâo e terrorismo em Africa*, Lisboa, Europress, 1986.

«Benigno» (Dariel Alarcón Ramírez), *Vie et Mort de la Révolution cubaine*, París, Fayard, 1996 (en esta rápida autobiografía, escrita tras su ruptura con el castrismo, el *guajiro* de la Sierra Maestra, convertido en coronel, proporciona numerosos elementos de primera mano sobre la abortada guerrilla del Che en el Congo, sobre la falta de preparación de los bolivianos antes de la llegada del Che a su país, así como su opinión sobre los otros dos supervivientes cubanos de la guerrilla boliviana). La editorial Tusquets, Barcelona, ha publicado en 1997 la versión original en español de este relato, con una introducción de Elisabeth Burgos, quien corrigió numerosos errores de la traducción francesa y ordenó cronológicamente la narración. La edición de Tusquets se intitula *Memorias de un soldado cubano*.

BETTELHEIM, Charles, *La transition vers l'économie socialiste*, París, François Maspero, 1970.

BOORSTEIN, Edward, *The Economic Transformation of Cuba*, Nueva York, Monthly Review Press, 1968.

BRUCKNER, Pascal, *Le sanglot de l'homme blanc. Tiers monde, culpabilité, haine de soi*, París, Seuil, 1986.

CABRERA ÁLVAREZ, Guillermo, *Camilo Cienfuegos, el hombre de mil anécdotas*, La Habana, Política, 1989.

CABRERA INFANTE, Guillermo, *La Habana para un infante difunto*, Barcelona, Plaza & Janés, 1986;

—, *Tres tristes tigres*, Barcelona, Seix-Barral, 1988.

CAMARASA, Jorge, *Los nazis en la Argentina*, Buenos Aires, Legasa, 1992;

—, *Odessa al Sur*, Buenos Aires, Planeta, 1995 (esta obra aporta interesantes precisiones sobre la importancia de los europeos colaboradores y amigos de los nazis, refugiados en Argentina tras la derrota alemana, y recibidos por «comités de bienvenida» peronistas).

CAMUS, Albert, *Le mythe de Sisyphe*, París, Gallimard, 1958.

CAMUS, Marie-Hélène, *Lune de miel chez Fidel Castro*, París, Fayard, 1960.

CANTOR, Jay, *The Death of Che Guevara: a Novel*, Nueva York, Alfred Knopf, 1983.

CASTAÑEDA, Jorge, *La vida en rojo*, Buenos Aires, Espasa-Calpe, 1997.

CASTRO, Fidel, *Cuba et la Crise des Caraïbes*, París, François Maspero, 1963;

—, *Étapes de la révolution cubaine*, París, François Maspero, 1964;

—, *L'histoire m'acquittera*, La Habana, Guairas, 1967;

—, *Révolution cubaine* I y II, París, François Maspero, 1968;

—, *Entretiens sur la religion avec Frei Betto*, París, Le Cerf, 1986.

CAU, Jean, *Une passion pour Che Guevara*, París, Julliard, 1979.

Centro de estudios de historia militar, *De Tuxpan a La Plata*, La Habana, Política, 1985;

—, *Granma, compilación de documentos*, La Habana, Política, 1985.

Centro de estudios sobre América, *Pensar al Che*, La Habana, José Martí, 2 vols., 1989.

CÉSPEDES, Augusto, *Metal del diablo*, La Paz, Puerta del Sol, 1969.

CHÁVEZ ANTÚNEZ, Armando, *Del pensamiento ético del Che*, La Habana, Política, 1983.

CHAVIANO, Julio O., *La lucha en Las Villas*, La Habana, Ciencias Sociales, 1990.

CLERC, Jean-Pierre, *Fidel de Cuba*, París, Ramsay, 1988;

—, *Les quatre saisons de Fidel Castro*, París, Seuil, 1995.

COHEN-SOLAL, Annie, *Sartre 1905-1980*, París, Gallimard, 1985.

CONTENTÉ, Jean, *L'Aigle des Caraïbes*, París, Robert Laffont, 1978.

CORMIER, Jean, *Troisième Mi-temps*, París, Lincoln, 1991;

—, *Che Guevara*, París, Éd. du Rocher, 1995.

CORTÁZAR, Julio, *Los relatos, 3, Pasajes*, Madrid, Alianza Editorial, 1976 (en este volumen se encuentra la narración *Reunión*, que evoca la travesía del Che en el *Granma*).

CORTÁZAR, Julio y otros, *Cuba por argentinos*, Buenos Aires, Merlín, 1968.

COUFFON, Claude, *René Depestre*, París, Seghers, 1986.

CUPULL, Adys y GONZÁLEZ Froilán (esta pareja de cubanos se consagró a los menores detalles de la vida de Ernesto Guevara, sin abandonar la hagiografía oficial. Numerosos testimonios interesantes fueron así recogidos, pero la curiosidad de los autores no llegó hasta hablar con Aleida March, Fidel y Raúl Castro, ni intentar consultar los archivos mantenidos todavía en La Habana bajo cerrojo):

—, *De Ñancahuazú a La Higuera*, La Habana, Política, 1989;

—, *Ernestito vivo y presente*, La Habana, Política, 1989;

—, *La CIA contre le Che*, La Habana, Política, 1992;

—, *Un hombre bravo*, La Habana, Capitán San Luis, 1994;

—, *Cálida presencia, su amistad con Tita Infante*, Santiago de Cuba, Oriente, 1995.

DANIEL RODRÍGUEZ, Horacio, *Che Guevara, ¿aventura o revolución?*, Barcelona, Plaza & Janés, 1968.

DANIEL, Jean, *Le temps qui reste*, París, Stock, 1973.

DEBRAY, Régis (pocas son las obras de Régis Debray donde no se hace alguna referencia a Che Guevara. Los mejores testimonios figuran en *La guérilla du Che*, *Les Masques* y *Loués soient nos seigneurs*):

—, *Entretiens avec Allende sur la situation au Chili*, París, François Maspero, 1971;

—, *Escritos en la prisión*, México, Siglo XXI, 1972;

—, *Révolution dans la révolution? et autres essais*, París, François Maspero, 1972;

—, *La critique des armes*, París, Seuil, 1974;

—, *Les épreuves du feu*, París, Seuil, 1974;

—, *La guérilla du Che*, París, Seuil, 1974;

—, *Journal d'un petit-bourgeois entre deux feux et quatre murs*, París, Seuil, 1976;

—, *Les Masques*, París, Gallimard, 1987;

—, *Christophe Colomb, le visiteur de l'aube*, París, La Différence, 1991;

—, *Cours de médiologie générale*, París, Gallimard, 1991;

—, *Contretemps. Éloge des idéaux perdus*, París, Gallimard, col. Folio, 1992;

—, *Loués soient nos seigneurs*, París, Gallimard, 1996.

DESNOES, Edmundo, *Memorias del subdesarrollo*, Buenos Aires, Galerna, 1968.

DÍAZ, Jesús, *Los años duros*, La Habana, Juracán, 1968;

—, *Las iniciales de la Tierra*, Madrid, Alfaguara, 1987.

DRAPER, Théodore, *La Révolution de Castro, mythes et réalités*, París, Calmann-Lévy, 1963.

DUFOUR, Jean-Marc, *Révolution: capitale Cuba*, París, La Table Ronde, 1962.

DUMONT, René, *Cuba, socialisme et développement*, París, Seuil, 1964;

—, *Cuba est-il socialiste?*, París, Seuil, 1970.

EDWARDS, Jorge, *Persona non grata*, Barcelona, Círculo de Lectores-Barral, 1975.

ENZENSBERGER, Hans Magnus, *Mausolée*, Aix-en-Provence, Alinéa, 1987.

ESCOBAR, Froilán y GUERRA, Félix, *Che, sierra adentro*, La Habana, Política, 1988.

FANON, Frantz, *Peau noire, masques blancs*, París, Seuil, 1952;

—, *Les damnés de la terre*, París, François Maspero, 1966.

FERNÁNDEZ MONTES DE OCA, Alberto, *El diario de Pacho*, Santa Cruz, Bolivia, Punto y Coma, 1987 (prólogo y «edición» de Gary Prado).

FERRO, Marc, *Histoire des colonisations, des conquêtes aux indépendances, XIIIe-XXe siècle*, París, Seuil, 1994.

FLORES, María, *La femme au fouet*, París, Club Français du Livre, 1953.

FOGEL, Jean-François y ROSENTHAL, Bertrand, *Fin de siècle à La Havane, les secrets du pouvoir cubain*, París, Seuil, 1993.

FONTAINE, André, *Histoire de la guerre froide*, París, Seuil, col. Points Histoire, 2 vols., 1983.

FOUCAULT, Michel, *Les mots et les choses*, París, Gallimard, 1966.

FRANCO, Víctor, *La révolution sensuelle*, París, Grasset, 1962.

FRANCOS, Ania, *La fête cubaine*, París, Julliard, 1962.

FRANQUI, Carlos (este periodista cubano, partidario convencido del Movimiento 26 de Julio, exiliado voluntario desde 1968, dio en el *Journal de la révolution cubaine* y *Le livre des douze*, el más completo testimonio sobre la guerrilla de la Sierra Maestra. Sus demás obras la emprenden, sobre todo, contra Fidel Castro):

—, *Le livre des douze*, París, Gallimard, 1965;

—, *Journal de la révolution cubaine*, París, Seuil, 1976;

—, *Retrato de familia con Fidel*, Barcelona, Seix-Barral, 1981;

—, *Vida, aventuras y desastres de un hombre llamado Castro*, Barcelona, Planeta, 1988.

FRAYDE, Martha, *Écoute Fidel*, París, Denoël, 1987.

GABETTA, Carlos, *Argentine, le diable dans le soleil*, París, Atelier Marcel-Jullian, 1979.

GADEA, Hilda, *Años decisivos*, México, Aguilar, 1972 (la primera esposa del Che proporciona en este libro gran cantidad de informaciones que permiten reconstruir con cierta precisión la evolución de Ernesto Guevara, su «mutación radical», en Guatemala y México, entre 1954 y 1956).

GALEANO, Eduardo y otros, *Querido Che*, Madrid, Revolución, 1987.

GARNIER, Jean-Pierre, *Une ville, une révolution: La Havane*, París, Anthropos, 1973.

GAVI, Philippe, *Che Guevara*, París, Éditions Universitaires, 1970.

GONZÁLEZ, J. Luis y SALAZAR, Sánchez Gustavo, *Che Guevara en Bolivie*, París, Stock, 1969 (este libro, la mejor obra de síntesis sobre los inicios, el desarrollo y el final de la guerrilla del Che en Bolivia, sólo existe en versiones inglesa y francesa).

GONZÁLEZ-MATA, Luis M., *Las muertes del «Che» Guevara*, Barcelona, Argos-Vergara, 1980.

GONZÁLEZ, Marta A., *Bajo palabra*, La Habana, Venceremos, 1965.

GORZ, André, *Le traître*, París, Seuil, 1958.

GOSSET, Pierre y Renée, *L'adieu aux barbus*, París, Julliard, 1965.

GOTT, Richard, *Guerilla Movements in Latin America*, Nueva York, Double-day & Company, 1972.

GREENE, Graham, *Notre agent à La Havane*, París, Robert Laffont, 1959.

Grigulevich, Iósif, *Luchadores por la libertad de América Latina*, Moscú, Progreso, 1988.

GUEVARA, Ernesto Che, *El Che en la revolución cubana* (esta edición, en 7 tomos, no comercializada, de tirada limitada, fue realizada en La Habana por el Ministerio de la Industria Azucarera bajo el control de Orlando Borrego, probablemente a partir de 1966. Pero no hay en ella mención alguna de lugar ni de fecha);

—, *Cartas inéditas* (no se menciona lugar de edición), Ed. Sandino, 1967;

—, *Souvenirs de la guerre révolutionnaire*, prólogo de Robert Merle, París, François Maspero, 1967;

—, *Le Socialisme et l'Homme à Cuba*, París, François Maspero, 1967;

—, *Oeuvres I, Textes militaires*, París, François Maspero, 1968;

—, *Oeuvres II, Souvenirs de la guerre révolutionnaire*, París, François Maspero, 1968;

—, *Oeuvres, III, Textes politiques*, París, François Maspero, 1968;

—, *Oeuvres IV, Journal de Bolivie*, París, François Maspero, 1968 (una edición, enriquecida con un prólogo de François Maspero y con los trece días que faltaban, fue publicada por La Découverte, París, en 1995);

—, *Oeuvres V, Textes inédits*, París, François Maspero, 1972;

—, *Oeuvres VI, Textes inédits*, París, François Maspero, 1972;

—, *The «Complete» Bolivian Diaries of Che Guevara and Other Captured Documents*, introducción de Daniel James (ed.), Nueva York, New York Stein and Day, 1968;

—, *Obras 1957-1967*, La Habana, Casa de las Américas, 2 vols., 1977;

—, *Escritos y discursos*, La Habana, Ed. de Ciencias Políticas, 9 vols., 1985;

—, *Écrits d'un révolutionnaire*, París, La Brèche, 1987 (con los textos de Ernest Mandel y de Charles Bettelheim debatiendo sobre la economía de transición);

—, *Ernesto «Che» Guevara*, Juan Maestre Alfonso (ed.), Madrid, Ed. de Cultura Hispánica, 1988.

—, Unión de Periodistas de Cuba, *Che periodista*, La Habana, Pablo de la Torriente, 1988.

—, *Notas de viaje (tomado de su archivo personal)*, La Habana-Madrid, Abril-Sodepaz, 1992 (se advertirá que la «redacción» de esta obra, en la edición cubano-española, estuvo a cargo de la viuda del Che, señora Aleida March, que posee todavía parte importante de los manuscritos inéditos de su esposo).

GUEVARA Lynch, Ernesto, ... *Aquí va un soldado de América*, Buenos Aires, Sudamericana-Planeta, 1987;

—, *Mi hijo el Che*, La Habana, Arte y Literatura, 1988.

GUILBERT, Yves, *La poudrière cubaine. Castro l'infidèle*, París, La Table Ronde, 1961.

GUILLERM, Gérard, *Le péronisme, Histoire de l'exil et du retour*, París, Publications de la Sorbonne, 1989.

GUMUCIO-Dagron, Alfonso, *Bolivie*, París, Seuil, 1981.

GUTELMAN, Michel, *L'agriculture socialisée à Cuba*, París, François Maspero, 1967.

HABEL, Janette, *Ruptures à Cuba. Le castrisme en crise*, París, La Brèche, 1989.

HAMON, Hervé y ROTMAN, Patrick, *Génération*, tomo 1, *Les années de rêve*, París, Seuil, 1987 y 1988, y col. Points Actuel, 1990.

HARNECKER, Marta, *Cuba: dictature ou démocratie?*, París, François Maspero, 1975.

HASSANEIN HEIKAL, Mohamed, *Les documents du Caire*, París, Flammarion, 1972.

HERGÉ, *Tintin au Congo*, Tournai, Casterman, 1946. (Primera edición, 1930.)

HUBERMAN, Léo y SWEEZY M. Paul, *Cuba*, Buenos Aires-Montevideo, Palestra, 1968.

ICAZA, Jorge, *Huasipungo*, Buenos Aires, Losada, 1953.

JOSHUA, I., *Organisation et Rapports de production dans une économie de transition (Cuba)*, París, Sorbona, CEPS, 1968.

JOXE, Alain, *El conflicto chino-soviético en América Latina*, Montevideo, Arca, 1967.

JULIEN, Claude, *La révolution cubaine*, París, Julliard, 1961;

—, *L'Empire américain*, París, Grasset, 1968.

KALFON, Pierre, *Argentine*, París, Seuil, 1967.

KAROL, K. S., *Les guérilleros au pouvoir*, París, Robert Laffont, 1970 (obra de referencia, excelente análisis político de la evolución de la revolución cubana hasta 1970).

KENNEDY, Robert, *13 days. The Cuban Missile Crisis*, prólogo de Harold MacMillan, Londres, MacMillan, 1969.

KOROL, Claudia, *El Che y los argentinos*, Buenos Aires, Dialéctica, 1988 (obra de inspiración comunista y peronista de izquierdas, muy rica en testimonios sobre la argentinidad del Che).

LABREVEUX, Philippe, *Bolivia bajo el Che*, Buenos Aires, Colección Replanteo, 1968.

LACOUTURE, Jean, *De Gaulle*, tomo 3, *Le Souverain*, París, Seuil, 1986.

LAMORE, Jean, *Cuba*, París, Presses Universitaires de France, 1970.

LARA, Jesús, *Guerrillero Inti Peredo*, Cochabamba, Bolivia, Canelas, 1980.

LARTÉGUY, Jean, *Les guérilleros*, París, Presse Pocket, 1972.

LAVRETSKI, I., *Ernesto Che Guevara*, Moscú, Progreso, 1975.

LEENHARDT, Jacques y KALFON, Pierre, *Les Amériques Latines en France*, París, Gallimard, 1992.

LEMARCHAND, Philippe (dir.), *L'Afrique et l'Europe*, Bruselas, Complexe, 1994.

LEMOINE, Maurice, *Les 100 Portes de l'Amérique Latine*, París, Autrement, 1988;

— (dir.), *Cuba, 30 ans de révolution*, París, Autrement, 1989 (numerosos testimonios interesantes).

LENTIN, Albert-Paul, *La lutte tricontinentale*, París, François Maspero, 1966.

LINHART, Robert, *Le sucre et la faim*, París, Éd. de Minuit, 1980.

LLOVIO-MENÉNDEZ, José Luis, *La vie secrète d'un révolutionnaire à Cuba*, París, Ergo Press, 1989.

LOCKWOOD, Lee, *Castro's Cuba, Cuba's Fidel*, Nueva York, The MacMillan Company, 1967.

LÓPEZ-FRESQUET, Rufo, *My Fourteen Months with Castro*, Nueva York, World Publishing, 1966.

LOWY, Michael, *La pensée de Che Guevara*, París, François Maspero, 1970.

LUQUE ESCALONA, Roberto, *Yo, el mejor de todos*, Miami, Ed. Universal, 1994

LUX-WURM, Pierre, *Le péronisme*, París, R. Pichon y R. Durand-Auzias, 1965.

MACHOVER, Jacobo (dir.), *La Havane, 1952-1961. D'un dictateur l'autre: explosion des sens et morale révolutionnaire*, París, Autrement, 1994 (reconstrucción muy conseguida de una atmósfera habanera antes y después de la revolución).

MAESTRE ALFONSO, Juan, *El «Che» y Latinoamérica*, Madrid, Akal, 2 vols., 1979.

MAO TSE TUNG, *La guerra de guerrillas*, Buenos Aires, Huemul, 1963.

MARTINET, Gilles, *Les cinq communismes*, París, Seuil, 1971.

MARTÍNEZ ESTÉVEZ, Diego, *Ñancahuazú, apuntes para la historia militar de Bolivia*, La Paz, Computación y Proyectos, 1989.

MARTÍNEZ ESTRADA, Ezequiel, *Mi experiencia cubana*, Montevideo, El Siglo Ilustrado, 1965.

MARTÍNEZ HEREDIA, Fernando, *Che, el socialismo y el comunismo*, La Habana, Casa de las Américas, 1989.

MASETTI, Jorge Ricardo (padre), *Los que luchan y los que lloran*, Buenos Aires, Freeland, 1968.

MASETTI, Jorge Ricardo (hijo), *La loi des corsaires, itinéraire d'un enfant de la révolution cubaine*, París, Stock, 1993.

MASSARI, Roberto y MARTÍNEZ Fernando y otros, *Guevara para hoy*, Roma, Centro de Estudios sobre América-Erre Emme, 1994.

MATTHEWS, Herbert L., *Fidel Castro*, París, Seuil, 1970.

MENDOZA, Plinio, *La llama y el hielo*, Barcelona, Planeta, 1984.

MÉTRAUX, Alfred, *Les Incas*, París, Seuil, 1961.

MICHEL, François-Bernard, *Le souffle coupé*, París, Gallimard, 1984.

MICHON, Pierre, *Rimbaud le fils*, París, Gallimard, 1991.

MINA, Gianni, *Habla Fidel*, Madrid, Mondadori, 1988.

MOORE, Carlos, *Le castrisme et l'Afrique noire, 1959-1972*, tesis de Estado en etnología, inédita, Universidad de París-VII, 1983.

MOTTIN, Marie-France, *Cuba quand même. Vies quotidiennes dans la révolution*, París, Seuil, 1980.

NATAF André (dir.), *Dictionnaire du mouvement ouvrier*, París, Éditions Universitaires, 1970.

NATTIEZ, Jean-Jacques, *Che Guevara*, París, Seghers, 1970.

NERUDA, Pablo, *Résidence sur la terre*, París, Gallimard, 1972;

—, *Crepusculario*, Barcelona, Planeta, 1990;

—, *Confieso que he vivido*, Buenos Aires, Planeta, 1992.

NIEDERGANG, Marcel, *Les vingt Amériques Latines*, París, Seuil, 3 vols. 1969.

OPPENHEIMER, Andrés, *La hora final de Castro*, Buenos Aires, Javier Verga-ra, 1992.

ORSENNA, Erik y MATUSSIÈRE, Bernard, *Mésaventures du Paradis, mélodie cubaine*, París, Seuil, 1996.

PADILLA, Heberto, *La mauvaise mémoire*, París, Lieu Commun, 1991.

PARDO LLADA, José, *Fidel y el «Che»*, Barcelona, Plaza & Janés, 1988.

PARET, Peter y SHY, John, *Guerrilla y contraguerrilla*, Buenos Aires, Jorge Álvarez, 1964.

PEREDO, Inti, *Mi campaña con el Che*, Santiago de Chile, Prensa Latinoame-ricana, 1971.

POIROT, Luis, *Neruda, retratar la ausencia*, Santiago de Chile, Hachette-Los Andes, 1986.

PONCHARDIER, Dominique, *La mort du condor*, París, Gallimard, 1976.

PRADO SALMÓN, Gary, *La guerrilla inmolada. Testimonio y análisis de un protagonista*, Santa Cruz, Bolivia, Punto y Coma, 1987.

Première Conférence de l'Organisation latino-américaine de solidarité, París, François Maspero, 1967.

PROUST, Marcel, *Correspondance avec sa mère 1887-1905*, París, Plon, 1953.

QUENEAU, Raymond, *Loin de Rueil*, París, Gallimard, 1944.

ROBRIEUX, Philippe, *Notre génération communiste. 1953-1968*, París, Robert Laffont, 1977.

RODRÍGUEZ, Félix I. y WEISMAN, John, *Guerrero en la sombra*, Buenos Aires, Emecé Editores, 1991.

RODRÍGUEZ HERRERA, Mariano, *Ellos lucharon con el Che*, La Habana, Ed. de Ciencias Sociales, 1982;

—, *Con la adarga al brazo*, La Habana, Política, 1988.

ROJAS, Marta y RODRÍGUEZ, Mirta, *Tania, la guerrillera inolvidable*, La Ha-bana, Instituto del Libro, 1970.

ROJO, Ricardo, *Che Guevara. Vie et mort d'un ami*, París, Seuil, 1968.

ROUQUIÉ, Alain, *Amérique Latine, introduction à l'Extrême-Occident*, París, Seuil, 1987.

ROUSSET, David, *Une vie dans le siècle*, París, Plon, 1991.

SÁBATO, ERNESTO, *Uno y el universo*, Barcelona, Seix-Barral, 1982;

—, *Abaddón el exterminador*, Barcelona, Seix-Barral, 1988.

SALGADO, Enrique, *Radiografía del «Che»*, Barcelona, Dopesa, 1974.

SANTIBÁÑEZ, Abraham, *Los diarios secretos del Che*, Santiago de Chile, Arau-caria, 1984.

SARTRE, Jean-Paul, *Les mots*, París, Gallimard, col. Folio, 1964.

SAUCEDO PARADA, Arnaldo, *No disparen... soy el Che*, Santa Cruz de la Sierra, Bolivia, Oriente, 1987.

SAUVAGE, Léo, *Le cas Guevara*, París, La Table Ronde, 1971.

SCHNEIER-MADANES, Graciela (dir.), *Buenos Aires, port de l'extrême-Europe*, París, Autrement, 1987.

SELSER, Gregorio, *La CIA en Bolivia*, Buenos Aires, Hernández, 1970.

SEMIDEI, Manuela, *Les États-Unis et la révolution cubaine*, París, Armand Colin, 1968.

SINCLAIR, Andrew, *Che Guevara*, Barcelona, Grijalbo, 1972.

SORIA GALVARRO, Carlos, *El Che en Bolivia. Documentos y testimonios*, La Paz, CEDOIN, vol. 1, *El PCB antes, durante y después...* 1992; vol. 2, *Su último combate*, 1993; vol. 3, *Análisis y reflexiones*, 1994; vol. 4, *Los otros diarios y papeles*, 1996; vol. 5, *Su diario de campaña*, 1996 (debe rendirse homenaje al trabajo documental llevado a cabo por el autor y el equipo boliviano del CEDOIN por la seriedad y precisión con las que se reunió lo esencial de lo que, en Bolivia, se refiere a Ernesto Che Guevara. Es preciso también mencionar una separata publicada por Carlos Soria Galvarro en el diario *La Razón* de La Paz (9.10.1996), que incluye especialmente una evaluación, establecida por el propio Che, de cada uno de los combatientes de la guerrilla así como una reproducción del «verdadero diario de Pombo».

SZULC, Tad, *Castro, trente ans de pouvoir absolu*, París, Payot, 1987 (esta biografía está provista de numerosos datos y detalles que permiten apreciar mejor el papel desempeñado por el Che Guevara junto a Fidel).

TABLADA PÉREZ, Carlos, *El pensamiento económico de Ernesto Che Guevara*, La Habana, Casa de las Américas, 1987.

TAIBO II, Paco Ignacio, *La batalla del Che, Santa Clara*, La Habana, Política, 1989;

—, *Ernesto Guevara también conocido como El Che*, México, Planeta-Joaquín Mortiz, 1996.

—, Froilán Escobar, Félix Guerra, *El año en que estuvimos en ninguna parte*, Buenos Aires, Ed. del Pensamiento Nacional, 1994.

TEITELBOIM, Volodia, *Neruda*, París, l'Harmattan, 1996.

TODOROV, Tzvetan, *La conquête de l'Amérique, la question de l'autre*, París, Seuil, 1982.

TUTINO, Saverio, *L'Octobre cubain*, París, François Maspero, 1969;

—, *Guevara al tempo di Guevara*, Roma, Riuniti, 1996;

—, *Il Che in Bolivia. Memorie di un cronista*, Roma, Riuniti, 1996.

URIBE, Hernán, *Operación Tía Victoria*, Santiago de Chile, Emisión, 1987.

VALLADARES, Armando, *Prisonnier de Castro*, París, Grasset, 1979.

VALLS, Jorge, *Mon ennemi, mon frère. Cuba, 1952-1984*, París, Gallimard-L'Arpenteur, 1989.

VARGAS SALINAS, Mario, *El Che: mito y realidad*, La Paz, SEPA, 1987.

VÁSQUEZ DÍAZ, Rubén, *La Bolivie à l'heure du Che*, París, François Maspero, 1968.

VÁZQUEZ VIAÑA, Humberto, *Acerca de la publicación de «Mi campaña junto al Che» atribuida a Inti Peredo*, La Paz, 1971.

VÁZQUEZ VIAÑA, Humberto y ALIAGA SARAVIA, Ramiro, *Bolivia, ensayo de revolución continental*, París, texto inédito, 1970 (el documento, escrito por dos bolivianos que se presentan como miembros del Ejército de Liberación Nacional [ELN], aporta precisiones inéditas, de primera mano. Es la primera obra que cuestiona la pertinencia de las decisiones de Guevara en la dirección de su guerrilla en Bolivia).

VAYSSIÈRE, Pierre, *Les Révolutions d'Amérique latine* (XIXe-XXe), París, Seuil, 1991.

VERDÈS-LEROUX, Jeannine, *La Lune et le Caudillo, 1959-1971*, París, Gallimard, 1989.

VIETA, Ezequiel, *Mi llamada es...* La Habana, Letras Cubanas, 1982.

VILLAR-BORDA, Carlos, *Che Guevara, su vida y muerte*, Lima, Gráfica Pacific Press, 1968.

VILLEGAS, Harry, *Pombo, un hombre de la guerrilla del Che. Diario y testimonio inéditos, 1966-1968*, La Habana, Política, 1996.

VIVÉS, Juan, *Les Maîtres de Cuba*, París, Robert Laffont, 1981.

VUSKOVIC, Pedro y ELGUETA, Belarmino, *Che Guevara en el presente de América Latina*, La Habana, Casa de las Américas, 1987.

Diarios y periódicos

Los diarios y periódicos que hablan de Ernesto Che Guevara, son infinitos: cada año aparecen decenas de artículos en el mundo. Una lista exhaustiva quedaría siempre inconclusa. Los artículos citados como referencia en la presente obra no son sino una tentativa que revela el interés de los medios de comunicación por un personaje que no ha dejado de despertar la curiosidad del público.

Filmografía

Siendo tan numerosos los programas de televisión sobre el Che Guevara, sólo mencionaremos las principales películas cinematográficas (35 mm) que tienen como tema la figura del mítico héroe. La mayoría han sido producidas en Cuba por el ICAIC (Instituto Cubano de Artes e Industrias Cinematográficas), por lo general en forma documental.

ÁLVAREZ, Santiago, *Hasta la victoria siempre*, 35 min., 1967 (Cuba).

HERRERA, Manuel, *El llamado de la hora*, 35 min., 1969 (Cuba).

FLEISCHER, Richard, *Che*, con Omar Sharif (Che) y Jack Palance (Fidel Castro), largometraje de ficción, 96 min., 1969 (Estados Unidos).

GIRAL, Sergio, *Un relato sobre la columna cuatro*, 45 min., 1972 (Cuba).

HERNÁNDEZ, Bernabé, *Che, comandante amigo*, 17 min., 1977 (Cuba).

ROJAS, Orlando, *Viento del pueblo*, 17 min., 1979 (Cuba).

CHASKEL, Pedro, *Una foto recorre el mundo*, 13 min., 1981 (Cuba).

—, *Che, hoy y siempre*, 11 min., 1982 (Cuba).

BIRRI, Fernando, *Mi hijo el Che*, 70 min., 1985 (Cuba). La película utiliza gran parte de lo que rodó el propio Ernesto Guevara Lynch sobre la infancia de su primogénito, el futuro Che.

DINDO, Richard, *Ernesto Che Guevara, le journal de Bolivie*, 92 min. (Francia).

El trigésimo aniversario de la muerte del Che (octubre de 1997) dio lugar a varios proyectos cinematográficos dirigidos, esencialmente, por argentinos (Luis Puenzo, Tristán Bauer, Aníbal di Salvo), italianos (Ettore Scola, Giuseppe Ferrara), británicos (Michael Radford) o estadounidenses (Steven Spielberg).

Basada en la presente obra y con participación del autor en el guión, una película de largometraje documental (90 min.) ha sido realizada en Francia, en 1997 por Maurice Dugowson con el título: «El Che» (investigación sobre un hombre de leyenda). Existen vídeos de esta película en versión francesa y española.

AGRADECIMIENTOS

Este libro nació de una idea de Patrick Rotman, en casa de Fabienne Servan-Schreiber, una noche de 1991 en París. Sean ellos los primeros en recibir mi agradecimiento.

Quiero expresarlo igualmente:

— a quienes con generosidad me permitieron buscar en sus bibliotecas para reunir la documentación de partida: Pierre Wiazemsky, Jean Mendelson, Borja Huidobro, Huguette Faget, Alain y Cecilia Joxe, Richard Gott, Philippe Gavi, Raúl Maldonado, Raúl Roa-Kouri;

— a quienes a lo largo de seis años de investigación me proporcionaron un nuevo indicio, una fotografía poco conocida, una película de vídeo, un recorte de periódico, un punto de vista interesante, un libro recién publicado o una obra agotada. Son numerosos en el mundo:

— Argelia: Serge Michel;

— Argentina: Jolie Gil Cazalis, Miguel Canale, Héctor Yánover, Daniel Divinsky, Paul Zimmerlin, Osvaldo Soriano;

— Bélgica: Jules-Gérard Libois, Benoît Verhaegen, Jean Van Lierde;

— Bolivia: Alfonso Gumucio-Dagron, Carlos Soria Galvarro, Loyola Guzmán, Gustavo Sánchez Salazar, Ruben Sánchez Valdivia, Ted Córdova-Claure, Carlos Carrasco, Freddy Alborta;

— Chile: Nancy Henríquez, Mónica Echeverría, Amalia Chaigneau, Antonio Schneider, Isidoro Guelfenbein;

— Cuba: Hilda Guevara Gadea, Alfredo Guevara, Antonio Núñez Jiménez, Ana María Erra, Aurelio Alonso, Marta Rojas, Marta Harnecker, Adys Cupull y Froilán González, Miria Contreras, Jean-Claude y Xenia Barousse, Jean-Louis Pandelon, Jeanne Texier;

— España: Christian Pauly;

— Estados Unidos: Lou Rosof;

— Francia: Janette Habel, François Maspero, Elisabeth Lagache, Albert-Paul Lentin, Paz Espejo, Jean Harzic, Pierre Carles, Monique Darrigade, José Maldavsky, Henri Robillot, Jean-François Fogel, Jean-Luc Quémard, Cyrille Hanappe, Rémi Lenoir, Patrice Barrat;

— Gran Bretaña: Sophie Benson, Richard Gott;

— Italia: Saverio Tutino, Moreno Montomoli, Marie-Pierre Kalfon, Roberto Savio;

— México: Philippe Chéron;

— Suiza: Richard Dindo;

— Uruguay: Violette Faro Hanoun, Ernesto González Bermejo.

Doy especialmente las gracias a quienes me ilustraron en los problemas de salud de un asmático alérgico, los doctores Jean-Christian Bazin y Nicole Frey, el profesor de medicina Olivier Blétry, así como a quienes me permitieron acceder a una documentación preciosa y precisa: Michel Tatu, del diario *Le Monde*; Geneviève Dreyfus-Armand, conservadora de la Biblioteca de Documentación Internacional Contemporánea, París-Nanterre; Jean Canet, responsable de las tesis en la Biblioteca de Ciencias Humanas de la Universidad de París-VII; Jérôme Kalfon, conservador de la Biblioteca Universitaria de París-V.

Mi particular agradecimiento para Colette Vacquier —primera lectora que con abnegación y desinteresadamente «trató» el texto durante un año y medio—, así como a quienes lo leyeron y enriquecieron con sus pertinentes observaciones: Simonne Lacouture, Jean-Pierre Clerc, Elisabeth Burgos, Jean Mendelson, Nicole Kervévan.

Para corregir y revisar la traducción al español de este libro me ayudaron Darío Méndez, Juan Carlos Mondragón, Elisabeth Burgos, Carlos Gabetta y Emma Gumucio a los cuales deseo manifestar mi sincera gratitud.

Finalmente, esta obra carecería de sustancia si no se hubiera apoyado en los testimonios de quienes aceptaron prestarse al ejercicio, incómodo a veces, de las entrevistas, transcritas siempre por Valérie Kalfon. Doy calurosamente las gracias a quienes aceptaron concederme una parte de su tiempo: Dariel Alarcón Ramírez (*Benigno*), Néstor Almendros, Miguel Ayoroa, Oswaldo Barreto, Orlando Borrego, León Bouvier, Elisabeth Burgos, Guillermo Cabrera Infante, Carmen Córdova, Fernando Córdova, Ted Córdova-Claure, Julia Cortéz, Régis Debray, René Depestre, Hernán Donaire, Ulises Estrada, Ana María Erra, Carlos Ferrer (*Calica*), Carlos Franqui, Rogelio García Lupo, Armand Gatti, Alberto Granado, Alfredo Guevara, Norma Guevara, Roberto Guevara de la Serna, Michel Gutelman, Loyola Guzmán, Janette Habel, Carlos Jorquera, Lofti El Kholi, Elisabeth Lagache, Marita Lamarca, Luis Alberto Lavandeyra, Néstor Lavergne, Raúl Maldonado, Max Marambio, Aleida March, Alberto Martínez, Jorge Masetti, Miriam Merzouga, Serge Michel, Humberto Montenegro, Antonio Núñez Jiménez, Enrique Oltuski, Óscar Ortiz, Omar Pérez, Gary Prado, Rolando Prats, Michèle Ray, Roberto Fernández Retamar, Raúl Roa-Kouri, Carlos Romeo, Ricardo Rojo, Gustavo Sánchez Salazar, Ruben Sánchez Valdivia, Hernán Sandoval, Roberto Savio, Jorge Serguera (*Papito*), Mario Terán.

Que me perdonen aquellos que hubiera (involuntariamente) podido olvidar.

ÍNDICE ONOMÁSTICO

Los números en *cursiva* remiten
a las páginas de ilustraciones

Lartéguy, Jean 443
Larumbe, Adalberto 66
Las Casas, padre 200
Lataste, Alban 305
Latour, René 235
Laurent, Julio 185
Lautréamont 109
Lavalle, juez 168
Lavergne, Néstor 368, 369
Lawrence, T. E. 295
Lechín, Juan (el Turco) 114, 115, 517
Le Corbusier 308
Leiva, Elena 129
Lenin 44, 142, 269, 282, 283, 323, 405, 557, 605
Liberman 419
Linch of Lyndicam, Patrick, capitán 29
Liniers, Santiago de 31
Liu Chao-chi 333, 431, 432
Llovio-Menéndez, José Luis 431, 449
Lobo, Julio 182
Lockwood, Lee 259
London, Jack 44, 75, 184
López, Antonio (Ñico) 130, 133, 147, 152, 154, 156, 180, 185
López, Lilia Rosa 415
López-Fresquet, Rufo 266
Lowy, Michael 283
Ignacio de Loyola, san 538
Lozada (el Gaucho) 33
Lumumba, Patrice 328, 422, 427, 433, 461, 492, 498
Lyautey, mariscala 361
Lynch, Ana Isabel 23, 27, 29, 30, 43, 63
Lynch, Charles 29
Lynch, Hugo de, señor de Normandía 29
Lynch, James de 29
Lynch, Justo 29
Lynch, Patricio 29
Lynch, Raúl, contralmirante 179
Lynch, Walter de 29

MacArthur, general 295
Maceo, Antonio, general (el Titán) 156, 201, 243, 278
MacMillan, Harold 377

Machado, Antonio 45, 421
Machado, José Ramón 223, 486
Machado, general 202, 265
Machín, comandante (Alejandro) 513, 521, 536, 543, 547, 552, 27
Madame de Warens 56
Maimura, Freddy 574
Makeba, Myriam 507
Malcolm X 426
Maldonado, Raúl 305, 306, 368, 450
Malmierca, camarada 374
Malraux, André 65, 295
Mancilla, Anastasio 367
Mandel, Ernest 283, 406, 449
Mandl 49
Mann, Thomas 9
Manresa (secretario del Che) 304, 430, 444
Mansilla, Lucio V. 87, 88
Mantegna 594, 595, 28
Manzi, Homero 37, 70
Mao Tse Tung 136, 165, 225, 236, 304, 323, 335, 354, 368, 432, 442, 545, 552, 560, 11
Marambio, Max 455
Marechal 137
March, Aleida 117, 251, 252, 270, 275, 280, 288, 289, 294, 304, 306, 330, 331, 336, 386, 391, 396, 437, 442, 471-473, 489, 500, 501, 503, 507, 522, 565, 10, 17
María (anciana asmática) 159
María Luisa (tía paterna del Che) 359
Mariátegui, José Carlos 119
Marinello, Juan 325
Mark, Hermann 267
Márquez, Juan Manuel 168
Márquez, segundo comandante 185
Martí, José (el Apóstol) 110, 154, 156, 157, 163, 178, 199, 201, 203, 210, 273, 278, 282, 320, 322, 377, 464, 511
Martínez, Alberto 305, 367
Martínez Casso, doctor 594, 596
Martínez Tamayo, José María (Papi; M'Bili; Ricardo) 459, 460, 482, 494, 495, 497, 500, 507, 508, 513, 517-520, 524, 528, 532, 533, 542, 567, 570, 26

Índice onomástico

ÍNDICE